Pratiques en santé communautaire

Sous la direction de

Gisèle Carroll

Pratiques en santé communautaire

Sous la direction de Gisèle Carroll

Édition : Michel Poulin
Coordination : Lina Binet
Révision linguistique : Sylvain Archambault, Suzanne Delisle
Correction d'épreuves : Lucie Lefebvre, Yvan Dupuis
Infographie : Yvon St-Germain
Conception graphique : Christian L'Heureux

Catalogage avant publication de Bibliothèque et Archives Canada

Vedette principale au titre :

Pratiques en santé communautaire

Comprend des réf. bibliogr.

ISBN 2-7650-1045-5

1. Santé publique – Canada. 2. Santé, Services communautaires de – Canada. 3. Soins médicaux préventifs – Canada. 4. Promotion de la santé – Canada. 5. Santé publique. I. Carroll Gisèle.

RA449.P72 2005 362.1'0971 C2005-941738-2

5800, rue Saint-Denis, bureau 900
Montréal (Québec) H2S 3L5 Canada
Téléphone : 514 273-1066
Télécopieur : 514 276-0324 ou 1 888 460-3834
info@cheneliere.ca

ISBN 2-7650-1045-5

Dépôt légal : 1er trimestre 2006
Bibliothèque nationale du Québec
Bibliothèque nationale du Canada

Imprimé au Canada

4 5 6 7 8 ITG 16 15 14 13 12

Nous reconnaissons l'aide financière du gouvernement du Canada par l'entremise du Fonds du livre du Canada (FLC) pour nos activités d'édition.

Chenelière Éducation remercie le gouvernement du Québec de l'aide financière qu'il lui a accordée pour l'édition de cet ouvrage par l'intermédiaire du Programme de crédit d'impôt pour l'édition de livres (SODEC).

Tableau de la couverture :
Vive le temps du bon vin
Œuvre de **Miyuki Tanobe**

En 1959, Miyuki Tanobe obtient des diplômes de professeur de dessin et de peinture pour enfants et adultes à la célèbre École des Beaux-Arts de l'Université de Tokyo (Gei-dai). En 1962, elle s'inscrit à l'École supérieure nationale des Beaux-Arts de Paris.

En 1971, elle s'installe à Montréal, où elle s'attarde à peindre la vie simple, fruste, mais intense de l'ouvrier canadien-français. Depuis 1972, les toiles de Tanobe ne cessent de représenter des scènes caractéristiques de notre vie.

Les œuvres de l'artiste sont exposées dans plusieurs galeries, dont la Galerie Jean-Pierre Valentin, à Montréal.

Avant-propos

Étant donné les changements importants survenus dans les systèmes de soins de santé en Amérique du Nord, les infirmières sont amenées de plus en plus à travailler en santé communautaire. Leurs rôles se sont diversifiés dans plusieurs domaines, dont ceux de l'éducation en santé, de la promotion de la santé et de la prévention des maladies et des blessures. Plusieurs types d'interventions sont mises en place afin de soutenir les citoyens de tous âges dans leurs efforts pour maintenir ou améliorer leur santé. Les programmes communautaires visent la prévention de divers problèmes importants, entre autres, la transmission du VIH, des MTS et des autres maladies contagieuses, la grossesse chez les adolescentes, les risques liés à l'environnement ou au milieu de travail, l'usage du tabac, l'usage abusif de drogues et d'alcool, la violence et l'obésité.

Pour ces raisons, les programmes d'enseignement en soins infirmiers visent de plus en plus la préparation des infirmières afin qu'elles puissent travailler efficacement auprès des individus, des familles et des agrégats au sein même des communautés. Malheureusement, il n'existait jusqu'à présent, à ma connaissance, aucun manuel en français abordant ce champ d'études. C'est pour combler ce vide que cet ouvrage a été élaboré.

L'objectif principal de ce livre est de fournir aux futures infirmières, et aux étudiants de disciplines connexes, un ouvrage de base qui leur permettra d'acquérir de solides connaissances scientifiques et techniques dans les domaines de la promotion de la santé et de la prévention des maladies. Quant aux infirmières, aux travailleurs sociaux, aux promoteurs de la santé et à tous les autres professionnels qui œuvrent en santé communautaire et désirent mettre leurs connaissances à jour ou explorer de nouvelles avenues, ils pourront aussi tirer profit de ce manuel.

En plus de couvrir l'ensemble des principaux concepts, théories et pratiques à la base de la santé communautaire, cet ouvrage propose des outils aux infirmières et aux autres intervenants en santé communautaire pour les aider à assumer leurs responsabilités auprès des populations et des agrégats et à poursuivre leur travail auprès des familles et des individus. Bien que certains chapitres soient consacrés à la prévention des maladies infectieuses et chroniques, l'accent est mis principalement sur les nouvelles pratiques en promotion de la santé, notamment le changement de comportement, le marketing social, l'organisation communautaire, la communication et la politique dans le domaine de la santé.

*

* *

Je désire remercier toutes les personnes qui ont contribué à la réalisation de ce livre. Son élaboration et sa publication n'auraient pas été possibles sans la collaboration des coauteurs. Le partage de leurs connaissances et de leurs expertises en fait sa richesse.

J'adresse mes remerciements à Jacqueline Roy, qui a coordonné le projet à ses débuts avec adresse, ainsi qu'à Marie-Pierre Paquet et à Jean-Daniel Jacob, qui m'ont assistée dans la recherche de textes et la réalisation de certains chapitres.

Plusieurs personnes m'ont grandement aidée en acceptant de réviser un ou plusieurs chapitres. Leurs suggestions et leurs commentaires pertinents ont permis de clarifier et d'améliorer les textes. Pour ce travail, je tiens à remercier Denise Hébert, Isabelle St-Pierre, Sylvie Lauzon, Jocelyne Gadbois, Dave Holmes, Jacqueline Roy, Louise Dumas, Denise Moreau, Lucie Essiembre, Madeleine Clément, Isabelle Michel, François Lagarde, Nancy Langdon, Suzanne Nicholas, Céline Couturier, Lucie Couturier, Marthe Lavoie, Ginette Lazure, Anne-Marie Arsenault, Jacqueline Fortin et Micheline St-Hilaire. Je témoigne ma reconnaissance à Ginette Séguin-Roberge, infirmière chevronnée en santé communautaire, qui a révisé plusieurs chapitres et fourni des conseils judicieux sur leur contenu et leur présentation, ainsi qu'à Carole Clément, qui a fait une révision linguistique des chapitres et contribué à rendre le propos des auteurs clairs et concis. Enfin, je remercie toutes les personnes impliquées dans l'édition de cet ouvrage que j'aurais pu oublier de nommer et celles qui ont travaillé dans l'anonymat.

J'exprime également ma gratitude à Michel Poulin et à Lina Binet, de la maison d'édition Chenelière Éducation, pour leur appui et leurs conseils. Ils se sont montrés perspicaces, organisés et efficaces dans la coordination et la publication de ce manuel.

En terminant, j'aimerais remercier tous les membres de ma famille, en particulier ma fille Mèlika, pour leurs encouragements et leur soutien.

Gisèle Brisson-Carroll

Notes biographiques

Diane Alain

Diane Alain est diplômée de l'Université de Montréal en sciences infirmières et enseigne cette discipline à La Cité collégiale, à Ottawa. Elle détient une maîtrise en éducation de l'Université du Québec en Outaouais (UQO) ainsi qu'un diplôme d'études supérieures spécialisées en andragogie. Depuis quelques années, elle fait partie du projet de collaboration entre l'Université d'Ottawa et La Cité collégiale.

En 2004, elle a participé à la révision des lignes directrices des pratiques cliniques sur la dépression post-partum. De plus, elle a contribué à l'élaboration du manuel d'accompagnement du film *L'évaluation physique et psychosociale en post-partum* ainsi qu'à la révision du document cinématographique.

Présentement, elle est membre du comité de recherche sur les soins palliatifs à l'École des sciences infirmières et rédactrice de questions de l'examen national des candidates à la profession, une fonction qu'elle occupe depuis plusieurs années à l'Association des infirmières et infirmiers du Canada.

Parmi toutes ses activités professionnelles, celle liée à la famille a toujours occupé une place centrale, que ce soit en périnatalité, en oncologie, ou en soins de médecine générale ou de chirurgie.

Linda Bell

Linda Bell est professeure au Département des sciences infirmières de l'Université de Sherbrooke, où elle enseigne les soins infirmiers en périnatalité. Ses champs d'intérêt cliniques et de recherche portent principalement sur l'établissement de la relation parents-enfant au cours de la première année de vie de l'enfant. Elle a élaboré un modèle mettant en évidence les composantes de la relation parents-enfant ainsi que les différences entre l'expérience des mères et des pères dans l'établissement de cette relation. Elle mène présentement des travaux sur la dépression postnatale, l'allaitement maternel et l'évaluation des programmes de soutien aux jeunes parents.

Gisèle Carroll

Gisèle Carroll est professeure agrégée et vice-doyenne aux études à la Faculté des sciences de la santé de l'Université d'Ottawa. Outre ses fonctions universitaires, elle occupe un poste au sein du Service aux citoyens (section santé publique) de la ville d'Ottawa. Elle a à son actif plusieurs années d'expérience en soins maternels et infantiles dans divers milieux, particulièrement dans le milieu communautaire. Grâce à une collaboration étroite avec les infirmières de la région d'Ottawa œuvrant en santé, elle a participé à plusieurs projets en santé scolaire et en santé mère-enfant.

Sa carrière en enseignement a débuté en Tunisie, à l'École de santé d'Avicenne, où elle a enseigné les soins pédiatriques ainsi que les soins à la mère et au nouveau-né. Elle donne présentement des cours en santé communautaire et en santé internationale à l'Université d'Ottawa. Son intérêt pour la santé internationale se manifeste aussi par sa participation à l'implantation de projets d'échanges d'étudiants entre le Canada et des pays en développement.

Françoise Côté

Françoise Côté a fait un doctorat en santé publique spécialisé en promotion de la santé, sous la direction du Dr Gaston Godin. Actuellement, elle est professeure adjointe à la Faculté des sciences infirmières (FSI) de l'Université Laval. Elle enseigne la recherche ainsi que la promotion de la santé aux trois cycles universitaires. Elle participe activement à l'élaboration de nombreux outils pédagogiques et de cours en ligne. Elle est aussi codirectrice du Bureau de transfert et d'échange des connaissances (BTEC) de la FSI. En recherche, elle s'intéresse tout particulièrement à la mise en œuvre et à l'évaluation d'interventions devant mener à des changements de comportements selon les principes de l'intervention ciblée (*mapping intervention*).

Mme Côté contribue à la vie universitaire en tant que membre des Comités des examens synthèses du doctorat en santé communautaire, du programme de doctorat en santé communautaire et de la recherche à la FSI. Sur le plan communautaire, elle s'implique dans la réflexion devant conduire à la mise en place d'un service à bas seuil d'accessibilité pour les personnes utilisatrices de drogue par injection (PUDI). À l'occasion, elle travaille à titre de coopérante volontaire en Afrique pour l'organisme Entraide universitaire mondiale du Canada (EUMC) chapeauté par le programme canadien de coopération volontaire UNITERRA.

Ginette Coutu-Wakulczyk

Diplômée de l'École d'infirmières de l'Hôpital Notre-Dame en 1964, Ginette Coutu-Wakulczyk a fait carrière en santé publique à l'Unité sanitaire de Brome-Missisquoi et au Département de santé communautaire de Saint-Jean-sur-Richelieu durant ses quelque 20 premières années dans la profession, entrecoupées d'un stage au Nigeria de 1971 à 1973. Après ses études de deuxième cycle, et riche de cette expérience clinique en milieu multiculturel, de 1984 à 1986, elle a dirigé le département de la recherche de l'Association des infirmières et infirmiers du Canada. Ensuite, un nouveau volet s'est ajouté à sa carrière: l'éducation et la recherche. Ses études de troisième cycle terminées, elle a enseigné à l'Université Laurentienne de Sudbury, à l'Université de Sherbrooke et finalement à l'Université d'Ottawa.

Les domaines privilégiés de ses recherches sont la validation d'instruments de mesure en matière de santé touchant les familles, la santé mentale et la santé au travail. Le concept de la famille comme unité première de la société, la santé et la sécurité au travail et la méthodologie de la recherche ont été ses domaines d'enseignement principaux. Le domaine interculturel et le processus d'évaluation en matière de santé l'ont amenée à participer aux premières parutions du modèle de Purnell et à le faire connaître en français afin d'améliorer la qualité des soins auprès de populations ethniques. De nombreuses publications dans des revues scientifiques et de multiples présentations tant au Canada qu'à l'étranger couronnent une vie bien remplie.

Lucie Couturier

Lucie Couturier a obtenu son diplôme d'infirmière en 1972 à Edmundston, au Nouveau-Brunswick. L'Université de Moncton lui a décerné un baccalauréat en sciences infirmières en 1975 et un baccalauréat en éducation en 1989. Elle a obtenu une maîtrise en sciences infirmières de l'Université de Montréal en 1996. Elle a été infirmière de chevet aux soins intensifs et en médecine oncologique, infirmière en santé publique, infirmière-chef, éducatrice en formation continue en milieu hospitalier, directrice du service des soins infirmiers et professeure à l'université. Pendant quelques années, elle a œuvré en santé publique à Ottawa auprès des jeunes adultes, dans le contexte d'un programme de prévention des traumatismes liés à la consommation d'alcool et de drogues. Parallèlement à l'enseignement, elle poursuit maintenant sa pratique clinique à temps partiel dans une clinique de santé-sexualité de la même région.

Son expérience à titre d'infirmière clinicienne spécialisée en soins hospitaliers lui a permis d'appuyer les infirmières dans les soins complexes aux patients et d'agir comme consultante en prévention et soins des plaies de pression et soins aux stomisés. Elle a aussi travaillé avec une équipe à la préparation de plans de soins multidisciplinaires et du suivi systématique de la clientèle. Son intérêt pour les soins palliatifs et le deuil l'a amenée à animer des groupes d'entraide aux personnes en deuil pendant plusieurs années.

Clémence Dallaire

Détentrice d'un doctorat en sciences infirmières de l'Université de Montréal depuis 1997, Clémence Dallaire est actuellement professeure agrégée à la Faculté des sciences infirmières de l'Université Laval. Avant d'occuper ce poste, elle a acquis de l'expérience en tant qu'infirmière dans différents secteurs cliniques (psychiatrie, cardiologie, urgence et soins prolongés) et a été professeure entre autres au collégial.

Actuellement, elle enseigne, au premier cycle universitaire, le savoir infirmier, le leadership et la gestion des soins infirmiers et anime un séminaire de troisième cycle sur le savoir infirmier scientifique et un deuxième sur les politiques relatives à l'administration des services infirmiers. Elle s'intéresse au savoir infirmier, aux fonctions infirmières et à la dimension politique relative à l'administration des services infirmiers.

Mme Dallaire est l'auteure de nombreuses publications, dont une étude pour la commission Romanow, et coéditrice de deux volumes sur les soins infirmiers. Elle est codirectrice du Centre FERASI (Centre de formation et d'expertise en recherche en administration des services infirmiers) et une des responsables du Centre sur le transfert des connaissances de l'Université de l'Alberta.

Annie Devault

Annie Devault détient un doctorat en psychologie communautaire de l'Université du Québec à Montréal. Sa thèse reposait sur la comparaison entre les pères et les mères de familles monoparentales, les préoccupations des parents et leur recours au soutien social comme mécanisme d'adaptation à la monoparentalité. Depuis 1998, Mme Devault est professeure au Département de travail social et des sciences sociales de l'UQO. Le contenu de ses cours concerne la famille, le développement de l'enfant, la prévention et la promotion de la santé mentale, et l'intervention auprès des familles. Ses recherches portent sur la paternité, principalement sur l'intervention auprès des pères, l'engagement paternel des jeunes pères et la paternité dans des contextes d'exclusion sociale et économique.

Louis Favreau

Louis Favreau est organisateur communautaire et sociologue ainsi que professeur en travail social et en sciences sociales à l'UQO depuis 1986. Avant cela, il a été organisateur communautaire dans la région de Montréal pendant 20 ans. Outre sa spécialisation en organisation communautaire (dans le réseau de la santé et des services sociaux et dans le mouvement associatif), il a une connaissance approfondie du développement économique communautaire (économie sociale et insertion socioprofessionnelle). Il est aussi un expert de l'histoire et de la sociologie des mouvements sociaux (communautaire, syndical, coopératif) dans les régions du nord (surtout le Québec) et du sud (Amérique latine et Afrique). Dans le domaine de la sociologie économique, il étudie en particulier le développement des collectivités locales et régionales et les entreprises collectives (coopératives et OSBL).

M. Favreau est titulaire de la Chaire de recherche du Canada en développement des collectivités (CRDC). Il a été rédacteur en chef de la revue d'économie sociale *Économie et solidarité* et est collaborateur régulier à la revue de travail social *Nouvelles pratiques sociales*.

LUCIE FRÉCHETTE

Lucie Fréchette est docteure en psychologie et enseigne au Département de travail social et des sciences sociales de l'UQO. Elle dirige le Centre d'étude et de recherche en intervention sociale (CERIS). Son expertise dans les domaines de la prévention sociale, du développement des communautés, de la jeunesse et de la famille, du deuil et du développement international a donné lieu à de nombreuses recherches et publications.

FRANCE GAGNON

France Gagnon est détentrice d'un doctorat en science politique de l'Université Laval. Elle est professeure agrégée à la Télé-université, où elle assume la responsabilité du certificat en gestion des services de santé et des services sociaux. Elle s'intéresse à la santé publique depuis plusieurs années. Elle est également professeure associée au centre FERASI. De concert avec les professeurs Jean Turgeon (École nationale d'administration publique) et Clémence Dallaire (Université Laval), elle travaille au programme de recherche « Action concertée, concepts et méthodes pour l'analyse des actions gouvernementales pouvant avoir un impact sur la santé et le bien-être des populations », une des activités du Groupe d'études sur les politiques publiques et la santé (GEPPS).

DENISE GASTALDO

Denise Gastaldo détient un doctorat et est professeure agrégée à la Faculté des sciences infirmières de l'Université de Toronto. Elle est aussi associée au Département des sciences de la santé publique de l'Université de Toronto et au Département de nursing et de physiothérapie de l'Université des îles Baléares, en Espagne.

Par ses activités de chercheuse boursière, Denise Gastaldo veut politiser les pratiques de soins infirmiers et la production de connaissances dans un contexte international. Ses principaux domaines d'études sont le genre et la migration en tant que déterminants sociaux de la santé, les relations de pouvoir dans la promotion de la santé et les soins, et les perspectives théoriques dans le domaine des sciences infirmières.

Mme Gastaldo a coédité deux livres sur les méthodes de recherche qualitative en Amérique latine et a enseigné la méthodologie de recherche au Canada, au Brésil, en Espagne et en Australie. Elle dirige actuellement l'élaboration d'un programme de doctorat international en sciences infirmières. Elle enseigne, à la maîtrise et au doctorat, les soins infirmiers communautaires et la promotion de la santé, en particulier le développement communautaire et la théorie de l'habilitation (*empowerment*).

GASTON GODIN

Gaston Godin a obtenu un doctorat en santé communautaire spécialisé en sciences du comportement de l'Université de Toronto en 1983. Depuis ce temps, son domaine de recherche est celui de la promotion de la santé et plus spécifiquement celui des comportements liés à la santé.

M. Godin est professeur à l'Université Laval depuis 1976 et titulaire d'une chaire de recherche (financée par les Instituts de recherche en santé du Canada, IRSC) sur les comportements dans le domaine de la santé. Il a enseigné dans diverses universités à titre de professeur invité. Parmi ces institutions, mentionnons l'Université Harvard et les universités de Maastricht, de Sheffield et de Leeds.

Très actif dans divers regroupements de recherche, il est président de l'International Society for Behavioral Nutrition and Physical Activity pour l'année 2005-2006. Il est membre de la direction du Réseau SIDA/MI du Fonds de recherche en santé du Québec (FRSQ) à titre de responsable de l'axe prévention. Enfin, il est directeur scientifique d'une équipe de recherche en prévention du sida et de l'hépatite C.

M. Godin est l'auteur ou le coauteur de plus de 150 articles dans divers périodiques spécialisés. Il a tenu de nombreuses conférences au Québec et à l'étranger. Il a été membre de nombreux comités d'évaluation de programmes ou de demandes de subvention pour le compte de divers organismes. Il a aussi été juge pour de nombreuses publications scientifiques. Enfin, il a dirigé plusieurs étudiants à la maîtrise et au doctorat, et fait partie de comités d'évaluation d'études supérieures dans diverses universités canadiennes et européennes.

PIERRE GOSSELIN

Diplômé en médecine de l'Université Laval et en santé environnementale de l'Université de Berkeley, en Californie, Pierre Gosselin a pratiqué la médecine familiale, avant de se consacrer au domaine qu'il explore depuis 25 ans, soit la santé environnementale au sein du réseau de santé publique du Québec. Affilié au Centre hospitalier universitaire de Québec (CHUQ), il est professeur de clinique à l'Université Laval et dirige, depuis 1998, le Centre collaborateur de l'Organisation mondiale de la santé (OMS) pour l'évaluation et la surveillance des impacts sur la santé de l'environnement et du milieu de travail. Depuis 2001, il est conseiller scientifique en matière de surveillance et d'évaluation environnementales à l'Institut national de santé publique du Québec, où il coordonne les activités scientifiques liées aux changements climatiques. Il a été très actif au sein de groupes environnementaux et demeure ambassadeur de l'Union québécoise pour la conservation de la nature (UQCN). Ses travaux l'amènent à œuvrer avec l'Organisation panaméricaine de la santé, la Commission mixte internationale et la Commission de coopération environnementale, notamment pour le volet de la surveillance de la santé des enfants en rapport avec l'environnement. Il participe à plusieurs projets de recherche en géomatique et surveillance, ainsi que sur les changements climatiques dans l'Arctique et au Québec.

LOUISE HAGAN

Louise Hagan est professeure titulaire à la Faculté des sciences infirmières de l'Université Laval. Elle détient un doctorat en sciences de l'éducation, une maîtrise en épidémiologie et un baccalauréat en sciences infirmières. Elle enseigne dans le domaine de l'éducation pour la santé au premier et au deuxième cycle universitaire en sciences infirmières et en santé communautaire. Ses activités de recherche s'articulent autour de thématiques liées à l'évaluation de l'efficience et de l'efficacité des pratiques professionnelles du domaine de l'éducation pour la santé en CLSC et en centre hospitalier et du domaine des soins de première ligne.

DAVE HOLMES

Dave Holmes possède un doctorat en sciences infirmières de l'Université de Montréal. Il est actuellement professeur agrégé à l'École des sciences infirmières de l'Université d'Ottawa et infirmier-chercheur à l'Institut de recherche en santé mentale de l'Université d'Ottawa pour le programme de psychiatrie légale (Royal Ottawa Hospital). Pendant plusieurs années, il a exercé son travail de clinicien dans le milieu de la psychiatrie légale (hospitalier et communautaire) ainsi que dans le domaine de la santé publique. Ses intérêts de recherche portent principalement sur la question des rapports de pouvoir entre le personnel infirmier et les clientèles vulnérables et marginalisées. Il s'intéresse par ailleurs aux dispositifs de contrôle utilisés ou déployés par le personnel infirmier dans les milieux de soins. La plupart de ses recherches, analyses, commentaires et essais reposent sur une perspective poststructuraliste.

MONIQUE LABRECQUE

Monique Labrecque est professeure en santé communautaire à l'UQO. Elle détient un doctorat en éducation (mesure et évaluation), une maîtrise en éducation, une autre en sciences infirmières et un baccalauréat en santé publique. Ses champs d'intérêt en recherche sont la santé communautaire, l'évaluation de programmes ainsi que la qualité de vie des personnes âgées.

HÉLÈNE LACHAPELLE

Hélène Lachapelle est infirmière et professeure en sciences de la santé à l'Université du Québec à Rimouski (UQAR), au campus de Lévis. Elle a donné des ateliers de formation portant sur l'intervention en situation de crise auprès de la personne violentée durant plusieurs années. Elle a participé aux activités de la maison d'hébergement pour femmes violentées de Rimouski entre autres à titre de présidente du conseil d'administration et a travaillé à des dossiers dans le but d'améliorer la pratique des intervenants en milieu de travail. En collaboration avec Louise Forest, elle a publié, en 2002, le livre *La violence conjugale : développer l'expertise infirmière*. Actuellement, ses recherches portent sur l'intervention des professionnels dans les services de santé en matière de dépistage de la violence en santé communautaire et en soins critiques.

FRANÇOIS LAGARDE

François Lagarde possède un baccalauréat ès sciences et une maîtrise ès arts. Il est expert-conseil en marketing social et en communications depuis 1991. Plusieurs organisations québécoises, canadiennes, américaines et internationales (ministères et agences gouvernementales, fondations, ONG, institutions et entreprises) font appel à ses services, ce qui l'a amené à œuvrer dans nombre de domaines, notamment la santé publique et les soins de santé, le développement international, la philanthropie et l'environnement. De 1980 à 1991, il a travaillé pour plusieurs organismes voués à la promotion de la santé, dont ParticipACTION, où il a assumé durant sept ans diverses fonctions, notamment la vice-présidence et la coordination de l'ensemble des campagnes publicitaires.

M. Lagarde est formateur et conférencier invité à des séminaires d'universités et d'organismes professionnels, au Canada et à l'étranger. Il est professeur associé aux programmes d'études de deuxième cycle en administration de la santé de la Faculté de médecine de l'Université de Montréal. Il est l'auteur du guide interactif sur le marketing social de Santé Canada. Il est aussi membre du comité organisateur des conférences internationales « Innovations in Social Marketing ».

Denise Moreau

Denise Moreau est professeure à l'École des sciences infirmières de l'Université d'Ottawa. Elle possède une maîtrise en sciences infirmières (spécialisée en santé communautaire) de l'Université de Montréal et un doctorat en technologie éducationnelle de l'Université Concordia. Son domaine d'expertise professionnelle en soins infirmiers est la périnatalité. Elle a travaillé et enseigné dans ce milieu pendant plusieurs années. Depuis, ses activités d'enseignement au baccalauréat portent sur les fondements de la discipline en sciences infirmières, la méthodologie de la recherche en sciences infirmières et en sciences de la santé et sur la santé des femmes. Elle donne également un cours de deuxième cycle en soins de santé primaires. Ses activités de recherche se situent en promotion de la santé, plus particulièrement sur le plan de la stratégie de communication en santé. Ses travaux gravitent autour de la santé des femmes et de l'utilisation des médias en promotion de la santé. Son plus récent projet de recherche porte sur les besoins des adolescentes enceintes et des jeunes parents de la région d'Ottawa. Dernièrement, elle a terminé la production d'une vidéo pédagogique portant sur l'évaluation physique et psychosociale postnatale.

Michel O'Neill

Michel O'Neill est professeur titulaire en santé communautaire, en promotion de la santé et en sociologie de la santé à la Faculté des sciences infirmières de l'Université Laval. Il est aussi coresponsable du Groupe de recherche et d'intervention en promotion de la santé de l'Université Laval (GRIPSUL) et codirecteur du Centre québécois collaborateur de l'OMS pour le développement des Villes et villages en santé. Détenteur d'un doctorat en sociologie de l'Université de Boston, M. O'Neill œuvre à divers titres dans le domaine de la santé communautaire, publique et des populations depuis plus de 30 ans : il occupe le poste d'agent de recherche dans un département de santé communautaire et il est professeur, chercheur, consultant et militant. Ses champs d'enseignement et de recherche touchent à l'histoire et aux aspects sociopolitiques de la promotion de la santé, notamment au mouvement des Villes et villages en santé au Québec et ailleurs, sur lesquels il a abondamment publié partout dans le monde.

Le D[r] O'Neill est membre élu au conseil d'administration et vice-président aux communications de la principale organisation scientifico-professionnelle internationale dans le domaine de la promotion de la santé, l'Union internationale pour la promotion de la santé et l'éducation pour la santé. De plus, il occupe le poste de rédacteur en chef d'une nouvelle revue internationale électronique, *Reviews of Health Promotion and Education Online*, ce qui témoigne de son intérêt pour l'utilisation d'Internet et des nouvelles technologies de l'information dans l'enseignement, la recherche et les activités de promotion de la santé.

Nicole Ouellet

Nicole Ouellet détient un baccalauréat en sciences infirmières de l'Université Laval depuis 1982 et une maîtrise en sciences infirmières de l'Université de Montréal depuis 1990. En 1994, elle a obtenu un doctorat en sciences infirmières à la Frances Payne Bolton School of Nursing, de l'Université Case Western Reserve, à Cleveland, en Ohio. À titre d'infirmière, elle a travaillé principalement en santé communautaire dans divers secteurs d'activités en CLSC (soins à domicile, santé scolaire, périnatalité). Depuis 1995, elle occupe un poste de professeure en sciences infirmières à l'UQAR. Elle a aussi assumé successivement la direction du Module des sciences de la santé et la direction des programmes de deuxième cycle en sciences infirmières (de 1998 à 2002).

Ses activités d'enseignement se rapportent principalement à la santé communautaire, à la gérontologie ainsi qu'aux méthodologies de recherche et d'intervention. L'intégration des nouvelles technologies de l'information et de la communication dans l'enseignement fait partie de ses préoccupations. Ses travaux et recherches portent particulièrement sur le sommeil et les facteurs associés à la consommation de médicaments psychotropes chez les personnes âgées. Elle s'intéresse aux facteurs reliés à la consommation de médicaments psychotropes et aux stratégies d'intervention à utiliser pour réduire ou prévenir la consommation de benzodiazépines chez les personnes âgées.

Amélie Perron

Amélie Perron est doctorante en sciences infirmières à l'Université d'Ottawa et boursière des IRSC à cet effet. Ses domaines d'intérêt incluent la psychiatrie et la santé mentale, de même que les soins infirmiers aux populations marginalisées, tout particulièrement les détenus. Sa pratique clinique réunit la psychiatrie et la santé communautaire par les interventions d'urgence auprès de personnes en situation de crise, et ce, à Montréal et à Ottawa. Sa recherche porte sur les notions de représentations sociales et professionnelles et d'éthique en soins infirmiers.

Michelle Piché

Michelle Piché est infirmière autorisée depuis 35 ans et possède un diplôme de deuxième cycle en andragogie. Elle a 29 ans d'expérience en santé communautaire, notamment dans le domaine de la périnatalité et au service Info-santé du CLSC de Hull. Elle a occupé les postes d'infirmière de liaison Ontario-Québec, de chef de programme de la centrale Info-santé en Outaouais et de responsable des soins infirmiers du CLSC de Hull. Son rôle actuel est celui de conseillère en santé à la Direction de la qualité, des pratiques professionnelles et des soins infirmiers du Centre de santé et des services sociaux de Gatineau.

Jacqueline Roy

Jacqueline Roy est infirmière autorisée depuis 20 ans et détient une maîtrise en sciences infirmières. Elle travaille en santé communautaire, notamment en santé des enfants d'âge scolaire et en santé mère-enfant. Elle est une pionnière dans la création des partenariats avec les écoles pour la promotion de la santé et l'initiative des pairs aidants. Ses projets ont traité de divers sujets tels que l'alimentation saine, l'activité physique et la prévention de la violence.

Mme Roy est enseignante à l'Université d'Ottawa et experte-conseil en planification de programmes de promotion de la santé. Elle est auteure et conférencière en matière de santé chez les jeunes.

Jocelyne Saint-Arnaud

Jocelyne Saint-Arnaud est philosophe de formation. Outre sa fonction de professeure titulaire à la Faculté des sciences infirmières de l'Université de Montréal, où elle enseigne l'éthique des soins, elle est chercheuse au Centre de recherche en éthique de l'Université de Montréal, membre de l'Institut international de recherche en éthique biomédicale (IIREB) et chercheuse associée au Centre de recherche de l'Institut universitaire de gériatrie de l'Université de Montréal. Elle a mené des recherches sur les enjeux éthiques reliés à la rareté des ressources en transplantation d'organes et en dialyse. Elle a publié de nombreux articles sur les enjeux éthiques liés à l'utilisation des technologies et quelques livres sur le sujet, dont *Enjeux éthiques et technologies biomédicales : contribution à la recherche en bioéthique*, paru aux Presses de l'Université de Montréal, en 1999. Elle a aussi effectué des recherches sur les enjeux éthiques en santé publique et collaboré à l'ouvrage de Raymond Massé intitulé *Éthique et santé publique : Enjeux, valeurs et normativité*, paru aux Presses de l'Université Laval, en 2003. Elle a présidé le Comité d'éthique de la recherche des sciences de la santé de l'Université de Montréal de 1996 à 2003. Étant donné son expertise, elle est sollicitée par différents organismes, notamment par la Commission québécoise de l'éthique de la science et de la technologie, le Collège des médecins du Québec et des comités d'éthique clinique en milieux hospitaliers.

Audette Sylvestre

Audette Sylvestre a obtenu une maîtrise en orthophonie à l'École d'orthophonie et d'audiologie de l'Université de Montréal et un doctorat en sciences cliniques (santé communautaire) de l'Université de Sherbrooke. Elle est actuellement professeure adjointe au programme de maîtrise en orthophonie de l'Université Laval. Son expérience clinique et de recherche est articulée autour des thèmes de l'acquisition et des troubles du langage chez les enfants. Ses recherches portent plus spécifiquement sur les déterminants personnels et sociofamiliaux du développement langagier chez les enfants normaux et chez ceux présentant des retards. Elle étudie également ces déterminants au sein de sous-groupes d'enfants faisant face à des risques biologiques ou environnementaux. Enfin, elle s'intéresse à l'élaboration et à l'évaluation des programmes de prévention et de promotion des problèmes langagiers.

Mme Sylvestre a publié des écrits dans le domaine de l'abus et de la négligence envers les enfants, de la santé publique et du développement normal du langage, et a présenté les résultats de ses travaux dans des congrès nationaux et internationaux.

Sommaire

Table des matières

CHAPITRE 6
L'ÉDUCATION POUR LA SANTÉ : NOTIONS THÉORIQUES ET GUIDE D'INTERVENTION
LOUISE HAGAN

CHAPITRE 7
LA STRATÉGIE DE COMMUNICATION DANS LE DOMAINE DE LA SANTÉ
DENISE MOREAU

CHAPITRE 8
LE MARKETING SOCIAL
FRANÇOIS LAGARDE

Chapitre 9

La politique, les politiques, le politique : trois manières d'aborder l'action politique en santé communautaire

Michel O'Neill
France Gagnon
Clémence Dallaire

Chapitre 10

Le changement planifié des comportements liés à la santé

Gaston Godin
Françoise Côté

Chapitre 11

Le soutien social : ses composantes, ses effets et son insertion dans les pratiques sociosanitaires

Annie Devault
Lucie Fréchette

CHAPITRE 12

L'ORGANISATION DES COMMUNAUTÉS : UN NOUVEAU DÉFI POUR LES PROFESSIONNELS DE LA SANTÉ ET DES SERVICES SOCIAUX

LOUIS FAVREAU
LUCIE FRÉCHETTE

CHAPITRE 13

ENVIRONNEMENT ET SANTÉ PUBLIQUE

PIERRE GOSSELIN

CHAPITRE 14

LES GROUPES VULNÉRABLES : COMPRENDRE LA VULNÉRABILITÉ ET AGIR

DAVE HOLMES
AMÉLIE PERRON

CHAPITRE 22

ENJEUX ÉTHIQUES ET PROCESSUS DÉCISIONNEL EN SANTÉ COMMUNAUTAIRE

JOCELYNE SAINT-ARNAUD

CHAPITRE 23

LES TENDANCES ACTUELLES

GISÈLE CARROLL
DENISE GASTALDO
MICHELLE PICHÉ

CHAPITRE

1

INTRODUCTION À LA SANTÉ COMMUNAUTAIRE

GISÈLE CARROLL
JACQUELINE ROY

INTRODUCTION

Au Canada, l'état de santé de la population s'est nettement amélioré depuis l'époque coloniale. L'augmentation importante de l'espérance de vie des Canadiens indique clairement que les efforts soutenus pour améliorer les soins de santé curatifs et préventifs ainsi que les conditions de vie ont porté leurs fruits. Mais, malgré ces gains, les défis demeurent importants si nous voulons atteindre notre objectif national de la santé pour tous. Les maladies prioritaires changent au fil du temps, ainsi que la complexité et la variété des solutions proposées, mais il est possible de prévenir bon nombre de maladies et de décès prématurés. L'arrivée de nouvelles maladies infectieuses et contagieuses ainsi que la résistance de certaines maladies infectieuses aux antibiotiques sont de nouveaux défis à surmonter.

Dans le présent chapitre, nous examinons les principaux changements qui ont contribué à l'évolution des pratiques en santé communautaire au Canada. Ce survol des événements passés a pour but de mieux comprendre l'idéologie contemporaine dans le domaine de la santé et de prévoir les tendances futures. Selon Lalonde (1974a, p. 261), « la contemplation des réalisations passées ne doit servir qu'à orienter les actions futures ».

LE DÉBUT DE LA COLONIE : LE RÉGIME FRANÇAIS

Au début de la colonie, les services de santé publique consistent principalement en des activités essentielles à la protection de la population contre la propagation des maladies contagieuses. Les maladies contagieuses omniprésentes à cette époque sont la variole, la typhoïde et la fièvre jaune, propagées par des colons européens malades nouvellement arrivés. Plusieurs maladies d'origine européenne, le typhus, la variole et la rougeole, font aussi leur apparition en 1543 (arrivée de Jacques Cartier et des colons) dans les communautés amérindiennes présentes sur le territoire (Harding le Riche, 1979; Canadian Public Health Association (CPHA), 1984). Les Iroquois, ennemis des Français, sont les moins affectés par ces maladies (CPHA, 1984).

Au cours des premières années, les soins sont donnés à domicile, essentiellement par des femmes animées par des valeurs de charité chrétienne (Duncan, Leipert et Mill, 1999; Allemang, 2000). Le premier hôpital, L'Hôtel-Dieu de Québec, est fondé en 1639 par la duchesse d'Aiguillon (Allemang, 2000; Amyot, 1967). Cet hôpital est administré par les sœurs hospitalières de la Miséricorde. Des religieuses visitent les familles dans les villages environnants et supervisent les soins dispensés à domicile. Quelques années plus tard, soit en 1642, Jeanne Mance (1606-1673) fonde L'Hôtel-Dieu de Ville-Marie (Montréal) avec Paul de Chomedey de Maisonneuve (Duncan, Leipert et Mill, 1999; Allemang, 2000). Elle gère l'hôpital jusqu'à sa mort, en plus de jouer les rôles d'infirmière, de pharmacienne, de médecin et de chirurgienne. Dans toutes ses activités, elle fait preuve de leadership en se préoccupant de la survie et de la qualité de vie des autochtones et des colons (Duncan, Leipert et Mill, 1999). De ce fait, L'Hôtel-Dieu est plus qu'un hôpital, c'est aussi un lieu d'hébergement temporaire où les nouveaux arrivants sont logés, nourris et préparés à leur nouvelle vie dans la colonie.

Les ordres religieux continueront ainsi à jouer un rôle important dans les services de soins aux malades durant de nombreuses années. En 1738, un premier ordre religieux, les sœurs Grises de Montréal, est fondé en Nouvelle-France par Mme Marguerite d'Youville (1707-1771). Le défi que ces religieuses doivent relever n'est pas une mince affaire : leurs fonctions consistent à visiter les malades à domicile, à donner des soins et à administrer des traitements, à enseigner, à établir des maisons de refuge pour les personnes âgées et les infirmes et des hôpitaux pour les malades (Allemang, 2000).

LE RÉGIME BRITANNIQUE (1763)

En 1757, deux ans avant la bataille des plaines d'Abraham, Montcalm note que de 2500 à 2600 personnes ont contracté la variole à Québec. Au moment de la bataille, en 1759, les Français possèdent une armée de 8000 hommes. On estime que, sans les épidémies de variole et de typhoïde, l'armée française aurait été composée d'environ 50000 soldats, ce qui aurait pu changer le cours de l'histoire du Canada (Harding le Riche, 1979 ; CPHA, 1984 ; MacDermot, 1968).

Au début du Régime britannique, les mesures sanitaires et le contrôle des épidémies continuent d'être le but des interventions des autorités gouvernementales. En 1794, la *Loi sur la quarantaine* autorise l'établissement d'hôpitaux de quarantaine et de centres de dépistage dans le pays (Amyot, 1967). Puis, en 1802, un vaccin contre la variole est introduit en Nouvelle-Écosse par le Dr Joseph Norman Bond, malgré la résistance affichée des habitants à la vaccination (Harding le Riche, 1979 ; CPHA, 1984).

Entre 1820 et 1850, le Canada connaît une importante vague d'immigration, ce qui fait qu'en 1850, on compte plus d'un million d'habitants dans le Haut-Canada (Allemang, 2000). Cependant, au cours du XIXe siècle, les épidémies de maladies contagieuses continuent de faire des ravages parmi la population. Ce sont la variole, la rougeole, l'influenza, la scarlatine et d'autres fièvres d'origine inconnue (Allemang, 2000). De plus, les Amérindiens perdent au moins la moitié de leur population à chaque épidémie de variole (CPHA, 1984). En 1832, dans le Haut-Canada (Ontario), où l'on pratique la vaccination contre la variole en plus de la quarantaine, seulement 21 décès dus à la variole sont déclarés, tandis qu'on en compte 7000 dans le Bas-Canada (Québec), où l'opposition à la vaccination est très forte. Cette même année, en 1832, un acte du gouvernement fédéral établit au Canada quatre stations de quarantaine maritime dans le but d'empêcher la transmission de la peste, du choléra, de la fièvre jaune et du typhus. Par la suite, quatre centres de quarantaine ouvriront leurs portes sur des îles dans les colonies britanniques : Grosse-Île dans le Saint-Laurent, William Head sur l'île de Vancouver, l'île Lawlor près de Halifax et l'île Partrige près de Saint-Jean, au Nouveau-Brunswick (Vekeman Masson, 1993). Ces centres ont pour fonction de contrôler la transmission des maladies infectieuses de l'époque, soit la peste, le choléra, la fièvre jaune et le typhus. Cette même année, 51 000 immigrants britanniques meurent du choléra (CPHA, 1984). Bien que la quarantaine aide à contrôler le choléra, les déchets de Grosse-Île sont jetés dans le Saint-Laurent, ce qui contamine le réservoir des colons qui puisent leur eau dans le fleuve (CPHA, 1984). Ainsi, le choléra fait des morts à Montréal (1/7 de la population) et à Québec (1/10 de la population) (CPHA, 1984). Selon Amyot (1967), 98 106 immigrants arrivent à Québec en 1847 ; 8691 sont mis en quarantaine à Grosse-Île, où 3226 personnes meurent de la fièvre typhoïde. Un autre groupe de 2 198 immigrants est gardé en quarantaine sur les bateaux. Selon l'Association canadienne de santé publique (CPHA, 1984), 20000 passagers mourront, au fil des ans, à bord de ces bateaux.

En 1861, le vaccin devient obligatoire pour tout le Haut-Canada, tandis que le Bas-Canada s'y oppose jusqu'en 1885, alors que 200 Canadiens français meurent de la variole à Montréal en une semaine. Cette épidémie tue 3 164 personnes en tout à Montréal, et seulement 30 en Ontario, où l'on pratique l'isolement des personnes infectées et la vaccination (Ostry, 1995).

Au XIXe siècle, le Canada suit le mouvement sanitaire britannique, qui accepte les nouvelles théories sur la maladie. On discute de la prévention des maladies contagieuses. La loi de 1831 sur la protection de la santé des populations comprend des règlements au sujet de l'hygiène personnelle et de l'environnement (surtout en ce qui a trait à l'eau), de la quarantaine des personnes infectées, de la stérilisation des vêtements contaminés (on doit les faire bouillir, chauffer ou brûler) et de l'enterrement immédiat des morts (Allemang, 2000).

Les épidémies de choléra, entre 1832 et 1834, incitent aussi le gouvernement du Haut-Canada à établir un conseil de santé (Amyot, 1967 ; MacDermot, 1968). Ce conseil est plus ou moins efficace, aucun personnel n'y étant affecté de façon permanente, et il cesse d'exister une fois la crise épidémique terminée (Cassel, 1994 ; MacDermot, 1968). Ce n'est qu'en 1867 que la planification de la santé devient une réalité, quoique le terme « santé publique » ne soit pas encore utilisé (Harding le Riche, 1979). Les provinces sont maintenant responsables de la protection de leurs citoyens et elles allouent temps et argent aux conseils de santé. En 1882, l'Ontario adopte une loi afin d'établir un conseil de santé permanent, qui donnera naissance au *Public Health Act*, en 1884 (Allemang, 2000; MacDermot, 1968). Cette loi autorise la province à établir des règlements relatifs à la prévention de la maladie en définissant les responsabilités des conseils de santé municipaux. Les municipalités deviennent alors responsables des enquêtes sur l'origine des maladies, du renforcement de la quarantaine, de la désinfection, de la vaccination obligatoire et de l'obtention de vaccins. S'ajoutera, plus tard, l'inspection de la viande et du lait (Gough, 1967). Une à une, les autres provinces canadiennes suivent ce mouvement (voir le tableau 1.1).

De l'autre côté de l'Atlantique, la Britannique Florence Nightingale publie, en 1850, *Notes on Nursing*, un texte révolutionnaire qui traite de soins infirmiers. Elle parle de façon détaillée des soins à apporter aux malades au cours de leur rétablissement. Les thèmes abordés sont la ventilation et la climatisation, la gestion du bruit, l'alimentation, l'hygiène personnelle et du milieu, l'éclairage, la conversation, le divertissement ainsi que l'observation du malade. En outre, Florence Nightingale aborde un thème avant-gardiste pour l'époque, celui de la prévention de la maladie, et soutient qu'on devrait améliorer les conditions environnementales (Skretkowicz, 1992).

En 1867, le Canada devient un pays à la suite de la signature de l'Acte de l'Amérique du Nord britannique. Selon la Constitution, le gouvernement fédéral détient l'autorité sur la taxation, le recensement, la protection contre les épidémies, qui peut prendre la forme de quarantaines, et les hôpitaux de la marine. Les provinces, quant à elles, sont responsables des services de soins de santé, c'est-à-dire des hôpitaux, des asiles, des services caritatifs et d'autres services de santé et sociaux (Allemang, 2000; Amyot, 1967; Gough, 1967; Cassel, 1994). À la fin du XIXe siècle, les maladies infectieuses sont la variole, la rougeole, la fièvre typhoïde, la diphtérie, la tuberculose, la fièvre scarlatine et l'influenza. On remarque un déclin des cas de choléra en raison des mesures préventives mises en place, de l'attention particulière prêtée aux cas signalés, de la diminution du taux d'immigration et du remplacement des bateaux à voile par des bateaux à vapeur. La théorie du microbe proposée par Pasteur dans les années 1870 et les méthodes précises pour étudier les micro-organismes de Koch (1892) permettent aux autorités de formuler des recommandations plus précises concernant les mesures sanitaires (Gough, 1967; Allemang, 2000). En 1885, on assiste à la découverte du bacille de Koch, agent causal de la tuberculose.

L'année 1893 marque les débuts des sanatoriums et du traitement de la tuberculose (Harding le Riche, 1979). Il s'agit d'une prescription d'air frais, de repos,

Tableau 1.1 Organismes et règlements de santé publique au Canada

Terre-Neuve Conseil de santé 1929 *Public Health Act*, 1931 **Île-du-Prince-Édouard** *First Health Officer*, 1851 *Vaccination Act*, 1862 *Public Health Act*, 1908, révisé en 1927 *Provincial Health Service*, 1927 **Nouvelle-Écosse** Département provincial de santé publique, 1907 **Nouveau-Brunswick** Conseil de santé provincial, 1887 *Public Health Act*, 1918 **Québec** Conseil de santé, 1887-1922 Bureau provincial de la santé, 1922-1936 Ministère de la Santé, 1936	**Ontario** *Public Health Act*, 1882, révisé en 1884 Conseil de santé, 1882 **Manitoba** Conseil de santé, 1893 **Saskatchewan** *Public Health Act*, 1909 Chaque municipalité devient un district doté d'un comité de santé et d'un conseil de santé. **Alberta** *Public Health Act*, 1906, révisé en 1910 Conseil de santé, 1907 **Colombie-Britannique** Le conseil de santé est intégré au Secretary's Department, 1907.

d'une diète et d'exercices. À la fin du siècle apparaissent l'inspection du lait en Ontario, la déclaration des maladies infectieuses, l'inspection systématique dans les écoles, le traitement de l'eau, la mise en place du réseau d'égout, et l'inspection des abattoirs, des boulangeries, des boucheries et des restaurants (Harding le Riche, 1979; CPHA, 1984; Amyot, 1967; Cassel, 1994). En 1874, les infirmières et les médecins reçoivent une formation à la première école de sciences infirmières, établie à St. Catharines, en Ontario. Les hôpitaux sont organisés en différents services, et comprennent une maternité, des sections d'isolement et des salles d'opération (Gough, 1967).

À la fin du XIXe siècle, lady Aberdeen, épouse du gouverneur général du Canada (1894-1898) et présidente du Conseil national des femmes, s'intéresse à la problématique de la santé mère-enfant et aux besoins, en matière de santé, des travailleurs du chemin de fer et des mines de la Colombie-Britannique. Elle participe donc à la fondation des Infirmières de l'Ordre de Victoria du Canada. Charlotte Macleod en devient le chef. Les infirmières qui y travaillent doivent être diplômées. Elles s'occupent de prévention dans les écoles et visitent les mères de famille tout en mettant en place des programmes de distribution de lait, des cliniques de santé mère-enfant et des classes prénatales (Duncan, Leipert et Mill, 1999; CPHA, 1984). Elles acquièrent ainsi peu à peu une expertise dans le domaine de la prévention des maladies et de l'éducation en matière de santé.

En plus des maladies infectieuses du XIXe siècle, d'autres problèmes de santé sont omniprésents. Parmi les plus importants, notons les désordres nutritionnels, les traumatismes, les tumeurs, les complications *post-partum,* les problèmes de santé chez les enfants, les blessures au travail dans les domaines de la construction, de la drave, de la coupe du bois et de la construction des chemins de fer. De plus, le taux de mortalité est très élevé, surtout en ville, en raison des conditions insalubres de vie des pauvres, de la malnutrition, de l'eau et de la nourriture contaminée (Allemang, 2000).

LE XXE SIÈCLE

Au début du XXe siècle, des efforts continus sont déployés pour soigner les maladies infectieuses tout en travaillant à la prévention des maladies. En 1901, la première cause de mortalité dans les villes et chez les pauvres est la tuberculose, dont le taux s'élève à 180 par 100 000 habitants (MacDermot, 1968; Allemang, 2000). On passera les soixante prochaines années à combattre cette maladie, et lorsque le taux de tuberculose aura diminué à 5 par 100 000, on fermera les sanatoriums.

Un programme de vaccination contre la diphtérie débute en 1900 au Québec. On réussit, entre 1900 et 1938, à réduire le taux de mortalité associé à cette maladie, qui passe de 144,6 par 100 000 habitants à 9,5 (Harding le Riche, 1979). En Ontario, le Conseil de santé distribue, à partir de 1914, à peu de frais et, par la suite, gratuitement, des vaccins contre la diphtérie, la fièvre typhoïde, la variole et le tétanos (Harding le Riche, 1979). Toutefois, la population résiste à la vaccination. Une campagne de vaccination des écoliers commence en Ontario en 1927, mais elle est annulée en 1929 parce que les médecins s'y opposent. Au début des années 1920, les conseils de santé sont mieux organisés; ils comprennent des sections chargées de l'administration, des maladies infectieuses, des laboratoires, des soins infirmiers, du bien-être des enfants, des maladies vénériennes, de la tuberculose, de la technique sanitaire, des statistiques et de l'épidémiologie, et de l'éducation relative à la santé (Cassel, 1994). La popularité des questions de santé dans l'arène politique devient évidente en 1918, d'abord au Nouveau-Brunswick, lorsque les conseils de santé s'élargissent pour devenir des ministères de la Santé.

Au moment de la Première Guerre mondiale, la santé des Canadiens suscite un nouveau questionnement. L'examen physique de jeunes hommes, aux fins du service militaire, révèle que près d'un tiers d'entre eux souffrent de problèmes d'ordre physique ou mental (Amyot, 1967; Cassel, 1994). Ce phénomène alarmant pousse le gouvernement à adopter une nouvelle approche, celle de la prévention des maladies, et à prêter une attention particulière à la souffrance des malades et aux décès prématurés (Duncan, Leipert et Mill, 1999). Parmi les 400 000 soldats partis à la guerre, 50 000 meurent. Ceux qui reviennent rapportent de l'Europe des maladies vénériennes, la tuberculose et la grippe espagnole. En 1918, l'Ontario adopte la loi sur les maladies vénériennes (Cassel, 1994). Le gouvernement met sur pied des cliniques gratuites de dépistage et de traitement, et mène des campagnes d'éducation. En 1922, on compte huit cliniques gratuites pour le traitement des maladies vénériennes au Québec, mais les traitements ne sont pas efficaces. On doit attendre la découverte de la pénicilline, après la Deuxième Guerre mondiale, pour obtenir des résultats positifs (Harding le Riche, 1979). Plusieurs services de santé offrent aussi, à cette époque, un examen et un test à la tuberculine gratuits (Cassel, 1994).

En 1918, c'est la grippe espagnole qui fait son apparition au Canada, affectant le sixième de la population canadienne et faisant 30 000 victimes. Au Québec seulement, le nombre de cas atteint un demi-million et on enregistre 13 880 décès (Harding le Riche, 1979; CPHA, 1984).

En 1919, les épidémies et les pressions exercées par l'Association médicale canadienne (créée en 1867) amènent la création, à Ottawa, du ministère de la Santé et du Conseil de santé du Dominion, l'agence qui coordonne les efforts fédéraux et provinciaux en matière de santé (CPHA, 1984; Harding le Riche, 1979; Amyot, 1967; Gough, 1967). L'adoption de la loi fédérale sur les services de santé (*The Federal Health Bill*) a pour but d'orienter la coordination dans la lutte contre les épidémies. Le rôle de l'infirmière au regard des maladies infectieuses en est un d'enseignement, de reconnaissance des cas et de prévention dans la communauté. Les Amérindiens sont aussi affectés par les maladies contagieuses. Ceux qui vivent dans les réserves sont victimes de fièvre typhoïde, de rougeole, de variole et de tuberculose.

Selon Cassel (1994), les soins infirmiers en santé publique sont d'abord dispensés dans les organismes de lutte contre la tuberculose, en 1905 à Toronto et en 1909 en Nouvelle-Écosse. Tout de suite après la Première Guerre mondiale, la Croix-Rouge met en place des services infirmiers communautaires à la fois dans les régions urbaines et dans les régions isolées (Amyot, 1967). On attribue également à la Croix-Rouge le mérite d'avoir établi des services de santé publique, y compris des soins infirmiers, et d'avoir formé des professionnels pour œuvrer dans ce domaine (Duncan, Leipert et Mill, 1999). En 1906, on commence à examiner les enfants dans les écoles de Montréal et, plus tard, ce sont les Infirmières de l'Ordre de Victoria qui travaillent dans les écoles et visitent les mères et leurs nouveau-nés à domicile (Duncan, Leipert et Mill, 1999). En Ontario, les premières infirmières scolaires font leur apparition en 1909, à Hamilton, puis à Toronto, en 1910 (Duncan, Leipert et Mill, 1999). Dans les années 1910, on commence à employer des infirmières dans les services de santé publique, à Toronto d'abord (1911) (Cassel, 1994). Leurs tâches comprennent l'éducation relative à la santé, la reconnaissance des cas de maladie et les soins préventifs dans un cadre communautaire. Les infirmières exercent également leurs activités dans les écoles, où elles dispensent des soins aux enfants; elles remplissent aussi une mission éducative auprès des enfants et des familles, et font des visites à domicile.

Les infirmières acquièrent dans les hôpitaux leurs compétences quant aux soins à donner aux malades, mais ont accès à des programmes universitaires en ce qui a trait au volet « santé publique ». Puis, en 1914, les infirmières du service de santé publique de la ville de Toronto exigent de pouvoir suivre un cours en travail social (*Medical Social Work*) à l'université de Toronto, pendant leur première année d'emploi. En 1918, l'université de l'Alberta est la première à offrir un cours de soins infirmiers en santé publique. Le travail en santé publique n'est pas populaire parmi les infirmières. Les conditions de travail, les difficultés éprouvées dans l'exercice de leurs fonctions, le peu d'intérêt de la part des villes et l'absence de respect pour le travail auprès des populations pauvres ne rendent pas ce genre de travail attrayant (Cassel, 1994). En 1919, l'université de la Colombie-Britannique offre un programme de baccalauréat en sciences infirmières (Harding le Riche, 1979, Allemang, 2000). Les thèmes abordés dans les cours de santé publique comprennent les lois provinciales, les problèmes sociaux modernes, l'enseignement, l'hygiène scolaire, la tuberculose et l'histoire de la formation en soins infirmiers (Duncan, Leipert et Mill, 1999). Au Canada, les soins infirmiers en santé publique ont commencé à être offerts à différents moments : en 1916 au Manitoba, en 1917 en Colombie-Britannique, en 1920 à l'Île-du-Prince-Édouard, en 1932 en Nouvelle-Écosse et en 1948 en Alberta (Harding le Riche, 1979). Sur le plan de l'organisation professionnelle, une section de santé publique existe à l'époque au sein de la Canadian National Association of Trained Nurses, fondée en 1908, qui deviendra par la suite la Canadian Nurses Association (1924) (Emory, 1953). Entre les années 1920 et 1940, la revue *L'infirmière canadienne* consacre une page entière à la santé publique dans chacun de ses numéros.

Dans le rapport sur la formation en soins infirmiers rédigé par Weir (1932), on reconnaît la nécessité d'inclure davantage de cours théoriques et pratiques sur la santé publique dans les programmes. Le rapport indique que le nombre d'infirmières en santé publique devrait doubler au cours des cinq à dix prochaines années, et il recommande d'augmenter leur salaire (Duncan, Leipert et Mill, 1999).

Au début du siècle, en plus de tenter de contrôler des maladies infectieuses, le domaine de la santé s'intéresse à divers autres problèmes, dont la toxicomanie, c'est-à-dire l'usage de l'alcool et ses effets sur la santé de l'individu, sur sa famille et sur la collectivité (Cassel, 1994). On s'intéresse aussi à la santé mère-enfant, qui continue de prendre de l'importance. On s'inquiète du taux de mortalité infantile et du déclin du taux de naissance. Ainsi, entre 1914 et 1929, les gouvernements provinciaux et locaux, dans le contexte de leurs services de santé, mettent en place des unités de santé et de bien-être à l'intention des enfants. On trouve un peu partout des cliniques de santé pour les mères et leurs enfants (Cassel, 1994; Duncan, Leipert et Mill, 1999). Par ailleurs, l'examen des écoliers est instauré à Montréal en 1907 et à Toronto en 1910, un mouvement auquel s'opposent certains médecins, qui craignent des pertes d'honoraires. Ces inspections révèlent de la malnutrition chez les enfants ; on développe alors des programmes de distribution de lait et on traite de l'alimentation saine dans les écoles (Cassel, 1994). L'éducation relative à la santé prend aussi de l'ampleur, et les sujets sont la maternité, la sexualité, les maladies transmissibles sexuellement, l'hygiène personnelle et la tuberculose. Finalement, la santé mentale fait l'objet d'une attention particulière. En plus de traiter les gens qui souffrent de maladie mentale, on s'intéresse à la prévention des retards mentaux chez les enfants, et au dépistage précoce et à l'éducation des enfants qui en sont atteints.

Dans les années 1940 et 1950, on étend les services au *counselling*, à la thérapie et à l'embauche d'infirmières en santé mentale. Dans les années 1960, on s'efforce de désinstitutionnaliser les personnes souffrant de maladie mentale, ce qui mène à une hausse du taux de suicide (Cassel, 1994).

Dans les années 1930, deux maladies suscitent l'intérêt des professionnels de la santé : le cancer et la poliomyélite (Gough, 1967). En 1931, l'Ontario crée une commission royale d'enquête pour étudier les méthodes de traitement du cancer. C'est le début de la radiothérapie (Harding le Riche, 1979).

Après le krach de 1929, la pauvreté généralisée aggrave les maladies, et la population est incapable d'assumer le coût des soins. Les provinces sont obligées de réduire leurs services à l'essentiel, c'est-à-dire aux services de dépistage et de traitement de la tuberculose et des maladies transmissibles sexuellement.

La découverte de la pénicilline, dans les années 1940, est très prometteuse pour le traitement de la syphilis, de la gonorrhée et de la tuberculose (Cassel, 1994). L'effort porte sur le curatif plutôt que sur la prévention dans les années 1940 et 1950, et les budgets sont réduits lorsque l'incidence diminue graduellement. Des campagnes de sensibilisation à l'importance de la prévention des maladies vénériennes sont menées dès que l'on note une augmentation des taux de maladies vénériennes à la fin des années 1960, quoique l'éducation sexuelle demeure inadéquate jusque vers les années 1970. Les infirmières en santé communautaire discutent toutefois de sexualité au cours de leurs visites à domicile (Cassel, 1994). Ce n'est qu'à partir de 1969 que la loi permet aux services de santé publique d'ouvrir des cliniques de planification familiale.

Dans les années 1910-1920, on se préoccupe de la qualité de l'air, de l'eau et du sol, amorçant ainsi l'ère des mesures de contrôle de la pollution par le gouvernement (Cassel, 1994). La javellisation de l'eau commence à Toronto en 1910, pour contrer les effets de la typhoïde, puis à Ottawa, à la suite de l'épidémie de 1912 (Cassel, 1994). D'autres villes adoptent cette méthode de traitement de l'eau entre 1915 et 1925. La pasteurisation du lait, commencée en 1927 à Montréal, s'avère une stratégie efficace de lutte contre la typhoïde, la diphtérie et la tuberculose (CPHA, 1984). En 1938, on rapporte 11 cas de diphtérie en Ontario ; la loi sur la pasteurisation obligatoire est alors adoptée (Harding le Riche, 1979). En outre, on élabore des programmes de vaccination dans les autres provinces.

La Saskatchewan est la première province à s'intéresser aux effets de la pauvreté sur l'état de santé des citoyens au cours de la grande dépression. La province met en place un régime d'assurance-hospitalisation en 1947. En 1957, le *Hospital Insurance and Diagnostic Services Act* amène l'adoption d'un régime similaire dans toutes les autres provinces canadiennes (CPHA, 1969; Gough, 1967). Puis, en 1961, la Saskatchewan adopte l'assurance-santé universelle qui devient, en 1968, le *Medical Care Act,* qui permet à tous les Canadiens de recevoir des soins de santé (CPHA, 1984; Cassel, 1994). La santé publique incite les citoyens à se rendre régulièrement chez leur médecin et leur dentiste à titre préventif. On offre aussi de la formation aux préposés à la manipulation des aliments. On poursuit les campagnes de vaccination en incluant le vaccin Sabin dans les années 1950. À cette époque, les infirmières en santé publique travaillent dans le domaine de la santé mère-enfant, de la santé des enfants d'âge préscolaire et scolaire, et en hygiène industrielle. Elles visitent les familles dans leurs foyers et les enfants dans les écoles. L'infirmière joue un rôle important dans le contrôle des maladies infectieuses sur plusieurs plans : l'immunisation, l'éducation relative à la santé, le suivi et, enfin, la gestion des cas (Emory, 1953).

En 1948, le *Health Grants Program* verse des subventions dans 10 catégories : sondages portant sur la santé, construction d'hôpitaux, formation du personnel, recherche en santé publique, santé publique en général, santé mentale, tuberculose, cancer, maladies vénériennes et maladies entraînant des déformations infantiles. En 1953, on ajoute les catégories santé mère-enfant, réadaptation, services de laboratoire et services diagnostiques (Gough, 1967). Ce programme permet l'usage de l'antigène triple (coqueluche, tétanos, diphtérie) partout au Canada, en 1957. Les années 1950 sont marquées par une épidémie de polio au Canada. Le laboratoire Connaught, à Toronto, crée le vaccin Sabin, un vaccin antipoliomyélitique qui est approuvé en 1955. On s'intéresse toujours au contrôle des maladies infectieuses, mais aussi, dorénavant, à la chronicité, soit la santé mentale et l'invalidité (Gough, 1967).

La promotion de la santé et la santé de la population

Après l'adoption du *Hospital Insurance and Diagnostic Services Act*, en 1957, les services de santé, dans leur ensemble, continuent à progresser, mais les coûts du système augmentent sans cesse au fil des ans. Cette hausse des coûts, la désillusion devant l'inefficacité des soins de santé et plusieurs autres grandes tendances de l'époque poussent le gouvernement fédéral à revoir ses politiques en matière de santé. Parmi ces tendances, mentionnons l'accroissement de la population totale, qui laisse entrevoir une demande grandissante de soins de santé, une augmentation de la durée de vie, qui se traduit par une plus grande proportion de personnes âgées vivant au Canada, et une augmentation de l'incidence des maladies chroniques et du besoin de traitements. L'urbanisation accélérée est accompagnée d'une plus grande instabilité dans la vie conjugale et d'une augmentation des problèmes de santé mentale et émotionnelle. Parmi les tendances de l'heure, ajoutons une sorte d'éveil de la conscience sociale, l'acceptation d'une définition positive de la santé, l'exigence d'un consentement éclairé dans les cas d'interventions. En général, un public mieux informé exige des services de meilleure qualité. Dans ce contexte, un nouvel intérêt se dessine pour la prévention de la maladie et la promotion de la santé.

Au début des années 1970, le climat social et les résultats de plusieurs études confirment le besoin de changements dans le système de santé canadien (Lalonde, 1974b). Laframboise (1973) dénonce le manque de cadre conceptuel qui permettrait de subdiviser le domaine de la santé en ses principaux éléments. Selon cet auteur, ce cadre est nécessaire pour faciliter l'analyse des différents champs de la santé et pour proposer des solutions. Le cadre conceptuel proposé par Laframboise, repris dans le rapport Lalonde sous le nom de « Conception globale de la santé », repose sur quatre éléments : les habitudes de vie, l'environnement, le système de santé et la biologie humaine. La biologie humaine englobe tous les aspects de la santé relevant de la structure biologique de l'homme et de la constitution organique de l'individu (Lalonde, 1974b). Ce sont des éléments de la santé qui ont leur origine à l'intérieur de l'organisme humain ; ils comprennent, entre autres, les maladies génétiques. L'environnement, qui « comprend l'ensemble des conditions où une personne évolue et auxquelles elle ne peut que rarement se soustraire » (Lalonde, 1974b, p. 34), est perçu principalement en fonction de ses aspects physique, bactériologique et viral, qui comportent, notamment, la pollution de l'eau, de l'air et par le bruit (Laframboise, 1973). Les habitudes de vie d'une personne sont constituées de « l'ensemble des décisions qu'elle prend et qui influent sur sa propre santé ; ce sont les facteurs sur lesquels elle peut exercer un certain contrôle, y compris les maladies provoquées par les risques qu'elle prend en pleine connaissance de cause » (Lalonde, 1974b, p. 34). Les habitudes de vie reconnues comme ayant un impact sur la santé comprennent la nutrition, l'exercice physique, l'usage du tabac, de l'alcool et d'autres « drogues », et le sommeil. Les décisions relatives aux habitudes de vie sont influencées par les valeurs sociales traditionnelles et contemporaines (Laframboise, 1973).

Le dernier élément, « le système de soins de santé », comprend, entre autres, les soins médicaux et infirmiers, ceux offerts dans les établissements de soins de longue durée, les médicaments, les services de santé publique, la santé communautaire, les services ambulanciers. Donc, cette composante inclut l'ensemble des services de santé offerts.

Jusqu'en 1974, les efforts pour améliorer la santé avaient porté principalement sur les soins médicaux, les soins hospitaliers et les soins spécialisés (Lalonde, 1974a). Dans le rapport Lalonde, on avance que les services de santé ne sont pas le déterminant de la santé le plus important et on propose une autre façon d'améliorer la santé (Lalonde, 1974b). Le but des auteurs est de démontrer que plusieurs facteurs autres que « les soins de santé » influencent l'état de santé d'une population. En examinant les causes sous-jacentes de mortalité, Lalonde démontre que, si l'on veut réduire le taux de mortalité chez les personnes de moins de 70 ans (qu'il qualifie de décès prématurés), on doit s'attaquer au milieu, aux risques auxquels l'individu s'expose en pleine connaissance de cause, aux comportements et aux habitudes de vie (Lalonde, 1974b).

Selon les promoteurs du modèle « Conception globale de la santé », ce modèle permet d'examiner toute question reliée à la santé en relation avec les quatre éléments proposés, et de mieux illustrer les liens entre les maladies et leurs causes sous-jacentes. « La médecine traditionnelle s'intéresse d'abord aux questions relatives à la morbidité et la mortalité» (Lalonde, 1974b, p. 31) tandis que le modèle permet de s'attaquer à l'ensemble des déterminants de la santé. Dans le rapport Lalonde, on propose de passer d'une orientation centrée sur la guérison à une orientation axée sur la promotion de la santé.

Le document *Nouvelles perspectives de la santé des Canadiens,* dans lequel est décrit le modèle de «Conception globale de la santé» et où sont proposées les orientations futures des soins de santé au Canada, a reçu beaucoup d'attention non seulement au Canada mais aussi sur la scène internationale. Selon Terris (1984), ce rapport a donné une nouvelle vision de la santé communautaire. Cette politique est la reconnaissance du début d'une nouvelle ère en santé publique et, au cours des décennies qui suivront, cette deuxième révolution épidémiologique aura raison de plusieurs des plus importantes maladies non infectieuses (Terris, 1984).

La principale critique que suscite ce modèle concerne l'importance qu'il accorde aux risques auto-imposés (Hancock, 1986). En effet, Laframboise (1973, p. 1132) suggère que, parmi les éléments ciblés dans le modèle, «les habitudes de vie sont les plus négligées et plusieurs de nos problèmes de santé, sans égard à l'âge, sont reliés aux habitudes de vie». Cette idée de responsabilité individuelle est aussi évidente dans le rapport Lalonde. Il est écrit: «Outre le système de distribution des soins et l'ensemble de la collectivité, les individus eux-mêmes doivent porter le blâme pour bon nombre de conséquences néfastes que leurs habitudes de vie occasionnent à leur santé» (Lalonde, 1974b, p. 27). Cette insistance sur les habitudes de vie est perçue par plusieurs comme une façon de «blâmer les victimes» (Hancock, 1986) et mène à des analyses détaillées des facteurs de risques (Evans, Barer et Marmor, 1994). Mais l'importance accordée aux facteurs de risques et aux maladies visées contribue à maintenir le système de santé et non à axer les efforts sur la promotion de la santé (Evans, Barer et Marmor, 1994). Toutefois, selon Hancock, ce qui manque dans ce rapport, c'est une approche axée sur la mise en œuvre des stratégies proposées (Hancock, 1986).

L'évidence croissante que plusieurs facteurs difficiles à inclure dans le modèle de «Conception globale de la santé», tel qu'il est présenté dans le rapport Lalonde, ont une influence importante sur la santé amène Evans et ses collaborateurs à proposer l'élargissement du modèle. Lors de la première ébauche, les principaux changements suggérés ont trait à la distinction entre la maladie, telle qu'elle est perçue par le système de santé, et la santé, telle qu'elle est vécue par les individus, ainsi qu'à l'ajout de catégories de déterminants de la santé (Evans, 1994). Dans la version finale, Evans conserve les catégories de déterminants de la santé déjà proposées et en ajoute une autre: la prospérité.

Les catégories incluses dans le cadre conceptuel suggéré par Evans et ses collaborateurs (1994) sont présentées dans le tableau 1.2. Un ajout important est celui du concept de «réponses individuelles». Cette catégorie comprend non seulement les habitudes de vie (comportements) mais aussi les réponses du corps aux environnements physique et psychologique (biologie). La distinction entre les «réponses individuelles» et «l'environnement social» permet d'inclure des facteurs tels que le stress, la pauvreté, le rang social et d'autres facteurs sociaux qui influent sur la santé et l'apparition de la maladie (Evans, Barer et Marmor, 1994).

Une autre catégorie ajoutée au modèle est celle du «patrimoine génétique». Il semble de plus en plus évident qu'une combinaison de gènes peut prédisposer à certaines maladies (Evans, Barer et Marmor, 1994). L'apparition de ces maladies peut être influencée par une variété de facteurs physiques, sociaux ou environnementaux (Evan, Barer et Marmor, 1994).

La prospérité est aussi vue comme un déterminant important de la santé. Les auteurs laissent entendre que les coûts engagés pour les soins de santé peuvent influer sur la santé de la population. Selon eux, notre système de santé a un effet positif sur la santé lorsqu'il

TABLEAU 1.2 — CATÉGORIES DE DÉTERMINANTS DE LA SANTÉ SELON LE MODÈLE DE EVANS (1994)

CATÉGORIES DE DÉTERMINANTS DE LA SANTÉ	
• La biologie humaine – réponses individuelles – le comportement humain • Le patrimoine génétique • L'environnement social	• L'environnement physique • Les services de santé • La prospérité

permet aux personnes de retrouver la santé, de devenir productives ou de reprendre leurs fonctions (Evans, Barer et Marmor, 1994). Toutefois, les services de santé sont utilisés principalement par les personnes sans emploi, les personnes âgées ou celles qui souffrent de maladies chroniques (Evans, Barer et Marmor, 1994). Dans ce cas, les ressources utilisées pour donner les soins sont une ponction directe dans la richesse de la communauté (Evans, Barer et Marmor, 1994). Le « bien-être » et le progrès économique sont donc négativement affectés par le système de santé actuel (Evans, Barer et Marmor, 1994). Selon ces auteurs, si une communauté utilise trop de ses ressources pour les services de santé, moins de fonds sont disponibles pour d'autres activités qui pourraient améliorer le niveau de santé de la population.

Parmi les nombreux facteurs qui ont influencé le développement du mouvement de promotion de la santé au Canada, notons la publication de deux documents : *Charte d'Ottawa pour la promotion de la santé* (Organisation mondiale de la santé (OMS), 1986) et *La santé pour tous : Plan d'ensemble pour la promotion de la santé* (Epp, 1986).

La charte d'Ottawa a été élaborée et adoptée lors d'une conférence internationale organisée conjointement par l'Organisation mondiale de la santé, le ministère de la Santé et du Bien-être social et l'Association canadienne de santé publique. Selon cette charte, l'intervention en promotion de la santé signifie « élaborer une politique publique saine, créer des milieux favorables, renforcer l'action communautaire, acquérir des aptitudes individuelles et réorienter les services de santé » (OMS, 1986).

Dans le document intitulé *La santé pour tous : Plan d'ensemble pour la promotion de la santé,* la promotion de la santé est reconnue comme une stratégie importante pour l'amélioration de la santé de la population. Selon Epp (1986, p. 4-5), les défis que pose la santé pour la nation signifient qu'il faut, entre autres, « réduire les inégalités, augmenter les efforts de prévention et augmenter la capacité des gens de se tirer d'affaire ». Parallèlement, au gouvernement fédéral, le ministère de la Santé a établi la Direction de la promotion de la santé (O'Neill et Cardinal, 1994) et toutes les provinces ont mis en place des programmes de promotion de la santé.

Puis, au début des années 1990, « santé de la population » est devenu le terme à la mode dans les milieux de la politique et de la recherche. Ce concept a été mis de l'avant par l'Institut canadien des recherches avancées (ICRA) en 1989. Selon ce groupe, les déterminants de la santé n'agissent pas seuls ; l'interaction complexe de ces déterminants aurait un effet encore plus important sur la santé (Santé Canada, 1996) : « L'approche axée sur la santé de la population met l'accent sur l'éventail complet des facteurs individuels et collectifs qui déterminent la santé et le bien-être des Canadiennes et des Canadiens, de même que sur leurs interactions. Ces stratégies se fondent sur une évaluation des conditions de risque auxquelles peut être exposée la population dans son ensemble ou certains sous-groupes particuliers de la population, et des avantages qu'on peut tirer d'une intervention à ce niveau » (Santé Canada, 1996, p. 4).

Ce concept a beaucoup évolué depuis les dix dernières années mais, malgré sa popularité, il demeure toujours mal défini. Pour certains (McKenzie, Pinger et Kotecti, 2002), la santé de la population est définie comme l'état de santé des personnes qui ne sont pas organisées, qui n'ont pas d'identité en tant que groupe ou localité et qui ne mènent pas d'actions ni ne jouissent de conditions pour promouvoir, protéger et maintenir leur état de santé. Mais il a aussi été défini comme « la santé de la population telle que mesurée par des indicateurs de santé et influencée par les environnements social et économique, les comportements santé, les capacités individuelles relatives à la santé, l'habileté de faire face aux stress, la biologie humaine, le développement de l'enfant et les services de santé » (traduction libre, Frankish, Veenstra et Moulton, 1999).

Les soins de santé primaires

Le mouvement des « soins de santé primaires » débute en 1977, lors de la trentième assemblée de l'Organisation mondiale de la santé (OMS, 1978). Au cours de cette réunion, la résolution nommée *La santé pour tous* est adoptée ; elle stipule que « le principal objectif social des gouvernements et de l'OMS dans les prochaines années devrait être de faire accéder, d'ici l'an 2000, tous les habitants du monde à un niveau de santé qui leur permette de mener une vie socialement et économiquement productive » (OMS, 1978, p 3). Puis, à la Conférence internationale sur les soins de santé primaires, qui se tient à Alma-Ata, en URSS, en 1978, il est affirmé que ce but peut être atteint par les « soins de santé primaires » (OMS, 1978). Cette résolution est connue sous l'appellation « La santé pour tous d'ici l'an 2000 ».

Selon les auteurs, bien que la médecine soit reconnue pour son rôle dans le contrôle et l'éradication de plusieurs maladies contagieuses, « les plus importantes diminutions dans les taux de mortalité et de morbidité ont été atteintes par des solutions simples, locales et peu coûteuses » (OMS, 1978, p 41). Les soins de santé primaires en sont un bel exemple. Dans la déclaration d'Alma-Ata, on trouve la définition suivante: «On entend par *soins de santé primaires* les soins de santé essentiels, universellement accessibles à tous les individus, à toutes les familles de la communauté, par des moyens qui sont accessibles et à un prix abordable» (OMS, 1978, p. 3). Dans ce modèle, l'accent est mis sur la promotion de la santé et la participation de la communauté.

La participation active de la communauté, un des cinq principes des soins de santé primaires, répond au désir des personnes de se responsabiliser au regard de leur santé, et au souhait de nombreux citoyens de garder une certaine autonomie par rapport aux professionnels de la santé. Il est donc important que les professionnels de la santé saisissent cette occasion pour favoriser la participation des citoyens à la prise de décisions liées à leur santé.

La santé publique et la santé communautaire

Avant le XXe siècle, les programmes de santé publique sont élaborés principalement dans le but de protéger la population des épidémies de maladies infectieuses et d'améliorer les conditions sanitaires. Le domaine de la santé publique s'élargit ensuite pour inclure l'éducation portant sur la santé, les soins pré et postnatals et les soins aux plus démunis, mais les efforts déployés portent encore sur la prévention primaire. Puis, le début du mouvement de promotion de la santé est, pour certains, l'avènement d'une «nouvelle» santé publique (O'Neill et Cardinal, 1994; Horton, 1998).

En général, la promotion, le maintien et la protection de la santé font maintenant partie de la plupart des définitions de la santé publique (Last, 1983; Stanhope et Lancaster, 1999). Selon Last (1983, p. 84), «la santé publique est un ensemble d'efforts organisés par la société pour protéger, promouvoir et rétablir la santé des populations. C'est un ensemble de sciences, d'habiletés et de croyances visant à maintenir et à améliorer la santé de toutes les personnes par des actions collectives et sociales» (traduction libre). Les principales fonctions de la pratique en santé publique et santé communautaire comprennent la surveillance de la santé de la population et des déterminants de la santé, le contrôle des maladies, des blessures et des incapacités, la promotion de la santé et la protection de l'environnement (Bettcher, Sapirie et Goon, 1998).

Toutefois, certains préfèrent s'en tenir à une définition plus restreinte (Garett, 2001; Rothstein, 2002). Selon Rothstein (2002), le terme «santé publique» est un terme légal ayant trait à des pouvoirs, des devoirs et des responsabilités spécifiques. Ce terme s'applique à des institutions précises comme les services de santé. La santé publique relève des gouvernements, dont le rôle est de protéger la santé de la population. Selon Schwenger (1973), la «santé publique» représente, pour la plupart des gens, une activité gouvernementale plus restreinte que la «santé communautaire».

La nouvelle tendance, qui consiste à inclure des activités telles que le développement communautaire, la participation et l'action communautaires, amène plusieurs groupes de professionnels et d'organisations communautaires à utiliser le terme «santé communautaire». Selon McKenzie et ses collaborateurs (2002), la santé communautaire a trait à l'état de santé d'un groupe défini de personnes, ainsi qu'à des actions et à des conditions, d'ordre privé ou public, liées à la promotion, à la protection et au maintien de la santé.

Conclusion : tendances futures

Aujourd'hui plus que jamais, l'institution de la santé publique doit redéfinir sa mission en fonction de l'environnement de plus en plus complexe dans lequel nous vivons (Frenk, 1993). Selon Beaglehole (2003), la pratique de la santé publique doit porter essentiellement sur l'amélioration de la santé de la population par la prévention des maladies, contagieuses et non contagieuses, en particulier dans les groupes défavorisés.

Selon Hancock (1999), le mouvement de promotion de la santé et celui de la santé des populations ont permis de reconnaître que les principaux déterminants de la santé résident au-delà des soins, dans les facteurs environnementaux, sociaux, économiques, politiques et culturels qui façonnent notre vie et celle des collectivités. Par conséquent, dans l'avenir, la santé de la population reflétera la société, dont elle est une partie intégrante.

Parmi les multiples forces qui influeront sur les pratiques futures en santé communautaire, notons la mondialisation, l'environnement physique et la croissance économique. La mondialisation a des effets mitigés sur la santé de la population (McMicheal et Beaglehole, 2000). D'une part, la croissance économique accélérée et les progrès technologiques ont amélioré la santé et l'espérance de vie de la plupart des populations (McMicheal et Beaglehole, 2000), mais, d'autre part, d'autres aspects de la mondialisation mettent en danger la santé de la population dont, entre autres, l'érosion sociale, les conditions environnementales, la division globale du travail, l'accroissement des écarts entre les riches et les pauvres et entre les pays eux-mêmes, et l'augmentation de la consommation (McMicheal et Beaglehole, 2000).

Les principaux changements environnementaux qui affecteront la santé de la population comprennent « les changements climatiques et le réchauffement de la planète, l'épuisement des ressources, la toxicité écologique et la réduction de la biodiversité » (Hancock, 1999, p. S68). Selon Hancock (1999, p. S68), « la plus grande menace qui pèse sur la santé de la population est peut-être la croissance économique puisqu'elle mine le développement durable, environnemental et social ».

RÉFÉRENCES

ALLEMANG, M.M. (2000). « Development of community health nursing in Canada », dans M. Stewart (dir.), *Community Nursing: Promoting Canadians' Health,* 2e éd., Toronto, Harcourt Canada, p. 4-32.

AMYOT, G.F. (1967). « Some historical highlights of public health in Canada », *Canadian Journal of Public Health,* vol. 58, n° 8, p. 337-341.

BEAGLEHOLE, R. (2003). *Global Public Health: A New Era,* Auckland, University of Auckland; Oxford, Oxford University Press, p. 265.

BETTCHER, D.W., S.A. SAPIRIE et E.H.T. GOON (1998). « Essential of public health functions », *World Health Statistics Quarterly,* vol. 51, n° 1, p. 44-54.

CANADIAN PUBLIC HEALTH ASSOCIATION (1969). « Half a century of health care », *Canadian Journal of Public Health,* vol. 60, n° 2, p. 41-43.

CANADIAN PUBLIC HEALTH ASSOCIATION (1984). « Canada's amazing health history: Let's murder the medical officer », *Canadian Journal of Public Health,* vol. 75, n° 5, p. 344-347.

CASSEL, J. (1994). « Public health in Canada », *Clio Medica,* n° 26, p. 276-312.

DUNCAN, S., B.D. LEIPERT et J.E. MILL (1999). « "Nurses as health evangelists": The evolution of public health nursing in Canada, 1918-1939 », *Advances in Nursing Science,* vol. 22, n° 1, p. 40-51.

EMORY, F. (1953). *Public health nursing in Canada,* Toronto, Macmillan.

EPP, J. (1986). *La santé pour tous: Plan d'ensemble pour la promotion de la santé,* Santé Canada, http://www.hc-sc.gc.ca/francais/soins/sante_tous.htm (consulté le 7 juin 2005).

EVANS, R.G., M.L. BARER et T.R. MARMOR (1994). *Why Are Some People Healthy and Others Not,* New York, Aldine De Gruyter, p. 27-189.

FRANKISH, J., G. VEENSTRA et G. MOULTON (1999). « Population health in Canada: Issues and challenges for policy, practice and research », *Canadian Journal of Public Health,* vol. 90, suppl. 1, p. S71-S75.

FRENK, J. (1993). « The new public health », *Annual Review of Public Health,* n° 14, p. 469-90.

GARETT, L. (2001). « The collapse of global public health and why it matters for New York », *Journal of Urban Health: Bulletin of New York Academy of Medicine,* vol. 78, n° 2, p. 403-409.

GOUGH, A. (1967). « Public health in Canada, 1867 to 1967 », *Medical Services Journal* (janvier), p. 32-41.

HANCOCK, T. (1986). « Lalonde and beyond: Looking back at "A new perspective on the health of canadians" », *Health Promotion,* vol. 1, n° 1, p. 93-100.

HANCOCK, T. (1999). « Future directions in population health », *Canadian Journal of Public Health,* vol. 90, suppl. 1, p. S68-S70.

HARDING LE RICHE, W. (1979). « Seventy years of public health in Canada », *Canadian Journal of Public Health,* vol. 70, n° 3, p. 155-163.

HORTON, F. (1998). « The new public health of risk and radical engagement », *The Lancet,* vol. 352, n° 9124, p. 251-252.

LAFRAMBOISE, H. (1973). « Une approche conceptuelle à l'analyse et à l'évaluation du domaine de la santé », *Union médicale du Canada,* vol. 102, n° 5, p. 1128-1133.

LALONDE, M. (1974a). « Valeurs sociales et hygiène publique », *Canadian Journal of Public Health,* vol. 65, n° 4, p. 260-265.

LALONDE, M. (1974b). *Nouvelles perspectives de la santé des Canadiens,* [s. l.], document de travail, Gouvernement du Canada.

LAST, J.M. (1983). *A Dictionary of Epidemiology,* New York, Oxford University Press, p. 84 et 110.

MACDERMOT, H.E. (1968). « Pioneering in Public Health », *Canadian Medical Association Journal,* n° 99, p. 267-273.

MCKENZIE, J.F., R.R. PINGER et J.E. KOTECTI (2002). *An Introduction to Community Health,* 4e éd., Toronto, Jones and Bartlett, p. 4-25.

MCMICHEAL, A.J. et R. BEAGLEHOLE (2000). « The changing global context of public health », *The Lancet,* vol. 356, n° 9228, p. 495-499.

O'NEILL, M. et L. CARDINAL (1994). « Health promotion in Quebec: Did it ever catch on ? », dans A. Pederson, M. O'Neill et I. Rootman, *Health Promotion in Canada: Provincial, National and International Perspectives,* Toronto, W.B. Saunders.

ORGANISATION MONDIALE DE LA SANTÉ (1978). *Les soins de santé primaires,* Alma-Ata (URSS); Genève, OMS (Série Santé pour tous, n° 1).

ORGANISATION MONDIALE DE LA SANTÉ (1986). *Charte d'Ottawa pour la promotion de la santé,* Ottawa, Santé et Bien-être Canada, Association canadienne de santé publique.

OSTRY, A. (1995). « Differences in the history of Public Health in the 19th century Canada and Britain », *Canadian Journal of Public Health,* vol. 86, n° 1, p. 5-6.

ROTHSTEIN, M.A. (2002). « Rethinking the meaning of public health », *The Journal of Law, Medicine & Ethics,* vol. 30, n° 2, p. 144-149.

SANTÉ CANADA (1996). *Pour une compréhension commune: Une clarification des concepts clés de la santé de la population,* document de travail.

SCHWENGER, C.W. (1973). « Santé publique ou communautaire ? », *Canadian Journal of Public Health,* vol. 64, p. 119-120.

SKRETKOWICZ, V. (dir.) (1992). *Florence Nightingale's Notes on Nursing,* Londres, Scutari Press.

STANHOPE, M. et J. LANCASTER (1999). *Community and Public Health Practice,* 5e éd., Toronto, Mosby, p. 2-20.

TERRIS, M. (1984). « Newer perspectives on the health of canadians: Beyond the Lalonde report (Rosenthal Lecture) », *Journal of Public Health Policy,* vol. 5, n° 3, p. 327-337.

VEKEMAN MASSON, J. (1993). *Grand-maman raconte La Grosse Île,* Ottawa, Corporation pour la mise en valeur de Grosse Île inc.

CHAPITRE

2

LA PRÉVENTION DES MALADIES INFECTIEUSES

GISÈLE CARROLL

INTRODUCTION

Malgré les gains importants réalisés au cours du XXe siècle dans le contrôle des maladies infectieuses, celles-ci demeurent une cause prépondérante de mortalité et de morbidité dans le monde entier. Les mesures qui ont permis de réduire les épidémies, en particulier dans les pays industrialisés, comprennent l'amélioration des conditions environnementales, de la qualité de l'eau, de la nutrition et de l'hygiène. L'adoption de lois telles que la loi relative à la pasteurisation du lait, la découverte des vaccins et des antibiotiques ont aussi contribué à réduire la propagation de plusieurs maladies infectieuses. L'apparition de nouvelles maladies, qu'il s'agisse du virus de l'immunodéficience humaine (VIH) ou de la *legionella pneumophila*, démontre l'importance d'éviter tout laxisme sur le plan des mesures de contrôle des maladies ou de l'application des mesures d'hygiène.

Ce chapitre vise à donner une vue d'ensemble du contrôle des maladies infectieuses. On discute d'abord des concepts épidémiologiques appliqués aux domaines des maladies infectieuses et des facteurs de risque, puis des méthodes de prévention. Bien que, dans ce chapitre, les termes *maladies contagieuses* et *maladies infectieuses* soient utilisés indifféremment, on tient à préciser que les maladies infectieuses ne sont pas toutes contagieuses.

LA TRANSMISSION DES MALADIES

L'interaction entre trois éléments, c'est-à-dire l'agent (microorganisme pathogène), l'hôte (la personne susceptible) et l'environnement sont nécessaires pour qu'une maladie transmissible se manifeste. On retrouve quatre grandes catégories d'agents infectieux : les bactéries, les virus, les champignons et les parasites (Sy et Long-Marin, 2005). Les bactéries sont les agents le plus souvent en cause dans les cas d'infections chez l'homme (Sy et Long-Marin, 2005). Bien que la présence de l'agent soit essentielle, ses caractéristiques influent sur l'apparition et la gravité de la maladie.

Selon Sy et Long-Marin (2005), six caractéristiques sont utilisées pour décrire l'agent : son infectiosité, sa pathogénicité, sa toxicité, son pouvoir envahissant, sa virulence et son antigénicité. On entend par *infectiosité*, la capacité de l'agent à s'introduire dans l'organisme et à se multiplier, tandis que le terme *pathogénicité* a trait à son pouvoir de produire des réactions cliniques ou maladies ; celui d'*antigénicité* se rapporte à sa capacité à produire une réponse immunologique (produire des antigènes) (Sy et Long-Marin, 2005). Le terme *pouvoir envahisseur* est utilisé pour qualifier la facilité de l'agent à se propager dans l'organisme et à atteindre divers organes et systèmes du corps humain (Jenicek et Cléroux 1982). Les deux autres caractéristiques servent à décrire le type de réaction de l'organisme. La *virulence* indique le niveau de gravité des réactions chimiques que l'agent est capable de produire, tandis que la *toxicité* est son aptitude à produire une réaction toxique, c'est-à-dire à agir comme un poison (Sy et Long-Marin, 2005). Le terme *contagiosité* est parfois utilisé pour indiquer « l'aptitude d'un agent pathogène à se propager » (Jenicek et Cléroux, 1982). Certains agents, tel le virus responsable de la rougeole, sont très contagieux et se propagent facilement d'une personne à une autre. Par comparaison avec la rougeole, la rubéole est une maladie modérément contagieuse et son niveau de gravité est modérément élevé.

Certaines caractéristiques de la personne (hôte) influent sur sa réponse à l'infection. Il est bien connu que la coqueluche atteint principalement le jeune enfant et que les cas sévères d'influenza sont plus fréquents chez les nourrissons et les personnes âgées de 65 ans et plus. À part l'âge, le sexe, c'est-à-dire les hormones sexuelles, peut influer sur les réactions tissulaires à l'infection, par exemple, l'inflammation des testicules chez les jeunes hommes souffrant des oreillons (Bannister, Begg et Gillespie, 2000).

Le niveau de résistance de l'hôte détermine son habileté à combattre l'infection par l'agent pathogène et à prévenir la transmission de la maladie. Les moyens de résistance peuvent être de nature non spécifique, tel que l'état général de santé, l'état nutritionnel ou celui de la peau. Parmi les autres mécanismes de défense non spécifiques, on retrouve les cils nasaux, les pleurs, le mucus et l'acidité gastrique (Kim-Farley, 2002).

Le principal mécanisme de défense spécifique est l'immunité. On entend par immunité la capacité de la personne à résister à un agent, à ne présenter aucune manifestation clinique. On distingue quatre types d'immunité : l'immunité naturelle, l'immunité acquise, l'immunité active et l'immunité passive (Sy et Long-Marin, 2005). L'immunité naturelle est la résistance innée d'une espèce à un agent pathogène (Sy et Long-Marin, 2005). Lorsqu'un individu développe de la résistance à une maladie, par exemple à la rougeole, après avoir été exposé au virus responsable, il s'agit d'une immunité acquise. Les vaccins reçus au cours des années procurent une immunité active à des maladies spécifiques tandis que le transfert d'anticorps spécifiques de la mère à l'enfant est un exemple d'immunité passive. Il arrive parfois que le corps ne produise presque pas d'anticorps contre certains agents infectieux, par exemple chez les nouveau-nés ou les personnes souffrant d'une maladie immunodéficitaire (Rose, 2004). Ainsi, les vaccins faits de virus vivants sont contre-indiqués chez les personnes souffrant d'une maladie immunodéficitaire (Klein, 2004).

Les facteurs physiques, biologiques, sociaux et culturels de l'environnement peuvent aussi favoriser la propagation d'une maladie infectieuse. Certaines caractéristiques physiques de l'environnement sont essentielles à la survie et à la reproduction des agents pathogènes (Jenicek et Cléroux, 1982), mais peuvent aussi influer sur la résistance de l'hôte à l'infection. Des conditions atmosphériques telles que le taux d'humidité et la température peuvent favoriser la croissance de certains agents, changer l'état des muqueuses respiratoires de l'hôte ou ses habitudes de vie. La résistance de l'hôte peut aussi être réduite à la suite d'une exposition à des taux de pollution élevés et persistants (Graham, 1990 ; Valent, 2004). De plus, il a été démontré que l'infection est plus sévère chez la personne souffrant de malnutrition. Le manque de protéines dans le régime pourrait faire obstacle au développement des cellules favorisant l'immunité (Field, Johnson, et Schley, 2002 ; Keuschi, 2003). En dernier lieu, les conditions sanitaires déficientes, l'encombrement et la fréquence des interactions entre les individus augmentent la possibilité de propager les maladies contagieuses.

La chaîne de propagation d'une maladie contagieuse

Une chaîne de transmission est nécessaire pour que l'agent pathogène puisse causer une maladie infectieuse. Les éléments essentiels de cette chaîne sont : la source (ou réservoir), la porte de sortie, la transmission de l'agent, les portes d'entrée et la sensibilité de l'hôte. La *source,* c'est-à-dire l'environnement dans lequel l'agent pathogène vit et se multiplie, peut être une personne, un animal, le sol, l'eau, une plante, la nourriture, un objet contaminé (par exemple, un jouet) ou une combinaison de ces éléments. Chez les humains et les animaux, la *porte de sortie* se situe près du site où se multiplie l'agent pathogène ; les portes de sortie les plus fréquentes comprennent les voies respiratoires, les lésions ouvertes, les intestins et les voies génitales et urinaires.

La porte de sortie détermine le mode de *transmission.* En général, la transmission se fait par contact direct ou indirect. Le contact direct fait référence à un contact avec une personne ou un animal infecté, c'est-à-dire un contact avec la source d'infection. La transmission la plus fréquente se produit entre une personne infectée et un hôte sensible. Le toucher, le baiser et la relation sexuelle sont des exemples d'occasions de contamination par contact direct.

« Un individu hébergeant un agent pathogène et susceptible de le transmettre aux autres s'appelle *un porteur de germes* » (Jenicek et Cléroux, 1982). Jenicek et Cléroux distinguent quatre catégories de porteurs de germes : le *porteur actif,* le *porteur muet,* le *porteur chronique* et le *porteur sain.* Le porteur actif est une personne qui peut transmettre la maladie à une autre, à n'importe quel stade de la maladie (Jenicek et Cléroux, 1982). Un porteur muet héberge un agent pathogène mais ne l'élimine pas dans son environnement. Toutefois, il peut à un moment donné être à nouveau une source de contamination (par exemple, l'herpès simplex). Le porteur chronique est une personne qui reste porteur de l'agent pathogène même après la convalescence, souvent toute la vie. Par exemple, dans certains cas, un individu infecté par le virus qui cause l'hépatite B reste contagieux toute sa vie (Jenicek et Cléroux, 1982; Santé Canada, 2002). Enfin, le porteur sain est « une personne exposée à une infection; elle ne manifeste aucun symptôme mais est susceptible de transmettre la maladie » (Jenicek et Cléroux, 1982). La transmission entre l'animal et l'homme s'appelle « zoonose » (Bannister, Begg et Gillespie, 2000). Un « vecteur » est l'animal ou l'insecte – une espèce vivante – responsable de la transmission d'une maladie contagieuse à un hôte, par exemple, par morsure ou par griffade.

On qualifie de transmission indirecte celle où l'infection se développe après un contact avec des objets inanimés tels que le sol, des éléments, un jouet. La porte d'entrée correspond souvent à la porte de sortie d'un réservoir humain, telles les voies respiratoires (inhalation) ou les voies digestives (digestion). Toutefois, les portes d'entrée peuvent aussi être mécaniques et artificielles, par exemple par morsure ou piqûre (Jenicek et Cléroux, 1982). Le dernier maillon de la chaîne de transmission, la susceptibilité de l'hôte, fait référence aux chances que l'hôte a d'être exposé à l'infection et de la développer. Comme il a été mentionné auparavant, l'état nutritionnel de l'hôte, la présence d'autres portes de sortie et son environnement influent sur son niveau de résistance.

Les manifestations d'une maladie infectieuse

Le fait d'être exposé à un agent pathogène ne se traduit pas toujours par le développement de la maladie. Toutefois, toute maladie contagieuse comprend les phases suivantes : la période d'incubation, la phase des prodromes, la phase des symptômes classiques, la phase de défervescence, la phase de convalescence et le nouvel état de santé atteint (Jenicek et Cléroux, 1982). La période d'incubation est l'intervalle de temps entre la pénétration de l'agent pathogène dans l'organisme et la première apparition des signes et symptômes de la maladie (Sy et Long-Morin, 2005). Durant cette période, l'agent pathogène s'adapte à son hôte, se multiplie et, dans certains cas, produit des toxines (Jenicek et Cléroux, 1982). La phase des prodromes est une période provisoire avant l'apparition des symptômes spécifiques de la maladie. Les premiers signes apparaissent tels que la fièvre, la fatigue et des malaises généraux. Puis arrive la phase clinique, période où l'on observe les manifestations spécifiques de la maladie. Par exemple, un enfant souffrant de rougeole présentera, entre autres, des rougeurs cutanées, un larmoiement des yeux et les taches de Koplic (petites taches blanches sur la face intérieure des joues). Les deux dernières phases, la phase de défervescence et celle de la convalescence sont celles qui indiquent un retour progressif vers la santé. D'abord, l'intensité des symptômes diminue (phase de défervescence), puis le corps reprend petit à petit son fonctionnement normal (convalescence) ou atteint un nouveau niveau de santé. Dans certains cas, des limitations permanentes peuvent persister toute la vie; par exemple, la paralysie d'un membre peut être une séquelle de la poliomyélite.

Variation dans la manifestation des maladies

Les manifestations de la maladie peuvent varier d'une personne infectée à une autre. Dans certains cas, la personne infectée ne présente aucun symptôme clinique (maladie inapparente) tandis qu'une autre peut présenter tous les signes et symptômes typiques de la maladie (maladie manifeste) (Sy et Long-Morin, 2005). Lorsque des tests de dépistage sont disponibles, il est important d'identifier les cas de maladies inapparentes afin de prévenir la propagation de la maladie. Jenicek et Cléroux (1982) ont identifié trois autres types de manifestations de la maladie : la maladie latente, la maladie abortive et la maladie foudroyante. Selon Jenicek et Cléroux, la maladie latente est caractérisée par « une période d'équilibre entre l'agent et l'hôte où l'agent n'est pas éliminé dans l'environnement ». La maladie abortive est celle où la personne infectée ne présente pas tous les signes cliniques, tandis que la maladie foudroyante est caractérisée par une progression rapide de la maladie et peut s'avérer mortelle.

Les types d'éclosion

Dans la communauté, les maladies contagieuses peuvent se manifester de façon sporadique, endémique, épidémique ou pandémique. Les maladies sporadiques apparaissent de façon occasionnelle et irrégulière durant une certaine période de temps. Les maladies endémiques sont présentes à un taux constant (affectent le même nombre de personnes) durant une période de temps et dans une région définie. On dit qu'il y a une épidémie lorsque le nombre de cas est plus élevé que celui observé de façon habituelle, durant une période spécifique de temps et dans une région définie. On qualifie de **pandémie** une épidémie qui affecte une grande région, plus d'un continent.

Les sources d'éclosion

On distingue trois principales sources d'éclosion : l'éclosion attribuable à la transmission de personne à personne, l'éclosion attribuable à une source commune et celle qui est attribuable à une source à un moment spécifique. L'éclosion attribuable à la transmission de personne à personne est la plus fréquente. Pensons à la transmission du virus de la varicelle entre les enfants dans une garderie. L'éclosion attribuable à une source commune est celle où l'origine de l'infection est la même pour toutes les personnes infectées. Par exemple, plusieurs personnes qui utilisent l'eau provenant du même puits ou du réservoir d'un village sont infectées par le même agent infectieux, pendant une période de six mois. La durée de l'éclosion peut s'étendre sur une longue période de temps contrairement à celle qui est attribuable à une source à un moment spécifique. Une source à un moment spécifique apparaît après que les personnes ont été exposées à une seule source d'infection à un moment donné. Par exemple, un groupe de personnes sont victimes d'un empoisonnement alimentaire après avoir assisté à une fête ou à une réception.

La prévention des maladies infectieuses

Des mesures appliquées à l'hôte, à l'agent et à l'environnement sont nécessaires pour prévenir la propagation des maladies contagieuses. Selon Stachtchenko (1990), « une intervention peut être qualifiée de préventive si elle réduit les probabilités qu'une maladie affecte un individu, si elle arrête ou ralentit la progression de la maladie ou réduit l'incapacité » (traduction libre). En santé publique, on distingue trois niveaux de prévention : les nivaux primaire, secondaire et tertiaire. Au niveau primaire, les interventions visent à prévenir une maladie spécifique, par exemple un vaccin pour prévenir la rougeole. Généralement, ces interventions sont destinées aux personnes en santé. Le niveau de prévention secondaire vise non seulement la détection précoce de la maladie mais aussi le contrôle de sa transmission dans la communauté. Des tests de dépistage sont maintenant disponibles pour identifier les cas de contamination au VIH, ce qui permet non seulement de traiter tôt les personnes infectées mais aussi de prévenir la transmission à d'autres personnes. Les interventions préventives de niveau tertiaire ont pour but « de limiter ou si possible d'empêcher l'apparition des séquelles ou des rechutes de maladies ou d'accidents que l'on n'a pas pu prévenir » (Jomphe-Hill, 1983). Ces interventions sont aussi axées sur la réhabilitation des individus vers un état de santé optimal.

Les mesures appliquées à l'hôte

La vaccination est reconnue comme étant l'intervention primaire la plus efficace contre les maladies infectieuses (Babinchak, 2002). On entend par vaccination l'administration d'un antigène pour combattre une maladie, tandis que le terme immunisation signifie « le développement d'une réponse immunitaire spécifique » (Delets et autres, 2002).

L'immunité peut être active ou passive. L'immunité active est habituellement acquise après la vaccination, mais elle peut aussi résulter d'un contact avec la maladie. Par exemple, si un enfant a la rougeole, il développe une immunité active contre cette maladie. Habituellement, les vaccins sont donnés avant que la personne ait eu la maladie, mais dans certains cas, le vaccin peut protéger même après l'exposition à l'agent pathogène (Delets et autres, 2002).

Généralement, le développement d'anticorps pour la maladie prend de 7 à 21 jours et la durée de la protection varie de quelques mois à plusieurs années, et parfois toute la vie (Kim-Farley et autres, 2002). Certains vaccins requièrent plus d'une dose et un rappel est parfois nécessaire. Le moment où la personne est capable de produire des anticorps ainsi que le moment où, dans sa vie, elle a le plus besoin de protection, sont pris en considération pour déterminer les calendriers de vaccination et établir les moments propices pour donner chaque vaccin (Klein, 2004). Par exemple, le vaccin contre la coqueluche est donné vers l'âge de deux mois même s'il est moins immunogène chez les nourrissons puisque leur risque de contracter cette infection est plus élevé (Klein, 2004).

Plusieurs facteurs influent sur l'efficacité des vaccins tels que leur conservation, leur administration ainsi que la réponse de l'hôte. L'efficacité des vaccins est variable et aucun vaccin n'est efficace à 100 %. « Certains vaccins sont préparés à partir de micro-organismes inactivés ou de composants purifiés » (par exemple, le vaccin contre l'hépatite A ou B et celui contre l'influenza), tandis que d'autres contiennent des micro-organismes vivants (par exemple, le vaccin contre la rougeole et la rubéole) (Santé Canada, 2002, *Guide canadien d'immunisation*).

Bien que les effets secondaires des vaccins soient généralement bénins, bon nombre de personnes hésitent toujours à se faire vacciner ou à faire vacciner leurs enfants. Malgré le taux d'immunisation généralement élevé chez les enfants canadiens, les résultats d'une enquête menée en 1998 démontrent qu'ils n'atteignent pas les objectifs nationaux (Agence de santé publique du Canada, 1999). Bien qu'en général ce taux soit relativement stable depuis plusieurs années, il avait diminué pour certaines maladies, entre autres, le tétanos, la diphtérie et la coqueluche, chez les enfants de deux ans, de 1990 à 1998 (Agence de santé publique du Canada,

1999). Dans ce groupe d'âge, le taux d'immunisation contre la coqueluche (72,6 %) est le moins élevé de tous.

Au Canada, les principales raisons pour refuser un vaccin sont d'ordre philosophique ou religieux. Certains parents ont lu des articles ou écouté des émissions à la radio ou à la télévision où on rapportait des effets secondaires graves de certains vaccins, et où on mettait en doute la sécurité des vaccins. Lorsque leur information repose sur de tels faits, les parents croient sincèrement qu'il est préférable pour leur enfant ou pour eux-mêmes, si c'est le cas, de ne pas recevoir le vaccin. Certains groupes refusent la vaccination parce qu'à leur avis cette pratique va à l'encontre de leurs croyances religieuses.

Au Canada, les vaccins offerts gratuitement varient selon les provinces. Bien que l'immunisation ne soit pas obligatoire, dans certaines provinces (par exemple, l'Ontario) on exige des preuves d'immunisation lors de l'entrée à l'école. Une attention particulière doit être portée aux nouveaux arrivants. Ceux qui viennent de pays en développement sont parfois sous-immunisés en raison des coûts des vaccins dans leur pays d'origine, de leur qualité parfois médiocre ou de leur inaccessibilité.

Tous les travailleurs de la santé qui ont un contact direct avec les malades sont encouragés à recevoir le vaccin antigrippal. Bien que ce vaccin ne soit pas obligatoire, les employés non vaccinés peuvent être avisés de ne pas se présenter à leur travail lors d'une éclosion d'influenza. Selon le Comité consultatif national de l'immunisation (CCNI, 2004), « l'administration du vaccin antigrippal aux travailleurs de la santé qui dispensent des soins directs aux patients constitue un élément essentiel des normes de conduite pour la prévention de la grippe chez leurs patients ». Il ajoute que, « en l'absence de contre-indications, le refus de travailleurs de la santé qui dispensent des soins directs aux patients de se faire vacciner contre la grippe peut être assimilé à un manque à leur obligation de diligence envers leurs patients » (CCNI, 2004).

Malgré que les effets secondaires soient rares, il est important que les professionnels de la santé œuvrant en prévention des maladies infectieuses soient bien informés des types de réactions associés aux différents vaccins. Les effets secondaires graves doivent être signalés au médecin en santé publique de la région concernée. Toutes les provinces et les territoires canadiens ont des programmes d'immunisation bien établis pour les nourrissons et les enfants, les adolescents et les adultes. Le *Guide canadien d'immunisation* (Santé Canada, 2002) présente l'immunisation recommandée pour les enfants selon l'âge, mais aussi pour les adultes et les autres groupes de personnes nécessitant une attention spéciale, notamment les femmes enceintes, les sujets immunodéprimés et les personnes vivant dans les établissements de soins de courte ou de longue durée. Dans ce même guide, on trouve les lignes directrices dont le but est d'orienter les professionnels de la santé qui administrent les vaccins. Les effets secondaires, les contre-indications et les précautions sont aussi présentés dans le guide.

On conseille aux personnes qui désirent voyager à l'étranger de prendre rendez-vous dans une clinique de santé-voyage. En plus d'informer les gens sur les vaccins recommandés, les professionnels de la santé œuvrant dans ces cliniques pourront leur fournir d'autres informations utiles afin qu'ils évitent de contracter une maladie infectieuse.

Puisque l'immunisation joue un rôle crucial dans le contrôle des maladies contagieuses, il est important d'encourager le plus grand nombre possible de personnes à recevoir les vaccins appropriés et, par le fait même, d'assurer un taux élevé d'immunité collective. L'immunité collective, c'est-à-dire « la proportion et la distribution des personnes immunisées dans la communauté » (Jenicek et Cléroux, 1982) diminue la probabilité que la maladie infectieuse se propage parmi les personnes non immunisées.

Certains médicaments sont parfois utilisés comme mesure prophylactique. Le terme « chimioprophylaxie » signifie « prévenir l'infection ou prévenir la manifestation des signes de la maladie par l'administration de substances chimiques, y compris les antibiotiques » (traduction libre, Kim-Farley, 2002). Les problèmes potentiels liés à l'usage des antibiotiques, en particulier l'émergence d'agents pathogènes résistant aux antibiotiques habituellement utilisés, mettent en question leur consommation à des fins préventives. L'adaptation de certaines bactéries à différents antibiotiques est liée à plusieurs facteurs, dont la mauvaise utilisation des médicaments. Certaines personnes prennent les antibiotiques prescrits seulement pendant quelques jours et omettent de les prendre dès que les symptômes diminuent. Exposées à des doses moins élevées d'antibiotiques, les bactéries deviennent de plus en plus résistantes. On note aussi la prescription abusive d'antibiotiques, même pour des infections mineures, et le recours aux antibiotiques dans le domaine de l'agriculture.

Pour le contrôle de la transmission des agents pathogènes par contact direct, la façon la plus efficace de prévenir les infections est le lavage des mains (Bartley et Bjerke, 2001 ; Babinchak, 2002). Le lavage des mains est important non seulement dans les hôpitaux, mais aussi dans tous les milieux. Il est important de promouvoir cette habitude chez les enfants, en particulier chez les enfants dans les garderies. En plus du lavage des mains, il est possible de contrôler la propagation des infections en respectant les règles d'hygiène, par exemple en évitant de se servir des mêmes objets personnels et en portant une attention particulière à la propreté de la maison, à la préparation des aliments et au lavage du linge (Larson et Gomez, 2001). Parmi les autres comportements auxquels il faut accorder une attention particulière, notons les comportements sexuels à risques élevés et l'usage de drogues illicites par voie intraveineuse. Le partage des aiguilles et des seringues ainsi que l'usage d'équipements contaminés sont souvent responsables de la transmission du VIH.

Trois mesures de niveau secondaire, soit l'isolement, la quarantaine et la restriction des déplacements des personnes dans la communauté peuvent aussi être appliquées à l'hôte. Sur le plan communautaire, l'isolement consiste à « séparer les personnes infectées des autres pour la durée de la contagiosité de la maladie afin de limiter la propagation de l'agent infectieux aux personnes sensibles » (traduction libre, Allénder et Spradley, 2005). Autrefois, le terme « quarantaine » était utilisé pour signifier la mise en isolement des personnes et des marchandises provenant de pays étrangers, pour une période de quarante jours. De nos jours, le terme est aussi employé pour signifier une période d'isolement imposée à des personnes susceptibles de transmettre une maladie infectieuse. La période d'isolement peut varier selon la période de contagiosité de l'agent pathogène. On distingue deux types de quarantaine : la quarantaine absolue et la quarantaine modifiée. Lorsqu'il s'agit d'une quarantaine absolue, les personnes « en quarantaine » n'ont aucun contact avec les personnes non infectées, tandis que, dans le cas de la quarantaine modifiée, les personnes « en quarantaine » ont des contacts limités avec les personnes non infectées. Bien que cette mesure soit moins utilisée de nos jours, on y a eu recours en Ontario lors de la crise du SRAS, en 2003 (Speakman et autres, 2003).

De plus, il est parfois nécessaire de restreindre les activités de certaines personnes dans la communauté. Par exemple, on recommande aux femmes enceintes de s'abstenir de travailler auprès d'enfants souffrant de maladies contagieuses. Habituellement, on demande aussi aux enfants atteints d'une maladie contagieuse, par exemple la coqueluche ou la varicelle, de ne pas fréquenter la garderie ou l'école, selon le cas, afin de prévenir la transmission aux enfants vulnérables.

Certaines mesures appliquées à l'agent pathogène sont régies par des politiques de santé publique telles que la pasteurisation du lait ou l'ajout de chlore à l'eau. D'autres mesures telles que le nettoyage, la réfrigération et la désinfection peuvent faire l'objet de recommandation ou d'enseignement par les professionnels de la santé œuvrant dans la communauté. Ces mesures sont particulièrement importantes dans les garderies où plusieurs activités sont propices à la propagation de l'agent pathogène, notamment la préparation de la nourriture, les interactions avec les nourrissons et les enfants d'âge préscolaire et, bien souvent, le changement de couches.

En dernier lieu, des mesures peuvent être appliquées directement à l'environnement ou à des vecteurs qui s'y retrouvent (insecte ou animal) et qui sont susceptibles de transmettre une maladie. La qualité de l'eau est devenue une préoccupation importante au Canada, en particulier en Ontario, depuis l'épidémie de *E. coli* à Walkerton, qui a entraîné la mort de sept personnes et qui en a rendu plusieurs gravement malades. Cet événement a rappelé non seulement aux gouvernements, mais aussi aux citoyens, la nécessité d'avoir accès à de l'eau potable. Depuis les deux dernières décennies, au Canada comme dans plusieurs autres pays industrialisés, on note une augmentation importante de citoyens qui s'inquiètent de la qualité de l'eau et qui achètent de l'eau embouteillée. Une variation marquée a été observée dans la qualité de l'eau en bouteille (Pip, 2000). Selon Pip (2000), même si l'eau est bonne à la source, sa qualité peu se détériorer lors de la mise en bouteille, du transport ou de l'entreposage. Les déchets chimiques, industriels ou domestiques peuvent aussi être une source de contamination de l'eau et du sol. Les professionnels de la santé peuvent travailler avec la communauté à l'amélioration de la qualité de l'eau.

Les changements climatiques peuvent aussi avoir un effet important sur l'apparition ou l'incidence des maladies infectieuses. Les pluies abondantes, les inondations, le réchauffement de la température et la sécheresse peuvent jouer un rôle important dans la sensibilité à ces maladies ou dans leur transmission (Epstein, 2002).

Le contrôle des vecteurs reste une mesure importante de prévention des maladies infectieuses. Bien que l'on note une diminution de l'incidence de certaines maladies transmises par des animaux, telle la rage, on rapporte une augmentation de cas de maladies causées par le virus du Nil. Plusieurs précautions sont recommandées, notamment le port de vêtements couvrant bien les membres et l'usage d'un insectifuge.

Finalement, certaines autres précautions, telles les conditions du logement et les mesures d'hygiène prises lors de la préparation de la nourriture ou dans le milieu de travail, peuvent influer sur la transmission des maladies infectieuses.

La surveillance épidémiologique

La surveillance épidémiologique a trait à l'étude de la distribution et à l'évaluation des tendances des maladies dans la population. Les objectifs comprennent la surveillance des cas et l'apparition de nouvelles maladies, l'évaluation de l'étendue du problème ainsi que la mesure de l'efficacité des interventions. Deux caractéristiques importantes d'un bon système de surveillance sont la rapidité avec laquelle les données sont obtenues et analysées, et les résultats transmis, ainsi que la capacité d'établir les probabilités de risques auxquels est exposée la population (Thurmand, 2003).

Les professionnels de la santé œuvrant en santé publique ont un rôle important à jouer sur le plan de la surveillance et du contrôle des maladies infectieuses. Ils administrent des vaccins et ils renseignent les citoyens sur les comportements à risques, les méthodes de dépistage de certaines maladies comme la tuberculose, le VIH et d'autres maladies transmises sexuellement. Compte tenu des multiples facteurs susceptibles d'influer sur les éléments de la chaîne de transmission, il est nécessaire d'avoir une approche multidimensionnelle pour assurer un bon contrôle des maladies transmissibles.

Les maladies émergentes

De nouvelles maladies infectieuses, dites émergentes, constituent une autre menace pour la santé de la population. Ces maladies se manifestent à la suite de l'apparition d'un nouvel agent infectieux ou de la découverte d'une maladie existante mais restée jusque-là insoupçonnée (Feldman et autres, 2002). Pensons au VIH qui continue à faire des ravages à travers le monde, en particulier parmi la population sub-saharienne. Parmi les maladies qui ont fait leur apparition au Canada, on note aussi le syndrome respiratoire aigu sévère (SRAS), le virus du Nil occidental et la grippe aviaire. De plus, certaines maladies infectieuses sont devenues résistantes aux médicaments, en particulier aux antibiotiques, alors que l'incidence d'autres maladies que l'on croyait sous contrôle a augmenté (Osterholm, 2000). De nombreux facteurs ont contribué à l'apparition ou à l'augmentation de certaines maladies infectieuses. Les échanges commerciaux internationaux et l'augmentation des voyages internationaux accroissent les risques que les individus soient exposés à des maladies étrangères. Les voyageurs infectés, asymptomatiques, peuvent transmettre la maladie durant le vol ou lors de l'arrivée à destination (Ligon, 2004). Parmi les autres facteurs, notons l'augmentation de la population, l'expansion des régions habitées, la modification et l'adaptation microbactérienne, les changements climatiques ainsi que le déclin des infrastructures de santé publique (Osterholm, 2000; Feldmann et autres, 2002). Au Canada, l'apparition de ces maladies, en particulier le SRAS, a amené les gouvernements à revoir les mesures de contrôle et les programmes de surveillance des maladies infectieuses. Au fédéral, l'Agence de santé publique du Canada a été créée pour superviser « la gestion des situations d'urgence en santé publique » et assurer une meilleure collaboration nationale en matière de santé (Agence de santé publique du Canada, 2004). Le gouvernement fédéral propose aussi de modifier la loi sur la quarantaine afin de répondre aux problèmes urgents liés à la propagation de maladies contagieuses (Agence de santé publique du Canada, 2004). Cette loi vise le contrôle, l'évaluation de la santé et la détention des voyageurs afin de prévenir l'importation et l'exportation de ces maladies, et porte davantage sur les voyages aériens (Agence de santé publique du Canada, 2004).

En conclusion, il est évident qu'au cours du dernier siècle une nette amélioration de nos approches vis-à-vis des maladies infectieuses nous a permis d'augmenter notre qualité de vie. Des changements sur le plan de l'hygiène personnelle et communautaire, et sur le plan de la nutrition, la mise en place d'une protection spécifique tels les vaccins, et l'établissement de diagnostics précoces grâce à de nouveaux tests de dépistage sont parmi les principales raisons de ce succès. Toutefois, ainsi qu'il a été démontré dans ce chapitre, les maladies infectieuses demeurent une menace sérieuse et leur contrôle constitue un défi de taille pour les professionnels de la santé oeuvrant dans la communauté.

Références

AGENCE DE SANTÉ PUBLIQUE DU CANADA (2004). « Une nouvelle loi sur la quarantaine présentée de nouveau au parlement », http://www.phac-aspc.gc.ca/media/nr-rp/2004/2004_54_f.html (consulté le 25 mars 2005).

AGENCE DE SANTÉ PUBLIQUE DU CANADA (1999). *Pediatrics and Child Health,* http://www.phac-aspc.gc.ca/publicat/pch/vol4supc/pch_g_e.html.

ALLENDER, J.A. et B.W. SPRADEY (2005). *Community Health Nursing*, Philadelphie, Elsevier (USA).

BABINCHAK, T. (2002). « Cause of common illnesses: An overview », dans *Journal of School of Nursing*, p. 8-11.

BANNISTER, B.A., N. BEGG et S. GILLESPIE (2000). *Infectious Disease*, Oxford, Londres, Blackwell Science.

BARTLEY, J. et N.B. BJERKE (2001). « Infectious control considerations in critical care unit design and construction: A systematic risk assessment », *Critical Care Nursing Quaterly*, vol. 24, n° 3, p. 43-58.

COMITÉ CONSULTATIF NATIONAL DE L'IMMUNISATION (2004). *Relevé des maladies transmissibles au Canada*, Santé Canada, vol. 30, DCC-3.

EPSTEIN, P. (2002). « Climate change and infectious disease: Stormy weather ahead? », *Epidemiology*, vol. 13, n° 4, p. 373-375.

FELDMANN, H. et autres (2002). « Emerging and re-emerging infectious diseases », *Med Microbiol Immunol*, n° 191, p. 63-74.

FIELD, C.J., I.R. JOHNSON et P.D. SCHLEY (2002). « Nutrients and their role in host resistance to infection », *Journal of Leukocyte Biology*, vol. 71, n° 1, p. 16-32.

GRAHAM, N.M.H. (1990). « The epidemiology of acute respiratory infections in children and adults: A global perspective », *Epidemiologic Reviews*, n° 12, p. 149-178.

JENICEK, M. et R. CLÉROUX (1982). *Épidémiologie: principes, techniques, applications*, Saint-Hyacinthe, Edison.

JOMPHE-HILL, A. (1983). « La prévention, les différentes étapes », *Nursing Québec*, vol. 3, n° 3, p. 24-25.

KEUSCH, G.T. (2003). « The history of nutrition: Malnutrition, infection and immunity », *Journal of Nutrition*, vol. 133, n° 1, p. 3365-3405.

KIM-FARLEY, R.J. (2002). « Global strategies for the control of communicable diseases », dans R. Detels, J. McEwen, R. Beaglehole et H. Tanaka (dir.), *The Practice of Health. Textbook of Public Health*, 4e éd., Oxford, Oxford University.

KLEIN, J.O. (2004). « Immunization of children and adults », dans S.L. Gorbach, J.G. Barlett et N.R. Blacklow (dir.), *Infectious Diseases*, 3e éd., Philadelphie, Lippincott Williams & Wilkins.

LARSON, E. et D.C. GOMEZ (2001). « Home hygiene practices and infectious disease symptoms among household members », dans *Public Health Nursing*, vol. 18, n° 2, p. 116-127.

LIGON, L. (2004). « Emerging and re-emerging infectious diseases: Review of general contributing factors and of West Nile Virus », *Pediatric Infectious Diseases*, p. 199-205.

OSTERHOLM, M.T. (2000). « Emerging infection – another warning », *New England Journal of Medicine*, vol. 342, n° 17, p. 1280-1281.

PIP, E. (2000). « Survey of bottled drinking water available in Manitoba, Canada », *Environmental Health Perspectives*, vol. 108, n° 9, p. 863-866.

ROSE, N.R. (2004). « Immunodiagnosis », dans S.L Gorbach, J.G. Barlett et N.R. Blacklow (dir.), *Infectious Diseases*, 3e éd., Philadelphie, Lippincott Williams & Wilkins.

SANTÉ CANADA (2002). « Guide canadien d'immunisation », 6e éd., Direction générale de la santé de la population et de la santé publique, Centre de prevention et de contrôle des maladies infectieuses. CAT H49-8/2002F. Ottawa, Canada, Travaux publics et Services gouvernementaux.

SPEAKMAN, J., F. GONZALEZ-MARTIN et T. PEREZ (2003). « Quarantine in severe acute respiratory syndrome (SARS) and other emerging infectious diseases », *Journal of Law, Medicine & Ethics*, vol. 31, n° 4, p. S63-S65.

STACHTCHENKO, S. (1990). « Conceptual differences between prevention and health promotion: Research implications for community health programs », *Canadian Journal of Public Health*, n° 81, p. 53-59.

SY, F. et S. LONG-MARIN (2005). « Infectious disease prevention and control », dans M. Stanhope et J. Lancaster (dir.), *Community and Public Health*, 6e éd., St. Louis, Mosby Inc.

THURMAND, M.C. (2003). « Conceptual foundations for infectious disease surveillance », *Journal of Vet Diagn Invest*, n° 15, p. 501-514.

VALENT, F. et autres (2004). «Burden of disease attributable to selected environmental factor and injury among children and adolescents in europe», *The Lancet*, n° 363, p. 2032-2039.

La prévention des maladies chroniques

Lucie Couturier
Gisèle Carroll

Introduction

Pendant des siècles, la prévention des maladies contagieuses a été la principale préoccupation des professionnels œuvrant en santé publique. L'amélioration des conditions de vie et les découvertes médicales, notamment les vaccins et les antibiotiques, ont donné lieu à un meilleur contrôle de ces maladies. Bien qu'elles demeurent encore une priorité dans certains pays, surtout dans les pays en développement, tel n'est plus tout à fait le cas dans les pays industrialisés. En effet, plusieurs pays, dont le Canada, accordent plus d'attention actuellement à la prévention des maladies chroniques dont l'incidence et la prévalence se sont accrues de façon importante au cours des dernières décennies. Ces maladies constituent, à l'heure actuelle, l'une des principales causes de décès et sont un obstacle majeur à l'accroissement de l'espérance de vie. Ces problèmes de santé permanents retiennent l'attention des chercheurs et des dirigeants politiques non seulement en raison de leur impact sur la mortalité, mais aussi à cause de la limitation des activités qu'ils entraînent (Lavoie, 1987).

La chronicité se réfère au fait qu'une situation ou un problème perdure. Dans le cas de la maladie, la notion de chronicité se décrit en termes plus larges. En raison des nombreux problèmes psychosociaux qui accompagnent la maladie chronique, selon Burke (1999), il est essentiel de porter attention aux effets de la maladie sur la personne et non uniquement à la maladie elle-même. Elle poursuit en affirmant que la maladie chronique suit une trajectoire pathologique chronique qui comporte: une évolution à court et à long terme, au cours de laquelle se manifeste une symptomatologie parfois complexe et vague; une stabilité relative faite de périodes d'exacerbation et de rémission, et un degré d'incertitude entourant l'évolution du problème de santé, qui entraîne des conséquences psychosociales dans la vie de la personne. De toute évidence, la maladie chronique inclut non seulement la dimension *temporelle* des divers symptômes ou altérations, mais aussi la dimension *résultante,* c'est-à-dire les effets de la maladie sur la personne, sur sa vie et ses activités.

La maladie chronique présente des attributs spécifiques. D'abord, elle n'est généralement pas causée par un agent microbien (ex.: l'alcool, l'irradiation ionisante). Ensuite, elle persiste longtemps et est accompagnée de périodes de rémission et d'exacerbation ou de rechute (ex.: une maladie cardiovasculaire, l'arthrite rhumatoïde). De plus, elle résulte de l'interaction de plusieurs facteurs (ex.: le diabète associé à la génétique, à l'obésité et à la sédentarité) et elle est liée à des facteurs sociaux et environnementaux, lesquels jouent un rôle important (ex.: un accident, des agents polluants). En dernier lieu, elle présente des conséquences à long terme (ex.: une paralysie partielle).

Les maladies chroniques créent un fardeau à la fois humain et économique, individuel et collectif, en plus d'affecter plusieurs aspects de la vie: physique, social, psychologique et éthique. Il s'agit du principal problème de morbidité à l'échelle mondiale (OMS, 2004). Lors du 4e Forum mondial de l'Organisation mondiale de la santé (OMS) sur les maladies chroniques, en 2004, la ministre d'État à la Santé publique de Genève, Dre Bennett, affirmait que le coût associé à quatre des principales maladies chroniques (maladies cardiovasculaires, maladies respiratoires, diabète et cancer) se chiffrait à

45 milliards de dollars par année au Canada. Nul doute que la société tout entière porte le fardeau des maladies chroniques.

La progression rapide de la maladie chronique se fait sentir non seulement dans les pays industrialisés mais aussi dans les pays en développement, où son rythme est encore plus accéléré que celui observé dans les pays industrialisés au siècle dernier (OMS, 2003). Selon l'OMS (2003), 46 % de la morbidité dans le monde et près de 58 % des décès survenus en 2001 étaient attribuables aux maladies chroniques. De plus, on estime qu'en 2020, 75 % de tous les décès à l'échelle mondiale seront attribuables aux maladies chroniques. Le Canada n'échappe pas au phénomène puisqu'en 2001, 87 % des personnes de 65 ans et plus ont déclaré souffrir d'au moins une maladie chronique (Statistique Canada, 2004). La vitesse à laquelle évolue ce qu'on est en droit d'appeler « l'épidémie de maladies chroniques » inquiète avec raison ; il s'agit d'un problème majeur de santé publique (WHO, 2003).

De toute évidence, les maladies chroniques causent diverses incapacités et de nombreux décès. Elles influent sur les années de vie en bonne santé en les écourtant ou en modifiant considérablement leur qualité. Statistique Canada (2001) a tracé un profil canadien de l'incapacité d'après une liste de 10 types d'incapacités : mobilité, douleur, agilité, ouïe, vision, incapacité psychologique, apprentissage, mémoire, parole, déficience intellectuelle. Or, ce profil indique qu'une personne de 15 ans ou plus sur 7 (3,4 millions) a un certain degré d'incapacité, c'est-à-dire que ses activités quotidiennes sont limitées par son état physique ou mental ou par son état de santé général. De ce nombre, un tiers dit avoir une incapacité légère, 25 %, une incapacité modérée, et un tiers, une incapacité grave ou très grave. Ce même profil met en évidence le fait que les femmes et les personnes âgées de 75 ans et plus sont les 2 groupes qui ont le taux d'incapacité le plus élevé.

Dans ce chapitre, nous décrirons certaines maladies chroniques retenues en raison de leur importance et nous présenterons des mesures préventives primaires, secondaires ou tertiaires. Nous définirons d'abord des termes spécifiques des maladies chroniques et nous donnerons un aperçu de la nature de la recherche entourant la maladie chronique et des défis qu'elle pose. Ces données seront suivies d'une explication des indices de la maladie, de la notion de risque, des facteurs de risque et du choix des interventions de prévention en fonction de la preuve d'efficacité établie par les études scientifiques.

Notions générales : terminologie et recherches sur les maladies chroniques

Définition des termes

Le domaine des maladies chroniques fait appel à une terminologie qu'il importe de clarifier pour bien saisir les subtilités de la nature de la maladie et son impact sur la vie des personnes atteintes. Nous commencerons par un bref aperçu de l'histoire naturelle de la maladie « non infectieuse », puis nous définirons les termes *maladie chronique, handicap, incapacité, invalidité, déficience* et *infirmité*.

L'*histoire naturelle de la maladie* non infectieuse suit un cours spécifique. D'abord, il y a une période asymptomatique, de durée variable, pendant laquelle certains signes sont déjà présents et pourraient même faire l'objet de mesures préventives (Jenicek, 1976). Ensuite, la maladie non infectieuse est déclenchée par les facteurs de risque qui provoquent des changements pathologiques. C'est alors qu'apparaissent les symptômes. Toutefois, dans certains cas, la maladie peut suivre son cours sans manifestation de signes. Enfin, le diagnostic est établi, confirmant la maladie, qui progresse jusqu'au décès. Cette dernière étape peut s'étaler sur une période plus ou moins longue, selon la nature de la pathologie et son impact sur les fonctions vitales du corps humain.

La *maladie chronique* est une affection de longue durée, à caractère stable ou évolutif. Elle débute habituellement de façon insidieuse par l'apparition progressive des symptômes, mais elle peut aussi se présenter comme les séquelles d'une maladie aiguë. Les symptômes peuvent être légers au début, pour ensuite évoluer vers la récupération ou vers le décès par cachexie ou par complication d'une maladie aiguë. Selon le *Dictionary of Health Services Management* (cité dans OMS, 2005), il s'agit d'une maladie qui présente une ou plusieurs des caractéristiques suivantes : c'est une maladie permanente ; elle provoque une incapacité résiduelle et est causée par des altérations pathologiques irréversibles ; elle exige un entraînement spécial de la part du patient pour sa réadaptation ou peut nécessiter une supervision, une mise en observation ou des soins de longue durée.

La maladie chronique est un problème de santé sans guérison possible malgré l'intervention médicale. Elle requiert un monitorage régulier et des soins de soutien qui aident à réduire l'acuité de l'affection et qui permettent de maximiser la capacité d'autosoins de la personne (Cluff, 1981, cité dans Donnelly, 1993). On réunit sous la bannière des maladies chroniques celles dont l'approche épidémiologique est souvent semblable, c'est-à-dire que l'évolution et la distribution de la maladie progressent de la même façon (Jenicek, 1976).

Le *handicap* consiste en un désavantage. Il résulte d'obstacles liés aux facteurs environnementaux, d'une déficience ou d'une incapacité qui perturbe l'individu dans ses interactions et dans l'accomplissement de son rôle social et culturel (Barker, 1998). Contrairement à la notion de déficience ou d'incapacité, le handicap se réfère avant tout à la limitation dans le rôle social, puisqu'il résulte de la discordance entre le comportement d'un individu et les attentes du groupe particulier dont il est membre. Le désavantage (ou handicap) augmente selon son incapacité de se conformer aux normes de son univers. C'est donc un phénomène social ayant pour origine les déficiences et les incapacités d'un individu (Barker, 1998).

L'*incapacité* (*disability*) est la réduction partielle ou totale de la capacité à accomplir une activité de façon normale ou dans les limites considérées comme normales pour un être humain. Cette situation est causée par une déficience, une infirmité, une blessure ou une maladie (Barker, 1998). L'incapacité résulte non seulement de l'état de la personne, mais aussi de son adaptation à cet état.

Le terme *invalidité*, qui est parfois confondu avec l'incapacité, relève du domaine du travail et des assurances sociales. Il désigne une situation où une incapacité peut être temporaire ou permanente, et empêcher une personne d'exercer une activité professionnelle et d'en retirer une rémunération.

La déficience ou l'infirmité présente des nuances que nous tenterons de préciser. La *déficience* est la perte ou l'altération d'une structure anatomique, physique ou psychologique (ex. : la surdité, l'amputation d'une jambe). Elle résulte d'une anomalie ou d'un état pathologique et touche la structure ou l'apparence du corps, ou une fonction physique ou mentale. La notion de déficience se distingue de celle de *trouble* en ce qu'elle inclut les pertes de structure anatomique. Elle se distingue également de la notion d'*incapacité* puisqu'on utilise ce dernier terme pour désigner des limites affectant les activités et les comportements.

L'*infirmité* (*impairment*) consiste en un état pathologique permanent ou transitoire entraînant une diminution fonctionnelle.

La recherche dans le domaine de la maladie chronique

Autrefois, l'épidémiologie avait pour but de fournir une base méthodologique pour l'étude et le contrôle des maladies infectieuses. Les études épidémiologiques d'aujourd'hui visent, en outre, à décrire la distribution des maladies chroniques, à préciser les facteurs de risque qui leur sont associés et à déterminer des méthodes efficaces pour les contrôler.

La complexité de la recherche sur les maladies chroniques relève de plusieurs facteurs, incluant l'absence d'un agent causal, l'étiologie de nature multifactorielle, un début de maladie mal défini et des étapes de progression de la maladie étalées sur plusieurs années (Jenicek, 1976). L'étiologie des maladies chroniques est incertaine et le fait de ne pas pouvoir déterminer un agent causal rend le diagnostic plus difficile. Dans la plupart des cas, notamment celui de la fatigue chronique, il n'existe pas de test pour confirmer le diagnostic. Ainsi, les chercheurs utilisent le modèle de réseau de causalité (*Web of causation*) pour comprendre l'enchaînement des facteurs de risque et tenter d'expliquer l'apparition des maladies chroniques. De plus, comme la maladie chronique apparaît en présence de plusieurs facteurs qui interagissent, il faut établir des liens entre divers facteurs de risque et la maladie chronique étudiée.

La difficulté à déterminer le moment du début de la maladie, ainsi que sa progression, pose aussi un défi, principalement par rapport au contrôle et à la prévention de la maladie. On observe qu'une manifestation soudaine de certaines maladies chroniques peut être le résultat d'un processus établi depuis longtemps. Les premiers signes qui se présentent sont plus ou moins différenciés, c'est-à-dire qu'ils sont peu spécifiques. La maladie est déjà avancée avant qu'on détecte sa présence (ex. : la maladie mentale, le cancer). De plus, la durée de chaque étape du développement de la maladie s'étend sur plusieurs années et varie selon la maladie et l'individu. La distinction entre les différentes étapes est souvent difficile à établir.

Les types de recherches épidémiologiques

Les chercheurs ont recours à plusieurs types d'études pour examiner le lien entre l'exposition à certains facteurs (ex. : la fumée secondaire du tabac, la sédentarité) et l'apparition d'une maladie. Les études *analytiques*, en particulier les études de cohortes et de cas témoins, permettent de vérifier une hypothèse concernant un problème de santé. Par exemple, en se basant sur des études descriptives antérieures, un chercheur pourrait vouloir vérifier l'hypothèse que la sédentarité chez l'enfant est liée à l'apparition de l'obésité à l'âge adulte. Une étude de cohorte serait le type d'étude tout indiqué pour vérifier cette hypothèse.

Dans une étude *de cohorte* ou étude prospective, on forme deux groupes de sujets ayant les mêmes caractéristiques au début de l'étude (ex.: des enfants actifs définis selon des critères précis). Un des groupes est exposé au facteur de risque (dans notre exemple, la sédentarité) alors que l'autre groupe n'y est pas exposé. Les sujets sont suivis pendant une période de temps déterminée par les chercheurs, afin de reconnaître ceux qui sont affectés par le problème de santé à l'étude (ex.: l'obésité).

Ce type d'étude permet d'établir le risque relatif, ce qui constitue un avantage important. La mesure du risque n'est pas biaisée par la présence de la maladie et les cas ne peuvent pas échapper à l'étude puisqu'on surveille leur apparition. Toutefois, ce type d'étude est très coûteux et le suivi des sujets est souvent difficile, particulièrement lorsque l'étude s'étend sur plusieurs années. Il ne convient pas aux maladies rares puisqu'il faudrait suivre un trop grand nombre de sujets.

Une étude de *cas témoins* convient mieux aux maladies rares. Dans ce genre d'étude, les sujets sont choisis en fonction de la maladie, c'est-à-dire selon qu'ils souffrent de la maladie ou non. Les chercheurs forment deux groupes de sujets au début de l'étude (les malades et les sujets sains). Ensuite, à l'aide de questionnaires, d'entrevues ou d'autres méthodes de collecte de données, ils déterminent leur exposition antérieure au facteur étudié. Prenons l'exemple d'une étude de cas témoins visant à vérifier l'hypothèse d'un lien entre l'usage du tabac et l'apparition du cancer de la vessie. On inviterait un groupe de patients souffrant du cancer de la vessie à participer à l'étude et un autre groupe de personnes ayant les mêmes caractéristiques (sexe, âge, etc.), mais ne présentant pas ce type de cancer. À l'aide d'un questionnaire, le chercheur vérifierait certains renseignements, à savoir leurs habitudes liées au tabagisme dans le passé et la quantité de cigarettes fumées.

Il est évident que cette approche est moins rigoureuse, principalement parce qu'elle laisse la place au biais de rappel (à la mémoire). L'information sur l'exposition au facteur est fournie par les sujets eux-mêmes, lesquels doivent faire appel à leur mémoire. Toutefois, ce type d'étude convient aux maladies rares puisque le chercheur détermine les cas au début de l'étude. De plus, la durée de l'étude est beaucoup plus courte et permet d'épargner temps et argent. Elle permet aussi de calculer le rapport de cote, une estimation du risque relatif. Ce type d'étude est souvent utilisé pour établir une estimation du risque avant de mener une étude de cohorte (prospective), qui est beaucoup plus coûteuse et qui exige un long suivi des sujets.

Les recherches épidémiologiques sont utilisées non seulement pour examiner le lien entre des facteurs et l'apparition de maladies, mais aussi pour évaluer les interventions et les programmes de prévention ou de contrôle des maladies chroniques. L'*essai clinique aléatoire* est reconnu comme étant l'étude épidémiologique la plus rigoureuse. Dans un essai clinique où les sujets sont répartis au hasard, le chercheur établit des critères précis pour le choix des sujets, puis, de façon aléatoire (au hasard), il assigne une intervention déterminée à des personnes. Un chercheur qui voudrait vérifier l'efficacité d'une nouvelle intervention pour aider des hommes à perdre du poids pourrait assigner cette nouvelle intervention à des hommes choisis au hasard et assigner aux autres sujets une intervention conventionnelle habituellement utilisée dans leur milieu. Le défi important pour le chercheur consiste à s'assurer que les clients ne seront pas pénalisés en recevant une intervention plutôt qu'une autre. D'un point de vue éthique, un professionnel de la santé doit offrir à la population les meilleures interventions possible. Par conséquent, si l'on sait que la nouvelle intervention est plus efficace, il faut l'offrir à toutes les personnes qui pourraient en profiter.

Les mesures d'association

Comme nous venons de le voir, certains types d'études épidémiologiques sont utilisés pour établir un lien ou une association entre l'exposition à certains facteurs et l'apparition d'une maladie. Lorsqu'un lien ou une association ont été établis, il importe d'en préciser l'ampleur. Il y a trois principales mesures d'association : le ratio ou rapport, les mesures de différences et les corrélations (Young, 2005). Les ratios le plus souvent utilisés sont le risque relatif et le rapport de cotes.

Le *risque relatif* (RR) est le ratio entre le taux de maladie chez les personnes exposées et celui des personnes non exposées, tandis que le *rapport de cotes* est une comparaison entre le risque d'une personne malade et celui d'une personne en santé, c'est-à-dire une estimation du risque relatif. Lorsque le chercheur démontre un risque relatif (RR) de 2, cela indique que, d'après ses résultats, le risque de développer la maladie est deux fois plus grand chez les personnes exposées. Si le chercheur avait mené une étude de cas témoins, un rapport de cotes de 2 aurait indiqué qu'il est deux fois plus probable que les personnes malades aient été exposées aux facteurs de risque que les personnes en santé.

La différence entre les risques (DR) et le risque attribuable (RA) sont deux *mesures de différences* souvent utilisées. La *différence entre les risques* est obtenue en soustrayant l'incidence cumulative (nouveaux cas durant une période précise) chez les personnes exposées de celle des personnes non exposées. Cette mesure indique, en termes absolus, la différence quant au taux de maladie chez les personnes exposées au facteur de risque comparativement aux personnes non exposées. Il est à noter que la prévalence (anciens et nouveaux cas) ne peut pas être utilisée pour calculer la différence entre les risques. L'autre mesure de différence, le *risque attribuable,* est le ratio entre le taux de maladie chez les personnes exposées et celui des personnes non exposées. Le risque attribuable indique le taux de maladie chez les personnes malades, lequel peut être attribué à l'exposition au facteur.

L'importance accordée à la maladie chronique

L'attention portée aux maladies chroniques a pris de l'importance en raison de plusieurs phénomènes qui sont apparus au fil des ans. Les chercheurs et les intervenants dans les domaines de la politique et de la santé s'intéressent de plus en plus à ces phénomènes. Parmi leurs principales préoccupations, citons les suivantes :

- la réduction de l'incidence des maladies infectieuses et des maladies infantiles ;
- la diminution du taux de natalité et l'augmentation du nombre de personnes âgées dans la population ;
- le fait que les maladies chroniques constituent l'une des principales causes de décès ;
- le fait que les maladies chroniques influent sur la qualité de vie de la personne affectée et de ses proches ;
- le fait que les maladies chroniques constituent un obstacle majeur à l'accroissement de l'espérance de vie.

Les problèmes de santé prioritaires

Les indices de maladie

La connaissance de l'ampleur du phénomène des maladies chroniques fait appel à des indices de mesure qui permettent d'en tracer le profil et de déterminer la priorité des actions et le degré d'attention qu'il faut leur accorder. Les scientifiques utilisent six *indices de maladie* pour classifier les problèmes de santé selon leur importance et, par conséquent, ceux qui retiendront l'attention. Ces indices sont la mortalité, l'espérance de vie, la morbidité, l'impact global, les années potentielles de vie perdues et la limitation des activités.

L'indice de la *mortalité* est utilisé en raison des conséquences humaines, sociales, familiales et économiques de la maladie.

L'*espérance de vie* mesure le nombre moyen d'années vécues par une population vivant habituellement dans une province ou un pays réputé assez stable. Par conséquent, cet indice donne peu d'information sur l'amélioration de la santé. Statistique Canada (2004) définit l'espérance de vie comme le nombre d'années qu'une personne peut s'attendre à vivre à partir de la naissance, selon les statistiques de mortalité pour une période d'observation donnée, généralement une année civile. Il s'agit d'un indicateur statistique normalisé de la durée de la vie et non de sa qualité. L'espérance de vie est généralement plus élevée chez les femmes que chez les hommes. Au Canada, elle se situe à 75,4 ans chez les hommes et à 81,2 ans chez les femmes.

La *morbidité* hospitalière mesure l'état de maladie au sein de la population. Il peut être exprimé par l'incidence ou par la prévalence. Cet indice est utilisé très fréquemment.

L'*impact global* mesure le gain potentiel en espérance de vie en bonne santé qui serait obtenu si la cause de la maladie était supprimée.

Les *années potentielles de vie perdues* (APVP) mesurent le nombre d'années de vie « perdues » lorsqu'une personne meurt prématurément d'une cause quelconque, c'est-à-dire avant l'âge de 75 ans. Par exemple, une personne qui se suicide à 25 ans a perdu 50 années potentielles de vie. Il s'agit d'un indicateur complémentaire qui porte principalement sur la mortalité des jeunes personnes. Il indique le degré de réussite des mesures de prévention des décès prématurés (Statistique Canada, 2001). Par exemple, de 48 à 53 % des APVP sont attribuables au cancer tant chez les hommes que chez les femmes (Institut national du cancer du Canada, 2004).

Enfin, la *limitation des activités* est un indice de mesure des activités quotidiennes qui sont limitées en raison d'un état ou d'un problème de santé.

Chaque décès fait l'objet d'un examen attentif afin d'en déterminer la cause et de préciser ainsi les principales causes de décès au pays. Selon Statistique Canada (1997), les neuf principales causes de mortalité au Canada sont les maladies cardiovasculaires, le cancer, les maladies de l'appareil respiratoire, les accidents, les maladies de l'appareil digestif, de l'appareil génito-urinaire et du système nerveux, les troubles de santé mentale et le suicide.

Par ailleurs, les divers indices de maladie ont permis de cerner le fardeau de la maladie pour l'individu affecté. Par exemple, une hiérarchisation des principales maladies selon leur impact sur la mortalité, la restriction des activités et l'espérance de vie en bonne santé montre que la situation demeure à peu près la même au Québec depuis quelques décennies (Lavoie, 1987). En effet, en 1980, la maladie cardiovasculaire arrivait au premier rang pour son impact sur l'espérance de vie en bonne santé et sur la mortalité, et au second rang pour son impact sur la restriction des activités. Les tumeurs se classaient au deuxième et au troisième rang respectivement pour l'impact sur la mortalité et l'espérance de vie en bonne santé. Les maladies de l'appareil ostéoarticulaire figuraient au premier rang pour leur impact sur la restriction d'activités et au deuxième rang pour leur impact sur l'espérance de vie en bonne santé. Les maladies respiratoires arrivaient en troisième place pour la restriction des activités. Il est à noter que le suicide occupait la septième place pour son impact sur la mortalité.

Les facteurs de risque

Un des défis que pose la prévention de la maladie chronique est d'en déterminer la cause. Très souvent, l'étiologie est mal connue ou, si elle est précisée, elle s'avère multifactorielle. Par ailleurs, les notions de causalité et de preuve de relation causale dans le cas des maladies chroniques ne font pas l'unanimité chez les chercheurs. C'est pourquoi à défaut de causes, les écrits font mention de *facteurs de risque,* bien que plusieurs chercheurs préfèrent utiliser les termes *facteurs associés, contributifs, concomitants,* etc. (Lavoie, 1987).

Le point sur la terminologie

La clarification des nuances inhérentes à ces termes s'impose si l'on veut saisir le phénomène des maladies chroniques et planifier des stratégies de prévention en conséquence. Malheureusement, les écrits consultés ne nous permettent pas toujours de savoir si le facteur associé est sûr ou non. Cependant, nous constatons que les facteurs mentionnés dans les écrits peuvent servir de guides pour évaluer le lien établi entre le facteur de risque et la maladie.

Le *risque* indique la probabilité qu'une personne exposée à certains facteurs développe la maladie. En d'autres mots, le risque est un problème ou un danger éventuel plus ou moins prévisible, lié à une situation, un état ou une activité. Par exemple, le risque de cancer se traduit par la probabilité d'être un jour atteint de cette maladie (Société canadienne du cancer, 1999).

Quant au *facteur de risque,* il consiste en un élément associé à une augmentation de la probabilité de devenir malade. D'après l'Office québécois de la langue française, il s'agit d'une variable statistique qui résulte de l'ensemble des conditions contribuant à l'éclosion d'une maladie. Il s'agit aussi d'un facteur présent chez une personne et dans son environnement social et physique ou résultant de leur interaction (ex.: les accidents) et qui est susceptible de causer une maladie. Par exemple, le tabagisme, l'obésité et le manque d'exercice sont des facteurs de risque associés à la maladie cardiovasculaire.

Un *facteur associé* précise la force du lien entre le facteur de risque et le problème de santé (Lavoie, 1987). Selon cet auteur, les facteurs associés se classent dans quatre catégories: soit les facteurs sûrs, les facteurs possibles, les facteurs contestés et les facteurs reconnus comme non reliés.

Les *facteurs sûrs* représentent les facteurs dont le lien avec le problème de santé a été démontré à maintes reprises et pour lequel les écrits consultés sont unanimes ou presque. Une preuve de causalité n'est pas obligatoire. Ex.: l'hypercholestérolémie, le tabagisme et l'hypertension artérielle (étude de Framingham, 1948).

Les *facteurs possibles* sont ceux dont la relation a été démontrée dans quelques études. Ex.: les polluants chimiques et le cancer du poumon.

Les *facteurs contestés* représentent les facteurs pour lesquels diverses études ont rapporté des résultats contradictoires ou fort inconstants. Ex.: la diminution de l'activité physique ou sportive et le lien avec les problèmes ostéoarticulaires.

Les *facteurs reconnus comme non reliés* englobent les facteurs qu'on a déjà cru liés avec le problème de santé, tandis que les études récentes démontrent régulièrement le contraire, soit leur non-association.

Les interventions préventives

Il existe toute une panoplie d'interventions visant à prévenir les maladies chroniques. Elles se situent essentiellement dans le domaine de la prévention primaire et de la prévention secondaire lorsque la prévention primaire s'est avérée inefficace. Les mesures préventives mises de l'avant ne produisent pas toutes les effets escomptés. Nous préciserons donc les éléments à considérer dans le choix des interventions préventives appropriées, c'est-à-dire celles qui sont reconnues comme étant efficaces pour prévenir les maladies chroniques.

Pour s'assurer de choisir les interventions préventives appropriées, il importe de s'appuyer sur des preuves démontrées par les recherches. Ces preuves attestent de la valeur et de l'efficacité des interventions (Tyler et Last, 1998). Les types de preuves que nous utiliserons sont inspirées de celles déterminées par le groupe d'étude sur l'examen médical périodique. Ces preuves sont regroupées en trois catégories : la preuve certaine, la preuve probable et la preuve possible.

La preuve *certaine* ou *probante* est celle où au moins une étude expérimentale aléatoire a démontré l'efficacité de l'intervention. Dans ce type d'étude, les sujets sont répartis au hasard entre le groupe expérimental et le groupe témoin. Ni les chercheurs ni les participants à l'étude ne savent qui est soumis à l'intervention. La preuve certaine ou probante s'applique aussi dans le cas d'études sans répartition aléatoire, pourvu que de 11 à 13 études aient démontré la preuve (l'ajout du chlore dans l'eau prévient la carie dentaire – études expérimentales ; l'usage du tabac et le cancer du poumon – études de cas témoins et études de cohortes).

Une deuxième forme de confirmation, la preuve *probable,* s'appuie sur des analyses de cas témoins ou sur des études de cohortes avec groupe témoin, sans répartition aléatoire des sujets. Enfin, la preuve *possible* repose sur l'étude avant-après et sur les avis d'experts. L'étude avant-après démontre des preuves fondées sur des analyses de type écologique. Dans ces cas, on compare des lieux ou des époques avec ou sans l'intervention à l'étude et les chercheurs analysent les effets d'un programme de prévention avant et après son instauration. Quant à l'avis d'experts, il présente des preuves qui s'appuient sur l'opinion d'éminents experts dans le domaine. Par exemple, la réduction du poids ou la prévention du gain pondéral pourrait prévenir les maladies ostéoarticulaires.

La prévention des maladies chroniques

Dans cette section, nous aborderons la prévention des maladies chroniques qui ont été retenues selon leur importance. La liste n'est pas exhaustive, mais pour chacune des maladies retenues, nous présentons l'épidémiologie, les facteurs de risque et les mesures préventives appropriées selon la preuve établie par les études scientifiques. Rappelons que la prévention des maladies chroniques est un défi de taille. D'une part, la cause est souvent inconnue et, d'autre part, de multiples facteurs sont à l'origine de la maladie, rendant ainsi la tâche d'isoler le facteur causal encore plus complexe. Nous présentons donc dans l'ordre les maladies chroniques suivantes : les maladies cardiovasculaires, les maladies musculosquelettiques, les cancers, les maladies de l'appareil respiratoire, les maladies neurologiques, le diabète et l'obésité. Nous aborderons aussi le suicide, l'un des plus importants facteurs de risque d'une maladie chronique, soit la maladie mentale (alcoolisme, dépression, toxicomanie) (Bronet, 1998).

Les maladies cardiovasculaires

Les maladies cardiovasculaires incluent toutes les maladies qui concernent à la fois le cœur et les vaisseaux sanguins. Au Canada, les deux affections en importance, par rapport aux causes de décès et d'invalidité, sont la cardiopathie ischémique, incluant l'infarctus aigu du myocarde ou crise cardiaque, et l'accident vasculaire cérébral (AVC) (Santé Canada, 1999).

Parmi les facteurs de risque associés aux maladies cardiovasculaires, certains sont modifiables tandis que d'autres ne le sont pas. Les facteurs non modifiables incluent, entre autres, l'âge et le sexe. En effet, ces maladies augmentent avec l'âge et les hommes en sont plus souvent atteints que les femmes. Des facteurs génétiques, telle une carence des récepteurs des LDL (lipoprotéines de faible densité), peuvent jouer un rôle déterminant chez une petite proportion de la population. Par ailleurs, les facteurs modifiables, soit ceux reliés aux habitudes de vie, sont responsables de l'apparition des maladies cardiovasculaires chez la majorité des personnes (Haskell, 2003). Les résultats de plusieurs études prospectives, dont celle de Framingham, ont démontré que l'hypertension artérielle, l'hypercholestérolémie et le tabagisme constituent des facteurs de risque sûrs (Futterman et Lemberg, 2000).

Selon l'Organisation mondiale de la santé (WHO, 1999), le diagnostic d'hypertension artérielle (HTA) est posé lorsque la pression artérielle systolique se situe à 140 mm Hg et plus ou lorsque la pression artérielle diastolique indique 90 mm Hg et plus, ou encore, lorsque la personne prend des médicaments antihypertenseurs. Les données recueillies dans le cadre de l'étude de Framingham démontrent qu'il existe une relation graduelle entre les maladies cardiovasculaires et une pression artérielle systolique élevée (Kannel, Vasan et Levy, 2003). Le risque relatif estimé qu'une personne souffrant d'hypertension développe une maladie cardiovasculaire est de plus de 4, c'est-à-dire quatre fois plus élevé que chez une personne dont la pression artérielle est normale (Futterman et Lamberg, 2000).

Le risque de souffrir d'une maladie cardiovasculaire augmente de façon proportionnelle lorsque le taux de cholestérol est supérieur à celui généralement considéré comme normal (ex. : 5,17 mmol/L) (The Pooling Research Group, 1978). Ainsi, la personne qui présente une hypercholestérolémie supérieure à 5,2 mmol/L est de deux à quatre fois plus à risque de développer un problème cardiovasculaire. Les résultats d'une étude, menée en Finlande auprès d'un groupe d'hommes d'âge moyen et avancé, démontrent que si leur taux de cholestérol total était inférieur à 6,5 mmol/L, le taux de décès diminuerait de 9 à 21 % (Haapanen-Niemi, Vuori et Pasanen, 1999).

Les chercheurs ont aussi établi une relation graduelle entre les maladies cardiovasculaires et le nombre de cigarettes fumées. L'étude de Framingham a permis d'estimer un risque relatif de 1,0 à 1,9 chez les fumeurs de moins de 15 cigarettes par jour, soit le même que chez les fumeurs passifs. De plus, le risque relatif des personnes qui fument plus de 15 cigarettes par jour est supérieur à 4 (The Pooling Research Group, 1978).

Selon Yusuf, Reddy, Ounpuu et Anoud (2001), un taux élevé de glucose, ainsi que trois autres facteurs de risque qu'ils qualifient de prédisposants, soit l'inactivité physique, l'obésité et les habitudes alimentaires, seraient aussi des facteurs sûrs. Plusieurs autres facteurs tels des taux élevés d'homocystéine, de lipoprotéine Lp (A), de fibrogène, ainsi que l'inflammation ou le processus infectieux, pourraient aussi être associés aux maladies cardiovasculaires. Cependant, le lien causal n'a pas encore été établi (Hughes, 2003 ; Sacco, 2001 ; Yusuf et autres, 2001). Néanmoins, le taux élevé d'homocystéine et d'agents infectieux est susceptible d'être à l'origine de blessures endothéliales (Sacco, 2001).

Selon plusieurs auteurs, on détient des preuves certaines de l'efficacité de l'approche multifactorielle pour prévenir les maladies cardiovasculaires (Haskell, 2003 ; Kromhout, Menotti, Kesteloot et Sans, 2002 ; McCrone, Brendle et Barton, 2001 ; Stampfer, Hu, Manson, Rimm et Willett, 2000). La définition de l'approche multifactorielle varie selon les études, mais de façon générale, elle englobe l'abandon du tabagisme, l'activité physique régulière et un régime alimentaire sain.

Les personnes moins actives et moins en forme courraient de 30 à 50 % plus de risque de souffrir d'hypertension. Une méta-analyse récente faisait état d'une réduction globale de la pression artérielle (systolique et diastolique) de 3,84 mm Hg chez les personnes encouragées à faire des exercices physiques (Whelton, Chin et Xin Xin, 2002).

Les changements proposés relativement au régime alimentaire sont variés, mais dans l'ensemble, ils comprennent une diminution des aliments contenant des gras saturés, du cholestérol et des sucres, une plus grande consommation de légumes, de fruits, de céréales, de produits laitiers faibles en gras et d'aliments contenant des acides gras oméga-3 (Appel, 2003 ; Haskell, 2003 ; Mosca et autres, 2004). Haskell (2003) ajoute que les vitamines B (B_6, B_{12}, niacine), l'acide folique, le calcium et le potassium produisent un effet bénéfique sur la santé cardiovasculaire, ce qui n'est pas le cas du sel, à moins d'en réduire la consommation. On ne recommande pas aux personnes qui ne souffrent pas d'hypertension de réduire la consommation de sel ; on insiste plutôt sur l'importance d'éviter les excès (Fodor, Whitmore, Leeman et Larochelle, 1999).

L'approche multifactorielle peut également tenir compte de l'usage de l'alcool (Kromhout et autres, 2002 ; Stampfer et autres, 2002) et du traitement de l'hypertension artérielle et de l'hypercholestérolémie (Stampfer et autres, 2002). L'alcool, consommé en petite quantité, pourrait avoir un effet protecteur contre certaines maladies cardiaques (Campbell, Ashley, Carruthers, Lacourcière et McKay, 1999 ; Gronbaek, 2003). Selon les lignes directrices de consommation d'alcool à faible risque, on recommande, dans la population en général, pas plus de 2 consommations par jour ou un maximum de 14 verres par semaine chez les hommes et de 9 chez les femmes (Campbell et autres, 1999).

Quelques auteurs recommandent aussi un contrôle du niveau de stress (Haskell, 2003 ; McCrone et autres, 2001). Toutefois, d'autres affirment que la réduction du stress n'a pas d'effet sur la prévention de l'hypertension, mais qu'elle est plutôt bénéfique chez les personnes qui en souffrent (Spence, Barnett, Linden, Ramsden et Taenzer, 1999).

En guise de conclusion sur la prévention des maladies cardiovasculaires, soulignons que les interventions relativement aux habitudes de vie visent surtout la prévention chez les personnes asymptomatiques (prévention primaire). Néanmoins, elles sont également indiquées chez les personnes diagnostiquées, mais à titre de prévention secondaire.

Les maladies musculosquelettiques

Parmi toute la gamme des maladies musculosquelettiques, l'ostéoarthrite et l'ostéoporose sont responsables de la plupart des invalidités (Scott et Hochberg, 1998a, 1998b). Ces maladies ont aussi un impact important sur l'utilisation des soins de santé et les coûts qui y sont associés. Des stratégies préventives, primaires ou secondaires, ont été définies pour réduire l'apparition de ces maladies et les conséquences néfastes sur les personnes concernées, leur famille et l'ensemble de la population. Dans cette section, nous examinerons brièvement les facteurs de risque et les interventions préventives proposées.

L'OSTÉOARTHRITE

L'ostéoarthrite est une maladie chronique évolutive, caractérisée par la douleur et l'augmentation de l'incapacité (Carr, 1999). Les facteurs de risque non modifiables incluent l'âge, le sexe, la prédisposition génétique, certains problèmes de santé affectant les os et les articulations, ainsi que certaines maladies métaboliques (Scott et Hochberg, 1998a).

La prévalence et l'incidence de cette maladie augmentent avec l'âge, bien qu'on observe un plafond du nombre de nouveaux cas lorsque les personnes atteignent l'âge de 70 ans. La cause de cette progression avec l'âge n'est pas claire (Creamer et Hochberg, 1997). Les hommes âgés de 50 ans et moins sont plus susceptibles que les femmes de manifester des signes d'ostéoarthrite. Après l'âge de 50 ans, certains auteurs notent que les femmes sont plus à risque que les hommes de souffrir d'ostéoarthrite à certains sites spécifiques, tels la main, le pied ou le genou. Néanmoins, l'ostéoarthrite de la hanche demeure toujours plus élevée chez l'homme (Felson et autres, 2000). Toutefois, Creamer et Hochberg (1997) affirment que, de façon générale, l'ostéoarthrite se manifeste plus fréquemment chez la femme, en particulier après la ménopause.

Par ailleurs, l'hérédité joue un rôle important dans l'apparition de cette maladie (Creamer et Hochberg, 1997; Felson et autres, 2000; Loughlin, 2001). En outre, les facteurs environnementaux influent grandement sur la manifestation de l'ostéoarthrite. Certains problèmes de santé, telles les maladies osseuses congénitales et les maladies inflammatoires des articulations, peuvent également influer sur l'apparition de cette maladie. Il a également été noté que l'ostéoarthrite se manifeste plus souvent chez les personnes atteintes de maladies métaboliques telle l'hypothyroïdie (Scott et Hochberg, 1998a).

Les traumatismes des articulations représentent le facteur de risque modifiable le plus important avec un risque relatif supérieur à 4 (Scott et Hochberg, 1998a). Les auteurs rapportent deux autres facteurs de risque modifiables d'importance modérée (risque relatif 2-4), soit l'obésité et l'usage répétitif d'une articulation lié à des tâches professionnelles (Scott et Hochberg, 1998a). Cette maladie peut apparaître chez les travailleurs affectés à des tâches répétitives, créant ainsi un stress continu sur certaines articulations, ou chez les personnes dont l'emploi exige qu'elles s'agenouillent ou s'accroupissent, souvent pour soulever des objets lourds (Felson et autres, 2000). L'ostéoarthrite post-traumatique peut se manifester à la suite de blessures aux surfaces articulaires subies en pratiquant certains sports (Buckwalter, 2003).

Le lien entre l'obésité et l'apparition de l'ostéoarthrite du genou est bien établi. Toutefois, Felson et ses collaborateurs (2000) affirment qu'il est encore difficile de déterminer si l'obésité précède le problème ou si elle est une conséquence de l'ostéoarthrite. En revanche, l'association entre l'obésité et l'ostéoarthrite de la hanche n'est pas clairement établie (Felson et autres, 2000).

Selon plusieurs auteurs (Scott et Hochberg, 1998a; Felson, Zhang, Anthony, Naimark et Anderson, 1992), la réduction du poids diminue grandement l'incidence de l'ostéoarthrite. De plus, Felson et ses collaborateurs (1992) maintiennent que la perte de poids est bénéfique pour prévenir l'apparition des symptômes chez les personnes souffrant d'ostéoarthrite.

Il est aussi très important de prévenir les traumatismes aux articulations, particulièrement aux genoux, en utilisant un équipement approprié ou en modifiant la façon d'accomplir certaines tâches répétitives en milieu de travail. De plus, on pourrait prévenir les blessures aux articulations lors de la pratique de certains sports en évitant les erreurs d'entraînement (Felson et Zhang, 1998).

Enfin, les recherches ont démontré l'effet bénéfique des exercices physiques bien structurés chez les personnes atteintes d'ostéoarthrite (Jayak et Hootman, 2004). De plus, les bienfaits psychosociaux pourraient être aussi importants que les améliorations physiologiques de la fonction des muscles (Hurley, Mitchell, et Walsh, 2003).

L'OSTÉOPOROSE

Avec l'augmentation de l'espérance de vie, l'ostéoporose est devenue un problème de santé majeur. Cette maladie touche maintenant plus de 800 000 Canadiens (The Arthritis Society, 2004). L'ostéoporose est une « maladie généralisée du squelette, caractérisée par une baisse de densité osseuse et des altérations de la microarchitecture trabéculaire osseuse, conduisant à une fragilité osseuse exagérée et donc à un risque élevé de fracture » (Groupe de Recherche et d'Information sur les Ostéoporoses, 2000, p. 25). Les fractures reliées à la fragilité osseuse peuvent survenir à n'importe quel endroit sur le squelette, mais les plus fréquentes sont celles du poignet, des vertèbres et de la hanche (Berarducci, 2004).

Certains facteurs de risque tels l'âge, le sexe, la race et l'hérédité ne peuvent pas être modifiés. Même si avec l'âge, la perte osseuse est présente chez l'homme comme chez la femme, l'homme est avantagé puisque sa masse osseuse maximale est plus élevée que celle de la femme. De plus, le taux de perte osseuse chez la femme s'accélère après la ménopause (Scott et Hochberg, 1998b). Il n'est donc pas étonnant que l'ostéoporose se manifeste plus fréquemment chez la femme que chez l'homme.

Il a aussi été noté que les personnes de race noire ont des os plus larges et une densité osseuse plus élevée que les personnes de race blanche ou de race jaune (Cummings, Cosman et Jamal, 2002). Les facteurs génétiques pourraient expliquer jusqu'à 75 % de la variation de la densité osseuse spécifique de l'âge (Scott et Hochberg, 1998b).

Selon Scott et Hochberg (1998b), le facteur de risque modifiable le plus important est l'immobilité, représentant un risque relatif supérieur à 4. L'immobilisation totale est « un facteur de perte osseuse accélérée » (Groupe de Recherche et d'Information sur les Ostéoporoses, 2000, p. 27). Plusieurs facteurs de risque modifiables, d'importance modérée (risque relatif de 2-4), ont été rapportés ; par exemple, la maigreur, l'usage abusif d'alcool, l'usage continu de corticostéroïdes et le non-usage d'hormones de remplacement chez les femmes ménopausées (Scott et Hochberg, 1998b). En effet, on a observé un lien entre un indice de masse corporelle peu élevé, la perte de poids et le risque de souffrir d'une fracture (Christodoulou et Cooper, 2002). L'effet protecteur de l'obésité pourrait être lié à l'accessibilité accrue d'œstrogènes étant donné le plus grand nombre de cellules adipeuses (Scott et Hochberg, 1998b).

Par ailleurs, la consommation exagérée d'alcool affecte la formation osseuse et peut augmenter le risque de blessures reliées aux chutes (Nieves, 2002). Toutefois, l'usage modéré d'alcool pourrait avoir un effet bénéfique sur la densité osseuse. Certains problèmes de santé telles les maladies endocriniennes, les maladies malignes (Christodoulou et Cooper, 2002), la polyarthrite rhumatismale et la plupart des maladies graves (Groupe de Recherche et d'Information sur les Ostéoporoses, 2000) prédisposent à l'ostéoporose. De plus, l'usage prolongé de corticostéroïdes pourrait diminuer la masse osseuse et augmenter le risque de fractures (Reid, 1989). L'usage d'hormones de remplacement chez les femmes ménopausées est un sujet encore controversé. Même si ces hormones sont associées à la prévention de l'ostéoporose, plusieurs femmes préfèrent ne pas les prendre, surtout par crainte des effets secondaires.

D'autres facteurs de plus faible importance (risque relatif ≤ 2), tels l'usage du tabac, l'inactivité physique et la consommation insuffisante de calcium ont aussi été associés, d'une manière négative ou positive, à l'apparition de l'ostéoporose (Scott et Hochberg, 1998b). La perte de la densité osseuse liée à l'usage du tabac augmente avec l'âge et se manifeste particulièrement chez les femmes ménopausées et chez les personnes âgées de plus de 50 ans (Law et Hackshaw, 1997). Par ailleurs, les auteurs rapportent un effet préventif de l'activité physique en ce qui a trait aux fractures de la hanche liées à l'ostéoporose (Scott et Hochberg, 1998b). Des études de cas témoins ont démontré que l'activité physique pourrait être associée à une réduction de 20 à 60 % du taux de fractures de la hanche (Marcus, Jamal et Cosman, 2002).

Les interventions préventives mettent l'accent sur les habitudes de vie, en particulier l'activité physique, la nutrition, l'abandon du tabagisme et l'usage modéré d'alcool. En ce qui a trait à l'activité physique, les études ont démontré que la marche et les exercices aérobiques (de faible intensité) pourraient avoir un effet protecteur contre la perte de la densité minérale osseuse (Todd et Robinson, 2003). Cette dernière pourrait même augmenter grâce à des exercices aérobiques vigoureux, à la levée de poids, à la course ou à la pratique du squash. Les régions du corps affectées par les gains ou l'effet protecteur de l'activité physique varient selon les études, mais de façon générale, ce sont les hanches et la région lombaire qui en bénéficient le plus (Todd et Robinson, 2003).

L'activité physique chez les enfants et les adolescents est aussi recommandée comme approche préventive. Selon Janz (2002), quelques essais cliniques aléatoires précisent que la quantité de masse osseuse augmente chez les enfants qui font beaucoup d'activité physique. Chez les personnes qui souffrent d'ostéoporose, l'activité physique vise à diminuer le risque de chute, à améliorer l'équilibre, la force musculaire, l'étendue du mouvement et l'endurance, à améliorer la posture, à diminuer la douleur et à améliorer la qualité de vie (Prior, Barr, Chow et Faulkner, 1996).

Le calcium est essentiel à la formation des os. Selon Prentice (2004), il y aurait un risque accru de fracture chez les hommes et les femmes qui ne consomment pas un minimum de 400 à 500 mg de calcium par jour. L'effet bénéfique du calcium accompagné de la vitamine D pour la prévention de l'ostéoporose est bien établi (Kichin et Morgan, 2003 ; Prentice, 2004). La quantité quotidienne recommandée est de 1500 mg/j chez les femmes ménopausées et chez les hommes de 65 ans et plus (Prestwood et Raisz, 2002). L'Organisation mondiale de la santé (OMS, 2003) recommande aussi une réduction de la consommation de sodium et une augmentation de la consommation de fruits et de légumes, même s'il existe peu de preuves de leurs bienfaits sur la réduction du risque de fractures. Les autres recommandations concernant les habitudes de vie comprennent la consommation modérée d'alcool, le maintien du poids et l'abandon du tabagisme.

LE CANCER

Grâce aux progrès scientifiques, le taux de survie des personnes chez qui on a diagnostiqué un cancer est de plus en plus élevé. Par conséquent, le cancer fait maintenant partie des maladies chroniques (Lubkin, 2002). Nous présentons des données sur la prévention du cancer du poumon, du cancer du sein, du cancer de la prostate, du cancer colorectal et du cancer de la peau. Ces types de cancers retiennent notre attention pour l'une ou l'autre des raisons suivantes : leur incidence est élevée, on détient des preuves de mesures préventives efficaces ou encore les intervenants en santé publique s'y heurtent régulièrement dans leur pratique. Voyons d'abord des notions et des données sur le cancer en général.

Le cancer est une maladie déclenchée par un processus cellulaire anormal qui découle d'une mutation génétique de l'ADN. Il s'ensuit une prolifération cellulaire anarchique, c'est-à-dire que les cellules se développent selon un mécanisme indépendant qui ne respecte pas le code génétique. Par conséquent, les cellules touchées n'atteignent pas la maturité cellulaire et ne s'acquittent pas de leurs fonctions. Comme les cellules cancéreuses prolifèrent rapidement, elles finissent par surpasser en nombre les cellules normales, à envahir les tissus environnants, à migrer ailleurs dans le corps et à perturber le fonctionnement normal des organes et des tissus vivants (Smeltzer et Bare, 2004). Il se forme alors une tumeur, bénigne ou maligne, c'est-à-dire une masse de cellules qui n'ont pas respecté les mécanismes de la vie cellulaire. La tumeur peut se développer très rapidement ou sur plusieurs années. Par exemple, une leucémie peut se développer en 5 ans, alors qu'une tumeur au poumon peut apparaître au bout de 10 à 20 ans de tabagisme ; un cancer de la vessie peut apparaître 45 ans après que l'organisme a été exposé à l'agent cancérigène (McCance et Huether, 2002).

Le cancer survient le plus souvent à un âge avancé, mais les enfants et les jeunes adultes peuvent aussi en souffrir (Brownson, Reif, Alavanja et Bal, 1998). De plus, il atteint tous les groupes ethniques sans discrimination. Les données épidémiologiques révèlent que le cancer atteint plus souvent les hommes que les femmes, en particulier les hommes de race noire (Institut national du cancer du Canada, 2004). Le taux de mortalité lié au cancer est d'ailleurs plus élevé dans cette population. On attribue cette incidence élevée à leurs conditions socioéconomiques, notamment à la présence des facteurs de risque tels le tabagisme, les habitudes alimentaires, la difficulté d'obtenir des services diagnostiques et thérapeutiques (Brownson et autres, 1998). Le cancer, tous types confondus, surclasse les maladies cardiovasculaires et est maintenant la première cause de décès au Canada, notamment au Québec. En 2005, le cancer est devenu le problème de santé publique le plus important (Société canadienne du cancer, 2005).

D'après l'incidence actuelle du cancer, on estime respectivement à 38 % et à 44 % le nombre de femmes et d'hommes susceptibles de souffrir d'un cancer au cours de leur vie. Par ailleurs, le taux de survie, soit une survie de cinq ans après le diagnostic, continue d'augmenter (Brownson et autres, 1998).

De multiples facteurs sont à la source du processus pathologique complexe qu'est le cancer. Les facteurs de risque connus jusqu'à présent se classent dans plusieurs catégories : les virus et les bactéries, les facteurs environnementaux, les habitudes de vie, les facteurs d'ordre génétique et familial, les habitudes alimentaires et les facteurs d'ordre hormonal (Smeltzer et Bare, 2004). Voici des exemples de lien établi entre le cancer et des facteurs de risque, selon les catégories (Key, Allen, Spencer et Travis, 2002 ; McCance et Huether, 2002 ; Smeltzer et Bare, 2004 ; Santé Canada, 2002 ; Société canadienne du cancer, 1999 ; WHO, 2003).

- Les virus et les bactéries :
  - l'hépatite B, associée à un risque élevé de cancer du foie ;
  - les virus du papillome humain (HPV-16) et de l'herpès simplex (type II), liés à la dysplasie et au cancer du col de l'utérus ;
  - le VIH, lié au sarcome de Kaposi ;
  - le *H. pylori*, lié au cancer de l'estomac.
- Les facteurs environnementaux :
  - lien certain entre l'exposition aux rayons ultraviolets et le cancer de la peau ;
  - lien possible entre l'irradiation ionisante (armes nucléaires, énergie nucléaire) et la leucémie, le myélome multiple et le cancer de la thyroïde ;
  - lien possible entre l'exposition au radon et l'augmentation du risque de cancer du poumon ;
  - lien encore contesté entre les champs électromagnétiques et le cancer du cerveau, et

plusieurs types de leucémie, en particulier chez les enfants.

- Les facteurs professionnels :
  - lien possible entre la manipulation ou l'exposition à la teinture, au caoutchouc et à la peinture et le cancer de la vessie ;
  - lien possible entre l'inhalation de benzol (teintures, explosifs, caoutchouc) et la leucémie.
- Les habitudes alimentaires et le mode de vie :
  - lien certain entre le tabagisme et le cancer du poumon, de la vessie et du pancréas ;
  - l'usage de la pipe et du cigare, associé à l'augmentation du nombre de cas de cancer de la bouche, du pharynx, du larynx et de l'œsophage ;
  - lien possible entre l'ingestion de nitrates et d'aliments salés (agents de conservation des viandes, charcuteries et poissons) et le cancer de l'estomac ;
  - lien possible entre la faible consommation de fibres et les cancers hormono-dépendants ;
  - l'alcool, de toute évidence un facteur lié à l'augmentation du cancer de la bouche, du pharynx (pas le naso-pharynx), de l'œsophage et du foie ;
  - preuves probantes d'un risque de cancer chez les personnes qui souffrent d'embonpoint et d'obésité ;
  - lien entre la consommation de gras saturé et l'augmentation du risque de cancer.
- Les facteurs génétiques :
  - les antécédents familiaux de cancer du sein, la polypose familiale et les adénomes du côlon.
- Les facteurs d'ordre hormonal :
  - lien entre le taux hormonal et le cancer du sein, de l'endomètre, des ovaires et de la prostate, puisque le développement de ces cancers peut dépendre du taux hormonal sanguin. Les liens ne sont pas établis de façon sûre, mais plusieurs résultats vont dans cette direction.

D'autres facteurs de risque font encore l'objet d'étude afin d'établir un lien scientifique significatif ; par exemple, l'alimentation, l'alcool, la sédentarité, les infections, les facteurs hormonaux et l'irradiation. Les connaissances actuelles ne permettent pas de décrire le mécanisme qui établit un lien causal entre l'alimentation et le cancer. Toutefois, les preuves sont suffisamment solides pour justifier la mise en place de mesures préventives (WHO, 2003).

Les auteurs parlent maintenant de facteurs probables de protection contre le cancer, c'est-à-dire des éléments qui pourraient contribuer à diminuer le risque de la maladie. Ainsi, la consommation quotidienne de 5 à 10 portions de fruits et de légumes s'est révélée un facteur de protection important. De plus, 50 % des cancers pourraient être évités par l'adoption d'un mode de vie sain (Société canadienne du cancer, 1999 ; WHO, 2003).

Malgré la croyance populaire selon laquelle le cancer est inévitable, les connaissances scientifiques actuelles précisent que certains facteurs de risque sont modifiables (WHO, 2003). Les grandes lignes de la prévention primaire suggèrent d'intervenir auprès de la population en santé ; par exemple, éviter l'exposition aux agents carcinogènes ou adopter un régime alimentaire varié et riche en fruits et légumes. Quant à la prévention secondaire, elle s'oriente plutôt vers le dépistage en vue d'un diagnostic précoce. Par exemple, le test de Papanicolaou pour dépister le cancer du col de l'utérus, l'auto-examen des seins pour le cancer du sein, l'examen rectal pour dépister une anomalie de la prostate et l'examen des selles pour déceler la présence de sang et le cancer colorectal (Smeltzer et Bare, 2004).

Selon les études consultées par Brownson et ses collègues (1998), la priorité en matière de prévention doit aller à l'élimination du tabagisme, à l'activité physique et à l'adoption d'une alimentation faible en gras et riche en fruits et légumes. Par ailleurs, les experts recommandent le maintien d'un poids équilibré comme moyen de réduire le risque de cancer de l'œsophage, du sein, de l'endomètre, des reins et du cancer colorectal. Plusieurs études précisent que la consommation d'alcool augmente sensiblement le risque de cancer du sein, soit un risque accru de 10 % avec une consommation moyenne d'un verre par jour. Des liens semblables ont été observés dans les cas du cancer du foie, de la bouche, de la gorge et de l'œsophage (WHO, 2003). À cet égard, les lignes directrices de consommation d'alcool à faible risque indiquent que la population en général ne devrait pas consommer plus de 2 verres d'alcool par jour ou limiter sa consommation à 9 verres par semaine chez les femmes et à 14 chez les hommes (CAMH, 2003).

De plus en plus d'écrits portent sur les effets préventifs de certains nutriments, médicaments et vaccins (ex. : le tamoxifène, le vaccin contre l'hépatite B, le bêta-carotène, la vitamine A, etc.). Cette pratique surnommée *chimioprévention* serait indiquée pour les populations qui présentent un risque élevé de certains types de cancers (Mason, 2002; Szabo et Kalebic, 2003). Selon Vainio (2002), 15 % des cancers dans le monde sont causés par un agent infectieux. C'est pourquoi il milite en faveur de l'immunisation et des médicaments de prévention comme mesure globale de prévention du cancer dans le monde, par exemple le vaccin contre l'hépatite B et la prévention du cancer du foie.

On ne peut pas parler de cancer sans parler des conséquences de cette maladie dans la société, en particulier le fardeau financier. En effet, le poids économique associé au cancer est énorme. Malheureusement, on constate que les sommes allouées à la prévention primaire et secondaire sont plutôt maigres. Ainsi, les services de dépistage du cancer colorectal, du cancer du sein et du cancer du col de l'utérus, de même que la prévention ou l'abandon du tabagisme et l'éducation au sujet de l'alimentation ont droit à une petite part de l'enveloppe budgétaire comparativement aux services diagnostiques et thérapeutiques (Brownson et autres, 1998).

Le cancer du poumon

Parmi tous les types de cancers, le cancer du poumon était la principale cause de décès au Canada en 2004. D'après les statistiques actuelles sur l'incidence du cancer, une femme sur 17 et un homme sur 11 risquent d'avoir un cancer du poumon au cours de leur vie (Société canadienne du cancer, 2005). Pourtant, le cancer du poumon est le type de cancer le plus facile à éviter. Le lien direct entre le cancer du poumon et le tabagisme sous toutes ses formes a été établi. De plus, la combinaison des facteurs suivants augmente le risque du cancer du poumon: la grande quantité de cigarettes fumées, l'habitude acquise jeune et le maintien de cette habitude pendant de nombreuses années (Shopland, avril 2005).

Selon les études consultées par Brownson et ses collègues (1998), le risque relatif de cancer du poumon lié à la cigarette est d'environ 10 chez les hommes et 5 chez les femmes. Toutefois, les données sur les femmes tendent à changer, puisque ces dernières fument davantage et commencent à fumer plus jeunes. De plus, l'exposition à la fumée secondaire représente un risque relatif modéré (2) de cancer du poumon. D'autres facteurs peuvent accroître le risque de ce type de cancer, telle l'exposition à l'amiante (risque relatif élevé de 5 chez le non-fumeur et risque multiplié par 50 chez le fumeur), à l'arsenic, au nickel, à des produits à base de pétrole (essence, charbon, acier, asphalte) et au radon (Société canadienne du cancer, 2005). Les polluants chimiques, dont la pollution de l'air, représentent aussi un facteur de risque possible. Par ailleurs, le lien entre un faible apport en bêta-carotène ou d'autres facteurs alimentaires et le risque de cancer du poumon demeure encore contesté (WHO, 2003).

Dans la lutte anti-tabac, la prévention de l'usage du tabac chez les jeunes et l'abandon du tabagisme constituent les mesures de prévention primaire et secondaire dont l'efficacité est certaine. Cette preuve a été établie grâce à des études avant-après et à des études de cohortes. Par ailleurs, une alimentation riche en fruits et légumes pourrait diminuer le risque de cancer du poumon (Brownson et autres, 1998; WHO, 2003). Enfin, toute intervention gouvernementale en matière de santé publique peut contribuer à prévenir le cancer du poumon (Brownson et autres, 1998).

Le cancer du sein

Le cancer du sein est le cancer le plus souvent diagnostiqué chez les Canadiennes, et touche surtout les femmes de race blanche. Parmi tous les cancers, tant chez les femmes que chez les hommes, le cancer du sein représente la troisième cause de décès lié au cancer. De 1975 à 2004, le taux d'incidence du cancer du sein est passé de 85 par 100 000 à 105 par 100 000, alors que le taux de mortalité est passé de 30 par 100 000 à 24,5 par 100 000 (Institut national du cancer du Canada, 2004). On pourrait attribuer cette diminution à la mammographie de dépistage et au traitement précoce. Une femme sur neuf risque d'avoir un cancer du sein au cours de sa vie (Société canadienne du cancer, 2005). De plus, les femmes issues de classes sociales aisées sont à plus haut risque. Au fil des ans, on a noté une augmentation rapide du nombre de cas avant l'âge de 45 à 50 ans et une plus grande incidence dans les milieux urbains (Brownson et autres, 1998).

Les études n'ont pas encore isolé de facteur causal du cancer du sein. Toutefois, l'obésité chez la femme ménopausée constitue le plus grand risque relatif de cancer du sein. Les recherches démontrent aussi un risque relatif élevé associé aux fonctions reproductives. Ces fonctions comprennent la nulliparité, une première grossesse après l'âge de 30 ans, les menstruations à un âge précoce et la ménopause tardive. Les chercheurs ont aussi démontré une corrélation plus élevée entre le cancer du sein et des antécédents de cancer du sein dans la famille proche; cependant, le lien est considéré comme possible en présence d'antécédents de maladies bénignes du sein. La consommation d'alcool, de modérée à élevée, est également associée à un risque plus grand de cancer du sein. Enfin, certains facteurs demeurent encore contestés, soit l'hormonothérapie à la ménopause, les contraceptifs oraux, l'allaitement maternel et un apport alimentaire riche en énergie et en matières grasses. Par ailleurs, quelques études ont démontré une corrélation entre l'activité physique et la diminution du risque de cancer du sein (Brownson et autres, 1998; McCance et Huether, 2002).

Comme les causes du cancer du sein sont encore incertaines, il est difficile de préciser des mesures de prévention primaire. La prévention secondaire, soit le dépistage précoce, est donc tout indiquée. Par exemple, la mammographie tous les deux ans chez les femmes âgées de 50 à 69 ans, accompagnée d'un examen clinique des seins par un professionnel de la santé, s'est avérée, lors des études de cas témoins, une intervention préventive efficace et le moyen le plus fiable pour diminuer le taux de mortalité lié au cancer du sein (Société canadienne du cancer, 2005). Dans le cas des femmes âgées de moins de 50 ans, les lignes directrices recommandent d'intervenir en fonction du risque. Des études avant-après ont aussi démontré l'efficacité possible de l'auto-examen des seins et du régime alimentaire (Brownson et autres, 1998).

Le cancer colorectal

Parmi tous les types de cancers, le cancer colorectal est le troisième en importance, tant chez l'homme que chez la femme. De plus, il est la deuxième cause de décès lié au cancer, le cancer du poumon venant au premier rang (Institut national du cancer du Canada, 2004; Société canadienne du cancer, 2005; OMS, 2003). Selon les plus récentes données de la Société canadienne du cancer (2005), un homme sur 14 et une femme sur 16 pourraient être atteints d'un cancer colorectal au cours de leur vie.

Jusqu'à présent, peu de facteurs de risque modifiables ont démontré un lien sûr avec le cancer colorectal (Brownson et autres, 1998). Toutefois, l'obésité est le seul facteur au sujet duquel les recherches ont établi une corrélation avec le cancer colorectal (International Agency for Research on Cancer, 2002, cité dans Key et autres; OMS, 2003). De plus, les recherches confirment un lien constant entre le cancer colorectal et un apport élevé en gras animal ou un faible apport en légumes et en fibres (Brownson et autres, 1998; Société canadienne du cancer, 2005). Les chercheurs précisent néanmoins qu'il est difficile d'établir un lien entre l'alimentation et le cancer colorectal. Par ailleurs, les facteurs qui pourraient accroître le risque de cancer colorectal comprennent: l'âge, les antécédents familiaux de cancer colorectal, la sédentarité, la consommation abusive d'alcool et le tabagisme (Société canadienne du cancer, 2005; Vainio et Miller, 2003).

D'après les conclusions de nombreuses études, on peut éviter le cancer colorectal. La mesure de prévention primaire la plus valable jusqu'à présent consiste à encourager la population à consommer au moins cinq portions de fruits et de légumes par jour (Brownson et autres, 1998). Bien que le lien reste à clarifier, plusieurs recherches démontrent que l'alimentation riche en fibres et en fruits et légumes et faible en gras saturés (moins de 30 % de l'apport énergétique) réduit le risque et contribue à prévenir cette forme de cancer (Société canadienne du cancer, 2005; Dove-Edwin et Thomas, 2001). En outre, de plus en plus de recherches révèlent un lien constant entre l'activité physique et la diminution du risque de cancer colorectal (Brownson et autres, 1998; Vainio et Miller, 2003; WHO, 2003). La Société canadienne du cancer (2005) recommande, comme mesure de prévention secondaire, le dépistage par recherche de sang occulte dans les selles au moins tous les deux ans chez les personnes âgées de plus de 50 ans.

Le cancer de la prostate

Au Canada, le cancer de la prostate est la forme de cancer la plus répandue chez les hommes, en particulier chez les hommes de race noire. Il est la troisième cause de décès attribuable au cancer chez les hommes. Parmi tous les types de cancers, tant chez les hommes que chez les femmes, le cancer de la prostate est la quatrième cause de mortalité. Un homme sur sept risque d'en être atteint au cours de sa vie (Société canadienne du cancer, 2005). L'âge moyen auquel le cancer de la prostate est le plus souvent diagnostiqué est de 70 ans (Brownson et autres, 1998).

On ne connaît pas la cause du cancer de la prostate. Néanmoins, les recherches mentionnent que des facteurs de risque d'ordre hormonal, familial et alimentaire peuvent accroître la probabilité d'avoir la maladie. En effet, les résultats confirment que le cancer de la prostate peut être causé par un taux élevé de stéroïdes, telle la testostérone. De plus, une alimentation riche en matières grasses pourrait augmenter le risque de cancer de la prostate et des antécédents familiaux chez un proche parent doublent le risque de cancer de la prostate. Enfin, des facteurs environnementaux, tels que l'exposition professionnelle au cadmium et au caoutchouc, et le travail agricole pourraient augmenter le risque de cancer de la prostate (Brownson et autres, 1998; Société canadienne du cancer, 2005).

Divers écrits précisent qu'il est impossible de déterminer des mesures de prévention primaire puisqu'on ne connaît pas la cause du cancer de la prostate (Brownson et autres, 1998; Société canadienne du cancer, 2005). Toutefois, certaines mesures de prévention secondaire peuvent aider au dépistage précoce du cancer de la prostate, notamment le toucher rectal. Le taux d'antigène prostatique spécifique (APS) peut aussi aider à dépister le cancer de la prostate, particulièrement après l'âge de 50 ans. Toutefois, il faut faire preuve de prudence afin de ne pas confondre l'augmentation normale d'APS liée à l'âge et la présence d'un cancer de la prostate.

LE CANCER DE LA PEAU

Avant de clore ce volet sur le cancer, il nous apparaît essentiel de dire un mot sur les types de cancers de la peau les plus fréquents, notamment le mélanome. Ce dernier se classe au 8e rang en incidence, tant chez l'homme que chez la femme; il est la 14e cause de décès chez l'homme et la 17e chez la femme (Institut national du cancer du Canada, 2004). Contrairement aux deux autres formes de cancer de la peau qui surviennent à un âge plus avancé, le mélanome peut se manifester à n'importe quel âge et tend à se développer rapidement. Ce cancer peut être mortel s'il n'est pas détecté très tôt (Santé Canada, 2004).

L'exposition aux rayons ultraviolets est l'une des principales causes du cancer de la peau. Ces rayons proviennent du soleil et de certains types de lampes (Santé Canada, 2004). On associe le développement du mélanome à la surexposition aux rayons ultraviolets (UV) entraînant des brûlures de la peau ou à l'exposition intermittente à ces mêmes rayons, en particulier les UVB (Gilchrest, Eller, Geller et Yaar, 1999; Société canadienne du cancer, 1999). Les personnes les plus susceptibles de développer un cancer de la peau sont celles qui ont une peau claire, soit une peau blanche ou avec des taches de rousseur, et les personnes aux yeux bleus et aux cheveux blonds ou roux. Le moyen de prévention consiste à éviter la surexposition au soleil ou à toute autre source de rayons UV (ex.: la lampe solaire). Lorsqu'il est impossible de rester à l'ombre, l'utilisation d'une crème solaire s'impose; il faut choisir un produit offrant un degré de protection d'au moins 15 (Santé Canada, 2004).

LES MALADIES RESPIRATOIRES OBSTRUCTIVES

Ces maladies sont caractérisées par une limitation de la circulation d'air ou par une obstruction des voies respiratoires, laquelle devient progressivement plus accentuée à l'expiration. La personne doit faire plus d'efforts pour expirer ou l'expiration est plus lente, ou les deux à la fois (McCance et Huether, 2002). La plus récente classification des maladies respiratoires obstructives les plus courantes inclut la bronchite chronique et l'emphysème. Parce qu'elles ont un caractère chronique, on les surnomme « maladies pulmonaires obstructives chroniques (MPOC) » ou « broncho-pneumopathies chroniques obstructives (BPCO) ». L'asthme est plutôt considéré comme une maladie respiratoire inflammatoire réversible revêtant un caractère aigu et intermittent (Smeltzer et Bare, 2004).

L'ASTHME

L'asthme est une maladie inflammatoire chronique des voies respiratoires due à une hypersensibilité. Cette hypersensibilité se manifeste par une réponse bronchoconstrictive exagérée des voies respiratoires à des stimuli qui normalement ne causent aucune irritation (Taylor et Herwaarden, 1994). Bien que la cause exacte de cette maladie soit inconnue, Huss et Huss (2000) soulignent qu'une prédisposition génétique serait à l'origine de la majorité des cas. La crise d'asthme peut être précipitée par une variété de facteurs, dont les allergènes emprisonnés à l'intérieur des maisons et ceux de l'environnement, les facteurs psychologiques et les infections respiratoires répétées.

Les sources d'allergènes le plus souvent retrouvées à l'intérieur des maisons incluent les animaux domestiques, la poussière, les cafards et la moisissure. La fumée de cigarette, un irritant souvent présent à l'intérieur des maisons, est responsable du déclenchement des crises d'asthme. Dans l'environnement, on trouve plusieurs allergènes: le pollen des fleurs et d'autres irritants comme la pollution de l'air par des particules ou des gaz. Des facteurs psychosociaux incluant le stress et l'anxiété ont aussi été associés au déclenchement des crises d'asthme (Taylor et Herwaarden, 1994).

Étant donné que la cause de l'asthme est soit génétique, soit inconnue, les interventions doivent viser à prévenir une exposition aux facteurs susceptibles d'en précipiter la crise. Le but de l'enseignement offert aux personnes souffrant d'allergie consiste donc à les aider à reconnaître les signes et symptômes de la maladie, à développer leurs habiletés à suivre le traitement prescrit, à susciter leur satisfaction et leur confiance à l'égard du traitement proposé afin d'en assurer le suivi, et à promouvoir l'autogestion de la maladie (Musto, 2003). Les programmes d'enseignement destinés aux adultes, de même que ceux visant le changement de comportements sont efficaces, mais ils ne durent que quatre mois environ. Il est donc important que les professionnels rappellent régulièrement à leurs clients la nécessité du suivi du traitement et de la prévention des facteurs pouvant précipiter une crise (Bolton, Tilley, Kuder, Reeves et Schultz, 1991).

Les maladies pulmonaires obstructives chroniques (MPOC)

Comme nous l'avons dit plus haut, les MPOC comprennent la bronchite chronique et l'emphysème. Les MPOC progressent lentement vers la destruction du parenchyme pulmonaire et bronchique, conduisant à la destruction alvéolaire et à l'obstruction des voies respiratoires. La détérioration de la fonction pulmonaire est progressive et irréversible; elle se manifeste à l'âge mûr. En effet, les signes apparaissent peu avant l'âge de 50 ans, et c'est à partir de ce moment qu'on peut observer une détérioration progressive et plus rapide de la fonction respiratoire. Lorsque, à un âge plus avancé, d'autres maladies chroniques s'ajoutent, le niveau d'incapacité des personnes affectées s'accroît (Goldring, James et Anderson, 1998).

Les MPOC représentent la quatrième cause de décès aux États-Unis, tous âges et sexes confondus. Les décès attribuables à ces maladies continuent d'augmenter alors que le taux de mortalité lié aux maladies cardiovasculaires diminue. On estime qu'en 2020, les décès liés aux MPOC se classeront au troisième rang (National Institutes of Health (NIH), 2003). Les données épidémiologiques révèlent une prévalence plus forte chez les femmes de race blanche (NIH, 2003). Par exemple, 50 % plus de femmes souffrent de bronchite chronique aux États-Unis. Dans l'ensemble, on note une prévalence de bronchite chronique de 6,4 % chez les personnes âgées de 60 à 64 ans et de 6,1 % chez les 65 ans et plus. Le fardeau des MPOC est très lourd. En effet, il faut considérer les nombreuses hospitalisations, les visites médicales, les soins de santé à domicile, sans compter la limitation progressive des activités en raison de la dyspnée et de la fatigue que les maladies pulmonaires entraînent, de même que la susceptibilité aux infections respiratoires fréquentes et sévères (Goldring, James et Anderson, 1998; Smeltzer et Bare, 2004).

Le plus puissant facteur de risque des MPOC est la cigarette. En effet, 90 % des MPOC y sont attribuables. Le fumeur présente un risque relatif 10 fois plus élevé de souffrir d'une MPOC que le non-fumeur. Le risque relatif est identique chez les femmes et les hommes (Goldring, James et Anderson, 1998). Le tabagisme sous toutes ses formes constitue un facteur de risque reconnu, notamment le cigare, la pipe et la fumée secondaire. Quant aux particules ou poussières dans l'air, le lien causal avec les MPOC n'a pas encore été établi (NIH, 2003; Smeltzer et Bare, 2004). Les personnes atteintes de MPOC sont susceptibles de voir leurs symptômes s'aggraver parce qu'elles présentent plusieurs risques à la fois. Par exemple, elles peuvent fumer, être exposées à l'air pollué et aux polluants dans les milieux professionnels (Goldring, James et Anderson, 1998).

D'autres facteurs de risque possibles comprennent des infections des voies respiratoires dans l'enfance, l'hyperréactivité des voies respiratoires et l'exposition à des poussières organiques et à des agents chimiques en milieu de travail. Les études confirment un risque relatif d'hyperréactivité des voies respiratoires de deux à quatre fois plus élevé chez les enfants dont les parents fument (Goldring, James et Anderson, 1998). Selon ces auteurs, les poussières organiques et chimiques en milieu professionnel peuvent contribuer à l'incidence des MPOC, soit de façon indépendante, soit en association avec le tabagisme. Par ailleurs, des études ont permis d'établir un lien entre les hospitalisations et les décès liés aux MPOC et la présence de particules acides dans l'air des villes qui présentent un très haut taux de pollution.

La mesure préventive par excellence des MPOC consiste à cesser de fumer. Plusieurs programmes d'abandon du tabagisme sont maintenant offerts à la population; ils comprennent un service de soutien, c'est-à-dire une ligne téléphonique, des rencontres d'entraide, etc. On peut aussi réduire la morbidité et la mortalité liées aux MPOC de façon significative en diminuant l'usage du tabac. En éliminant le tabagisme, on peut en outre diminuer la mortalité liée à la décroissance normale de la fonction pulmonaire (Goldring, James et Anderson, 1998).

Les personnes qui souffrent d'une déficience de la protéine alpha1-antitrypsine (7 % de la population en général) sont plus susceptibles de développer une MPOC quand elles sont jeunes et ce, sans la présence du facteur du tabagisme. Ce facteur génétique affecte une personne sur 3 000 aux États-Unis. On peut tenter des mesures préventives secondaires ou tout au moins des moyens visant à repousser l'apparition d'une MPOC chez ces personnes en les soumettant à un test de dépistage du facteur génétique et en modifiant les facteurs environnementaux en conséquence (tabagisme, pollution, agents infectieux, allergènes) (Smeltzer et Bare, 2004).

Des mesures préventives individuelles telles que la vaccination contre l'influenza ou d'autres maladies évitables permettent de réduire les complications et les incapacités associées aux MPOC. Selon Goldring, James et Anderson (1998), on peut réduire le risque de MPOC en établissant des normes qui précisent le degré maximal d'exposition aux polluants dans les milieux professionnels. Les gouvernements peuvent aussi contribuer à améliorer la qualité de l'air et à diminuer l'exposition aux polluants en adoptant des lois et des normes qui régissent l'émission de gaz par les automobiles ou les centrales électriques. De plus en plus, les autorités de la santé publique diffusent des avis à l'intention des personnes atteintes de MPOC lorsque le taux de pollution dépasse la norme. Cela permet de diminuer les épisodes d'exacerbation.

Les maladies neurologiques

Les maladies neurologiques chroniques imposent un fardeau considérable aux personnes affectées, à leur famille et à la société en général. Elles produisent de nombreux effets néfastes: la restriction des activités, les conséquences psycho-émotionnelles, la perte de productivité et les coûts élevés. On distingue trois grandes catégories de maladies neurologiques chroniques: les maladies neurologiques classiques, les traumatismes accidentels et les maladies intermittentes (Franklin et Nelson, 1998). Cette section traite des maladies neurologiques retenues selon leur importance, soit la démence, la maladie de Parkinson et la sclérose en plaques, considérées comme des maladies neurologiques classiques.

Selon Franklin et Nelson (1998), les maladies neurologiques de type classique progressent vers l'incapacité et la mort dans la plupart des cas. De plus, elles évoluent de façon silencieuse, c'est-à-dire qu'il y a une longue période de latence avant que les signes cliniques apparaissent. Par exemple, l'âge moyen auquel on diagnostique la sclérose en plaques est de 33 ans, alors que les preuves épidémiologiques montrent que les facteurs étiologiques seraient apparus avant l'âge de 15 ans. Dans l'ensemble, ces maladies seraient causées par un concours de facteurs environnementaux, dont la plupart demeurent encore inconnus, et de vulnérabilité génétique.

La démence

La démence est un syndrome qui se manifeste par la détérioration de plusieurs fonctions cérébrales, ce qui influe sur la capacité d'accomplir les activités quotidiennes. L'OMS (1992) définit la démence comme un syndrome de nature chronique et progressive, qui présente une altération des fonctions cérébrales, notamment la mémoire, la pensée, l'orientation, la compréhension, le calcul, la capacité d'apprentissage, le langage et le jugement. On divise les démences de plusieurs façons, selon qu'elles sont de forme réversible ou de forme irréversible. Par exemple, la forme irréversible comprend la maladie d'Alzheimer, plusieurs démences vasculaires (ex.: la maladie de Pick et de Creutzfeldt-Jakob) et les démences associées à la maladie de Parkinson et au sida. Ces formes de démence progressent lentement et conduisent à la mort.

L'incidence annuelle de la démence est de 0,11 % chez les personnes âgées de 60 à 64 ans et de 0,33 % chez les 65 à 69 ans. Il passe à 1,82 % chez les personnes âgées de 75 à 79 ans et à 3,36 % chez les 80 à 84 ans (Gao, Hendrie, Hall et autres, 1998, cités dans Bowie et Takriti, 2004). Le sexe ne semble pas un facteur significatif dans l'incidence de la maladie. Cependant, les données épidémiologiques révèlent que les femmes sont plus susceptibles que les hommes d'être atteintes de la maladie d'Alzheimer, mais que les hommes sont plus susceptibles de souffrir de démence vasculaire. La prévalence varie en fonction de la taille et de la composition de l'échantillon, de la région géographique visée par l'étude, du moment de l'étude, des critères diagnostiques et de la différence entre le nombre de nouveaux cas ou de la différence dans le taux de survie. La prévalence de la démence augmente en même temps que croît le nombre de personnes âgées. Ainsi, la prévalence augmente de 2,1 % chez les personnes âgées de 65 à 69 ans et de 17,7 % chez les 80 ans et plus (Bowie et Takriti, 2004).

La maladie d'Alzheimer est la forme de démence la plus répandue; elle représente de 50 à 60 % de tous les cas. Les démences mixtes comptent pour 50 % des cas et 10 % sont des démences réversibles (Bowie et Takriti, 2004; Franklin et Nelson, 1998, Société Alzheimer du Canada, 2005). La maladie d'Alzheimer est une maladie neurodégénérative qui conduit progressivement et irréversiblement à la perte de la mémoire (amnésie) et des fonctions cognitives (aphasie, apraxie, agnosie). On estime à 280 000 le nombre de Canadiens de plus de 65 ans actuellement atteints de la maladie d'Alzheimer, et on prévoit que près de 509 000 Canadiens âgés de plus de 65 ans recevront le diagnostic d'ici 2031 (Société Alzheimer du Canada, 2005).

Les études laissent supposer que la maladie d'Alzheimer se développe en présence d'une combinaison de nombreux facteurs de risque qui empêchent le fonctionnement des mécanismes cérébraux naturels de réparation et de guérison des cellules nerveuses (Société Alzheimer du Canada, 2005). Certains facteurs de risque peuvent être modifiés (par exemple, le régime alimentaire), d'autres non (par exemple, l'âge et les facteurs génétiques). Les facteurs de risque reconnus sont l'âge, les antécédents familiaux, un facteur d'ordre génétique (mutation des chromosomes 21, 14 et 1) (Bowie et Takriti, 2004; Société Alzheimer du Canada, 2005) et le syndrome de Down, particulièrement après l'âge de 40 ans (Franklin et Nelson, 1998).

Des études de cohortes ont révélé que les blessures à la tête représentent un facteur de risque possible. D'autres études ont abouti à des résultats parfois contradictoires ou à des résultats insuffisants pour établir un lien solide avec la maladie d'Alzheimer. Les facteurs de risque encore contestés incluent des antécédents familiaux de maladie cérébrale et de Parkinson, l'âge de la mère à la naissance, des problèmes de santé tels que les allergies, l'hypothyroïdie et l'infection virale. À cela s'ajoutent les facteurs environnementaux, tel l'aluminium, et les habitudes de vie, tel le tabagisme. Le diabète a récemment été ajouté à la liste des facteurs de risque. Par ailleurs, un niveau élevé d'éducation et la consommation de vitamines C et E (action antioxydante) sont associés à une diminution du risque d'être atteint de la maladie d'Alzheimer (Bowie et Takriti, 2004; Société Alzheimer du Canada, 2005). Il n'existe pas de mesures préventives connues pour la maladie d'Alzheimer (Franklin et Nelson, 1998).

La démence vasculaire est la deuxième forme de démence la plus fréquente. Les hommes sont plus susceptibles que les femmes d'en être atteints. On ne connaît pas tous les facteurs de risque, mais l'accident vasculaire cérébral (AVC) est un facteur déterminant. Ainsi, les facteurs de risque associés à l'AVC s'appliquent aussi à la démence vasculaire. Ils incluent l'hypertension, l'hyperlipidémie et le tabagisme. Par ailleurs, le taux sanguin élevé d'homocystéine est un puissant facteur de risque indépendant pour la démence vasculaire et la maladie d'Alzheimer. L'étude Framingham (une étude de cohorte avec un sous-groupe) a conclu que l'acide folique, consommé seul ou accompagné de vitamine B_6 et B_{12}, et un apport en céréales entières réduisent le taux sanguin d'homocystéine et ont un impact sur la prévention de la démence vasculaire. Ces données doivent cependant être réévaluées au moyen d'une autre étude de cohorte et d'essais cliniques (Seshardri, Beiser, Selhub, Jacques et autres, 2002).

La prévention primaire de la démence vasculaire doit faire appel aux mesures utilisées pour la prévention de l'AVC, entre autres le contrôle de l'hypertension, le changement des habitudes de vie (ex.: l'alimentation et le tabagisme) et le contrôle du diabète (Sachdev, Brodaty et Looi, 1999). Par ailleurs, une étude prospective a démontré une association significative entre une diminution du risque de démence et une pratique intense d'activités de loisirs, notamment la lecture, les jeux de société, la musique (jouer d'un instrument) et la danse. D'autres études ont examiné les effets protecteurs de l'activité physique contre la démence, mais les résultats ne sont pas concluants (Verghese, Lipton, Katz, Hall et autres, 2003).

La maladie de Parkinson

La maladie de Parkinson est une maladie neurodégénérative affectant les voies des neurotransmetteurs. Elle est caractérisée par une perte de neurones dopaminergiques. La perte de réserve de dopamine se traduit par un excès de neurotransmetteurs d'excitation par rapport aux neurotransmetteurs d'inhibition, ce qui conduit à un déséquilibre affectant les mouvements volontaires. Cette maladie progresse lentement vers des troubles du mouvement, incluant la triade de symptômes typiques, tremblements, rigidité et bradykinésie, et provoque des limitations sévères de la capacité fonctionnelle (Smeltzer et Bare, 2004).

Le syndrome parkinsonien idiopathique ou dégénératif est la forme la plus fréquente. Il existe aussi une forme secondaire de cette maladie dont la cause la plus fréquente est l'intoxication médicamenteuse (ex.: la drogue de synthèse MPTP) (Franklin et Nelson, 1998). En outre, les recherches confirment d'autres causes, dont des facteurs d'ordre génétique, l'athérosclérose, l'accumulation de radicaux libres, l'infection virale, un traumatisme crânien et une tumeur (McCance et Huether, 2002; Smeltzer et Bare, 2004).

Le syndrome parkinsonien apparaît généralement vers la cinquantaine. Il est diagnostiqué plus souvent chez les hommes que chez les femmes. De plus, il affecte 1 % de la population âgée de plus de 60 ans (Smeltzer et Bare, 2004). Lorsque les signes cliniques apparaissent, on constate déjà une perte cellulaire de 60 à 80 %. Des études suggèrent que la présence d'une vulnérabilité génétique à des substances environnementales neurotoxiques pourrait constituer un facteur étiologique important (Franklin et Nelson, 1998).

Par ailleurs, des études épidémiologiques ont permis de cerner les facteurs de risque possibles du syndrome parkinsonien idiopathique. Il s'agit de facteurs associés à la vie en milieu rural (résidence en milieu rural, travail à la ferme, consommation d'eau de puits) et à certains emplois (exposition aux insecticides et aux herbicides). Des études rapportent un risque associé à certaines personnes, par exemple les pompiers, les soudeurs et les travailleurs dans les usines de fabrication de produits chimiques ou dans les imprimeries. Comme ces facteurs sont modifiables, ils pourraient être considérés dans la prévention (Franklin et Nelson, 1998).

Selon certaines études, un apport élevé en vitamine E constitue un facteur de protection possible contre la maladie de Parkinson (Golbe et Farrel, 1988, cités dans Franklin et Nelson, 1998). Les résultats encourageants d'essais cliniques récents appuient cette conclusion sur la vitamine E et son action antioxydante. Par ailleurs, les études épidémiologiques révèlent qu'il existe une relation inversement proportionnelle significative entre le tabagisme et la maladie de Parkinson (Franklin et Nelson, 1998). Parmi les interventions préventives secondaires, mentionnons l'utilisation de techniques d'imagerie médicale pour dépister la perte cellulaire de façon précoce. On ne connaît pas de traitement qui freine la dégénérescence neuronale liée à la maladie de Parkinson. Cependant, on peut réduire les incapacités en prévenant les chutes et en améliorant la bradykinésie et le déséquilibre postural à l'aide d'un programme d'exercices physiques, d'un traitement de réplétion de la dopamine et par des agonistes (Franklin et Nelson, 1998).

La sclérose en plaques

La sclérose en plaques est une maladie inflammatoire (immunitaire) du système nerveux central. Elle se caractérise par des lésions réparties en plaques sur la myéline, ce qui produit une démyélinisation progressive, c'est-à-dire la destruction de la membrane qui enveloppe les fibres nerveuses du cerveau et de la moelle épinière. Il en résulte une altération de la transmission de l'impulsion ou influx nerveux et une variété de signes et symptômes tels des troubles de la vue, la perte d'équilibre, l'incontinence urinaire et fécale, et la fatigue (Smeltzer et Bare, 2004; Van Amerongen, Dijkstra et Lips, 2004).

La sclérose en plaques est la maladie neurologique chronique la plus fréquente et la principale cause d'incapacité. Elle survient habituellement chez l'adulte de race blanche, âgé de 20 à 50 ans; elle apparaît en moyenne vers la trentaine. Les personnes affectées ont une espérance de vie d'environ 30 ans à partir du moment où le diagnostic est posé. La maladie affecte presque deux femmes pour un homme (Franklin et Nelson, 1998; McCance et Huether, 2002). Sa prévalence au Canada et aux États-Unis se situe entre 30 et 80 personnes par 100 000 (McCance et Huether, 2002).

La cause de cette maladie demeure inconnue et les chercheurs sont encore incapables d'isoler l'antigène sensibilisé par l'activité auto-immunitaire qui provoque la démyélinisation. Les études soupçonnent plusieurs facteurs à l'origine du déclenchement du processus immunitaire, notamment des facteurs d'ordre environnemental et génétique (famille, jumeaux), et l'exposition à des agents infectieux. Par exemple, de 8 % à 15 % des personnes atteintes de sclérose en plaques ont des antécédents familiaux de la maladie (Franklin et Nelson, 1998).

L'environnement semble jouer un rôle important dans l'apparition de la sclérose en plaques. La prévalence de cette maladie est plus importante dans les pays éloignés de l'équateur tels que le Canada, le nord des États-Unis et le nord de l'Europe (Franklin et Nelson, 1998; Smeltzer et Bare, 2004). Cette variation géographique pourrait être reliée à plusieurs facteurs, dont la latitude ou le climat.

De nombreux chercheurs se penchent sur la présence d'un agent infectieux comme facteur de risque de la maladie. Chez les personnes atteintes de sclérose en plaques, on a observé un taux plus élevé d'anticorps du virus de la rougeole, une exposition plus fréquente à des maladies infectieuses dans l'enfance ou l'introduction d'un agent infectieux dans une région géographique spécifique. Bien que les études rapportent des observations qui tendent à établir un lien causal, les résultats ne sont pas encore concluants (Franklin et Nelson, 1998).

Parmi les autres facteurs de risque analysés sans résultat concluant, mentionnons le rôle de l'apport alimentaire en gras, la vitamine D, les fruits, le riz et le poisson, et une incidence plus élevée de maladies auto-immunes chez les personnes atteintes de sclérose en plaques (Franklin et Nelson, 1998). Selon Munger et ses collaborateurs (2004), la vitamine D pourrait avoir un effet protecteur et diminuer le risque de développer la sclérose en plaques. Présentement, les efforts de prévention visent à diminuer la durée des périodes d'exacerbation, à minimiser les incapacités et à ralentir l'évolution de la maladie. Plus d'études sont nécessaires pour vérifier le lien entre la vitamine D, l'exposition aux agents infectieux et l'apparition de la sclérose en plaques (Franklin et Nelson, 1998).

Le suicide

Le comportement suicidaire est un important problème de santé étroitement lié à la maladie mentale (Agence de santé publique du Canada, 2002). Il englobe la pensée suicidaire, l'idéation, la tentative et l'acte du suicide réalisé. Le suicide est un acte délibéré qui met fin à la vie. Le comportement suicidaire s'observe à tout âge, sans différence de sexe, d'origine ethnique ou de classe sociale (Fortinash et Holoday-Worret, 2003). Il est le résultat d'un malaise d'origine multidimensionnel ou de l'interaction complexe entre plusieurs facteurs de risque d'ordre biologique, génétique, psychologique, social et environnemental. Il constitue un problème de santé publique majeur dans tous les pays du monde (OMS, 2002).

Les données sur l'incidence du suicide ne reflètent pas la réalité, car la nature d'un décès peut être difficile à déterminer dans certains cas. On ne connaît pas non plus le nombre exact de cas de tentatives de suicide puisqu'ils ne sont pas tous rapportés. Toutefois, selon Statistique Canada, le suicide est l'une des principales causes de décès chez les adolescents et les personnes d'âge moyen (Agence de santé publique du Canada, 2002). Au Canada, le suicide représente 12,2 décès par 100 000 ; 24 % des suicides sont commis par des personnes de 15 à 24 ans et 16 % par des personnes de 25 à 44 ans (Agence de santé publique du Canada, 2002). Le problème est encore plus important au sein de la population des premières nations. En effet, l'incidence est de deux à trois fois plus élevée chez les autochtones que chez les autres Canadiens, et de cinq à six fois plus élevée chez les jeunes autochtones (Comité consultatif sur la prévention du suicide, 2003). On conclut qu'en 2000, il y a eu un suicide toutes les 40 secondes dans le monde. Or, le suicide se classe au cinquième rang parmi les causes de décès chez les 15 à 25 ans dans le monde. Le taux de suicide est quatre fois plus élevé chez les hommes que chez les femmes (OMS, 2002).

Selon les données épidémiologiques, les femmes commettent trois fois plus de tentatives de suicide que les hommes. Toutefois, elles utilisent des moyens moins radicaux (surdose de médicaments, instrument tranchant) que les hommes (arme à feu, pendaison) (Agence de santé publique du Canada, 2002 ; NIH, 2003). Dans l'ensemble, on estime qu'il y a 20 tentatives de suicide pour chaque suicide. D'ailleurs, les tentatives de suicide représentent la principale raison des visites à l'urgence et des hospitalisations chez les jeunes (WHO, 2002).

Les facteurs de risque le plus souvent mentionnés sont l'âge (de 15 à 25 ans, 65 ans et plus), le sexe (les hommes), la dépression, des antécédents de tentatives de suicide, la dépendance à l'alcool ou aux drogues, et certains traits de caractère (ex. : l'impulsivité). Il y a aussi les facteurs environnementaux, dont le contexte familial (ex. : les conflits interpersonnels, la violence, les abus sexuels, la maltraitance affective, les pressions pour la réussite scolaire) et les événements ressentis comme une perte (ex. : un échec sentimental ou scolaire, la perte d'un emploi ou du statut social). En outre, des auteurs soulignent qu'on a trouvé une déficience en sérotonine associée au risque de suicide (Agence de la santé publique du Canada, 2002 ; Chagnon, 1998 ; NIH, 2003 ; WHO 2002).

D'autres auteurs classent les facteurs de risque dans trois catégories : les facteurs de prédisposition, les facteurs précipitants et les facteurs de contamination ou de contribution (Agence de santé publique du Canada, 2002 ; Fortinash et Holoday-Worret, 2003). En voici une description sommaire.

Les *facteurs de prédisposition* sont des éléments individuels, liés au milieu social et plutôt durables, qui contribuent à fragiliser l'individu. L'estime de soi serait un facteur de première importance, en particulier chez les adolescents. Selon McElroy (2004), une faible estime de soi est au cœur du problème chez les personnes qui ont des comportements autodestructeurs. Les autres facteurs comprennent, entre autres, la dépression et l'abus d'alcool et de drogues (90 % des cas de suicide), la détresse, le rejet, des antécédents familiaux de suicide, des relations difficiles entre les pairs, l'absence de soutien social, d'amis ou de parents, peu de liens significatifs, un milieu familial perturbé et marqué par la violence et le suicide d'amis. Les troubles sexuels seraient aussi un facteur de risque possible (OMS, 2002).

Les *facteurs précipitants* sont aigus et liés aux événements de la vie. Ils peuvent déclencher une crise suicidaire chez la personne vulnérable. Ils incluent le décès d'un parent ou d'un ami, la perte d'un emploi, une rupture amoureuse, un échec scolaire ou professionnel et des conflits interpersonnels.

Les *facteurs de contamination,* ou *facteurs de contribution,* accroissent l'exposition aux facteurs de prédisposition et de précipitation, ce qui peut favoriser l'imitation du geste suicidaire. Par exemple, le suicide d'un ami, un comportement autodestructeur, des problèmes d'identité sexuelle ou une maladie physique.

La couverture médiatique d'un suicide est un facteur de risque encore contesté. Selon Stack (2003), de plus en plus de preuves confirment l'existence d'un lien entre l'ampleur de la couverture médiatique du suicide d'une personnalité connue et l'augmentation du taux de suicide après cet événement.

Les écrits font aussi mention de facteurs de protection, c'est-à-dire ceux qui favorisent l'atteinte, le maintien ou le rétablissement de l'équilibre et le bon fonctionnement de la personne dans son milieu. Ces facteurs diminuent le risque de comportement suicidaire. Parmi ceux-ci, on trouve : un réseau de soutien social, l'accès aux soins psychiatriques, l'adaptation personnelle, la tolérance à la frustration, la capacité de surmonter les situations difficiles, de bonnes stratégies de résolution de problèmes, les réussites, la capacité de communiquer et de demander de l'aide et le fait de pouvoir compter sur au moins une relation familiale saine et positive (Agence de santé publique du Canada, 2002; Fortinash et Holoday-Worret, 2003).

Selon les experts, la plupart des suicides sont évitables (OMS, 2002). Comme il s'agit d'un important problème de santé publique, il n'est pas étonnant de constater que les efforts de prévention du suicide se multiplient. Les programmes de prévention visent la population en général, les jeunes et ceux qui sont à risque plus élevé (Agence de santé publique du Canada, 2002). Il importe de faire de la prévention à plusieurs niveaux. La prévention primaire vise les facteurs de risque modifiables afin de prévenir l'isolement des jeunes et le harcèlement, d'augmenter l'accès aux services de santé (ex.: diagnostiquer la dépression) et de réduire l'accès aux moyens de suicide tels les armes à feu et les médicaments. La prévention secondaire tente de dépister la pensée suicidaire et le plan de suicide, de prévenir les blessures et de diriger les personnes vers les services appropriés. Enfin, la prévention tertiaire vise à diminuer les répercussions de l'acte suicidaire et la probabilité d'adopter d'autres comportements d'autodestruction. On s'entend pour dire que les programmes qui ciblent plusieurs facteurs donnent de meilleurs résultats. Quelques considérations s'imposent dans la planification d'un programme de prévention du suicide: proposer des interventions qui se répéteront à long terme, cibler la famille pour les actions préventives, renforcer l'importance de demander de l'aide, commencer le plus tôt possible avec les personnes à risque élevé, proposer des interventions qui tiennent compte de l'âge et de la culture (Agence de santé publique du Canada, 2002; WHO, 2004).

Selon une analyse des efforts de prévention primaire et secondaire recensés dans la littérature scientifique, l'OMS (2004) conclut qu'aucune intervention précise ne peut réduire le taux de suicide de manière efficace. Toutefois, certaines interventions ciblant des personnes à risque s'avèrent prometteuses. Les programmes de prévention axés sur le changement de comportement et les stratégies d'adaptation entraînent une diminution des tendances suicidaires chez la population scolaire et une amélioration de l'estime de soi et de la capacité de surmonter les situations difficiles. De plus, on a noté que diverses stratégies, dont la thérapie de résolution de problèmes, une personne-ressource en cas d'urgence et la thérapie du comportement cognitif, entraînent une diminution des comportements suicidaires chez les personnes récidivistes. Les programmes centrés sur l'apprentissage d'habiletés et le soutien social auprès d'adolescents fragiles ont contribué à diminuer efficacement les facteurs de risque (dépression, désespoir, anxiété et colère) et à renforcer les facteurs de protection (résolution de problèmes, estime de soi et réseau de soutien). Du côté des adultes qui ont déjà fait une tentative de suicide ou qui ont commis un acte autodestructeur, la thérapie du comportement cognitif a révélé des effets positifs dans la mesure où elle est suivie dans des conditions rigoureusement contrôlées.

Les programmes qui sont prometteurs proposent une approche à la fois globale et multidimensionnelle. Par conséquent, ils tiennent compte des facteurs de risque reconnus. La démarche d'éducation pour la santé s'appuie sur les composantes fondamentales de comportements sains: l'estime de soi, l'adaptation et la résolution de problèmes (Leiker, 2004; McElroy, 2004). L'estime de soi est au cœur du problème des personnes qui ont des comportements suicidaires. C'est pourquoi il importe de placer cette composante au centre de la démarche de promotion de la santé (McElroy, 2004). L'auteur ajoute que le programme sera plus efficace s'il aborde les expériences de vie tels le taxage, un faible taux de réussite scolaire, la discrimination raciale, les conflits familiaux, l'isolement, la violence et l'abus. Ces situations nuisent à l'estime de soi et aux relations sociales. McElroy (2004) reconnaît néanmoins qu'il est difficile d'exercer une influence sur certains facteurs tels l'attachement, le soutien parental inconditionnel et l'acceptation des pairs, alors que la personne se sent rejetée ou qu'elle reçoit une rétroaction négative de la part de personnes significatives. Il est donc important d'intervenir aussi auprès des parents et de les aider à remplir leurs rôles; par exemple, offrir un soutien prénatal et parental, et donner des soins de qualité aux enfants afin de favoriser une dynamique familiale saine et de maintenir des relations positives.

Le programme SOS Prévention, destiné aux jeunes du secondaire, a entraîné des effets favorables à court terme sur les attitudes et les comportements des jeunes, en réduisant de façon significative les tentatives de suicide. Ce programme a mis l'accent sur la connaissance des symptômes de dépression et sur la façon de les reconnaître et de réagir, de même que sur le dépistage de la dépression et des autres risques qui y sont associés (Aseltine et DeMartino, 2004).

Comme on associe le suicide à la maladie mentale, les auteurs s'entendent pour dire qu'il est essentiel d'améliorer l'accès aux soins, le diagnostic et le traitement des problèmes de santé mentale, notamment la dépression, et cela à tout âge. Selon l'Agence de santé publique du Canada (2002), il est important de réduire l'accès aux moyens de suicide comme les médicaments et les armes à feu, étant donné que le comportement suicidaire est souvent impulsif. Malgré la controverse à ce sujet, Santé Canada (1994) rapporte que des chercheurs ont observé une réduction du taux de suicide liée à la restriction de l'accès aux agents mortels. Parmi d'autres stratégies de prévention du suicide, soulignons la formation des éducateurs et des professionnels de la santé de première ligne relativement à la détermination précoce des facteurs de prédisposition et à la gestion des crises (facteurs de précipitation).

Le diabète

Le diabète est une maladie métabolique chronique qui se caractérise par une hyperglycémie. Ce problème est attribuable soit à une carence absolue d'insuline ou à une production insuffisante, soit à un défaut d'utilisation de l'insuline, ou aux deux à la fois. L'absence ou l'insuffisance d'insuline contribuent à l'accumulation du glucose dans le sang plutôt qu'à sa transformation en énergie. On distingue quatre types de diabète: le diabète de type 1, le diabète de type 2, le diabète gestationnel et le diabète attribuable à d'autres troubles de santé. Nous proposons une brève description du diabète de type 1 et du diabète de type 2. Cette dernière forme de diabète représente un important problème de santé publique en raison de son incidence et des principaux facteurs de risque modifiables.

Le diabète de type 1, autrefois connu sous le nom de diabète insulinodépendant, représente de 5 à 10 % de tous les cas de diabète. Il apparaît généralement avant l'âge de 30 ans, et il est attribuable à l'incapacité du pancréas de sécréter l'insuline en raison d'un processus auto-immun. Les facteurs de risque associés au diabète de type 1 comprennent la race, l'origine ethnique (autochtone, africaine ou latino-américaine) et les antécédents familiaux de diabète (Smeltzer et Bare, 2004). Les mesures préventives sont surtout axées sur le maintien d'une glycémie normale et sur l'équilibre entre l'apport alimentaire et la dépense énergétique.

Le diabète de type 2, autrefois appelé « diabète non insulinodépendant », représente environ 90 % des cas de diabète. Il survient lorsque l'organisme produit une quantité insuffisante d'insuline ou lorsqu'il n'utilise pas toute l'insuline sécrétée (résistance à l'insuline) (Association canadienne du diabète, 2003). Ce type de diabète progresse lentement et la personne affectée est souvent asymptomatique. C'est pourquoi le diabète de type 2 est fréquemment découvert par hasard (Smeltzer et Bare, 2004). Selon les données consultées par Bishop, Zimmerman et Roesler (1998), l'âge moyen du diagnostic d'un diabète de type 1, aux États-Unis, est de 16,2 ans, et celui du diabète de type 2 est de 51,1 ans.

Au Canada, 4,5 % des personnes de 18 ans et plus étaient atteintes de diabète en 2001 (Millar et Young, 2002). Les données de 2003 révèlent une augmentation de la prévalence avec l'âge, soit 2,1 % chez les personnes âgées de 35 à 44 ans et 6,8 % chez les personnes âgées de 45 à 64 ans. Les données permettent aussi d'observer que plus d'hommes que de femmes ont le diabète (Statistique Canada, 2003). Bien que le diabète de type 2 touche davantage la population adulte, on observe de plus en plus de cas de ce type de diabète chez les enfants des populations à risque élevé. Le diabète est aujourd'hui la septième cause de décès au Canada (Statistique Canada, 2004). Par ailleurs, le fardeau des frais médicaux est de deux à cinq fois plus élevé chez les diabétiques que chez la population non diabétique (Association canadienne du diabète, 2003).

Le diabète de type 2 est causé par une interaction entre les facteurs génétiques et les facteurs environnementaux. Le lien entre le diabète et l'obésité est bien établi. Dans les deux cas, on note une résistance à l'insuline, laquelle est liée à l'accumulation de graisse dans le corps (Association canadienne du diabète, 2003; Bedno, 2003, Bishop et autres, 1998; WHO, 2003). Des études consultées par Bedno (2003) indiquent qu'il y a un lien étroit entre le diabète et l'indice de masse corporelle (IMC), c'est-à-dire que le risque de diabète s'accroît parallèlement à l'augmentation du poids corporel. De plus, ces recherches ont démontré un plus grand risque de diabète lorsque le gain pondéral se produit après l'âge de 18 ans. Selon Bishop et ses collègues (1998), 80 % des personnes sont obèses au moment du diagnostic de diabète de type 2. Plusieurs études précisent cependant que la répartition abdominale du gras, c'est-à-dire autour de l'abdomen, dans la région viscérale plutôt que cutanée, est un facteur de risque de diabète de type 2 plus grand que l'indice de masse corporelle (WHO, 2003).

De plus, les chercheurs ont démontré une association étroite entre deux autres facteurs de risque modifiables et le diabète de type 2: les habitudes alimentaires et l'inactivité physique. Jusqu'à présent, un lien spécifique entre une alimentation riche en gras saturés et en calories et le diabète de type 2 a été établi comme probable (Association canadienne du diabète, 2003; Choi et Shi, 2001). Enfin, des facteurs pour lesquels on a observé un risque accru de diabète de type 2 comprennent l'âge (40 ans et plus), l'appartenance à certains groupes ethniques (descendance autochtone, africaine, asiatique et hispanique vivant en Amérique du Nord), des antécédents de diabète gestationnel ou d'intolérance au glucose, la coronaropathie et le tabagisme. Soulignons que la population autochtone est de trois à cinq fois plus exposée (Association canadienne du diabète, 2003; Bishop et autres, 1998).

Selon tous les écrits, la prévention primaire est le moyen fondamental de prévention du diabète de type 2, puisqu'elle vise à améliorer le métabolisme des glucides (ex.: augmenter la sensibilité insulinique). Les lignes directrices sont claires: pratiquer une activité physique d'intensité modérée 60 minutes par jour, réduire l'apport énergétique, notamment les gras saturés, et maintenir des habitudes alimentaires conformes aux normes du *Guide alimentaire canadien pour manger sainement* (Bishop et autres, 1998; Santé Canada, 1990; WHO, 2003).

Pour ce qui est des habitudes alimentaires, les personnes diabétiques doivent porter attention à la portion alimentaire consommée dans chacun des groupes. À cet effet, l'Association canadienne du diabète (2004) a publié un guide pratique pour déterminer la portion appropriée des aliments qui constituent un repas. Ce guide utilise la taille de la main, du poing ou du bout du pouce pour illustrer la quantité d'aliments à prendre (ex.: un fruit gros comme le poing, un mets contenant des protéines, pas plus grand que la paume de la main, etc.). Quant à l'activité physique, s'il est difficile d'en pratiquer une pendant 60 minutes, des études ont démontré que 30 minutes peuvent augmenter la sensibilité à l'insuline et favoriser ainsi le métabolisme du glucose et des lipides, mais ce temps est trop court pour perdre du poids (Association canadienne du diabète, 2003; Duncan, Perri, Theriaque, Hutson, Eckel et Stacpoole, 2003). En matière de prévention secondaire, le dépistage précoce du diabète de type 2 chez les populations à risque s'avère un excellent moyen d'implanter les mesures nécessaires au contrôle de la glycémie et, par conséquent, de repousser les complications chroniques du diabète.

L'OBÉSITÉ

L'obésité est la principale cause de mauvaise santé dans le monde (OMS, 2003). Ce sérieux problème de santé publique est à la fois un facteur de risque pour des maladies chroniques et une maladie en soi. L'obésité a pris l'ampleur d'une épidémie mondiale et le nombre de personnes obèses, y compris les enfants, ne cesse d'augmenter (OMS, 2003). L'obésité est caractérisée par un excès de tissus adipeux ou de gras accompagné d'une répartition anatomique générale ou concentrée à des endroits précis (ex.: obésité androïde ou abdominale). La surcharge de masse grasse résulte d'un déséquilibre entre l'apport et la dépense énergétique. Le surpoids et l'obésité représentent un risque pour la santé en général, alors que la répartition abdominale de la graisse constitue un risque plus élevé pour certaines maladies, dont les problèmes cardiovasculaires, la dyslipidémie, le diabète de type 2 et l'hypertension artérielle. D'autres problèmes de santé qui découlent du surpoids et de l'obésité comprennent le cancer du côlon et du sein, l'apnée du sommeil, l'arthrite, l'asthme, la bronchite, la dépression, sans compter leur impact sur l'estime de soi et l'image corporelle (Faure, 2000; McCance et Huether, 2002; OMS, 2003; Smeltzer et Bare, 2004).

L'indice de masse corporelle (IMC) est la mesure de l'obésité la plus utile. Il s'agit du rapport du poids (en kg) au carré de la taille (en cm). Un indice de 20 à 25 représente un poids santé. Un indice de 25 à 29 indique un surpoids ou de l'embonpoint, alors qu'un indice supérieur à 30 caractérise l'obésité. L'IMC ne tient toutefois pas compte de la répartition des graisses dans le corps. On détermine l'obésité abdominale en mesurant le tour de taille. En effet, si le tour de taille est supérieur à 100 cm chez l'homme et à 90 cm chez la femme, cela indique un surpoids ou de l'obésité (McCance et Huether, 2002; OMS, 2003; Smeltzer et Bare, 2004).

Plusieurs causes permettent d'expliquer l'obésité, entre autres des facteurs endogènes (problème métabolique) et des facteurs exogènes (excès de calories). En effet, des facteurs d'ordre génétique, endocrinien, médical et environnemental, et des modifications comportementales (malbouffe et manque d'activité physique) peuvent être à l'origine du surpoids ou de l'obésité.

Selon l'OMS (2003), l'obésité est devenue une épidémie mondiale. Au Canada, le taux de prévalence de l'obésité parmi la population se situait à 15 % en 2002. En 2003, 14,5 % des adultes âgés de 18 ans et plus avaient un indice de masse corporelle caractéristique de l'obésité, et 32,4 %, la surcharge pondérale (OMS, 2003). Le taux de prévalence a plus que doublé depuis 20 ans. Une étude menée sur une période de 8 ans révèle que 32 % des personnes qui avaient un poids santé au début de l'étude présentaient un surpoids à la fin, alors qu'à peine 10 % des personnes qui avaient un surpoids au départ ont atteint un poids santé (Le Petit et Berthelot, 2005). De plus, presque le quart des Canadiens ayant un surpoids au début de l'étude étaient obèses à la fin. Ces résultats vont dans le sens des conclusions de recherches antérieures, c'est-à-dire qu'il semble plus facile de prendre du poids que d'en perdre. Par conséquent, les interventions axées sur la prévention pourraient s'avérer plus efficaces que les programmes axés sur la perte de poids. Les études recommandent donc de prévenir le gain de poids en augmentant l'activité physique et en réduisant la consommation d'aliments riches en gras et celle d'aliments et de boissons riches en sucre (Jéquier et Bray, 2002 ; OMS, 2003).

Les mesures préventives dont il a été question dans la section traitant du diabète de type 2 s'appliquent également à l'obésité. Un excellent moyen de prévenir l'obésité et de maintenir un poids santé consiste à pratiquer une activité physique d'intensité modérée pendant 60 minutes tous les jours de la semaine (WHO, 2003). La marche rapide est un exemple de ce genre d'activité. Ce type de marche signifie que la personne marche d'un pas plus rapide qu'elle ne le ferait naturellement mais tout en étant capable de converser avec un autre marcheur. Le jardinage, la natation, le vélo et la danse sont d'autres exemples d'activités physiques (Santé Canada, 1998). À cet égard, Santé Canada (1998) a publié un document intitulé *Guide canadien d'activité physique pour une vie active saine* qui s'adresse à la population en général et qui comprend un cahier destiné aux enfants, aux jeunes et aux aînés. Précisons que la pratique d'une activité physique d'intensité modérée 30 minutes par jour peut suffire au maintien d'un bon état de santé général, particulièrement du système cardiovasculaire, mais elle peut s'avérer insuffisante pour perdre du poids ou pour prévenir l'obésité.

LES LIGNES DIRECTRICES D'UN PROGRAMME COMMUNAUTAIRE

Pour terminer ce chapitre, voici les lignes directrices d'un programme efficace en santé communautaire :

- Élaborer un programme fondé sur la preuve scientifique de l'efficacité des interventions.
- Appuyer le programme sur une documentation efficace. Bien définir la population à qui s'adresse le programme. Déterminer les personnes à risque, par exemple celles qui ne se sont pas prévalues d'un service (ex. : la mammographie).
- Offrir un programme souple : heure, lieu et langue. Le programme doit répondre aux besoins d'un groupe et être adapté à ses besoins.
- Respecter les principes de l'éthique, soit l'autonomie, les bénéfices, la justice et l'équité, tout au long du programme.
- Répondre aux besoins les plus criants ou aux besoins des personnes qui en bénéficieront le plus.
- Rassembler diverses ressources présentes dans la communauté.
- Allouer les fonds nécessaires à ce programme.
- Offrir les programmes de façon continue (ex. : le dépistage du cancer du sein).

RÉFÉRENCES

AGENCE DE SANTÉ PUBLIQUE DU CANADA (2002). *Rapport sur les maladies mentales au Canada,* Chapitre 7, « Comportement suicidaire », Ottawa, Santé Canada.

APPEL, L.J. (2003). « Lifestyle modification as a means to prevent and treat high blood pressure », *Journal of the American Society of Nephrology,* vol. 14 n° 7, p. S99-S102.

ASELTINE Jr., R.H. et R. DeMARTINO (2004). « An outcome evaluation of the SOS suicide prevention program », *American Journal of Public Health,* vol. 94, n° 3, p. 446-451.

ASSOCIATION CANADIENNE DU DIABÈTE (2003). *Canadian Journal of Diabetes. Lignes directrices de pratique clinique 2003,* Toronto, Association canadienne du diabète, n° 7, suppl. 2, p. S13-S14.

ASSOCIATION CANADIENNE DU DIABÈTE (2004). *Eat Healthy ! Plan you Portions,* http://www.diabetes.ca (consulté le 16 juin 2005).

BARKER, W.H. (1998). « Prevention of disability in older persons », dans R.B. Wallace et autres, *Maxcy-Rosenau-Last Public Health and Preventive Medicine,* Norwalk (Connecticut), Stamphord (CT), Appleton & Lange.

BEDNO, S.A. (2003). « Weight loss in diabetes management », *Nutritional Clinical Care,* n° 6, p. 62-72.

BERARDUCCI, A. (2004). « Osteoporosis education : A health-promotion mandate for nurses », *Orthopaedic Nursing,* vol. 32, n° 2, p. 118-120.

BISHOP, D.B., B.R. ZIMMERMAN et J.S. ROESLER (1998). « Chronic Lung Diseases », dans R.C. Brownson, P.L. Remington et J.R. Davis (dir.), *Chronic Disease Epidemiology and Control,* 2e éd., Washington (D.C.), American Public Health Association, p. 421-464.

BOLTON, M.B., B. TILLEY, J. KUDER et autres (1991). « The cost and effectiveness of an education program for adults who have asthma », *Journal of General Internal Medicine,* n° 6, p. 401-407.

BOWIE, P. et Y. TAKRITI (2004). « Epidemiology of dementia », dans S. Curran et J.P. Wattis (dir.), *Practical Management of Dementia : A multiprofessional approach,* San Francisco, Radcliffe Medical Press, p. 9-24.

BRONET, E.J. (1998). « Psychiatric Disorders », dans R.B. Wallace, (dir.), *Maxcy-Rosenau-Last Public Health & Preventive Medecine,* 14e éd., Stamford (CT), Appleton & Lange.

BROWNSON, R.C., S.J. REIF, M.C.R. ALAVANJA et D.G. BAL (1998). « Chronic lung diseases », dans R.C. Brownson, P.L. Remington et J.R. Davis (dir.), *Chronic Disease Epidemiology and Control,* 2ᵉ éd., Washington (D.C.), American Public Health Association, p. 335-373.

BUCKWALTER, J.A. (2003). « Sports, joint injury, and post-traumatic osteoarthritis », *Journal of Orthopaedic & Sports Physical Therapy,* vol. 33, nº 10, p. 578-585.

BURKE, S.O. (1999). « Trajectories and transferability: Building nursing knowledge about chronicity », *Canadian Journal of Nursing Research,* vol. 30, nº 4, p. 243-247.

CAMPBELL, N.R.C., M.J. ASHLEY, S.G. CARRUTHERS, Y. LACOURCIÈRE et D.W. McKAY (1999). « Recommendations on alcohol consumptions », *Canadian Medical Association Journal,* vol. 160, nº 9, Suppl., p. S13-S20.

CARR, A.S. (1999). « Beyond disability: Measuring the social and personal consequences of osteoarthritis », *Osteoarthritis and Cartilage,* nº 7, p. 230-238.

CENTRE FOR ADDICTION AND MENTAL HEALTH (CAMH) (2001). *Low Risk Drinking Guidelines (Directives de consommation à faible risque),* Toronto.

CHOI, B.C.K. et F. SHI (2001). « Risk factors for diabetes mellitus by age and sex: Results of the National Population Health Survey », *Diabetologia,* nº 44, p. 1221-1231.

CHRISTODOULOU, C. et C. COOPER (2003). « What is osteoporosis ? », *Postgraduate Medical Journal,* nº 79, p. 133-138.

COMITÉ CONSULTATIF SUR LA PRÉVENTION DU SUICIDE (2003). *Savoir et agir: La prévention du suicide chez les jeunes des premières nations,* Ottawa, http://www.hc-sc.gc.ca (consulté le 4 mai 2005).

CREAMER, P. et M.C. Hochberg (1997). « Osteoarthritis », *The Lancet,* vol. 350, nº 9076, p. 503-509.

CUMMINGS, S.R., F. COSMAN et S.A. JAMAL (2000). *Bone Biology, Epidemiology and General Principles in Osteoporosis. An Evidence-Based Guide to Prevention and Management,* Philadelphia, American College of Physicians.

DONNELLY, G.F. (1993). « Chronicity: Concept and reality », *Holistic Nurse Practice,* vol. 8, nº 1, p. 1-7.

DOVE-EDWIN, I. et H.J.W. THOMAS (2001). « Review article: The prevention of colorectal cancer », *Aliment Pharmacology Therapy,* vol. 15, p. 323-336.

DUNCAN, G.E., M.G. PERRI, D.W. THERIAQUE et autres (2003). « Exercise training, without weight loss, increases insulin sensitivity and postheparin plasma lipase activity in previously sedentary adults », *Diabetes Care,* vol. 26, nº 3, p. 557-562.

EBERS, G.C., D. BULMAN, A.D. SADOVNIK et autres (1986). « A population-based study of multiple sclerosis in twins », *New England Journal of Medicine,* nº 64, p. 808-817.

FAURE, E. (2000). *L'obésité. Dossier santé,* http://www.caducee.net (consulté le 4 mai 2005).

FELSON, D.T. et Y. ZHANG (1998). « An update on the epidemiology of knee and hip osteoarthritis with the view to prevention », *American College of Rheumatology,* vol. 41, nº 8, p. 1343-1352.

FELSON, D.T., P.A. DIEPPE, R. HIRSCH et autres (2000). « Osteoarthritis: New insights. Part 1: The disease and its risk factors », *Annals of Internal Medicine,* vol. 133, nº 8, p. 635-646.

FELSON, D.T., Y. ZHANG, J.M. ANTHONY et autres (1992). « Weight loss reduces the risk for symptomatic knee osteoarthritis in women: The Framington Study », *Annals of Internal Medicine,* nº 116, p. 535-539.

FODOR J.G., B. WHITMORE, F. LEEMAN et P. LAROCHELLE (1999). « Recommendations on dietary salt », *Canadian Medical Association Journal,* vol. 160, nº 9, Suppl., p. S29-S33.

FORTINAH, K.M. et P.A. HOLODAY-WORRET (2003). *Soins infirmiers en santé mentale et psychiatrie,* Laval (Québec), Beauchemin, p. 575-595.

FRANKLIN, G.M. et L.M. NELSON (1998). « Chronic neurologic disorders », dans R.C. Brownson, P.L. Remington et J.R. Davis (dir.), *Chronic Disease Epidemiology and Control,* 2ᵉ éd., Washington (DC), American Public Health Association, p. 493-527.

FUTTERMAN, L.G. et L. LEMBERG (2000). « The Framingham heart study: A pivotal legacy of the last millennium », *American Journal of Critical Care,* vol. 9, nº 2, p. 147-151.

GAO, S., H.C. HENDRIE, K.S. HALL et autres (1998). « The relationship between age, sex, and the incidence of dementia and Alzheimer disease: A meta-analysis », *Archives of General Psychiatry,* nº 55, p. 809-815.

GILCHREST, B.A., M.S. ELLER, A.C. GELLER et M. YAAR (1999). « The pathogenesis of melanoma induced by ultraviolet radiation », *New England Journal of Medicine,* nº 340, p. 1341-1348.

GOLDRING, J.M., D.S. JAMES et H.A. ANDERSON (1998). « Chronic lung diseases », dans R.C. Brownson, P.L. Remington et J.R. Davis (dir.), *Chronic Disease Epidemiology and Control,* 2ᵉ éd., Washington (DC), American Public Health Association, p. 375-420.

GRONBAEK, M. (2003). « Type of alcoholic beverage and cardiovascular disease – does it matter ? », *Journal of Cardiovascular Risk,* vol. 10, nº 1, p. 5-10.

GROUPE DE RECHERCHE ET D'INFORMATION SUR LES OSTÉOPOROSES (GRIO) (2000). *Ostéoporoses,* coll. Conduites, Paris, Doin éditeurs.

HAAPANEN-NIEMI, N., I. VUORI et M. PASANEN (1999). « Public health burden of coronary heart disease risk factors among middle-aged and elderly men », *Preventive Medicine,* nº 28, p. 343-348.

HASKELL, W. (2003). « Cardiovascular disease prevention and lifestyle interventions: Effectiveness and efficacy », *The Journal of Cardiovascular Nursing,* vol. 18, nº 4, p. 245-255.

HOCHBERG, M.C. et P. CREAMER (1997). « Osteoarthritis », *The Lancet,* vol. 350, nº 9076, p. 503-509.

HUGHES, S. (2003). « Novel cardiovascular risk factors », *Journal of Cardiovascular Nursing,* vol. 18, nº 2, p. 131-138.

HURLEY, M.V., H.L. MITCHELL et N. WALSH (2003). « In osteoarthritis, the psychosocial benefits of exercise are as important as physiological improvements », *Exercise and Sport Science Reviews,* vol. 31, nº 3, p. 138-143.

HUSS, K. et R. HUSS (2000). « Genetics of asthma and allergies », *Nursing Clinics of North America,* vol. 35, nº 3, p. 695-705.

INSTITUT NATIONAL DU CANCER DU CANADA (2004). *Statistiques canadiennes sur le cancer 2004,* Ottawa, Société canadienne du cancer.

INTERNATIONAL AGENCY FOR RESEARCH ON CANCER (2002). « Overweight and lack of exercise linked to increased cancer risk », dans IARC *Handbooks of Cancer Prevention,* vol. 6, Lyon, IARC Press.

JANZ, K. (2002). « Physical activity and bone development during childhood and adolescence: Implications for the prevention of Osteoporosis », *Minerva Pediatrica,* vol. 54, nº 2, p. 93-104.

JAYAK, R. et J.M. HOOTMAN (2004). « Preventive research and rheumatic disease », *Current Opinion in Rheumatology,* vol. 16, nº 2, p. 119-124.

JENICEK, M. (1976). *Introduction à l'épidémiologie*, Saint-Hyacinthe (Québec), Edisem.

JÉQUIER, E. et G.A. BRAY (2002). « Low-fat diets are preferred », *The American Journal of Medicine*, vol. 113, n° 9B, p. 41S-46S.

KANNEL, W.B., R.S. VASAN et D. LEVY (2003). « Is the relation of systolic blood pressure to risk of cardiovascular disease continuous and graded, or are there critical values ? », *Hypertension*, vol. 42, n° 4, p. 453-456.

KENEALY, S., M. PERICAK-VANCE et J. HAINES (2003). « The genetic epidemiology of multiple sclerosis », *Journal of Neuroimmunology*, n° 143, p. 7-12.

KEY, T.J., N.E. ALLEN, E.A. SPENCER et R.C. TRAVIS (2002). « The effect of diet on risk of cancer », *The Lancet*, septembre, p. 1-13, base de données Proquest (consultée le 12 mars 2003).

KITCHIN, B. et S. MORGAN (2003). « Nutritional considerations in osteoporosis », *Current Opinion in Rheumatology*, vol. 15, n° 4, p. 476-480.

KROMOUT, D., A. MENOTTI, H. KESTELOOT et S. SANS (2002). « Prevention of coronary heart disease by diet and lifestyle : Evidence from prospective cross-cultural, cohort, and intervention Studies », *Circulation*, vol. 105, n° 7, p. 893-898.

LAVOIE, A. (1987). *Les problèmes de santé prioritaires une perspective épidémiologique*, Montréal, Agence d'Arc.

LAW, M.R. et A.K. HACKSHAW (1997). « A meta-analysis of cigarette smoking, bone mineral density and risk of hip fracture : Recognition of a Major Effect », *British Medical Journal*, n° 315, p. 841-846.

LE PETIT, C. et J.-M. BERTHELOT (2005). *En santé aujourd'hui, en santé demain ? Résultats de l'Enquête nationale sur la santé de la population. Obésité : un enjeu en croissance*, Ottawa, Statistique Canada, http://www.statcan.ca (consulté le 30 avril 2005).

LEIKER, T. (2004). « Caring communities : Nurses taking action to address adolescent Depression and Suicide Prevention », *The Kansas Nurse*, vol. 79, n° 6, p. 4-6.

LOUGHLIN, J. (2001). « Genetic epidemiology of primary osteoarthritis », *Current Opinion in Rheumatology*, vol. 13, n° 2, p. 111-116.

LUBKIN, I.M. et P. LARSEN (2002). *Chronic Illness. Impact and Interventions*, 5e éd., Boston, Jones and Bartlett.

MARCUS, R., S.A. JAMAL et F. COSMAN (2002). *Physical Activity and a Strategy to Conserve and Improve Bone Mass in Osteoporosis. An Evidence-Based Guide to Prevention and Management*, Philadelphia, American College of Physicians.

MASON, J.B. (2002). « Nutritional chemoprevention of colon cancer », *Seminars in Gastrointestinal Disease*, vol. 13, n° 3, p. 143-153.

McCANCE, K.L. et S.E. HUETHER (2002). *Pathophysiology : The biologic basis for disease in adults & children*, 4e éd., Toronto, Mosby.

McCRONE, S.H., D. BRENDLE et K. BARTON (2001). « A multibehavioral intervention to decrease cardiovascular disease risk factors in older man », *Advanced Practice in Critical Care Nurses*, vol. 12, n° 1, p. 5-16.

McELROY, A. (2004). « Suicide prevention and the broad-spectrum approach to health promotion », *Health Education Research*, vol. 19, n° 4, p. 476-480.

MILLAR, W. et T.K. YOUNG (2002). « Évolution du diabète : prévalence, incidence et facteurs de risque », *Rapport sur la santé*, vol. 14, n° 3, Statistique Canada.

MOSCA, L., L.J. APPEL, E.J. BENJAMIN et autres (2004). « Evidence-based guidelines for cardiovascular disease prevention in women », *Journal of the American College of Cardiology*, vol. 43, n° 5, p. 900-921.

MUNGER, K.L., S.M. ZHANG, E. O'REILLY et autres (2004). « Vitamin D intake and incidence of multiple sclerosis », *Neurology*, vol. 62, n° 1, p. 60-65.

MUSTO, P. (2003). « General principles of management : Education », *Nursing Clinics of North America*, vol. 38, n° 4, p. 621-633.

NATIONAL HEART, LUNG AND BLOOD INSTITUTE (1959). *The Framingham Heart Study*, USA.

NATIONAL INSTITUTE OF MENTAL HEALTH (NIH) (2003). *In Harm's Way : Suicide in America*, Bethesda (MD) U.S., Department of Health and Human Services, http://www.nimh-nih.gov (consulté le 15 avril 2005).

NATIONAL INSTITUTE OF HEALTH (2003). *Data Fact Sheet. Chronic Obstructive Pulmonary Disease*, March, Bethesda (MD), U.S. Department of Health and Human Services, n° 03-5229, http://www.nhlbi.nih.gov/health/public/lung/other/copd_fact.pdf (consulté le 26 avril 2005).

NIEVES, J. (2002). *Nutrition in Osteoporosis. An Evidence-Based Guide to Prevention and Management*, Philadelphia, American College of Physicians.

ONTARIO MINISTRY OF HEALTH AND LONG-TERM CARE (2002). *Ontario's Health System Performance Report*, Toronto, Ministry of Health and Long-Term Care.

ORGANISATION MONDIALE DE LA SANTÉ (1992). *Impact des troubles mentaux et du comportement*, Chapitre 2, http://www.who.int (consulté le 16 juin 2005).

ORGANISATION MONDIALE DE LA SANTÉ (2002). *La prévention du suicide. Indications pour professionnels de santé primaire*, Genève, OMS.

ORGANISATION MONDIALE DE LA SANTÉ (2003). *Obésité. Prévention et prise en charge de l'épidémie mondiale*, Série Rapport technique, n° 894, Genève, OMS.

ORGANISATION MONDIALE DE LA SANTÉ (2004). *Le Forum mondial de l'OMS sur les maladies chroniques met l'accent sur la prévention planétaire*, Genève, OMS.

ORGANISATION MONDIALE DE LA SANTÉ (2004). *Quelles sont les stratégies de prévention dont l'efficacité a pu être prouvée scientifiquement ? Réseau des bases factuelles en santé*, Genève, OMS, http ://www.who.int/en (consulté le 15 avril 2005).

PRENTICE, A. (2004). « Diet, nutrition and the prevention of osteoporosis », *Public Health Nutrition*, vol. 7, n° 1A, p. 227-243.

PRESTWOOD, K.M. et L.G. RAISZ (2002). « Prevention and treatment of osteoporosis », *Clinical Cornerstone*, vol. 4, n° 6, p. 31-41.

PRIOR, J.C., S.I. BARR, R. CHOW et R.A. FAULKNER (1996). « Physical activity as a therapy for osteoporosis », *Canadian Medical Association*, vol. 155, n° 7, p. 940-944.

RAO, J.K. et J.M. HOOTMAN (2004). « Prevention research and rheumatic disease », *Current Opinion in Rheumatology*, vol. 16, n° 2, p. 119-124.

REID, I.R. (1989). « Steroid osteoporosis », *Calcified Tissue International*, vol. 45, n° 2, p. 63-67.

SACCO, R.L. (2001). « Newer risk factors for stroke », *Neurology*, vol. 57, n° 5, p. S531-S534.

SACHDEV, P.S., H. BRODATY et J.C.L. LOOI (1999). « Vascular dementia : Diagnosis, management and possible prevention », *The Medical Journal of Australia*, n° 170, p. 81-85.

SANTÉ CANADA (1990). *Guide alimentaire canadien pour manger sainement*, http ://www.hc-sc.gc.ca (consulté le 20 juillet 2004).

SANTÉ CANADA (1994). *Le suicide au Canada. Mise à jour du rapport du Groupe d'étude sur le suicide au Canada*, Ottawa, Santé Canada.

SANTÉ CANADA (1998). *Guide canadien d'activité physique pour une vie active saine*, http://www.phac-aspc.gc.ca/pau-uap/condition-physique/pdf/guidefre.pdf (consulté le 20 juillet 2004).

SANTÉ CANADA (1999). Rapport statistique sur la santé de la population canadienne. Préparé pour le Comité consultatif fédéral-provincial-territorial sur la santé de la population (ISBN 0-662-83540-9).

SANTÉ CANADA (2002). « Les maladies mentales au Canada : Aperçu », *Rapport sur les maladies mentales au Canada*, Ottawa http://www.hc-sc.gc.ca (consulté le 24 mars 2005).

SANTÉ CANADA (2004). « Prévention du cancer de la peau », *Votre santé et vous*, février, p. 1-2.

SCOTT, J.C. et M.C. HOCHBERG (1998b). « Osteoporosis », dans R.C. Brownson, P.L. Remington et J.R. Davis (dir.), *Chronic Disease Epidemiology and Control*, 2e éd., Washington (DC), American Public Health Association, p. 475-486.

SCOTT, J.C. et M.C. HOCHBERG (1998a). « Arthritis and other musculoskeletal diseases », dans R.C. Brownson, P.L. Remington et J.R. Davis (dir.), *Chronic Disease Epidemiology and Control*, 2e éd., Washington (DC), American Public Health Association, p. 465-473.

SESHADRI, S., A. BEISER, J. SELHUB, P.F. JACQUES et autres (2002). « Plasma homocysteine as a risk factor for dementia and Alzheimer's », *The New England Journal of Medicine*, vol. 346, n° 7, p. 476-478.

SHOPLAND, D.R. (2005). *Risk Factors. Cigarette Smoking as a Cause of Cancer*, http://rex.nvi.nih.gov/NCL_Pub_Interface/raterisk/risk67.html (consulté le 10 avril 2005).

SMELTZER, S.C. et B.G. BARE (2004). *Brunner & Suddarth's Textbook of Medical-Surgical Nursing*, 10e éd., New York, Lippincott Williams & Wilkins.

SOCIÉTÉ ALZHEIMER DU CANADA (2005). *Recherche scientifique. Mise à jour sur la recherche*, http://www.alzheimer.ca (consulté le 20 avril 2005).

SOCIÉTÉ CANADIENNE DE LA SCLÉROSE EN PLAQUES (2004). *Communication médicale*, 16 janvier 2004.

SOCIÉTÉ CANADIENNE DU CANCER (1999). *L'Encyclopédie canadienne du cancer (ECC)*, Toronto, Société canadienne du cancer.

SOCIÉTÉ CANADIENNE DU CANCER (2005). *Le cancer : Statistiques, causes, dépistage, etc.*, http://www.cancer.ca/ccs/internet (consulté le 15 avril 2005).

SPENCE, J.D., P.A. BARNETT, W. LINDEN, V. RAMSDEN et P. TAENZER (1999). « Recommendations on stress management », *Canadian Medical Association Journal*, vol. 160, n° 9, Suppl., p. S46-S50.

STACK, S. (2003). « Media coverage as a risk factor in suicide », *Journal of Epidemiology and Community Health*, vol. 57, n° 4, p. 238-240.

STAMPFER, M.J., F.B. HU, J.E. MANSON, E.B. RIMM et W.C. WILLETT (2000). « Primary prevention of coronary heart disease in women through diet and lifestyle », *The New England Journal of Medicine*, n° 343, p. 16-22.

STATISTIQUE CANADA (1984). *Statistiques sur l'état civil, les décès*, Ottawa (84-206).

STATISTIQUE CANADA (1997). *Principales causes de décès sélectionnées selon le sexe*, http://www.statcan.ca (consulté le 16 juin 2005).

STATISTIQUE CANADA (2001). *Enquête sur la participation et les limitations d'activités : profil de l'incapacité au Canada*, http://www.statcan.ca (consulté le 10 avril 2005).

STATISTIQUE CANADA (2004). *Diabète, selon le groupe d'âge et le sexe, population à domicile de 12 ans et plus, Canada, 2003*, http://www.statcan.ca (consulté le 4 mai 2005).

STATISTIQUE CANADA (2004). *(54-NLT) Années potentielles de vie perdue dues au suicide*, http://www.statcan.ca (consulté le 15 juin 2005).

STATISTIQUE CANADA (2004). *Les maladies chroniques non transmissibles*, http://www.statcan.ca (consulté le 4 mai 2005).

STATISTIQUE CANADA (2005). « Enquête nationale sur la santé de la population – Obésité : un enjeu en croissance », *Le Quotidien*, avril, http://www.statcac.ca (consulté le 30 avril 2005).

SZABO, E. et T. KALEBIC (2003). « Chemoprevention of lung cancer : New directions », *Recent Results in Cancer Research*, National Cancer Institute, n° 63, p. 172-181.

TAYLOR, D.R.S. et C.L.A. VAN HERWAARDEN (1994). « Bronchodilators and bronchial hyperresponsiveness », *Thorax*, n° 49, p. 190-191.

THE ARTHRITIS SOCIETY (2004). *Formes d'arthrite. L'arthrite : une introduction*, http://www.arthritis.ca/ (consulté le 14 septembre 2004).

THE OSTEOPOROSIS SOCIETY OF CANADA (2004). *Ostéoporose*, http://www.osteoporosis.ca (consulté le 14 septembre 2004).

THE POOLING RESEARCH GROUP (1978). « Relationship of blood pressure, serum cholesterol, smoking habit, relative weight and ECG abnormalities to incidence of major coronary events. Final report of the pooling project », *Journal of Chronic Diseases*, vol. 31, n° 4, p. 201-304.

TODD, J. A. et R.J. ROBINSON (2003). « Osteoporosis and exercise », *Postgraduate Medical Journal*, n° 79, p. 320-323.

TYLER, C.W. et J.M. LAST (1998). « Epidemiology », dans R.B. Wallace et autres, *Maxcy-Rosenau-Last public Health and preventive medicine*, Norwalk (Connecticut), Stamphord (CT), Appleton & Lange.

VAINIO, H. (2002). « The need for preventive drugs and vaccines in global cancer control : A challenge for public health and for industry », *Toxicology and Industrial Health*, vol. 18, n° 2, p. 84-90.

VAINIO, H. et A.B. MILLER (2003). « Primary and secondary Prevention in Colorectal Cancer », *Acta Oncologica*, vol. 42, n° 8, p. 809-815.

VAN AMERONGEN, C., D. DIJKSTRA, P. LIPS et C.H. POLMAN (2004). « Multiple sclerosis and vitamin D : An update », *European Journal of Clinical Nutrition*, n° 58, p. 1095-1109.

VERGHESE, J., R.B. LIPTON, M.J. KATZ, C.B. HALL et autres (2003). « Leisure activities and the risk of dementia in the elderly », *The New England Journal of Medicine*, vol. 348, n° 25, p. 2508-2516.

WHELTON, S.P., A. CHIN et H.J. XIN XIN (2002). « Effects of aerobic on blood pressure : A meta-analysis of randomized, controlled trials », *Annals of Internal Medicine*, vol. 136, n° 7, p. 493-503.

WORLD HEALTH ORGANIZATION (WHO) (1992). *The ICD-10 Classification of Mental and Behavioral Diseases : Clinical Description and Diagnostic Guidelines*, 4e éd., Genève, WHO.

WORLD HEALTH ORGANIZATION (1999). *International Society of Hypertension Guidelines for the Management of Hypertension. Guidelines subcommittee*, n° 17, p.151-183.

WORLD HEALTH ORGANIZATION (2002). *Suicide Prevention SUPRE*, Genève, WHO.

WORLD HEALTH ORGANIZATION (2003). *Diet, Nutrition and the Prevention of Chronic Diseases. Report of a Joint WHO/FAO Expert Consultation.* WHO Technical report, n° 916, Genève, WHO.

YOUNG, T.K. (2005). *Population Health – Concepts and Methods*, 2e éd., New York, Oxford University Press.

YUSUF, S., S. REDDY, S. OUNPUU et S. ANOUD (2001). « Global burden of cardiovascular diseases : part 1 : General considerations, the epidemiologic, transition, risk factors, and impact of urbanization », *Circulation*, vol. 104, n° 22, p. 2746-2753.

CHAPITRE 4

L'ÉLABORATION DE PROGRAMMES EN SANTÉ COMMUNAUTAIRE

GISÈLE CARROLL
MONIQUE LABRECQUE

INTRODUCTION

Bien que les praticiens de la santé communautaire interviennent toujours auprès des individus et des familles, une grande partie de leurs interventions se déroulent maintenant auprès de groupes d'individus, d'agrégats et de collectivités. Les groupes présentent, en effet, de nombreux avantages car ils permettent, entre autres, le partage d'idées et d'expériences entre les participants, le soutien mutuel, le développement d'habiletés dans la résolution de problèmes, et une plus grande sensibilité et une meilleure compréhension quant à l'importance de modifier certains comportements préjudiciables à la santé. L'approche généralement utilisée pour intervenir auprès de différents groupes est celle de l'élaboration de programmes fondés sur les besoins communs des individus. Les principales étapes à suivre dans l'élaboration d'un programme de promotion de la santé sont toujours les mêmes, quel que soit le modèle choisi: évaluation des besoins et clarification du problème, priorisation des besoins, formulation d'objectifs opérationnels, stratégies d'intervention, reconnaissance des ressources financières, matérielles et humaines, échéancier et évaluation. Pourquoi alors se sert-on d'un modèle conceptuel comme cadre de référence?

L'emploi de modèles conceptuels dans l'élaboration de programmes en matière de promotion de la santé suscite beaucoup de débats. D'aucuns doutent de leur utilité tandis que d'autres vantent leurs mérites. Selon McKenzie, Neiger et Smeltzer (2005), les modèles structurent l'intervention et facilitent l'organisation du processus d'élaboration du programme. En général, les modèles procurent suffisamment de détails sur chaque étape du processus pour permettre une bonne analyse des besoins, un choix éclairé des méthodes d'intervention et une évaluation appropriée. La majorité des modèles récents mettent en évidence l'importance de la participation des citoyens à toutes les étapes du processus, concept fondamental en promotion de la santé. Il est souvent impossible de suivre dans leurs moindres détails les directives proposées dans un modèle, mais les points qui y sont soulevés peuvent susciter un questionnement et une réflexion utiles. Plusieurs modèles d'élaboration de programmes sont proposés dans la documentation. Dans ce chapitre, nous traiterons de certains modèles dont on se sert fréquemment ainsi que des principales étapes de l'élaboration de programmes.

LES MODÈLES

Le modèle Precede-Proceed, proposé par Green et Kreuter (1999), sert spécifiquement à l'élaboration de programmes dans le domaine de la promotion de la santé. Lors de la première publication du modèle, en 1991, l'accent était mis uniquement sur l'approche éducative utilisée en promotion de la santé alors que, de façon générale, nous savons qu'il est nécessaire de mettre en place plus d'un type d'intervention pour répondre à un besoin ou corriger un problème en santé communautaire. À l'époque, les auteurs insistaient sur l'importance de bien informer le public afin d'obtenir son appui et de faciliter l'acceptation de nouveaux règlements, lois et programmes, ou la reconnaissance des priorités retenues pour l'attribution des fonds publics (Green et Kreuter, 1991).

Toutefois, dans l'édition de 1999 de leur ouvrage, les mêmes auteurs font davantage ressortir le rôle de l'environnement, comme l'indique d'ailleurs le nouveau sous-titre, « An Educational and Ecological Approach ». Le modèle Precede-Proceed tient compte des multiples facteurs qui influent sur la santé en plus de cerner les objectifs de l'intervention, de déterminer les critères d'évaluation et de proposer une série d'étapes en fonction du processus de planification, de la mise en œuvre et de l'évaluation.

La première étape, ***l'évaluation sociale,*** a pour but de mesurer la qualité de vie de la communauté ou du groupe visé car, pour les auteurs, il existe un lien étroit entre la qualité de vie des personnes et les problèmes de santé (Green et Kreuter, 1999). Ainsi, l'évaluation sociale consiste en la description objective d'une situation (les faits) et l'interprétation sociale subjective de cette situation, c'est-à-dire la situation telle que la perçoivent les citoyens. Ces auteurs recommandent l'inclusion de ces deux dimensions dans les indicateurs de la qualité de vie. La dimension objective comprend tous les facteurs pouvant être mesurés : l'emploi, le chômage, l'absentéisme, le niveau de scolarité, la densité de la population, le taux de criminalité et le logement. Le choix des facteurs à mesurer sera dicté par la communauté avec laquelle on souhaite élaborer un programme de promotion de la santé.

Quant à la dimension subjective, elle comprend, notamment, les réponses de la communauté aux questions entourant les obstacles à l'amélioration de leur qualité de vie. Cette étape comprend également l'évaluation de la « capacité de la communauté », qui permettra de développer des politiques et des activités fondées sur les habiletés et les autres atouts de ses membres. Selon Green et Kreuter (1999), l'expérience antérieure de la communauté dans la résolution de ses problèmes et la capacité de la collectivité, c'est-à-dire son capital social, peuvent jouer un rôle sur le plan du succès ou de l'échec des programmes en santé communautaire. Ces auteurs définissent le capital social comme « l'ensemble des processus et des conditions présents chez les individus et dans les organisations qui vont permettre l'atteinte d'un but commun, soit un bénéfice social mutuel » (p. 67) (traduction libre). Ces processus et ces conditions se manifestent par des construits qui sont liés entre eux : la confiance, la coopération, l'engagement social et la réciprocité (Green et Kreuter, 1999).

Deux outils sont proposés pour guider cette évaluation : les indicateurs civiques (*Civic Index*) et le schéma des acquis (*Asset Mapping*). Les indicateurs civiques comprennent les 10 catégories suivantes : la participation des citoyens, le partage d'informations, le leadership au sein de la communauté, la performance du gouvernement, le bénévolat et la présence de philanthropes, l'éducation civique, la capacité de collaborer et d'atteindre un consensus, la vision et la fierté de la communauté, la collaboration entre les communautés et les relations au sein des groupes (Green et Kreuter, 1999). Le but de la seconde approche, basée sur le schéma des acquis de la communauté, est de déterminer les habiletés, les ressources et les autres avoirs des individus, des groupes et des collectivités. Ces acquis peuvent être sous le contrôle des individus (revenu personnel, petites et moyennes entreprises locales) ou sous un contrôle extérieur à la communauté, mais qui est présent dans celle-ci (école, bibliothèque) (McKnight et Kretzmann, 1999). Une fois ces deux étapes franchies, on bâtit en fonction des avoirs déterminés, ce qui augmente énormément les chances de succès de l'intervention.

La deuxième étape, ***l'évaluation épidémiologique,*** vise à déterminer les besoins de la collectivité en matière de santé dans des domaines qui semblent contribuer aux problèmes sociaux et affecter la qualité de vie. Les indicateurs de santé reconnus comprennent les taux de mortalité, de morbidité, d'espérance de vie et de fertilité, et l'incidence et la prévalence des principaux problèmes de santé.

Les informations recueillies lors des étapes précédentes permettent de cerner les problèmes de santé et d'établir les priorités. Plusieurs critères sont proposés pour déterminer le problème prioritaire. On doit d'abord examiner les conséquences de chacun des problèmes sur les taux de décès et de morbidité, sur la santé mentale et sur les autres indicateurs de santé. Ensuite, on vérifie si certains problèmes ont un effet négatif important sur un groupe à risques, ou si la résolution d'un problème particulier aura un impact important sur l'ensemble de la collectivité. Les autres critères à examiner sont révélés par les questions suivantes : « Quel problème se prête le mieux à l'intervention ? » ; « De quels besoins particuliers d'autres agences s'occupent-elles ? » ; et, en dernier lieu, « Quel problème a été reconnu comme étant important par l'un ou l'autre des gouvernements municipal, provincial et fédéral ? » Souvent, il est plus facile d'obtenir des fonds pour mettre en œuvre un programme lorsqu'il coïncide avec les priorités gouvernementales.

Le problème prioritaire ciblé doit ensuite être défini. Cette définition inclut une description des personnes affectées par ce problème (par exemple, le groupe d'âge, le sexe, la race, le niveau d'éducation). L'ampleur et l'importance du problème sont ensuite démontrées (par exemple, les taux de décès et de morbidité, ou les conséquences sur la qualité de vie des personnes affectées par le problème). Il est aussi nécessaire d'indiquer si le milieu (les personnes concernées) reconnaît le caractère prioritaire de ce problème. En dernier lieu, on examine les solutions appliquées dans le passé afin d'éviter de choisir des interventions qui se sont avérées inefficaces et de construire plutôt en fonction de celles qui avaient eu du succès.

Lorsque le problème est bien défini, il est possible de formuler les objectifs généraux, c'est-à-dire ceux dont le but est d'améliorer la qualité de vie de la collectivité ou du groupe. Ces objectifs doivent établir précisément la liste des bénéficiaires du programme (population cible), les avantages sur le plan de la santé, l'ampleur du programme et le moment où les avantages se feront sentir. Un objectif pourrait être ainsi formulé : le taux de consommation de tabac chez les femmes enceintes habitant dans la ville X sera réduit de 10 % deux ans après le début du programme.

La troisième étape, ***l'évaluation des facteurs comportementaux et environnementaux,*** a pour but de cerner les facteurs contribuant de façon directe ou indirecte au problème (ou au besoin) prioritaire retenu. Une liste des causes comportementales et environnementales est ensuite établie, et ces causes sont classées par ordre d'importance. Avant de déterminer les comportements ou les facteurs environnementaux à modifier, on examine la possibilité de modifier chacune des causes inscrites sur la liste. Ensuite, les objectifs relatifs aux changements sur le plan des comportements et des facteurs environnementaux modifiables sont décrits. Par exemple, si un des facteurs influant sur la consommation de tabac chez une femme enceinte tient au fait qu'elle ne comprend pas les effets négatifs de cette consommation sur la santé de l'enfant à naître, un des objectifs pourrait être d'améliorer ses connaissances relatives aux effets nocifs de la cigarette non seulement sur sa santé, comme femme enceinte, mais également sur celle de l'enfant à naître.

La quatrième étape, ***l'évaluation éducationnelle et organisationnelle,*** vise à regrouper les facteurs comportementaux et environnementaux que l'on désire modifier afin de résoudre le problème. Green et Kreuter (1999) proposent trois catégories de facteurs à examiner : les facteurs prédisposants, les facteurs facilitants ou limitatifs et les facteurs de renforcement. Les facteurs prédisposants sont ceux qui mettent les personnes dans une disposition favorable à l'action. Ils peuvent comprendre, entre autres, les connaissances, les attitudes, les valeurs et les croyances. Les facteurs facilitants sont ceux qui aident une personne à agir et facilitent la décision de passer à l'action. Ainsi, les habiletés, la disponibilité des ressources et les barrières à éliminer font partie des facteurs facilitants. Quant aux facteurs de renforcement, ce sont ceux qui aident les personnes à continuer l'action après l'avoir amorcée. Ces facteurs comprennent des mécanismes de soutien, d'encouragement ou de valorisation. Somme toute, cette étape permet de choisir des stratégies éducatives et organisationnelles spécifiquement adaptées aux besoins du groupe ou de la collectivité.

Avant d'élaborer un programme et de le mettre en œuvre, il est essentiel de bénéficier du soutien de l'organisme et de la collectivité pour ce qui est des stratégies d'intervention choisies, c'est-à-dire que l'on doit passer à la cinquième étape, ***l'évaluation administrative des ressources et l'appui administratif et politique.*** Cette étape permet de vérifier les capacités financières et administratives de l'organisme, et la disponibilité et la pertinence de ses ressources ; elle permet aussi de savoir si on peut compter sur l'appui de la direction. On s'assure également que le programme a des liens clairs avec les politiques de l'organisme et qu'il a l'appui de la communauté.

Une fois l'appui administratif et communautaire acquis, il est temps de passer à la sixième étape, ***la mise en œuvre.*** Cette étape comprend le développement d'un plan d'action, la préparation et la supervision du personnel, le soutien organisationnel, la mise en œuvre et la coordination des interventions choisies.

Les trois dernières étapes du modèle constituent l'ensemble de l'évaluation de programme. Il est toutefois recommandé d'établir les stratégies d'évaluation au moment de l'élaboration du plan d'action, à l'étape précédente, car il est souvent nécessaire de recueillir les données d'évaluation durant la mise en œuvre du projet. Green et Kreuter (1999) proposent les trois étapes suivantes pour mener une évaluation exhaustive : l'évaluation du processus (étape sept), l'évaluation de l'impact (étape huit) et l'évaluation des résultats (étape neuf).

L'évaluation du processus vise à examiner le déroulement des interventions et à cerner les problèmes le plus tôt possible afin d'apporter les ajustements nécessaires. Le but de l'étape huit, ***l'évaluation de l'impact,*** est d'évaluer les effets immédiats du programme sur les comportements ciblés et de vérifier si les changements environnementaux ont donné les résultats escomptés. En d'autres mots, il faut vérifier si les objectifs spécifiques établis à l'étape trois ont été atteints. Avec la dernière évaluation, ***l'évaluation des résultats,*** on cherche à mesurer si le programme a eu une influence positive sur les indicateurs sociaux et épidémiologiques ou, autrement dit, si les objectifs généraux établis à l'étape deux ont été atteints. Un programme efficace devrait avoir, à long terme, un effet positif sur la santé et la qualité de vie de la collectivité.

Un autre modèle, souvent utilisé par les infirmières œuvrant en santé communautaire, est le modèle des systèmes (*System Model*) de Neuman (Neuman et Faucett, 2002). Ce modèle s'appuie sur plusieurs théories, dont la théorie des systèmes de Bertalanffy, la théorie du stress de Selye et les trois niveaux de prévention de Caplan. Dans une perspective d'intervention visant une collectivité, le modèle de Neuman est perçu comme un système complexe, ouvert, dont le cœur (l'intra-système) regroupe les citoyens, les ressources et les facteurs associés à l'infrastructure de la collectivité. Ces facteurs incluent les variables physiologiques, psychologiques, socioculturelles et spirituelles, et les variables liées au développement (Neuman et Faucett, 2002). Des lignes de protection entourent le « cœur » de la communauté. La ligne normale de défense est constituée de l'état de santé atteint par la communauté au cours des ans, les lignes flexibles de défense représentent la réponse temporaire de la communauté à un stresseur et les lignes de résistance comprennent les forces et les mécanismes de défense de la communauté.

La communauté peut atteindre un état de santé stable en s'ajustant à une variété de stresseurs. Ces stresseurs peuvent se trouver à l'intérieur de la communauté (intra-système : par exemple, les réponses du système immunitaire, le sentiment d'isolement, l'anémie chez les immigrants) ou à l'extérieur. Les stresseurs qui se situent à proximité des individus sont appelés des « stresseurs inter-système » (par exemple, l'absence de soutien familial chez les nouveaux immigrants, le manque d'amis) et ceux qui sont à une bonne distance de la communauté sont appelés des « stresseurs extra-système » (par exemple, la non-reconnaissance des études des nouveaux arrivés en provenance de pays étrangers, les politiques sociales et économiques). Le degré de réaction est le niveau de déséquilibre ou de non-adaptation qui résulte des stresseurs qui pénètrent les lignes de défense (par exemple, les personnes âgées qui demeurent dans un quartier où il y a beaucoup de vandalisme ne sortent plus le soir car elles ont peur). Ces informations fournissent à l'infirmière des paramètres pour procéder à l'analyse des besoins et formuler un diagnostic communautaire qu'elle devra valider auprès des membres de la communauté. Le rôle de l'infirmière ou de tout autre professionnel de la santé œuvrant en santé communautaire est de reconnaître les stresseurs et de promouvoir la santé et l'équilibre de la communauté. Trois types d'interventions peuvent être utilisées : les interventions au niveau primaire, au niveau secondaire ou au niveau tertiaire. Dans ce modèle, l'accent est mis sur l'importance de travailler en partenariat avec la collectivité, et ce, à chaque étape du processus.

Plusieurs autres modèles présentés dans la documentation, dont le *Community as Partner,* basé sur le modèle de Neuman (Anderson, 2000), et le *Planning Program Development and Evaluation Model* (Timmreck, 2003), orientent les professionnels de la santé dans toutes les étapes du processus d'élaboration de programmes. Plusieurs facteurs guident le choix du modèle, par exemple, la conception des soins communautaires qui y prévaut, le modèle préconisé par l'organisme, le but visé par le programme et la connaissance qu'ont les membres de l'équipe des différents modèles. Quel que soit le modèle utilisé, il est primordial d'effectuer une évaluation des besoins avant de procéder à la planification des activités d'un programme de promotion de la santé.

L'ÉLABORATION D'UN PROGRAMME

L'ÉVALUATION DES BESOINS (ÉCART ENTRE UNE SITUATION DÉSIRÉE ET UNE SITUATION RÉELLE)

Au moment de l'évaluation des besoins d'une communauté, il est essentiel que les membres ou, du moins, leurs représentants soient impliqués de façon significative, donc tout le long du processus. Lorsque les responsables de l'évaluation omettent d'inclure les individus au moment de la détermination des buts et mettent uniquement l'accent sur les besoins, en ce qui a trait aux lacunes ou aux déficits, plutôt que sur la reconnaissance des forces de la communauté tout en ne visant pas l'*empowerment* de la communauté, il va de soi que l'habilitation de la communauté à s'organiser et à se prendre en main sera altérée, voire absente. Les professionnels de la santé se doivent donc d'agir en partenaires et non en experts afin de mener une action constructive avec les membres de la communauté.

Plusieurs raisons peuvent inciter les professionnels de la santé à effectuer une évaluation des besoins en santé d'une collectivité, d'un groupe ou d'un agrégat. L'évaluation peut s'avérer nécessaire pour mieux connaître les problèmes de santé ou les besoins actuels de la collectivité en santé. Dans ce chapitre, l'expression *problème de santé* signifie la présence d'une maladie spécifique ou une prédisposition à cette maladie dans la collectivité. Le terme *besoin* en matière de santé fait référence à ce qui manque et est nécessaire pour atteindre un état optimal de santé. Donabedian (1966) a décrit quatre types de besoins: les besoins normatif, ressenti, exprimé et comparatif. Le besoin normatif est défini par l'expert par rapport à une certaine norme de désirabilité ou d'optimalité (Pineault et Daveluy, 1995). Par exemple, on pourrait démontrer qu'il y a nécessité d'accroître le nombre de mères qui allaitent puisque la désirabilité de ce comportement est bien démontrée dans la documentation. Le besoin ressenti est celui qui est perçu par des citoyens. Un groupe de personnes âgées pourraient constater qu'il manque, dans leur communauté, certains services nécessaires à l'atteinte d'un état de santé optimal. Le besoin exprimé est celui qui est non seulement reconnu mais aussi exprimé ouvertement et qui a fait l'objet d'une demande officielle auprès des personnes responsables des services de santé de la collectivité. Donc, le groupe de personnes âgées auraient non seulement constaté le manque de services dans leur collectivité, mais auraient aussi exprimé le besoin pour ces services soit verbalement, soit par écrit. Finalement, le besoin comparatif est celui qu'un « individu ou un groupe devrait avoir puisqu'il présente les mêmes caractéristiques qu'un autre individu ou groupe pour lequel on a identifié un besoin » (Pineault et Daveluy, 1995, p. 77).

Une autre raison justifiant une évaluation des besoins tient à la nécessité de clarifier un problème ou un besoin déjà connu. Si les statistiques démontrent sans équivoque une augmentation des maladies transmises sexuellement, il serait nécessaire, avant de proposer un programme de prévention, de bien connaître les caractéristiques des personnes à risque, les facteurs associés à cette augmentation et les ressources déjà présentes dans la communauté. L'évaluation pourrait aussi faire suite à une demande précise d'une personne ou d'un groupe de citoyens et servir à mieux comprendre la nécessité d'agir. En dernier lieu, il arrive parfois qu'une évaluation des besoins serve à vérifier si les ressources déjà existantes répondent aux besoins des citoyens, et à connaître celles qui sont les plus utiles et celles qu'on aurait intérêt à privilégier.

Le motif qui incite à effectuer une évaluation des besoins guidera le choix des méthodes à utiliser pour la collecte des données. Lorsque le but de l'évaluation est de connaître la communauté et de déterminer l'ensemble des besoins des citoyens et les services qu'ils souhaitent voir se développer, une évaluation globale s'impose. Toutefois, si le but est d'évaluer un besoin ou un problème spécifique relatif, par exemple, à une collectivité où le taux de personnes souffrant de diabète est élevé, les données à recueillir seront directement liées à ce problème ou à ce besoin. Mais, généralement, on recueille des données sur les caractéristiques des citoyens ou sur les personnes composant l'agrégat ou le groupe, sur leurs besoins ou leurs problèmes, sur les forces de la collectivité et sur les facteurs de risque liés au besoin ou au problème. Le modèle d'élaboration de programmes que vous utiliserez vous guidera aussi dans le choix des éléments que vous devez inclure.

Il arrive parfois que le ministère de la Santé provincial déclare certains problèmes prioritaires en raison de leur incidence élevée ou de leur importance. Toutefois, la responsabilité d'établir des programmes pour répondre à ces problèmes est souvent déléguée aux professionnels de la santé travaillant à l'échelle locale. Dans ce cas, le choix des données à recueillir est spécifique des problèmes ciblés. Chaque collectivité a la responsabilité d'étudier l'ampleur du problème dans sa propre population, les caractéristiques des personnes touchées et les facteurs de risque qui sont en cause afin d'instituer des programmes répondant à ces besoins. Par exemple, l'incidence de l'asthme peut être liée à plusieurs facteurs. Si, dans une communauté donnée, on trouve un taux élevé de personnes faisant usage du tabac, l'accent pourrait être mis sur un programme de lutte contre le tabagisme tandis que, dans une collectivité où la pollution de l'air apparaît comme le facteur de risque le plus important, on cherchera des moyens pour contrôler la qualité de l'air et pour diminuer ou prévenir l'exposition à l'air pollué.

Les méthodes de collecte de données

Les données recueillies doivent permettre de dresser un portrait juste des principaux besoins, en matière de santé, des personnes qui courent le plus de risques d'éprouver ces besoins, et des ressources humaines et physiques présentes dans la communauté qui pourraient contribuer à combler ces besoins. Hancock et Minkler (1999) suggèrent de prêter particulièrement attention aux méthodes qui favorisent la participation des citoyens et qui aident la collectivité à prendre conscience de ses besoins et de ses forces. À cette fin, les auteurs proposent quatre catégories de méthodes de collecte de données, classées selon le degré de contact qu'elles permettent d'établir avec les membres de la collectivité: les méthodes sans contact, les méthodes d'observation avec peu de contacts, les méthodes interactives et les méthodes multiples (Hancock et Minkler, 1999).

Les méthodes sans contact ont trait à toutes les données secondaires, notamment les données de recensements, les taux de mortalité et de morbidité, et les rapports d'études antérieures. Plusieurs renseignements sur les caractéristiques de la population, incluant les groupes d'âge, l'état civil, le taux de chômage, le taux de divorce et plusieurs autres données socioéconomiques, peuvent être obtenus grâce aux données de recensements. Si, toutefois, votre évaluation est limitée à un groupe spécifique, une école, par exemple, les données sociodémographiques seront plus facilement obtenues auprès d'un informateur clé, comme le directeur de l'école.

Les statistiques vitales sont aussi une source importante d'information. On peut se renseigner sur différents taux, tels que les taux de natalité, de mortalité et de morbidité, en consultant des documents provinciaux et municipaux. En examinant les tendances dans le temps, on peut vérifier si certains problèmes de santé diminuent. Cette information aide à évaluer l'efficacité des méthodes de prévention déjà en place. Il existe aussi des registres relatifs à certaines maladies qui peuvent être consultés. Des données sur les habitudes de vie saines sont de plus en plus souvent rapportées dans les études sur la santé des Canadiens, tant à l'échelle nationale que provinciale.

Dans la catégorie des méthodes d'observation avec peu de contact, on trouve la méthode qui consiste en une visite des lieux (en automobile, à pied) qui procure une vue d'ensemble de la communauté. Les principales caractéristiques à observer sont la qualité de l'environnement physique et des maisons, la propreté et la sécurité des espaces vacants, les services offerts (de santé, sociaux, de loisir), les commodités (épiceries, magasins) et la qualité de l'air (usines ou autres sources de pollution). En se promenant en voiture, on peut aussi observer les personnes dans les rues (les enfants, les personnes âgées). Assister à des rencontres publiques permet d'avoir une idée des caractéristiques de la population, de l'attitude des gens au regard des questions abordées ainsi que des modèles d'interaction entre les participants.

L'utilisation des méthodes interactives s'avère importante non seulement pour obtenir de l'information mais, aussi, pour assurer la participation des citoyens. Les sources primaires d'information dans la communauté incluent les informateurs clés, c'est-à-dire des personnes habitant ou travaillant dans la collectivité et qui ont une bonne connaissance de cette collectivité. Les chefs de file (leaders), notamment le maire, les conseillers, le curé de la paroisse ou d'autres leaders religieux et les organisateurs communautaires, sont souvent en mesure de fournir des renseignements très importants sur la vie de la collectivité et sur les divers services offerts aux citoyens, et ils peuvent faire part de leur perception des principaux problèmes éprouvés. L'entrevue, en tête-à-tête ou téléphonique, est la technique la plus souvent utilisée pour obtenir cette information. Quelquefois, on envoie des questionnaires afin d'obtenir des renseignements sur des questions précises. Le choix des informateurs clés dépend des motifs de l'évaluation des besoins. Par exemple, si l'objectif est d'évaluer l'ensemble des besoins d'une communauté géopolitique, le maire, les conseillers ou d'autres leaders seraient des choix évidents. Toutefois, si ce sont des adolescents qui constituent le groupe visé, les directeurs d'écoles, au niveau secondaire, les représentants d'organismes offrant des services aux jeunes ainsi que les adolescents eux-mêmes (leaders) seront les informateurs clés les plus aptes à fournir l'information nécessaire à l'élaboration d'un programme.

L'observation participante est une autre méthode interactive à laquelle on a de plus en plus recours. Le professionnel de la santé qui l'utilise participe activement aux activités du groupe ou de la collectivité dont il veut évaluer les besoins. L'observation peut être structurée et, dans ce cas, les comportements et les éléments à noter sont déterminés à l'avance. Lorsque l'observation est non structurée, les informations descriptives sur les sujets et l'environnement sont inscrites dans un journal de bord, sans guide. En général, un système de catégories est élaboré afin de reconnaître facilement les comportements ou les évènements à observer.

Plusieurs facteurs influent sur la qualité des données obtenues par la méthode d'observation participante. Il y a, par exemple, l'habileté de l'observateur à se concentrer de façon soutenue et à axer son observation sur le groupe ou l'évènement à observer. Le vécu de l'observateur ainsi que ses valeurs et ses croyances personnelles auront également une influence sur le choix des éléments et des comportements à observer, de même que sur l'interprétation des gestes faits. D'autres facteurs liés à la situation ou à l'environnement peuvent influencer la perception de l'observateur. On sait, par exemple, que la première impression peut fausser les données. Le contexte physique où se déroule l'observation peut aussi avoir un effet sur l'observation, notamment à cause de facteurs tels que le bruit ou la température.

En ce qui a trait aux entrevues auprès des groupes, le groupe de discussion (*focus group*) est la méthode la plus souvent utilisée. Cette méthode consiste en des sessions informelles auxquelles participent des représentants de la collectivité ou du groupe cible. Le but de ces sessions est d'obtenir le maximum d'information sur un thème précis. Pour plus de détails sur cette méthode et sur les autres méthodes relatives aux petits groupes, vous pouvez consulter le livre *La planification de la santé : concepts, méthodes, stratégies* (Pineault et Daveluy, 1995).

En raison de la complexité des collectivités, il est parfois nécessaire d'utiliser des méthodes de collecte des données multiples pour procéder à la reconnaissance des besoins et des caractéristiques de cette collectivité. Lorsqu'on veut obtenir, par exemple, le point de vue des décideurs et de tous les détenteurs d'enjeux, on recommande l'entrevue individuelle, le *focus group* et le questionnaire. La complémentarité de ces méthodes facilite l'engagement des groupes présents dans la communauté en leur donnant l'impression qu'ils ont le pouvoir de changer des choses. Cet engagement précoce dans le processus d'élaboration de programmes de promotion de la santé permettra aux gens de déterminer leurs besoins et, aussi, de s'impliquer dans la phase de planification des activités et des ressources, et dans la mise en œuvre du programme.

La reconnaissance des capacités de la collectivité

Depuis quelques années, l'importance d'inclure la reconnaissance des capacités de la collectivité dans l'évaluation des besoins est apparue évidente, particulièrement en raison de l'accent mis sur la participation des citoyens dans la promotion de la santé. Trop souvent, les programmes étaient élaborés par des professionnels de la santé pour répondre à des problèmes ou à des besoins qu'ils avaient eux-mêmes déterminés sans consulter préalablement les divers groupes concernés. Les citoyens étaient ensuite informés de leurs problèmes et de la valeur des services qu'on leur offrait pour les résoudre (McKnight et Kretzmann, 1999). Puisque cette approche crée une dépendance, la solution de rechange consiste à développer des politiques et des activités basées sur les capacités, les habiletés et les avoirs des personnes et de leur quartier (McKnight et Kretzmann, 1999). Il s'agit alors de travailler avec les ressources existantes et de mettre en place de nouvelles ressources pour combler les besoins.

La méthode préconisée par McKnight et Kretzmann (1999) pour connaître les capacités de la communauté consiste à élaborer un schéma (*mapping*) des avoirs actuels et potentiels de la communauté en fonction de trois catégories : les capacités et les avoirs présents dans la communauté et sous son contrôle ; les capacités et les avoirs présents dans la communauté mais sous contrôle extérieur ; et, enfin, les ressources venant de l'extérieur et contrôlées de l'extérieur. Dans la première catégorie, on trouve d'abord les habiletés et les talents individuels ainsi que les avoirs personnels (par exemple, capacité de négocier, de gérer des conflits). Ensuite, viennent les entreprises locales, les capacités des diverses organisations et associations, puis celles des organismes communautaires et des organisations religieuses. Dans la deuxième catégorie, on trouve les divers services et organismes gouvernementaux, comme les écoles, les hôpitaux et les agences de service social, dont le contrôle relève d'une entité extérieure à la communauté. La dernière catégorie, c'est-à-dire les capacités et les avoirs provenant de l'extérieur et contrôlés par l'extérieur, est composée principalement de ressources venant des divers paliers de gouvernement et comprend les prestations d'aide sociale et les fonds pour améliorer le quartier. L'étape de la schématisation des avoirs doit être liée au but visé par l'évaluation des besoins. Au moment de l'évaluation des besoins d'un groupe cible, le choix des éléments à examiner sera dicté par les caractéristiques du groupe. Par exemple, si l'évaluation vise les écoliers, les ressources étudiées seront celles qui pourraient, d'une façon ou d'une autre, avoir des conséquences positives sur la santé des enfants. Plusieurs autres modèles servant à évaluer les avoirs et les capacités d'une communauté ou d'un groupe sont présentés dans la documentation (Green et Kreuter, 1999 ; Pineault et Daveluy, 1995 ; Neuman et Faucett, 2002). Le but ultime est de veiller à ce que l'on bâtisse avec les ressources communautaires existantes afin de favoriser l'engagement des citoyens.

L'analyse des données recueillies

Pendant la phase de l'évaluation des besoins, beaucoup de données quantitatives et qualitatives sont recueillies. Il faut ensuite faire une synthèse de tous ces renseignements afin d'obtenir une vision réaliste de la population cible et des ressources, et de connaître les principaux besoins ou problèmes de santé ainsi que les facteurs de risque présents.

Le modèle d'élaboration de programmes que vous avez choisi pourra vous guider dans l'organisation des données mais, quel que soit le modèle utilisé, les étapes suivantes sont généralement nécessaires.

La première étape consiste à élaborer un plan dans lequel sont énumérés tous les thèmes à traiter dans cette analyse. On commence par une description des caractéristiques de la communauté étudiée (par exemple, le milieu rural, l'environnement bruyant, les adolescents décrocheurs), qui sont suivies par les données relatives à la santé (par exemple, le sentiment de solitude chez les personnes âgées, l'augmentation des MTS, l'augmentation de la consommation de drogues chez les adolescents). Par la suite, il s'agit de décrire les ressources dont la communauté dispose. La dernière étape, l'analyse et l'interprétation des données, permet de déceler les principaux besoins et problèmes de santé de la collectivité, et d'établir des liens avec les ressources déjà présentes et sur lesquelles on pourra s'appuyer pour répondre aux besoins.

Avant de procéder à l'analyse et à l'interprétation des données, il est important de vérifier la qualité des données recueillies: a-t-on omis des renseignements importants ? Y a-t-il des erreurs dans les données ? Est-ce que seules les opinions des leaders ont été retenues ? Y a-t-il présence de valeurs extrêmes ? Est-ce que les données ont été classées dans la bonne catégorie ou sous le bon thème ?

Durant l'analyse statistique des données, il est recommandé de créer des tableaux pour chaque variable étudiée de façon à obtenir une vue d'ensemble des données et à favoriser le choix des techniques statistiques appropriées. Les analyses descriptives (taux, pourcentages, moyennes) sont celles qui sont le plus souvent utilisées pour expliquer les données quantitatives. Les données à caractère qualitatif peuvent être regroupées sous les thèmes proposés dans le modèle d'élaboration de programmes choisi, ou sous des thèmes émergents. L'analyse de contenu est une méthode d'analyse qualitative des données couramment utilisée pour analyser les données recueillies lors d'entrevues individuelles ou de groupe. Le type d'analyse sélectionné dépend des données disponibles et du but visé par l'évaluation des besoins.

L'interprétation des résultats permettra de faire ressortir les besoins ou les problèmes de santé jugés prioritaires par les membres de la communauté. Le type d'analyse retenu dépendra des données disponibles et du but visé par l'évaluation des besoins. Dans bien des cas, le modèle d'élaboration de programmes utilisé énonce des critères qui serviront d'assise pour sélectionner les problèmes ou les besoins prioritaires. L'implication des membres de la communauté au moment de la priorisation des besoins est essentielle pour inciter ces derniers ou leurs représentants à participer à la planification des activités et à leur mise en œuvre. Cette implication peut être synonyme de succès dans l'adoption de nouveaux comportements associés au bien-être de la communauté. D'autres éléments doivent aussi être considérés dans la priorisation des besoins: les chances de succès, les ressources disponibles, l'efficacité des interventions, le niveau de prévention requis par la situation et l'acceptabilité culturelle de l'intervention.

Le problème ou le besoin

Le problème ou le besoin qui mènera à l'élaboration d'un programme est défini en fonction de sa distribution dans la communauté, des caractéristiques des personnes à haut risque ainsi que des facteurs qui y sont associés. Le problème est généralement lié à une maladie, à un comportement à risque ou à la présence de facteurs environnementaux (environnement physique ou social) nuisibles ou potentiellement nuisibles à la santé. L'énoncé du problème, aussi appelé « diagnostic infirmier », doit décrire clairement les personnes visées par les interventions futures (groupe, agrégat ou collectivité), la nature du problème, et les comportements et les facteurs associés (ou causes). Parfois, le problème peut aussi être lié aux ressources ou à l'inefficacité des programmes existants.

Les buts et les objectifs

Dans le contexte de la santé publique, un but peut être défini comme l'énoncé quantitatif d'un état ou d'une condition que l'on se propose d'atteindre (Timmreck, 2003). Les buts sont réalisables, mais seulement à long terme. C'est un idéal que l'on se fixe. Par exemple, l'éradication du SIDA dans le monde est un but à atteindre, mais beaucoup de travail reste à faire pour qu'il se réalise.

En santé communautaire, les programmes visent généralement à diminuer la probabilité de l'occurrence d'une maladie, à maintenir l'état de santé actuel de la population ou à aider des groupes d'individus à atteindre un état de santé optimal. Les objectifs correspondent, en fait, aux états de santé ou aux comportements attendus de la clientèle cible, et non à la procédure ou aux moyens et actions pour atteindre les résultats. Contrairement aux buts, les objectifs doivent être spécifiques, mesurables ou observables et réalisables à court terme. Ce sont les résultats que l'on espère obtenir à la fin du programme. On doit donc indiquer dans un programme les activités qui devront être mises en place ainsi que les échéanciers requis pour parvenir à ces résultats. En santé communautaire, les éléments d'un objectif comprennent les résultats souhaités, la mesure utilisée, les conditions favorisant l'atteinte des résultats escomptés ou le moment où les résultats seront obtenus ainsi que la population ciblée. Dans une communauté où peu de femmes allaitent au sein, un objectif pourrait être ainsi défini : la proportion de femmes qui allaitent leur nouveau-né, de la naissance à six mois, aura augmenté de 5 % dans la collectivité X d'ici 2 ans. Timmreck (2003) suggère de considérer les facteurs suivants au moment de la formulation d'objectifs : ils doivent viser une performance, un comportement ou une action ; ils doivent être précis, mesurables et clairs, et indiquer le niveau ou les standards de performance, et les conditions nécessaires à la réalisation de cette performance ; ils doivent aussi indiquer les résultats visés. Les descriptions des performances doivent être claires et on doit fixer un temps précis pour atteindre les objectifs.

Les interventions

Après avoir déterminé le problème prioritaire, fixé le but et élaboré les objectifs, on doit s'interroger sur les interventions pertinentes qui inciteront la clientèle à adopter de nouveaux comportements et sur la façon de les mettre en œuvre. Le but de cette étape est donc de choisir et de planifier les interventions. Le terme « intervention » se rapporte à un ensemble d'actions nécessaires pour répondre aux besoins de la communauté, tandis que le terme « activité » a trait aux actions concrètes et aux tâches, qu'elles soient de nature administrative ou clinique, ou essentielles à la réalisation des interventions (Pineault et Daveluy, 1995). L'activité est donc un comportement adopté par un ou des intervenants, en collaboration avec l'équipe pluridisciplinaire et certains membres de la communauté, pour faciliter l'atteinte des objectifs.

Dans leur modèle de mise en œuvre des interventions, Parkinson et ses collaborateurs (1982) proposent de considérer trois éléments : le projet-pilote, l'introduction progressive et le programme dans sa totalité. Lorsqu'on choisit de mener un projet-pilote, on met en œuvre l'ensemble du programme mais on l'offre à un groupe restreint de personnes. Cette approche permet de s'assurer de l'acceptabilité des activités et d'apporter les changements nécessaires avant la mise en œuvre du programme dans toute la collectivité. Elle est particulièrement utile lorsqu'il s'agit d'un programme destiné à un nombre important d'individus (par exemple, à l'ensemble de la province) et qu'il suppose l'injection de sommes importantes. Les principaux désavantages du projet-pilote tiennent au nombre limité de personnes qui bénéficient du programme et au fait que certains besoins ne sont pas comblés et qu'il est parfois difficile de généraliser les résultats à l'ensemble de la collectivité.

L'introduction progressive d'un programme peut se faire de différentes façons (Parkinson et autres, 1982). Il est possible de proposer les activités une à la fois, puis d'accroître le nombre de participants graduellement jusqu'à ce que toute la communauté soit invitée à joindre le programme ; on peut également offrir le programme à un certain nombre d'endroits (par exemple, un programme destiné aux écoliers pourrait être offert dans une école à la fois). Les activités peuvent aussi être ajoutées graduellement, selon les habiletés des participants. La mise en application du programme dans sa totalité permet de l'offrir à l'ensemble de la population cible, de démarrer les activités en plusieurs endroits à la fois et d'effectuer toutes les activités qui ont été prévues lors de la phase de planification.

Une revue approfondie de la documentation permettra d'obtenir le maximum d'information sur les diverses interventions et activités qui ont été mises de l'avant par d'autres intervenants dans une situation similaire, ainsi que leur taux de succès. Parmi les interventions et les activités jugées efficaces, on repère celles qui sont culturellement appropriées et réalisables dans le contexte, tout en tenant compte des ressources, des contraintes du milieu et du temps disponible. Les interventions et les stratégies doivent aussi stimuler ou faciliter la participation des citoyens et être adaptées à l'âge et au niveau d'éducation des personnes ciblées.

Plusieurs types d'interventions et d'activités peuvent être examinés. Parmi les activités éducatives, on trouve, entre autres, celles dont le but est d'accroître la sensibilisation des individus aux problèmes ciblés, d'augmenter les connaissances ou de développer des habiletés. Voici des exemples d'activités visant un changement de comportement : présenter des modèles de rôles, modifier graduellement les comportements désirés, établir un contrat avec des clients ou un groupe d'entraide. La meilleure intervention peut aussi consister à apporter des changements dans l'environnement physique ou social qui influent sur le comportement des personnes concernées. Afin d'améliorer la qualité de la nutrition dans une école, les machines distributrices de friandises pourraient être éliminées. Parmi les autres types d'activités souvent utilisées, notons les activités réglementaires (lois ou règlements) et celles qui visent à soutenir la motivation à changer un comportement (par exemple, un concours pour les personnes qui arrêtent de fumer à une certaine date fixée d'avance). En dernier lieu, les activités de communication, comme les publicités à la télévision ou dans les journaux, les affiches, et les stratégies de marketing social (voir le chapitre 8), sont souvent nécessaires.

Après avoir sélectionné les interventions et les activités que l'on désire inclure dans le programme, on doit planifier leur mise en œuvre. Il est fortement suggéré d'élaborer un plan dans lequel on indiquera clairement le nom des personnes responsables des différentes activités, les ressources financières et matérielles nécessaires, ainsi que l'échéance de ces activités. Selon Maurer et Smith (2005), un bon plan doit répondre aux questions suivantes : quelles activités doit-on réaliser ? Comment les exécuter ? Quelles ressources sont nécessaires à la planification et au bon fonctionnement du programme ? Qui sont les personnes responsables de chacune des tâches et des activités proposées ? À quel moment chacune de ces activités doit-elle avoir lieu et combien de temps faut-il pour effectuer chaque activité ?

L'ÉVALUATION DU PROGRAMME

Dans une perspective de santé communautaire, l'évaluation d'un programme est définie comme une « démarche qui consiste à déterminer et à appliquer des critères et des normes dans le but de porter un jugement sur les différentes composantes du programme, tant au stade de la conception que de sa mise en œuvre, ainsi que sur les étapes du processus de planification qui sont préalables à la programmation » (Pineault et Daveluy, 1995, p. 416). Un critère est une caractéristique observable de l'activité ou du programme. C'est, en fait, un indicateur ou une variable qui correspond aux éléments du programme évalué. Il peut s'agir, par exemple, de la proportion des postes de travail qui sont affectés par le bruit dans une usine. La norme est la valeur associée au critère qui est considéré comme acceptable. Ce point de référence du critère permet de porter un jugement sur le programme. En fait, la norme opérationnalise le critère en lui attribuant une valeur numérique. Par exemple, réduire l'intensité du bruit à un niveau inférieur à 90 décibels ou diminuer de 10 % le taux d'absentéisme des infirmières dans un centre hospitalier.

Les buts visés par l'évaluation, selon Champagne, Contandriopoulos et Pineault (1986), peuvent être de type formatif ou sommatif : aider à planifier ou à développer un programme, fournir de l'information afin d'améliorer, de modifier ou de gérer le programme (formatif), ou déterminer les résultats du programme et ses conséquences pour la population (sommatif) (traduction libre). L'évaluation peut être formative ou sommative, ou les deux dans le cas où l'évaluateur est intéressé par ces deux aspects simultanément.

Parmi la grande variété de modèles d'évaluation de programmes présentés dans la documentation, certains sont très complexes et peuvent inclure de multiples analyses, comme celles relatives aux taux d'incidence et de prévalence, aux comparaisons entre divers groupes, à l'usage d'outils pour mesurer l'atteinte d'objectifs liés au changement de certains comportements et au rapport entre les coûts et les bénéfices.

Toutefois, en ce qui a trait à la majorité des programmes élaborés par les intervenants dans le milieu communautaire, l'évaluation se limite habituellement à l'évaluation du processus, à l'évaluation des résultats et, lorsque cela est possible, à l'évaluation des effets à long terme sur la population. La première étape, l'évaluation du processus, se déroule souvent de façon informelle, sans plan précis, bien que, pour des projets de grande envergure, il soit préférable d'en établir un. La personne responsable du projet doit s'assurer du bon déroulement de l'ensemble du programme, c'est-à-dire qu'elle doit connaître tous les facteurs facilitants ainsi que les problèmes ou les imprévus qui pourraient compromettre la réussite du programme. Tous les éléments du projet doivent être examinés, notamment l'efficacité du personnel responsable des activités, le recrutement des participants, la publicité, les réactions de la communauté aux interventions, la participation des citoyens et les coûts engendrés par la mise en place du programme. L'adéquation entre les caractéristiques de l'utilisation des services et les besoins des usagers doit aussi être considérée. On peut également se demander s'il y a eu sous-utilisation ou surutilisation des services compte tenu des besoins exprimés lors de l'étape de la collecte des données visant à cerner les besoins. Il est aussi important de se demander si le contenu, tel qu'il est offert, est adéquat. Les aspects interpersonnels doivent aussi faire l'objet de l'évaluation : est-ce que les intervenants facilitent la communication dans les groupes ? Est-ce que les intervenants offrent suffisamment de soutien aux groupes ? Est-ce qu'ils ont des attitudes qui ont pour effet de démotiver les usagers ? Est-ce qu'ils leur font suffisamment confiance ? Les aspects organisationnels doivent aussi être considérés : est-ce que le programme a atteint la population visée et pas seulement les gens qui se sont prévalus des services offerts ? Est-ce que les services rendus correspondent aux besoins de santé considérés comme prioritaires ? La reconnaissance des problèmes dès leur apparition permet de mener des actions ponctuelles ou de procéder à des ajustements tout le long du processus d'implantation, ce qui favorise l'atteinte des objectifs.

L'évaluation des résultats (écart entre les résultats espérés et les résultats obtenus) est indispensable dans tout projet en santé communautaire. Le but de cette évaluation est de vérifier si le programme tel qu'il a été conçu a permis d'atteindre les objectifs, c'est-à-dire d'amener des modifications de comportement ou d'habitudes de vie chez la clientèle. Ce type d'évaluation permet de déterminer le degré de réussite du programme. La mesure de l'efficacité du programme est un autre élément à considérer : est-ce que la proportion de gens visés a été atteinte ? On doit également évaluer le rapport entre l'efficacité ou le rendement et les ressources exploitées pour offrir le programme : les ressources ont-elles été suffisamment utilisées ?

Pour mener à bien ce projet, il est essentiel de planifier les diverses mesures qui seront choisies avant même le début des activités prévues, puisqu'il arrive souvent que certaines d'entre elles doivent être intégrées au cours des activités. Si, par exemple, votre programme inclut une série de conférences sur une variété de thèmes, un questionnaire rempli à la fin de chaque session pourrait être l'outil de choix pour mesurer la satisfaction des participants. En général, au moins une mesure, parfois plus, est nécessaire pour évaluer chacun des objectifs.

L'évaluation des buts ou des effets à long terme est souhaitable mais souvent difficile à réaliser. Un des principaux obstacles est la difficulté de faire un suivi sur une longue période de temps auprès des gens qui ont participé au programme dans le but de vérifier si les effets positifs se sont maintenus au fil des années ou si, selon Green et Kreuter (1999), la qualité de vie de la communauté s'est améliorée. Les coûts engendrés par ce suivi constituent aussi un obstacle majeur et une des raisons pour lesquelles ce type d'évaluation est généralement réservé aux programmes faisant partie d'un projet de recherche d'envergure et qui jouit d'un bon financement.

Afin d'établir un plan d'évaluation efficace, il est essentiel que les indicateurs de succès retenus permettent de vérifier si les objectifs du programme ont été atteints. Les indicateurs doivent être non seulement mesurables, mais aussi valides (ils mesurent bien ce qu'ils doivent mesurer) et fiables (ils ont déjà été utilisés dans d'autres évaluations auprès d'une même population). Dans la mesure du possible, il est recommandé de vérifier si les résultats obtenus se maintiennent sur une longue période (par exemple, six mois), de comparer les résultats avec ceux obtenus avec d'autres groupes qui ont participé à des activités similaires et, finalement, de vérifier si les résultats se comparent à ceux obtenus avec un autre groupe qui possède les mêmes caractéristiques. Il peut s'avérer nécessaire pour les intervenants ou l'évaluateur de développer et de valider les instruments de collecte des données. Par exemple, il arrive souvent que les intervenants élaborent un questionnaire sur la satisfaction des participants. Il est toutefois possible que les instruments (questionnaires, grilles d'observation, etc.) existent déjà. On doit veiller à ce que ces outils soient validés avant de les choisir.

Lorsque les ressources nécessaires à la bonne marche du programme sont disponibles et que les périodes d'évaluation sont établies (le moment où les mesures seront prises : avant, durant ou après les interventions), on peut planifier la collecte des données en déterminant la façon dont l'information sera recueillie et en choisissant la personne qui effectuera la collecte des données (voir le tableau 4.1). En dernier lieu, on

TABLEAU 4.1 ÉLÉMENTS À PRÉCISER DANS LE PLAN D'ÉVALUATION DES INTERVENTIONS

POUR CHAQUE STRATÉGIE	
• Activités (plan détaillé de la réalisation des activités)	• Laps de temps début-fin
• Endroit (où les activités auront lieu)	• Indicateur de succès / Chaque activité
• Sources d'information (participants, base de données)	• Résultats
• Responsabilités / Ressources Étudiants / RP* / PC**	

* RP = Responsable du projet
** PC = Professeur clinique

Source : Adapté des trois ouvrages suivants : J. BLAIS (2000). *Project work plan : Implementation Phase,* Ottawa, CNS Nursing Education Program, RMOC Health Department. (Document non publié) ; THE HEALTH COMMUNICATION UNIT (1998), *Introduction to health promotion planning,* Toronto, Centre for Health Promotion, University of Toronto, p. 26-59 ; L. DIEM (2000). *Project team Workbook,* Ottawa, University of Ottawa School of Nursing. (Document non publié) élabore un plan d'analyse des données et on nomme la personne qui en sera responsable.

Avant la mise en œuvre et l'évaluation du programme, on conseille généralement de préparer un modèle logique du programme. Le but de ce modèle est de montrer les liens entre les diverses étapes du programme. Bien que les éléments du modèle logique puissent varier selon les auteurs, en général, on inclut les buts, les objectifs à atteindre, les activités et les résultats attendus, ainsi que les indicateurs de succès pour chaque activité. Par conséquent, on obtient une vue globale du projet. Plusieurs exemples d'application d'un modèle logique pour des programmes en santé communautaire ont fait l'objet d'une publication (Moyer, Verhovsek et Wilson, 1997; Dykeman et autres, 2003).

Lorsque les interventions et l'évaluation sont terminées, les résultats sont présentés sous forme de rapport. On doit déterminer la forme du rapport et choisir la personne à qui il sera remis. Le rapport doit contenir une description des étapes du projet et, aussi, faire état des difficultés éprouvées et soumettre des recommandations en vue de programmes futurs.

Le maintien du programme

On accorde de plus en plus d'importance au maintien des programmes. Si le programme de promotion de la santé s'est avéré efficace, il est souhaitable d'en assurer la viabilité. Toutefois, lorsqu'un programme est mis en œuvre pour résoudre un problème spécifique et que ce dernier change ou disparaît, il est évident que son maintien devient inutile. Les principaux problèmes liés au non-maintien des programmes sont la persistance ou la réapparition du problème, des objectifs non atteints à cause de l'insuffisance du temps alloué à la mise en œuvre du programme, malgré l'investissement de temps, d'argent et de ressources, et, en dernière analyse, la disparition de l'appui et de la participation des membres de la communauté au programme.

Le maintien d'un programme sera favorisé si on implique les représentants locaux dès le début du projet. Durant la dernière année d'un programme, des rencontres avec des personnes clés, des groupes de citoyens et d'autres membres de la collectivité permettent parfois de trouver les fonds nécessaires à la survie du programme.

Conclusion

Ce chapitre présente un bref aperçu des étapes essentielles à l'élaboration d'un programme de promotion de la santé en milieu communautaire. En général, ces programmes sont développés et mis en œuvre par une équipe multidisciplinaire. Il s'agit d'un travail d'envergure, et l'expertise des divers intervenants est nécessaire pour en assurer le succès. Cette collaboration permet l'utilisation d'interventions multiples afin de mieux répondre aux besoins de la collectivité. Enfin, on ne soulignera jamais assez l'importance de la participation des membres de la collectivité à toutes les étapes du processus.

Références

ANDERSON, E.T. et J.M. McFARLANE (1996). *Community As Partner – Theory And Practice in Nursing*, Philadelphie, Lippincott.

CHAMPAGNE, F., A.-P. CONTANDRIOPOULOS et R. PINEAULT (1986). « A health care evaluation framework », *Health Management Forum*.

DONABEDIAN, A. (1966). « Evaluating the quality of medical care », *Milbank Memorial Fund Quarterly*, vol. 44, n° 3 (suppl.), p. 166-206.

DYKEMAN, M. et autres (2003). « Development of a program logic model to measure the processes and outcomes of a nurse managed community health clinic », *Journal of Professional Nursing*, vol. 19, n° 3, p. 197-203.

GREEN, L.W. et W.M. KREUTER (1991). *Health promotion planning: An educational and environmental approach*, Mountain View (Californie), Mayfield.

HANCOCK, T. et M. MINKLER (1999). « Community health assessment or healthy community assessment », dans M. Minkler (dir.), *Community Organizing and Building for Health*, New Brunswick (New Jersey), Rutgers University Press.

MAURER, F.A. et C.M. SMITH (2005). *Community / Public Health Nursing Practice: Health for Families and Populations*, St. Louis, Elsevier Saunders.

McKENZIE, J.F., B.L. NEIGER et J.L. SMELTZER (2005). *Planning, Implementing and Evaluating Health Promotion Programs – A Primer*, Toronto, Pearson.

McKNIGHT, J.L. et J.P. KRETZMANN (1999). « Mapping community capacity », tiré de « Community and community building for health », dans M. Minkle (dir.), *Community Organizing and Building for Health*, New Brunswick (New Jersey), Rutgers University Press.

MOYER, A., H. VERHOVSEK et V.L. WILSON (1997). « Facilitating the shift to population-based health programs: Innovation through the use of framework and logic model tools », *Canadian Journal of Public Health*, vol. 88, n° 2, p. 95-98.

NEUMAN, B. et J. FAUCETT (2002). *The Neuman System Model,* Upper Saddle River (New Jersey), Prentice Hall.

PARKINSON, R.S. et autres (1982). *Managing Health Promotion in the Workplace: Guidelines for Implementation and Evaluation,* Palo Alto (Californie), Mayfield.

PINEAULT, R. et C. DAVELUY (1995). *La planification de la santé: concepts, méthodes, stratégies,* Montréal, Éditions Nouvelles.

TIMMRECK, T.C. (2003). *Planning, Program Development, and Evaluation: A Handbook for Health Promotion, Aging, and Health Services,* Sudbury (Massachusetts), Jones and Barlett.

VOLLMAN, A.L.R., E.T. ANDERSON et J. McFARLANE (2004). *Canadian Community as Partner: Theory and Practice in Nursing,* Philadelphie, Lippincott Williams & Wilkins.

LA PROMOTION DE LA SANTÉ

GISÈLE CARROLL

INTRODUCTION

Le concept de promotion de la santé a beaucoup évolué au cours des deux dernières décennies. Dans le sillage du rapport *Nouvelles perspectives de la santé des Canadiens* (Lalonde, 1974), les stratégies de promotion de la santé suggérées visaient principalement le changement des habitudes de vie. Par la suite, des études ont démontré que plusieurs autres facteurs influaient sur le maintien et l'amélioration de la santé. Les recherches et la pratique dans le domaine de la promotion de la santé ont permis d'acquérir de nouvelles connaissances sur les déterminants de la santé, notamment sur le rôle de l'environnement social et de l'environnement physique.

Dans le présent chapitre, nous examinerons d'abord diverses définitions de la santé. Selon Evans et ses collaborateurs (1994), la façon dont la santé est définie guide l'identification des déterminants qui influent sur le maintien et la promotion de la santé. Le concept de « communauté » sera ensuite brièvement abordé, suivi des déterminants de la santé ainsi que de l'évolution du concept de « promotion de la santé » et de son lien avec celui de « la santé de la population ». Le chapitre se terminera par une discussion sur les interventions dans le domaine de la promotion de la santé et du mouvement Villes en santé, un exemple d'intégration de plusieurs éléments importants en matière de promotion de la santé.

LA SANTÉ

Au cours des dernières années, notre compréhension du concept de santé a beaucoup évolué. Parmi les nombreuses définitions proposées au fil du temps, certaines ont une connotation négative, mais la plupart du temps, la description est positive. En général, on reconnaît les aspects biologiques, psychologiques et sociaux de la santé. Toutefois, la tendance actuelle est axée sur une définition sociale de la santé plutôt que médicale. Selon Larson (1999), ces différentes définitions peuvent être classées dans quatre catégories de modèles : le modèle médical, le modèle proposé par l'Organisation mondiale de la santé (OMS), le modèle de bien-être et le modèle environnemental. Dans le modèle médical, la santé signifie « l'absence de maladie ou d'infirmité » (Larson, 1999). L'accent est mis sur les causes et le traitement des maladies ainsi que sur leur prévention. Ce modèle ne tient pas compte des facteurs sociaux et économiques (Larson, 1999) et accorde peu d'attention à la promotion de la santé.

En 1947, l'OMS proposait une définition plus holistique de la santé, à savoir que la santé est « un état de complet bien-être physique, mental et social ne consistant pas seulement en l'absence de maladie ou d'infirmité » (traduction libre, Larson, 1999, p. 126). Selon Saracci (1997), l'état décrit par l'OMS s'apparente plus au bonheur qu'à la santé. Pour éviter cette confusion, il propose de modifier la définition de l'OMS de la façon suivante : « La santé est un état de bien-être, qui ne comporte ni maladie ni infirmité, et qui représente un droit humain fondamental » (traduction libre, Saracci, 1997, p. 1410). La définition de l'OMS a aussi été jugée trop vague, difficile à mesurer et visant un idéal difficile à atteindre (Larson, 1999). Malgré les nombreuses critiques que cette définition a suscitées, elle est de plus en plus acceptée et utilisée.

Par ailleurs, la définition proposée par l'OMS et ses collaborateurs (1986) dans la *Charte d'Ottawa pour la promotion de la santé* appuie le concept de promotion de la santé. Dans cette charte, la santé est définie comme « la mesure dans laquelle un groupe ou un individu peut, d'une part, réaliser ses ambitions et satisfaire ses besoins et, d'autre part, évoluer avec le milieu ou s'adapter à celui-ci ». La santé est donc perçue comme une ressource de la vie quotidienne et non comme le but de la vie ; il s'agit d'un concept positif mettant en valeur les ressources sociales et individuelles, ainsi que les capacités physiques. La définition proposée par Epp (1986), dans son rapport intitulé *La santé pour tous : Plan d'ensemble pour la promotion de la santé,* ouvre également la porte aux interventions visant le maintien et l'amélioration de la santé plutôt que de mettre l'accent uniquement sur l'aspect des traitements curatifs. Dans ce document, la santé est vue comme « un aspect de la vie courante, une dimension essentielle de notre qualité de vie » (Epp, 1986, p. 3). Selon Epp (1986), cette définition reconnaît la liberté de choix en matière de santé et les diverses perceptions de la santé qu'ont les individus et les communautés.

Quant au modèle de bien-être, il vise des niveaux élevés de santé et de bien-être (Larson, 1999). Ce modèle met en évidence le lien entre les dimensions physique, psychologique et spirituelle. Bien que la santé représente la force et l'habileté à résister à la maladie, elle n'est pas l'opposé de la maladie ; elle est une dimension distincte (Larson, 1999). Le modèle est critiqué principalement à cause de la difficulté de mesurer les diverses perceptions de bien-être dans ce contexte (Larson, 1999).

Dans le modèle environnemental, l'accent est mis sur l'adaptation de l'individu à son environnement physique et social (Larson, 1999). La santé est l'habileté de l'individu à être en harmonie avec les divers aspects de son environnement (Larson, 1999). Selon Breslow (1989), la santé est plus qu'un ensemble d'éléments biologiques ou que l'accomplissement de rôles sociaux ; elle constitue un équilibre dynamique avec l'environnement.

La signification du mot « santé » pour les individus en général, et plusieurs autres facteurs, comme la culture, la classe sociale et l'âge, doivent être pris en considération lors de la planification d'interventions en matière de santé ou de programmes de promotion de la santé. À titre d'exemple, mentionnons la médecine traditionnelle chinoise, qui est fondée sur l'opposition entre le yin (la passivité) et le yang (l'activité), le chaud et le froid (Huff et Kline, 1999). Plus près de nous, il apparaît que la classe moyenne a souvent tendance à avoir une vision positive de la santé tandis que pour la classe ouvrière, la santé revêt un caractère plus fonctionnel, c'est-à-dire qu'elle signifie « ne pas être malade et être capable d'accomplir ses tâches quotidiennes » (Naidoo et Wills, 2005). Quant aux jeunes, ils ont tendance à définir la santé en fonction de la force, de l'énergie et de la forme physique (Blaxter, 1990).

Toutefois, la plupart des gens ne cherchent pas à définir la santé ; ils essaient plutôt de comprendre pourquoi on est malade, ce que chacun veut éviter à tout prix. Selon Helman (2000), les explications des causes de la maladie, du point de vue d'un profane, peuvent être regroupées en fonction des quatre aspects suivants : la maladie est attribuable à la personne elle-même, à l'environnement physique, à l'environnement social ou au monde spirituel. Certaines personnes relient les causes de la maladie à l'individu lui-même : le mauvais fonctionnement du corps serait attribuable à des actions sur lesquelles l'individu peut exercer un certain contrôle, par exemple l'alimentation et d'autres comportements (Helman, 2000). Dans ce contexte, la personne est responsable de son problème de santé. D'autres attribuent la maladie à des causes liées à l'individu mais pour lesquelles il ne peut rien ; à leurs yeux, ces causes sont liées à la vulnérabilité de la personne sur le plan psychologique ou physique ou encore à des facteurs héréditaires (Helman, 2000). Les facteurs psychologiques comprennent l'anxiété ou l'inquiétude tandis que les facteurs physiques relèvent des notions de *force* et de *faiblesse* (Helman, 2000). Quant à l'hérédité, elle a trait à la transmission de génération en génération de certaines caractéristiques qui prédisposent les personnes à souffrir de problèmes de santé particuliers.

Les causes de la maladie liées à l'environnement physique concernent l'ensemble des conditions atmosphériques ainsi que les créatures vivantes ou les objets que l'on trouve dans notre environnement. Au Canada, on entend souvent des personnes affirmer qu'elles ont la grippe parce qu'elles ont pris froid (condition atmosphérique). Certaines personnes peuvent aussi être malades après avoir été piquées par un moustique (entité animée) ou souffrir d'allergie en raison d'une exposition au pollen des arbres (entité inanimée). D'autres causes sont liées au milieu social (Helman, 2000). Au Canada, les causes sociales se rapportent principalement aux blessures imputables à diverses formes de violence. Dans certaines cultures, on attribue parfois la maladie à un mauvais sort jeté par les sorcières ou d'autres créatures aux pouvoirs maléfiques (Helman, 2000). D'autres personnes s'appuient sur le monde surnaturel pour expliquer la maladie et la perçoivent comme un acte de Dieu, des esprits ou des fantômes (Helman, 2000). Certaines personnes prient Dieu de les exempter de la maladie tandis que d'autres croient aux esprits malveillants.

Souvent, les profanes croient que la maladie est attribuable à l'ensemble des causes mentionnées ci-dessus (Helman, 2000). Par exemple, une personne pourrait expliquer qu'elle a la grippe parce qu'elle a pris froid (environnement physique) mais aussi parce qu'elle résiste mal à la maladie (facteur individuel).

LA COMMUNAUTÉ

En santé publique, la communauté est généralement définie en fonction de la situation géographique ou des intérêts des personnes (Rifkin et autres, 1988). En plus de la notion de site (même localité), la définition géographique comprend aussi des éléments fondamentaux, c'est-à-dire les personnes, leurs interactions et les liens qui les unissent, ainsi que les fonctions essentielles à la survie de la communauté (par exemple la socialisation des membres, la production et la distribution de services). La définition proposée par l'OMS (1974) est un bon exemple: «Par communauté, il faut entendre: l'ensemble d'une population ayant un territoire géographique, liée par des intérêts, des valeurs communes, ayant une forme de gestion administrative, et dont les membres, les groupes sociaux et les institutions ont des interrelations entre eux.»

Les communautés d'intérêt sont généralement formées à partir d'un intérêt partagé par plusieurs personnes. Cet intérêt amène les personnes à développer des relations entre elles et crée un sentiment d'interdépendance. Si, par exemple, des personnes appartiennent à un groupe religieux ou à une paroisse, les professionnels de la santé peuvent travailler en collaboration avec la paroisse pour améliorer la santé de ses membres.

Il est important d'établir la différence entre le terme «communauté» et les termes «agrégat», «quartier» et «population» utilisés pour désigner d'autres groupes de personnes visées par des interventions en promotion de la santé. On appelle «agrégat» un groupe d'individus ayant en commun une ou plusieurs caractéristiques personnelles ou environnementales (McGuire, 2002). Ainsi, les élèves d'une classe de sixième année dans une école primaire peuvent être considérés comme appartenant à un agrégat puisqu'ils ont atteint le même stade de développement et qu'ils sont tous du même âge. Certains programmes en promotion de la santé, par exemple des programmes d'éducation sexuelle, sont conçus pour un tel agrégat.

Le terme «quartier» est utilisé pour désigner «une partie d'une agglomération ayant une certaine unité et des caractéristiques propres» (Office québécois de la langue française, 2001). Le quartier est donc plus petit qu'une communauté et il s'autodéfinit; souvent, il n'a pas de frontières précises (McGuire, 2002). Dans les grandes villes du Canada, certains groupes ethniques s'établissent parfois dans un secteur de la ville et on retrouve, par exemple, le «quartier chinois» ou le «quartier italien».

Le mot «population» fait référence à un ensemble de personnes dans un contexte donné, par exemple un contexte géographique ou politique (un pays), mais les frontières géographiques ne sont pas essentielles (Young, 2005). Une population peut aussi être définie comme un groupe de personnes partageant certaines caractéristiques telles que l'ethnicité, la religion ou la langue (Young, 2005) (par exemple la population canadienne française). Une population peut regrouper plusieurs communautés (Kuss et autres, 1997).

LA PROMOTION DE LA SANTÉ

L'expression «promotion de la santé» prend son origine dans le document intitulé *Nouvelles perspectives de la santé des Canadiens* (Lalonde, 1974). Dans ce rapport, on discute pour la première fois, de façon officielle, des déterminants de la santé autres que les services de santé et des stratégies visant à l'améliorer. Dans ce document, l'accent est mis sur les habitudes de vie et l'expression «promotion de la santé» est utilisée pour parler des stratégies d'éducation et de communication de masse servant à expliquer aux gens comment leurs habitudes de vie les exposent à de graves problèmes de santé. En 1986, lors de la Conférence internationale pour la promotion de la santé, on proposait une autre vision de la promotion de la santé dans la *Charte d'Ottawa pour la promotion de la santé* (O'Neill et Pederson, 1994). Selon O'Neill et Pederson (1994), la promotion de la santé est née d'une fusion entre deux courants: celui de l'éducation pour la santé et celui de l'intervention sur les politiques publiques. L'éducation pour la santé vise principalement à aider les gens à modifier leurs habitudes de vie (Green et Kreuter, 1991), tandis que les interventions sur les politiques publiques ont pour but d'améliorer les conditions de vie, par exemple l'habitation, le transport, l'éducation et les services sociaux (Milio, 2001). Les deux définitions les plus courantes de l'expression «promotion de la santé» sont celle de la *Charte d'Ottawa pour la promotion de la santé* (1986): «Un processus qui confère aux populations les moyens d'assurer un plus grand contrôle sur leur propre santé et d'améliorer celle-ci», et celle proposée par Green et Kreuter (1991, p. 432): «Toute combinaison d'actions planifiées de type éducatif, politique, législatif ou organisationnel appuyant des habitudes de vie et des conditions de vie favorables à la santé d'individus, de groupes ou de collectivités» (adapté par O'Neill, 1997).

Selon O'Neill (1997), l'expression «promotion de la santé» est utilisée pour désigner à la fois une philosophie et un ensemble de pratiques. En effet, il s'agit d'une philosophie puisque c'est la vision de la santé publique définie dans des documents clés tels que la *Charte d'Ottawa* et le rapport Epp (1986) (O'Neill, 1997). C'est aussi un ensemble de pratiques visant le changement planifié de comportements liés à la santé et incluant des stratégies d'intervention telles que le marketing social, l'éducation pour la santé, l'action politique et l'organisation communautaire (O'Neill, 1997).

Durant les années 1990, les fonds alloués au secteur de la santé, incluant la promotion de la santé, ont diminué alors que le gouvernement cherchait à réduire le déficit (O'Neill et autres, 2001). Dans ce contexte de contraintes budgétaires, «la promotion de la santé n'a pas toujours su faire preuve de son efficacité» (O'Neill et autres, 2001, p. 53), en particulier sur le plan financier. Pendant ce temps, l'approche de «la santé de la population» proposée par le Canadian Institute of Advanced Research évoluait et le gouvernement canadien allait adhérer à cette approche.

La «santé de la population» met l'accent sur l'utilisation des données épidémiologiques pour mieux comprendre les causes des maladies et les facteurs qui influent sur la santé (Young, 2005). Cette approche tient compte de tous les déterminants de la santé (individuels, sociaux, physiques, etc.) et de leurs interactions (Santé Canada, 1996). Les stratégies visent à améliorer la santé de la population. Les mesures préventives proposées cherchent à éviter les problèmes de santé potentiels et exigent une collaboration entre les différents secteurs. Ce modèle prend en considération, de façon plus évidente, l'aspect social et économique de la santé. Toutefois, il a été critiqué parce qu'il met l'accent sur l'augmentation des richesses plutôt que sur leur redistribution (O'Neill et autres, 2001). Néanmoins, selon O'Neill et ses collaborateurs, les partisans du modèle de «la santé de la population» peuvent être considérés «comme des alliés dans l'évolution vers la nouvelle santé publique».

Les déterminants de la santé

L'expression «déterminants de la santé» réfère aux facteurs qui influent sur l'état de santé des personnes et de la population en général. Dans le rapport *Nouvelles perspectives sur la santé des Canadiens* (Lalonde, 1974), l'auteur mentionne quatre principaux facteurs: la biologie humaine, le système de santé, l'environnement et le mode de vie. À la suite des critiques suscitées par l'accent mis sur le mode de vie, une plus grande attention a été accordée à l'environnement social, maintenant dissocié de l'environnement physique dans la définition (Glouberman et Millar, 2003). Soulignons que la *Charte d'Ottawa* (1986) et le rapport *La santé pour tous: Plan d'ensemble pour la promotion de la santé* (Epp, 1986) ont contribué à attirer l'attention sur l'environnement social et, en particulier, sur les facteurs politiques, économiques et culturels.

Par ailleurs, en s'appuyant sur l'approche de la «santé de la population» et les nombreux écrits antérieurs, les ministres de la Santé du Canada, tant dans le gouvernement fédéral que dans les gouvernements provinciaux et territoriaux, ont approuvé, en 1994, les déterminants de la santé suivants: «le revenu et la situation sociale, les réseaux de soutien social, le niveau d'instruction, l'emploi et les conditions de travail, le patrimoine biologique et génétique, les habitudes de vie et les capacités d'adaptation personnelle, le développement sain dans l'enfance et les services de santé» (Hamilton et Bhatti, 1996). Par la suite, trois autres déterminants de la santé ont été ajoutés: le sexe (homme ou femme), la culture et l'environnement social (Reutter, 2001). Ces déterminants de la santé sont ceux visés par les programmes élaborés par tous les paliers de gouvernement.

Le revenu et la situation sociale

Le revenu et le statut social sont parmi les plus importants déterminants de la santé. Les données montrent que les taux de mortalité et de morbidité varient en fonction du niveau de revenu. Les Canadiens dont le revenu est peu élevé sont plus susceptibles de souffrir de maladies chroniques que ceux qui jouissent d'un revenu élevé (Roberge et autres, 1995). De plus, l'espérance de vie est moins élevée chez les personnes à faible revenu. Selon une étude menée par Robine et Ritchie (1991), l'espérance de vie des hommes canadiens dont le revenu se situe dans le quart supérieur est de 6,3 années de plus que celle des hommes qui se situent dans le quart inférieur. Les études ont démontré que plus les salaires sont équitables, plus le niveau de santé de la population est élevé (Wilkinson, 1997). La pauvreté empêche les individus d'avoir accès aux nécessités de la vie tels la nourriture, le logement et les vêtements, et elle crée de l'anxiété et du stress (Raphael, 2003).

Les personnes pauvres sont plus vulnérables et ont moins de contrôle sur les événements de la vie.

LES RÉSEAUX DE SOUTIEN SOCIAL

Le soutien social a des effets bénéfiques directs sur la santé : il permet à l'individu de satisfaire ses besoins sociaux et favorise son intégration sociale (Stewart, 2000). L'isolement social et l'exclusion sont associés à des niveaux élevés de problèmes de santé (Tones et Green, 2004). (Une discussion approfondie sur le lien entre le soutien social et la santé est présentée dans le chapitre 11.)

LE NIVEAU D'INSTRUCTION

Le niveau d'instruction agit de plusieurs façons sur le maintien de la santé. Il existe un lien étroit entre le niveau d'instruction et le revenu. Les personnes ayant un niveau d'instruction peu élevé risquent de vivre dans la pauvreté. Or, comme nous l'avons déjà mentionné, la pauvreté a un impact important sur l'état de santé des individus et de la population. En outre, les personnes dont le niveau d'instruction est peu élevé sont désavantagées à divers points de vue : elles ont moins accès à l'information sur la santé, moins d'habiletés à résoudre leurs problèmes et le sentiment d'avoir moins de contrôle sur leur vie (Reutter, 2001). Finalement, plusieurs facteurs peuvent influer sur la santé des individus dans le milieu du travail. Les travailleurs peuvent être exposés à divers agents chimiques. Bien que l'exposition soit généralement faible, l'accumulation d'agents chimiques dans l'organisme au fil des ans peut présenter un risque pour la santé. Pour d'autres travailleurs, le stress ou les efforts liés à la posture ou à d'autres facteurs ergonomiques peuvent produire des effets négatifs sur la santé. Plusieurs autres facteurs, incluant les caractéristiques du travail (tâches répétitives, niveau de contrôle) et les agents physiques (bruit, éclairage, température ambiante), sont aussi pris en considération lors de l'élaboration de programme de promotion de la santé. Le milieu de travail est une source de problèmes de santé, mais c'est aussi un endroit idéal pour promouvoir la santé des hommes et des femmes à l'âge adulte. Les professionnels de la santé peuvent jouer un rôle important dans l'élaboration de programmes de prévention des accidents, mais aussi dans le développement de politiques organisationnelles favorisant la promotion de la santé des employés.

L'ENVIRONNEMENT PHYSIQUE

Plusieurs facteurs environnementaux, notamment la qualité de l'air, de l'eau et du sol, influent sur la santé des individus et de la population. Bien que le rôle de l'environnement dans la propagation des maladies infectieuses soit connu depuis longtemps, l'attention accordée aux dangers tels que la contamination de l'eau, les pesticides sur les fruits et les légumes ou encore la pollution de l'air est plus récente (Clark, 2003). Compte tenu de l'importance de l'impact de l'environnement sur la santé, un chapitre complet lui est consacré (chapitre 13).

LE PATRIMOINE BIOLOGIQUE ET GÉNÉTIQUE

Bien que la génétique soit un déterminant important de la santé, son rôle dans l'apparition des maladies est souvent difficile à déterminer (Baird, 1994). Les maladies héréditaires peuvent se manifester à n'importe quel moment du cycle de la vie et elles résultent d'une interaction complexe entre le patrimoine génétique de l'individu et l'environnement (Baird, 1994). Selon Baird, une évaluation en profondeur des facteurs génétiques et de leurs interactions avec les facteurs de l'environnement est nécessaire avant d'établir des programmes de dépistage. Une connaissance approfondie des facteurs génétiques permettra également d'améliorer la santé des individus et de la population.

LES HABITUDES DE VIE ET LES CAPACITÉS D'ADAPTATION PERSONNELLE

Les habitudes de vie ont assurément un impact sur la santé. On entend par « habitudes de vie » les comportements que l'individu adopte et maintient dans le temps. Ces comportements ne peuvent être modifiés sans prendre en considération les circonstances sociales, environnementales et culturelles dans lesquelles l'individu développe ces habitudes (Tones et Green, 2004). Les trois principales approches visant le changement des habitudes de vie incluent l'information et la motivation, l'autonomisation (*empowerment*) de l'individu en matière de santé et les interventions visant les facteurs socioéconomiques et environnementaux.

LE DÉVELOPPEMENT SAIN DANS L'ENFANCE

Le maintien et la promotion de la santé des enfants a un impact important sur la santé de la population. Les enfants qui reçoivent des soins préventifs et développent des habitudes de vie saines risquent moins d'avoir des problèmes de santé. Il est donc important d'offrir aux enfants un environnement social, économique et physique propice à leur épanouissement et à l'adoption d'un mode de vie sain.

LES SERVICES DE SANTÉ

Les services de santé préventifs jouent un rôle important dans le maintien de la santé de la population. Les tests de dépistage, tels la mammographie ou le test de Pap, permettent de diagnostiquer et de traiter rapidement la maladie. L'efficacité de l'immunisation pour prévenir plusieurs maladies infectieuses est clairement établie. On note toutefois un large fossé entre les sommes allouées aux services de santé comparativement aux fonds alloués aux autres déterminants de la santé. Les ressources financières sont largement utilisées pour les soins curatifs et très peu pour les activités visant la promotion de la santé.

Le sexe

En tant que déterminant de la santé, le sexe réfère aux différences biologiques et aux expériences psychologiques et culturelles observées entre les femmes et les hommes ainsi qu'à l'interrelation entre ces dimensions (Keleher, 2004). On peut considérer, par exemple, certaines maladies chroniques telles que le cancer du sein chez la femme, le cancer de la prostate chez l'homme, les maladies cardiovasculaires et le diabète. Des facteurs génétiques peuvent aussi influer sur la santé psychologique. On constate, par exemple, que le taux de suicide est plus élevé chez l'homme que chez la femme (Comité consultatif fédéral-provincial-territorial sur la santé de la population, 1999). Les différences psychologiques incluent, entre autres, l'attitude des hommes et des femmes vis-à-vis des comportements en matière de santé, l'adaptation aux situations stressantes et le concept de soi (Keleher, 2004). En outre, les écarts importants qui existent toujours entre le revenu des hommes et des femmes, et les emplois qu'ils ocupent prédisposent les femmes à souffrir davantage de pauvreté.

La culture

La culture représente une façon de percevoir et de se comporter. Elle est le fondement de nos valeurs, de nos croyances et de nos habitudes. Plusieurs aspects culturels peuvent influer sur les habitudes de vie et sur la santé. C'est pourquoi il est important de considérer le facteur culturel dans l'élaboration des programmes de promotion de la santé. Le chapitre 15 porte spécifiquement sur les facteurs culturels et les soins interculturels.

L'environnement social

« L'environnement social inclut les groupes auxquels les personnes appartiennent, les quartiers où elles vivent, l'organisation dans le milieu de travail et les politiques adoptées pour maintenir l'ordre » (traduction libre, Yen et Syme, 1999). L'environnement social comprend les processus sociaux et économiques, la richesse, les relations de pouvoir, les relations ethniques, le gouvernement, les iniquités sociales, les pratiques culturelles ainsi que les croyances et les institutions religieuses (Barnett et Casper, 2001). Selon Stahl et ses collaborateurs (2001), les relations sociales et le soutien social sont parmi les facteurs de l'environnement social qui influent le plus sur les comportements et l'état de santé. La recherche sur les liens entre l'environnement social n'est pas assez avancée. D'autres études sont nécessaires pour cerner les éléments spécifiques qui ont un impact sur la santé.

Un modèle d'intégration de « la santé de la population » et de « la promotion de la santé »

Hamilton et Bhatti (1996) proposent un modèle pour regrouper les concepts de promotion de la santé et de santé de la population. Ce modèle, fondé sur les neuf déterminants de la santé approuvés en 1994 par les ministres de la Santé de tous les paliers de gouvernement, précise les niveaux d'intervention et propose un ensemble de stratégies pour apporter les changements nécessaires au maintien et à l'amélioration de la santé.

Les niveaux d'intervention spécifiés dans le modèle comprennent notamment l'individu, la famille, les agrégats (école, lieu de travail), les quartiers, la communauté et la société (Hamilton et Bhatti, 1996). Bien que les professionnels de la santé interviennent depuis longtemps auprès des individus, de la famille, du quartier et de la communauté, ce modèle suggère que les interventions s'adressent à la société en général. Il faudrait accorder plus d'attention aux divers secteurs ou systèmes tels que l'éducation, le revenu et le logement, lesquels influent sur l'état de santé de la population (Hamilton et Bhatti, 1996).

Les actions proposées pour agir de façon positive sur les déterminants de la santé et promouvoir la santé sont les suivantes : renforcer l'action communautaire, établir des politiques saines, créer des environnements favorables à la santé, développer des aptitudes personnelles et réorienter les services de santé (adaptation de la *Charte d'Ottawa pour la promotion de la santé* par Hamilton et Bhatti, 1996).

Les interventions en promotion de la santé

Malgré les nombreux discours sur l'importance de l'environnement social et physique pour la santé, les interventions visent encore principalement les changements de comportements, en particulier les habitudes de vie et la prévention des maladies (Raphael, 2003).

Selon Laverack et Labonte (2000), les autorités de la santé publique n'abordent pas suffisamment les déterminants de la santé qui sont de nature plus structurelle, telles les inégalités économiques, la discrimination sociale et la dégradation de l'environnement. Pourtant, les facteurs importants à considérer si l'on veut, par exemple, réduire l'incidence des maladies cardiovasculaires, une des principales causes de décès au Canada, sont, entres autres, les revenus insuffisants, les inégalités économiques et sociales, l'incapacité à participer à des activités sociales ainsi que l'exclusion de la prise de décision et de la participation civique (Raphael, 2003).

La planification de programmes en santé publique relève souvent des problèmes de santé ou des facteurs de risque jugés prioritaires par les instances gouvernementales et non par les citoyens eux-mêmes. Dans cette approche qualifiée de «descendante», les professionnels de la santé assument seuls la responsabilité à chaque étape du processus d'élaboration du programme. Ils invitent les citoyens à participer au processus seulement après la mise sur pied du programme. Par ailleurs, dans le contexte de l'approche dite démocratique, les citoyens sont au cœur de la planification des programmes. Ils participent à la prise de décision tout au long du processus au même titre que les professionnels de la santé. Ces derniers aident les citoyens à cerner les questions de santé qui pourraient jouer un rôle dans l'amélioration de leur qualité de vie et à adopter des stratégies pour y arriver (Laverack et Labonte, 2000). L'*empowerment* fait partie de l'approche démocratique. Laverack et Labonte (2000) affirment que l'utilisation d'une approche n'exclut pas l'autre et ils soulignent que l'objectif de l'approche fondée sur l'*empowerment* pourrait être intégré aux programmes gérés selon l'approche descendante.

L'*EMPOWERMENT*

Bien que le terme *empowerment* soit couramment utilisé dans le domaine de la santé, sa signification en promotion de la santé n'est toujours pas claire (Rissel, 1994). En général, on entend par *empowerment* le processus par lequel les personnes ou les communautés acquièrent davantage d'emprise sur les facteurs qui influent sur leur santé et sur leur vie (Laverack et Labonte, 2000). Selon Rodwell (1996), ce concept inclut des éléments de pouvoir, d'autorité et de permission. Masson et ses collaborateurs (1991) ajoutent qu'il permet aux personnes de reconnaître leurs forces, leurs habiletés et leur pouvoir personnel. L'*empowerment* comprend également le partage des pouvoirs ainsi que le respect de soi et d'autrui.

Rodwell (1996, p. 309) suggère une définition plus globale de l'*empowerment*: «un processus par lequel les personnes ou les communautés peuvent changer une situation en développant leurs habiletés et en obtenant les ressources, les occasions et l'autorité nécessaires pour apporter ce changement» (traduction libre). Les principales caractéristiques du processus d'*empowerment* comprennent un processus d'aide, des partenariats qui valorisent toutes les personnes concernées dans l'échange, des décisions relatives à l'utilisation des ressources, aux occasions d'agir et à l'autorité exercée sur une base de mutualité, ainsi que la liberté de faire des choix et d'en accepter la responsabilité (Rodwell, 1996).

Selon Kieffer (1984), l'*empowerment* s'acquiert de façon progressive; le processus comprend quatre étapes. À la première étape, l'entrée, la personne démythifie l'autorité et la structure du pouvoir. Sa participation est exploratoire et incertaine. À la deuxième étape, celle de l'avancement, la personne commence à développer des mécanismes pour l'action et assume la responsabilité de ses choix. À la troisième étape, celle de l'incorporation, la personne s'affirme; elle est capable de combattre les barrières structurelles ou institutionnelles pour arriver à l'autodétermination. Elle développe des habiletés sur les plans organisationnel et politique. Finalement, à la quatrième étape, elle est prête à s'engager et à prendre la responsabilité de cet engagement. Elle utilise alors ces nouvelles connaissances et habiletés dans sa réalité de tous les jours.

L'*empowerment* communautaire est généralement défini comme un continuum, allant de l'*empowerment* personnel au développement de groupes d'entraide ou de soutien, en passant par l'organisation communautaire, les partenariats et l'action sociale et politique (Rissel, 1994). Cette définition permet de déterminer les différentes façons par lesquelles les personnes peuvent passer de l'action individuelle (l'*empowerment* personnel) à l'action sociale et politique (Laverack et Wallerstein, 2001). Le but de l'*empowerment* communautaire est de transformer les relations de pouvoir et de favoriser les changements sociaux (Laverack et Wallerstein, 2001). Rissel (1994) a décelé plusieurs obstacles à l'*empowerment* communautaire, en particulier la nébulosité de la définition du concept, la méconnaissance de ses éléments clés, la difficulté à le mesurer, et la difficulté liée au transfert du pouvoir (Rissel, 1994). Malgré ces difficultés, l'*empowerment* communautaire offre la possibilité d'améliorer l'état de santé de la communauté en apportant des changements structurels grâce à l'action politique.

Pour favoriser l'*empowerment* communautaire, il est essentiel que les professionnels de la santé acceptent de ne pas avoir le « contrôle ». Ils doivent reconnaître que la santé de la population relève des citoyens (Labonte, 1994). Il faut donc donner la chance aux citoyens de choisir leurs solutions et les aider à surmonter les obstacles de nature économique, bureaucratique ou autres qui les empêchent d'agir dans leur propre intérêt (Labonte, 1994). L'organisation communautaire, la formation de groupes de soutien ou d'entraide, l'action politique, les autosoins, la coalition et le rôle de défenseur des droits des citoyens comptent au nombre des stratégies proposées pour aider les citoyens à enrayer ou à améliorer les conditions sociales inéquitables (Labonte, 1994).

La participation

La participation du public est une des stratégies fondamentales proposées par le gouvernement fédéral dans le rapport *La santé pour tous : Plan d'ensemble pour la promotion de la santé* afin d'atteindre l'objectif de la santé pour tous : « Encourager la participation du public, c'est aider les gens à exercer un contrôle sur les facteurs qui influent sur leur santé. Nous devons munir les gens et les rendre capables de poser des gestes pour conserver ou améliorer leur santé » (Epp, 1986).

L'OMS (1986) définit la participation communautaire comme « un processus dans lequel les individus et les familles assument la responsabilité pour leur santé et leur bien-être et pour ceux de la communauté, et développent la capacité de contribuer à leur développement et à celui de la communauté ». Rifkin et ses collaborateurs (1988) ajoutent que la participation du public est un processus social par lequel les membres, habitant une même région et partageant les mêmes besoins, travaillent ensemble à la recherche de solutions.

Selon Zakus et Lysack (1998), le niveau de participation varie considérablement. Les participants peuvent seulement recevoir de l'information ou participer à des activités prédéterminées (niveau minimal), ou encore gérer complètement le projet. Il est important de se souvenir que la participation n'est pas statique et que le niveau de participation peut varier tout au long d'un projet. Au début, les membres du groupe doivent s'habituer à travailler ensemble et acquérir le sentiment de faire partie de l'équipe. Si la participation diminue, il faut en déterminer les causes et corriger la situation le plus tôt possible. Les principaux obstacles à la participation sont le manque de temps, le partage du pouvoir, l'absence d'un sentiment d'appartenance, la personnalité des membres et la difficulté d'arriver à un consensus. Des conflits peuvent aussi survenir en raison d'une compréhension différente du mandat ou de divergences sur le plan philosophique.

Le succès de la participation communautaire à un projet dépend de plusieurs facteurs. D'abord, il est essentiel que les professionnels de la santé engagés dans le projet aient une bonne connaissance de la communauté (son histoire, ses ressources, etc.), et qu'ils soient sincères dans leur intention d'inclure les citoyens. Le rôle des participants et les limites de l'autorité qui leur est conférée doivent être clairement définis. Il est nécessaire de discuter franchement des difficultés qui surviennent et d'utiliser au besoin des stratégies de résolution de conflits. Pour encourager la participation, des mécanismes de renforcement doivent être intégrés au projet.

L'évaluation de la participation des citoyens aux projets de promotion de la santé se limite souvent au nombre de participants et à un court questionnaire sur la satisfaction. Bjaras et ses collaborateurs (1991) ont proposé des indicateurs du niveau de participation permettant de comparer l'engagement des participants à différents moments. La participation de la communauté est jugée minime dans les situations suivantes : l'évaluation des besoins est menée par les professionnels de la santé ; le directeur du projet est un professionnel de la santé ; la structure organisationnelle est déjà établie et peu souple ; les citoyens n'ont pas voix au chapitre en ce qui concerne la mobilisation des ressources ; les professionnels de la santé sont responsables du projet et en gèrent les activités (Bjaras et autres, 1991). La participation peut être qualifiée de « moyenne » dans les situations suivantes : l'évaluation des besoins est faite conjointement par les professionnels de la santé et les membres de la communauté ; les citoyens participent activement au projet et leurs intérêts sont au premier plan ; la structure organisationnelle est plus souple ; les citoyens contribuent à certains aspects du projet et les décisions sont prises conjointement par les membres de la communauté et les professionnels de la santé. Enfin, la participation est considérée comme élevée dans les situations suivantes : les citoyens déterminent eux-mêmes leurs besoins ; ils exercent un contrôle sur les activités et en assument le leadership ; la structure organisationnelle est très souple ; la contribution des citoyens au projet est extrêmement importante ; ils choisissent et gèrent les activités (Bjaras et autres, 1991). Le professionnel de la santé joue le rôle de consultant (Bjaras et autres, 1991). Ce modèle permet d'évaluer divers aspects de la participation, d'en décrire le processus et de cerner les changements survenus sur une certaine période de temps. Selon Bjaras et ses collaborateurs (1991), la principale faiblesse du modèle tient au fait que certains facteurs de participation, comme l'équité, ne sont pas inclus dans l'évaluation. Il est difficile de s'assurer que les besoins des personnes les plus défavorisées soient comblés.

En terminant, soulignons qu'en matière de promotion de la santé, il est important de préciser la différence entre le concept de participation et celui d'*empowerment*. L'objectif de l'*empowerment* est d'apporter des changements sociaux et politiques, ce qui n'est pas nécessairement le cas des approches où l'on encourage la participation des citoyens (Laverack et Wellerstein, 2001). La participation des citoyens à la planification des programmes peut aider ces derniers à acquérir des compétences et des habiletés, mais elle n'aide pas toujours la communauté à accroître son pouvoir par des actions sociales et politiques (Laverack et Wellerstein, 2001).

La collaboration

Les divers intervenants ont recours à plusieurs approches communautaires pour aborder les grands problèmes associés aux déterminants sociaux et environnementaux. Ils peuvent stimuler la participation des citoyens par la création d'alliances ou de partenariats, ou proposer d'autres formes de collaboration. Une alliance est une forme de collaboration entre deux ou plusieurs personnes, ou agences, dans le but de promouvoir la santé sans nécessairement préciser des objectifs (Gillies, 1998). Un partenariat est un accord entre deux ou plusieurs partenaires qui consentent à travailler ensemble pour atteindre des buts communs en santé (traduction libre, Gillies, 1998, p.101). Le partenariat est aussi « un moyen de partager des pouvoirs et de favoriser la reconnaissance interdisciplinaire » (Block, 1993). C'est une façon formelle d'amener les personnes à travailler ensemble pour trouver des solutions différentes alors que la collaboration est une façon informelle de le faire. Nelson (2000) propose trois étapes à suivre avant d'élaborer un programme : la formation du partenariat (sélection des membres), la clarification des valeurs, des visions et des principes de travail ainsi que l'établissement et la mise en commun des forces et des ressources des divers partenaires. Les principales difficultés liées à l'établissement d'un partenariat incluent le partage du pouvoir, le manque d'engagement des personnes à la base (les citoyens ou les professionnels offrant les services) et les conflits de personnalité.

L'action intersectorielle

Le secteur de la santé doit travailler en collaboration avec d'autres secteurs, tels le transport, l'agriculture et l'habitation, pour améliorer la santé de la population. L'action intersectorielle exige de la part des divers secteurs « une meilleure compréhension des déterminants de la santé et un appui de l'approche axée sur l'amélioration de la santé de la population » (Comité consultatif fédéral-provincial-territorial sur la santé de la population, 1999, p. 7). Localement, cela signifie que les individus des divers secteurs travaillent ensemble pour répondre aux besoins en matière de santé de la communauté (Haggart, 2000). Cette action intersectorielle offre l'avantage d'une vision plus holistique, ce qui favorise l'analyse du problème sous plusieurs angles et permet d'adopter des solutions mieux adaptées aux besoins de la population visée.

Le mouvement Villes en santé

Le concept de Villes en santé (*Healthy Cities*) a été introduit par Dult et Hancock vers le milieu des années 1980 (Norris et Pittman, 2000). Les concepts d'*empowerment* et de participation proposés par la *Charte d'Ottawa* (1986) et le rapport Epp (1986) ont guidé le mouvement Villes en santé.

Une ville en santé est celle « qui améliore constamment son environnement physique et social et qui, avec les ressources de la communauté, rend ses citoyens et citoyennes aptes à s'entraider dans la réalisation de leurs activités courantes et en mesure de développer pleinement leur potentiel » (Fortin et autres, 1992). Dans ce type de projet, le rôle du gouvernement local inclut l'élaboration de politiques qui favorisent la santé, l'encouragement d'actions intersectorielles et la création d'un milieu physique et social favorisant la santé. Le projet de Ville en santé vise à promouvoir l'*empowerment* et la participation communautaire, et à créer un point de ralliement pour l'action intersectorielle.

En conclusion, nous observons que, malgré les discours sur l'importance des facteurs de l'environnement social et physique, les efforts pour aider les individus à maintenir et à promouvoir la santé visent principalement les changements de comportements. Pourtant, les comportements ou les habitudes de vie ne peuvent pas être modifiés sans changer l'environnement social et physique. Pour apporter des améliorations significatives à la santé de la population, il faut aller au-delà des changements de comportements. Il est nécessaire d'élaborer des programmes et des politiques qui répondent aux problèmes de la pauvreté et des iniquités sociales et économiques, et aux risques que représente l'environnement physique pour la santé. Les approches communautaires telles que les partenariats, les alliances et d'autres formes de collaboration sont des moyens efficaces pour favoriser l'*empowerment* et la participation communautaire. Les professionnels de la santé doivent travailler en équipe multidisciplinaire et en collaboration avec les autres secteurs pour apporter des changements durables dans l'environnement social et physique. Selon Hancock (1999), au cours des 10 à 25 prochaines années, les changements majeurs dans l'environnement physique et les forces économiques constitueront les principaux défis à relever en matière de santé.

RÉFÉRENCES

ARNSTEIN, S. (1969). « A ladder of citizen participation », *Journal of the American Association of planners*, n° 35, p. 216-224.

BAIRD, P.A. (1994). « The role of genetics in population health », dans R.G. Evans, M.L. Barer et T.R. Marmor, *Why are Some People Healthy and Others not? The Determinants of Health*, New York, Aldine De Gruyter.

BARNETT, E. et M. CASPER (2001). « A definition of "Social Environment" », *American Journal of Public Health*, vol. 91, n° 3, p. 465.

BJARAS, G., B.J.A. HAGLUND et S.B. RIFKIN (1991). « A new approach to community participation assessment », *Health Promotion International*, n° 5, p. 199-206.

BLAXTER, M. (1990). *Health and Lifestyles*, Londres, Tavistock/ Routledge.

BLOCK, P. (1993). *Stewardship: Choosing Service Over Self-Interest*, San Francisco, Berrett-Koehler Publishers, dans V.J. Shannon (1998), « Partnerships: The foundation for future success », *Canadian Journal of Nursing Administration*, vol. 11, n° 3, p. 61-76

BRESLOW, L. (1989). « Health status measurement in the evaluation of health promotion », *Medical Care*, n° 27, p. S205-S216.

CLARK, M.J. (2003). *Community Health Nursing Caring for Populations*, Upper Saddle River (New Jersey), Prentice Hall.

COMITÉ CONSULTATIF FÉDÉRAL-PROVINCIAL-TERRITORIAL SUR LA SANTÉ DE LA POPULATION (1999). *Pour un avenir en santé, deuxième rapport sur la santé de la population.* Rapport préparé pour la conférence des ministres de la Santé, Charlottetown (Île-du-Prince-Édouard), n° de catalogue H39-468/1999F, ISBN 0-662-83541-7.

EPP, J. (1986). *La santé pour tous: Plan d'ensemble pour la promotion de la santé*, ministre des Approvisionnements et Services Canada, p. H39-K102, ISBN 0-662-94046-6.

EVANS, R.G. et G.L. STODDART (1994). « Producing health, consuming health », dans R.G. Evans, M.L. Barer et T.R. Marmor, *Why Are Some People Healthy and Others Not? The Determinants of Health*, New York, Aldine De Gruyter.

FORTIN, J.P., G. GROLEAU, M. O'NEILL, V. LEMIEUX, L. CARDINAL et P. RACINE (1992). « Villes et Villages en santé – les conditions de réussite », *Promotion de la santé*, vol. 31, n° 2, p. 6-10

GILLIES, P. (1998). « Effectiveness of alliances and partnerships for health promotion », *Health Promotion International*, vol. 13, n° 2, p. 99-118.

GLOUBERMAN, S. et J. MILLAR (2003). « Evaluation of the determinants of health, health policy, and health information systems in Canada », *American Journal of Public Health*, vol. 91, n° 3, p. 388-392.

GREEN, L.W. et M.W. KREUTER (1991). *Health Promotion Planning: An Educational and Environmental Approach*, 2e éd., Mountain View (Californie), Mayfield Publishing.

HAGGART, M. (2000). « Promoting the health of communities », dans J. Kerr, *Community Health Promotion Challenges for Practice*, Londres, Baillière Tinball.

HAMILTON, N. et T. BHATTI (1996). *Promotion de la santé de la population. Modèle d'intégration de la santé de la population et de la promotion de la santé*, Santé Canada, Division du développement de la promotion de la santé.

HANCOCK, T. (1999). « Future Directions in Population Health », *Revue canadienne de santé publique*, n° 90, suppl. 1, p. S68- S70.

HANCOCK, T. (1994). « Health promotion in Canada: Did we win the battle but lose the war? », dans A. Pederson, M. O'Neill et I. Rootman, *Health Promotion in Canada Provincial, National & International Perspectives*, Toronto, W.B. Saunders.

HELMAN, C.G. (2000). *Culture, Health and Illness*, 4e éd., Oxford, Butterworth – Heinemann.

HOGART, J. (2000). *Vocabulaire de la santé publique*, Organisation mondiale de la santé, Copenhague, Bureau régional de l'Europe, p. 208.

HUFF, R.M. et M.V. KLINE (1999). *Promoting Health in Multicultural Populations: A Handbook for Practitioners*, Thousand Oaks (Californie), Sage Publications.

KELEHER, H. (2004). « Why build a health promotion evidence base about gender? », *Health Promotion International*, vol. 19, n° 3, p. 277-279.

KIEFFER, C. (1984). « Citizen empowerment: A developmental perspective », *Prevention in Human Services*, n° 3, p. 9-36.

KUSS, T., L. PROULX-GIRARD, S. LOVITT, C. KATZ et P. KENNELLY (1997). « A public health nursing model », *Public Health Nursing*, vol. 14, n° 2, p. 81-91.

LABONTE, R. (1994). « Health promotion and empowerment: Reflections on professional practice », *Health Education Quarterly*, vol. 21, n° 2, p. 253-268.

LALONDE, M. (1974). *Nouvelles perspectives de la santé des Canadiens*, Ottawa, Gouvernement du Canada, n° de catalogue H31-1374.

LARSON, J.S. (1999). « The Conceptualization of Health », *Medical Care Research and Review*, vol. 56, n° 2, p. 123-136.

LAVERACK, G. et N. WALLERSTEIN (2001). « Measuring community empowerment: A fresh look at organizational domains », *Health Promotion International*, vol. 16, n° 2, p. 179-183.

LAVERACK, G. et R. LABONTE (2000). « A planning framework for community empowerment goals within health promotion », *Health Policy and Planning*, vol. 15, n° 3, p. 255-262.

MASSON, D.J., B.A. BARKER et C.D. GEORGES (1991). « Towards a feminist model for political empowerment of nurses », *Image: Journal of Nursing Scholarship*, vol. 23, n° 2, p. 72-77.

McGUIRE, S.L. (2002). « Community as partner », dans S. Clemen-Stone, S.L. McGuire et D.G. Eigsti, *Comprehensive Community*

Health Nursing Family, Aggregate, & Community practice, 6e éd., Toronto, Mosby.

MILIO, N. (2001). « Glossary : Healthy public policy », *J. Epidemiol Community Health,* n° 55, p. 622-623.

NAIDOO, J. et J. WILLS (2005). *Public Health and Health Promotion – Developing Practice,* Londres, Baillière Tindall.

NELSON, G., J.L. AMIO, T. PRILLELTENSKY et P. NICKELS (2000). « Partnerships for implementing school and community prevention programs », *Journal of Educational and Psychology Consultations,* n° 11, p. 121-122.

NORIS, T. et M. PITTMAN (2000). « The healthy communities movement and the coalition for healthier cities and communities », *Public Health Reports,* n° 115, p. 118-124.

O'NEILL, M. et A. PEDERSON (1994). « Two analytic paths for understanding Canadian developments in health promotion », dans A. Pederson, M. O'Neill et I. Rootman (dir.), *Health Promotion in Canada,* Toronto, W.B. Saunders.

O'NEILL, M. (1997). « Promotion de la santé : Enjeux pour l'an 2000 », *Canadian Journal of Nursing Research,* vol. 30, n° 4, p. 249-256.

O'NEILL, M., A. PEDERSON et I. ROOTMAN (2001). « La promotion de la santé au Canada : déclin ou mutation ? », *Ruptures, revue transdisciplinaire en santé,* vol. 7, n° 2, p. 50-59.

ORGANISATION MONDIALE DE LA SANTÉ (1974). *Services infirmiers des collectivités,* Séries de rapports techniques, 558, Genève.

ORGANISATION MONDIALE DE LA SANTÉ, SANTÉ ET BIEN-ÊTRE CANADA et ASSOCIATION CANADIENNE DE SANTÉ PUBLIQUE (1986). *Charte d'Ottawa pour la promotion de la santé : Une conférence internationale pour la promotion de la santé, vers une nouvelle santé publique,* novembre, Ottawa.

RAPHAEL, D. (2003). « Barriers to addressing the societal determinants of health : Public health units and poverty in Ontario, Canada », *Health Promotion International,* vol. 18, n° 4, p. 397-405.

REUTTER, R. (2001). « Health and wellness », dans P.A. Potter et A.G. Perry ; J.C. Ross-Kerr et M.J. Wood (dir.), *Canadian Fundamentals of Nursing,* Toronto, Mosby.

RIFKIN, S., F. MULLER et W. BICHMANN (1988). « Primary health care : On measuring participation », *Social Sciences and Medicine,* vol. 26, n° 9, p. 931-940.

RISSEL, C. (1994). « Empowerment : The holy grail of health promotion ? », *Health Promotion International,* n° 9, p. 39-47.

ROBERGE, R., J. BERTHELOT et M. WOLFSON (1995). « Health and socio-economic inequalities », *Can Soc Trends,* n° 37, p. 15-16.

ROBINE, J.M. et K. RITCHIE (1991). « Health life expectancy-evaluation of global indicators of Change in population health », *British Medical Journal,* vol. 302, n° 6774, p. 457-460.

RODWELL, C.M. (1996). « An analysis of the concept of empowerment », *Journal of Advanced Nursing,* n° 23, p. 305-313.

SANTÉ CANADA (1996). *Pour une compréhension commune. Une clarification des concepts clés de la santé de la population.* Un document de travail,

SARACCI, R. (1997). « The world health organization needs to reconsider its definition of health », *British Medical Journal,* n° 314, p. 1409-1410.

STAHL, T., A. RUTTEN, D. NUTBEAM, A. BAUMAN, L. KANNAS, T. ABEL, G. LUSCHEN, D.J.A. RODRIGUEZ, J. VINCK et J. VAN DER ZEE (2001). « The importance of the social environment for physically active lifestyle – results from an international study », *Social Sciences and Medicine,* n° 52, p. 1-10.

STEWART, M. (2000). « Social support, coping, and self-care as public participation mechanisms », dans M. Stewart, *Community Nursing Promoting Canadians' Health,* Toronto, W.B. Saunders.

TONES, K. et J. GREEN (2004). *Health Promotion Planning and Strategies,* Londres, Sage Publications.

WILKINSON, R.G. (1997). « Health inequalities : Relative or absolute material standards ? », *British Medical Journal,* vol. 314, n° 7080, p. 591-594.

YEN, I.H. et S.L. SYME (1999). « The social Environment and Health : A Discussion of the Epidemiology Literature », *Annual Review of Public Health,* n° 20, p. 287-308.

YOUNG, T.K. (2005). *Population Health Concepts & Methods,* New York, Oxford University Press.

ZAKUS, J.D.L. et C. LYSACK (1998). « Revisiting community participation », *Health Policy and Planning,* vol. 13, n° 1, p. 1-12.

CHAPITRE 6

L'ÉDUCATION POUR LA SANTÉ : NOTIONS THÉORIQUES ET GUIDE D'INTERVENTION

LOUISE HAGAN

INTRODUCTION

L'éducation pour la santé a pour but ultime d'améliorer la qualité de vie des personnes par l'apprentissage de comportements favorables à la santé.

Dans le contexte de la santé communautaire, la nature des comportements à adopter peut être très variée. Ces comportements peuvent être compris dans une perspective de promotion de la santé physique et mentale. Ils sont alors considérés comme des facteurs de risque ou de protection de la santé (par exemple, la cessation du tabagisme, la réduction de la consommation d'alcool et de drogue, la pratique régulière de l'exercice physique, la pratique de relations sexuelles protégées, les exercices de relaxation, la consommation d'aliments sains, le réaménagement des activités de travail, de famille et de loisir, l'établissement de relations interpersonnelles enrichissantes, etc.). Ils peuvent aussi être compris dans une perspective de prévention secondaire dans le contexte des services de maintien à domicile ou des services de soins de première ligne (unité de médecine familiale, centres de santé communautaire, centres de soins de jour, etc.). Ces comportements sont le plus souvent désignés comme des comportements d'autosoins : ils sont adoptés en fonction d'une participation au traitement d'un problème de santé et de la prévention des complications associées à ce problème (par exemple, maîtriser les symptômes de l'asthme, du diabète ou de l'hypertension, ou, dans le domaine de la santé mentale, adopter des stratégies d'adaptation personnelle et sociale à une pathologie particulière). Finalement, les comportements visés par les interventions éducatives peuvent être compris dans une perspective de prévention tertiaire, où il s'agit de prévenir ou d'éviter les séquelles d'un problème de santé (par exemple, l'adoption de stratégies d'adaptation à une limitation physique, comme l'AVC, ou à une limitation liée à un problème de santé mentale, comme la schizophrénie, la maladie bipolaire, etc.).

C'est en ayant en tête ces différents contextes de l'éducation pour la santé que nous présentons d'abord, dans ce chapitre, une analyse sommaire du concept de l'éducation pour la santé. Ce concept fournit, sur la base des fondements théoriques les plus utilisés, quelques repères pouvant guider les interventions éducatives à chacune des phases de la démarche éducative.

Nous traitons principalement des fondements théoriques applicables à une population de personnes adultes ne présentant pas de limitations particulières qui nécessiteraient des approches adaptées à des besoins spécifiques.

L'ÉDUCATION POUR LA SANTÉ : DÉFINITION

Éduquer pour la santé est un processus qui requiert du temps et des compétences spécifiques. Il ne s'agit donc pas d'une application systématique et routinière de recettes miracles ou de trucs magiques qui marchent à coup sûr !

Green et Kreuter (1999, page 27) définissent l'éducation pour la santé comme « un ensemble planifié d'expériences d'apprentissage visant à prédisposer une personne et à la rendre apte à adopter volontairement des comportements favorables à la santé ainsi qu'à soutenir l'adoption de ces comportements» (traduction libre).

Les mots sont porteurs de sens. Il importe donc de bien les comprendre pour mieux saisir la portée de cette définition. Le terme «éducation» est préféré à celui d'«enseignement». L'éducation a une signification plus large que l'enseignement. Éduquer vise le développement global de la personne dans la perspective du développement de son autonomie, alors qu'enseigner vise essentiellement à instruire. L'enseignement fait partie de l'action éducative, mais la finalité de l'éducation est plus «holiste».

En utilisant l'expression *ensemble planifié,* on veut souligner le fait que les apprentissages nécessaires à l'adoption des comportements favorables à la santé doivent être systématiquement définis et organisés pour qu'ainsi les interventions éducatives aient une grande efficacité. Le terme *systématiquement* fait référence à l'application d'une démarche de résolution de problèmes fondée sur des assises théoriques pertinentes. Divers modèles de planification systématique des interventions éducatives peuvent aider à faire les meilleurs choix. Le modèle PRECEDE-PROCEED élaboré par Lawrence Green (Green et Kreuter, 1999) est le plus utilisé. Ce modèle écologique permet de bien définir les cibles des programmes d'éducation pour la santé. D'autres modèles psychosociaux complémentaires au PRECEDE-PROCEED peuvent aussi guider le choix des contenus à privilégier pour stimuler et soutenir la motivation favorisant l'acquisition des comportements visés, ou pour guider le développement des habiletés personnelles nécessaires à une plus grande participation à la prévention ou au traitement des problèmes de santé, ou aux soins qu'ils requièrent.

L'expression *un ensemble d'expériences d'apprentissage* signifie qu'il n'y a pas une façon unique d'apprendre. Les personnes ont des facultés d'apprentissage différentes. Elles peuvent avoir plus ou moins de capacités ou de limitations relativement à l'apprentissage. L'art d'éduquer est donc un domaine où on doit tenir compte de ces facteurs. De plus, le choix des expériences d'apprentissage variera selon le type et le niveau d'apprentissage visés: on utilisera des méthodes et des outils éducatifs différents selon que l'on vise des apprentissages cognitifs (des savoirs), des apprentissages affectifs (des attitudes) ou des apprentissages psychomoteurs (des habiletés motrices).

Le terme *prédisposer* signifie «rendre réceptif, développer la motivation»; *rendre apte* signifie «rendre capable», et *soutenir* signifie «aider par divers moyens (renforcement, rétroaction) à maintenir le comportement nouvellement acquis».

Quand on parle d'*adopter volontairement des comportements favorables à la santé,* on veut dire que l'éducation pour la santé ne repose pas sur l'application d'actions coercitives. L'apprentissage de comportements favorables à la santé est plutôt un acte volontaire. Éduquer pour la santé est une forme d'éducation à la liberté et à l'autonomie en matière de santé. C'est un moyen d'aider les gens à faire des choix éclairés, à avoir davantage de contrôle sur leur vie et sur leur qualité de vie. Le terme *santé,* pour sa part, réfère à un concept plus large que l'absence de maladie. Il se rapporte à la capacité d'adaptation d'une personne, à sa capacité de vivre au maximum de son potentiel physique, psychologique et social, et de faire des choix d'actions pour améliorer sa qualité de vie.

L'analyse du contenu de cette définition montre que l'art d'éduquer pour la santé n'est pas inné. Il repose plutôt sur des savoirs et des compétences spécifiques. Les interventions éducatives les plus efficaces sont fondées, en effet, sur des assises théoriques valides, issues des sciences biologiques et des sciences humaines, notamment la psychologie, la sociologie, l'anthropologie et les sciences de l'éducation.

La démarche éducative : concepts fondamentaux et interventions

L'exercice de la fonction éducative implique la réalisation de différentes étapes qu'on décrit comme étant une «démarche éducative». Cette démarche s'apparente à la démarche de résolution de problèmes. Ces étapes sont:

- la **planification**: reconnaissance et analyse des besoins d'apprentissage, établissement des priorités et formulation des objectifs d'apprentissage;
- l'**application**: facilitation du processus d'apprentissage par l'établissement d'une relation interpersonnelle de confiance, d'aide et de réciprocité favorisant l'apprentissage et le développement de la personne. Cette étape consiste aussi en un choix judicieux de méthodes et d'outils éducatifs adaptés aux objectifs visés. C'est également l'adaptation des contenus et des méthodes éducatives à l'âge de la personne, à ses acquis, à son niveau de scolarité, à son contexte de vie et à son style d'apprentissage;
- l'**évaluation**: jugement critique sur l'ensemble des interventions éducatives et sur le niveau d'atteinte des objectifs visés.

Étape I : La planification des interventions éducatives

La détermination des besoins d'apprentissage et l'établissement des priorités

Cette étape est cruciale puisqu'il y aura apprentissage dans la mesure où les interventions éducatives viseront à satisfaire les besoins spécifiques de la personne. Un piège fréquent guette cependant l'éducateur : celui de définir les besoins presque exclusivement en fonction de ce qu'il perçoit grâce à ses connaissances, à son expérience ou à ses propres perceptions. La reconnaissance des besoins spécifiques d'apprentissage devrait donc se faire conjointement avec la personne ou les personnes concernées. On peut définir un besoin d'apprentissage comme un écart à combler entre le niveau actuel des connaissances, des attitudes et des habiletés de la personne et le niveau de connaissances, d'attitudes et d'habiletés requis pour adopter volontairement un comportement favorable à la santé.

C'est cependant en fonction de ses connaissances scientifiques que l'éducateur peut évaluer l'importance de l'écart à combler. Par exemple, il sait, en principe, quelles sont les connaissances qu'un individu diabétique ou asthmatique doit posséder pour être en mesure de participer activement au traitement et aux soins requis par son état et, ainsi, arriver à une maîtrise optimale de son problème de santé.

Afin de procéder de façon systématique, il peut être bon d'utiliser un modèle conceptuel de planification des interventions éducatives. Le modèle PRECEDE-PROCEED est un modèle conceptuel souvent utilisé dans la planification des programmes d'éducation pour la santé ou de promotion de la santé, si on se réfère au très grand nombre de publications dans ce domaine de recherche.

Le modèle PRECEDE-PROCEED fonctionne comme un tandem. On y trouve une série de phases évaluatives utiles pour planifier, mettre en œuvre et évaluer un programme d'éducation pour la santé. Les phases de la composante PRECEDE permettent de déterminer spécifiquement les priorités d'action et les objectifs qui serviront de cibles et de critères pour l'implantation et l'évaluation des interventions éducatives. La composante PROCEED du modèle est ni plus ni moins une extension de la composante PRECEDE. Elle constitue un développement et une extension de la phase de l'évaluation des aspects administratifs et politiques complémentaires au modèle PRECEDE (voir le chapitre 4).

Franchir les phases du PRECEDE et du PROCEED est comme résoudre un mystère, soulignent Green et Kreuter (1999, p. 38). On pense d'abord de façon inductive et, par la suite, de façon déductive ; on décrit les résultats attendus et ensuite, progressivement, on remonte aux facteurs déterminant ces résultats par une exploration à rebours. On procède à une série d'évaluations ou de diagnostics dont la première étape est l'évaluation de la qualité de vie telle qu'elle est perçue par les personnes visées et dont la dernière consiste à déterminer les composantes administratives et les politiques essentielles à la mise en œuvre des interventions éducatives. Voici, en résumé, la façon d'utiliser le modèle PRECEDE dans la planification.

Les phases d'évaluation servent de repères pour procéder systématiquement à la reconnaissance des besoins d'apprentissage, donc des cibles spécifiques éventuelles des interventions éducatives.

Dans plusieurs situations, le problème de santé visé par les interventions éducatives est déjà connu. Il s'agira alors de commencer la démarche de planification à la phase du modèle qui correspond aux connaissances que l'on possède sur la situation de l'individu (ou du groupe restreint ayant un problème similaire) visé par les interventions éducatives.

Si l'éducateur ne possède aucune information sur les cibles que doit viser son programme d'éducation pour la santé, il devra utiliser toutes les phases du modèle. Il procédera donc de la façon qui suit.

Phase I : l'évaluation sociale

L'éducateur pose essentiellement la question suivante : quels sont les problèmes qui affectent la qualité de vie de cet individu ou de ce groupe d'individus ?

Green et Kreuter (1999) ont défini la qualité de vie comme étant la perception que les individus ou les groupes d'individus ont quant à la satisfaction de leurs besoins et aux possibilités d'être plus heureux et de se réaliser.

Comment les individus perçoivent-ils leur propre qualité de vie ? Qu'est-ce qui, de leur point de vue, contribue à leur insatisfaction et à leur incapacité de vivre pleinement de façon autonome et satisfaisante ?

Certains aspects de la qualité de vie des personnes pourront être améliorés par des interventions éducatives, et d'autres pourront être améliorés par des interventions plus larges faisant appel à des stratégies du domaine général de la promotion de la santé. Au Canada, ces stratégies d'action sont l'action politique, la communication de masse, le marketing social, l'action communautaire, le développement et le changement organisationnel (Pederson, O'Neill et Rootman, 1994).

L'état de santé physique ou mentale peut cependant être amélioré par des interventions éducatives qui aident l'individu à participer plus activement à la prévention ou à la remédiation des problèmes de santé. Il importe cependant, dans cette première phase de planification, de connaître le point de vue des personnes visées, car ce sont elles qui sont les plus aptes à faire part de leurs besoins et de leurs attentes. Ces informations peuvent être recueillies par des entrevues ou par la consultation de documents officiels et crédibles où sont consignées, sur la base d'enquêtes scientifiques régionales, provinciales ou nationales, les préoccupations des personnes concernées.

Phase 2 : l'évaluation épidémiologique

Au cours de cette phase, il s'agit de repérer les problèmes de santé qui peuvent contribuer à l'altération de la qualité de vie des personnes visées par des interventions éducatives. Cette phase constitue en fait la partie plus objective de la collecte des données justifiant une intervention éducative adaptée aux besoins réels des individus.

C'est donc au cours de cette phase que l'éducateur utilise les données épidémiologiques décrivant les problèmes de santé dont la prévalence est élevée et qui semblent associés à la qualité de vie des personnes.

Quel est donc le problème de santé (actuel ou potentiel) à considérer comme cible prioritaire des interventions éducatives dans une situation donnée?

Par exemple, dans la pratique éducative en milieu scolaire, on sait que les MTS constituent des problèmes fréquents susceptibles d'affecter la qualité de vie des adolescents. Dans certaines catégories de travailleurs, l'épuisement professionnel est un problème de santé qui peut grandement affecter la qualité de vie. Les problèmes pulmonaires et cardiaques ainsi que le cancer sont des problèmes de santé susceptibles de compromettre à plus ou moins long terme la qualité de vie de certaines personnes exposées à diverses substances toxiques ou polluantes.

Phase 3 : l'évaluation comportementale

Le but de l'éducation pour la santé est l'adoption de comportements favorables à la santé. Cette phase du modèle PRECEDE permet de déterminer les comportements à changer ou à faire adopter pour réduire l'incidence et la prévalence du problème de santé retenu dans la phase précédente et qu'on juge lié à la qualité de vie des personnes visées par l'intervention éducative.

C'est dans cette phase de planification que la plupart des éducateurs utiliseront le modèle PRECEDE-PROCEED car, le plus souvent, ils interviennent auprès de groupes spécifiques dont le problème de santé (actuel ou potentiel) justifiant une intervention éducative est connu. Par exemple, les éducateurs s'adressent à des personnes qui ont un problème de diabète, d'asthme ou cardiovasculaire, ou à des personnes exposées à certains facteurs de risque importants : sédentarité, tabagisme et autres toxicomanies, stress excessif, etc.

Il s'agit donc, dans cette phase du modèle de planification des interventions éducatives, de repérer les comportements les plus étroitement liés au problème de santé préalablement décrit et retenu. Il s'agit, en fait, de connaître les comportements à acquérir pour réduire le risque de contracter (réduction de l'incidence) ou d'aggraver (réduction de la prévalence) le problème de santé retenu.

On peut ici faire le lien avec les notions de prévention primaire, secondaire et tertiaire. Ainsi, lorsque les personnes visées par l'intervention éducative ne souffrent pas du problème de santé retenu, mais qu'elles manifestent des comportements qui peuvent les amener à en souffrir, l'éducateur visera l'élimination de ces comportements par l'adoption de comportements plus favorables à la santé. Il planifie donc dans une perspective de prévention primaire.

Lorsque, par ailleurs, les personnes souffrent (ont des signes et certains symptômes) du problème de santé retenu comme cible de l'intervention éducative et qu'elles manifestent des comportements qui peuvent aggraver leur condition, l'éducateur visera l'adoption de comportements dans une perspective de prévention secondaire.

Finalement, lorsque les personnes ont un diagnostic confirmé d'un problème de santé chronique ou aigu et qu'elles manifestent des comportements qui entraîneront des complications ou des séquelles importantes, l'éducateur visera l'adoption de comportements dans une perspective de prévention tertiaire.

Au cours de la phase d'évaluation des comportements, l'éducateur devra donc évaluer si les personnes visées par son intervention éducative présentent ou non certains comportements.

Certaines personnes ont plusieurs comportements néfastes pour leur santé. L'éducateur est alors obligé d'établir des priorités parmi certains comportements cibles. Green propose une démarche pour faciliter ce choix.

- Établir la liste des comportements à acquérir ou à changer : les comportements préventifs

(prévention primaire) ou les comportements thérapeutiques (prévention secondaire et tertiaire).
- Classifier les comportements par ordre d'importance. L'importance est déterminée par la fréquence du comportement à risque et son lien avec le problème de santé. Le lien est souvent établi par des études épidémiologiques qui mesurent le risque relatif et le risque attribuable à certains comportements.
- Attribuer une cote à chacun des comportements en fonction de la capacité de le changer. Cette capacité est déterminée par divers facteurs, comme le temps dont l'éducateur dispose pour tenter de modifier ou de faire adopter un comportement. Les comportements qui sont devenus des habitudes de vie à la fois bien ancrées et très répandues sont difficiles à changer. Les comportements de dépendance (tabagisme et consommation d'alcool ou de drogues), les comportements de nature compulsive (l'alimentation compulsive et le travail compulsif) et les comportements routiniers ou associés aux habitudes de vie familiales (repas, loisirs, etc.) sont plus difficiles à changer.
- Établir des priorités en fonction de l'importance du comportement et de la capacité de le changer ou de l'adopter.

Phase 4 : l'évaluation éducationnelle

Cette évaluation permet d'établir jusqu'à quel point la personne est en mesure d'adopter le comportement visé. Il s'agit, en somme, de l'évaluation des besoins spécifiques d'apprentissage. En d'autres mots, on définit les facteurs déterminants de l'adoption ou du maintien du comportement sur lesquels l'éducateur devra agir pour atteindre ses buts ou les résultats escomptés. Ces facteurs déterminants appartiennent à trois catégories : les facteurs prédisposants, les facteurs facilitants ou limitants et les facteurs de renforcement.

Les facteurs prédisposants. Ce sont des facteurs qui précèdent ou déterminent l'adoption du comportement visé par l'intervention éducative ; il peut s'agir de connaissances acquises, de croyances, d'attitudes, de valeurs et de besoins perçus. Ce sont, en fait, les facteurs associés à la motivation d'adopter ou non un comportement favorable à la santé.

Les facteurs facilitants ou limitants. Les facteurs facilitants et limitants sont ceux qui favorisent l'adoption du comportement visé par l'intervention éducative ou qui lui nuisent. Ce sont des facteurs personnels et environnementaux. Parmi les facteurs personnels, il y a les habiletés personnelles qui faciliteront l'adoption du comportement visé (par exemple, l'affirmation de soi, la capacité de résoudre des problèmes, les habiletés à communiquer). L'absence de ces habiletés peut constituer une barrière à l'adoption d'un comportement. L'intervention éducative devra donc chercher à lever cette barrière.

Les facteurs environnementaux peuvent être des facteurs limitants, donc des barrières à l'adoption du comportement. Ces facteurs sont, par exemple, le manque de ressources financières et le manque d'accessibilité aux ressources dans le domaine de la santé. Certaines interventions éducatives viseront à mieux outiller la personne afin qu'elle soit en mesure d'agir sur ces facteurs.

Les facteurs de renforcement. Ces facteurs sont les récompenses ou les rétroactions que l'individu reçoit des professionnels de la santé ou de ses proches, ou, encore, la satisfaction personnelle qu'il éprouve lorsqu'il adopte le comportement visé par l'intervention éducative.

En utilisant l'exemple du problème de l'asthme et en faisant plus directement référence au comportement spécifique de l'assainissement de l'environnement (élimination des allergènes), nous présentons, dans le tableau 6.1, des exemples de questions permettant de franchir cette étape du modèle. C'est en fonction des réponses à ces questions que l'éducateur formulera les objectifs d'apprentissage susceptibles de répondre aux besoins exprimés.

La formulation des objectifs d'apprentissage

Le but ultime visé par les interventions éducatives, on se le rappellera, est d'améliorer la qualité de vie des individus en facilitant le processus d'apprentissage des connaissances, des attitudes et des habiletés requises pour participer activement à la prévention, au contrôle ou à la remédiation d'un problème de santé physique ou mentale. Il importe donc de bien préciser les objectifs à atteindre afin de guider le choix des méthodes et des contenus, et pour permettre d'évaluer l'efficacité des interventions éducatives.

L'apprentissage est mesuré en fonction d'une performance de l'apprenant. L'objectif ne doit contenir qu'un élément spécifique d'apprentissage (il faut éviter les « et ») pour faciliter l'évaluation éventuelle de son atteinte (Redman, 2001). L'énoncé doit spécifier le **résultat attendu, à l'aide d'un verbe d'action,** de l'intervention éducative. Il doit aussi, idéalement, spécifier le **seuil de performance** et les **conditions**

TABLEAU 6.1 EXEMPLES DE QUESTIONS POUR ÉTABLIR L'ÉVALUATION ÉDUCATIONNELLE

A : LES FACTEURS PRÉDISPOSANTS

1. Ses connaissances
Que sait-il sur… Que comprend-il de…
… l'anatomie et la physiologie des poumons ?
… la pathophysiologie de l'asthme ?
… l'action des allergènes sur les bronches, etc. ?

2. Ses croyances*
Croit-il…
… être à risque quant à la possibilité de faire une crise d'asthme s'il s'expose à des allergènes auxquels il est sensible ?
… que l'asthme peut avoir des conséquences sérieuses sur sa qualité de vie et sa survie ?
… qu'il y a plus d'avantages que d'inconvénients à participer au traitement et aux mesures visant à prévenir les crises d'asthme ?
… que l'élimination des allergènes permettra d'éviter les crises d'asthme ?
… qu'il est personnellement capable d'éliminer les allergènes de son environnement ?
… que l'opinion des personnes influentes est importante quant à la décision d'assainir son environnement ?
… qu'il est important de se conformer aux opinions des personnes influentes quant à la pertinence d'assainir ou non son environnement, etc. ?

3. Ses attitudes
Jusqu'à quel point…
… envisage-t-il de changer ?
… songe-t-il à changer à moyen terme ?
… est-il disposé à essayer quelques moyens ?
… a-t-il déjà essayé quelques moyens ?

4. Ses besoins perçus
Quelle est sa priorité d'action ?
– Que veut-il changer dans un premier temps ?

B : LES FACTEURS FACILITANTS

1. Ses habiletés personnelles
Est-il capable…
… par exemple, d'exprimer ses émotions par rapport au deuil éventuel de son animal allergène ?

2. Les facteurs environnementaux
Est-ce possible…
… d'éliminer tentures et tapis ?
… d'éliminer les poussières ?
… d'acheter une housse antiacariens, etc. ?

C : LES FACTEURS DE RENFORCEMENT

Sources de soutien
Peut-il compter sur…
… l'appui de ses proches pour faciliter sa décision ?
… le soutien des professionnels de la santé relativement à sa décision ?

* Les modèles psychosociaux présentés dans le chapitre 10 peuvent guider la détermination des croyances et des attitudes à cibler par les interventions éducatives.

dans lesquelles il sera atteint. Il correspond à l'un ou l'autre des trois domaines d'apprentissage : cognitif, affectif, psychomoteur. Chacun de ces domaines d'apprentissage comprend des niveaux d'apprentissage différents.

Voici un exemple d'un objectif d'apprentissage pour une personne diabétique.

Au terme de la première rencontre (*condition de réalisation*), Madame X sera capable de nommer (*verbe d'action*) quatre (*seuil de performance*) effets négatifs possibles (*résultat attendu*) d'une alimentation mal équilibrée.

L'éducateur doit connaître la nature et le niveau du besoin d'apprentissage à combler afin de choisir les méthodes et les outils éducatifs les plus appropriés.

L'APPRENTISSAGE COGNITIF

Ce domaine d'apprentissage correspond au savoir que la personne doit acquérir pour adopter le comportement visé. C'est un facteur prédisposant du modèle PRECEDE. L'apprentissage cognitif comprend six différents niveaux (Bloom, 1977, dans Legendre, 1993). Ces niveaux sont hiérarchisés. Ainsi, une personne ne peut comprendre si elle n'a pas d'abord les connaissances nécessaires, et elle ne peut appliquer une solution ou résoudre un problème si elle ne possède pas une bonne compréhension des connaissances acquises. Il faut donc planifier en fonction d'une gradation des apprentissages, du plus simple au plus complexe. Pour cela, il faut savoir où se situe le besoin spécifique de la personne afin de formuler des objectifs permettant un apprentissage progressif vers le niveau le plus élevé.

Dans le tableau 6.2, on trouve des exemples de comportements illustrant chacun des niveaux d'apprentissage cognitif. Les verbes d'action en caractères gras indiquent le comportement observable attendu à chaque niveau.

Tableau 6.2 Exemples de verbes d'action relatifs aux niveaux de l'apprentissage cognitif (taxonomie de Bloom)

1. **Le niveau « connaissance »**
   – **reconnaître** les…
   – **nommer**…
   Être capable de se souvenir de mots, de faits, de principes.
2. **Le niveau « compréhension »**
   – **expliquer** dans ses mots l'effet de…
   – **comparer** les effets attendus de…
   Être capable d'expliquer, de décrire, de comparer.
3. **Le niveau « application »**
   – **utiliser** le médicament *x* selon les principes d'utilisation
   – **maîtriser** les symptômes de…
   Être capable d'appliquer, de résoudre, de réaliser.
4. **Le niveau « analyse »**
   – relier des éléments (par exemple, les symptômes d'une crise d'asthme à des allergènes de l'environnement)
   Être capable de reconnaître des éléments, des relations, des principes d'organisation.
5. **Le niveau « synthèse »**
   – établir un plan d'action pour contrôler….
   Être capable de produire un plan d'action.
6. **Le niveau « évaluation »**
   – comparer l'action de… avec…
   Être capable de comparer, de conclure, de critiquer.

L'apprentissage affectif

Ce domaine d'apprentissage se rapporte aux croyances, aux attitudes et aux valeurs ; il correspond donc au « savoir-être » que la personne doit posséder par rapport au comportement visé par l'intervention éducative.

Les trois premiers niveaux de l'apprentissage affectif selon la taxonomie de Krathwohl (Legendre, 1993) sont la réception, la réponse et la valorisation. Ces niveaux sont habituellement ceux visés dans le contexte de l'éducation pour la santé.

On ne peut mesurer directement des attitudes. On infère une attitude par l'observation d'un comportement ou par la disposition déclarée de la personne à l'égard d'un comportement. Ainsi, on pourra mesurer les attitudes de la personne en l'interrogeant sur ses dispositions à l'égard d'un comportement visé ou, encore, en observant ses comportements au cours de l'intervention éducative. On pourra alors les situer en fonction des niveaux décrits dans le tableau 6.3.

Le domaine psychomoteur

Ce domaine d'apprentissage se rapporte au savoir-faire de l'individu. Il correspond donc aux habiletés techniques nécessaires à une pratique compétente du comportement visé. Les apprentissages psychomoteurs sont, en général, plus simples que les autres apprentissages.

Tableau 6.3 Exemples de verbes d'action illustrant chacun des niveaux de l'apprentissage affectif (taxonomie de Krathwohl)

1. **Le niveau « réception »**
   – **reconnaître** la pertinence d'agir
   – **accepter** l'idée de devoir agir
   Avoir conscience de…, reconnaître que…, écouter attentivement, percevoir que…
2. **Le niveau « réponse »**
   – **accepter** de prendre certains moyens
   – **éprouver** de la satisfaction à l'idée de…
   Donner en partie son assentiment, avoir la volonté de répondre.
3. **Le niveau « valorisation »**
   – **prendre** l'engagement de…
   – **préférer** faire telle ou telle action
   Traduire un engagement, une acceptation dans l'action.
4. **Le niveau « organisation »**
   – **système de valeurs :** faire des choix délibérés en fonction d'un système de valeurs personnel
   Adhérer à des valeurs, établir des priorités en fonction de valeurs.
5. **Le niveau « caractérisation »**
   – **disposition généralisée :** intégrer les valeurs dans la philosophie de vie
   Maintenir une constance dans les choix de vie ou d'actions selon les valeurs personnelles.

TABLEAU 6.4 EXEMPLES DE VERBES D'ACTION ILLUSTRANT CHACUN DES NIVEAUX DE L'APPRENTISSAGE PSYCHOMOTEUR (TAXONOMIE DE DAVE)

1. **Le niveau « imitation »**
   - tenter spontanément d'imiter l'action de l'éducateur au cours d'une démonstration

   Imite le geste mais de façon malhabile, la coordination est pauvre.
2. **Le niveau « manipulation »**
   - suivre des instructions indiquées sur un mode d'emploi

   A une certaine assurance ou facilité mais n'est pas rapide.
3. **Le niveau « précision »**
   - reproduire avec précision certaines étapes de l'utilisation de...

   Est capable de reproduire une action sans modèle.
4. **Le niveau « structuration »**
   - faire la série d'étapes relatives à l'utilisation de...

   Est capable de régler la vitesse d'exécution et la durée.
5. **Le niveau « naturalisation »**
   - utiliser son aérosol doseur de façon automatique, avec un minimum d'énergie

   A développé un automatisme, une seconde nature.

Comme dans les domaines d'apprentissage précédents, il existe différents niveaux dans l'apprentissage psychomoteur. La taxonomie de Dave (Dave, 1967, dans Legendre, 1993) en spécifie cinq. À l'instar des niveaux des domaines cognitif et affectif, les niveaux de l'apprentissage psychomoteur sont aussi hiérarchisés. On doit donc faire progresser la personne d'un niveau à un autre, plus élevé.

Dans le tableau 6.4, on présente des exemples de comportements illustrant chacun des niveaux de l'apprentissage psychomoteur.

ÉTAPE 2 : L'APPLICATION DE L'INTERVENTION ÉDUCATIVE : FACILITER L'APPRENTISSAGE

Cette deuxième étape concerne le « comment faire » de l'intervention éducative. Pour être en mesure d'agir efficacement, l'éducateur doit d'abord bien comprendre les phases du processus d'apprentissage dans lequel il intervient.

L'APPRENTISSAGE : DÉFINITION

On se base essentiellement sur trois écoles de pensée pour définir l'apprentissage chez l'humain : le behaviorisme, le cognitivisme et l'humanisme (Redman, 2001).

LA PERSPECTIVE BEHAVIORISTE

L'idée centrale de cette façon de concevoir l'enseignement et l'apprentissage consiste à voir la personne comme un être à façonner et, jusqu'à un certain point, à la considérer comme un être privé de sens critique et d'habiletés intellectuelles. L'apprentissage se fera dans le contexte d'un système de stimuli et de réponses attendues. L'acquisition du comportement visé dépendra grandement de l'efficacité des contingences ou de facteurs externes, comme les renforcements positifs sous forme de récompenses ou, encore, la réprobation exprimée par des professionnels de la santé et de l'environnement.

Autrement dit, selon les tenants de l'apprentissage par conditionnement, un éducateur parviendra, par exemple, à inciter une personne à mener des actions préventives ou, encore, à autogérer ses soins s'il l'expose à un programme d'apprentissages progressifs, séquentiels, basés sur l'expectative de récompenses pour chacune de ses réussites et l'évitement de la réprobation des professionnels ou des proches.

LA PERSPECTIVE COGNITIVISTE

« Apprendre, ce n'est pas d'abord et avant tout accumuler des informations, c'est saisir la raison des choses, les relier entre elles, les interpréter et vérifier leur valeur. Apprendre c'est se transformer, faire un changement durable au niveau des connaissances, des comportements ou des attitudes » (Legendre, 1993, p. 66).

Apprendre consiste à traiter les informations reçues, à progresser du plus simple au plus complexe. La motivation à l'apprentissage dans une perspective cognitiviste repose davantage sur des facteurs intrinsèques, comme les croyances, les attitudes et les besoins perçus.

Le travail de l'éducateur qui adhère à une conception cognitiviste de l'apprentissage consistera donc à stimuler et à soutenir les phases suivantes du processus d'apprentissage cognitif intellectuel : la motivation, l'acquisition et la performance.

LA PERSPECTIVE HUMANISTE

L'humain a une propension naturelle, plus ou moins développée, à se mobiliser pour satisfaire ses besoins fondamentaux. On se rappelle ici l'échelle hiérarchique des besoins fondamentaux de Maslow. L'apprentissage peut être vu comme une forme de mobilisation personnelle pour satisfaire ses propres besoins : son besoin de survie, son besoin de sécurité, son besoin d'aimer et d'être aimé, et son besoin d'estime de soi et de réalisation personnelle.

Le rôle de l'éducateur, dans cette perspective, est d'agir à titre de personne-ressource en créant un environnement favorable à l'apprentissage. Son approche est plutôt non directive. Son but est de soutenir la mobilisation de l'individu afin de le conduire vers une plus grande autonomie dans la satisfaction de ses besoins.

Bien que, dans le domaine de l'éducation pour la santé, on s'inspire généralement de ces trois courants de pensée, les perspectives humaniste et cognitive sont davantage utilisées. Ce choix est fondé sur les valeurs sociales dominantes, qui font qu'on considère l'individu non pas comme un être à façonner, mais plutôt comme une personne capable de ressentir, de réfléchir et de décider des meilleurs moyens à prendre pour se maintenir en santé ou rétablir une altération de son état de santé.

STIMULER ET SOUTENIR LA MOTIVATION À ADOPTER UN COMPORTEMENT FAVORABLE À LA SANTÉ

LA MOTIVATION : DÉFINITION

L'apprentissage d'un comportement favorable à la santé est un acte volontaire. **On ne motive pas une personne, on ne peut que faire appel à sa motivation,** comme le soulignent Green et Kreuter (1999).

La motivation est la première étape du processus d'apprentissage d'un comportement favorable à la santé. Elle le conditionne. La motivation n'est pas un phénomène dichotomique qui consisterait à être ou ne pas être motivé. Il s'agit plutôt d'un processus dynamique où l'individu passe d'un état d'amotivation à un état plus ou moins marqué de motivation ou de disposition à passer à l'action. L'adoption d'un comportement favorable à la santé dépend de plusieurs facteurs, et les interventions éducatives doivent, par conséquent, viser des cibles diversifiées. Or, qu'est-ce que la motivation ? Comment les éducateurs peuvent-ils parvenir à l'influencer ?

Les définitions existantes de la motivation réfèrent à un construit hypothétique et non à une entité matérielle. C'est la manifestation comportementale de ce construit qui est observable : la personne agit ou non. Vallerand et Thill (1993, p. 18) proposent la définition suivante : « un construit hypothétique utilisé afin de décrire les forces internes et/ou externes produisant le déclenchement, la direction, l'intensité et la persistance du comportement ».

Les forces internes se rapportent aux composantes cognitives et affectives de la motivation. Ce sont la cognition, les croyances, les attitudes, les émotions, les valeurs et les besoins perçus.

Elles constituent, en fait, des déterminants majeurs de l'adoption d'un comportement favorable à la santé lorsqu'on se réfère aux modèles théoriques les plus utilisés dans l'étude des déterminants de ces comportements[1]. Mentionnons, par exemple, le modèle des croyances relatives à la santé (*Health Belief Model*) de Rosenstock et Becker, celui relatif à la théorie sociale cognitive de Bandura, celui relatif à la théorie de l'action raisonnée de Fisbein et Ajzen, et celui relatif à la théorie de l'évaluation cognitive et de l'adaptation au stress de Lazarus et Folkman, et le modèle transthéorique du changement de comportement en matière de santé de Prochaska et DiClemente (Bastable, 2003, chap. 6 ; Bartholomew et autres, 2001, chap. 4 ; Glanz, Lewis et Rimer, 2002 ; Jackson, 1997 ; Rollnick, Mason et Butler, 1999 ; Lorig et autres, 2001).

La *cognition* réfère à tout un ensemble d'activités et de capacités intellectuelles (par exemple, savoir, comprendre, être capable de résoudre des problèmes). Elle n'est toutefois pas toujours suffisante pour déclencher l'action.

La *croyance*, pour sa part, est une conviction qu'un phénomène ou un objet est vrai ou réel. Ainsi, on peut croire que son efficacité personnelle sera déterminante dans l'adoption d'un comportement. De la même façon, la croyance en sa vulnérabilité personnelle au regard d'un problème de santé peut être déterminante dans la décision d'adopter ou non un comportement préventif.

L'*attitude* est une disposition intérieure de la personne. Elle se traduit par des réactions émotives modérées qui sont apprises puis ressenties chaque fois

1. Pour approfondir sa connaissance de ces modèles, on peut consulter le chapitre 10.

qu'un individu se trouve en présence d'un objet donné, pense à une idée particulière ou participe à une activité donnée. Cette réaction émotive le porte à s'approcher (à être favorable) ou à s'éloigner (à être défavorable). Par exemple, l'individu peut être plus ou moins disposé à autogérer des soins relatifs à une maladie chronique.

L'*émotion* est une autre composante affective de la motivation. Les mots *émotion* et *motivation* ont d'ailleurs la même origine étymologique : ils viennent du latin *movere*, qui signifie « se déplacer », ou *motivus*, « mobile, qui met en mouvement ». L'émotion est un état affectif plus ou moins intense comportant des sensations d'appétit (qui poussent à satisfaire un besoin) ou aversives (qui suscitent la répulsion). L'émotion résulte d'un processus à la fois physiologique et psychologique. L'anxiété est un exemple d'émotion. Elle est susceptible de pousser une personne à agir. On peut la définir comme un sentiment d'inquiétude, d'insécurité. Elle peut stimuler la conscience et inciter la personne à prendre les mesures nécessaires à son contrôle. Par ailleurs, si l'émotion est trop intense, elle peut au contraire inhiber ou paralyser l'action et inciter la personne à recourir à des mécanismes de défense (évitement, négation, régression, etc.) qui lui permettent de faire face à la situation. Par exemple, l'anxiété d'une personne peut faire en sorte qu'elle recherchera les informations utiles pour satisfaire son besoin de sécurité. Si l'anxiété est trop grande, la personne adoptera plutôt un mécanisme de défense qui aura comme effet d'atténuer le mal-être ressenti.

Les *valeurs* font aussi partie des constituantes affectives de la motivation. Elles se traduisent, chez une personne, par une certitude fondamentale, consciente et durable, qu'une manière d'être ou d'agir, qu'un idéal ou qu'une fin constitue un objet hautement désirable. Par exemple, pour plusieurs personnes, l'autonomie personnelle dans le maintien de la santé est une valeur personnelle très forte. Cette valeur sera déterminante quant à l'engagement de ces personnes dans la prise en charge de leur santé.

Finalement, un *besoin perçu* est aussi un élément important de la motivation à agir. Un besoin perçu est l'évaluation subjective que la personne fait elle-même de la nature de l'écart à combler ou d'un ordre de priorités. Il se rapporte au « ressenti/sentiment », à la perception d'un manque sur le plan physique (besoin de survie) ou sur le plan psychologique (besoin de sécurité, besoin d'amour et d'estime de soi). La perception d'un besoin pousse l'individu à agir, à désirer ce qui lui fait défaut. Par exemple, le besoin de respirer plus facilement peut inciter une personne à rechercher l'information et les moyens d'action pour assurer cette fonction vitale. Le besoin d'appartenance d'un adolescent peut l'inciter à adopter ou non un comportement favorable à la santé selon les « normes » établies dans son groupe d'appartenance.

Les forces externes résident dans l'environnement, dans les conditions externes à l'organisme. Elles correspondent aux facteurs limitants ou facilitants du modèle PRECEDE-PROCEED.

Les personnes considérées comme autonomes ou ayant un foyer de contrôle interne sont, en général, davantage motivées par des forces internes, alors que les personnes plus dépendantes, ou ayant un foyer de contrôle externe, sont davantage motivées par des forces externes (rétroactions, récompenses et soutien accru des professionnels de la santé, etc.).

La motivation varie en intensité et en nature chez les individus. Tous ne sont pas motivés par les mêmes éléments. Il faut donc chercher à cerner les facteurs de motivation, les stimuler et les soutenir pour favoriser l'apprentissage des comportements favorable à la santé.

Agir sur la motivation

L'action éducative visant à influencer la motivation diffère selon que la personne est plus ou moins engagée dans un processus de changement.

De façon plus spécifique, il faut *faire appel à sa motivation* pour qu'elle passe à l'action. Il s'agit alors de penser l'intervention, de bien la planifier, avec un but clair et des cibles précises. Le but ultime est certes l'adoption et le maintien des comportements visés, mais les objectifs intermédiaires sont surtout de susciter et d'activer un processus de changement et d'apprentissage, de le valoriser et de le soutenir, et ce, au cours de chacune des interventions éducatives.

Les stratégies d'action susceptibles d'avoir une influence sur les forces internes sont les suivantes.

Établir une relation de confiance. L'intervention éducative s'adresse à des personnes uniques ayant des capacités intellectuelles plus ou moins limitées, des croyances plus ou moins bien ancrées, des attitudes plus ou moins positives, des émotions plus ou moins intenses et un système plus ou moins organisé ou hiérarchisé de valeurs acquises. Il faudra donc inévitablement **être en relation** avec la personne pour bien la comprendre et l'aider. Il faudra notamment adopter des stratégies inspirées des principes de l'éducation des adultes.

Éduquer pour la santé ne consiste pas uniquement à instruire une personne, mais aussi à faciliter le développement d'une plus grande autonomie dans la prise en charge de sa santé. Il s'agira, pour l'éducateur, d'agir à titre de personne-ressource en facilitant l'apprentissage de moyens permettant un meilleur contrôle sur la situation de santé. Il devra miser sur le potentiel d'autonomie de la personne, la soutenir, la valoriser. Être en relation suppose une écoute attentive, l'absence de jugement de valeur, l'établissement d'un rapport de réciprocité, d'égalité et de partenariat par un partage des responsabilités. La responsabilité première de l'éducateur est de faciliter et de soutenir l'apprentissage de comportements favorables à la santé. Celle de l'individu est de s'engager dans l'action et de s'adapter, si nécessaire, à sa condition de santé dans la mesure de ses capacités individuelles et de sa volonté d'y parvenir. Il ne faut surtout pas perdre de vue que l'éducation est d'abord et avant tout une action de promotion de la liberté individuelle; elle doit contribuer à éviter toute forme d'aliénation au regard de la maladie, des professionnels de la santé et des institutions.

Agir sur les croyances. Les modèles théoriques les plus souvent validés dans les recherches dans le domaine de l'éducation pour la santé nous permettent de cerner certaines croyances spécifiques qu'il est nécessaire de développer pour favoriser l'adoption de comportements favorables à la santé ou, à tout le moins, l'intention d'adopter les comportements visés. Ces croyances constituent les forces internes de la motivation à développer chez l'individu pour l'inciter à passer à l'action.

Au cours des interventions éducatives, l'éducateur doit donc explorer certaines croyances et, si elles sont absentes, choisir des contenus et des méthodes susceptibles d'amener la personne à les acquérir.

Voici quelques exemples de croyances spécifiques à développer en fonction des comportements visés:

- la vulnérabilité personnelle à un problème *x*;
- l'occurrence de conséquences graves potentielles pour la santé et la qualité de vie si le problème *x* n'est pas réglé;
- la croyance que les avantages à adopter le comportement visé sont plus nombreux que les inconvénients;
- la croyance que le comportement visé, s'il est adopté, apportera les effets attendus;
- la croyance en sa capacité personnelle d'adopter le comportement visé.

Ces croyances se développent par le choix de contenus spécifiques, fondés sur des résultats probants démontrant la validité de chacun des éléments évoqués dans les diverses croyances. Elles se développent également par la capacité de convaincre et la persuasion de l'éducateur. Certaines sources d'information peuvent également contribuer à développer plus spécifiquement le sentiment d'efficacité personnelle: l'expérience personnelle, l'expérience vicariante et l'autoévaluation de son état physique et émotionnel.

Développer les attitudes ou la disposition intérieure incitant à passer à l'action. «Les attitudes positives ou négatives vis-à-vis certaines situations s'installent lorsque l'individu vit ou anticipe les émotions agréables ou désagréables que ces situations lui vaudront» (Brien, 1994, p.102).

Une personne peut être plus ou moins disposée à adopter ou à changer un comportement. Se fondant sur leur modèle transthéorique, Prochaska et DiClemente soutiennent que l'individu peut se situer à l'un ou l'autre des stades suivants (Rollnick, Mason et Butler, 1999).

La *pré-réflexion* (1er stade): la personne est au stade de déni du problème ou de sa responsabilité personnelle au regard du problème. Il n'y a aucune intention de changer de comportement dans un avenir prévisible. La *réflexion* (2e stade): à ce stade, la personne est consciente que le problème existe. La réaction à cette prise de conscience est toutefois plutôt passive. Elle pense malgré tout sérieusement à le résoudre sans pour autant avoir pris d'initiative en ce sens. La *préparation* (3e stade): la personne a l'intention de changer de comportement à court terme (dans plus ou moins un mois) et a fait quelques tentatives infructueuses au cours des derniers mois. L'*action* (4e stade): la personne fait de constants efforts pour modifier son comportement ou son environnement en vue de résoudre le problème. Le *maintien* (5e stade): la personne a réussi à changer son comportement mais doit faire preuve d'une grande vigilance pour ne pas rechuter.

Le succès des interventions éducatives est accru lorsqu'elles correspondent bien au stade où en est la personne. Les processus de changement qui caractérisent les trois premiers stades sont dits «expérientiels» ou cognitifs. Ils correspondent en réalité à la période active de la prise de décision. À ces trois premiers stades, la croyance dans la prédominance des avantages sur les inconvénients relativement au comportement attendu est particulièrement importante. Une approche systématique de conscientisation visant à modifier la croyance en ce sens est donc très indiquée. Il s'agit, en fait, de parvenir à réduire l'ambivalence en modifiant la balance décisionnelle pour que la personne perçoive plus d'avantages que d'inconvénients dans l'adoption du comportement visé et, aussi, de parvenir à réduire les les barrières à l'adoption de ce comportement. L'expression et l'écoute des émotions liées au changement de comportement sont aussi des stratégies susceptibles de réduire l'indécision quant au changement visé.

Agir sur les émotions pour rendre la personne plus réceptive à l'apprentissage. Devant un événement ou un changement prévu, l'anxiété est l'émotion la plus fréquente. Elle peut stimuler ou paralyser l'action, selon son intensité. Le besoin à satisfaire est celui de la sécurité. Il faut donc :

- s'enquérir de ce qui est perçu comme menaçant pour l'intégrité physique ou mentale de la personne ;
- donner immédiatement les informations directement liées à ces menaces perçues ;
- fournir le soutien nécessaire et donner l'assurance que des ressources sont disponibles, au besoin ;
- donner peu d'informations à la fois : il faut être concis et clair et l'information doit être bien structurée.

Les stratégies d'action susceptibles d'influer sur les forces externes

Les forces externes sont essentiellement celles qui proviennent de l'environnement et qui incitent à l'action. En ce sens, la compétence de l'éducateur joue un rôle de premier plan. Pour inciter à agir, l'éducateur doit :

- faire preuve d'enthousiasme et de conviction au regard de l'apprentissage des comportements visés ;
- faire preuve de compétence en communication : il doit employer un vocabulaire accessible et adapté au niveau d'habileté cognitive de la personne, utiliser des termes précis pour informer ou expliquer, fournir des rétroactions positives le plus souvent possible ;
- choisir les bonnes méthodes et les bons outils : pour susciter l'action, l'éducateur doit choisir la méthode adaptée à l'objectif spécifique d'apprentissage (domaine et niveau d'apprentissage). On veut que la personne comprenne : on l'invite donc à discuter. On veut que la personne applique un plan d'action : il faut simuler une situation et l'impliquer directement dans la résolution du problème. On doit aussi disposer d'outils d'enseignement bien structurés, évocateurs, intéressants, visuels, etc. ;
- s'assurer que l'environnement physique est adéquat : lieu calme, à l'abri du bruit et des dérangements, bon éclairage, siège confortable, etc.

Faciliter le processus d'acquisition des connaissances, des attitudes et des habiletés

Appliquer des méthodes éducatives adaptées au contexte et aux objectifs visés

Le rôle de l'éducateur est de faciliter l'apprentissage. Il doit faire en sorte que la personne puisse acquérir les connaissances, les attitudes et les habiletés requises par l'adoption des comportements favorables à la santé. Dans la partie précédente, diverses actions visant la motivation à apprendre ces comportements ont été décrites. L'éducateur doit aussi faciliter les autres étapes du processus d'apprentissage : l'acquisition et la performance.

L'*acquisition* consiste, pour l'individu, à traiter l'information transmise : la saisir, l'encoder, la mettre dans sa mémoire, la rappeler au besoin pour s'en servir pour résoudre des problèmes.

La *performance* consiste à manifester sa maîtrise du nouvel apprentissage. C'est aussi la capacité de s'en servir pour résoudre des problèmes.

Dans la partie « La formulation des objectifs d'apprentissage », il est spécifié que les objectifs d'apprentissage peuvent être de trois ordres : cognitifs, affectifs et psychomoteurs. Il est aussi dit que, dans chacun des domaines, il y a différents niveaux d'apprentissage. L'éducateur doit donc choisir judicieusement les méthodes éducatives facilitant l'atteinte du niveau d'apprentissage visé. Ce choix repose sur quelques principes généraux. Ils sont présentés dans le tableau 6.5.

Il existe des méthodes éducatives qui sont plus efficaces dans certains domaines d'apprentissage. Une classification de ces méthodes en fonction du domaine d'apprentissage visé est présentée dans le tableau 6.6.

Chacune des méthodes éducatives présentées dans le tableau 6.6 comporte des principes d'application que nous ne pouvons décrire en détail dans le présent chapitre. On peut consulter la liste des références pour obtenir plus de détails sur les méthodes éducatives les plus utilisées[2].

Ces méthodes éducatives s'appliquent en général aux individus et aux groupes restreints d'individus. Or, le choix de s'adresser à un individu ou à un groupe

2. Les volumes les plus pertinents relativement aux diverses méthodes éducatives : Bastable, 2003 ; Chamberland et autres, 1995 ; Lorig et autres, 2001 ; Rankin, 2001 ; Redman, 2001.

TABLEAU 6.5 QUELQUES PRINCIPES GUIDANT LE CHOIX DES MÉTHODES ÉDUCATIVES

1. La méthode éducative doit être choisie en fonction de l'objectif d'apprentissage.
2. Les méthodes éducatives qui font appel à un engagement actif de l'apprenant (par exemple, une discussion, une simulation, un jeu de rôle) favorisent l'atteinte d'objectifs cognitifs, affectifs et psychomoteurs de haut niveau, et rendent plus durable la maîtrise de ces acquisitions.
3. Les recherches ont montré que toutes les méthodes éducatives sont équivalentes lorsqu'il s'agit de faire atteindre des objectifs simples tels que l'acquisition et la compréhension des connaissances.
4. Les méthodes centrées sur la personne qui permettent à l'apprenant de prendre des initiatives et qui ne se traduisent pas par un contrôle permanent sur les activités d'apprentissage favorisent particulièrement la mémorisation et la motivation à apprendre.
5. On estime qu'en général, nous nous souvenons de 10 % de ce que nous lisons, de 20 % de ce que nous entendons, de 30 % de ce que nous voyons, de 50 % de ce que nous voyons et entendons à la fois, de 80 % de ce que nous disons et de 90 % de ce que nous disons en faisant une chose à laquelle nous réfléchissons et qui force notre engagement (Mucchielli, 1985, p. 56).
6. Les mises en situation qui ressemblent le plus aux situations réelles auxquelles l'individu aura à faire face ont plus de chances non seulement d'attirer l'attention, mais aussi d'être plus efficaces.

TABLEAU 6.6 DOMAINES ET NIVEAUX D'APPRENTISSAGE, ET MÉTHODES ÉDUCATIVES

1. Domaine cognitif

Niveaux « connaissance » et « compréhension » : exposé, enseignement programmé
Niveau « application » : discussion, simulation et jeu de rôle
Niveau « analyse » : discussion, travail de groupe, simulation, jeu de rôle
Niveaux « synthèse » et « évaluation » : projet personnel

2. Domaine affectif

Niveau « réception » : exposé, discussion, projet personnel
Niveau « réponse » : discussion, simulation, jeu de rôle, projet personnel
Niveau « valorisation » : comme ci-dessus

3. Domaine psychomoteur

L'atteinte de l'ensemble des objectifs psychomoteurs est favorisée par les trois méthodes suivantes : la démonstration, l'exercice et la pratique, les jeux.

d'individus peut dépendre des ressources disponibles (temps, locaux, matériel, etc.) et devrait surtout dépendre des objectifs visés.

L'atteinte des objectifs du domaine affectif peut être favorisée par l'utilisation des méthodes éducatives de groupe. Les interactions entre les membres d'un groupe peuvent grandement influer sur les croyances et les valeurs individuelles. Ainsi, le témoignage d'une personne diabétique relatant ses succès dans le contrôle de son diabète peut avoir un impact positif majeur sur la perception des membres du groupe quant à leur capacité personnelle de contrôler leur diabète. Lorsque l'expérience d'un membre du groupe est positive, elle aura un effet en modifiant les croyances ancrées chez les personnes qui résistent par rapport à la modification de certains comportements.

Deux grands principes peuvent guider la composition d'un groupe pour une intervention éducative.

1. Il faut que les membres du groupe aient des expériences variées, mais qu'ils forment un ensemble assez homogène quant au niveau d'apprentissage.
2. Il faut éviter d'inclure des personnes trop anxieuses ou en période de négation de leur problème, ou en phase de colère ou d'agressivité au regard de leur problème de santé. Ces personnes bénéficieront davantage d'une intervention individuelle.

Utiliser des outils éducatifs facilitant l'apprentissage

Les outils éducatifs procurent une valeur ajoutée aux méthodes éducatives. Ils visent à faciliter l'ensemble des étapes du processus d'apprentissage : la motivation, l'acquisition et la performance. Il existe une grande variété d'outils visuels et audiovisuels qui facilitent l'apprentissage. Chacun des outils (dépliants, photographies, tableaux, vidéos, affiches, démonstrateurs, CD-ROM, ordinateurs, etc.) a ses particularités, ses avantages et ses inconvénients[3]. Le choix d'un outil éducatif pourra être fondé sur les quelques principes généraux suivants (Rankin et Stallings, 1990).

- Aucun outil particulier n'est universel. Il n'existe donc pas d'outil pouvant servir dans toutes les situations.
- Il doit donner une valeur ajoutée à la méthode d'enseignement, non pas s'y substituer.
- Il doit attirer l'attention de la personne sans la distraire du contenu à apprendre.
- Pour faciliter la rétention d'un contenu, l'outil doit, autant que possible, susciter une émotion agréable, un plaisir.
- La finalité de l'utilisation d'un outil éducatif devrait toujours être une contribution à l'atteinte des objectifs d'apprentissage.
- Il doit faciliter le traitement de l'information ou la représentation mentale abstraite de l'objet d'apprentissage ; « une image vaut mille mots », elle facilite la mémorisation et la compréhension.
- L'éducateur doit bien connaître la nature et le contenu de l'outil utilisé afin de s'assurer qu'il correspond au message et au niveau d'apprentissage visés.
- L'outil doit être adapté au contexte de l'enseignement.
- Il doit être adapté aux capacités d'apprentissage des apprenants et aux styles d'apprentissage autant que possible (certaines personnes sont plus visuelles, d'autres aiment les jeux, d'autres apprécient les intrigues liées à la résolution de problèmes, d'autres aiment lire, etc.).
- L'utilisation d'un outil doit être facilitée par le contexte physique : qualité acoustique et visuelle, bruits de fond, etc.

La personne adulte en situation d'apprentissage : quelques particularités

L'éducation pour la santé s'adressant à un adulte suppose la création d'un climat favorable à l'apprentissage pour stimuler sa motivation à apprendre. Il faut notamment un environnement physique et psychologique confortable (par exemple, un espace pour s'asseoir confortablement, à l'abri du bruit, un éclairage suffisant mais légèrement tamisé).

L'adulte doit se sentir accepté, valorisé et encouragé lorsqu'il exprime ses idées et son expérience (par exemple, l'éducateur doit adopter une position physique de réceptivité : il doit se placer légèrement de biais mais face à la personne, pas derrière un bureau ou une autre barrière symbolique, et à la même hauteur que son interlocuteur ; il doit regarder la personne lorsqu'elle s'exprime, ou lorsqu'il s'adresse à elle ; il doit montrer qu'il l'écoute activement et avec intérêt ; il doit mettre l'appareil téléphonique sur le mode « renvoi » ou

Tableau 6.7 Quelques principes relatifs à l'éducation des adultes

1. L'adulte se perçoit comme un producteur et développe son estime personnelle en fonction de sa contribution. Il est donc important de l'impliquer activement dans la planification et la réalisation d'une activité éducative.
2. L'adulte a besoin d'être perçu par autrui comme un être autonome. Il faut donc que l'éducateur évite les comportements et les attitudes paternalistes ou infantilisantes, où il projette l'image de l'expert ou de l'autorité ayant le droit et le pouvoir de dicter les comportements à adopter. L'éducateur doit plutôt se présenter comme une ressource et établir une relation de coopération ou de partenariat.
3. L'adulte est sensible à un environnement informel et amical, où on l'appelle par son nom et où on valorise sa personne. L'éducateur se doit d'éviter les noms clichés et dépersonnalisants lorsqu'il s'adresse à un adulte.

Source : Inspiré des travaux de Knowles (1990).

3. Voir le volume de Babcock et Miller (1994, p. 224-225) pour plus de détails à ce sujet.

prévenir la personne qu'il est possible que la rencontre soit interrompue par des appels téléphoniques).

L'adulte doit pouvoir participer activement au choix des objectifs d'apprentissage. L'éducateur devrait s'appuyer sur les principes présentés dans le tableau 6.7 (inspirés des principes d'éducation des adultes de Malcolm Knowles, 1990) lorsqu'il planifie une intervention éducative auprès d'un adulte.

ÉTAPE 3 : L'ÉVALUATION DE L'INTERVENTION ÉDUCATIVE

Cette étape de la démarche éducative est cruciale puisqu'elle constitue à la fois le terme de l'intervention et le point de départ des interventions éducatives subséquentes. *Évaluer* signifie *porter un jugement sur la valeur d'une chose.*

Il y a, généralement, deux formes d'évaluation : l'évaluation de la démarche éducative et l'évaluation des résultats (Babcock et Miller, 1994).

L'ÉVALUATION DE LA DÉMARCHE ÉDUCATIVE

L'évaluation de la démarche éducative a pour but de contrôler le déroulement des activités éducatives. Elle comprend l'évaluation des méthodes et des outils d'apprentissage, l'évaluation de la performance de l'éducateur, et l'évaluation du matériel et de l'environnement relativement à leur capacité de faciliter ou de limiter l'apprentissage.

On trouve dans le tableau 6.8 quelques exemples de questions permettant ce type d'évaluation.

L'ÉVALUATION DES RÉSULTATS OU DE L'ATTEINTE DES OBJECTIFS D'APPRENTISSAGE

Le but de ce type d'évaluation est de porter un jugement sur l'efficacité de l'intervention éducative, soit l'atteinte des objectifs visés.

L'apprentissage se mesure par l'observation d'une performance ou d'un comportement. Rappelons l'importance, sur le plan des résultats, de la formulation des objectifs. Chacun des domaines d'apprentissage et des niveaux d'apprentissage peut être évalué. Ainsi, dans le cas d'un apprentissage cognitif, on demandera à la personne de nommer, de décrire, d'expliquer, d'illustrer par un exemple, de faire des liens entre divers éléments d'une situation. On peut se référer au tableau 6.2 pour des exemples de verbes d'action permettant d'évaluer l'atteinte des objectifs cognitifs, au tableau 6.3 pour des exemples relatifs à l'atteinte des objectifs affectifs et au tableau 6.4 pour des exemples associés aux objectifs psychomoteurs.

L'éducateur peut utiliser des outils d'évaluation plus ou moins formels, comme le questionnaire rempli individuellement, l'entrevue structurée ou non structurée, l'observation directe, etc. Ces instruments de mesure doivent être valides et fiables : ils doivent mesurer l'atteinte de l'objectif avec précision, sans ambiguïté.

L'ÉTHIQUE ET L'ÉDUCATION POUR LA SANTÉ : QUELQUES RÈGLES (INSPIRÉES DE P. WEBB, 1994)

Comme c'est le cas dans les autres domaines où il y a des interventions professionnelles, l'éducation pour la santé doit s'exercer dans le respect des règles de l'éthique. Ces règles sont les suivantes :

- Faire le bien : éviter les dangers, agir dans le meilleur intérêt de la personne, promouvoir ce qui est bon pour elle.
- Ne causer aucun tort : ne pas causer délibérément du tort, en cachant de l'information ou en donnant des informations incomplètes, ou en faisant augmenter indûment l'anxiété de la personne, par exemple.

TABLEAU 6.8 ÉVALUATION DE LA DÉMARCHE ÉDUCATIVE : QUELQUES EXEMPLES DE QUESTIONS PERTINENTES

1. L'éducateur répond-il aux besoins d'apprentissage de la personne ?
2. Les objectifs visés sont-ils clairement décrits ?
3. Le choix du contenu est-il adéquat ? clair ? précis ?
4. La performance de l'éducateur est-elle bonne ? Son débit verbal est-il trop rapide ou trop lent ? Son niveau de langage est-il adapté à la personne ? Est-il clair ? Le contact visuel est-il maintenu avec la personne ?
5. Le choix des méthodes et des outils est-il approprié ? Est-il adapté aux objectifs et au contexte de l'intervention ?
6. Les outils éducatifs sont-ils de bonne qualité (qualité visuelle ou sonore, niveau de lisibilité, etc.) ?
7. L'environnement physique est-il adéquat ? Dispose-t-il la personne à être attentive et à participer à l'activité éducative (convivial, calme, aéré, etc.) ?

- Respecter la personne: promouvoir son autonomie et sa liberté, respecter la confidentialité, s'assurer de son consentement éclairé, respecter sa dignité.
- Être juste: dans le système de santé canadien, la personne concernée et les autres citoyens ont le droit de recevoir des services éducatifs. Il doit y avoir équité dans l'allocation du temps et des ressources en réponse aux besoins de l'ensemble des personnes.
- Intervenir utilement: dans un contexte de rationalisation des ressources humaines et financières, l'éducateur doit s'assurer de faire les interventions les plus utiles. Pour ce faire, il doit privilégier les approches les plus efficaces fondées sur les résultats de la recherche dans le domaine de l'éducation pour la santé, et sur des données probantes provenant de ce domaine et d'autres domaines connexes.

Conclusion

L'éducation pour la santé est un domaine d'intervention qui interpelle une variété d'intervenants professionnels. La qualité de vie et la sécurité des personnes dépendent souvent, pour une grande part, de la qualité des interventions éducatives. Éduquer pour la santé peut être passionnant et fort valorisant, surtout lorsque le résultat est l'acquisition d'une plus grande autonomie et d'une plus grande liberté d'action par les personnes visées dans les interventions éducatives.

Il faut se départir de l'idée qu'il existe des recettes magiques qui fonctionnent à coup sûr. Éduquer et apprendre sont des processus qui nécessitent du temps et un engagement personnel. Éduquer pour la santé requiert une grande compétence de la part des professionnels de la santé. Ce domaine d'intervention exige notamment une bonne connaissance des assises théoriques issues des sciences de l'éducation, des sciences du comportement et des sciences de la santé. Ces assises permettent de planifier et d'évaluer plus systématiquement les interventions éducatives. Elles garantissent, de ce fait, une plus grande efficacité des interventions. Ce chapitre a donc brossé un tableau des notions théoriques les plus utiles pour guider les interventions éducatives, notamment dans le domaine de la santé communautaire.

Références

BABCOCK, D.E. et M. MILLER (1994). *Client Education: Theory and Practice*, St. Louis, Mosby, 329 p.

BARTHOLOMEW, L.K. et autres (2001). *Intervention Mapping: Designing Theory and Evidence-Based Health Promotion Programs*, Mountain View, Mayfield Publishing, 515 p.

BASTABLE, S.B. (2003). *Nurse as Educator: Principles of Teaching and Learning for Nursing Practice*, 2e éd., Boston, Jones and Bartlett, 571 p.

BRIEN, R. (1994). *Science cognitive et formation*, 2e éd., Sainte-Foy, Presses de l'Université du Québec, 212 p.

CHAMBERLAND, G., L. LAVOIE et D. MARQUIS. *20 formules pédagogiques*, Québec, Presses de l'Université du Québec, 1995, 176 p.

GLANZ, K., F.M. LEWIS et B.K. RIMER (1990; 2002). *Health Behaviour and Health Education: Theory, Research and Practice*, San Francisco, Jossey-Bass, 460 p.

GODIN, G. (1991). « L'éducation pour la santé: les fondements psychosociaux de la définition des messages éducatifs », *Sciences sociales et santé*, vol. IX, n° 1, p. 4855.

GREEN, L.W. et M.W. KREUTER (1999). *Health Promotion Planning: An Educational and Ecological Approach*, Mountain View, Mayfield Publishing, 506 p.

JACKSON, C. (1997). « Behavioural science and principles for practice in health education », *Health Education Research*, vol. 12, n° 1, p. 143-150.

KNOWLES, M. (1990). *L'apprenant adulte: Vers un nouvel art de formation*, Houston, Les Éditions d'organisation, p. 88-92.

LEGENDRE, R. (1993). *Dictionnaire actuel de l'éducation*, Montréal, Guérin, 1500 p.

LORIG, K. et autres (2001). *Patient Education: A Practical Approach*, 3e éd., St. Louis, Mosby, 246 p.

MORISSETTE, D. et M. GINGRAS (1991). *Enseigner des attitudes: planifier, intervenir, évaluer*, Sainte-Foy, Presses de l'Université Laval, 193 p.

MUCCHIELLI, R. (1985). *Les méthodes actives dans la pédagogie des adultes*, 5e éd., Paris, Éditions ESF, 120 p.

PEDERSON, A., M. O'NEILL et I. ROOTMAN (1994). *Health Promotion in Canada: Provincial, National and International Perspectives*, Toronto, Saunders, 401 p.

PRÉGENT, R. (1988). *La préparation d'un cours*, Montréal, Éditions de l'École Polytechnique de Montréal, 263 p.

RANKIN, S.H. (2001). *Patient Education: Issues, Principles, Practices*, 4e éd., New York, Lippincott.

RANKIN, S.H. et K.D. STALLINGS (1990). *Patient Education: Issues, Principles, Practices*, 2e éd., New York, Lippincott, 404 p.

REDMAN, B.K. (2001). *The Practice of Patient Education*, 9e éd., St. Louis, Mosby, 314 p.

ROLLNICK, S., P. MASON et C. BUTLER (1999). *Health Behavior Change: A Guide for Practitioners*, New York, Churchill Livingstone, 225 p.

VALLERAND, R.J. et E.E. THILL (1993). *Introduction à la psychologie de la motivation*, Laval, Éditions Études Vivantes, 674 p.

WEBB, P. (dir.) (1994). *Health Promotion and Patient Education: A Professional's Guide*, Londres, Chapman & Hall, p. 3856.

La stratégie de communication dans le domaine de la santé

Denise Moreau

Introduction

Depuis les années 1980, le discours sur la santé au Canada est passé d'un discours sur le style de vie (promotion de la santé) à un discours sur les déterminants de la santé (santé de la population). Ce passage est né dans un contexte et un discours grandissant de crise fiscale.

L'approche axée sur la santé de la population met l'accent sur l'éventail complet des facteurs individuels et collectifs qui déterminent la santé et le bien-être des Canadiens, de même que leurs interactions. Les stratégies qui en découlent se fondent sur une évaluation des conditions de risque auxquelles peuvent être exposés la population dans son ensemble ou certains sous-groupes particuliers de la population (Robertson, 1998).

Quant au concept de promotion de la santé, il a été défini de plusieurs façons. Les deux définitions le plus largement utilisées sont sans doute celle de la *Charte d'Ottawa pour la promotion de la santé,* qui décrit cette promotion comme « un processus qui confère aux populations les moyens d'assurer un plus grand contrôle sur leur propre santé, et d'améliorer celle-ci » (*Charte d'Ottawa pour la promotion de la santé,* 1986, p. 5), et celle de Green et Kreuter (1991), qui la voit comme « une combinaison de mécanismes de soutien de nature éducationnelle et environnementale, ainsi que des habitudes et des conditions de vie favorables à la santé ».

Bien qu'en 1994 la Direction de la promotion de la santé ait été démantelée pour renaître sous l'appellation « Santé de la population », les différentes stratégies qui s'offrent à l'intervenant en santé demeurent les mêmes que celles qui prévalaient en promotion de la santé ; il s'agit de l'éducation pour la santé, de la communication, du marketing social, du développement communautaire, de l'action politique en santé et du changement organisationnel. Le présent chapitre s'intéresse à la stratégie de communication dans le domaine de la santé.

La distinction entre les stratégies d'éducation et les stratégies de communication dans le domaine de la santé

Dans le passé, les stratégies d'éducation et de communication en santé ont souvent été confondues (O'Neill et Hills, 2000). Il n'y a toujours pas de consensus sur une définition de l'éducation pour la santé. Cependant, celle offerte par Green (1999) est intéressante : l'éducation pour la santé correspond à toute combinaison d'expériences d'apprentissage planifiées et destinées à faciliter l'adoption volontaire de comportements conduisant à la santé.

D'autre part, la stratégie de communication est habituellement décrite comme une communication de tout type ayant un contenu lié à la santé (Rogers, 1996). Selon Nelson et ses collaborateurs (2002), la stratégie de communication est une discipline hybride qui trouve son origine dans différents domaines, dont ceux de la communication, des sciences du comportement, de l'éducation pour la santé, de la promotion de la santé, du journalisme, du monde des affaires, des professions associées à la santé, des sciences politiques et de la technologie de l'information. La stratégie de communication est souvent définie par ses applications, comme la persuasion (ou psychologie du comportement), les plaidoyers médiatisés en faveur de la santé, la communication du risque, l'éducation par le divertissement, les documents écrits (dépliants, feuillets, inscriptions sur des panneaux) et la communication interactive (Maibach et Holtgrave, 1995).

Concrètement, la stratégie de communication consiste à formuler puis à transmettre un message relatif à la santé à un public cible, pour l'informer et le convaincre d'améliorer sa santé en changeant certains de ses comportements. La stratégie de communication est aussi interprétée comme l'art d'informer, à l'aide de différentes techniques, les individus et les communautés dans le but d'influencer leurs décisions en matière de santé (Nelson et autres, 2002; U. S. Department of Health and Human Services, 1998). Utilisée adéquatement et avec d'autres stratégies, la stratégie de communication dans le domaine de la santé peut influencer les attitudes, les perceptions, les prises de conscience, les connaissances et les normes sociales, qui deviennent ainsi les précurseurs d'un changement de comportement (McKenzie et Smeltzer, 2001).

La communication correspond à l'établissement d'une relation dynamique ou d'un échange d'informations, d'attitudes, d'idées ou d'émotions entre un émetteur et un récepteur. Les premières définitions de la communication décrivaient un mouvement linéaire allant, par l'entremise d'un canal, de la source au récepteur; les conceptualisations actuelles de la communication accordent davantage d'importance à la réciprocité et aux perceptions partagées (Windhal, Signitzer et Olson, 1993; Nelson et autres, 2002).

L'information, en santé, est un concept commun aux stratégies de communication et d'éducation, et, dans les deux cas, il y a transmission d'information. L'information est échangée durant le processus de communication par les gens qui y participent; il s'agit donc d'un processus bilatéral (Windhal, Signitzer et Olson, 1993; Nelson et autres, 2002). En santé, lorsqu'il est question de communication, on doit tenir compte des variables de l'émetteur, des diverses formes de messages, des artefacts du médium et des différentes façons dont le message est reçu par le récepteur. En éducation pour la santé, on fournit l'information à un auditoire précis en utilisant une approche andragogique ou pédagogique, pour approfondir l'apprentissage et faciliter l'adoption volontaire de comportements qui améliorent la santé (Rochon, 1988).

En somme, l'éducation pour la santé et la communication en santé sont deux stratégies différentes, complémentaires et sans hiérarchisation, utilisées pour promouvoir la santé, au même titre que le marketing social, le développement communautaire, l'action politique en santé et le changement organisationnel.

Les fondements théoriques de la stratégie de communication

Toutes les études concernant le phénomène de la communication ont été influencées, directement ou indirectement, par l'article de Lasswell publié en 1948. Lasswell y décompose le processus de la communication en cinq questions fondamentales: « Qui, dit quoi, par quel moyen, à qui, avec quel effet » (Bouchard et Renaud, 1991).

La stratégie de communication s'appuie principalement sur les théories de la communication. Parmi les théories à retenir, il faut mentionner celles de Shannon (1948) et de Wiener (1948). Shannon a étudié la quantité d'information contenue dans un message et la capacité de transmission d'un canal donné en fonction de sa vitesse de transmission. Quant à Wiener, il a présenté les quatre éléments fonctionnels et objectifs de toute communication: l'émetteur, le canal, le récepteur et le code. Les premières études de Wiener étaient surtout de nature technique, mais les concepts sont demeurés. Les théories de Schramm (1955) et de McLuhan (1962) sont à l'origine de l'élaboration de la théorie des communications de masse telle qu'elle est connue aujourd'hui. Délibérément multidisciplinaire, les principes et les pratiques de la stratégie de communication dans le domaine de la santé prennent racine dans la théorie de la diffusion des innovations de Rogers (1995), dans la théorie du marketing social de Kotler et Roberto (1989), dans diverses théories de la psychologie du comportement, notamment la théorie de l'action raisonnée de Fishbein et Ajzen (1975) et la théorie de l'apprentissage social de Bandura (1977), et dans l'anthropologie, le design d'instruction et plusieurs autres disciplines (Clift et Freimuth, 1995; Nelson et autres, 2002).

Les éléments de la stratégie de communication dans le domaine de la santé

La stratégie de communication se compose de **deux éléments inséparables**:

1. une connaissance approfondie du public cible;
2. la conception d'un message informatif en santé, persuasif et spécifique à ce public.

Une connaissance approfondie du public cible

La conception d'un message spécifique en santé nécessite une connaissance approfondie du public cible au regard du problème de santé qui retient l'attention. Différentes stratégies sont utilisées pour connaître le public cible. Selon Maibach et Parrott (1995) et Slater (1995), les stratégies les plus efficaces sont celles où on utilise systématiquement la recherche pour déterminer les caractéristiques du public concerné par le problème de santé. Cette approche exige cependant beaucoup de temps et d'argent.

L'approche la plus utilisée actuellement est celle où on procède, en précampagne ou en préactivité, à une recension des caractéristiques de la population visée à l'aide de différentes méthodes de collecte des données, tels les recensements, les dossiers d'établissements et tout autre document public. Dans certains cas, d'autres méthodes peuvent être utilisées, comme les enquêtes et les entrevues menées auprès d'experts et de groupes d'intérêts (Slater, 1995). Lefebvre et ses collaborateurs (1995) suggèrent d'utiliser des banques de données relatives aux consommateurs dans le domaine du marketing et de les adapter aux besoins du domaine de la santé. Le développement de différentes banques de données est en pleine expansion dans les milieux du marketing. Il est d'ailleurs présentement possible d'obtenir, à peu de frais, certaines de ces banques reliées les unes aux autres et qui peuvent fournir presque n'importe quel type d'information relative à des groupes particuliers de consommateurs.

L'étape suivante a trait à la segmentation (Nelson et autres, 2002; Grunig, 1989), qui consiste à diviser les populations hétérogènes visées en plusieurs segments (selon certaines caractéristiques), chacun étant homogène quant à ses aspects les plus importants.

La méthode de segmentation la plus courante consiste à former des groupes cibles en fonction de certaines caractéristiques démographiques comme l'âge, la profession, le sexe, la nationalité, la langue, l'origine ethnique, le revenu, la culture, le niveau de scolarité, la religion, la situation géographique et les canaux de communication préférés.

Par ailleurs, d'autres recherches ont montré que les variables psychologiques constituent également une base utile pour procéder à la segmentation. L'utilisation des caractéristiques et des facteurs psychologiques pour segmenter le marché est connue sous le nom de **psychographie.** Les deux méthodes de segmentation psychographique les plus connues sont le VALS (valeurs et style de vie) et le LOV (liste de valeurs) (Novak et MacEvoy, 1990; Grunig, 1989). Toutefois, aujourd'hui, plusieurs chercheurs affirment que les caractéristiques psychographiques ne correspondent plus seulement aux **valeurs** et aux **styles de vie,** mais aussi aux **émotions** engendrées par un produit de consommation ou une préoccupation relative à la santé (Piirto, 1990). En somme, la segmentation vise à regrouper dans un même segment les individus qui, d'une part, présentent des similitudes sur le plan des déterminants démographiques et psychographiques du comportement lié à la santé et qui, d'autre part, peuvent être rejoints par les mêmes moyens de communication. L'objectif de la segmentation est de concevoir, d'adresser et d'évaluer un message santé spécifique à un segment donné.

La conception d'un message santé informatif, persuasif et spécifique

Le message, élément central de la stratégie de communication, est un ensemble organisé de signes produit dans le but de modifier le comportement psychomoteur, cognitif et affectif d'une ou de plusieurs personnes (Fleming et Levie, 1993). Le message est codé par un émetteur (intervenant dans le domaine de la santé ou groupe de personnes ayant divers besoins) à l'intention d'un récepteur (un public cible); on y trouve les éléments de base de la communication (qui dit quoi, par quel canal, à qui, avec quel effet), organisés selon un plan préalablement établi.

La majorité des chercheurs s'entendent pour dire qu'un message dans le domaine de la santé doit être informatif et persuasif, mais aussi, et surtout, spécifique (Maibach et Parrott, 1995; Atkin, 2001). Un message spécifique est un message dont la forme et le contenu sont spécialement adaptés aux besoins du public cible. Car bien que l'émetteur, tout comme la forme et le contenu du message, demeure très important quant à la qualité de la communication, il faut savoir que **la tendance actuelle est de mettre l'accent sur le récepteur en produisant des messages à son image et à ses attentes** (Pereira Lima et autres, 2000).

Le message comporte deux composantes: la **forme** et le **contenu**. Par définition, **la forme concerne surtout la présentation du message**, alors que **le contenu a trait aux arguments utilisés**. Plusieurs conditions relatives à l'efficacité d'un message en santé ont été décrites par les auteurs, en fonction de la forme et du contenu du message. En ce qui concerne la forme, le message peut prendre différents aspects: il peut être oral, écrit, visuel ou électronique (Nelson et autres, 2002).

- être court et direct;
- être formulé de façon positive, dans un langage simple, approprié et qui tient compte des particularités culturelles du groupe cible (Backer et autres, 1992; Monahan, 1995; Witte, Meyer et Martell, 2001);

- être formulé en fonction du niveau de scolarité et des intérêts du groupe cible;
- attirer l'attention du public cible. Pour ce faire, certains auteurs recommandent de présenter le message dans un contexte de divertissement et d'utiliser des témoignages de personnes ayant les mêmes traits caractéristiques que les membres du groupe cible, des personnages de bandes dessinées ou, encore, des acteurs possédant les caractéristiques qui ont la faveur du public cible (Backer et autres, 1992; Atkin, 2001). D'autres auteurs préconisent surtout des approches faisant appel aux émotions plutôt qu'à la rationalité et encouragent l'utilisation d'éléments émotifs tels que la peur, l'humour, la musique, le récit et le drame. L'humour est généralement bien reçu par le public. La peur peut être efficace si une solution est proposée au problème pour diminuer l'anxiété (Backer et autres, 1992; Monahan, 1995; Health Communication Unit, 2000);
- être souvent répété, de différentes façons, et être d'une durée suffisante pour attirer l'attention et accroître l'apprentissage (Maibach et Parrott, 1995; Backer et autres, 1992);
- avoir une présentation physique de grande qualité. Le choix des médias est très important, et il faut tenir compte des préférences du public et des capacités du média de transformer l'information désirée (Maibach et Parrott, 1995; Backer et autres, 1992). Parmi l'ensemble des médias utilisés en Amérique du Nord, la télévision semble supérieure aux autres, sauf en ce qui a trait aux messages destinés aux adolescents, qui préfèrent souvent la radio (Dagenais, 1998).

Sur le plan du contenu, le message doit être à la fois **informatif** et **persuasif.** L'**aspect informatif** tient à la capacité de l'émetteur de fournir avec clarté des connaissances pertinentes au groupe cible. Le contenu à transmettre doit tenir compte des connaissances déjà acquises, des perceptions et des réactions du public cible relativement au domaine qui l'intéresse pour mieux répondre à ses besoins (Backer et autres, 1992). L'**aspect persuasif** du contenu du message a pour rôle d'atteindre le public cible dans son vécu. Le public doit se sentir concerné par le message et croire qu'il lui est adressé. Un message persuasif doit présenter des comportements de santé souhaitables et mettre l'accent sur leurs avantages plutôt que de présenter des comportements néfastes et de les désapprouver. L'aspect persuasif du message doit proposer un profit éventuel au public visé quant à l'adoption du comportement suggéré.

En somme, le message doit attirer l'attention, soulever des émotions et fournir un moyen de canaliser les émotions engendrées. Le but du message est de démontrer au public cible la gravité d'un problème de santé et sa susceptibilité d'en souffrir. Le message doit soulever l'inquiétude du public cible, mais doit aussi le rassurer en lui offrant une façon de se protéger du danger. Il s'agit de recommander un comportement spécifique, de montrer les difficultés couramment rencontrées dans l'atteinte du comportement souhaitable, de fournir des solutions pour contrer ces difficultés et de convaincre le public cible qu'il est capable d'adopter le comportement proposé (Backer et autres, 1992; Atkin, 2001; Witte, Meyer et Martell, 2001).

Le rôle de l'infirmière en communication de la santé

La stratégie de communication en promotion de la santé nécessite le travail et la collaboration de plusieurs individus et intervenants chapeautés par un chargé de projet, qui peut être l'infirmière. La stratégie de communication consiste à formuler puis à transmettre un message portant sur la santé à un public cible pour attirer son attention, pour l'informer, pour susciter une attitude positive et, parfois même, pour le convaincre d'améliorer sa santé en changeant certains de ses comportements.

Toute stratégie de communication commence par un mandat soumis par une organisation; ce mandat doit traduire une préoccupation relative à la santé et préciser une intention. Les tâches de l'infirmière, chargée de projet, consistent à: clarifier le mandat de l'organisation; définir la population cible; déterminer le contexte de l'intervention et sélectionner les collaborateurs possibles; préciser l'objectif de la communication; décrire chacune des activités de communication choisies, et en orchestrer la conception, la production et la mise en action; établir un budget; fixer un calendrier; planifier l'évaluation de toutes les étapes de la stratégie; et, pour terminer, rédiger un rapport synthèse destiné à l'organisation.

Ainsi, une organisation pourrait soumettre le mandat d'effectuer une campagne d'information sur la santé dont l'objectif serait de réduire les MTS chez les jeunes adultes par le renforcement des comportements sécuritaires. Dans cet exemple, le but du mandat est de réduire les MTS, et les jeunes adultes représentent la population cible; le contexte pourrait être le milieu scolaire ou les centres de jeunes, et les collaborateurs seraient les personnes qui travaillent auprès des jeunes dans le contexte choisi. L'objectif de la communication serait alors d'amener la population de jeunes adultes à se protéger en utilisant le condom. L'activité de communication choisie pour ce mandat pourrait être la campagne d'information sur la santé, une technique de communication de masse. L'infirmière et ses collaborateurs seraient alors responsables de la conception, de la réalisation et de l'évaluation des activités de la campagne, et de leur déroulement.

LES TECHNIQUES, LES MÉDIAS ET LES SUPPORTS

La stratégie de communication utilise deux grandes catégories de techniques de communication : les communications de masse et les communications personnalisées. Les communications de masse s'adressent à une masse ciblée et indifférenciée d'individus, alors que les communications personnalisées visent plutôt un groupe d'individus bien défini. Les principales activités en communication de masse sont les suivantes : les campagnes d'information sur la santé, les relations publiques, les relations de presse, les interventions dans les affaires publiques, la propagande, la publicité, la communication directe et la commandite. Les activités en communication personnalisées impliquent que les deux parties se parlent directement, sans médiation. Parmi les approches en communications personnalisées, il y a la communication de personne à personne (par téléphone, publipostage, promotions, expositions), les rencontres en petits groupes (réunions, conférences, formations, événements) et les rencontres en grands groupes, tels les congrès et les conférences (Dagenais, 1998).

Une fois la technique retenue et les activités sélectionnées, il faut choisir les médias les plus appropriés pour atteindre la cible. Selon Dagenais (1998), il y a quatre grandes familles de médias traditionnels, auxquels se rattache toute une gamme de médias non traditionnels. Il s'agit des médias écrits, de la radio, de la télévision et de l'affichage.

Parmi les médias écrits, il y a les journaux et les revues, qui comprennent les quotidiens, les hebdomadaires et les mensuels. Certains sont payants, d'autres gratuits. Certains s'adressent à un large public, d'autres à des clientèles cibles bien définies. Certains sont nationaux, d'autres régionaux, et d'autres locaux.

La radio et la télévision sont les médias du spectacle et du temps réel. La radio est un média un peu particulier. Elle est plus personnelle, plus intime et moins captive que la télévision puisqu'elle suit le citoyen consommateur partout. Ce qui fait la force de la radio et, en même temps, sa faiblesse, c'est qu'elle s'adresse généralement à un auditoire bien défini parmi toutes les catégories de citoyens, mais qui est moins étendu que celui de la télévision. La télévision, quant à elle, marie l'image, le son, le mouvement, le texte et la musique. C'est un média complet et puissant qui répartit son temps de transmission entre différentes formes de contenus (information, cinéma, sport, etc.) ; chaque personne y consacre environ 25 heures par semaine. La télévision est le média par excellence pour créer la notoriété d'un produit ou d'une cause. En somme, la télévision représente, en Amérique, le média numéro un pour rejoindre un large public cible puisqu'elle est regardée par une très grande partie de la population.

L'affichage comprend toutes les formes de communication par affiche : les panneaux-réclames, les panneaux sur et dans les autobus et le métro, les affiches installées dans les vitrines des magasins, dans les toilettes, sur les babillards, etc. L'affiche prend plusieurs formes et ses concepteurs recourent à la couleur, à la forme, à la lumière et, parfois même, au mouvement (comme les panneaux Lumibus ou Claude Néon) (Dagenais, 1998) pour attirer l'attention. À l'instar de la télévision, l'affiche est un excellent moyen d'acquérir une bonne notoriété, et elle a une grande portée. L'affichage peut être gratuit ou payant. L'affichage commercial entraîne des dépenses importantes ; l'affichage libre, tel qu'on l'utilise dans les milieux de la santé communautaire, comporte, bien sûr, le coût des affiches, mais, surtout, il requiert temps et énergie. L'intérêt de l'affichage est qu'une fois installée l'affiche devient omniprésente : un panneau-réclame planté au bord d'une route qu'un automobiliste prend quotidiennement sera vu chaque jour.

Différents supports peuvent être utilisés pour compléter le plan de communication. Parmi les divers supports possibles, il y a les supports écrits, graphiques, visuels, audio et vidéo, et les objets et les supports tridimensionnels. L'écrit est probablement le type de support le plus utilisé. Il peut prendre plusieurs formes : dépliants, feuillets, bulletins, journal interne, passeport promotionnel, etc. Les supports graphiques, tels les sigles et les logos, sont aussi très utiles.

Quant aux supports visuels, ils relèvent de l'image et complètent les autres activités. Ils peuvent servir de fond de scène ou, encore, meubler un stand d'exposition et décorer des lieux. Il peut s'agir, par exemple, de photos, d'illustrations, de banderoles, de bandes dessinées ou de diapositives. Habituellement, les supports visuels sont accompagnés de textes, de titres ou de slogans (Dagenais, 1998). Les messages avec ou sans musique, au téléphone, au microphone ou à la radio, sont des supports audio qu'on ajoute souvent aux supports visuels. Les supports vidéos sont très utiles, entre autres pour illustrer des comportements sains à adopter. La vidéo peut s'utiliser comme telle, ou être exploitée à l'aide de l'ordinateur puisqu'il est maintenant possible de construire des programmes complexes avec des images et du son.

Les supports objets sont nombreux, la limite étant l'imagination. Les plus connus sont les tasses à café, les stylos, les sacs, les porte-clés, les épinglettes, les tee-shirts et les casquettes. Les objets sont des outils de promotion utilisés pour attirer l'attention. Il est cependant difficile d'en mesurer l'efficacité. Les supports tridimensionnels sont généralement des éléments d'exposition; ils intègrent parfois l'audiovisuel, l'image et l'écrit. D'autres éléments, comme une mascotte, un animal fétiche ou un sigle en trois dimensions, peuvent également servir de supports tridimensionnels.

Le choix des techniques, des médias et des supports

Le choix des techniques, des médias et des supports s'effectue en fonction de leur efficacité quant à différents facteurs: le public cible, l'objectif du mandat, le budget disponible. Suivant la tâche à accomplir, certaines techniques sont plus adéquates que d'autres. Les techniques de communication de masse sont utiles pour toucher un large public, alors qu'elles sont peu efficaces pour susciter des changements profonds chez les individus. Selon la cible, certains médias sont plus indiqués que d'autres. Il faut choisir les médias qui s'intéressent au message diffusé et les médias qui ont la faveur du public cible. La radio, par exemple, est un bon média pour faire passer un message aux jeunes qui ont constamment un baladeur sur les oreilles. Ainsi, le choix des techniques, des médias et des supports est fait selon les critères suivants: les caractéristiques du public cible, l'efficacité des approches utilisées en fonction de la cible, l'objectif de communication, le message à transmettre et le budget disponible.

Le budget, le calendrier et l'évaluation

Avant d'entreprendre la réalisation d'un mandat, il est important de connaître l'ordre de grandeur des sommes d'argent disponibles et de dresser une liste approximative des dépenses; on pourra ainsi déterminer l'ampleur de la stratégie. Différents éléments entrent dans la ventilation d'un budget de communication: les dépenses liées à la production écrite et audiovisuelle, le coût des objets promotionnels, les dépenses liées à l'organisation d'une exposition ou d'un événement, le coût des services de secrétariat et d'autres services comme la photocopie, le téléphone et le télécopieur, le coût des fournitures de bureau, le coût des études d'évaluation, la réserve pour les imprévus, et les revenus provenant de la vente d'objets promotionnels, de subventions ou de commandites.

Le calendrier des activités permet d'avoir une vue d'ensemble des activités à réaliser et des dates charnières à respecter. Il représente, en quelque sorte, la programmation des faits et gestes à accomplir pour remplir le mandat et respecter l'échéancier prévu.

L'évaluation est essentielle; sans évaluation, on ne pourra jamais savoir si le mandat a été rempli ou si l'objectif de communication a été atteint. L'évaluation permet de faire le point sur ce qui fonctionne et ne fonctionne pas, et de se donner des outils pour une prochaine campagne d'information. L'aspect recherche et analyse des données avant, pendant et après le déploiement de la stratégie de communication est fondamental pour assurer l'efficacité et la crédibilité des moyens mis en œuvre. L'évaluation peut porter sur la stratégie elle-même, sur son efficacité, ou sur ces deux éléments. L'évaluation peut être faite en fonction de l'ensemble de la stratégie ou en fonction de l'une ou l'autre de ses composantes. L'évaluation est une tâche complexe et délicate, il est donc préférable qu'elle soit confiée, dans la mesure du possible, à des spécialistes. Il faut cependant reconnaître qu'une enquête sommaire que l'on fait soi-même avec peu de moyens a son utilité si aucune autre évaluation ne peut être menée.

Conclusion

L'infirmière a un rôle important à jouer en communication de la santé. Ce rôle est trop peu connu de la profession. Il faut démystifier la croyance selon laquelle les stratégies de communication en promotion de la santé relèvent exclusivement des médias. Ces stratégies exigent un travail de collaboration. Actuellement, les équipes de travail sont surtout composées de professionnels provenant des domaines de la communication et du marketing. Les professionnels de la santé, notamment les infirmières, agissent principalement à titre de consultants à certaines étapes du processus. L'infirmière doit devenir plus visible et s'impliquer davantage, parce qu'en plus de ses connaissances en santé elle a aussi une très bonne connaissance des caractéristiques et des besoins des différents publics cibles. L'infirmière a la compétence nécessaire pour diriger un projet de communication en collaboration avec d'autres spécialistes, elle doit s'affirmer et prendre davantage la place qui lui revient dans ce domaine.

Enfin, puisque le chemin qui mène à la santé passe par une information juste et adéquate, un autre aspect essentiel du rôle de l'infirmière sur le plan de la communication est d'aider le client et la collectivité, souvent **submergés** par des informations confuses, douteuses et parfois même trompeuses (Evans, Barer et Marmor, 1996), à discerner l'information qui mérite considération. Elle doit donc guider ses clients vers les meilleures ressources disponibles. La contribution des infirmières en communication doit devenir plus importante puisqu'elles représentent, en raison de la position qu'elles occupent et du rôle qu'elles jouent dans notre système de santé, un groupe de choix pour promouvoir la santé auprès des individus, des familles, des petits groupes, des collectivités et du grand public.

RÉFÉRENCES

ATKIN, C. (conférencier invité) (2001). *The Health Communication Unit's Workshop : Evaluating Public Service Announcements,* Toronto, The Health Communication Unit at the Centre for Health Promotion, University of Toronto, 29 janvier.

BACKER, T.E. et autres (1992). *Designing Health Communication Campaigns : What Works ?,* Newbury Park (Californie), Sage Publications.

BANDURA, A (1977). *Social Learning Theory.* Englewood Cliffs (New Jersey), Prentice-Hall.

BOUCHARD, A.E. et L. RENAUD (1991). *L'écologie de la santé par les médias,* Montréal, Éditions Agence d'Arc.

CARON-BOUCHARD, M. et L. RENAUD (1999). *Pour mieux réussir vos communications médiatiques : guide pratique en promotion de la santé,* Sainte-Foy, Ministère de la Santé et des Services sociaux du Québec.

CLIFT, E. et V. FREIMUTH (1995). « Health communication : What is it and what can it do for you ? », *Journal of Health Education,* vol. 26, n° 2, p. 68-74.

DAGENAIS, B. (1998). *Le plan de communication : l'art de séduire ou de convaincre les autres,* Québec, Les Presses de l'Université Laval.

EVANS, R.G., M.L. BARER et T.R. MARMOR (1996). *Être ou ne pas être en bonne santé : biologie et déterminants sociaux de la maladie,* Montréal, Les Presses de l'Université de Montréal.

EWLES, L. et I. SIMNET (1999). *Promoting Health : A Practical Guide,* 4e éd., Londres, Baillière Tindall (publié en collaboration avec le RCN) ; Toronto, Harcourt Brace.

FISHBEIN, M. et I. AJZEN (1975). *Belief, Attitude, Intention and Behavior,* Reading (Massachusetts), Addison-Wesley.

FLEMING, M. et H. LEVIE (1993). *Instructional Message Design,* Englewood Cliffs (New Jersey), Educational Technology.

GREEN, L.W. (1999). « Health education's contributions to public health in the twentieth century : A glimpse through health promotion's rearview mirror », dans J.E. Fielding, L.B. Lave et B. Starfield (dir.), *Annual Review of Public Health,* Palo Alto (Californie), Annual Reviews, p. 67-88.

GREEN, L.W. et M. KREUTER (1991). *Health Promotion Planning : An Educational and Environmental Approach,* Mountain View (Californie), Mayfield Publishers.

GRUNIG, J.E. (1989). « Publics, audiences and market segments : Segmentation principles for campaigns », dans C.T. Salmon (dir.), *Information Campaigns : Balancing Social Values and Social Change, Sage Annual Reviews of Communication Research,* vol. 18, Newbury Park (Californie), Sage Publications, p. 199-227.

HEALTH COMMUNICATION UNIT (2000). *Comprendre et utiliser : appels à la peur pour la lutte antitabac,* Conseil anti-tabagisme de l'Ontario (CATO), Centre de Formation et de Consultation (CFC) et The Health Communication Unit (THCU), www.thcu.ca/ (consulté le 29 mars 2005).

KOTLER, P. et E.L. ROBERTO (1989). *Social Marketing : Strategies for Changing Public Behavior,* New York, Free Press.

LASSWELL, H.D. (1948). « The structure and function of communication in society », dans L. Bryson (dir.), *The Communication of Ideas,* New York, Harper.

LEFEBVRE, R.C. et autres (1995). « Use of database marketing and consumer-based health communication in message design : An example from the Office of Cancer Communications "5 a Day for Better Health" Program », dans E. Maibach et R.L. Parrott (dir.), *Designing Health Messages : Approaches From Communication Theory and Public Health Practice,* Thousand Oaks (Californie), Sage Publications, p. 217-246.

McKENZIE, J.F. et J.L. SMELTZER (2001). *Planning, Implementing, and Evaluating Health Promotion Programs,* 3e éd., Boston, Allyn & Bacon.

McLUHAN, M. (1962). *The Guttenberg Galaxy,* Toronto, University of Toronto Press.

MAIBACH, E. et D.R. HOLTGRAVE (1995). « Advances in public health communication », *Annual Review of Public Health,* vol. 16, p. 219-238.

MAIBACH, E. et R.L. PARROTT (1995). *Designing Health Messages : Approaches From Communication Theory and Public Health Practice,* Thousand Oaks (Californie), Sage Publications.

MONAHAN, J.L. (1995). « Thinking positively : Using positive affect when designing health messages », dans E. Maibach et R.L. Parrott (dir.), *Designing Health Messages : Approaches From Communication Theory and Public Health Practice,* Thousand Oaks (Californie), Sage Publications, p. 81-98.

NELSON, D.E. et autres (2002). *Communicating Public Health Information Effectively. A Guide for Practitioners,* Washington (D.C.), American Public Health Association.

NOVAK, T.P. et B. MacEVOY (1990). « On comparing alternative segmentation schemes : The list of values (LOV) and values and lifestyles (VALS) », *Journal of Consumer Research,* vol. 17, juin, p. 105-109.

O'NEILL, M. (1997). « Promotion de la santé : enjeux pour l'an 2000 », *Canadian Journal of Nursing Research,* vol. 29, n° 1, p. 63-70.

O'NEILL, M. et M. HILLS (2000). « Education and training in health promotion and health education : Trends, challenges and critical issues », *Promotion and Education,* vol. VII, n° 1, p. 7-9.

O'NEILL, M. et A. PEDERSON (1994). « Two analytic paths for understanding Canadian developments in health promotion », dans A. Pederson, M. O'Neill et I. Rootman (dir.), *Health Promotion in Canada,* Toronto, W.B. Saunders, p. 40-55.

ORGANISATION MONDIALE DE LA SANTÉ, ASSSOCIATION CANADIENNE DE SANTÉ PUBLIQUE et SANTÉ CANADA (1996). *Charte d'Ottawa pour la promotion de la santé,* Ottawa.

PEREIRA LIMA, V.L.G. et autres (2000). « Health promotion, health education and social communication on health : Specificities, interfaces, intersections », *Promotion and Education,* vol. VII, n° 4, p. 8-12.

PIIRTO, R. (1990). « Global psychographics Inc. », *American Demographics,* vol. 8, p. 30-35.

RICE, R.E. et C.K. ATKIN (2001). *Public Communication Campaigns,* 3e éd., Thousand Oaks (Californie), Sage Publications.

ROBERTSON, A. (1998). « Shifting discourses on health in Canada : From health promotion to population health », *Health Promotion International,* vol. 13, n° 2, p. 155-166.

ROCHON, A. (1988). *L'Éducation pour la santé : un guide f.a.c.i.l.e. pour réaliser un projet,* Montréal, Éditions Agence D'Arc.

ROGERS, E.M. (1995). *Diffusion of Innovations,* 4e éd., New York, Free Press.

ROGERS, E.M. (1996). « The field of health communication today : An up-to-date report », *Journal of Health Communication,* vol. 1, p. 15-23.

SCHRAMM, W. (1955). *The Process and Effects of Mass Media,* Urbana, University of Illinois Press.

SHANNON, C.E. (1948). « The mathematical theory of communication », *Bell System Technical Journal.*

SLATER, M.D. (1995). « Choosing audience segmentation strategies and methods for health communication », dans E. Maibach et R.L. Parrott (dir.), *Designing Health Messages : Approaches from Communication Theory and Public Health Practice,* Thousand Oaks (Californie), Sage Publications, p. 186-198.

U.S. DEPARTMENT OF HEALTH AND HUMAN SERVICES (USDHSS) (1998). *Healthy People 2010 Objectives : Draft for Public Comment,* Washington (D.C.), Office of Public Health and Science.

WIENER, N. (1948). *Cybernetics or control and communication in the animal and the machine,* Paris, Hermann.

WINDHAL, S., B.H. SIGNITZER et J.T. OLSON (1993). *Utilisation des théories de la communication,* Sainte-Foy, Télé-université, Presses de l'Université du Québec.

WITTE, K. (1995). « Using the persuasive health message framework to generate effective campaign messages », dans E. Maibach et R.L. Parrott (dir.), *Designing Health Messages : Approaches From Communication Theory and Public Health Practice,* Thousand Oaks (Californie), Sage Publications, p. 145-166.

WITTE, K. (1998). « Fear as a motivator, fear as inhibitor : Using the EPPM to explain fear appeal successes and failures », dans P.A. Andersen et L.K. Guerrero (dir.), *The Handbook of Communication and Emotion,* New York, Academic Press, p. 423-450.

WITTE, K., G. MEYER et D. MARTELL (2001). *Effective Health Risk Messages : A Step by Step Guide,* Thousand Oaks (Californie), Sage Publications.

LE MARKETING SOCIAL

FRANÇOIS LAGARDE

INTRODUCTION

Les professionnels en santé publique jonglent presque quotidiennement avec la transmission d'information à la population, à d'autres professionnels, à des bénévoles ainsi qu'à des décideurs dans le but de les inciter à adopter certains comportements ou à prendre des décisions favorables à la santé de la population. Force est de constater que la seule transmission d'information objective sur l'ampleur des enjeux ou sur les caractéristiques d'un programme ne provoque des changements que chez un nombre limité de personnes. Les organismes qui réussissent à influencer des segments de la population ou des décideurs cherchent d'abord à bien cerner les besoins, les attentes, les perceptions et les motivations des publics visés, leurs habitudes médiatiques, leur milieu de vie, leurs normes sociales, les influences interpersonnelles qui jouent en leur sein ainsi que les obstacles qui peuvent nuire à l'adoption des comportements désirés ou des décisions attendues. Il existe plusieurs approches visant à provoquer de tels changements comportementaux et sociaux, l'une d'entre elles étant d'utiliser des stratégies de marketing et de les adapter à des fins dites sociales.

Ce chapitre traite des principes et des enjeux éthiques inhérents à l'application du marketing social et des communications. Des tableaux et des conseils pratiques permettront aux praticiens d'appliquer à leur situation les sept composantes types d'un plan de marketing social.

DÉFINITION ET PRINCIPES

Les expériences menées en vue de provoquer des changements sociaux tendent toutes à démontrer que seule la synergie de plusieurs stratégies rend possible l'atteinte d'objectifs de changement. Parmi ces stratégies, notons l'éducation, l'action politique ou le plaidoyer (*advocacy*), l'organisation communautaire, la modification et l'aménagement des environnements sociaux et physiques, ainsi que les communications médiatiques et interpersonnelles. C'est dans ce contexte d'approches multiples visant à provoquer délibérément des changements comportementaux ou sociaux que la notion de marketing social a émergé au cours du dernier quart de siècle.

La définition suivante (traduction libre), l'une des plus récentes, semble faire consensus dans le domaine :

> Le marketing social consiste dans le recours aux principes et aux techniques du marketing dans le but d'amener un public cible à accepter, à rejeter, à modifier ou à délaisser volontairement un comportement dans son intérêt, dans l'intérêt d'un groupe ou dans l'intérêt de l'ensemble de la société (Kotler, Roberto et Lee, 2002).

Quelques concepts et principes sont au cœur de la contribution du marketing social à la réalisation d'objectifs de changement.

L'adoption volontaire des comportements. Le marketing social est centré sur l'adoption volontaire d'un comportement plutôt que sur des formes d'influences économiques, coercitives ou juridiques.

L'échange. Avant d'accepter, de rejeter, de modifier ou de délaisser volontairement un comportement, les gens évaluent si les avantages éventuels d'une telle décision en valent l'effort, les coûts ou les inconvénients. Pour influencer les comportements, on doit donc cerner ce qui est important pour les gens et réduire les coûts financiers, physiques, psychologiques et sociaux, les contraintes de temps ou les inconvénients associés à l'adoption du comportement. Les avantages doivent être au moins équivalents aux coûts ou aux contraintes.

Une orientation centrée sur les publics cibles. Cette orientation se manifeste par des activités de recherche destinées à mieux connaître le profil de chaque public cible, ses besoins, ses attentes, ses perceptions, les obstacles à l'adoption d'un comportement, notamment au regard de sa confiance dans sa capacité d'adopter le comportement, son style et son milieu de vie ainsi que ses habitudes médiatiques. Cette démarche permettra de rendre le comportement ou le programme proposé plus attrayant, facile d'accès et populaire (selon la formule consacrée, «*Make it fun, easy and popular*», de W.A. Smith, 1999). Cette étape de recherche peut aussi inclure la participation active des groupes visés à la conception des programmes, par l'entremise d'activités de mobilisation.

La segmentation. Plusieurs programmes de promotion de la santé ont pour mission, en théorie, du moins, de joindre toute la population. D'autres programmes priorisent certains groupes, mais essentiellement sur des bases démographiques. En effet, plusieurs activités de promotion de la santé fondées sur des enquêtes visent des groupes de la population en fonction de l'âge de leurs membres, de leur sexe, de leur scolarité ou de leur revenu. Toutefois, relativement à la plupart des enjeux de la santé, les gens d'un même groupe démographique ne se comportent pas tous de la même façon, ne font pas partie des mêmes milieux ou organismes, ne participent pas tous aux mêmes événements, ne sont pas influencés par les mêmes personnes et, par conséquent, ne réagissent pas uniformément à une stratégie donnée. En segmentant la population selon l'importance que les gens attachent à un comportement donné ou à ses avantages, selon les habiletés des gens ou selon leur mode ou leur milieu de vie, et en concevant des stratégies en conséquence, on augmente donc les chances de succès d'une stratégie ayant pour objectif un changement de comportement.

La concurrence. Puisque les gens doivent faire des choix, presque tous les comportements se trouvent en concurrence avec d'autres. Cela signifie que les avantages proposés ne doivent pas simplement être importants aux yeux du public cible, ils doivent aussi posséder un atout concurrentiel par rapport aux autres choix de comportement (Smith, 2002).

L'emprunt des principes traditionnels du marketing. «L'approche marketing nous demande de prendre en considération les principaux facteurs susceptibles de favoriser le comportement d'achat. [...] Traditionnellement, ils ont été ramenés à quatre, soit le produit lui-même, son prix, sa distribution et sa promotion» (De Guise, 1991). Par conséquent, l'application du marketing social exige, en plus de la «promotion» ou de la communication, une réflexion 1) sur la conception du produit, du service, du programme et du comportement ou sur les avantages associés à son adoption, 2) sur les coûts financiers, physiques, psychologiques et sociaux, les contraintes de temps ou les inconvénients associés à l'adoption du comportement, et 3) sur le moment et le lieu d'adoption du comportement, ou sur ses conditions d'accès.

Le prétest ainsi que le suivi et l'évaluation continus. Ils servent à améliorer le programme et à en étudier les retombées.

Un engagement à long terme. Les changements sociaux ne prennent pas des mois à se produire, mais bien des années et des décennies. De plus, ils sont rarement l'aboutissement des efforts d'un seul organisme. On aura donc avantage à établir des objectifs observables et réalistes, à court et à moyen terme, générateurs de profonds changements conformes à une vision claire de ce que l'on désire pour l'avenir.

Des questions d'éthique

«Plusieurs personnes ou groupes sont choqués à l'idée d'appliquer le marketing à des fins éducatives ou sociales» (De Guise, 1991). Les termes «marketing» et «social» semblent en effet incompatibles, notamment parce que certains ne voient dans le marketing qu'un exercice de manipulation ou un processus excluant les premiers intéressés, ce qui va à l'encontre des principes de mobilisation communautaire (Andreasen, 2002). On accuse aussi le marketing social de mettre une responsabilité indue sur le dos des gens. Enfin, certains s'interrogent sur la relation de cause à effet établie entre le marketing commercial et les enjeux sociaux, sanitaires et environnementaux de notre époque.

L'emprunt abusif des techniques du marketing pourrait amener des citoyens à se comporter essentiellement comme des consommateurs. Ces citoyens devenus consommateurs en viendraient à oublier qu'un citoyen n'a pas que des droits, mais aussi des devoirs (Hutton, 2001). On n'offrirait donc aux gens que ce qu'ils veulent et non ce dont ils ont besoin, ce qui aurait pour effet de dénaturer les missions fondamentales des organismes publics et sociaux.

Selon De Guise (1991), cet agacement relève plus de l'ignorance et du préjugé que d'une évaluation éclairée du processus en cause. Les tenants des principes et des techniques du marketing social, tels qu'ils sont décrits dans la section précédente, cherchent à tenir compte du public cible et des particularités des segments, et veillent à créer des conditions attrayantes et facilitantes d'adoption de comportements. Le marketing social n'exclut pas d'emblée la participation des premiers intéressés au processus ni l'influence de décideurs pour agir sur des déterminants de la santé ou sur des politiques publiques.

Pour débattre ces questions dans le contexte de la pratique en santé publique, il est utile de nuancer les questions qui peuvent être soulevées au regard des points suivants :

- les fins visées – ce qui n'est pas en soi un enjeu de marketing social, mais bien un enjeu lié aux objectifs poursuivis par l'organisme qui tente d'influencer un segment de la population ou des décideurs ;
- les moyens utilisés – ces moyens se rapportent aux stratégies et aux tactiques de marketing social et de communication ; le manque d'éthique en ce domaine ne saurait être justifié par les fins visées (la fin ne justifie pas les moyens) ;
- les dilemmes éthiques liés aux effets voulus ou imprévus.

Les questions suivantes visent à susciter la réflexion sur certains dilemmes éthiques qui peuvent se présenter lors de l'élaboration, de la mise en œuvre et de l'évaluation d'un programme. Elles sont inspirées des travaux de Guttman (2000) et de Basil (2001). Il n'y pas de bonnes ni de mauvaises réponses à ces questions. Il est toutefois important de tenter d'y répondre en précisant la nature des dilemmes éventuels, d'examiner ceux-ci et d'envisager les options menant à une prise de décision éclairée et respectueuse des principes éthiques.

Au regard des fins visées

- La description de l'enjeu dans le domaine de la santé est-elle essentiellement adaptée aux intérêts des intervenants ?
- Fait-on la promotion de comportements ou d'actions désapprouvés socialement ?
- Impose-t-on à certains groupes une responsabilité indue ?
- L'organisme responsable est-il celui qui est le mieux placé pour atteindre les objectifs visés ?
- Sur quels critères le choix des segments ou des publics cibles repose-t-il ?
- Le choix du segment de population repose-t-il sur des besoins réels ou sur le fait que ce segment était facile à joindre ?
- Les publics cibles sont-ils déjà des groupes privilégiés ?
- Qu'advient-il des publics non ciblés ?

Au regard des moyens utilisés

- Le moment et le lieu de l'intervention sont-ils adéquats et acceptables ?
- Prévoit-on créer des conditions favorisant l'adoption du comportement, notamment au regard de l'accès et du développement d'habiletés ?
- Les stratégies et les tactiques de communication mènent-elles à la manipulation des gens ou de l'information ?
- A-t-on choisi de ne pas communiquer certains faits ?
- A-t-on exagéré certains faits afin d'attirer l'attention du public cible ?
- Utilise-t-on des renseignements personnels ou confidentiels pour élaborer ou mettre en œuvre les stratégies et les tactiques ?
- Maximise-t-on les ressources humaines et financières disponibles ?
- Prévoit-on évaluer la stratégie, notamment par le suivi des effets possibles sur des publics non ciblés ?

Au regard des effets voulus ou imprévus

- L'intervention a-t-elle atteint les publics cibles ?
- Si oui, a-t-elle eu les effets voulus ?
- La stratégie a-t-elle eu des effets imprévus ou indésirables sur les publics cibles ?
- L'intervention a-t-elle joint des publics non ciblés ? Quelles en ont été les conséquences ?
- Les ressources ont-elles été maximisées ? Le choix d'un autre organisme ou d'une autre stratégie aurait-il permis d'obtenir les mêmes résultats plus efficacement ?

Des rappels de ces questions reviendront aux différentes étapes de la planification présentées dans la section suivante.

LES SEPT COMPOSANTES DE LA PLANIFICATION EN MARKETING SOCIAL

Au moyen d'exercices, cette section guide les praticiens dans le processus d'élaboration du plan de marketing social en sept composantes. D'autres processus existent ; ils comportent plus ou moins d'étapes qui correspondent de près ou de loin à celles décrites ci-dessous (Kotler, Roberto et Lee, 2002 ; Weinreich, 1999).

Les sept composantes sont les suivantes :

1. La détermination des objectifs de changement, c'est-à-dire une description de l'enjeu et des

comportements ou actions observables que l'on souhaite voir adopter par certains publics cibles.

2. L'analyse de ces publics cibles.
3. L'analyse du contexte organisationnel et externe, de façon à tirer profit des forces de l'organisme ou des occasions favorables et à relever certains défis.
4. La détermination d'objectifs mesurables et prioritaires.
5. L'élaboration de la stratégie qui comportera une réflexion sur le positionnement, la conception ou la modification de l'« offre », le choix de canaux de communication médiatiques, interpersonnels et événementiels, la conception et le prétest des messages, et les partenariats.
6. Le suivi et l'évaluation.
7. La mise en œuvre.

Pour s'assurer de couvrir tous les aspects du plan, on doit habituellement réunir de quatre à six personnes clés de l'organisme. Il faudra certainement plus d'une séance de travail.

Dans un premier temps, il faut s'attaquer aux composantes 1 à 4 et ne poursuivre que lorsqu'il y a consensus entre les intervenants. La composante 5, qui a trait au développement de la stratégie, exigera également un consensus. Cela fait, on définit les modalités de suivi et d'évaluation (composante 6) et les détails de la mise en œuvre du plan de marketing social (composante 7). Bien que l'organisation des composantes se veuille logique, il faut parfois revenir à des étapes antérieures à mesure que l'on progresse dans l'élaboration de la stratégie.

PREMIÈRE COMPOSANTE : LES OBJECTIFS DE CHANGEMENT

« Le marketing social s'amorce généralement lorsque l'agent de changement a clairement déterminé le changement souhaité » (Smith, 2002). Cette première composante consiste donc à préciser les objectifs de changement visés (voir le tableau 8.1) en traduisant la vision de l'organisme ou du programme en comportements, en actions ou en décisions à adopter. Les réponses à ces questions se trouvent généralement dans les documents d'orientation ou de planification stratégique de l'organisme ou du bailleur de fonds. Il est toujours utile d'étayer les réponses de données quantitatives ou tirées de la documentation sur le sujet.

DEUXIÈME COMPOSANTE : L'ANALYSE DES PUBLICS CIBLES

Au regard des objectifs de changement précisés dans la première composante, l'analyse des publics cibles a pour but de tracer un profil démographique, comportemental et social de ces publics. Cette analyse se fait en distinguant d'abord l'information qui concerne les membres d'un public cible donné qui ont déjà adopté le comportement recherché d'avec l'information portant sur ceux qui ne l'ont pas adopté. Une segmentation plus fine pourra être envisagée à la lumière des données, notamment en fonction de données sociodémographiques relatives à certains segments ou de la prédisposition comportementale de ceux qui n'ont pas adopté le comportement, segments qui peuvent nécessiter des interventions particulières ou qui risquent de réagir de façon différente à une même intervention (Myers, 1996).

TABLEAU 8.1 — OBJECTIFS DE CHANGEMENT

Questions permettant de déterminer les objectifs de changement.

• Quelles sont la nature et l'ampleur du problème auquel le programme tente d'apporter des solutions ?
• Quelles sont les solutions et les approches envisagées ? Ont-elles déjà été éprouvées dans des conditions similaires ? Une revue de la documentation et une analyse des expériences de collègues sont fortement encouragées.
• Quelles sont les raisons ou les circonstances qui amènent à intervenir maintenant ?
• À la lumière des réponses aux questions précédentes, quels publics cibles doit-on tenter d'influencer ? Il peut y avoir plus d'un public cible. Ces publics cibles peuvent être internes (employés, conseil d'administration, membres de comités, bénévoles) ou externes (segments de la population, décisionnaires, professionnels, législateurs, personnages politiques, partenaires, etc.). Inclure dans cette liste les partenaires éventuels, sans les tenir pour acquis. Il faut préciser ce que l'on veut que chacun des publics cibles « fasse » de façon « observable ». C'est la question la plus importante dans l'analyse des publics cibles.
• Quelles questions d'éthique peuvent être soulevées au regard des fins visées ?

La collecte de données peut s'appuyer sur des informations internes, des données statistiques publiées par divers organismes et des études plus ou moins poussées (sondages, entrevues de groupes [*focus group*], entrevues, etc.). Il est essentiel de connaître avec précision l'information stratégique nécessaire et de maximiser les données existantes afin d'éviter d'engager des frais de recherche inutiles.

Voici une liste de questions à poser aux publics cibles afin d'obtenir des données fort importantes pour l'élaboration de la stratégie (McKenzie-Mohr et Smith, 1999). Ces questions sont conformes à quelques-uns des principes exposés précédemment.

Avantages

- Quels aspects positifs sont associés au comportement *x* ?
- Quels aspects négatifs sont associés au comportement *x* ?

Obstacles

- Qu'est-ce qui complique l'adoption du comportement *x* ?
- Qu'est-ce qui simplifie l'adoption du comportement *x* ?

Pressions sociales

- Qui souhaite l'adoption du comportement *x* ? Dans quelle mesure son opinion importe-t-elle ?
- Qui souhaite que le comportement *x* ne soit pas adopté, ou qui ce dernier laisse-t-il indifférent ? Dans quelle mesure son opinion importe-t-elle ?

Il est parfois utile de déterminer l'étape du changement de comportement à laquelle des segments se situent au regard du comportement souhaité. Pour ce faire, on fait souvent référence aux étapes de changement de comportement de Prochaska, Norcross et DiClemente (1994).

- Préréflexion : à cette étape, les gens n'ont généralement aucune intention de changer leur comportement ou habitude, allant même jusqu'à refuser de voir le problème.
- Réflexion : les gens reconnaissent avoir un problème et envisagent sérieusement d'y remédier.
- Préparation : à cette étape, la plupart des gens se préparent à passer à l'action dans le mois qui suit, réglant les derniers éléments qui leur permettront d'amorcer un changement de comportement.
- Action : ils font le geste pour lequel ils se sont préparés. On assiste alors à un changement visible du comportement et de tout ce qui y est associé.
- Maintien : les gens s'efforcent de consolider les progrès réalisés à l'étape de l'action et à d'autres étapes, luttant pour éviter les rechutes.
- Intégration : cette étape représente le but ultime. L'ancienne habitude ou l'ancien problème ne constitue plus une tentation ni une menace.

Le tableau 8.2 (ci-dessous) permet de réaliser une analyse abrégée des publics cibles. Ce tableau peut être

Tableau 8.2

Analyse abrégée d'un public cible

Public cible : ______________________________

Ce que l'on veut que les membres de ce public cible fassent (voir le tableau 8.1).

	Ceux qui ont déjà adopté le comportement	Ceux qui ne l'ont pas adopté
Données démographiques (nombre, âge, sexe, scolarité, situation familiale, revenu, occupation, milieu de vie [urbain ou rural], langue et autres caractéristiques culturelles).		
Besoins en général.		
Attentes relatives à l'organisme.		
Avantages de l'adoption du comportement.		
Obstacles réels ou perçus à l'adoption du comportement.		
Étape de changement de comportement.		

TABLEAU 8.2

ANALYSE ABRÉGÉE D'UN PUBLIC CIBLE (*suite*)

Public cible : ______________________________

Ce que l'on veut que les membres de ce public cible fassent (voir le tableau 8.1, à la page 102).

	CEUX QUI ONT DÉJÀ ADOPTÉ LE COMPORTEMENT	CEUX QUI NE L'ONT PAS ADOPTÉ
Personnes ou groupes de personnes qui exercent des influences favorables, neutres ou défavorables.		
Habitudes en matière de médias ou de participation à des événements.		
Appartenance à des groupes et endroits où le public cible peut être joint.		
Parmi les personnes qui n'ont pas adopté le comportement, peut-on déceler des sous-segments qui auraient des caractéristiques distinctives (d'ordre démographique ou comportemental, ou relatives au mode de vie) ? Préciser.		

reproduit et rempli en fonction de chacun des publics cibles. On se rappellera que :

- les besoins ne sont pas nécessairement liés directement au comportement souhaité ;
- le public cible n'a peut-être présentement aucune attente relative à l'organisme ;
- les avantages sont liés à l'adoption des comportements, dans la perspective du public cible et non dans celle d'experts de l'enjeu ;
- les obstacles peuvent être supposés ou réels ;
- des personnes ou des groupes de personnes peuvent exercer des influences favorables (+), neutres ou défavorables (–) ;
- les modes de vie font référence aux endroits, aux groupes, aux événements et aux médias qui permettraient de joindre ce public cible.

TROISIÈME COMPOSANTE : L'ANALYSE DU CONTEXTE

Cette composante permet de reconnaître les quelques facteurs organisationnels, c'est-à-dire les forces et les faiblesses de l'organisme, et les facteurs externes, c'est-à-dire les occasions favorables et les menaces ou contraintes, qui pourraient avoir un effet sur l'intervention.

Les facteurs organisationnels se rapportent à la situation et aux ressources au sein même de l'organisme qui pourraient favoriser (forces) ou défavoriser (faiblesses) la réalisation des objectifs.

Les facteurs externes concernent les tendances, les événements ou les autres organismes qui ont ou auront une influence sur la réalisation de la stratégie et dont il faut tenir compte. Ces tendances et ces événements ainsi que les actions d'autres organismes peuvent parfois représenter des occasions favorables et, parfois, représenter des menaces. C'est à cette étape que l'on envisagera les enjeux de concurrence. En effet, il peut y avoir toutes sortes d'organismes qui ciblent les mêmes personnes ou qui s'opposent au programme en cause. Il est important de procéder à une telle analyse, notamment pour pouvoir se démarquer et choisir judicieusement ses partenaires ou arrêter le calendrier stratégique.

Les tableaux 8.3 et 8.4 (voir ci-contre) seront très utiles pour effectuer l'analyse du contexte. Il est important, à cette étape, de se concentrer uniquement sur les enjeux pertinents.

QUATRIÈME COMPOSANTE : LES OBJECTIFS MESURABLES

À la lumière des analyses et des réflexions, il faut maintenant préciser quelques objectifs mesurables et prioritaires (cinq, par exemple) sur lesquels on se concentrera. Dans un premier temps, on ciblera les publics ou les segments qui offrent le plus de potentiel, présentent les besoins les plus importants, sont les plus disposés à agir, sont les plus faciles à joindre et dont le profil correspond le mieux à l'organisme (Kotler, Roberto et Lee, 2002). Cela dit, pour des raisons d'éthique ou d'impératifs de santé publique, il se peut que l'on ait à joindre d'abord des publics plus réticents. Pour chacun des

TABLEAU 8.3

ANALYSE DU CONTEXTE INTERNE

Reconnaissance des facteurs organisationnels qui représentent une force ou une faiblesse.

FACTEURS	FORCES	FAIBLESSES
Énoncé de mission actuel. Les objectifs de changement sont-ils au cœur de la mission de l'organisme ?		
Plan organisationnel à long terme actuel. L'organisme a-t-il une vision claire pour les prochaines années et les objectifs de changement en font-ils partie ou sont-ils compatibles ?		
Compétences en matière de planification et de mise en œuvre des activités de marketing social.		
Culture organisationnelle. L'organisme a-t-il l'habitude de consulter les publics cibles ?		
Processus décisionnel. Est-il bien défini ?		
Règles internes (en matière de partenariat ou de commandite, par exemple).		
Ressources humaines, matérielles et financières.		
Partenaires actuels.		
Accès du public cible ou du segment à des réseaux et à des canaux (structurés ou informels).		
Expertise et capacité en matière de production.		
Autres.		
Comment peut-on exploiter les forces ? Comment peut-on surmonter les faiblesses ?		

TABLEAU 8.4

ANALYSE DU CONTEXTE EXTERNE

Reconnaissance des facteurs du milieu qui peuvent contribuer ou nuire aux activités, ou encore en limiter la portée.

FACTEURS	OCCASIONS FAVORABLES	MENACES OU CONTRAINTES
La concurrence • sursollicitation du public cible • opposition à la cause • concurrence dans le domaine		
L'ouverture de la population relativement au changement proposé et sa capacité de le mettre en œuvre		
Les questions d'éthique (par exemple, la confidentialité)		

▼

Tableau 8.4 — **Analyse du contexte externe (*suite*)**

Reconnaissance des facteurs du milieu qui peuvent contribuer ou nuire aux activités, ou encore en limiter la portée.

Facteurs	Occasions favorables	Menaces ou contraintes
Les aspects juridiques (par exemple, les règlements municipaux)		
Les aspects sociaux (par exemple, la pauvreté)		
Les aspects politiques (par exemple, des élections ou des consultations publiques)		
Les aspects économiques (par exemple, la fermeture d'une grande usine)		
Les aspects démographiques (par exemple, le vieillissement de la population)		
Les aspects technologiques (par exemple, le timbre de nicotine)		
Autres		
Comment peut-on tirer le maximum des occasions qui se présentent? Comment peut-on circonscrire les menaces de l'extérieur?		

publics ou des segments priorisés, il faut préciser une date, ainsi qu'un changement observable sur le plan:

- des connaissances;
- des attitudes;
- des perceptions au regard des normes sociales, des influences personnelles ou des capacités personnelles;
- de la consultation d'information, de personnes influentes ou de professionnels;
- de la participation à des activités;
- de l'adoption du comportement visé; ou
- de la fidélisation ou du maintien du comportement adopté.

Voici le libellé type d'un objectif mesurable:

Le (date), (pourcentage ou nombre) des (segments démographiques ou psychologiques déterminés) vont (connaître, croire que, faire…).

Cinquième composante : la stratégie

La stratégie, qui vise la réalisation des objectifs mesurables, se compose de cinq éléments qui se rapportent directement aux analyses des publics cibles, du contexte et des objectifs mesurables:

1. le positionnement;
2. la conception ou la modification du programme, du service ou du produit, ou du comportement dont on fait la promotion de façon à le rendre attrayant et avantageux pour les publics cibles, peu coûteux sur le plan psychologique ou financier et facile d'accès;
3. les canaux de communication;
4. la conception et le prétest des messages;
5. les partenariats afin d'établir la crédibilité de l'organisme, d'exercer plus d'influence, d'avoir accès aux publics cibles ou de mobiliser les ressources nécessaires.

Le tableau 8.5 (page 107) aide à justifier les choix stratégiques à la lumière des analyses.

Le positionnement

Le positionnement est la place unique, crédible, privilégiée et durable que l'on veut que l'organisme ainsi que le comportement, le programme, le service ou le produit dont on fait la promotion occupent dans l'esprit des publics priorisés (Ries et Trout, 1981 ; Davis, 2000). Pour définir le positionnement souhaité, on s'inspirera de l'analyse des publics cibles et de la concurrence, et on décidera si l'on entend mettre l'accent sur:

- les caractéristiques ou les qualités de ce que l'on offre, y compris les efforts pour lever les obstacles;
- les avantages fonctionnels ou affectifs de l'adoption du comportement ou de ce que l'on offre,

TABLEAU 8.5 **LA STRATÉGIE**

À la lumière des analyses et des objectifs mesurables, déterminer les orientations stratégiques (justifier les orientations à la lumière des analyses des publics cibles et du contexte).

ORIENTATIONS EN MATIÈRE DE...	JUSTIFICATIONS
Positionnement	
La conception ou la modification du programme, du service ou du produit, ou du comportement dont on fait la promotion: • de façon à le rendre attrayant et avantageux pour les publics cibles; • peu coûteux sur le plan psychologique ou financier; • facile d'accès.	
Choix des canaux: • médiatiques • interpersonnels • événementiels	
Conception et prétest des messages	
Partenariats	

y compris le fait d'adopter un comportement attendu de personnes influentes ou souhaité socialement; ou

- les valeurs affectives, spirituelles ou culturelles évoquées (Davis, 2000).

L'énoncé de positionnement ne devrait être que de quelques lignes. Par exemple, dans le cas d'un effort de promotion d'un programme d'activité physique, veut-on que les publics cibles retiennent d'abord:

- les caractéristiques des programmes?
- les modifications apportées aux programmes pour les rendre plus accessibles?
- les retombées positives en matière de prévention de la maladie?
- les avantages d'un autre ordre tels que la socialisation, le coût peu élevé ou la facilité d'accès?
- le fait que le comportement est souhaité ou a été adopté par plusieurs personnes?
- les valeurs associées à la santé et au respect de l'environnement?

Pour être pertinent, le positionnement devra être fondé sur ce qui est cher aux publics cibles, tenir compte de la concurrence et de la capacité de l'organisme à se démarquer ainsi que de sa volonté réelle de concevoir ou de modifier ses interventions ou ses programmes pour les rendre compatibles avec le positionnement souhaité.

LA CONCEPTION OU LA MODIFICATION DU PROGRAMME, DU SERVICE OU DU PRODUIT, OU DU COMPORTEMENT DONT ON FAIT LA PROMOTION

Cette composante de la stratégie est ce qui distingue vraiment le marketing social de la seule communication, puisque le marketing social est plus que la simple transmission d'information. Il s'agit ici d'examiner la conception même de ce que l'on offre ou de ce dont on fait la promotion, ou d'envisager des modifications afin:

- d'y associer plusieurs avantages privilégiés par les publics cibles;
- de rendre l'adoption peu «coûteuse» sur le plan financier, physique, psychologique ou social, ou sur le plan du temps;
- d'aider les personnes qui auront manifesté des besoins d'acquisition d'habiletés; ou
- de faciliter l'adoption sur le plan de l'accessibilité (endroit et moment).

LES CANAUX DE COMMUNICATION

On choisira les canaux de communication en se référant à l'analyse des publics cibles et, plus particulièrement, aux personnes influentes, aux habitudes médiatiques des publics visés, à leur participation à des événements, à leur appartenance à des groupes et aux endroits où ils peuvent être joints. Ces renseignements aideront à dresser une liste de quelques canaux interpersonnels, cliniques, médiatiques ou événementiels qui permettront de joindre les publics cibles. On privilégiera les canaux qui offriront le maximum de portée, c'est-à-dire qui permettront à la fois de joindre le plus de membres possible du public cible, sans toutefois joindre inutilement d'autres personnes, et de respecter les budgets (voir les ressources budgétaires dans l'analyse du contexte). Il est recommandé de maximiser les réseaux interpersonnels avant d'envisager de grands déploiements médiatiques. De plus, il est judicieux de tenter d'insérer son message dans des événements auxquels participent déjà les publics cibles plutôt que d'en créer un de toute pièce. Dans tous les cas, il faut prévoir une grande fréquence d'exposition au message afin qu'il soit compris, qu'il suscite la discussion et qu'il soit perçu comme une norme sociale (Hornik, 2002).

Voici une liste de canaux éventuels tirée d'un document publié par la Health Communication Unit de l'Université de Toronto (2002) : journaux, bulletins d'information, radio, télévision, affichage, téléphone, poste, publicité sur les lieux de vente, programmes éducatifs, communications électroniques, présentoirs, présentations, formation, réseaux informels, milieux cliniques, événements communautaires. Dupont (2001) a publié un livre pratique sur le choix des canaux médiatiques pertinents.

Bien que plusieurs guides proposent de concevoir les messages avant de choisir les canaux, il semble que la conception des messages est facilitée par la sélection préalable des canaux. Les messages tiendront ainsi davantage compte des contextes de diffusion et des particularités techniques des canaux sélectionnés.

La conception et le prétest des messages

Il existe une documentation volumineuse et plusieurs sites Web traitant de la conception des messages (Health Communication Unit, 2002 ; Kotler, Roberto et Lee, 2002). Voici une liste de conseils ; elle n'est évidemment pas exhaustive, mais a le mérite de proposer des pistes à quiconque veut améliorer la qualité de ses communications :

- se mettre à la place des membres des publics cibles ;
- parler à la tête, au cœur, à l'intuition et au portefeuille ;
- raconter des histoires qui illustrent les statistiques ;
- veiller à ce que l'incitation à l'action soit simple et claire ;
- formuler des énoncés brefs et percutants ;
- limiter le message à un titre accrocheur, trois arguments clés et un incitatif à l'action ;
- illustrer visuellement le message ;
- assurer d'abord sa crédibilité et son influence, et s'associer à des partenaires adéquats ;
- ne pas se prendre trop au sérieux ;
- démontrer que l'on n'est pas seul ;
- s'assurer que les diverses activités de communication sont complémentaires et cohérentes, et qu'elles renforcent le message, tant par le propos que par la fréquence.

Les énoncés suivants pourraient servir de liste de contrôle si on conçoit un document imprimé. Ces énoncés sont inspirés de ceux que présentent Caron-Bouchard et Renaud (1999) et la Health Communication Unit (2002).

- Le titre figure clairement sur la première page.
- Le titre capte l'attention des lecteurs et les incite à poursuivre la lecture.
- Les titres et sous-titres des articles sont explicites, annoncent clairement le contenu qui suit et facilitent la lecture.
- Le but poursuivi est mis en évidence sur la couverture.
- Le texte couvre l'essentiel du message et est bref.
- Des éléments visuels ou écrits attirent l'attention.
- L'information est complète et présentée de façon efficace.
- Les phrases sont courtes, écrites à la forme active et dans un style concis.
- Le vocabulaire est accessible.
- La présentation du message est logique et facilite la lecture.
- L'incitation à l'action est claire et explicite.
- Une source d'information additionnelle est clairement indiquée et facile d'accès.
- Chaque feuillet invite à poursuivre la lecture.
- La typographie (police et taille) est simple, facile à lire et correspond bien aux caractéristiques des publics cibles.
- La mise en pages est aérée.
- La publication comporte des illustrations (photos, dessins, schémas).
- Les illustrations ou les photographies renforcent le propos.
- Les illustrations sont faciles à comprendre.
- Les logos sont clairement identifiés.
- L'utilisation de la couleur est appropriée.
- La couleur du papier contraste avec celle des caractères imprimés.
- Le pliage facilite la lecture continue du message et la manipulation.

Dans le cas de messages destinés à des décideurs, on parle souvent d'argumentaire. Or, on a trop souvent tendance à soulever les problèmes pour influencer des décideurs. De plus en plus, les décideurs, les citoyens et les donateurs veulent appuyer des solutions. Un bon argumentaire répond aux questions suivantes:

- Quel est le problème et en quoi est-il pertinent pour le décideur et ses commettants?
- Y a-t-il urgence d'agir?
- Y a-t-il une solution éprouvée et acceptable?
- Les obstacles à la mise en œuvre de la solution sont-ils surmontables?
- Les acteurs ou l'organisme sont-ils crédibles et compétents?

Le prétest est une étape essentielle. Il permet de choisir parmi certaines options ou de raffiner les messages et certains éléments de la stratégie de conception ou de modification de l'offre. Il est important aussi de ne pas trop réagir aux commentaires faits par les personnes qui participent au prétest. Leurs réactions peuvent mener à une surestimation ou à une sous-estimation des réactions éventuelles des publics cibles. Si l'analyse des publics cibles et du contexte a été systématique, il est peu probable que les résultats du prétest ne soient que négatifs. Il s'agit de vérifier, dans le cadre de groupes de discussion ou d'entrevues, si le message capte l'attention, s'il est clair, pertinent, convaincant et crédible, s'il produit l'effet escompté et si certains aspects doivent être améliorés.

LES PARTENARIATS

Des partenariats sont envisagés en marketing social pour une ou plusieurs des raisons suivantes:

- donner de la crédibilité ou de l'influence à l'« offre » et aux messages;
- avoir accès aux publics cibles;
- mobiliser des ressources humaines, matérielles ou financières pour la mise en œuvre de programmes ou de stratégies.

Le tableau 8.2 (page 103) devrait permettre de repérer les personnes ou les groupes qui exercent une influence sur les publics cibles. Les tableaux 8.3 et 8.4 sur l'analyse du contexte permettront aussi de déterminer les besoins et les occasions en matière de partenariats.

Afin de bien se préparer à solliciter des partenaires, on doit répondre aux questions suivantes.

- Pourquoi veut-on conclure des partenariats? (Crédibilité, accès, ressources)
- Quel genre de soutien recherche-t-on? (Argent, biens ou services, etc.)
- A-t-on des politiques et des orientations en matière de partenariats?
- Doit-on les mettre à jour?
- Qui sont les partenaires éventuels?
- Que sait-on d'eux?
- Qu'est-on disposé à offrir (ou en mesure d'offrir) aux partenaires en échange de leur appui?
- Cette offre sera-t-elle équitable envers les autres partenaires ou appuis de l'organisme?
- Cette offre est-elle intéressante pour d'éventuels partenaires?
- A-t-on en main tous les éléments pour élaborer une proposition?
- Qui est la personne à contacter?
- La personne à contacter se situe-t-elle à un échelon lui permettant de traiter de ce genre de question?

Après l'élaboration de l'ensemble de la stratégie, il est recommandé de passer en revue les questions d'éthique au regard des moyens utilisés.

SIXIÈME COMPOSANTE: LE SUIVI ET L'ÉVALUATION

Le but fondamental de l'évaluation est de chercher à savoir s'il est possible d'améliorer ce qu'on fait ou ce qu'on a fait (Balch et Sutton, 1997). Généralement, un cadre de suivi et d'évaluation en marketing social consistera en un suivi de la mise en œuvre et en une évaluation des résultats.

Le suivi de la mise en œuvre consiste à préciser, relativement à chacune des actions prévues dans la stratégie:

- si l'activité a eu lieu et quand;
- si elle s'est déroulée selon le calendrier prévu (que ce soit le cas ou non, il faut en préciser la raison);
- si elle a mobilisé les ressources humaines, matérielles et financières prévues;
- le nombre de personnes jointes;
- le profil des personnes jointes par rapport au profil du public cible;
- les points forts et les points faibles de l'activité;
- les leçons qu'on en a tirées;
- les modifications préconisées pour l'activité ou le plan.

Le suivi de la mise en œuvre devrait être un processus continu. Durant les premiers mois qui suivent le lancement du plan, on doit rédiger de brefs rapports mensuels. Ce suivi permet d'apporter des modifications de façon à éviter que des problèmes mineurs ne deviennent importants. Il permet aussi de connaître la façon la plus rentable de mener à bien l'intervention (Ogden, Shepherd et Smith, 1996).

Tableau 8.6 **Le suivi et l'évaluation**

Déterminer les éléments de suivi et d'évaluation ainsi que les méthodologies (comment) et les dates (quand).

	Suivi	Évaluation des résultats
Quoi ?	• Réalisation des activités • Profil des personnes jointes	• Au regard des objectifs mesurables • Au regard des effets non voulus
Comment ?	• Rencontres • Méthodologies	• Méthodologies et données repères
Quand ?	• Fréquence	• Fréquence et lien avec d'autres activités d'évaluation et de rapport de l'organisme

L'évaluation des résultats se rapporte directement aux objectifs mesurables (composante 4). Il s'agit donc de mesurer la réalisation de ces objectifs conformément à des changements de connaissances, de notoriété, d'attitudes, d'intentions, de perceptions, d'actions ou de comportements particuliers. Dans plusieurs cas, la recherche réalisée pour analyser les publics cibles aura fourni les données repères et les méthodologies pour mesurer l'atteinte des objectifs.

L'évaluation pourrait aussi comporter une analyse des conséquences imprévues, positives et négatives, de l'intervention (Kotler, Roberto et Lee, 2002). Cette démarche s'inscrit dans une réflexion éthique sur l'évaluation (voir la section sur les questions d'éthique au regard des effets voulus et non prévus).

Plusieurs organismes de santé publique ont déjà des cadres d'évaluation de programmes. Il serait opportun de consulter les responsables de l'évaluation de l'organisme afin d'assurer la compatibilité entre les méthodologies et les processus de rapport.

Enfin, la raison pour laquelle il est recommandé de déterminer son cadre de suivi et d'évaluation avant l'échéancier et le budget est essentiellement de s'assurer qu'on y prévoira le temps et les ressources nécessaires à l'élaboration de ce cadre.

Le tableau 8.6 permet de préciser ce que l'on mesurera, la méthodologie et les moments des suivis et de l'évaluation.

Septième composante : la mise en œuvre

Cette composante consiste essentiellement en l'établissement d'un échéancier pour la mise en œuvre de la stratégie ainsi que d'un budget.

L'échéancier précisera les dates et les tâches à accomplir ainsi que les personnes responsables de chacune des tâches. Le tableau 8.7 présente une liste des tâches que l'on trouve fréquemment dans l'échancier d'un plan de marketing social.

Le tableau 8.8 présente les postes budgétaires relatifs aux revenus et aux dépenses que l'on trouve fréquemment dans l'échéancier d'un plan de marketing social.

Conclusion

Cette présentation exhaustive des questions d'éthique et de la rigueur qui doivent prévaloir dans la planification en marketing social risque d'en décourager plusieurs. Il est toutefois possible d'intégrer les principes du marketing social de façon progressive dans l'élaboration des plans d'intervention en santé publique. Puisque la stratégie en marketing social dépendra toujours d'une bonne analyse des publics cibles, les responsables d'un programme de santé publique pourraient, dans un premier temps, se limiter aux quatre premières composantes, sans toutefois remettre en question toute leur programmation. Une première réflexion permettrait de connaître les données manquantes ou de consulter des partenaires afin de préciser les priorités. Il s'agira ensuite d'ajuster les activités en cours, autant que faire se peut, et de profiter d'un prochain cycle de planification pour apporter des changements plus substantiels aux stratégies.

Dans la réalité, il y a peu de programmes où on ne recourt qu'au marketing social, où on suit une telle démarche de façon absolue. De plus, le changement social n'étant pas une science exacte, il n'existe pas de méthodes qui soient infaillibles. Néanmoins, des démarches systématiques de réflexion sur des questions d'éthique, d'analyse des publics cibles, de prise en compte du contexte, de priorisation et de création de conditions propices à l'adoption de comportements représentent des outils que les intervenants en santé publique auraient tout intérêt à utiliser.

TABLEAU 8.7

L'ÉCHÉANCIER

Tâches à préciser dans l'échéancier d'un plan de marketing social.

TÂCHES	
• Analyse du public cible • Conception et modification • Élaboration des messages • Prétest • Recherche de partenaires • Réalisation des activités de communication et fourniture de services (s'il y a lieu)	• Mise en œuvre (exécution des activités prévues dans la stratégie) • Suivi • Évaluation

TABLEAU 8.8

LE BUDGET

Postes budgétaires les plus courants d'un plan de marketing social.

REVENUS	DÉPENSES
• Recettes diverses • Organisme responsable • Gouvernements • Organismes sans but lucratif • Dons de particuliers (employés, membres et autres) • Fondations et clubs philanthropiques • Secteur privé	• Gestion, expertise-conseil et comités • Recherche et évaluation • Conception et modification du produit, des services, etc. • Activités médiatiques • Événements • Relations / réseautage / formation • Documents et autres matériels • Poste et distribution

RÉFÉRENCES

ANDREASEN, A.R. (2002). « Marketing social marketing in the social change marketplace », *Journal of Public Policy and Marketing*, vol. 21, n° 1, p. 3-13.

BALCH, G.I. et S.M. SUTTON (1997). « Keep me posted : A plea for practical evaluation », dans M.E. Goldberg, M. Fishbein et S.E. Middlestadt (dir.), *Social Marketing : Theoretical and Practical Perspectives*, New Jersey, Lawrence Erlbaum Associates.

BASIL, M.D. (2001). « Teaching and modeling ethics in social marketing », dans A.R. Andreasen (dir.), *Ethics in Social Marketing*, Washington (D.C.), Georgetown University Press, p. 184-200.

CARON-BOUCHARD, M. et L. RENAUD (1999). *Pour mieux réussir vos communications médiatiques : guide pratique en promotion de la santé*, Sainte-Foy, Ministère de la Santé et des Services sociaux du Québec.

DAVIS, S.M. (2000). *Brand Asset Management*, San Francisco, Jossey-Bass.

DE GUISE, J. (1991). « Le marketing social », dans M. Beauchamp (dir.), *Communication publique et société. Repères pour la réflexion et l'action*, Boucherville, Gaëtan Morin Éditeur, p. 285-333.

DUPONT, L. (2001). *Quel média choisir pour votre publicité*, Montréal, Éditions Transcontinental inc.

GUTTMAN, N. (2000). *Public Health Communication Interventions. Values and Ethical Dilemmas*, Thousand Oaks (Californie), Sage Publications.

HEALTH COMMUNICATION UNIT (2002). *Aperçu des campagnes de communication dans le secteur de la santé*, http://www.thcu.ca/infoandresources/publications/APERCU_Master_Wkbk_Complete.v3.1.format.aug.6.03.content.May02.pdf

HORNIK, R.C. (2002). « Exposure : Theory and evidence for behavior change », *Social Marketing Quarterly*, vol. VIII, n° 3, p. 30-37.

HUTTON, J.G. (2001). « Narrowing the concept of marketing », *Journal of Nonprofit and Public Sector Marketing*, vol. 9, n° 4, p. 5-24.

KOTLER, P., N. ROBERTO et N. LEE (2002). *Social Marketing. Improving the Quality of Life,* Thousand Oaks (Californie), Sage Publications.

McKENZIE-MOHR, D. et W. SMITH (1999). *Fostering Sustainable Behavior. An Introduction to Community-Based Social Marketing,* Gabriola Island (Colombie-Britannique), New Society Publishers.

MYERS, J.H. (1996). *Segmentation and Positioning for Strategic Marketing Decisions,* Chicago, American Marketing Association.

OGDEN, L., M. SHEPHERD et W.A. SMITH (1996). *The Prevention Marketing Initiative : Applying Prevention Marketing,* s.l., Centers for Disease Control and Prevention, U.S. Department of Health and Human Service, Public Health Service.

PROCHASKA, J.O., J.C. NORCROSS et C.C. DICLEMENTE (1994). *Changing for Good,* New York, William Morrow and Company.

RIES, A. et J. TROUT (1981). *Positioning : The Battle for Your Mind,* New York, McGraw-Hill.

SMITH, W.A. (2002). « Social marketing and its potential contribution to a modern synthesis of social change », *Social Marketing Quarterly,* vol. VIII, n° 2, p. 46-48.

SMITH, W.A. (1999). « Marketing with no budget », *Social Marketing Quarterly,* vol. V, n° 2, p. 6-11.

WEINREICH, N.K. (1999). *Hands-On Social Marketing. A Step-by-Step Guide,* Newbury Park (Californie), Sage Publications.

CHAPITRE 9

LA POLITIQUE, LES POLITIQUES, LE POLITIQUE :

TROIS MANIÈRES D'ABORDER L'ACTION POLITIQUE EN SANTÉ COMMUNAUTAIRE

MICHEL O'NEILL
FRANCE GAGNON
CLÉMENCE DALLAIRE

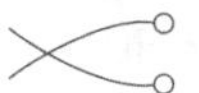

INTRODUCTION

Politique… Près de trois décennies de travail en interaction constante avec des professionnels de la santé nous ont montré que, lorsqu'ils entendent ce mot, ils réagissent fortement et, le plus souvent, négativement, qu'ils œuvrent en milieu institutionnel ou en milieu communautaire. Cette réaction est encore plus manifeste chez les infirmières [1], pour des raisons qui ont été longuement traitées ailleurs (Dallaire, O'Neill, Lessard et Normand, 2003 ; O'Neill, 1997 ; Gagnon et Dallaire, 2002 ; Dallaire, 2002 ; Shamian, Skeleton-Green et Villeneuve, 2002) ; en effet, leur état de femmes ne leur procure pas encore une place égale à celle des hommes dans la société et en fait des subalternes dans un système de santé encore largement dominé par les médecins et les administrateurs. Et, pourtant, nous sommes profondément convaincus que l'action politique est absolument nécessaire pour agir avec efficacité, action complémentaire, bien entendu, aux autres dimensions (Pineault et Daveluy, 1986 ; Chapdelaine et Gosselin, 1986) de l'intervention en regard d'un problème de santé communautaire.

Après avoir énoncé pourquoi, selon nous, les professionnels de la santé sont si réticents à l'égard du politique, ce chapitre fournit quelques bases conceptuelles à son propos comme les pose la science politique, dont c'est l'objet d'étude. Par la suite, à l'aide d'exemples concrets, il propose plusieurs manières de concevoir l'action politique. Finalement, il traite d'un outil concret d'analyse et d'intervention politique en santé (O'Neill, Gosselin et Boyer, 1997).

Dans ce chapitre, nous nous intéresserons à l'aspect politique des interventions qui se rapporte à l'existence, dans tout regroupement humain, de relations de pouvoir qui déterminent de façon significative, quoique non exclusive, les comportements des individus, des groupes et des collectivités. La notion de pouvoir renvoie à la capacité de certains individus ou de certains groupes de contraindre d'autres individus ou groupes à agir d'une manière déterminée (O'Neill, 1987). Il ne s'agit donc pas ici exclusivement de politique partisane ou d'interventions gouvernementales, mais bien de l'ensemble des rapports de force, présents dans toute société, qui ont inévitablement des conséquences importantes sur le travail des professionnels et des autres personnes œuvrant dans le domaine de la santé.

En anglais, les mots *politics, policy* et *political* introduisent des nuances importantes que l'unique mot français *politique* ne permet pas toujours de rendre, d'où l'intérêt, pour évoquer ces distinctions, de parler *de la* politique, *des* politiques et *du* politique (O'Neill, 1998). Faire *de la* politique (*politics*), c'est principalement travailler à l'intérieur de processus, électoraux ou autres, afin de se faire élire dans un parti, un syndicat, un gouvernement, une organisation. Travailler sur *les* politiques

1. Nous postulons que le présent ouvrage sera principalement utilisé par des infirmières. En conséquence, tout en ne négligeant pas les autres professionnels de la santé, nous avons fait le choix d'insister particulièrement sur les enjeux que le politique pose pour ces professionnelles ; comme c'est l'usage au Québec, nous utilisons ici le terme *infirmières* et le féminin pour tenir compte du fait que la très grande majorité des membres de la profession sont des femmes.

(*policies,* le pluriel de *policy*) d'un gouvernement, d'un établissement ou d'une organisation publique ou privée, c'est s'intéresser aux règles de fonctionnement qu'édictent ces institutions. Finalement, *le* politique (*political*) réfère aux enjeux de pouvoir entendus dans un sens large ; ces enjeux, comme nous le mentionnions dans le paragraphe précédent, affectent de manière incontournable l'organisation de la vie en société.

En santé communautaire, pourquoi est-on si réticent à l'égard du politique[2] ?

Depuis l'avènement de la santé communautaire « moderne » au Québec au début des années 1970, on a tendance à oublier à peu près complètement la dimension politique de la vie humaine, bien qu'on commence à y être un peu plus sensible que par le passé (O'Neill et Cardinal, 1998) ; le reste du Canada n'est pas très différent sur ce point. Un exemple illustrera ce que nous voulons dire.

Depuis longtemps, au Québec, les organismes de santé communautaire mettent l'accent sur la promotion d'une saine alimentation. Plusieurs de ces organismes ont des programmes à cette fin, élaborés et mis en œuvre par du personnel compétent (des nutritionnistes, plus particulièrement), qui agit avec l'appui de campagnes provinciales d'information en utilisant du matériel de qualité souvent développé de concert avec l'entreprise privée.

Or il y a quelques années, les programmes de nutrition en milieu scolaire mis de l'avant par le personnel travaillant en santé communautaire ont, en plusieurs endroits, été fortement concurrencés par Ronald McDonald lui-même. En effet, un des services « communautaires » offerts aux écoles par de nombreuses succursales de la puissante multinationale de la restauration rapide était la « visite industrielle » d'un restaurant McDonald's. Guidée par le clown mascotte, la classe s'y rendait en compagnie du professeur ; on allait derrière le comptoir, dans les réfrigérateurs, la cuisine, etc. Le tout se terminait, bien entendu, par une dégustation de ces aliments dont les nutritionnistes dénoncent la trop fréquente présence dans nos menus et par un encouragement à venir renouveler la dégustation en compagnie des parents. Une séance de dessin en classe servait parfois de complément pédagogique (et de renforcement du message « mcdonaldien »...).

Que faire de ces visites ? Devait-on les ignorer ? Devait-on les empêcher, sachant que le pouvoir du message de Ronald est très important et qu'il est renforcé par des campagnes médiatiques exemplaires ? Devait-on tenter de faire alliance avec Macdonald's ?

Cet exemple montre bien que l'omniprésence de la dimension politique dans les interventions en santé communautaire est un facteur clé à prendre en considération si l'on veut prétendre à une quelconque efficacité dans la mise en œuvre de programmes ou de services. De plus en plus, les personnes intervenant dans ce domaine, à force d'échecs, se rendent compte que ce n'est pas parce que leur analyse épidémiologique de la situation est erronée ni parce que leur programme ou leur service sont mal conçus qu'elles ont peu réussi. C'est souvent parce qu'elles n'ont pas su comprendre ni utiliser de façon appropriée les forces politiques en présence. Des raisons idéologiques, structurelles et techniques expliquent, selon nous, ce manque de sensibilité politique.

En effet, la motivation *idéologique* première qui incite les professionnels de la santé à embrasser le type de carrière qu'ils ont choisi est généralement un « idéal de service » où la compassion et l'aide aux individus affectés par la maladie sont des éléments centraux. Dans cette optique, ils ont donc habituellement tendance à ne pas vouloir se préoccuper, ou même à nier, les rapports de pouvoir qui les entourent, car ces rapports heurtent de manière fondamentale les valeurs de base (Milio, 1970) qui les ont attirés vers leur profession. Cette attitude a aussi des raisons *structurelles,* relevant de la manière dont la société est actuellement organisée. À une époque de démantèlement de l'État providence, les interventions politiques, qui ont souvent beaucoup d'éclat, risquent d'attirer des problèmes aux individus et aux organisations qui les entreprennent ; cela ne rend donc pas ces interventions très populaires dans des établissements où un « profil bas » est souvent perçu comme nécessaire à la survie. Finalement, des raisons d'ordre *technique* freinent l'intervention politique : il n'existe que très peu d'outils de travail concrets, encore moins en français, permettant aux personnes ayant fait le choix d'intervenir politiquement de le faire, et ce n'est certainement pas la formation de base actuelle des professionnels de la santé qui les équipe de manière appropriée à cette fin.

C'est dans l'espoir de continuer à briser ces obstacles importants que, dans les prochaines sections du

2. Cette section est, en partie, inspirée de l'introduction de l'ouvrage d'O'Neill, Gosselin et Boyer (1997).

chapitre, nous abordons les aspects conceptuels et pratiques de l'intervention politique en santé.

L'inévitable politique : quelques bases conceptuelles

Dans cette première section, nous reviendrons sur les différentes dimensions du politique évoquées ci-dessus (*la, les, le*) en présentant quelques concepts clés de la science politique ainsi que diverses interprétations et approches des phénomènes politiques. Il serait téméraire de prétendre couvrir en si peu de pages les différentes définitions et analyses que propose cette science. Notre but est tout simplement de donner à la lectrice des repères qui lui permettront de saisir à la fois les principales préoccupations de cette discipline et la richesse de ses analyses. Nous comptons sur le fait que les personnes désireuses d'en savoir davantage n'hésiteront pas à consulter les nombreuses références que nous incluons ; c'est pourquoi, dans les sections qui suivent, nous traitons, à l'occasion, de concepts sans trop les approfondir ni les définir, afin de ne pas alourdir davantage une matière déjà un peu aride[3].

Dans un premier temps, l'action politique comme lieu de relations de pouvoir et de mise en scène de *la* politique retient notre attention. Le pouvoir comme enjeu relationnel est au centre de ce que nous présentons. Par la suite, nous nous arrêterons sur *les* politiques publiques comme lieu de mise en évidence de problèmes sur la scène publique et de recherche de solutions. Vues sous cet angle, les politiques publiques deviennent l'enjeu sociopolitique de luttes entre des groupes défendant divers intérêts, dont les groupes de professionnels de la santé. Enfin, nous verrons *le* politique comme lieu de formalisation et d'institutionnalisation des choix collectifs, à travers, en particulier, ce mécanisme qu'est l'État. Cette manière de voir *le* politique nous amène à le considérer comme un enjeu sociétal au sens où les choix qui sont faits collectivement (en ce qui concerne, par exemple, le type d'organisation des services de santé ou la répartition des ressources entre les secteurs) renvoient aux valeurs que l'on privilégie comme société[4].

L'intérêt de cette distinction analytique entre les trois dimensions du politique est de permettre de mieux comprendre les phénomènes qui y sont reliés pour mieux intervenir. Il n'y a pas nécessairement une dimension qui prédomine ; chaque dimension résulte d'un découpage différent de la réalité et aucune ne traduit l'ensemble des phénomènes politiques. Encore aujourd'hui, il n'y a pas de consensus sur l'objet et la démarche de la science politique (Déloye et Voutat, 2002 ; Bélanger et Lemieux, 1996).

L'action politique comme lieu de relations de pouvoir et de mise en scène de *la* politique

Le concept de pouvoir est central dans un nombre imposant d'études, sans pour autant faire l'unanimité puisque les définitions et approches varient, allant des interprétations qui lient pouvoir et individus jusqu'à celles qui associent pouvoir et systèmes, tantôt dans une logique relationnelle (Dahl, 1973), tantôt dans une logique stratégique (Crozier et Friedberg, 1977) et tantôt dans une logique systémique (Lemieux, 1989a).

La notion de pouvoir

Comme le mentionne Lemieux (1988, p. 231), l'une des définitions les plus citées en science politique pour décrire une relation de pouvoir est celle de Dahl (1973), selon qui cette relation « constitue un rapport entre des acteurs par lequel l'un d'entre eux amène les autres à agir autrement qu'ils ne l'auraient fait sans cela ». Cette définition se rapproche de celle du sociologue Max Weber, pour qui le pouvoir est « la capacité pour un individu A d'obtenir d'un individu B un comportement ou une abstention que B n'aurait pas spontanément manifestés et qui est conforme à la volonté de A » (Denquin, 1992, p. 23). Bien que l'on puisse considérer l'influence comme un type de relation de pouvoir, rapidement se pose la question de la distinction entre influence et pouvoir. Relativement à cette question, plusieurs auteurs s'entendent pour reconnaître que l'influence « fonctionne » à la persuasion (Bélanger et Lemieux, 1996 ; Boudon et Bourricaud, 1982), alors que le pouvoir est associé à l'autorité, voire à la contrainte. Le pouvoir ne se résume pas pour autant à un ultime rapport de force, et son exercice fait appel à la légitimité qui rend possible le consentement au pouvoir.

3. Pour un aperçu des « premiers » développements de la discipline, voir Lerner and Laswell (1951). Pour une introduction aux concepts clés, aux approches, aux méthodes et aux techniques de la science politique, voir Braud (1992) et Denquin (1992). Le traité de Grawitz et Leca (1985) demeure un classique. Voir également Riemer (1983).
4. Cette lecture des différentes dimensions du politique est présentée dans Gagnon et Dallaire (2002). Compte tenu des objectifs de ce chapitre, une attention particulière est prêtée ici à la dimension de l'*action* politique.

On doit à Max Weber la distinction entre trois types de fondements sur lesquels un pouvoir peut asseoir sa légitimité : traditionnel, charismatique et rationnel-légal. La légitimité traditionnelle est associée à l'ancienneté ; c'est la coutume établie qui confère l'autorité au chef. La légitimité charismatique repose sur les qualités personnelles de l'individu. La légitimité rationnelle-légale relève des règles « objectives » qui sont établies par une autorité extérieure où « le pouvoir résulte d'une délégation prévue et organisée » (Denquin, 1992, p. 150). Les trois types de légitimité peuvent coexister ; cependant, la légitimité traditionnelle est moins présente dans nos sociétés et la légitimité rationnelle-légale est celle qui correspond à l'émergence des États modernes et des bureaucraties.

L'analyse de Weber a le mérite de définir le pouvoir comme une interaction entre des individus et de nous éclairer sur ce sur quoi il se fonde ; mais les questions de son maintien et de sa dynamique dans les systèmes demeurent entières. Ainsi, l'exercice du pouvoir au quotidien vise une répartition de *ressources* qui risque de conduire à des *conflits*, compte tenu des *intérêts* divergents des acteurs, des *atouts* dont disposent ou non ces acteurs et des *stratégies* utilisées, qu'il s'agisse d'acteurs individuels ou collectifs (organisation, parti politique, groupe de pression professionnel ou autre, municipalité, etc.[5]).

Au-delà des relations interindividuelles : l'exercice du pouvoir dans les systèmes

L'un des défis pour la science politique a été de trouver une voie d'analyse entre une compréhension interindividuelle du pouvoir et l'exercice de ce pouvoir dans des institutions, des organisations ou des systèmes. L'enjeu du pouvoir dans les systèmes est abordé ici en fonction de trois aspects : l'introduction du concept de système dans l'interprétation de la vie politique en société que l'on doit à Easton (1953, 1965) ; la réintroduction du sujet dans les systèmes d'action telle qu'elle est proposée par Crozier et Friedberg (1977) ; et, enfin, l'interprétation systémique des relations de pouvoir que propose Lemieux (1988, 1989a).

D'une certaine façon, l'introduction du concept de système dans l'univers de l'analyse politique allait permettre de faire le lien entre l'exercice du pouvoir et l'environnement social dans lequel se déroule l'action, politique ou autre, et même entre gouvernants et gouvernés. La principale contribution d'Easton a été précisément d'aider à comprendre cet aspect, ainsi que le positionnement en tant que tel du système politique dans nos sociétés[6].

En réaction à l'approche systémique qui mettait en suspens la capacité d'influence des individus en faveur du fonctionnement du système, Crozier et Friedberg (1977) allaient réintroduire la notion d'acteur et reconnaître à cet acteur une marge d'action, décrite par le concept de *stratégies*. Ces auteurs soutiennent que, loin d'être juste le produit des effets des systèmes, les acteurs sont dotés d'intentions, ont des ressources et jouissent d'une marge de liberté pour agir. L'acteur évolue dans des zones d'incertitude et de contrôle social, mais, comme il se situe dans un ensemble de systèmes d'action, il dispose d'une marge de manœuvre pour intervenir. Les propositions de Crozier et Friedberg visaient à remettre en question l'idée d'associer le pouvoir à l'autorité formelle, à l'ordre institué (Meny et Thoenig, 1989), qui tendait à dépouiller l'acteur de ses capacités d'action. L'analyse stratégique du jeu des acteurs va donc permettre de mieux comprendre leurs interactions dans une situation organisationnelle. Crozier et Friedberg ont toutefois été critiqués sur la base du fait que toutes les situations organisationnelles ne sont pas équivalentes, notamment celles impliquant cet acteur particulier qu'est l'État.

Dans un même ordre d'idées, considérant que les relations de pouvoir sont interactives et prises dans des totalités organisées et complexes, Lemieux (1989a) en propose une lecture systémique qui fait appel aux notions clés de finalité, d'environnement, d'activité, de structure et d'évolution. S'inspirant de la théorie de Le Moigne (1984), Lemieux définit les systèmes comme des objets structurés et finalisés dans un environnement où ils sont actifs et évolutifs. Les systèmes politiques se caractérisent par la suprématie de leur système de gouverne par rapport aux autres systèmes, dans un environnement particulier.

Cet auteur considère qu'une relation de pouvoir renvoie à d'autres relations de pouvoir et qu'elle « consiste dans le contrôle, par un acteur, d'une décision qui concerne ses moyens d'action ou ceux d'autres

5. Pour une analyse du phénomène politique sur le plan des relations sociales, voir Bélanger et Lemieux (1996).
6. Le reproche le plus fréquent formulé à l'endroit du modèle d'Easton a trait au fait que le système politique ne se réduit pas à une « boîte noire ». Pour une présentation de ce modèle et des critiques qui le concernent, voir Denquin (1992, p. 173 et suivantes), où l'on trouve également des références sur l'analyse des systèmes.

acteurs, et par là leur autonomie et/ou leur dépendance dans d'autres relations de pouvoir » (Lemieux, 1989a, p. 7). Il propose de retenir quatre catégories d'acteurs : les responsables, les agents, les intéressés et les populations. Ces types d'acteurs se distinguent par leur appartenance ou non au système de gouverne d'une société et par la nature de leur pouvoir, qui peut être général ou spécialisé. Les relations entre les acteurs sont analysées en fonction de leur connexité et de leur cohésion, et l'auteur dégage différents types de structures de pouvoir : anarchique, hiérarchique, stratarchique et coarchique. Sont également prises en considération les finalités d'un pouvoir, qui peut être indicatif, allocatif, prescriptif ou constitutif. Enfin, la question du changement structurel dans les systèmes politiques est abordée. Peu d'auteurs sont allés aussi loin dans la conceptualisation du pouvoir dans les systèmes politiques, et appliquer une telle analyse dans son intégralité représente un défi majeur.

Ainsi, l'analyse de *la* politique prise dans un sens plus large que l'activité partisane fait intervenir un ensemble de concepts dont les interprétations s'inscrivent dans un spectre varié d'approches et d'analyses. L'initiation faite ici à quelques concepts et approches montre la complexité de l'univers politique en général et des relations de pouvoir en particulier.

Les politiques comme lieu d'émergence des problèmes, de formulation des solutions et de prises de décision

D'origine américaine, l'étude des politiques publiques (*public policies*) est relativement récente et nous entraîne sur le terrain de l'action des autorités publiques et des processus de l'action gouvernementale. Si, dans un premier temps, l'expression *politiques gouvernementales* était utilisée, aujourd'hui l'expression *politiques publiques* s'est imposée. Les définitions et les approches des politiques publiques sont fort diversifiées (Lemieux, 1994 ; Pal, 1992 ; Muller, 1990 ; Meny et Thoenig, 1989[7]).

L'une des façons les plus reconnues d'aborder les politiques publiques est de distinguer les différentes étapes de réalisation d'une politique donnée : l'émergence, la formulation, la mise en œuvre (Anderson, 1985 ; Jones, 1984 ; Brewer et De Leon, 1983). L'*émergence* correspond à la prise en charge de problèmes publics par l'appareil politique. Elle peut être définie comme une étape de perception, de reconnaissance et de définition du problème. Le plus souvent, ce processus est associé à la mise à l'agenda politique d'un problème ; cette idée de la mise à l'agenda (ou pas) d'un problème a été le centre de préoccupation de plusieurs auteurs, notamment Kingdon (1984). La *formulation* concerne l'élaboration et l'adoption de mesures qui visent précisément à réguler les problèmes publics qui ont retenu l'attention des responsables politiques. Quant à la *mise en œuvre*, elle est associée à l'application des mesures qui ont été adoptées afin de réguler les problèmes en question. Depuis les années 1980, l'*évaluation* est considérée comme la suite logique et nécessaire des processus précédents.

Plusieurs critiques ont été formulées relativement à cette vision séquentielle des politiques publiques (Forest, 1997b ; Howlett and Ramesh, 1995 ; Muller, 1990). Dans les faits, la réalisation d'une politique n'évolue pas de façon mécanique et linéaire ; il peut y avoir adoption de mesures sans que celles-ci soient nécessairement appliquées et la mise en œuvre de mesures peut faire apparaître de nouveaux problèmes, par exemple. Monnier (1987) définit la réalisation des politiques publiques comme un « flux tourbillonnaire », chaque élément pouvant avoir une influence sur l'un ou l'autre des processus.

En réaction à la vision linéaire des processus de réalisation des politiques publiques, Kingdon (1984) a proposé une approche originale pour expliquer l'émergence de ces politiques. Pour cet auteur, leur émergence serait liée aux courants sociaux suivants : celui des problèmes, celui des solutions et celui des priorités. C'est le couplage de certains courants, à un moment donné[8], qui donnerait lieu à l'émergence d'une politique publique. De plus, le fait qu'une opportunité, une « fenêtre politique », s'ouvre au bon moment favoriserait l'émergence d'une politique plutôt que d'une autre. Enfin, selon Kingdon, la présence d'entrepreneurs faciliterait le couplage de courants, à un moment donné. Les acteurs extérieurs à l'appareil politique ont ainsi pris peu à peu place dans l'étude des processus de réalisation des politiques publiques ; on est même allé jusqu'à reconnaître

7. La présentation qui suit est orientée vers l'analyse des *processus* des politiques publiques. Pour une présentation des différentes approches théoriques en cette matière, voir Howlett et Ramesh (1995).
8. Pour une application de l'approche de Kingdon au secteur de la santé, voir Tuohy (1995) et Lemieux (1994).

l'existence d'une zone de négociation entre les décideurs et les acteurs porteurs de solutions. Certains modèles mettent l'accent sur le jeu des acteurs, qui se concrétise dans la formation de coalitions (Lemieux, 1998; O'Neill et autres, 1997; Sabatier, 1987, 1988; Sabatier et Jenkins-Smith, 1993), et d'autres, sur le rôle de l'entrepreneur politique (Mintrom, 1997; Baumgartner et Jones, 1993; Weissert, 1991).

Bref, les études de politiques publiques tendent plutôt à reconnaître aujourd'hui que la réalisation de ces politiques ne relève pas d'une suite de décisions rationnelles basées sur la connaissance et prises en vase clos, mais qu'elle s'inscrit dans un univers instable, le plus souvent imprévisible et influencé par les croyances et les valeurs des acteurs (Lomas, 1997; Lacasse, 1995; Walters et Sudweeks, 1995; Sabatier, 1988).

Le politique comme lieu d'institutionnalisation des choix collectifs par l'État

Une analyse de la dynamique des relations de pouvoir qui a comme environnement le système politique ne rend pas nécessairement compte du fait que *le* politique est aussi un lieu d'institutionnalisation des choix collectifs. En fait, comme nous l'avons vu, si le concept de système permet bel et bien de prendre en compte l'organisation de la vie politique d'une société et le jeu des acteurs, *le* politique ne se réduit pas pour autant à l'idée de système. Doit-on associer alors cette autre dimension au concept d'État? Ce dernier représente certes la forme d'organisation du pouvoir la plus souvent privilégiée par les sociétés modernes. L'État peut avoir une connotation tant géographique, juridique, instrumentale que nationaliste, et il est juste de dire qu'il est un pôle d'intérêt important de la science politique. À la base, l'État est défini par les trois éléments constitutifs que sont le territoire, la population et une autorité publique. Cela étant dit, tel que nous l'entendons ici, le politique ne se réduit pas pour autant au concept d'État.

Afin de bien saisir le sens de la notion d'État, il faut revenir à l'origine de la définition du terme *politique* au sens de la *polis* grecque d'Aristote, qui correspond à l'organisation de la cité par ses citoyens. Éthique et politique allaient alors de pair[9]. Historiquement, toutes les sociétés se sont ainsi dotées d'une forme ou l'autre d'organisation dont l'autorité trouvait ses sources dans les traditions et les croyances propres au groupe, jusqu'au moment où il est apparu nécessaire de dissocier autorité et pouvoir de l'individu en poste. L'État moderne, comme lieu du pouvoir institutionnalisé, organisé selon les principes de la démocratie, a généré une nouvelle forme de représentation des citoyens. En ce sens, les normes et les règles que se donne une société pour permettre l'organisation de la vie collective sont importantes; les décisions prises ou non, les choix qui sont faits, traduisent les valeurs privilégiées par une collectivité donnée.

Le fait, par exemple, qu'un gouvernement privilégie certaines interventions ou politiques, choisisse d'investir, ou non, dans les secteurs de la santé ou de l'éducation, traduit les préoccupations des citoyens, en partie du moins, et des choix de société. Au-delà de la crise budgétaire, le questionnement actuel relatif aux interventions de l'État et, plus encore, à la place occupée par l'État providence, remet en cause des choix qui ont été faits précédemment[10].

Ainsi, s'intéresser au rôle de l'État en matière de santé suppose, par exemple, que l'on s'interroge sur les normes et les principes qui sont à la base de notre système de santé (Maioni, 1999). Comme société, souhaitons-nous maintenir l'accessibilité pour tous à tous les soins, la gratuité? Quelle équité voulons-nous maintenir dans notre système de santé? Comment souhaitons-nous partager les ressources rares (solidarité) et qui doit décider (autorité) (Forest, 1997a)? Ces questions nous mènent, dans la perspective de l'analyse normative, aux fondements de l'action gouvernementale, aux choix qui en découlent ainsi qu'à leurs conséquences éthiques (Forest, 1997b). Le politique comme lieu d'institutionnalisation des choix collectifs, en particulier par l'entremise des valeurs qui légitiment les États, demeure, somme toute, peu exploité. Pourtant *la* politique et *les* politiques y sont étroitement et fondamentalement liées.

L'inévitable politique mérite donc que l'on s'y arrête dans la mesure où les choix collectifs qui sont faits par les décideurs nous concernent comme citoyens, comme utilisateurs, comme professionnels, comme penseurs. Curieusement, alors qu'en tant que citoyens, nous

9. En fait, tous n'avaient pas droit au statut de citoyen dans la cité. Les femmes et les esclaves, par exemple, en étaient exclus. Il faut retenir l'idée de la participation des citoyens à la vie de la cité.

10. Pour une genèse de l'État providence et du développement des politiques sociales dans le secteur de la santé, voir Jobert (1985). Sur la même thématique au Canada, voir Maioni (1998).

sommes de plus en plus éduqués et qu'il y a de plus en plus d'informations et de connaissances en circulation et à notre disposition, nous participons de moins en moins à la vie collective, nous sommes de moins en moins critiques et devenons de plus en plus revendicateurs relativement à nos droits individuels.

Mieux comprendre le politique, c'est aller au-delà d'une interprétation négative qui le limite à l'action ou aux comportements individuels et considérer la possibilité d'intervenir collectivement. Comme le mentionne Lefort (2002, p. 27), « la question que pose le phénomène du pouvoir renvoie à celle que pose l'institution du social ». Certes, des changements profonds de mentalité doivent être envisagés à long terme, et ces changements viennent souvent de l'extérieur du système gouvernemental et de ses institutions[11]. Ce ne sont toutefois pas les seuls changements à envisager. Des ajustements à court terme dans un milieu donné peuvent permettre d'améliorer les conditions des usagers ou les services qui leur sont offerts, de modifier les pratiques professionnelles, d'influencer la vision à moyen terme de ce que pourraient être les politiques de santé ou, encore, d'influer sur la prise de décision quotidienne. L'important est d'être en mesure de définir ses objectifs et de cibler les changements souhaités, d'où la pertinence d'avoir une vision globale du politique pour être en mesure d'organiser son action.

QUELQUES EXEMPLES CONCRETS POUR ILLUSTRER *LA* POLITIQUE, *LES* POLITIQUES ET *LE* POLITIQUE

Dans cette section, les différentes dimensions du politique et certaines stratégies d'action qui y sont liées seront illustrées par des exemples concrets qui peuvent inspirer les interventions en santé communautaire des infirmières ou d'autres professionnels. Les exemples utilisés ici sont surtout empruntés à une étude nationale qui a examiné les effets des décisions politiques des divers paliers gouvernementaux sur la qualité de vie des Canadiens aînés vivant en milieu urbain (Raphael, Brown et Wheeler, 2000 ; Dallaire, 2001). Ce projet, financé par le Fonds pour la santé de la population de Santé Canada, s'est déroulé dans huit villes canadiennes : Halifax, Québec, Montréal, Ottawa, Toronto, Regina, Whitehorse et Vancouver. Le projet s'appuyait sur des développements récents en matière de compréhension des conséquences de certains facteurs individuels, communautaires et sociaux sur la santé. On a demandé aux aînés d'examiner la façon dont ces facteurs influaient sur leur santé et leur bien-être, et on a analysé les liens entre les préoccupations exprimées et les politiques publiques (fédérales, provinciales et municipales) passées, présentes et futures. Le projet reposait sur une méthodologie de recherche participative qui accordait un rôle central aux aînés : les problèmes et les décisions politiques furent examinés en fonction de la perception qu'ils en avaient et des plans d'action pour lutter contre ces problèmes furent développés avec eux.

INTERVENIR DANS *LA* POLITIQUE : L'HABILITATION ET LE LOBBYING

HABILITER POUR UNE MEILLEURE INTERVENTION POLITIQUE

Les personnes âgées se sentent peu écoutées par les décideurs politiques, même si certains parlent du pouvoir gris (*gray power*) ou de l'influence politique incomparable de la génération des *baby boomers* qui se dirige vers la vieillesse. De façon générale, les participants âgés estiment qu'ils ont peu de place dans la société moderne et, par conséquent, selon eux, dans la politique : « Il y a une déresponsabilisation de la société face aux personnes âgées. » Ils ont l'impression que les gouvernements sont pris au dépourvu par le vieillissement, que la contribution des aînés à la société n'est pas mise en évidence et que leur capacité de participer au processus politique est très faible.

L'impression des personnes âgées participantes d'occuper peu de place dans les processus de la politique permet d'introduire le concept d'habilitation (*empowerment*), stratégie d'intervention importante en action politique (Le Bossé et Lavallée, 1993 ; Minkler, 1994 ; Neighbors, Braithwaite et Thompson, 1995 ; Travers, 1997 ; Laverack et Wallerstein, 2001 ; Hyppolite, 2002). Ce concept populaire est souvent mal accepté par les professionnels de la santé, car il demande que la relation de pouvoir qui les avantage, compte tenu de leur statut, soit mise de côté. L'habilitation consiste en une participation active et égalitaire des personnes dans un processus visant à les rendre capables d'exercer un contrôle personnel à la suite d'une prise de conscience et d'un engagement à changer des situations sociales et des contextes culturels problématiques. Une relation d'habilitation exige que l'autre soit considéré comme un

11. Sur les différents types de changement possibles, voir Hall (1993).

sujet capable de transformer sa propre réalité ainsi que celle des professionnels, et non comme un objet que l'on transforme unilatéralement par des interventions professionnelles. Comme nous l'avons mentionné ci-dessus, les exemples de cette section proviennent d'une recherche participative; cette méthodologie inspirée de l'habilitation, en donnant la parole aux principaux intéressés (Green, O'Neill, Westphal et Morisky, 1996; Minkler et Wallerstein, 2002), produit des résultats qui sont particulièrement pertinents pour illustrer la façon dont on peut outiller les gens pour leur permettre d'intervenir dans la politique.

L'intervenante qui vise l'habilitation comme forme d'action politique a comme objectif l'autodétermination authentique des personnes, des organisations et des communautés, comme l'illustre l'exemple suivant. Dans le cadre d'une société que l'on qualifie de « société de l'information », les participants à l'étude, à l'instar de beaucoup de personnes âgées, ont estimé qu'ils connaissent peu ou mal les politiques qui les concernent (Dallaire, 2001). La segmentation et la spécialisation des services gouvernementaux dans des structures bureaucratiques complexes laissent souvent les personnes âgées abasourdies, d'autant plus qu'elles perçoivent généralement cette complexité comme inutile, sinon absurde, dans son inhumanité. Voilà pourquoi un groupe d'aînés de la région de Québec a mis sur pied un service téléphonique qui consiste en une boîte vocale où les personnes sont invitées à laisser leurs questions ainsi que leurs coordonnées pour qu'on puisse leur donner une réponse dans les 24 heures. Ce service mis en place par des aînés à l'intention des aînés est un exemple d'habilitation qui illustre une reprise de possession sur sa vie, plus spécifiquement un effort collectif d'aînés engagés par rapport à la difficulté d'obtenir l'information dont ils ont besoin.

Apprendre à faire du lobbying pour intervenir politiquement

Si l'on fait une lecture pluraliste des relations de pouvoir, on est amené à s'intéresser aux diverses façons dont les points de vue peuvent s'exprimer et exercer de l'influence dans la politique. Les personnes âgées, comme cela a été mentionné précédemment, ont l'impression d'exercer peu d'influence dans ces processus, mais elles utilisent, comme les autres groupes, des moyens pour influencer les décisions, comme le lobbying[12]. Pratiquer le lobbying, c'est se donner une voix, c'est rompre le silence. On peut définir le lobbying comme une tentative légale, menée par un groupe d'individus, de convaincre les décideurs politiques de la valeur de son point de vue (Banks, 1988). Le lobbying est une activité basée sur le principe suivant: deux tiers enseignement, un tiers vente. L'enseignement consiste à fournir aux décideurs l'information pertinente à la formulation de propositions et à la prise de décisions. Quant à la vente, elle vise à faire accepter la position que l'on défend. Par conséquent, un lobbyiste s'adressera en priorité aux décideurs. Il s'agit alors de lobbying interne, appelé ainsi parce qu'il se fait directement à l'intérieur du système politique. Différents moyens existent pour faire du lobbying interne: appels téléphoniques, lettres, rencontres. Précisons que le lobbying se fait en particulier auprès des personnes chargées d'élaborer les projets de loi et de soutenir le processus législatif. En effet, un des moments les plus propices pour faire du lobbying survient quand un projet de loi est en voie de formulation, étape habituellement confiée à des fonctionnaires qui doivent entre autres recueillir l'information nécessaire au projet et la fournir aux politiciens qui prennent ensuite les décisions.

Le lobbying externe a trait, quant à lui, à toutes les activités qui augmentent la visibilité publique d'un groupe ou d'une cause. Agir sur l'image d'un groupe véhiculée dans les médias (publicités, films, téléromans, éditoriaux, caricatures, etc.), par exemple, est une activité de lobbying externe. Dans le cas des personnes âgées, le lobbying externe peut consister à surveiller le portrait que font d'elles les médias, à noter la mise à l'horaire d'un téléroman dont les personnages clés sont des femmes âgées (comme dans celui de L. Payette, *Les mamies*), à observer les rôles qu'on leur confie dans les messages publicitaires ou, encore, à surveiller la présentation des dossiers qui les concernent dans les médias.

L'habilitation et le lobbying sont donc deux moyens dont on dispose pour faire entendre un point de vue à l'intérieur des processus de *la* politique, électoraux ou autres. Les infirmières œuvrant en santé communautaire qui s'inspirent d'une perspective théorique infirmière où la personne est perçue comme étant en interaction constante avec son environnement ont avantage à connaître ces deux moyens et à être en mesure de les utiliser. En effet, soigner dépasse les soins personnels d'entretien de la vie pour englober des éléments

12. Inspiré en partie de Dallaire (1990).

structurels de l'environnement mis en place à la suite de jeux de pouvoir collectifs, dont les effets sont ressentis de façon individuelle dans la vie, la santé et le bien-être. Les soins infirmiers peuvent donc aussi viser à habiliter les personnes, les groupes et les communautés afin qu'ils entreprennent des actions individuelles ou collectives (par exemple, des activités de lobbying) pour exercer une influence politique sur ces éléments structurels. Les infirmières peuvent également avoir elles-mêmes à collaborer à de telles actions ou, à tout le moins, à les prendre en considération dans leur analyse de la situation clinique. Les soins infirmiers peuvent ainsi avoir une portée collective lorsqu'ils sont donnés par des gens qui tiennent compte de l'environnement et de son influence sur la santé individuelle.

Intervenir sur le plan *des* politiques : la défense des droits (*advocacy*)

Les politiques : bureaucraties et règles de fonctionnement administratives ou professionnelles

Un examen de la manière dont les politiques (notamment les politiques publiques) sont constituées et appliquées nous fait d'abord prêter attention aux rapports entre les bureaucraties et les personnes. La mission de service à la population des bureaucraties gouvernementales, découlant de la mise en œuvre des politiques publiques de l'État, met en relation des modes de fonctionnement institutionnels et personnels souvent incompatibles. Du côté des personnes, leur méconnaissance de l'appareil gouvernemental et leur vulnérabilité, bien souvent à l'origine de leur besoin des services offerts par la machine gouvernementale, compliquent la situation. Ainsi, un des groupes de personnes âgées de Québec participant à l'étude déjà évoquée sur l'amélioration de la qualité de vie a expérimenté la tension créée par l'application des politiques en tentant d'obtenir des informations auprès d'un service gouvernemental. Cette démarche a débuté à la suite de la parution d'une publicité dans les grands quotidiens annonçant une mesure de soutien au logement à laquelle seraient plus particulièrement admissibles les personnes de 55 ans et plus. Le personnel gouvernemental contacté est apparu plus soucieux de donner une information standardisée et de vérifier l'admissibilité des personnes que de répondre aux questions spécifiques des personnes âgées. Une telle réponse a été ressentie par les participants comme de l'insensibilité. De plus, les personnes qui répondaient aux demandes, en plus de ne pas avoir une connaissance à jour des autres programmes gouvernementaux offerts, avaient comme consigne de ne donner l'information qu'aux seules personnes admissibles.

Cette expérience a suscité des discussions au sein du groupe, car plusieurs des personnes participantes se sont rendu compte qu'elles avaient déjà adopté des comportements similaires. Cette tension entre le pouvoir, les règles du jeu et le système les a amenées à se questionner sur les différentes façons de sensibiliser les fonctionnaires aux particularités des aînés vulnérables ainsi qu'aux façons de traduire cette sensibilisation en principes ou en énoncés politiques. Le ton de la discussion n'a pas été particulièrement optimiste, car les participants se souvenaient clairement de l'impression de légitimité que peuvent éprouver les employés devant une personne âgée vulnérable et de la demande non équivoque des fonctionnaires quant à l'adaptation des personnes aux règles du jeu.

Une situation comparable est vécue par les aînés dans leur relation avec le système et les professionnels de la santé, dont les interventions sont bien davantage faites pour accommoder les établissements et le personnel que les usagers. Le système de soins de santé est difficile à aborder en raison de la spécialisation qui y est inhérente. Les aînés ne voient pas d'efforts notables déployés afin de les aider à comprendre le système, à participer aux décisions et à avoir les informations utiles pour prendre des décisions éclairées concernant les soins. Selon eux, les professionnels les pensent souvent incapables de comprendre : « Les médecins s'imaginent parfois que les gens sont ignorants. » Le manque d'information des personnes âgées peut entraîner « un certain laxisme et des erreurs médicales ». C'est pourquoi les aînés insistent sur l'importance de la transparence et de la vulgarisation des informations, et sur le besoin qu'ils ont d'être informés adéquatement des conséquences des soins qui leur sont donnés pour améliorer la qualité de leur vie. Selon eux, en principe, « les patients doivent toujours avoir toute l'information disponible ».

L'*advocacy* comme stratégie d'intervention politique

Ces exemples nous permettent d'introduire la notion de défense des droits (*advocacy*), qui signifie parler au nom d'une autre personne ou défendre les intérêts de quelqu'un d'autre (Liaschenko, 1995). Selon plusieurs participants à la recherche ayant agi comme bénévoles, les personnes ayant réellement besoin de services seront probablement incapables d'obtenir les informations par elles-mêmes. Ces personnes pourraient donc bénéficier du fait que des bénévoles ou même des professionnelles, infirmières ou autres, puissent se renseigner à leur place et même faire valoir leurs droits et leurs points de vue. Mais il ne semble pas que le système soit habituellement prêt à considérer que les personnes admissibles à ses programmes obtiennent des informations par l'intermédiaire de bénévoles, de proches ou même de professionnels. Le droit légitime à la vie privée privilégié dans les approches bureaucratiques et professionnelles ainsi, il faut bien l'admettre, qu'une certaine fonction de chien de garde des fonctionnaires pour limiter l'accès aux services gouvernementaux doivent ici être examinés à la lumière des besoins de la personne. Une structure bureaucratique fait rarement preuve de flexibilité et n'accepte généralement pas l'*advocacy* menée par des professionnels ou des proches. Si l'on peut comprendre que le système contrôle ainsi sa capacité de répondre à la demande, on doit également considérer les difficultés que cette attitude peut entraîner pour des personnes vulnérables ou fragilisées ayant besoin de services, et l'importance que peuvent alors prendre l'*advocacy* et la présence de groupes de défense des intérêts des patients, rôle que les infirmières sont souvent amenées à exercer dans des situations cliniques.

Dans cette perspective, analyser les situations cliniques pour donner des soins veut également dire situer la problématique dans un contexte plus général, un contexte politique. Cela suppose une infirmière qui connaît les groupes de pression, les mouvements sociaux ou les actions collectives qui ont comme objectif des besoins particuliers de personnes, les aînés dans le présent cas, dont la vulnérabilité est compensée par le travail de proches, de bénévoles ou d'entreprises de services formels et informels.

Intervenir dans *le* politique : modifier les valeurs

Valoriser le vieillissement

Comme nous l'avons mentionné précédemment, le politique peut aussi être vu, à travers les interventions de l'État, comme le lieu d'institutionnalisation des choix collectifs. Dans le cas des personnes âgées, c'est le lieu où sera institutionnalisée de diverses façons la considération qu'une société a pour ses aînés. Par exemple, le Canada a signé l'accord de Copenhague, à l'issue du Sommet pour le développement social tenu dans cette ville en 1995 (International Council on Social Welfare, 1995). De cet accord ressortent « [un] engagement à créer un environnement économique, politique, social, culturel et législatif qui va permettre d'atteindre un développement social » et « un engagement à promouvoir l'intégration sociale en établissant des sociétés stables, sécuritaires, justes et basées sur la promotion et la protection de valeurs telles que les droits humains, la non-discrimination, la tolérance, le respect de la diversité, l'égalité des chances, la solidarité, la sécurité et la participation de toutes les nations, y compris des groupes et des personnes vulnérables ou désavantagés » (cité dans Raphael, Brown et Wheeler, 2000). Créer un environnement normatif et social qui permet la participation, ainsi que l'éclosion d'une vision de société stable et juste, est une préoccupation que les politiques publiques doivent traduire concrètement, comme en témoignent *Les principes du Cadre national sur le vieillissement* (1999), cadre canadien qui n'a eu que très peu d'influence depuis son adoption.

Le vieillissement de la population est un phénomène observé dans plusieurs pays de l'OCDE. Dans des pays comme la Suède, la Norvège et le Royaume-Uni, le pourcentage des personnes âgées de 65 ans et plus est plus élevé qu'au Canada. Pourtant, la part des dépenses consacrées par ces pays aux soins de santé n'y est pas plus élevée. Il semble, en effet, qu'on ne puisse établir de lien entre l'âge d'une population dans un pays donné et les dépenses consacrées aux soins de santé. Au Canada, le problème ne résiderait pas dans le nombre croissant de personnes âgées ni dans la quantité des ressources consacrées aux soins de santé, mais dans la *façon* dont les ressources et les services sont fournis à ces personnes ; l'intensité des traitements donnés est notamment importante (Leibovich, Bergman et Béland, 1998). En un mot comme en cent, le vieillissement n'est pas socialement valorisé ici, comme le montre un discours public où dominent les préoccupations économiques à son sujet.

Les valeurs religieuses

Un autre exemple du politique comme lieu d'institutionnalisation des valeurs met cette fois en évidence les défis d'une société pluraliste. Cet exemple provient d'un des groupes participant à l'étude qui a discuté des modifications à sa qualité de vie à la suite de changements dans son quartier : « La pire chose, c'est la fermeture de l'église », ce qui a fait diminuer la fréquentation du quartier ; « on a tout perdu de la vie paroissiale en perdant notre lieu de rassemblement et il n'y a plus de nouvelles de la vie paroissiale ». Même si la société québécoise s'est significativement détournée de la religion, cela n'est pas nécessairement vrai pour les personnes âgées. La fermeture d'une église évoquée ci-dessus, la troisième en 20 ans dans ce quartier, a modifié en profondeur la qualité de vie des habitants en plus de créer beaucoup d'amertume chez les gens qui ont travaillé toute leur vie pour ces paroisses et leurs œuvres. Dans cet exemple, les valeurs plus séculières de la société qui conduisent à un tel choix mettent en évidence un changement; cela montre bien les rapports de pouvoir qui existent dans une société diversifiée lorsqu'il faut respecter les valeurs religieuses de deux cohortes, les aînés et les plus jeunes, qui se distinguent maintenant quant à la pratique religieuse et à la place que la religion occupe dans la vie publique et politique. Ce dernier exemple illustre particulièrement bien un dossier dans lequel les infirmières pourraient éprouver de la difficulté à intervenir politiquement parce qu'il met en jeu des valeurs différentes portées par des groupes différents, alors qu'elles sont formées pour prendre en considération et à respecter les valeurs de toutes les personnes dont elles prennent soin.

Cette deuxième section a laissé entrevoir le fait que soigner signifie considérer les jeux de pouvoir collectifs et agir dans ces jeux. Des exemples de la vie courante tirés d'une étude participative avec des personnes âgées ont montré les effets des décisions politiques des divers paliers gouvernementaux et du discours public sur la qualité de vie de ces personnes, illustrant ainsi différentes dimensions du politique; ils ont aussi permis d'introduire brièvement les concepts d'habilitation, de lobbying et d'*advocacy*. En somme, les soins infirmiers peuvent jouer un rôle dans les choix collectifs et contribuer à créer une société stable et juste, davantage conciliable avec les valeurs de la profession.

Un outil d'analyse et d'intervention politique en santé

Comme nous l'avons déjà mentionné, les personnes intervenant en santé communautaire ne sont pas nécessairement familières avec les notions évoquées précédemment et, de ce fait, elles n'oseront peut-être pas se lancer dans les diverses formes d'action politique que nous avons décrites (bien que cela nous apparaisse primordial). C'est pour leur faciliter la tâche que l'outil que nous proposons dans la présente section a été conçu.

Le développement de cet outil, commencé il y a une vingtaine d'années (O'Neill, 1987, 1989), est présenté dans une monographie (O'Neill, Gosselin et Boyer, 1997) actuellement en révision et a bénéficié de développements informatiques importants depuis 2002 (Potvin, O'Neill et Roch, 2004); cela a permis de produire et de mettre en ligne un logiciel pour effectuer les calculs requis[13].

Un outil en 3 phases et 14 étapes

Développé grâce aux approches suggérées par O'Neill (1987, 1989), Boyer (1991) et Lemieux (1989a, 1989b), et au *Prince System* de Coplin et O'Leary (1988), l'outil proposé comporte 3 phases et 14 étapes qui sont décrites dans le tableau 9.1, à la page suivante.

La phase 1 est classique et reprend en quatre étapes les démarches habituelles de la planification de toute intervention: 1) analyse de la problématique (nature et importance du problème à résoudre, des facteurs qui le produisent, de son niveau de priorité, etc.) en fonction du sujet qui motive l'intervention; 2) détermination d'un objectif d'intervention; 3) choix de stratégies d'intervention; 4) documentation de précédents.

C'est à compter de la seconde phase, qui comprend cinq étapes, que l'outil commence à être un peu moins habituel. En effet, dans cette seconde phase, après qu'on a procédé à une analyse détaillée de l'environnement politique où se déroulera l'intervention, on prend une décision quant à sa faisabilité politique. À l'étape 5, on établit la liste des individus ou des organisations qui ont un intérêt dans le dossier traité, en s'incluant et en laissant ouverte la possibilité d'inclure des personnes ou des organisations non encore connues. Conformément au vocabulaire politique vu dans les sections précédentes, ces personnes ou organisations sont considérées comme des *acteurs* individuels ou collectifs qui tentent d'influencer l'environnement dans une direction qui leur est favorable à l'aide des divers atouts qu'ils possèdent. À l'étape 6, on recueille et analyse les divers faits sur lesquels s'appuient les acteurs et les arguments qu'ils avancent au regard du dossier en cause (ils peuvent être favorables, défavorables ou neutres); on analyse aussi leur avis sur les conséquences que peut avoir pour eux un succès ou un échec de l'intervention planifiée. À l'étape 7, on évalue chacun des acteurs en établissant un score pour son attitude (variant entre −5 et +5, les personnes neutres ayant un score de 0), son pouvoir (variant entre 1 et 5) et sa priorité au regard

13. Les détails sur l'ensemble de ces développements de même que sur la manière de se procurer l'ouvrage de base (O'Neill, Gosselin et Boyer, 1997) ainsi que le guide d'accompagnement (Potvin, O'Neill et Roch 2004) requis pour utiliser le site Internet sont disponibles sur le site Web de Promosanté au www.promosante.org; il faut cliquer sur « Outil de calcul » dans le bandeau vert du haut de la page.

Tableau 9.1 Les phases et étapes de l'outil d'analyse et d'intervention politique en santé

Phases	Étapes
1. Choix d'un sujet d'intervention	1 L'analyse de la problématique 2 L'objectif de l'intervention 3 Le choix de stratégies d'intervention 4 La recherche de précédents (expériences passées)
2. Analyse de l'environnement politique de l'intervention	5 L'identification des acteurs susceptibles d'avoir un impact direct ou indirect sur la mise en œuvre de l'intervention 6 L'analyse des arguments et conséquences entourant la mise en œuvre de l'intervention 7 La quantification de l'impact des acteurs 8 L'utilisation de la « Carte politique Prince » et de la « Matrice des alliances » pour positionner les acteurs les uns par rapport aux autres 9 La prise de décision quant à la pertinence, sur le plan politique, d'entreprendre ou non l'intervention
3. Continuum de stratégies et de tactiques dans la mise en œuvre d'une action politique	10 La concertation 11 La préparation de la plateforme 12 La stratégie de coopération 13 La stratégie de campagne 14 La stratégie de contestation

Source : Boyer, O'Neill et Gosselin (1997), p. 65.

de l'intervention (variant entre 1 et 5). Une série de calculs simples inspirés des travaux de Coplin et O'Leary (1988) permet par la suite d'en arriver à la probabilité (variant entre 0 et 100 %) de pouvoir amorcer l'intervention sans problème majeur. Avant de prendre une décision finale, à l'étape 9, quant à la pertinence de l'intervention dans l'environnement politique où elle s'inscrit, on documente, à l'étape 8, les alliances qui existent entre les acteurs ; en effet, un acteur influent isolé peut être beaucoup moins politiquement puissant que plusieurs acteurs peu influents mais alliés. La décision finale, où sera pris en considération l'ensemble des éléments recueillis à la phase 2, peut être de ne pas intervenir si l'environnement est trop défavorable, de modifier son objectif s'il apparaît irréaliste ou, encore, d'intervenir selon les termes originellement prévus ou selon des termes différents.

Si on décide d'intervenir, les cinq étapes de la troisième phase permettent de planifier les aspects politiques de l'intervention avec autant de soin que les autres aspects. On décidera d'abord si on agira seul ou en coalition (étape 10), on préparera la plateforme politique qui servira d'argumentaire pour rallier ses alliés et contrer ses opposants (étape 11), puis on se donnera des objectifs précis sur le plan des actions politiques, avec ressources, moyens d'intervention et moyens d'évaluation, en utilisant, si nécessaire, une gamme de tactiques de plus en plus dérangeantes allant de la coopération (étape 12) jusqu'à la contestation (étape 14) en passant par la campagne (étape 13).

Un exemple concret d'utilisation de l'outil : l'obtention d'un milieu sans fumée dans un centre local de services communautaires (CLSC) québécois[14]

Convaincue que santé et tabac ne font pas bon ménage, une infirmière avait comme objectif d'obtenir ce qui semblait *a priori* fort raisonnable et fort peu problématique : un lieu sans fumée pour les repas du personnel du CLSC de même que des réunions professionnelles

14. À la demande de la personne-ressource, qui a accepté que son intervention soit utilisée à des fins pédagogiques, aucun nom d'individu ou d'organisation n'est mentionné ici afin de maintenir la confidentialité.

sans fumée. Forte d'une loi provinciale qui interdit la fumée dans les lieux publics, d'un règlement interne régissant l'usage du tabac et d'un sondage où les membres du personnel se disaient majoritairement défavorables à l'usage du tabac au CLSC, elle fut donc très étonnée par la résistance que suscitent ses propositions, en particulier au sein du personnel social et de soutien (par opposition au personnel de santé) et chez le directeur général de l'établissement, lui-même un fumeur.

Une analyse plus fine de l'environnement politique à l'aide de l'outil décrit précédemment révéla la situation suivante :

- une probabilité assez faible de démarrage sans problème de l'intervention : 55,8 % ;
- une polarisation du problème entre les intervenants sociaux (généralement fumeurs) et les intervenantes en santé (généralement non-fumeuses), dans un contexte où les deux personnes en position dominante (le directeur général de l'établissement multifonctionnel qui intègre le CLSC et le directeur du CLSC) étaient plutôt contre l'idée de modifier un statu quo qui était, de fait, favorable aux fumeurs ;
- une prépondérance des alliances entre acteurs favorables au tabac, avec des alliances entre acteurs s'y opposant qui créaient presque un équilibre.

Compte tenu de cette situation, l'intervenante choisit de modifier son objectif original et d'oublier temporairement l'idée de réunions sans fumée afin de ne pas aggraver un climat de travail où il y avait déjà plusieurs tensions entre les professionnels œuvrant sur le plan social et les professionnelles de la santé. Elle décida donc de se concentrer sur l'obtention de salles de repas différentes pour les fumeurs et les non-fumeurs puisque de nouveaux locaux seraient bientôt disponibles à la suite du déménagement dans un autre bâtiment d'une partie des services de l'établissement. Afin de visualiser différentes possibilités d'intervention politique, l'intervenante conçut deux stratégies différentes, une qui donnait une probabilité de démarrage sans problème de 55,6 % et l'autre qui en donnait une de 84,8 % (comparativement à 55,8 % lors de l'analyse originale de l'environnement). Ce second scénario reposait sur un événement fortuit (la décision spontanée d'une infirmière de loger, après avoir répondu au questionnaire passé pour documenter la situation, une plainte formelle quant à l'impossibilité d'avoir un lieu de repas sans fumée), de même que sur le renforcement des complicités entre les gens du monde de la santé ; ce renforcement provenait, notamment, d'une série de nouvelles alliances syndicales qui permit de faire valoir officiellement le droit à un milieu sans fumée, garanti par la loi.

Grâce à une planification soignée des interventions à mener pour mettre en œuvre le second scénario, deux salles de repas ont finalement été obtenues au bout de quatre mois (une pour les fumeurs et une pour les non-fumeurs), sans que s'accroissent les tensions entre le personnel infirmier et le reste du personnel, mais sans que soient tenues des réunions sans fumée.

Même s'il est peu détaillé, cet exemple illustre bien comment l'outil a servi à éveiller la sensibilité politique de l'intervenante, à lui faire réviser ses objectifs, à lui faire envisager de multiples scénarios d'action et à l'inciter à tabler sur des occasions fortuites lorsqu'elles se sont présentées.

L'aspect politique de toute situation est toujours délicat, ce qui rend souvent difficile la diffusion des comptes rendus des interventions réalisés à l'aide de l'outil ; plusieurs exemples détaillés de son utilisation ont néanmoins été publiés (par exemple, Lavoie, O'Neill et Goulet, 1999 ; Côté, 1997 ; Déry, 1997 ; Desranleau et Dumont, 1997 ; Dallaire, 1997) pour les personnes intéressées à en savoir davantage.

LES ENJEUX ET LES LIMITES DE L'UTILISATION DE L'OUTIL

Quelques années d'expérimentation et d'utilisation de l'outil d'analyse et d'intervention présenté ici nous ont amenés à faire des constats importants.

Le premier est de nature *éthique*. Est-il légitime d'outiller politiquement certains groupes professionnels (celui des infirmières, par exemple) et, ainsi, de les rendre plus à même de faire valoir leur point de vue ou leur dossier au détriment d'autres groupes professionnels ou de la population en général ? Nous croyons que oui dans la mesure où plusieurs autres groupes dans la société sont déjà bien organisés politiquement et utilisent leur influence, pas toujours à bon escient ni avec la santé des populations à l'esprit. Nous croyons, cependant, que des principes doivent guider les professionnelles de la santé communautaire dans l'utilisation de leur pouvoir politique. Notamment, elles doivent faire passer le bien des collectivités avant celui des individus et rester dans les limites de la légalité. Ces enjeux sont traités en profondeur par Gosselin (1997).

Le second est de nature *pragmatique*. Suivre l'ensemble des 3 phases et des 14 étapes peut sembler totalement irréaliste dans des milieux déjà surchargés de travail, comme nous l'ont souvent mentionné des personnes lors de leur premier contact avec l'outil. L'expérience révèle, cependant, que, comme tout autre instrument de travail, cet outil peut être utilisé de manière pragmatique par les intervenantes selon leur jugement professionnel, seul ou en conjonction avec d'autres outils, en tout ou en partie, en suivant ou non l'ordre des étapes (souvent, certaines étapes sont omises), pour analyser le passé, pour éclairer le présent ou, encore, pour planifier l'avenir.

Finalement, nous tenons à souligner que nous ne prétendons pas et n'avons jamais prétendu que cet outil est une *solution magique* à tous les problèmes, qu'il permet à celles et à ceux qui le maîtrisent de faire triompher sans coup férir leur point de vue. La vie en société est trop complexe et trop mouvante pour que ce soit le cas. Nous avons cependant pu constater que les personnes qui se servent de cet outil, qui a maintenant subi l'épreuve de nombreuses utilisations dans toutes sortes de circonstances et par toutes sortes de gens, envisagent par la suite tous leurs dossiers d'un œil différent. Elles deviennent conscientes qu'aucune intervention ne se produit dans le vide et que, si on ne se sent pas enclin à intervenir soi-même politiquement, on peut éventuellement nouer des alliances avec d'autres personnes que ce type d'intervention intéresse.

Conclusion

En introduction, nous soulignions que ce chapitre poursuivait trois objectifs : fournir aux intervenantes en santé communautaire des bases conceptuelles pour mener une réflexion politique, donner des exemples concrets de l'utilisation des principales stratégies d'intervention politique et présenter un outil concret d'analyse et d'intervention politiques. En organisant notre argument autour de *la* politique, *des* politiques et *du* politique, nous espérons avoir montré à la fois la richesse et l'accessibilité de ces notions, et avoir contribué à diminuer les réactions, si souvent spontanées, de méfiance et de recul qu'elles suscitent chez les intervenantes. Seul l'avenir dira si nous avons gagné notre pari.

Références

AGENCE DE SANTÉ PUBLIQUE DU CANADA (1999). *Les principes du Cadre national sur le vieillissement*, http://www.phac-aspc.gc.ca/seniors-aines/infa-cnv/infaguide1_f.htm (consulté le 8 avril 2005).

ANDERSON, J.E. (1985). *Public Policy Making*, 3e éd., New York, Holt, Rinehart and Winston.

BANKS, P. (1988). « Lobbying : A legitimate critical nursing intervention », *RNABC News*, vol. 20, n° 5, p. 31-32.

BAUMGARTNER, F.R. et B.D. JONES (1993). *Agendas and Instability in American Politics*, Chicago, University of Chicago Press.

BÉLANGER, A.-J. et V. LEMIEUX (1996). *Introduction à l'analyse politique*, Montréal, Presses de l'Université de Montréal.

BOUDON, R. et F. BOURRICAUD (1982). *Dictionnaire critique de la sociologie*, Paris, Presses Universitaires de France.

BOYER, M. (1991). *Le lobbying au service de la prévention et de la promotion de la santé dans le domaine des toxicomanies*, Sherbrooke, Université de Sherbrooke (Cours TXM-485).

BOYER, M., M. O'NEILL et P. GOSSELIN (1997). « Une méthode d'analyse et d'intervention politique en santé », dans M. O'Neill, P. Gosselin et M. Boyer (dir.), *La santé politique. Petit manuel d'analyse et d'intervention politique en santé*, Québec, GRIPSUL et RQVVS, p. 65-150.

BRAUD, P. (1992). *La science politique*, 4e éd., Paris, Presses Universitaires de France, coll. « Que sais-je ? ».

BREWER, G.D. et P. De LEON (1983). *The Foundations of Policy Analysis*, Homewood (Illinois), The Dorsey Press.

CHAPDELAINE, A. et P. GOSSELIN (dir.) (1986). *La santé contagieuse. Petit manuel pour rendre la santé communautaire*, Montréal, Boréal Express.

COPLIN, W.P., et M.K. O'LEARY (1988). *Public Policy Skills*, Buffalo (New York), Policy Studies Associates.

CÔTÉ, L. (1997). « Le démarrage d'un projet villes et villages en santé dans une municipalité rurale », dans M. O'Neill, P. Gosselin et M. Boyer (dir.), *La santé politique. Petit manuel d'analyse et d'intervention politique en santé*, Québec, GRIPSUL et RQVVS, p. 181-201.

CROZIER, M. et E. FRIEDBERG (1977). *L'acteur et le système. Les contraintes de l'action collective*, Paris, Seuil.

DAHL, R.A. (1973). *L'analyse politique contemporaine*, Paris, Laffont.

DALLAIRE, C. (1990). « Le lobbying », *L'Appui*, vol. 7, n° 3, p. 5-7.

DALLAIRE, C. (1997). « Une analyse des principaux acquis infirmiers de la réforme Côté », dans M. O'Neill, P. Gosselin et M. Boyer (dir.), *La santé politique. Petit manuel d'analyse et d'intervention politique en santé*, Québec, GRIPSUL et RQVVS, p. 239-251.

DALLAIRE, C. (2001). *Améliorer la qualité de vie des Canadiens aînés vivant en milieu urbain. Les aînés de Québec et la qualité de vie. Rapport de recherche*, Sainte-Foy, Université Laval, Faculté des sciences infirmières, 141 p.

DALLAIRE, C. (2002). « Le sens politique en soins infirmiers », dans O. Goulet et C. Dallaire (dir.), *Les soins infirmiers. De nouvelles perspectives*, Boucherville, Gaëtan Morin.

DALLAIRE, C., M. O'NEILL, C. LESSARD et S. NORMAND (2003). « La profession infirmière au Québec : des défis majeurs qui persistent », dans V. Lemieux et autres (dir.), *Le système de santé au Québec : organisations, acteurs, enjeux*, 2e éd., Sainte-Foy, Presses de l'Université Laval, p. 297-336.

DÉLOYE, Y. et B. VOUTAT (2002). *Faire de la science politique*, Paris, Belin.

DENQUIN, J.-M. (1992). *Science politique*, Paris, Presses Universitaires de France.

DÉRY, D. (1997). « La sélection d'une modalité d'organisation de l'expertise en promotion de la santé dans une région du Québec », dans M. O'Neill, P. Gosselin et M. Boyer (dir.), *La santé politique. Petit manuel d'analyse et d'intervention politique en santé*, Québec, GRIPSUL et RQVVS, p. 203-220.

DESRANLEAU, A. et É. DUMONT (1997). « Mise en œuvre du programme Kino-Québec dans une Régie régionale de la santé et des services sociaux », dans M. O'Neill, P. Gosselin et M. Boyer (dir.), *La santé politique. Petit manuel d'analyse et d'intervention politique en santé,* Québec, GRIPSUL et RQVVS, p. 221-239.

EASTON, D. (1953). *The Political System,* New York, Knopf.

EASTON, D. (1965). *A Framework for Political Analysis,* Englewood Cliffs (New Jersey), Prentice-Hall.

FOREST, P.-G. (1997a). « Les régimes d'équité dans le système de santé du Québec », *Canadian Public Policy – Analyse de politique,* vol. XXIII, n° 1, p. 55-68.

FOREST, P.-G. (1997b). « Six leçons sur l'analyse normative des politiques sociales », *Les Cahiers du CERVL, Rapport de recherche,* n° 3, Institut d'Études politiques de Bordeaux, février.

GAGNON, F. et C. DALLAIRE (2002). « Savoir infirmier et promotion de la santé : quelle contribution ? », dans O. Goulet et C. Dallaire (dir.), *Les soins infirmiers. De nouvelles perspectives,* Boucherville, Gaëtan Morin.

GOSSELIN, P. (1997). « La santé politique : quelques éléments de problématique », dans M. O'Neill, P. Gosselin et M. Boyer (dir.), *La santé politique. Petit manuel d'analyse et d'intervention politique en santé,* Québec, GRIPSUL et RQVVS, p. 15-44.

GRAWITZ M. et J. LECA (1985). *Traité de science politique,* Paris, Presses Universitaires de France, 4 tomes.

GREEN, L.W., M. O'NEILL, M. WESTPHAL et D. MORISKY (1996). « Les défis de la recherche participative en promotion de la santé », *Promotion et Éducation,* vol. 3, n° 4, p. 4-5.

HALL, P.A. (1993). « Policy paradigms, social learning and the state : The case of economic policy making in Britain », *Comparative Politics,* vol. 25, n° 3, p. 275-296.

HOWLETT, M. et M. RAMESH (1995). *Studying Public Policy : Policy Cycles and Policy Subsystems,* Toronto, Oxford University Press.

HYPPOLITE, S.-R. (2002). « La participation à une organisation volontaire : la clé de l'empowerment psychologique, organisationnel et communautaire », thèse de maîtrise en santé communautaire, Québec, Université Laval.

INTERNATIONAL COUNCIL ON SOCIAL WELFARE (1995). *The Copenhagen Consensus,* http://www.icsw.org/publications.htm (consulté le 7 avril 2005).

JOBERT, B. (1985). « Les politiques sociales et sanitaires », dans M. Grawitz et J. Leca, *Traité de science politique,* Paris, Presses Universitaires de France, tome 4, p. 301-342.

JONES, C.O. (1984). *An Introduction to the Study of Public Policy,* 3e éd., Monterey (Californie), Brooks/Cole.

KINGDON, J.W. (1984). *Agendas, Alternatives and Public Policies,* Boston, Little Brown.

LACASSE, F. (1995). *Mythes, savoirs et décisions politiques,* Paris, Presses Universitaires de France.

LAVERACK, G. et N. WALLERSTEIN (2001). « Measuring community empowerment : A fresh look at organizational domains », *Health Promotion International,* vol. 16, n° 2, p. 179-185.

LAVOIE, J., M. O'NEILL et O. GOULET (1999). « Pour une plus grande expertise politique des infirmières », *L'Infirmière du Québec,* vol. 6, n° 5, p. 37-40.

LE BOSSÉ, Y.D. et M. LAVALLÉE (1993). « Empowerment et psychologie communautaire : aperçu historique et perspectives d'avenir », *Les Cahiers internationaux de psychologie sociale,* n° 18, p. 7-20.

LEFORT, C. (2002). « Le pouvoir », dans Yves Michaud (dir.), *Le pouvoir, l'État et la politique,* Paris, Odile Jacob, coll. « Université de tous les savoirs », vol. 9, p. 25-37.

LEIBOVICH, E., H. BERGMAN et F. BÉLAND (1998). « Les dépenses de santé et le vieillissement au Canada », dans Santé Canada (dir.), *À la recherche d'un équilibre. Le secteur de la santé au Canada et ailleurs,* vol. 4, Ottawa, Éditions MultiMondes, p. 287-308.

LEMIEUX, V. (1988). « Le pouvoir dans les décisions conjointes », *Revue canadienne de science politique,* vol. XXI, n° 2, juin, p. 227-247.

LEMIEUX, V. (1989a). *La structuration du pouvoir dans les systèmes politiques,* Québec, Presses de l'Université Laval.

LEMIEUX, V. (1989b) « Le pouvoir dans la réalisation des politiques sociales », *Service social,* vol. 38, n° 4, p. 170-195.

LEMIEUX, V. (1994). « Les politiques publiques et les alliances d'acteurs », dans V. Lemieux et autres (dir.), *Le système de santé au Québec. Organisations, acteurs et enjeux,* Sainte-Foy, Presses de l'Université Laval, p. 107-128.

LEMIEUX, V. (1998). *Les coalitions. Liens, transactions et contrôles,* Paris, Presses Universitaires de France.

LE MOIGNE, J.-L. (1984). *Théorie du système général,* 2e éd., Paris, Presses Universitaires de France.

LERNER, D. et H. LASWELL (dir.) (1951). *The Policy Sciences : Recent Developments in Scope and Method,* Stanford, Stanford University Press.

LIASCHENKO, J. (1995). « Ethics in the work of acting for patients », *Journal of Advanced Nursing,* vol. 18, n° 2, p. 1-12.

LOMAS, J. (1997). *Pour améliorer la diffusion et l'utilisation des résultats de la recherche dans le secteur de la santé : la fin des dialogues de sourds. Rapport préparé pour le Comité consultatif sur les services de santé relevant de la Conférence fédérale-provinciale-territoriale des sous-ministres de la Santé,* Ottawa, Santé Canada.

MAIONI, A. (1998). « Les politiques sociales », dans M. Tremblay (dir.), *Les politiques publiques,* Sainte-Foy, Presses de l'Université Laval, p. 111-134.

MAIONI, A. (1999). « Les normes centrales et les politiques de santé », dans C. Bégin et autres (dir.), *Le système de santé québécois : un système en transformation,* Montréal, Presses de l'Université de Montréal, p. 53-76.

MENY, Y. et J.-C. THOENIG (1989). *Politiques publiques,* Paris, Presses Universitaires de France.

MILIO, N. (1970). *9226 Kercheval. The Storefront That Did Not Burn,* Ann Arbor (Michigan), University of Michigan Press, 208 p.

MINKLER, M. (1994). « Challenges for health promotion in the 1990s : Social inequities, empowerment, negative consequences and the common good », *American Journal of Health Promotion,* vol. 8, n° 6, p. 403-413.

MINKLER, M. et N. WALLERSTEIN (dir.) (2002). *Community Based Participatory Research for Health,* Indianapolis, Jossey-Bass.

MINTROM, M. (1997). « Policy entrepreneurs and the diffusion of innovation », *American Journal of Political Science,* n° 41, p. 738 et s.

MONNIER, E. (1987). *Évaluations de l'action des pouvoirs publics,* Paris, Economica.

MULLER, P. (1990). *Les politiques publiques,* Paris, Presses Universitaires de France, coll. « Que sais-je ? ».

NEIGHBORS, H.W., R.L. BRAITHWAITE et E. THOMPSON (1995). « Health promotion and African-Americans : From personal empowerment to community action », *American Journal of Health Promotion,* n° 9, p. 281-287.

O'NEILL, M. (1987). « Les contraintes imposées par les facteurs politiques aux interventions gouvernementales en promotion de la santé », *Hygie : revue internationale d'éducation pour la santé,* vol. 4, n° 4, p. 32-37.

O'NEILL, M. (1989). « The political dimension of health promotion work », dans C. Martin et D. McQueen (dir.), *Readings for a New Public Health,* Édimbourg, Edimburgh University Press, p. 222-234.

O'NEILL, M. (1997). « Promotion de la santé : enjeux pour l'an 2000 », *Canadian Journal of Nursing Research,* vol. 29, n° 1, p. 63-70.

O'NEILL, M. (1998). *Où l'infirmière peut-elle agir politiquement?*, Montréal, Congrès annuel de l'OIIQ (Forum jeunesse : L'action politique, un atout nécessaire à l'infirmière), 3 novembre.

O'NEILL, M. et L. CARDINAL (1998). « Les ambiguïtés de la promotion de la santé au Québec », *Recherches Sociographiques*, vol. 39, n° 1, p. 9-37.

O'NEILL, M., P. GOSSELIN et M. BOYER (dir.) (1997). *La santé politique. Petit manuel d'analyse et d'intervention politique en santé*, Québec, GRIPSUL et RQVVS, 260 p.

O'NEILL, M. et autres (1997a). « Naissance, développement et expérimentation d'une méthode d'analyse et d'intervention politique en santé », dans M. O'Neill, P. Gosselin et M. Boyer (dir.), *La santé politique. Petit manuel d'analyse et d'intervention politique en santé*, Québec, GRIPSUL et RQVVS, p. 45-64.

O'NEILL, M. et autres (1997b). « Coalition theory as a framework to understand and analyze intersectoral health related interventions », *Health Promotion International*, vol. 12, n° 1, p. 79-88.

PAL, L.A. (1992). *Public Policy Analysis : An Introduction*, 2e éd., Scarborough (Ontario), Nelson.

PINEAULT, R. et C. DAVELUY (1986). *La planification de la santé : concepts, méthodes, stratégies*, Montréal, Agence D'Arc, 480 p.

POTVIN, M.J., M. O'NEILL et G. ROCH (2004). *Petit manuel d'analyse et d'intervention politique en santé. Guide d'accompagnement*, Québec, GRIPSUL.

RAPHAEL, D., I. BROWN et J. WHEELER (dir.) (2000). « A city for all ages : Fact or fiction ? », *Effects of Government Policy Decisions on Toronto Senior's Quality of Life*, Centre for Health Promotion, Department of Public Health Science, University of Toronto.

RIEMER, N. (1983). *Political Science : An Introduction to Politics*, Toronto, HBJ.

SABATIER, P.A. (1987). « Knowledge, policy-oriented learning, and policy change. An advocacy coalition framework », *Knowledge : Creation, Diffusion, Utilization*, vol. 8, n° 4, p. 649-692.

SABATIER, P.A (1988). « An advocacy coalition framework of policy change and the role of policy learning therein », *Policy Sciences*, n° 21, p. 129-168.

SABATIER, P.A. et H.C. JENKINS-SMITH (dir.) (1993). *Policy Change and Learning : An Advocacy Coalition Approach*, Boulder (Colorado), Westview Press.

SHAMIAN, J., J. SKELETON-GREEN et M. VILLENEUVE (2002). « La politique est le moteur du changement », dans C. Viens, M. Lavoie-Tremblay et M. Mayrand Leclerc (dir.), *Optimisez votre environnement de travail en soins infirmiers*, Cap-Rouge, Presses Inter-Universitaires, p. 179-207.

TRAVERS, K.D. (1997). « Reducing inequities through participatory research and community empowerment », *Health Education and Behavior*, n° 24, p. 344-356.

TUOHY, C.H. (1995). *What Drives Change in Health Care Policy : A Comparative Perspective*, Saskatoon, The Timlin Lecture, University of Saskatchewan.

WALTERS, L.C. et R.R. SUDWEEKS (1995). « Public policy analysis : The next generation of theory », *Journal of Socio-Economics*, vol. 25, n° 4, p. 425-452.

WEISSERT, C.S. (1991). « Policy entrepreneurs, policy opportunists, and legislative effectiveness », *American Political Quarterly*, n° 19, p. 262-274.

Chapitre 10

Le changement planifié des comportements liés à la santé

Gaston Godin
Françoise Côté

Comprendre avant d'agir

La conservation ou le changement planifié d'un comportement lié à la santé requiert une compréhension complète des facteurs en jeu dans son maintien, son adoption ou son abandon. Cette connaissance est nécessaire au professionnel de la santé pour connaître la ou les meilleures stratégies permettant d'intervenir efficacement. L'éducation pour la santé pourrait être un choix éclairé, à condition d'éviter certains pièges.

Par exemple, des professionnels de la santé croient encore que l'ignorance des risques pourrait expliquer l'adoption de comportements délétères. La transmission des connaissances est donc vue comme une stratégie à privilégier. Or, force est de constater que l'acquisition de connaissances sur les risques ne se traduit pas toujours par un changement des comportements. Si tel était le cas, les automobilistes et leurs passagers porteraient tous la ceinture de sécurité, les villégiateurs feraient usage de crème solaire, les fumeurs abandonneraient la cigarette et plusieurs professionnels de la santé seraient en chômage. Ce qui, de toute évidence, ne semble pas être le cas. Pour que l'on comprenne mieux la complexité entourant le changement planifié de comportements, il s'avère essentiel de définir ce qu'est un comportement lié à la santé.

De façon générale, un comportement est avant tout une action observable. Dans le cas d'un comportement en lien avec la santé, ce ne sont pas les motifs personnels qui le sous-tendent mais plutôt ses répercussions qui le lient à la santé. Par exemple, personne ne fume la cigarette pour des raisons de santé. Cependant, le tabagisme est un comportement ayant des conséquences majeures sur la santé. En fait, les comportements liés à la santé sont avant tout des comportements sociaux, et ce, au même titre que d'autres comportements, comme voter aux élections, acheter une marque de bière ou aller au cinéma. Bien qu'il existe déjà des définitions de ce qu'est un comportement lié à la santé (Nutbeam, 1999), pour les besoins du présent chapitre, nous proposons la définition suivante : un comportement lié à la santé est une action faite par un individu et ayant une influence positive ou négative sur la santé. Ainsi, peu importe les motifs personnels qui leur sont sous-jacents, toutes les actions suivantes sont des exemples de comportements liés à la santé : conduire son automobile sous l'influence de l'alcool, faire du jogging, se brosser les dents, utiliser un préservatif dans des relations sexuelles à risque, fumer la cigarette, etc.

La définition retenue suggère l'inadéquation entre la seule perspective sanitaire et l'étude des facteurs explicatifs du maintien, de l'adoption ou de l'abandon d'un comportement lié à la santé. En ce sens, elle a le mérite d'éviter un autre piège relatif à l'utilisation de stratégies éducatives orientées vers un changement de comportements. En effet, plusieurs professionnels de la santé commettent encore l'erreur de croire que des raisons de santé expliquent le maintien, l'adoption ou l'abandon de comportements liés à la santé. Dans cette perspective, ils développent leurs interventions éducatives en brandissant le spectre de la peur. Par exemple, l'activité physique sera promue en suscitant la crainte de la maladie coronarienne, la promotion de l'abandon du tabac sera faite en exposant la perspective d'un cancer ou, encore, une saine alimentation sera encouragée pour éviter les nombreux problèmes associés à l'obésité. Une telle direction dans les contenus des messages éducatifs dénote la très forte prépondérance accordée aux croyances des professionnels plutôt qu'aux motivations des personnes concernées par les interventions.

Finalement, de trop nombreux professionnels de la santé oublient que les interventions éducatives, et celles dirigées vers l'individu (grâce, par exemple, au marketing social), ne sont pas nécessairement les meilleures voies à suivre pour favoriser un changement de comportements. Parfois, une intervention sur les environnements physique, économique ou social aura plus d'influence. La mise en place de services d'accompagnement pour les personnes ayant abusé de l'alcool en est un bon exemple.

En conséquence, nous réitérons notre position initiale : toute mise en place d'une intervention éducative ou dirigée vers l'individu visant un changement planifié d'un comportement lié à la santé doit s'appuyer sur une reconnaissance préalable des facteurs explicatifs du phénomène qui retient l'intérêt, pour une population définie, dans un contexte donné (Godin, 1991). Cette compréhension du problème permet de choisir la méthode d'intervention la plus appropriée. De plus, lorsqu'une intervention de nature éducative est jugée pertinente, son contenu sera mieux adapté aux caractéristiques de la population ciblée.

Dans le changement planifié de comportements, la compréhension des phénomènes passe par des théories éprouvées qui deviennent des outils au service de la pratique.

Comprendre pour agir

La sélection d'une ou de plusieurs théories reste une étape importante dans le processus de la reconnaissance des facteurs psychosociaux et dans l'élaboration des interventions (Kok et autres, 1996). Pour faciliter cette tâche, nous reprenons la nomenclature de Sutton (2000), qui a divisé les théories en deux grandes catégories : prédiction et changement. L'une et l'autre sont abordées dans la littérature relative aux théories dites générales, issues de la psychologie sociale, et dans la documentation spécifique au domaine de la santé. Un résumé de cette catégorisation est présenté dans le tableau 10.1.

Les premières théories exposées dans ce chapitre permettent surtout de comprendre les facteurs en jeu dans la genèse d'un comportement (théories de prédiction). Il s'agit du modèle des croyances relatives à la santé (Rosenstock, 1974), de la théorie du comportement planifié (Ajzen, 1991) et de la théorie des comportements interpersonnels (Triandis, 1980). La présentation de la théorie du comportement planifié est précédée

Tableau 10.1 Principales théories générales et spécifiques du domaine de la santé visant la prédiction ou le changement planifié de comportements

Théories	Prédiction	Changement
Générales	Théorie de l'action raisonnée (TAR)	
	Théorie du comportement planifié (TCP)	
	Théorie sociale cognitive (TSC)	Théorie sociale cognitive (TSC)
	Théorie des comportements interpersonnels (TCI)	Théorie de l'implantation des intentions
	Modèle des croyances relatives à la santé	Modèle du processus de prudence et d'adaptation
Spécifiques du domaine de la santé	Théorie de la motivation à l'autoprotection	Modèle de réduction des risques relatifs au sida
	Modèle relatif à l'information, à la motivation et au comportement	

d'explications relatives à la théorie de l'action raisonnée, qui a joué un rôle de précurseur. Puis suivra la théorie sociale cognitive (Bandura, 1986) ; cette théorie porte à la fois sur la prédiction et sur le changement. La théorie de l'implantation des intentions (Gollwitzer, 1999) complétera ce survol. Finalement, un modèle de planification, qui favorise le changement planifié de comportements en intégrant ces théories aux pratiques, sera proposé. Il s'agit de l'intervention ciblée (*intervention mapping*) (Bartholomew, Parcel et Kok, 1998; Bartholomew et autres, 2001).

DE LA RECONNAISSANCE DES FACTEURS À LEUR COMPRÉHENSION : LES THÉORIES DE PRÉDICTION

Les théories exposées dans cette section sont dites de prédiction puisqu'elles permettent essentiellement de comprendre les facteurs sous-jacents à un comportement.

LE MODÈLE DES CROYANCES RELATIVES À LA SANTÉ

Le modèle des croyances relatives à la santé (*Health Belief Model*) a été élaboré en fonction du domaine de la santé (Bartholomew et autres, 2001). Ce modèle a été élaboré dans les années 1950 (Kloeblen et Batish, 1999) pour expliquer les raisons qui motivaient ou non les personnes à subir des tests permettant de dépister des maladies asymptomatiques, dont la tuberculose (Rosenstock, 1974). L'utilisation du modèle a été étendue à l'étude des comportements associés à la prévention des maladies (comme la vaccination) et à l'observance des prescriptions médicales. Les applications relatives à l'étude des comportements liés à la santé (par exemple, les habitudes de vie) sont plus récentes.

Selon le modèle des croyances relatives à la santé, un individu peut faire des gestes pour prévenir une maladie (ou une condition désagréable) s'il possède des connaissances minimales en matière de santé et s'il considère cette dernière comme une dimension importante de son existence (Janz et Becker, 1984; Rosenstock, Strecher et Becker, 1988). Sur la base des informations acquises, il se perçoit comme une personne susceptible de contracter la maladie (ou de subir la condition désagréable) et comprend que l'apparition de cette maladie serait lourde de conséquences pour certains aspects de sa vie. Il juge également efficaces les interventions recommandées pour la prévenir, après en avoir comparé les avantages aux désavantages. Par exemple, selon cette théorie, un fumeur cesserait de fumer parce qu'il sait que cette habitude représente une menace pour sa santé. Il connaît les risques de cancer et de maladie cardiovasculaire qu'il encourt ainsi que la sévérité des conséquences de ces problèmes de santé sur sa qualité de vie. Après avoir jugé que l'abandon de l'usage du tabac est une mesure qui a davantage de bons que de mauvais côtés, il conclut que cesser de fumer est une mesure préventive efficace pour préserver la qualité de ses poumons.

Une autre composante s'ajoute au modèle des croyances relatives à la santé : un déclencheur ou un incitatif à l'action (*cue*). Par exemple, une campagne médiatique sur la prévention du tabagisme pourrait être vue comme un moyen incitatif menant à l'action (Rosenstock, 1974). Toutefois, cette variable reste difficilement mesurable.

Kloeblen et Batish (1999) soutiennent que le modèle des croyances relatives à la santé peut être utilisé comme assises à des interventions éducatives en santé. Cependant, l'exemple précédent illustre bien que cette théorie aborde les actions préventives sous l'angle exclusif de la santé (Godin, 1991). Or, souvent, dans la population, le maintien, l'adoption ou l'abandon de plusieurs comportements ne sont pas guidés par des motifs de santé, mais relèvent davantage du social.

LES THÉORIES DU COMPORTEMENT PLANIFIÉ ET DE L'ACTION RAISONNÉE

La théorie du comportement planifié (TCP) proposée par Ajzen (1991) découle de précédents travaux qu'il a réalisés avec Fishbein lors de l'élaboration de la théorie de l'action raisonnée (TAR) (Fishbein et Ajzen, 1975) (voir la figure 10.1).

Pour Fishbein et Ajzen (1975), l'intention (motivation) détermine l'adoption d'un comportement volitif. À son tour, la motivation canalise les attitudes et les normes subjectives qu'un individu entretient à son égard dans un contexte bien défini. Les attitudes sont elles-mêmes fonction des croyances comportementales (Fishbein et Ajzen, 1975), c'est-à-dire des croyances individuelles quant aux résultats positifs ou négatifs prévus advenant l'adoption dudit comportement. Chacune de ces croyances comporte une évaluation des conséquences. En ce qui concerne les normes subjectives, elles informent sur l'importance qu'une personne accorde à l'opinion de gens significatifs à propos d'un comportement donné et sur sa motivation à agir dans le sens de l'adoption du comportement. Le cas suivant illustre ces concepts. Une infirmière nouvellement diplômée a l'**intention** de prendre les précautions de base (Santé Canada, 1999) pour éviter la propagation des agents pathogènes à diffusion hématogène (Association des infirmières et infirmiers du Canada, 2000). Malgré qu'elle y voie quelques inconvénients, les

FIGURE 10.1 **THÉORIES DU COMPORTEMENT PLANIFIÉ (TCP) ET DE L'ACTION RAISONNÉE (TAR)**

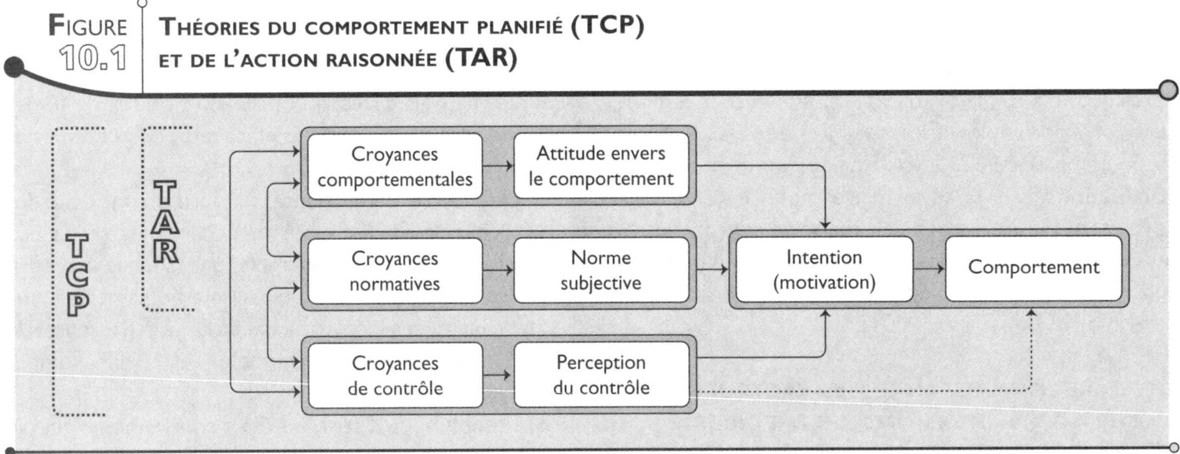

Source : Adapté de Ajzen (2003).

avantages lui paraissent supérieurs (**attitude**). De plus, elle croit que l'infirmière-chef désire la voir prendre de telles mesures et il est important pour elle d'exaucer le souhait de cette personne significative (**norme subjective**). La nouvelle diplômée adopte donc ce **comportement.**

Bien que la théorie de l'action raisonnée soit intéressante, Ajzen (1991) et d'autres auteurs (Norman et Smith, 1995 ; Godin, 1991) ont constaté que, pour être totalement efficace, elle doit permettre de prédire un comportement spécifique qui repose uniquement sur la volonté. Or, il semble que la plupart des conduites se situent davantage dans un continuum volitif. Ainsi, on peut penser qu'une personne aura moins de contrôle sur un comportement si l'adoption de ce comportement nécessite des habiletés ou des occasions. Par exemple, malgré une grande motivation à prendre des précautions de base, une infirmière ne pourra traduire son intention en action par manque de temps, de personnel ou de matériel. C'est en envisageant ces écueils que Ajzen (1991) propose la TCP.

Selon la théorie du comportement planifié, une prédiction juste d'un comportement partiellement volitif doit prendre en compte le degré du contrôle qu'une personne croit exercer sur ledit comportement (Ajzen, 1991). Dans la TCP, aux attitudes et aux normes subjectives présentes dans la TAR se greffe la perception du contrôle comportemental (PCC). Dans ce cadre, l'adoption du comportement ne dépend plus uniquement de la motivation, mais aussi de facteurs non motivationnels qui interfèrent avec l'intention comportementale. Certains sont internes, comme la maladie, la connaissance ou l'habileté ; d'autres, externes, requièrent des occasions et des ressources comme du temps, de l'argent ou la coopération des autres (Ajzen et Madden, 1986 ; Beck et Ajzen, 1991). À l'instar de l'attitude et de la norme subjective, la PCC peut influencer l'intention, mais aussi agir directement sur le comportement (Eagly et Chaiken, 1993). À ce moment, le comportement n'est pas, ou très peu, sous le contrôle volontaire de l'individu.

La valeur prédictive, ou la force d'association entre les variables de ces deux théories (attitude, norme subjective, perception du contrôle, intention), dépendra de quatre éléments : l'action, l'objet, le contexte et le temps. Prenons l'exemple du lavage des mains chez les infirmières. Ici, l'action, qui fait référence à un verbe (se laver), sera dirigée vers un objet (les mains) dans un contexte donné (après tout contact direct avec un patient) durant un laps de temps précisé (au cours des trois prochains mois). De plus, il importe d'amener la personne à se prononcer sur son comportement personnel plutôt que sur un comportement en général. Ainsi, les réponses d'un individu pourraient varier selon qu'il se sent plus ou moins impliqué dans la définition du comportement. Par exemple, de manière générale, une infirmière pourrait être favorable au lavage des mains après tout contact direct avec un patient au cours des trois prochains mois. Cependant, pour diverses raisons, elle-même serait réticente à adopter ce comportement.

De récentes méta-analyses réalisées par Godin et Kok (1996) et Armitage et Conner (2001) ont démontré que la TCP était très performante quant à la prédiction et à l'explication de plusieurs comportements liés à la santé. Ces analyses ont également mis en évidence le fait que cette théorie était supérieure à la TAR. De plus, son efficacité en ce qui a trait à la prédiction de l'adoption de comportements dans le domaine de la santé a pu être améliorée significativement par la prise en considération d'autres construits théoriques (De Vries et autres, 1995; Godin et Kok, 1996).

LA THÉORIE DES COMPORTEMENTS INTERPERSONNELS

La théorie des comportements interpersonnels (TCI) (Triandis, 1980) est semblable à la TAR et à la TCP (Godin, 1991). Cependant, pour Triandis (1980), certains comportements ont force d'habitude, c'est-à-dire qu'ils ne découlent plus d'une volonté consciente. Marcher, courir, aller à vélo sont des comportements plus ou moins automatisés. Dans le cas de tels comportements, l'habitude, plutôt que l'intention, devient le facteur de prédiction du comportement (Godin, 1991). En ce sens, la TCI postule que trois facteurs permettraient de prédire l'adoption ou non d'un comportement: l'intention, l'habitude et la présence de conditions qui facilitent l'action ou lui nuisent (Triandis, 1980). Les deux premiers facteurs varieraient selon l'inscription du comportement dans le temps. Ainsi, la force de l'intention serait déterminante au moment de l'adoption d'un nouveau comportement, alors que celle de l'habitude augmenterait selon le degré d'automatisme créé par la répétition du comportement. Par exemple, le port de la ceinture de sécurité par un conducteur novice passera progressivement sous l'influence de l'habitude en fonction de la répétition du geste.

Comme dans la TAR et la TCP, il y a des composantes qui sous-tendent l'intention. Triandis en compte quatre: la composante cognitive de l'attitude, la composante affective de l'attitude, la composante sociale et la norme morale. La composante cognitive est similaire au concept d'attitude qu'on trouve dans la TAR et dans la TCP. La composante affective, quant à elle, représente la réponse émotionnelle d'une personne à un comportement donné. Cette composante fait appel aux souvenirs et requiert donc le recours à la mémoire à long terme. L'émergence d'un sentiment positif viendra renforcer l'intention, alors qu'une perception négative participera à son extinction. Pour sa part, la composante sociale reflète les déterminants sociaux. Le choix de ces déterminants dépend du comportement à l'étude. Les croyances normatives et les croyances en l'existence des rôles sociaux spécifiques ont été les plus utilisées. La norme morale, dernier facteur agissant sur l'intention, consiste en l'évaluation que fait une personne de la valeur morale d'un comportement. Elle se distingue de la norme sociale par le fait que le choix final d'une personne relève de règles de conduites personnelles. Par exemple, une infirmière croit en l'efficacité du lavage des mains après tout contact direct avec un patient pour minimiser le taux des infections nosocomiales (**composante cognitive**). Elle se souvient du fort sentiment de satisfaction que lui a procuré cette simple mesure prophylactique (**composante affective**). De plus, elle croit qu'il est bien qu'un membre de sa profession se lave les mains après tout contact direct avec un patient (**composante sociale**). Finalement, c'est dans ses principes de se laver les mains après tout contact direct avec un patient pour éviter la propagation d'infections nosocomiales (**norme morale**).

Les résultats des études reposant sur la théorie des comportements interpersonnels ou sur certains de ses déterminants ont fait ressortir la pertinence de l'utilisation de ce modèle dans plusieurs domaines de la santé (Godin, Vézina et Leclerc, 1989; Montano, 1986; Parker et autres, 1992).

DE LA COMPRÉHENSION DES FACTEURS À L'ACTION : LES THÉORIES DE CHANGEMENT

Dans la section précédente, des théories relatives à la prédiction du comportement ont été passées en revue. En ce qui a trait au changement planifié de comportements, ces théories permettent de reconnaître des facteurs sous-jacents au comportement, non de les modifier. Pour agir sur ces facteurs, le professionnel de la santé doit recourir aux théories portant sur le changement. En se référant à de telles théories, il lui devient possible de concevoir des interventions pouvant conduire à un changement planifié de comportements. Dans le cadre de ce chapitre, deux théories ont été retenues: la théorie sociale cognitive (Bandura, 1986) et la théorie de l'implantation des intentions (Gollwitzer, 1999).

LA THÉORIE SOCIALE COGNITIVE

Reconnaissant l'influence de l'environnement social et des apprentissages réalisés par les individus, Bandura (1977) a proposé une théorie qu'il a par la suite nommée théorie sociale cognitive (TSC) (Bandura, 1986).

Selon les postulats de cette théorie (Bandura, 1994), la régulation cognitive du fonctionnement humain dépend de deux systèmes de croyances qui opèrent de concert: les croyances en l'efficacité du comportement et les croyances en l'efficacité personnelle perçue (Godin, 1991). En d'autres mots, une personne adoptera un comportement si, d'une part, elle croit que ce dernier peut contribuer à l'atteinte de résultats escomptés et si, d'autre part, elle a suffisamment confiance en sa capacité d'adopter ce comportement au moment opportun. Si c'est le cas, elle sera plus sujette à adopter une nouvelle conduite et à fournir les efforts nécessaires et le temps requis pour se l'approprier, et ce, même dans des contextes difficiles. Par exemple, une infirmière se lavera systématiquement les mains avant tout acte invasif (Association des infirmières et infirmiers du Canada, 2000), car elle croit en l'efficacité de cette mesure pour réduire la propagation de micro-organismes pathogènes et, par ailleurs, se croit capable de surmonter des barrières comme l'absence de lavabo, le port de gants ou même l'absence d'appuis dans son milieu de travail.

L'efficacité personnelle perçue a servi à expliquer avec succès plusieurs comportements dans le secteur de la santé. Ce facteur semble tellement important dans la genèse d'un comportement que plusieurs auteurs l'ont incorporé à leur modèle (Strecher et autres, 1986). Ainsi, on le trouve dans le modèle des croyances relatives à la santé (Rosenstock, Strecher et Becker, 1988), dans la théorie de la motivation à l'autoprotection (Maddux et Rogers, 1983 ; Stanley et Maddux, 1986) et dans la théorie du comportement planifié (Ajzen, 1991).

Comme le rappellent Bartholomew et ses collaborateurs (2001) ainsi que Maibach et Murphy (1995), la TSC ne permet pas seulement de reconnaître des facteurs pouvant expliquer le comportement, elle offre aussi des indications sur les processus de changement. Cette théorie est particulièrement intéressante pour comprendre la manière dont s'effectue l'acquisition des habiletés et pour cerner les compétences à enseigner (Cleaveland, 1994). Par exemple, la présentation d'un comportement à un individu est une procédure efficace pour induire semblable comportement. En ce sens, Bandura (1986) a démontré qu'une réponse peut être apprise plus rapidement si un modèle est fourni. Il a aussi confirmé que non seulement le comportement peut être changé, mais que les connaissances et les émotions peuvent aussi être modifiées. Selon les postulats de la TSC, un modèle peut influencer un comportement parce que l'observation d'une récompense ou d'une punition peut agir comme élément de motivation chez l'observateur. Cette observation lui permet d'être renseigné sur les résultats attendus du comportement (croyances aux résultats) et peut influencer ses croyances en son efficacité personnelle. Le succès observé peut induire un fort sentiment d'efficacité personnelle, alors que l'échec peut contribuer à faire naître le doute. La contribution des pairs comme modèles dans différents programmes d'éducation pour la santé en est un exemple (Parent et Fortin, 1999).

Bandura (1986) mentionne quatre étapes nécessaires à la reproduction du comportement des autres : l'attention et la perception des aspects importants du comportement ; la rétention des informations et leur représentation ; la production de l'action ; et la motivation. Ces étapes requièrent différentes techniques. Par exemple, Bandura (1986) estime que l'utilisation des émotions facilite l'apprentissage. Il suggère de l'intégrer aux jeux de rôles. En plus, la TSC offre un guide pour structurer les étapes de l'acquisition du comportement. En effet, selon les postulats de cette théorie, on exécute un processus d'apprentissage en scindant le comportement en petites parties, en proposant des modèles pour en faciliter la compréhension, en faisant répéter le comportement en fonction d'un gradient de difficultés (du plus facile au plus difficile) et en donnant une rétroaction (*feedback*) adéquate. Des renforcements opportuns (sanction sociale) sont également essentiels à l'acquisition d'habiletés comportementales.

Finalement, durant la structuration d'activités selon les prémisses de la TSC, il faut amener les personnes à agir à l'intérieur d'une zone où elles auront de l'intérêt à poursuivre. Une tâche trop difficile à accomplir avec un faible sentiment d'efficacité personnel perçue pourrait inciter une personne à abandonner. Pour favoriser la recherche d'un équilibre entre la difficulté d'accomplir une tâche et l'efficacité personnelle perçue, le planificateur en santé peut opter pour des moyens extérieurs à l'individu pour diminuer le niveau de difficulté (par exemple, l'utilisation de rince-mains antiseptiques), ou pour des moyens propres à la personne pour augmenter l'efficacité personnelle (comme la persuasion verbale), ou pour les deux simultanément.

La théorie de l'implantation des intentions

Autre théorie centrée sur le changement planifié de comportements, la théorie de l'implantation des intentions (Gollwitzer, 1999) permet, au même titre que la TSC, de mettre sur pied des stratégies pour renforcer des facteurs préalablement ciblés. Cette stratégie vise à faciliter la transformation des intentions en actions (Gollwitzer, 1999). La théorie de l'implantation des intentions stipule que les caractéristiques précises décrivant le but à atteindre (*quand, où* et *comment*) influenceront l'adoption du comportement visé par ce but (Gollwitzer et Oettingen, 1998). La prise de décision prend la forme de « je prévois faire *x* lorsque la situation *y* surviendra » et représente la mise en œuvre d'une intention (Gollwitzer, 1999).

Cette stratégie permet à l'individu d'associer une opportunité future à un comportement précis et l'incite à adopter ce comportement lorsque la situation critique se présente (Gollwitzer et Brandstatter, 1997). Selon Gollwitzer (1999), ces situations critiques seraient plus faciles à détecter, à créer et à reproduire que le comportement lui-même. En présence de telles situations, le comportement qui leur est associé se concrétiserait plus aisément en requérant un effort cognitif moindre. L'implantation des intentions transforme donc la poursuite d'un objectif qui est consciemment contrôlé, requérant de grands efforts, en un objectif associé à des situations environnementales (Gollwitzer et Oettingen, 1998).

La difficulté d'adopter un comportement précis réside principalement dans l'incapacité de saisir les occasions permettant l'atteinte du but, parce que l'individu est trop absorbé par l'activité déjà en cours ou trop fatigué pour qu'elles attirent son attention. La stratégie de l'implantation des intentions, par la formulation d'un plan précis, permet de représenter mentalement des situations précises et futures, qui deviennent facilement accessibles à l'esprit, et de les associer à des comportements concrets. Elle permet donc d'induire un contrôle plus direct et plus automatique sur l'action à entreprendre (Gollwitzer et Oettingen, 1998).

Le couple « situation critique – action précise à faire » permet de créer une nouvelle habitude. Le processus par lequel un comportement passé contrôle un comportement futur se déroule habituellement de façon non consciente et est appelé *habitude* (Sheeran et Orbell, 2000). Ces auteurs affirment que les comportements qui ont été répétés plusieurs fois dans le passé sont encodés dans la mémoire, et certaines situations environnementales servent à les déclencher de façon automatique.

Selon Orbell, Hodgkins et Sheeran (1997), un comportement passé qui contrôle un comportement futur et l'utilisation de la stratégie de l'implantation des intentions pour influencer un comportement futur auraient des fondements similaires. Dans les deux cas, une association mnémonique s'établirait entre le comportement et certaines situations environnementales critiques. Toutefois, Sheeran et Orbell (2000) soulignent une distinction importante : les habitudes sont généralement formées par la répétition de l'association « comportement-contexte où le comportement est adopté », alors que la stratégie de l'implantation des intentions suppose plutôt la répétition cognitive du lien entre le comportement et le contexte qui permet sa mise en action (les *quand, où* et *comment* spécifiés dans le plan). Peu importe que l'association entre le comportement et son contexte déclencheur soit comportementale (habitude) ou cognitive (implantation des intentions), le résultat devrait être le même : la création d'une association mnémonique (Sheeran et Orbell, 2000).

Il est important de spécifier que la stratégie de l'implantation des intentions est beaucoup plus efficace lorsque les individus ont déjà l'intention de passer à l'action (Gollwitzer, 1999 ; Gollwitzer et Oettingen, 1998 ; Gollwitzer et Brandstatter, 1997). Une forte intention ne conduit pas nécessairement à l'atteinte du but visé, mais une intention de même intensité accompagnée d'une implantation des intentions facilite le passage à l'action (Gollwitzer et Brandstatter, 1997 ; Sheeran et Orbell, 2000).

Ce modèle théorique de changement s'est avéré très efficace pour modifier certains comportements liés à la santé, comme prendre une pilule quotidiennement (Sheeran et Orbell, 2000), pratiquer l'auto-examen des seins (Orbell, Hodgkins et Sheeran, 1997), subir un test de dépistage du cancer du col de l'utérus (Sheeran et Orbell, 2000), s'alimenter sainement (Verplanken et Faes, 1999), recommencer à faire des activités fonctionnelles à la suite d'une chirurgie de remplacement de la hanche ou du genou (Sheeran et Orbell, 2000) et faire de l'exercice physique (Milne, Orbell et Sheeran, 2000).

Des théories de changement à l'intervention : l'intervention ciblée

Pour faciliter l'élaboration d'interventions visant le changement planifié d'un comportement, on doit organiser les connaissances provenant de l'utilisation de théories de prédiction et de changement dans un cadre de planification : l'intervention ciblée (*intervention mapping*) (Bartholomew, Parcel et Kok, 1998 ; Bartholomew et autres, 2001).

Se basant sur un processus rigoureux, Bartholomew, Parcel et Kok (1998) ont élaboré un modèle qui fournit un guide pratique offrant la possibilité d'intégrer les théories, les données empiriques tirées de la documentation et les informations collectées sur le terrain auprès de la population visée. L'originalité de ce modèle tient au fait que l'intervention, tout en reposant sur des bases théoriques solides, sera planifiée en fonction des résultats de l'étude des facteurs sous-jacents à un comportement particulier, au sein d'une population spécifique, dans un contexte donné (Bartholomew, Parcel et Kok, 1998). Par la suite, un processus itératif apparaîtra et se développera en plusieurs étapes (Alewijnse et autres, 2002 ; Bartholomew et autres, 2000a ; Cullen et autres, 1998 ; Murray et autres, 1998 ; Murray et autres, 1999).

L'intervention ciblée est un cadre de planification qui évolue étape par étape, chacune incluant des tâches à accomplir. Lorsque les tâches d'une étape sont terminées, le produit qui en résulte devient le guide pour l'étape suivante. Le processus complet est le résultat final de cinq étapes : l'élaboration du canevas de l'intervention ciblée ; la sélection de théories liées aux méthodes d'intervention et aux stratégies pratiques ; la traduction des méthodes en programmes organisés ; l'adoption et l'implantation de l'intervention ; et la génération du plan d'évaluation. À ces cinq étapes de planification s'ajoute une phase préparatoire essentielle au cours de laquelle le phénomène à l'étude est délimité, la population cible est déterminée et les principaux facteurs liés au phénomène sont cernés (voir le tableau 10.2). Dans le cadre de ce chapitre, nous traiterons exclusivement des deux premières étapes de planification, car ce sont celles qui permettent de préciser les objectifs, le contenu et les stratégies des interventions. Les lecteurs désireux d'en connaître davantage sur l'ensemble du processus peuvent consulter l'ouvrage de Bartholomew et de ses collaborateurs (2001).

Étape 1 : élaboration du canevas de l'intervention ciblée. Selon Bartholomew et ses collaborateurs (2001), la première étape du processus fournit les fondements de l'intervention. Quatre tâches devant mener à un changement planifié de comportements la composent : la spécification de l'objectif du programme ; l'élaboration des objectifs de performance ; la spécification des facteurs sous-jacents au comportement ciblé ; et l'élaboration des objectifs d'apprentissage ou de changement. Occasionnellement, une cinquième s'ajoutera si l'analyse des besoins indique la nécessité de subdiviser la population participante selon des critères comme l'âge ou le sexe, par exemple. Le tableau 10.3 présente une illustration partielle de cette démarche dans un programme de promotion de l'abstinence tabagique s'adressant à des élèves du primaire (Côté, Godin et Gagné, article soumis pour publication).

Tâche 1 : objectif du programme. La première tâche consiste à spécifier les effets comportementaux et environnementaux prévus à la fin de l'intervention. Ils sont traduits dans un énoncé décrivant le comportement à adopter et incluent la population (*qui ?*) et l'effet attendu (*quoi ?*) à la fin de l'intervention ciblée. Cet énoncé est appelé *objectif de programme* et devient le fil de trame qui sert à tisser toute l'intervention. Une bonne définition de ce qui est prévu concourt à une meilleure spécification des objectifs de performance (Bartholomew et autres, 2001).

TABLEAU 10.2 SYNTHÈSE DE L'ANALYSE DES BESOINS ET DU PROCESSUS D'UNE INTERVENTION CIBLÉE

ANALYSE DES BESOINS	
▸ Délimitation du phénomène ▸ Détermination globale de la population ciblée ▸ Reconnaissance des principaux facteurs sous-jacents au phénomène	
ÉTAPES	**TÂCHES**
1. Élaboration du canevas de l'intervention ciblée	1.1 Spécification de l'objectif du programme 1.2 Élaboration des objectifs de performance 1.3 Spécification des facteurs sous-jacents au comportement 1.4 Élaboration des objectifs d'apprentissage et de changement 1.5 Subdivision de la population (au besoin)
2. Sélection de théories liées aux méthodes	2.1 Choix de modèles théoriques 2.2 Traduction de la méthode en stratégies
3. Traduction des méthodes en interventions organisées	3.1 Organisation structurelle 3.2 Séquences des rencontres 3.3 Production du matériel
4. Adoption et implantation de l'intervention	
5. Élaboration du plan d'évaluation	

Source : Adapté de Bartholomew, Parcel et Kok (1998) et de Bartholomew et autres (2001).

Tableau 10.3 **Illustration de l'étape 1 d'une intervention ciblée adaptée**

Objectif du programme (**tâche 1**)
Les élèves de la 5e et de la 6e année du primaire qui participent à l'intervention ciblée maintiendront et renforceront leur intention d'être abstinents de la cigarette durant une période de transition.

↓

Objectif de performance (**tâche 2**)
Au cours des ateliers, les élèves **développent des habiletés pour…**

… communiquer adéquatement à des pairs leur intention ferme de rester abstinents de la cigarette.

→ Facteurs personnels sous-jacents au comportement ciblé (**tâche 3**)

Perception de contrôle[a]	Rôles sociaux[b]	Attitude[a]	Norme subjective[a]
• développer des stratégies pour négocier avec leurs pairs relativement à l'usage de la cigarette en leur présence dans des situations à risque.	• faire montre d'une perception exacte de la prévalence de fumeurs parmi les jeunes de leur âge.	• reconnaître les autres avantages d'être abstinents de la cigarette (coût, odeur, etc.).	• comprendre le processus des influences sociales sur leur prise de décision au sujet de leur abstinence de la cigarette.
• utiliser ces stratégies pour négocier avec leurs pairs relativement à l'usage de la cigarette en leur présence dans des situations à risque.	• reconnaître les avantages pour la santé d'être abstinents de la cigarette.	• connaître les normes sociales au sujet de la cigarette.	

↓

Objectifs d'apprentissage (**tâche 4**)
Pendant les ateliers, les élèves **apprennent à…** (voir les énoncés ci-dessus)

a Facteurs issus de la TCP (Ajzen, 1991).
b Facteur issu de la TCI (Triandis, 1980).
Source : Côté, Godin et Gagné (article soumis pour publication).

Tâche 2 : objectifs de performance. La seconde tâche consiste à élaborer des objectifs de performance. Cette activité permet de clarifier ce qui doit être acquis par le participant ou ce qui doit être transformé dans son environnement pour atteindre l'objectif du programme. Pour créer les objectifs de performance, on doit scinder l'objectif du programme en petits buts qui seront faciles à atteindre. La question que le planificateur doit se poser est la suivante : *De quoi* le participant a-t-il besoin pour adopter le comportement lié à la santé ou procéder aux changements environnementaux nécessaires ? Les réponses à cette question doivent représenter des actions (communiquer, planifier, affirmer, etc.).

Tâche 3 : facteurs sous-jacents au comportement. La tâche suivante consiste à sélectionner des facteurs sous-jacents au comportement ciblé. Pour établir une liste de déterminants potentiels, le professionnel de la santé utilise l'analyse des besoins réalisée lors de la phase préparatoire à l'intervention, vérifie s'il existe d'autres facteurs dans la documentation et consulte ses partenaires. Il évalue également jusqu'à quel point les facteurs retenus sont modifiables par l'action qu'il entend prendre. Dans l'intervention ciblée, deux catégories de facteurs sont suggérées : personnels et externes (Bartholomew et autres, 2001). La prémisse de base est la suivante : si on considère qu'un facteur peut avoir une influence sur un ou plusieurs objectifs de performance, il doit être pris en compte. Les facteurs personnels doivent être potentiellement influençables par l'intervention et impliquer un processus d'apprentissage personnel, alors que les déterminants externes (non illustrés) ne sont pas directement sous le contrôle de l'individu (soutien social, climat organisationnel, etc.).

Tâche 4 : objectifs d'apprentissage ou de changement. La quatrième tâche consiste, pour le professionnel de la santé, en l'élaboration des objectifs d'apprentissage ou de changement. Au regard des objectifs d'apprentissage, il se demande : *Que* doit apprendre le participant pour modifier le facteur *x* sous-jacent au comportement ciblé en vue de l'atteinte de l'objectif de performance ? Par exemple, dans la première cellule du tableau 10.3, où l'objectif de performance « communiquer avec ses pairs… » est jumelé au facteur « perception de contrôle », la question était : Qu'est-ce que les participants ont besoin d'apprendre au regard de la PCC pour être capables de bien communiquer avec leurs pairs ? La réponse à cette question devient le ou les objectifs d'apprentissage. Dans notre illustration, la réponse inclut l'apprentissage d'habiletés permettant de concevoir et d'utiliser des stratégies de négociation. Par la suite, la même question doit être posée en fonction de chacun des facteurs retenus lors de la tâche précédente. En fait, il s'agit de décrire ce que le participant doit apprendre au regard de chacun des facteurs pour atteindre les objectifs de performance, lesquels concourent à l'atteinte de l'objectif de programme. Les objectifs de changement (non illustrés), pour leur part, définissent ce qui devrait être modifié dans les déterminants extérieurs à l'individu et relatifs à d'autres personnes. La formulation des objectifs de changement se rapporte à un agent externe qui agit sur le processus de changement planifié du comportement. Si l'analyse des besoins n'a pas révélé la nécessité de subdiviser la population, la réalisation de la quatrième tâche marque la fin de la première étape du processus de l'intervention ciblée. On visualise le produit final de l'étape 1 grâce à une matrice qui regroupe les objectifs et les facteurs sous-jacents au comportement.

Étape 2 : sélection de théories liées aux méthodes d'intervention et aux stratégies pratiques. Le but de la seconde étape est de sélectionner des théories, des méthodes et des stratégies pratiques pour les associer aux objectifs définis lors de l'étape précédente (Bartholomew et autres, 2001). Dans un premier temps, il faut choisir dans la documentation quelques-unes des grandes théories de changement sur lesquelles le contenu de l'intervention pourrait être échafaudé. Dans un second temps, il faut repérer des stratégies qui pourront concourir à l'organisation des modèles retenus. Pour faire ce choix, le professionnel de la santé doit s'assurer que la stratégie retenue est acceptable pour la population ciblée et correspond à son développement cognitif. Il s'agit donc de choisir des stratégies qui rendent le message positif et agréable, et accessible à la population ciblée, qui présentent une organisation claire de l'information et qui comprennent des répétitions en nombre suffisant. Par exemple, la composante de la théorie sociale cognitive relative au modelage d'un comportement pourra se traduire, dans l'intervention, par une stratégie comme les modèles de rôle et être mise en action à l'aide de divers moyens pédagogiques (dépliant, affiche, vidéo, témoignage, etc.).

En résumé, l'intervention ciblée est un cadre de planification où on intègre et systématise l'usage de théories et de données empiriques tout en prenant en compte les caractéristiques de la population concernée. Pour ces raisons, ce processus doit toujours être précédé d'une analyse des besoins dans le milieu ciblé. Par ailleurs, bien que notre description de l'intervention ciblée puisse laisser l'impression qu'il s'agit d'une activité linéaire, il n'en est rien. Au contraire, lorsqu'elle est mise en œuvre, l'intervention ciblée devient un processus itératif en constante évaluation. Ainsi, des ajustements ponctuels peuvent être nécessaires selon les éclairages nouveaux qui émergent au cours de l'intervention. Bien que ce processus requiert temps et efforts, les résultats qui en découlent en valent la peine (Bartholomew et autres, 2000b).

CONCLUSION

Une théorie psychosociale peut éclairer une partie du paysage, mais il serait illusoire de croire qu'à elle seule elle illuminera la campagne tout entière. Cette limite ne doit pas inciter les professionnels de la santé à en rejeter l'usage. Au contraire, comme cela a été démontré, les cadres théoriques sont pertinents du fait qu'ils permettent de concevoir un comportement lié à la santé dans une perspective sociale beaucoup plus large. Plusieurs théories et modèles sont accessibles. Le professionnel avisé ne craindra pas d'utiliser une combinaison judicieuse de différentes composantes de quelques modèles (Godin, 1991). Un tel dispositif facilitera, par la suite, la transition entre le savoir issu de la recherche et sa transformation en interventions (McGahee, Kemp et Tingen, 2000).

Les théories psychosociales peuvent contribuer à la reconnaissance des facteurs sous-jacents au comportement et à la transformation de l'information en actions au cours des interventions. Les théories et les modèles vus dans le présent chapitre sont donc utiles non seulement pour comprendre, mais aussi pour agir dans l'optique d'un changement planifié de comportements.

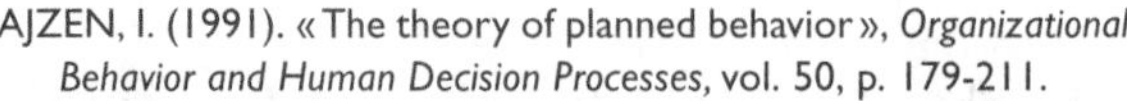

RÉFÉRENCES

AJZEN, I. (1991). « The theory of planned behavior », *Organizational Behavior and Human Decision Processes,* vol. 50, p. 179-211.

AJZEN, I. (2003). *Theory of Planned Behavior,* http://www-unix.oit.umass.edu/~aizen/index.html (consulté le 1er mars 2003).

AJZEN, I. et T.J. MADDEN (1986). « Predicting of goal-directed behavior : Attitudes, intentions, and perceived behavioral control », *Journal of Experimental Social Psychology,* n° 22, p. 453-74.

ALEWIJNSE, D. et autres (2002). « Program development for promoting adherence during and after exercise therapy for urinary incontinence », *Patient Education and Counseling,* vol. 48, n° 2, p. 147-60.

ARMITAGE, C.J. et M. CONNER (2001). « Efficacy of the theory of planned behaviour : A meta-analytic review », *British Journal of Social Psychology,* vol. 40, n° 4, p. 471-99.

ASSOCIATION DES INFIRMIÈRES ET INFIRMIERS DU CANADA (2000). *Énoncé de position. Agents pathogènes à diffusion hématogène,* Ottawa, AIIC.

BANDURA, A. (1977). « Self-efficacy : Toward a unifying theory of behavior change », *Psychological Review,* n° 84, p. 191-215.

BANDURA, A. (1986). *Social Foundations of Thought and Action : A Social Cognitive Theory,* Englewood Cliffs (New Jersey), Prentice-Hall.

BANDURA, A. (1994). « Social cognitive theory and exercise of control over HIV infection », dans R.J. DiClemente et J.L. Peterson (dir.), *Preventing AIDS : Theories and Methods of Behavioral Intervention,* New York, Plenum, p. 1-20.

BARTHOLOMEW, L.K., G.S. PARCEL et G. KOK (1998). « Intervention mapping : A process for developing theory and evidence-based health education programs », *Health Education Behavior,* vol. 25, n° 5, p. 545-563.

BARTHOLOMEW, L.K. et autres (2000a). « Watch, discover, think, and act : A model for patient education program development », *Patient Education and Counseling,* vol. 39, nos 2-3, p. 253-268.

BARTHOLOMEW, L.K. et autres (2000b). « Watch, discover, think, and act : Evaluation of computer-assisted instruction to improve asthma self-management in inner-city children », *Patient Education and Counseling,* vol. 39, nos 2-3, p. 269-280.

BARTHOLOMEW, L.K. et autres (2001). *Intervention Mapping : Designing Theory and Evidence-Based Health Promotion Programs,* Mountain View (Californie), Mayfield.

BECK, L. et I. AJZEN (1991). « Predicting dishonest actions using the theory of planned behaviour », *Journal of Research in Personality,* n° 25, p. 285-301.

CLEAVELAND, B.L. (1994). « Social cognitive theory recommendations for improving modeling in adolescent substance abuse prevention programs », *Journal of Child and Adolescent Substance Abuse,* vol. 3, n° 4, p. 53-68.

CÔTÉ, F., G. GODIN et C. GAGNÉ (soumis). « Efficiency of a program to promote and reinforce abstinence from smoking in elementary schools ».

CULLEN, K.W. et autres (1998). « Measuring stage of change for fruit and vegetable consumption in 9 to 12-year-old girls », *Journal of Behavioral Medicine,* vol. 21, n° 3, p. 241-54.

DE VRIES, H. et autres (1995). « The impact of social influences in the context of attitude, self-efficacy, intention and previous behavior as predictors of smoking onset », *Journal of Applied Social Psychology,* n° 25, p. 237-252.

EAGLY, H.A. et S. CHAIKEN (1993). *The Psychology of Attitudes,* New York, Harcourt Brace Jovanovich.

FISHBEIN, M. et I. AJZEN (1975). *Belief, Attitude, Intention and Behavior : An Introduction to Theory and Research,* Don Mills (Ontario), Addison-Wesley.

GODIN, G. (1991). « L'éducation pour la santé : les fondements psychosociaux de la définition des messages éducatifs », *Sciences sociales et santé,* vol. 9, n° 1, p. 67-94.

GODIN, G. et G. KOK (1996). « The theory of planned behavior : A review of its applications to health-related behaviors », *American Journal for Health Promotion,* n° 11, p. 87-98.

GODIN, G., L. VÉZINA et O. LECLERC (1989). « Factors influencing intentions of pregnant women to exercise after giving birth », *Public Health Report,* n° 104, p. 188-196.

GOLLWITZER, P.M. (1999). « Implementation intentions, strong effects of simple plans », *American Psychologist,* n° 54, p. 493-503.

GOLLWITZER, P.M. et V. BRANDSTATTER (1997). « Implementation intentions and effective goal pursuit », *Journal of Personality and Social Psychology,* n° 73, p. 186-199.

GOLLWITZER, P.M. et G. OETTINGEN (1998). « The emergence and implementation of health goals », *Psychology and Health,* n° 13, p. 687-715.

JANZ, N.K. et M.H. BECKER (1984). « The health belief model: A decade later », *Health Education Quarterly*, n° 11, p. 1-47.

KLOEBLEN, A.S. et S.S. BATISH (1999). « Understanding the intention to permanently follow a high folate diet among a sample of low-income pregnant women according to the Health Belief Model », *Health Education Research*, vol. 14, n° 3, p. 327-338.

KOK, G. et autres (1996). « Social psychology and health education », *European Review of Social Psychology*, n° 7, p. 241-282.

McGAHEE, T.W., V. KEMP et M. TINGEN (2000). « A theoretical model for smoking prevention studies in preteen children », *Pediatric Nursing*, vol. 26, n° 2, p. 135-41.

MADDUX, J.E. et R.W. ROGERS (1983). « Protection motivation and self-efficacy: A revised theory of fear appeals and attitude change », *Journal of Experimental Social Psychology*, n° 19, p. 469-479.

MAIBACH, E. et D.A. MURPHY (1995). « Self-efficacy in health promotion research and practice: Conceptualization and measurement », *Health Education Research*, vol. 10, n° 1, p. 37-50.

MILNE, S.E., S. ORBELL et P. SHEERAN (2000). « Combining motivational and volitional interventions to promote exercise participation: Protection motivation theory and implementation intentions », *Journal of Applied Social Psychology*, n° 30, p. 106-143.

MONTANO, D.E. (1986). « Predicting and understanding influenza vaccination behavior », *Medical Care*, n° 24, p. 438-453.

MURRAY, N.G. et autres (1998). « Development of an intervention map for a parent education intervention to prevent violence among Hispanic middle school students », *Journal of School Health*, vol. 68, n° 2, p. 46-52.

MURRAY, N.G. et autres (1999). « Padres Trabajando por la Paz: A randomized trial of a parent education intervention to prevent violence among middle school children », *Health Education Research*, vol. 14, n° 3, p. 421-426.

NORMAN, P. et L. SMITH (1995). « The theory of planned behavior and exercise: An investigation into the role of prior behavior, behavioral intentions and attitude variability », *European Journal of Social Psychology*, n° 25, p. 403-415.

NUTBEAM, D. (1999). *Glossaire de la promotion de la santé*, Genève, Organisation mondiale de la santé.

ORBELL, S., S. HODGKINS et P. SHEERAN (1997). « Implementation intention and the theory of planned behavior », *Personality and Social Psychology Bulletin*, n° 23, p. 953-962.

PARENT, N. et F. FORTIN (1999). « L'utilisation de la recherche dans la pratique clinique: programme de parrainage à l'intention de patients cardiaques », *Recherche en soins infirmiers*, n° 57, p. 50-56.

PARKER, D. et autres (1992). « Intention to commit driving violations: An application of the theory of planned behaviour », *Journal of Applied Psychology*, n° 77, p. 94-101.

ROSENSTOCK, I.M. (1974). « Historical origins of the health belief model », *Health Education Monographs*, n° 2, p. 328-335.

ROSENSTOCK, I.M., V.J. STRECHER et M.H. BECKER (1988). « Social learning theory and the health belief model », *Health Education Quarterly*, n° 15, p. 175-183.

SANTÉ CANADA (1999). *Relevé des maladies transmissibles au Canada. Supplément. Guide de prévention des infections. Pratiques de base et précautions additionnelles visant à prévenir la transmission des infections dans les établissements de santé*, Ottawa, Laboratoire de lutte contre la maladie, Bureau des maladies infectieuses, Division des infections nosocomiales et du travail.

SHEERAN, P. et S. ORBELL (2000). « Using implementation intentions to increase attendance for cervical cancer screening », *Health Psychology*, vol. 19, n° 3, p. 283-289.

STANLEY, M.A. et J.E. MADDUX (1986). « Cognitive processes in health enhancement: Investigation of a combined protection motivation and self-efficacy model », *Basic and Applied Social Psychology*, n° 7, p. 101-113.

STRECHER, V.J. et autres (1986). « The role of self-efficacy in achieving health behavior change », *Health Education Quarterly*, n° 13, p. 73-91.

SUTTON, S. (2000). « How useful are social cognition models in predicting, explaining, and changing health behaviours ? », Leyde (Pays-Bas), présentation lors de la 14e Conférence de la Société européenne de psychologie de la santé.

TRIANDIS, H.C. (1980). « Values, attitudes, and interpersonal behavior », dans M.M. Page (dir.), *Nebraska Symposium on Motivation. Beliefs, Attitudes and Values*, Lincoln (Nebraska), University of Nebraska, p. 195-259.

VERPLANKEN, B. et S. FAES (1999). « Good intentions, bad habits, and effects of forming implementation intentions on healthy eating », *European Journal of Social Psychology*, n° 29, p. 591-604.

WITTE, K. (1995). « Fishing for success: Using the persuasive health message framework to generate effective campaign messages », dans E. Maibach et R.L. Parrott (dir.), *Designing Health Messages: Approaches From Communication Theory and Public Health Practice*, Thousand Oaks, Sage, p. 145-166.

CHAPITRE 11

LE SOUTIEN SOCIAL :

SES COMPOSANTES, SES EFFETS ET SON INSERTION DANS LES PRATIQUES SOCIOSANITAIRES

ANNIE DEVAULT
LUCIE FRÉCHETTE

INTRODUCTION

Le soutien social, c'est-à-dire l'aide de différentes natures qu'une personne peut fournir à une autre, est une notion connue depuis longtemps. Si nos grand-mères savaient déjà d'instinct que le fait de bénéficier d'un réseau de soutien était bénéfique pour la santé et le bien-être, des études empiriques ont démontré, depuis une trentaine d'années, que les personnes qui sont soutenues par leur entourage risquent moins de développer des problèmes physiques ou de santé mentale. De fait, l'effet bénéfique du soutien social sur l'adaptation est scientifiquement reconnu.

Dans le présent chapitre, nous traçons un portrait global du soutien social. Nous cernons d'abord le concept de soutien social en fonction des différentes perspectives théoriques sur lesquelles repose son étude. Nous traitons ensuite des effets du soutien social sur la santé et le bien-être des personnes. En troisième lieu, nous abordons les composantes objectives du soutien social, par exemple, l'étendue, la densité et la fréquence, pour ensuite traiter d'aspects plus subjectifs comme la perception de la disponibilité du soutien dans l'entourage et la satisfaction au regard de l'aide reçue. Nous avons subséquemment constaté que le soutien social n'est pas un concept neutre. Les perceptions individuelles quant à l'importance d'entretenir des relations d'interdépendance ou, à l'inverse, de rester indépendant peuvent grandement affecter les stratégies mises en œuvre pour obtenir une assistance ou, au contraire, pour éviter d'être l'objet d'un quelconque soutien. Sur ce plan, l'appartenance sexuelle constitue un des critères qui distinguent assez bien ceux qui désirent obtenir de l'aide de ceux qui n'en veulent pas. Dans la deuxième partie de notre texte, nous traitons des pratiques associées au soutien social tant dans le contexte d'une intervention psychosociale que dans celui d'une intervention communautaire.

CE QU'IL FAUT SAVOIR À PROPOS DU SOUTIEN SOCIAL

LE SOUTIEN SOCIAL ET SES EFFETS

Le soutien social est-il le produit des caractéristiques de l'environnement social d'une personne ? Représente-t-il le résultat de perceptions individuelles relatives à l'aide disponible dans l'entourage ? Est-il le reflet de certains traits de personnalité ou, plutôt, un amalgame de caractéristiques environnementales ? Ou, alors, représente-t-il le résultat d'un processus complexe résultant d'une interaction entre une personne et les ressources disponibles dans son milieu de vie ? Quoique l'influence des travaux de Bowlby (1980) sur l'attachement ait été déterminante quant à la compréhension du développement des liens primaires entre un individu et son entourage, la majorité des premières études sur le soutien social, et plus particulièrement celles issues de la psychologie communautaire, n'ont pas examiné le soutien social sous l'angle de l'établissement d'une relation affective. Elles ont plutôt tenté de développer une mesure objective de l'apport de soutien de toute nature en provenance de ressources sociales informelles et formelles de l'environnement d'un individu donné. Cette perspective trouvait son origine dans certaines études en épidémiologie psychiatrique qui démontraient clairement qu'on pouvait souvent relier des environnements sociaux pauvres sur le plan de la présence de groupes de soutien formels ou informels ou des réseaux de communication faibles et fragmentés à des problèmes de santé mentale (Tousignant, 1987). Pour mieux comprendre l'effet de l'intégration ou de l'absence d'intégration d'une personne dans son réseau, on s'intéressait au nombre de personnes présentes dans l'environnement de l'individu, au type de soutien offert, à la source d'aide, à la quantité d'aide reçue et à la fréquence à laquelle l'aide était fournie. Dans ce contexte, le soutien social était prioritairement considéré comme un produit de l'environnement social de la personne (Pierce et autres, 1997b).

Bien que ces recherches aient fourni des informations importantes sur la quantité d'aide dont une personne peut disposer, et sur le type de soutien et la provenance de l'aide, la compréhension exclusivement objective du soutien social s'est avérée insuffisante. On s'est aperçu, au fil du temps, que les mesures plus subjectives relatives à la perception de l'aide offerte, à la disponibilité de soutien dans le réseau d'un individu et à la satisfaction quant à l'aide reçue de l'entourage présentent davantage de liens significatifs avec l'influence sur la santé que des mesures objectives comme le nombre de personnes dans le réseau ou la quantité d'aide reçue. Notamment, le fait de savoir que l'aide serait présente en cas de besoin est fortement lié au bien-être individuel, et ce, indépendamment de la réception concrète d'aide (Pierce, Baldwin et Lydon, 1997b). De plus, des recherches expérimentales sur le terrain ont montré de très faibles corrélations entre la perception du soutien et le soutien objectivement reçu (Pierce et autres, 1997b). Dans cette perspective, le soutien social représente davantage le produit d'une caractéristique individuelle.

Sur la base de ces constatations, certains chercheurs ont commencé à établir un lien entre la perception du soutien social et la personnalité. Plusieurs études ont ultérieurement confirmé des associations empiriques entre la perception du soutien et certains traits de personnalité, comme l'estime de soi et la propension à l'anxiété, et la personnalité de type A [1] (Fyrand et autres, 1997). On a aussi constaté que la perception individuelle de soutien dans l'environnement est stable à long terme, et ce, même dans les cas où des changements majeurs surviennent dans la composition du réseau (Sarason et autres, 1983). Avec le temps, néanmoins, un glissement s'est effectué et les études ont parfois abouti à une certaine confusion entre le concept de perception de soutien et celui de personnalité. Des études récentes confirment que le processus du soutien social ne dépend pas seulement de la perception du soutien en soi ni des seules caractéristiques de l'environnement social, mais également d'un échange unique entre celui qui reçoit le soutien et celui qui l'offre. Il s'agirait, en quelque sorte, du résultat d'une réelle interaction entre l'individu et son environnement (Lakey et autres, 1996).

La définition que donne Gottlieb du soutien social s'avère intéressante puisqu'elle intègre la notion de processus interactionnel : « Le soutien social est donc un processus d'interactions sociales qui augmente les stratégies d'adaptation (*coping*), l'estime de soi, le sentiment d'appartenance et la compétence, à travers l'échange effectif (réel) ou prévisible de ressources pratiques ou psychosociales » (traduction de Boucher et Laprise, 2001, p. 123). Malgré son mérite, cette conceptualisation du soutien social pose un certain nombre de problèmes. S'il est vrai que plusieurs auteurs voient le soutien social comme une stratégie d'adaptation, il n'est pas certain que ce soit une stratégie gagnante pour tous à tout moment. Elle n'est certainement pas toujours un moyen d'augmenter l'estime de soi, le sentiment d'appartenance et le sentiment de compétence. Au contraire, parfois, le soutien social diminue l'estime de soi, augmente le sentiment de vulnérabilité et provoque un certain isolement dû à la honte ressentie d'avoir besoin d'aide (Devault, 1992). On constate également que, chez certaines personnes, l'obtention de soutien diminuerait le sentiment de compétence à cause précisément du fait que le problème n'est pas résolu individuellement (Solky, Butzel et Ryan, 1997). Par conséquent, le soutien social peut même, parfois, être nocif pour la santé mentale ! Nous y reviendrons dans la section traitant de la mobilisation du soutien social.

Un grand nombre de recherches témoignent de l'effet positif du soutien social sur le bien-être physique et psychologique des individus (Caplan, 1974 ; Cobb, 1976 ; D'Abbs, 1982). De fait, il n'y a pas de doute que le soutien possède un effet immunologique. Des études démontrent notamment, nonobstant d'autres facteurs, qu'un soutien plus ou moins présent a une influence sur les taux de mortalité de la population, et ce, surtout chez les hommes (Tousignant, 1987). Comment cela

1. Le sentiment d'urgence, la surcharge cognitive et l'habitude d'accomplir plusieurs tâches simultanément sont parmi les caractéristiques de la personnalité de type A.

est-il possible ? Plusieurs hypothèses ont été émises. Selon l'une d'elles, la présence de personnes dans l'entourage aurait en soi un effet bénéfique direct sur la santé. Puisque ce postulat a été confirmé au fil des années, l'hypothèse que le soutien social atténue le stress est de mieux en mieux reçue. En effet, cette hypothèse de Cobbs (1976), que l'on nomme le plus souvent l'« effet modérateur du soutien » (le *stress buffering effect*), ressort aujourd'hui avec davantage de force. L'influence positive du soutien social sur la santé se ferait davantage sentir en période de stress. Ainsi, l'aide reçue atténuerait les conséquences négatives associées au stress. En d'autres mots, dans un moment difficile, le fait de jouir du soutien de l'entourage aurait pour effet de diminuer les impacts néfastes du stress sur la santé et le bien-être. En effet, le soutien social semble avoir un effet préventif sur les troubles psychologiques, particulièrement en période de stress (Gottlieb et Selby, 1989). De plus, l'effet modérateur entraînant la diminution du stress serait surtout associé aux aspects subjectifs du soutien social. Plus précisément, les résultats de plusieurs recherches indiquent que le soutien tel qu'il est perçu, comparativement à d'autres types de mesures (aide reçue ou structure du réseau), est lié de façon plus constante à la diminution du stress (Pierce et autres, 1997b). L'effet modérateur du soutien a été observé dans des contextes variés, allant des problèmes au travail à des désastres naturels.

L'effet du soutien social fait encore l'objet de recherches qui n'en viennent pas toutes exactement aux mêmes conclusions. Cela est peut-être dû à l'imprécision du concept de soutien social lui-même. Ces imprécisions sur le plan conceptuel engendrent des problèmes de type méthodologique. Par ailleurs, il est pertinent de considérer les multiples problèmes de contamination entre les mesures du soutien perçu et les mesures relatives à la santé mentale (Tousignant, 1988) ou à la personnalité (Pierce et autres, 1997b). De plus, Gottlieb et Selby (1989) concluent que les mesures systématiques du processus du soutien social sont rares et qu'il est vital de comprendre les déterminants de l'apport de soutien ainsi que les variables affectant les coûts et bénéfices psychologiques associés aux interactions à l'intérieur d'un réseau social. Cette compréhension nécessite de cerner la façon dont un besoin d'aide est communiqué et de comprendre les variables pouvant faciliter, pour une personne, le recours à une aide de son entourage, ou empêcher un tel recours. Mais, avant d'aborder la question de la mobilisation du soutien, nous devons décrire les composantes du soutien social.

LES COMPOSANTES DU SOUTIEN SOCIAL

Il est possible d'appréhender le soutien social par l'entremise de la structure du réseau de soutien social d'une personne. Le réseau de soutien social, c'est-à-dire l'ensembles des personnes qui fournissent de l'aide à un individu ou avec qui cet individu est en interaction, comporte certaines caractéristiques comme l'étendue (le nombre de personnes dans le réseau), la densité (le degré d'interaction entre les membres du réseau ou le degré de connaissance des membres entre eux), la fréquence (le nombre de contacts entre les membres du réseau ou la régularité des contacts) et la réciprocité (le degré d'échange de soutien entre les membres) (D'Abbs, 1982). La structure du réseau ne fournit cependant pas d'information quant à l'aide reçue par l'individu. Elle ne permet de mesurer que l'existence de relations. La composition du réseau de soutien social du Nord-Américain moyen compterait pas moins de 1500 liens interpersonnels ! Toutefois, les études sur le soutien social montrent que, dans les faits, la majorité des individus disent entretenir des contacts fréquents avec environ une vingtaine de personnes significatives avec qui ils échangent du soutien et desquelles ils se sentent proches (Walker, Wasserman et Wellman, 1994).

Au-delà des données objectives relatives à la composition d'un réseau, il est nécessaire d'examiner ce qu'il se produit lorsqu'il y a un échange affectif entre les personnes pour bien comprendre le processus sous-jacent aux bienfaits associés au soutien social. Par exemple, pour Cobb (1976), le soutien social représente d'abord et avant tout la communication d'affection et l'établissement d'une connexion entre deux personnes. Selon Tousignant (1987), ce n'est que lorsque l'on réfléchit à tout ce dont une personne a besoin en matière d'aide pour faire face à une situation problématique que l'on est en mesure de considérer l'ampleur des formes que peut prendre le soutien fourni à une personne. Diverses typologies de soutien social mesurent les fonctions d'aide remplies par les membres des réseaux sociaux (Barrera, 1986 ; Mitchell et Trickett, 1980 ; Orford, 1993). Mitchell et Trickett (1980) et Barrera (1986) ont élaboré des typologies très semblables qui comportent cinq catégories d'aide : le soutien émotionnel (écoute, affection, compréhension, réconfort) ; le soutien instrumental (prestation d'un service ou d'une ressource concrète : prêter de l'argent, garder les enfants, aider à l'accomplissement d'une tâche) ; le soutien informationnel (fournir une information, un conseil, des directives pour apprendre une tâche ou acquérir une habileté) ; le soutien normatif (donner des indications relatives aux normes et aux valeurs d'une société) ; et l'accompagnement social (partage d'activités sociales et récréatives).

Une autre dimension du soutien social est la provenance ou la source de l'aide (amis, famille, groupes d'entraide, professionnels). Cette caractéristique est importante puisque la source de l'aide est souvent corrélée aux mesures de satisfaction quant à l'aide reçue (Pierce et autres, 1997b). On divise l'environnement social de soutien en trois catégories : le réseau de soutien informel, le réseau de soutien semi-formel et le réseau de soutien formel. Le soutien informel est issu de l'ensemble des relations personnelles d'un individu. Ces liens ne sont pas créés par le truchement d'un groupe ou d'une organisation. La plupart du temps, les sources de soutien informel sont le conjoint, les enfants, la famille, les amis, les voisins, les collègues de travail. Le soutien semi-formel provient de groupes organisés mais non institutionnalisés, comme les groupes d'entraide, les regroupements de loisir et les comités d'école. Enfin, le soutien formel est fourni par des professionnels qui œuvrent dans des institutions (services sociaux, services de santé, bureau de soutien à l'emploi, services juridiques, etc.). Le soutien informel peut-il remplacer le soutien formel ? En fait, il semble que le contexte spécifique, la personne en cause et ses besoins précis influent sur le type de soutien dont elle devrait bénéficier (Tousignant, 1988). Il est clair que, dans certains cas de problématiques lourdes, comme les problèmes de santé mentale sévères et persistants, le recours au seul soutien informel n'est pas suffisant. Par contre, dans certaines situations, le partage d'expériences communes et l'échange de conseils et de soutien concret comportent des bénéfices certains en plus de s'avérer suffisants.

La provenance de l'aide fournie, l'acheminement effectif de l'aide à son destinataire et le fait que l'aide soit offerte ou demandée constituent d'autres aspects à considérer dans l'étude du soutien social.

Les différences sexuelles quant au soutien social

Une première source d'information pour documenter les disparités sexuelles sur le plan du soutien social provient des écrits sur les relations interpersonnelles et, plus particulièrement, sur les liens d'amitié. Les hommes et les femmes ne diffèrent pas en ce qui a trait au nombre d'amis et au temps passé avec ceux-ci. Toutefois, la nature des interactions amicales semble être différente selon qu'on est un homme ou une femme (Rosenthal, Gesten et Shiffman, 1986). Les relations amicales féminines se basent surtout sur la conversation, le partage des émotions, l'ouverture de soi et le soutien. L'amitié entre hommes repose davantage sur le partage d'activités. La plus grande habileté des femmes à communiquer leurs émotions permet de croire qu'elles auraient davantage tendance à utiliser leur réseau naturel de soutien. En effet, les études sur le sujet suggèrent d'importantes différences sexuelles quant au soutien reçu, spécialement en ce qui a trait au soutien émotionnel (Flaherty et Richman, 1989). Aussi est-il intéressant de noter que, selon le sexe de la personne, la perception de la disponibilité d'aide dans l'entourage aura une influence différente sur son bien-être psychologique. Ainsi, on constate qu'il existe un lien positif entre la perception d'un faible soutien et des mesures de dépression et d'anxiété chez les femmes. Par ailleurs, l'existence de soutien et, plus spécifiquement, d'un soutien de type émotionnel semble être liée à la présence d'un confident. Or, certaines études, en plus de signaler un plus grand nombre de relations de confidence dans le réseau des femmes, précisent que ce sont surtout les femmes qui jouent le rôle de confidentes. Ce point est aussi vrai pour les hommes : ces derniers indiquent majoritairement que leur confident est de sexe féminin.

Les études traitant de la perception et de la mobilisation des ressources de soutien suggèrent, elles aussi, d'appréciables différences entre les hommes et les femmes. Il semble que les hommes restreignent leurs demandes d'aide et expriment peu leurs difficultés. Les femmes seraient plus enclines à révéler des problèmes personnels et à rechercher de l'aide auprès de leur entourage (Devault, 1992 ; Nadler, Maler et Friedman, 1984). Par exemple, l'étude de Butler et de ses collègues (1985), menée auprès de 100 étudiants, révèle que, lors d'un événement personnel stressant, les hommes perçoivent le soutien comme étant moins disponible dans leur environnement social et demandent moins d'aide que les femmes. Pourtant, éviter l'aide peut amener des conséquences négatives, particulièrement chez les hommes en difficulté (Dulac, 2001 ; Flaherty et Richman, 1989). Les valeurs masculines traditionnelles telles que l'indépendance, la force, l'autonomie, ont un effet d'inhibition sur le processus naturel de soutien social (Burda et Vaux, 1987). DePaulo (1982) pose l'hypothèse que les hommes voient dans la demande d'aide des aspects menaçant leur compétence et leur indépendance, alors qu'une requête d'assistance de la part des femmes sert à créer et à maintenir des relations interpersonnelles, une fonction bien présente dans leur socialisation. Selon Dulac (2001), « le prix à payer pour la demande d'aide est difficilement acceptable pour une personne qui refuse de céder une part du contrôle qu'elle peut exercer sur sa vie» (p. 46). Une étude menée par Devault (1992) confirme le fait que davantage d'hommes que de femmes se sentent menacés par la demande d'aide, même si l'appartenance sexuelle à elle seule n'explique pas la décision d'avoir recours à de l'aide.

La mobilisation du soutien social

Lorsqu'on considère la problématique de la mobilisation de l'aide, c'est-à-dire la façon dont une personne ayant besoin d'aide en obtient effectivement, deux avenues sont possibles. La première consiste à consulter les recherches traitant des mécanismes d'adaptation. La plupart des chercheurs en ce domaine incluent, dans des typologies de mécanismes d'adaptation, la stratégie qui consiste à mobiliser l'aide de l'entourage (Lazarus et Folkman, 1984). L'autre voie implique de se centrer sur les recherches traitant spécifiquement des variables liées au choix d'une personne d'avoir ou non recours à une aide extérieure. Si on considère cette dernière option, un point simple mais pertinent surgit: lorsqu'une personne se trouve devant une situation stressante ou qui lui pose problème, elle doit choisir entre se débrouiller seule et, ainsi, faire appel à ses forces personnelles pour améliorer sa situation ou recourir à du soutien provenant de personnes extérieures (Fisher et autres, 1998). Dans ce dernier cas, les différentes sources de soutien (informelles, semi-formelles et formelles) sont susceptibles d'être mobilisées. La proportion des individus ayant recours à leur entourage lorsqu'ils expérimentent une difficulté reste imprécise. Toutefois, plusieurs chercheurs conviennent qu'une majorité de personnes vivant un stress intense ne font aucune requête de soutien (Devault, 1992; Flaherty et Richman, 1989). Les motifs pour lesquels certaines personnes refusent d'être aidées peuvent varier. Ils peuvent dépendre des circonstances ou de facteurs individuels (Pierce et autres, 1997a).

Un des facteurs vraisemblablement liés au choix de se débrouiller seul est la perception que la situation n'est pas particulièrement problématique et qu'elle ne nécessite pas une aide (Fisher et autres, 1998). De plus, une personne décidera de ne pas avoir recours à de l'aide si elle a l'impression que les coûts associés à une telle requête sont plus grands que les bénéfices qu'elle en retirerait. Par ailleurs, des recherches en psychologie sociale ont clairement expliqué comment le soutien peut comporter des effets paradoxaux, c'est-à-dire à la fois un impact négatif sur l'estime de soi et un soulagement lié à la réception de l'aide. En d'autres termes, recevoir et, qui plus est, demander de l'aide peut être troublant parce que cette situation a pour effet de révéler une certaine vulnérabilité, et ce, dans un contexte social et culturel qui valorise grandement l'autonomie et l'indépendance. Aussi certaines personnes se sentent-elles en dette à l'égard de l'aidant et cherchent à rendre la pareille aussitôt que possible. On croit également que le fait de ne pas suivre les conseils fournis par l'aidant peut créer chez l'aidé un sentiment de culpabilité et un évitement de l'aidant.

Une recherche intéressante menée auprès de parents ayant un enfant qui souffre d'une déficience intellectuelle a fait découvrir que le recours à la famille immédiate peut être jugé indésirable (Guay et Thibodeau, 2002). Dans ce contexte, les parents affirment ne pas recourir à l'aide de leur famille proche et ne pas désirer le faire. Ce refus s'explique de trois manières: les parents perçoivent que la difficulté de leur enfant n'est pas pleinement acceptée par les proches; ils croient que recourir à de l'aide signifie se délester d'une responsabilité qui leur incombe; et les parents affectés par la difficulté de leur enfant pensent que le recours à la famille proche risque de mettre en péril l'équilibre de la dynamique familiale atteinte au terme d'une démarche empreinte de souffrances. Ces parents expriment un besoin de soutien de la part de professionnels bien formés et aptes à entrer dans une réelle dynamique de partenariat ancrée dans des liens de confiance réciproque. Cette recherche a le mérite de poser de nouvelles questions relatives à la façon d'établir les contours du réseau social et au fait qu'à des segments différents du réseau social peuvent correspondre des attentes différentes et des appréhensions différentes quant à l'aide.

Il est difficile de tracer un portrait type des individus portés à recourir à de l'aide (*help-seekers*) puisque, dans chaque étude, on prête attention à des aspects différents. On peut quand même en cerner les principales caractéristiques. Les chercheurs ciblent quelques facteurs souvent associés à une demande d'aide. La première variable individuelle pour choisir d'obtenir de l'aide repose sur la reconnaissance de la sévérité du problème et de son inhabilité à y faire face. Il faut également que la personne croie qu'une assistance extérieure amoindrira le problème (Tousignant, 1987). En ce qui a trait à la consultation professionnelle, Greenley, Mechanic et Cleary (1987) ont déterminé que les individus les plus jeunes (moins de 45 ans), les femmes, les gens instruits, les personnes séparées ou divorcées et les gens qui n'adhèrent à aucune religion font davantage appel à des services en santé mentale. Reste à déterminer si les variables connues comme étant liées à la mobilisation d'une aide professionnelle demeurent valides pour des demandes d'aide informelles. Il semble y avoir une certaine correspondance. Ainsi, plus les personnes avancent en âge, moins elles cherchent de l'aide informelle auprès de leur entourage; cette diminution de la demande d'aide est particulièrement marquée chez les femmes âgées (Brown, 1978). Par ailleurs, une estime de soi élevée, un noyau de contrôle externe (*external locus of control*), un besoin marqué de réussite personnelle et le fait d'attribuer le besoin d'aide à ses propres déficits (autrement dit, penser que l'on devrait pouvoir régler le problème seul) sont négativement associés à la volonté d'avoir recours aux gens de son entourage pour obtenir de l'aide (Devault, 1992). D'autre part, la transgression des normes sociales, qui sont basées sur l'autonomie, fait partie des coûts associés à une demande d'aide.

Dans la vaste majorité des études portant sur la mobilisation du soutien social, on reconnaît que les femmes font généralement davantage de requêtes que les hommes (Devault, Péladeau et Bouchard, 1992; Gottlieb et Selby, 1989). Néanmoins, la dynamique relative à l'aide et à la menace qui y est parfois associée, en particulier chez les hommes, doit être prise en compte lorsqu'on utilise le soutien social dans le contexte d'une pratique auprès d'individus et de groupes.

Les pratiques associées au soutien social

Le soutien social est un élément de la sphère privée lorsqu'il renvoie à la relation d'aide entre deux personnes ou, encore, aux échanges mutuels au sein des familles. Le soutien social s'inscrit aussi dans des systèmes plus larges que celui de la famille lorsqu'il renvoie à des formes de soutien et d'entraide que l'on expérimente dans le voisinage ou dans le milieu de travail. Le soutien social est également un phénomène présent au sein des réseaux de services du secteur public et du secteur des organismes communautaires. Dans la prochaine section, nous traitons des pratiques sociales où on utilise le soutien social pour venir en aide à des personnes ou à des groupes éprouvant des difficultés ou connaissant des conditions de vie éprouvantes.

L'utilisation du soutien social dans un contexte d'intervention psychosociale ou clinique

Dans l'intervention auprès des personnes ou des familles en difficulté, on devrait prendre en compte plusieurs questions relatives au soutien social. Il faut d'ailleurs aller bien au-delà des deux questions traditionnelles: « Quelles sont les ressources que l'on peut mobiliser dans le réseau de soutien de la personne ou de la famille en difficulté ? » et « Comment renforcer les liens existants et promouvoir le soutien aux personnes en difficulté ? » On devrait aussi chercher à savoir si la demande d'aide professionnelle est un substitut au soutien social absent ou faible dans l'environnement de la personne; se demander si la personne qui requiert de l'aide le fait parce qu'elle est épuisée en tant qu'aidante; se demander si le réseau de soutien participe de l'apparition, de l'aggravation ou de la réduction de la difficulté.

En contexte clinique, une des façons d'aider les gens en difficulté est de développer leur capacité de recourir à du soutien quand ils en ont besoin. Travail qui s'effectue le plus souvent au sein d'une relation de type psychothérapeutique où l'on trouve un aidé et un aidant, le plus souvent un professionnel. La relation est dyadique. Par exemple, dans le contexte d'une intervention individuelle, on donne des informations sur les effets bénéfiques du soutien d'un confident et on encourage la personne à s'ouvrir à quelqu'un. On peut également mettre en place des interventions où les membres du réseau d'un individu sont invités à participer au processus thérapeutique, comme c'est le cas dans une intervention en réseau en contexte clinique.

L'intervention en réseau dans un contexte clinique de thérapie familiale ne vise pas qu'à mobiliser la famille autour d'une problématique présentée par l'enfant, par exemple, mais consiste aussi à faire appel à l'ensemble des personnes significatives du réseau de l'enfant pour trouver une solution adéquate au problème présenté (Blanchet et autres, 1993). Guay (1984) apporte une précision importante lorsqu'il aborde la question des réseaux en distinguant les intimes (familles, amis proches) des non-intimes (compagnons de travail, de loisir, de voisinage). Au cours de l'intervention, on peut prendre en compte ces deux niveaux, selon les situations vécues par les personnes ayant besoin d'aide ou selon les objectifs en jeu.

L'utilisation de groupes d'entraide, qui font l'objet de la section suivante, constitue une autre forme d'intervention qui mobilise le réseau de soutien social. Par ailleurs, certaines interventions, de plus en plus nombreuses, combinent des interventions offertes par des professionnels à un accompagnement par des aidants naturels. C'est le cas, par exemple, des projets « Naître égaux, grandir en santé » et « De la visite » (Ouellet et autres, 2000), dont l'objectif est de soutenir des jeunes femmes enceintes ou ayant de très jeunes enfants et qui vivent sous le seuil de la pauvreté. Il s'agit d'une combinaison heureuse si elle s'inscrit dans une pratique qui redonne le pouvoir aux personnes ou aux groupes affectés par un problème. Les travaux de Guay (1998) sont, dans cette perspective, éclairants. Le soutien reçu et offert se situe dans un même registre. Transformer l'aidant en aidé et l'aidé en aidant est, aux yeux de ce chercheur, un élément à prendre en compte dans une relation d'aide où le thérapeute aide à gérer la crise et soutient l'individu le temps que son réseau personnel se revitalise et recrée sa confiance en sa capacité d'affronter une difficulté de façon satisfaisante. Guay propose une approche qu'il qualifie de « clinique communautaire ».

L'entraide et le soutien dans une perspective de relation d'aide

Quand on parle de l'entraide comme d'une forme de soutien social, on réfère habituellement à trois types d'entraide : le parrainage, les groupes de soutien et les groupes d'entraide. Lavoie et Stewart (1995), en introduction à un numéro spécial de la *Revue canadienne de santé mentale communautaire* portant sur les groupes d'entraide et les groupes de soutien, proposent même quatre types de groupes en continuum, soit le groupe d'entraide, le groupe de soutien, le groupe éducatif et le groupe de thérapie. Les choix quant au parrainage, à l'entraide et au soutien s'appuient sur le fait que l'intervention d'entraide est d'abord fondée sur l'idée que des gens ayant vécu une expérience similaire ou apparentée peuvent partager des connaissances et s'apporter une aide mutuelle. La forme que prennent ces groupes et leur façon de vivre l'échange mutuel varient selon les besoins fondant le groupe et le type de personnes le composant. Les professionnels de la santé et des services sociaux ont souvent créé des groupes de soutien ou, encore, épaulé les promoteurs de groupes d'entraide.

Le parrainage se présente comme un soutien mutuel où l'échange a habituellement lieu entre deux personnes. On voit aussi, parfois, des expériences de parrainage entre familles. Le fondement de cet appariement d'individus est qu'une personne ayant vécu une difficulté est bien placée pour en aider une autre expérimentant la même difficulté. L'appariement de jeunes mamans illustre bien le parrainage ; il est souvent suggéré aux femmes nouvellement mamans qui ne bénéficient pas d'un soutien familial dans leur environnement. Un bel exemple de cet appariement provient du programme « Les compagnes » offert dans les maisons de la famille ou des organismes communautaires Famille (OCF[2]).

On trouve aussi du parrainage chez les endeuillés. À une échelle plus souvent familiale, mais parfois aussi individuelle, plusieurs organismes d'accueil de personnes réfugiées misent sur le parrainage comme adjuvant à l'intégration dans la société d'accueil. Finalement, le parrainage peut mettre à contribution diverses générations, comme dans le cas de l'association des Grands Frères et des Grandes Sœurs, où des jeunes bénéficient de la présence d'un substitut à l'un ou l'autre des parents.

Le principe de soutien mutuel, lorsqu'il s'applique à une échelle plus large, prend la forme des groupes d'entraide ou de soutien. Dans une perspective plutôt clinique ou, du moins, de relation d'aide, l'entraide, telle qu'elle se développe dans ces groupes, est, elle aussi, fondée sur l'idée que les expériences des uns peuvent servir aux autres. On y mise cependant plus sur la force du groupe comme source de soutien que sur le rapport individuel.

Le groupe de soutien se distingue du groupe d'entraide par le fait qu'il est généralement animé par un professionnel. Les interventions y sont plus structurées et les objectifs, plus ciblés. Ces groupes peuvent naître tant dans un contexte clinique, dans des établissements de santé ou de services sociaux, que dans un contexte communautaire ; on pourra, par exemple, organiser des groupes de soutien pour des personnes vivant une rupture conjugale ou, encore, des groupes de soutien pour les gens affectés par une maladie quelconque. Dans un contexte communautaire, des organismes spécialisés dans le domaine des toxicomanies offrent les services de groupes de soutien pour les proches d'une personne alcoolique ou toxicomane, des associations offrent des sessions de soutien aux proches des personnes affectées par le trouble bipolaire, des maisons de la famille organisent des rencontres de soutien pour les parents

2. La majorité des organisations communautaires dont la mission est la promotion de la famille et la mise en œuvre de services de soutien parental ont pris, au Québec, le nom d'« organismes communautaires Famille » et sont regroupés dans la Fédération québécoise des organismes communautaires Famille (FQOCF). La FQOCF est membre de l'organisation canadienne Services à la famille Canada, qui regroupe plusieurs organisations de promotion de la famille et de services à la famille dans les provinces canadiennes.

éprouvant des problèmes de discipline familiale. Dans ces groupes de soutien, le savoir technique et l'animation des professionnels s'ajoutent à l'échange entre les membres.

Quand on parle d'un groupe d'entraide, on réfère à une organisation aux contours plus souples où les participants apportent une contribution déterminante quant à son fonctionnement. On utilise souvent la définition classique de Katz et Bender (1976) pour dépeindre les groupes d'entraide. On parle alors de petites structures à caractère bénévole qui permettent à leurs membres de s'entraider et de viser un but spécifique. Ces groupes sont formés par des pairs réunis pour s'aider mutuellement à répondre à un besoin commun, à surmonter un handicap ou une difficulté les affectant, ou à réaliser un changement social ou personnel souhaité. D'autres mettent l'accent sur un aspect particulier de l'entraide. Dans des organisations, comme le Self-Help Clearinghouse de Toronto, où l'entraide fait l'objet d'études et d'actions sur le terrain, on met l'accent sur la similarité de la condition des personnes s'entraidant (une autre façon de dire que les membres ont une difficulté semblable à affronter) et sur le fait que ce sont les membres qui dirigent les groupes, les professionnelles n'y jouant qu'un rôle secondaire. Lavoie et Stewart (1995) proposent, quant à elles, une définition large qui fait qu'un groupe d'entraide est « un type de ressource communautaire privilégiant l'aide mutuelle entre pairs, encourageant le partage d'un savoir découlant de leur propre expérience avec le problème, et où le leadership repose entre les mains des membres elles-mêmes ».

Le soutien mutuel qui émerge des groupes d'entraide a fait l'objet de recherches qui ont permis de dégager les fonctions spécifiques de ces groupes. Orford (1993) en a décrit huit. Nous les reprenons ici, en traduction libre :

- fournir un soutien émotif ;
- fournir des modèles ;
- donner un sens aux événements ;
- transmettre des informations ;
- transmettre des façons de s'en sortir ;
- offrir l'occasion d'aider les autres ;
- enrichir le réseau social ;
- accroître le sens de la maîtrise des événements.

L'utilisation de l'entraide et du soutien dans une perspective communautaire

Dans le domaine de la santé publique, la perspective communautaire est souvent associée **à des stratégies de sensibilisation de la population en général ou de larges pans de la population.** Par exemple, l'État de Californie a mis en place, il y a presque vingt ans, une campagne publique de sensibilisation de masse dont l'objectif était de faire la promotion du soutien social et, plus précisément, de l'amitié. Le programme, intitulé « Friends can be good in medicine » (Taylor et autres, 1984), misait sur des données scientifiques démontrant l'effet protecteur du soutien social pour convaincre la population de se confier, de s'ouvrir aux autres et de prendre le temps de partager des activités avec des amis.

L'approche écologique élargit, quant à elle, le registre de l'analyse et de l'action en matière de soutien social. La perspective communautaire des tenants de l'approche écologique prend souvent la forme de l'action communautaire. Cette dernière forme d'intervention a pour objectif ultime le changement social dans son sens *meso* et *macro,* c'est-à-dire le changement des conditions de vie et des situations générant des problèmes sociaux. Le soutien social peut donc être promu autant dans le contexte de l'aide réciproque que dans celui de l'addition de forces pour modifier les conditions de vie. L'entraide est ainsi un objectif intégré dans des programmes d'intervention globale comme ceux d'organisations telles que les cuisines collectives, les centres de femmes, les organismes en santé mentale et les centres d'action bénévole.

Le cas des cuisines collectives, organisations qui ont souvent été créées avec le soutien de professionnelles de la santé et des services sociaux, illustre bien le fait que l'entraide est un facteur bien intégré dans l'action d'organisations ciblant la modification de conditions de vie et le changement social (Fréchette, 2000). Les cuisines collectives regroupent surtout des femmes qui ont comme base commune leurs efforts pour contrer la pauvreté et les conséquences qui en découlent sur le plan de la nutrition et de la qualité de vie de leur famille.

Guay (1984) reconnaît trois grands facteurs communs aux groupes d'entraide : la mutualité, le partage collectif et l'affinité. L'ensemble de ces traits s'applique facilement aux groupes de cuisines collectives, où le travail commun consiste à planifier et à préparer des repas crée un terrain propice à l'émergence d'échanges stimulant la socialisation. La cuisine représente une activité d'autoproduction dont les retombées sont positives pour la personne, sa famille et le groupe qui la produit. Ce « par nous et pour nous » induit une fierté peu courante chez les membres, laquelle consolide le sens de l'appartenance au groupe. La prise de conscience de l'amélioration de la condition de sa famille par une meilleure alimentation et par quelques économies dans le budget familial constitue une expérience de changement positif qui obtient une reconnaissance dans le groupe. Le travail du groupe permet ainsi, graduellement, de reconnaître que l'addition de forces est un atout pour susciter le changement.

À une échelle encore plus large, on observe que la promotion du soutien social et la mise en réseau sont des facteurs pris en compte dans des interventions dans les quartiers, et même dans des interventions régionales. Le programme ontarien « Partir d'un bon pas pour un avenir meilleur » en est un bel exemple. Le programme cible la prévention de problèmes d'ordre émotif et comportemental chez les enfants et la promotion du développement des enfants, particulièrement dans des milieux socioéconomiques défavorisés. Le développement des ressources dans les communautés y est pensé à travers l'*empowerment* des participants, le développement du soutien et de l'entraide, et la prise en charge collective du changement dans la communauté (Herry, Vincent-Leblanc et Lévesque, 1996). Ces interventions sont déployées dans la durée, comme « Partir d'un bon pas pour un avenir meilleur », qui s'étend sur dix ans. Elles exigent aussi qu'on leur accorde les ressources humaines et financières nécessaires. Dans ces conditions, la construction de réseaux de soutien n'est plus envisagée comme une mesure de substitution aux ressources du secteur public.

En conclusion : en savoir plus et créer les conditions pour augmenter le potentiel d'intervention en soutien social

Quelles perspectives futures doit-on retenir en ce qui a trait au concept de soutien social et à son utilisation ? La question renvoie aux connaissances additionnelles qui nous permettraient de mieux connaître le soutien social et de mieux comprendre les circonstances où il est profitable d'y recourir. Elle renvoie aussi aux conditions qui favorisent les pratiques sociosanitaires liées au soutien social et aux réseaux d'entraide.

Augmenter ses connaissances

Il reste un travail important à accomplir du côté des variables et de leur lien avec la perception subjective du soutien social. Nous avons surtout concentré notre attention sur les différences sexuelles, mais il existe plusieurs autres hypothèses à approfondir. Par exemple, certaines études confirment un lien entre les **modèles** (que d'autres nomment **patrons**) d'attachement à l'âge adulte et la perception du soutien social (Bartholomew, Cobb et Poole, 1997). Mais il apparaît que ce modèle d'attachement pourrait varier en fonction des relations entretenues par la personne, donc orienter différemment la perception du soutien social (Baldwin et autres, 1996). Il faut donc tenir compte du type de la relation avec l'aidant. Par ailleurs, il est nécessaire de nuancer la notion de menace associée à l'aide. En effet, la manière d'offrir du soutien peut avoir des conséquences très différentes sur l'ampleur du malaise ressenti. Par exemple, une aide qui favorise l'autonomie et la prise de décision par l'aidé sera beaucoup moins menaçante qu'une aide davantage faite de directives et de conseils. Il en va de même pour le sentiment de compétence. Une attitude condescendante de l'aidant peut être dévalorisante sur ce plan (Solky-Butzel et Ryan, 1997). Ces constats laissent croire que les chercheurs devraient s'intéresser davantage aux caractéristiques du processus de soutien qui favorisent l'*empowerment* de la personne plutôt que l'augmentation de son sentiment de dépendance et de vulnérabilité.

Au cours des prochaines années d'expérimentation et de recherche sur le soutien social, on devra tenter d'aborder de front toutes les dimensions du processus. De belles tentatives de modélisation sont déjà faites et leurs résultats sont en voie d'amélioration (voir Pierce et autres, 1997b). Des études devront conduire à une meilleure compréhension du processus interactionnel qui se produit entre l'aidant et l'aidé ou, mieux encore, du niveau que l'interaction atteint lorsque deux individus s'échangent du soutien. De fait, Pierce et ses collègues (1997b) précisent pertinemment que la recherche doit cesser de camper les acteurs dans l'un ou l'autre des rôles d'aidant et d'aidé puisqu'ils sont, dans la plupart des relations, l'un et l'autre à la fois. On souligne même que l'effet de soutien peut être simultané pour les deux parties puisque les aidants se disent aidés par leurs comportements de soutien. Dans le même sens, la recherche sur le soutien social a besoin de l'apport d'un modèle explicatif qui intégrerait simultanément les caractéristiques de l'aidé, celles de son environnement, celles de l'aidant et celles de la situation spécifique ou du problème en cause. Pour améliorer la réflexion, il vaut mieux dorénavant éviter de n'étudier que les attributs de la personne soutenue ou, encore, que les caractéristiques de l'environnement social extérieur. Les années à venir devront voir naître un modèle intégrateur de l'ensemble des dimensions permettant de comprendre dans toute sa complexité le processus par lequel l'échange de soutien se traduit par un mieux-être individuel et, éventuellement, collectif.

Les conditions favorisant le développement de pratiques sociosanitaires où sont pris en compte le soutien social et l'entraide

Une meilleure compréhension des phénomènes ne garantit pas, à elle seule, une meilleure intervention. Encore faut-il que soient mises en place les conditions qui favorisent le recours au réseau social quand les circonstances le requièrent. On doit alors composer avec les enjeux sociopolitiques associés à l'exploitation du soutien social en santé communautaire.

Selon Tousignant (1987), trois facteurs contribuent à la promotion des réseaux et du soutien social dans les interventions. Il y a d'abord le fait que le réseau de la santé et des services sociaux ne parvient pas à répondre à la demande, à cause, entre autres, de la rationalisation des services et des compressions budgétaires. Les groupes d'entraide peuvent alors remplacer des services professionnels onéreux. Ce choix peut à la fois comporter des conséquences néfastes et des impacts positifs. Sur le plan des conséquences négatives, on peut dénoncer, en quelque sorte, le fait que l'État cherche à remplacer, du moins partiellement, ses professionnels par des bénévoles (Guay, 1984).

D'un autre côté, le fait de miser sur des ressources non professionnelles redonne un certain statut à l'aide naturelle et à l'entraide, en ce sens que l'on reconnaît l'habileté des pairs à soutenir adéquatement un individu, et ce, en ne remettant pas en question l'expertise des intervenants psychosociaux. Un autre facteur contribuant à augmenter l'utilisation des réseaux sociaux dans l'intervention est la demande croissante de soutien émanant de la population. Les réorganisations des familles, le divorce, l'isolement, la mobilité géographique, l'urbanisation, l'anonymat des grands centres et l'individualisme ambiant engendrent peut-être de nouvelles demandes pour des besoins autrefois comblés par la famille élargie et le réseau de soutien naturel. Le troisième et dernier facteur repose, comme on l'a démontré ici, sur les données empiriques voulant que le soutien social comporte des gains réels relativement à la santé physique et mentale.

Par opposition, il existe des raisons qui inhibent le développement des interventions dans le domaine du soutien social (Boucher et Laprise, 2001). Ainsi, la nature du concept de soutien social lui-même a fait l'objet de tant de nuances et ce soutien a mené à tellement de résultats différents qu'il est difficile de prédire son efficacité et, surtout, de prescrire avec certitude des mécanismes par lesquels il entraînerait des conséquences bénéfiques sur la santé mentale et physique. Autrement dit, la manière dont le soutien social agit positivement sur la santé est encore presque totalement inconnue. Par ailleurs, il semble évident que l'on ne peut pas forcer des individus à créer des liens significatifs même si ces liens s'avèrent bénéfiques pour le bien-être. De ce fait, les promoteurs de programmes peuvent favoriser la mise en relation des personnes, mais ce qui se passe entre ces deux personnes et les conséquences sur la santé physique et psychologique ne peuvent être contraints.

Finalement, sur le plan macrosocial, on ne peut passer sous silence les écarts entre le discours du législateur et les pratiques suivies en matière de santé et de services sociaux. La prévention et la promotion de la santé mentale sont qualifiées de prioritaires dans nombre de politiques sociales. Le recours aux aidants naturels est valorisé. Le soutien à la famille est promu. Mais, en fait, est-ce un discours qui tient ses promesses ? Est-il suivi d'investissements sur le plan des ressources humaines et financières ? Rarement, car la réponse à l'urgence prédomine. Rarement, car les aidants naturels sentent qu'ils deviennent des substituts aux services publics, de plus en plus planifiés en fonction de quotas et de rentabilité économique. Le fardeau familial en est accru sans que les familles se sentent mieux soutenues par l'État.

Le recours au bénévolat et à l'entraide est-il valorisé pour redonner du pouvoir aux personnes, aux familles et aux communautés ou est-il un substitut économique à l'intervention en matière de santé et de services sociaux ? La réponse à la question est complexe, dira-t-on. Cela est d'ailleurs sans doute vrai. La question doit toutefois être souvent posée pour contrer le piège de la vision néolibérale du service public, dont les tenants instrumentalisent le soutien social et l'entraide plutôt que d'y investir. Le secteur communautaire reste, à cet égard, des plus vigilants pour faire en sorte que le don, l'échange et la réciprocité ne se transforment pas en pratiques substitutives au regard des services que la population est en droit de recevoir. Il veille à ce que ces valeurs demeurent des moteurs d'entraide et de solidarité sociale, et servent les familles et les communautés en humanisant la relation d'aide, en la rapprochant des personnes et des populations et en l'assortissant d'une fonction critique de dénonciation des inégalités et de revendication de conditions de soins et de vie adéquates.

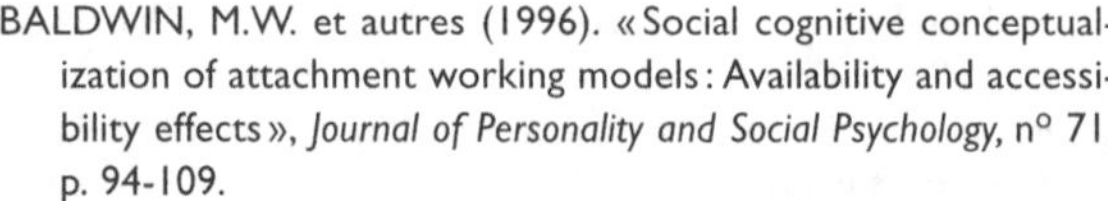

RÉFÉRENCES

BALDWIN, M.W. et autres (1996). « Social cognitive conceptualization of attachment working models : Availability and accessibility effects », *Journal of Personality and Social Psychology*, n° 71, p. 94-109.

BARRERA, M. (1986). « Distinctions between social support concepts, measures and models », *American Journal of Community Psychology*, n° 14, p. 413-444.

BARTHOLOMEW, K., R.J. COBB et J.A. POOLE (1997). « Adult attachment patterns and social support processes », dans G.R. Pierce et autres (dir.), *Sourcebook of Social Support and Personality*, New York ; Londres, Plenum Press.

BLANCHET, L. et autres (1993). *La prévention et la promotion en santé mentale*, Boucherville, Gaëtan Morin.

BOUCHER, K. et R. LAPRISE (2001). « Le soutien social selon une perspective communautaire », dans F. Dufort et J. Guay (dir.), *Agir au cœur des communautés. La psychologie communautaire et le changement social*, Québec, Presses de l'Université Laval.

BOWLBY, J. (1980). *Attachment and Loss. Loss : Sadness and Depression*, New York, Basic Books, 3e vol.

BROWN, B.B. (1978). « Social and psychological correlates of help-seeking behavior among urban adults », *American Journal of Community Psychology*, n° 6, p. 425-439.

BURDA, P.C. et A. VAUX (1987). « The social support in men : Overcoming sex-role obstacles », *Human Relations*, n° 40, p. 31-44.

BUTLER, T., S. GIORDANO et S. NEREN (1985). « Gender and sex-role attributes as predictor of utilization of natural support systems during personal stress events », *Sex Roles*, n° 13, p. 515-524.

CAPLAN, G. (1974). « Support systems », dans G. Caplan (dir.), *Support System and Community Mental Health*, New York, Behavioral Publication, p. 1-40.

COBB, S. (1976). « Social support as a moderator to life stress », *Psychosomatic Medicine*, n° 38, p. 300-314.

D'ABBS, P. (1982). *Social Support Networks : A critical Review of Models and Findings*, Melbourne (Australie), Institute of Family Studies.

DEPAULO, B.M. (1982). « Social-psychological processes in informal help seeking », dans T.A. Wills (dir.), *Basic Processes in Helping Relationships*, New York, Academic Press, p. 255-279.

DEVAULT, A., N. PÉLADEAU et C. BOUCHARD (1992). *Étude des préoccupations, des difficultés et des sources de soutien social de pères de familles monoparentales : une comparaison avec des mères*, Montréal, Laboratoire de recherche en écologie humaine et sociale et Département de psychologie, UQAM.

DULAC, G. (2001). *Aider les hommes... aussi*, Montréal, VLB Éditeur.

FISHER, J.D. et autres (1988). « Social psychological influences on help seeking and support from peers », dans B.H. Gottlieb (dir.), *Marshaling Social Support : Formats, Processes and Effects*, Berverly Hills (Californie), Sage.

FLAHERTY, J. et J. RICHMAN (1989). « Gender differences in the perception and utilization of social support : Theoretical perspectives and an empirical test », *Social Science and Medicine*, n° 12, p. 1221-1228.

FRÉCHETTE, L. (2000). *Entraide et services de proximité : L'expérience des cuisines collectives*, Sainte-Foy, Presses de l'Université du Québec.

FYRAND, L. et autres (1997). « The impact of personality and social support on mental health for female patients with rheumatoid arthritis », *Social Indicators Research*, vol. 40, n° 3, p. 285-298.

GOTTLIEB, B.H. et P.M. SELBY (1989). *Social Support and Mental Health : A Review of the Literature* (document inédit). Disponible à l'université de Guelph, Ontario.

GREENLEY, J.R., D. MECHANIC et P.D. CLEARY (1987). « Seeking help for psychological problems : A replication and extension », *Medical Care*, n° 12, p. 1113-1128.

GUAY, J. (1984). *L'intervenant professionnel face à l'aide naturelle*, Chicoutimi, Gaëtan Morin.

GUAY, J. (1998). *L'intervention clinique communautaire : les familles en détresse*, Montréal, Presses de l'Université de Montréal.

GUAY, J. et Y. THIBODEAU (2002). « Le défi du partenariat avec des parents des personnes présentant une déficience intellectuelle », dans J.-P. Gagnier et R. Lachapelle (dir.), *Pratiques émergentes en déficience intellectuelle : Participation plurielle et nouveaux rapports*, Sainte-Foy, Presses de l'Université du Québec.

HERRY, H., L. VINCENT-LEBLANC et D. LÉVESQUE (1996). « Partir d'un bon pas : L'intégration des services au sein d'un programme de prévention primaire », *Nouvelles pratiques sociales*, vol. 9, n° 2, p. 87-99.

KATZ, A.H. et E.I. BENDER (1976). *The Strength in Us*, New York, New view points.

LAKEY, B. et autres (1996). « Environment and perceived determinants of supports perceptions : Three generalizability studies », *Journal of Personality and Social Psychology*, n° 70, p. 1270-1280.

LAVOIE, F. et M. STEWART (1995). « Les groupes d'entraide et les groupes de soutien : une perspective canadienne », *Revue canadienne de santé mentale communautaire*, vol. 14, n° 2, p. 13-22.

LAZARUS, R.S. et S. FOLKMAN (1984). *Stress Appraisal and Coping*, New York, Springer Publishing.

MITCHELL, R.E. et E.J. TRICKETT (1980). « Task force report : Social network as mediators of social support », *Community Mental Health Journal*, n° 16, p. 27-44.

NADLER, A., S. MALER et A. FRIEDMAN (1984). « Effects of helper's sex, subjects' abdrogyny, and self-evaluation in males' and females' willingness to seek and receive help », *Sex Roles*, n° 10, p. 327-339.

ORFORD, J. (1993). *Community Psychology : Theory and Practice*, Chichester, John Wiley and sons.

OUELLET, F. et autres (2000). « L'Empowerment », dans *Naître égaux, grandir en santé*, Montréal, Régie régionale de la santé et des services sociaux de Montréal-Centre.

PIERCE, G.R. et autres (dir.) (1997a). *Sourcebook of Social Support and Personality*, New York ; Londres, Plenum Press.

PIERCE, G.R. et autres (1997b). « Personality and social support processes : A conceptual overview », dans G.R. Pierce et autres (dir.), *Sourcebook of Social Support and Personality*, New York ; Londres, Plenum Press.

ROSENTHAL, K.R., E.L. GESTEN et S. SHIFFMAN (1986). « Gender and sex role differences in the perception of social support », *Sex Roles*, n° 14, p. 481-499.

SARASON, I.G. et autres (1983). « Assessing social support : The social support questionnaire », *Journal of Personality and Social Psychology*, n° 44, p. 127-139.

SOLKY-BUTZEL, J. et R.M. RYAN (1997). « The dynamics of volitional reliance : A motivational perspective on dependence, independence, and social support », dans G.R. Pierce et autres (dir.), *Sourcebook of Social Support and Personality*, New York ; Londres, Plenum Press.

TAYLOR, R.L. et autres (1984). « Friends can be good in medicine : An excursion into mental health promotion », *Community Mental Health Journal*, n° 20, p. 294-303.

TOUSIGNANT, M. (1987). *Utilisation des réseaux sociaux dans les interventions : État de la question et propositions d'action*, Québec, Commission d'enquête sur les services de santé et les services sociaux, Gouvernement du Québec, Les publications du Québec.

TOUSIGNANT, M. (1988). « Soutien social et santé mentale : une revue de la littérature », *Sciences sociales et Santé*, n° 1, p. 77-102.

WALKER, M.E., S. WASSERMAN et B. WELLMAN (1994). « Statistical models for social support network », dans S. Wasserman et J. Galaskiewick (dir.), *Advances in Social Network Analysis : Research in the Social and Behavioral Sciences*, Thousand Oaks, Sage Focus Edition.

Chapitre 12

L'ORGANISATION DES COMMUNAUTÉS : UN NOUVEAU DÉFI POUR LES PROFESSIONNELS DE LA SANTÉ ET DES SERVICES SOCIAUX

Louis Favreau
Lucie Fréchette

Introduction

Ce texte présente l'organisation communautaire en fonction de l'expérience québécoise des 40 dernières années, mais se réfère aussi à des interventions dans ce domaine au Canada. Au Québec, cette expérience a l'avantage d'avoir été fortement innovatrice au cours de son histoire en plus d'avoir opéré une cohabitation active entre le secteur associatif (communautaire) et les services publics dans nombre de domaines (santé et services sociaux, éducation populaire, emploi et insertion, développement local et régional). Après avoir tracé l'itinéraire de l'organisation communautaire (1960-2000), nous aborderons les trois grandes approches de ce mode d'intervention : le développement local, l'approche socioinstitutionnelle (dite de « planning social ») et l'action sociale. Par la suite, nous examinerons ce que l'avenir lui réserve et la capacité de renouvellement des organisateurs communautaires et des autres professionnels de la santé et du milieu social qui y sont associés.

L'organisation communautaire est une pratique sociale qui s'est professionnalisée avec le temps. Des milliers de personnes œuvrant dans le domaine des services et dans le secteur associatif en ont fait leur « métier ». Des milliers de professionnels du milieu social et de la santé utilisent ses stratégies dans des communautés. C'est en pensant à tous ces intervenants que nous avons écrit ce texte.

Les mouvements sociaux et l'organisation communautaire au Québec : l'itinéraire d'une pratique sociale devenue une profession (1960-2000)

Les années 60 : le « local » résiduel et l'émergence de contre-pouvoirs dans les communautés

La naissance de comités de citoyens est concomitante à celle d'un nouveau métier du « social », celui d'organisateur communautaire. À la fin des années 60, l'organisation communautaire apparaît dans la formation universitaire en travail social et dans les pratiques du mouvement communautaire (par exemple, les cliniques communautaires). Cette montée en puissance de l'organisation communautaire au sein du travail social ne se fait pas sans tensions, notamment entre les intervenants en aide d'urgence et à court terme et ceux en développement (Doucet et Favreau, 1997).

Durant cette décennie, l'organisation communautaire fait donc son entrée en scène, devenant même, au cours des années 70, partie intégrante du service public, notamment dans les CLSC, ce que Favreau et Hurtubise ont largement décrit (1993). Mais elle aura surtout favorisé l'émergence de contre-pouvoirs sur le plan local (Lamoureux, Mayer et Panet-Raymond, 1996), parce que les pouvoirs publics considéraient alors le **local** comme un élément **résiduel,** voire un vestige du passé.

LES ANNÉES 70 : LA MONTÉE DE L'ASSOCIATIF DANS L'ORGANISATION DES COMMUNAUTÉS ET LA PERCÉE DU « LOCAL » ALTERNATIF

Au cours des années 70, une minorité de professionnels du milieu social s'engage dans un travail de soutien à des associations de locataires, à des organismes de défense des assistés sociaux ou de protection du consommateur, à des garderies populaires et à des groupes de défense des chômeurs. Leurs sources d'inspiration sont internationales, mais ils ont d'abord les yeux rivés sur l'organisation communautaire américaine (Alinsky, 1976). Puis, en quête d'un changement social global, ils s'inspirent de l'approche de conscientisation latino-américaine (Freire, 1974) et du mouvement de mai 68 en France.

Cette période est celle d'un État providence en expansion et d'un État québécois aspirant à devenir un État national. Les mouvements sociaux passent à l'offensive, en synergie les uns avec les autres, mouvements populaires, étudiants, syndicaux et nationaux réunis. Une action communautaire autonome fait peu à peu sa niche dans nombre de quartiers populaires des grands centres urbains tout comme dans les milieux ruraux et semi-urbains (Favreau, 1989 ; Lévesque, 1979). C'est la période du **local alternatif.**

LES ANNÉES 80 : L'APPARITION DE L'ASSOCIATIF (LE COMMUNAUTAIRE) DANS L'ESPACE PUBLIC

Les années 80 prennent une tout autre allure. Contesté à droite par le courant conservateur qui évoque le spectre de la crise financière (« Il faut dégraisser l'État »), donc l'impossibilité de répondre adéquatement aux demandes sociales, le service public est également critiqué à gauche par les milieux communautaires et alternatifs pour la faiblesse de son organisation démocratique. Bref, dans l'opinion sociale, un secteur public en perte de légitimité coexiste en parallèle avec un secteur communautaire autonome qui est parvenu à occuper une place dans l'espace public.

Le service public qui se voulait universel est en réalité un type particulier de réponse aux besoins sociaux qui a sa face cachée. Il a souvent exclu les usagers et les salariés des décisions, de la plus grande… à la plus petite. C'est le début d'un partenariat, dans les secteurs sociaux, entre l'associatif local et le service public central.

LES ANNÉES 90 : LES COMMUNAUTÉS LOCALES AUX PRISES AVEC LE DÉFI DU DÉVELOPPEMENT SOCIOÉCONOMIQUE

Quand l'économique ne porte plus la croissance du social, comment réorganiser ce dernier ? Question centrale pour les mouvements sociaux et les pouvoirs publics à l'arrivée des années 90. Finie l'époque où on pouvait se situer à l'intérieur d'un schéma simple où se combinaient une conjoncture économique favorable et le développement d'un État social branché sur les demandes sociales. Finie aussi l'époque où un service public centralisé constituait la principale réponse, sinon la seule, à de nouveaux besoins.

Ce qui avait constitué les assises du développement social pendant plus de 20 ans est mis en question. On se rend compte que les problèmes sociaux sont de plus en plus directement liés au marché du travail et à l'emploi, pivot non seulement d'un revenu décent, mais aussi d'une reconnaissance sociale, d'un statut et d'une dignité. De plus, le service public n'est plus considéré comme la voie royale, le secteur communautaire occupant alors un espace de plus en plus large[1].

La conjoncture est au progrès économique (productivité) sans progression correspondante de l'emploi ni redistribution de la richesse par l'État. Un renouvellement des pratiques et des politiques voit le jour :

- les organisations communautaires s'inscrivent dans un cadre plus **régional** et dans une **interface** plus intensive avec le service public. La décentralisation de certains services publics s'amorce avec la réforme de la santé et des services sociaux (1991) et s'accentue avec celle de l'emploi (1997), puis celle du développement local et régional (1998). L'arrivée des Centres locaux d'emploi (CLE) et des Centres locaux de développement (CLD), le renforcement des Conseils régionaux de développement (CRD), la création des Comités régionaux d'économie sociale (CRES) et la consécration des municipalités régionales de comté (MRC) comme outil stratégique de développement économique et social donnent une stabilité à l'inscription du

1. En 1994, au Québec, dans le seul champ de la santé et des services sociaux, il occupe 10 107 personnes sur une base régulière et 14871 sur une base occasionnelle, représentant l'équivalent de 9 810 employés à temps plein, alors que les CLSC comptent 11 000 employés à temps plein (Bélanger, 1995, p. 96). Les sept dernières années (1995-2002) confirment la tendance à la croissance de ce secteur.

mouvement dans le **local, l'infrarégional** et le **régional** (Comeau et autres, 2001);

- des solutions sociales nouvelles apparaissent sur la base d'interventions dans le **registre économique.** D'où l'introduction, dans l'espace public, des notions d'**économie sociale** et de **capital social,** d'**insertion sociale** par l'**économique,** de **développement économique communautaire (DÉC)** et de **gouvernance locale,** notions qui s'ajoutent à celles, plus anciennes, d'**aménagement intégré des ressources** et de **développement local** (Favreau et Lévesque, 1999);
- grâce à de nouveaux **dispositifs communautaires transversaux** d'accompagnement, on privilégie alors la stratégie du DÉC. Les politiques publiques sectorielles par programmation visant des populations cibles et des groupes d'âge continuent d'exister et même de prévaloir, mais elles sont jugées insuffisantes. Des dispositifs publics ou communautaires, ou les deux à la fois, comme en témoignent les Centres locaux de développement (CLD), les Corporations de développement communautaire (CDC), les Corporations de développement économique communautaire (CDÉC) et les Sociétés d'aide au développement des collectivités (SADC), sont mis sur pied. Nouveaux acteurs, nouvelles règles du jeu, nouveaux outils d'intervention, nouveaux savoir-faire en gestation et, partant de là, gestation de nouveaux modes de régulation où le développement social (reconfiguration de l'État providence) et le développement économique commencent à s'articuler autrement.

LA TRAJECTOIRE DE L'ORGANISATION COMMUNAUTAIRE

Depuis quatre décennies, l'organisation communautaire a pris racine au Québec sous différentes appellations: «animation sociale» dans les années 60, notamment avec l'expérience du Bureau d'aménagement de l'Est du Québec (BAEQ) et celle du Conseil de développement social de Montréal (CDS); «action communautaire» dans les années 70 avec les groupes populaires et la venue des CLSC; «organisation communautaire» avec sa consécration comme profession inscrite dans la convention collective des employés du secteur public[2]; puis «intervention communautaire» au début des années 80 pour qualifier le travail des groupes, des organisations et des réseaux appartenant au secteur communautaire (action de défense de droits) et le distinguer de celui fait dans le secteur public (Lamoureux et autres, 1996); et finalement «développement communautaire» dans les années 90 pour traduire le renouvellement d'une partie de cette pratique, notamment celle des corporations de développement communautaire. Cette trajectoire renvoie à des fondements qui, avec le temps, forgent une identité propre à l'organisation communautaire.

LES FONDEMENTS SOCIAUX, ÉCONOMIQUES ET POLITIQUES

En ce qui concerne les fondements, l'expérience québécoise, inspirée des mouvements sociaux et des *settlement houses,* devenue une profession, trouve ses assises premières dans l'affirmation selon laquelle **les problèmes sociaux sont de nature collective et doivent faire l'objet de solutions collectives.** En effet, que ce soit dans les milieux de travail ou dans les communautés locales, des groupes sociaux ou des populations vivent des situations d'inégalités sociales, de dépendance, de marginalité et de pauvreté.

Ces inégalités ne sont pas le fruit du hasard: elles s'inscrivent dans des sociétés dites démocratiques où le pouvoir économique, politique et social est détenu par une minorité. Mais, même dans les société s'en réclamant depuis des siècles, la démocratie n'est pas acquise. Il faut constamment la bâtir, la rebâtir et l'élargir. En outre, dans ces sociétés, il existe des luttes entre les groupes sociaux autour d'enjeux liés au développement économique et social des communautés. Enfin, des valeurs et des préjugés forgent, légitiment ou accentuent des discriminations (sexisme, racisme).

L'organisation communautaire se définit comme une **intervention planifiée de changement social dans, pour et avec les communautés locales,** et a pour but de s'attaquer à ces inégalités, à cette concentration du pouvoir, à ces discriminations. Pour ce faire, elle s'inspire beaucoup des traditions, des objectifs et

2. La convention collective des syndicats de la santé et des services sociaux stipule qu'un organisateur communautaire est une «personne qui fait l'identification et l'analyse des besoins de la population avec les groupes concernés. Conçoit, coordonne et actualise des programmes d'organisation communautaire afin de répondre aux besoins du milieu et de promouvoir son développement. Agit comme personne-ressource auprès des groupes».

des modes d'organisation des mouvements sociaux. Au Québec, la pratique de l'organisation communautaire a été influencée par deux courants de pensée liés surtout à la stratégie de l'action sociale (défense de droits collectifs). Elle s'appuie sur l'expérience américaine de lutte contre la pauvreté : celle de Saul Alinsky (Alinsky, 1976 ; Quinqueton, 1989), reposant sur l'organisation des quartiers pauvres de grandes villes américaines comme Chicago ; celle de Ralph Nader, visant la protection des consommateurs contre les grandes entreprises multinationales et les entreprises abusant des consommateurs ; celle de Martin Luther King et du mouvement des droits civiques de la minorité noire américaine ; celle de César Chavez, dont l'objectif était l'organisation syndicale et communautaire des travailleurs agricoles mexicains dans les plantations du sud des États-Unis (Muller, 1981). L'expérience américaine d'organisation communautaire a permis d'instaurer dans les communautés locales des contre-pouvoirs pour affronter les autorités publiques ou privées. C'est ce qu'on a nommé la *grassroots democracy*. L'expérience québécoise s'inspire également du mouvement des communautés chrétiennes progressistes latino-américaines, qui mise sur l'éducation des couches populaires, notamment par des activités d'alphabétisation, d'éducation populaire et de conscientisation (Freire 1974).

Les lignes de force et les caractéristiques de l'organisation communautaire

Dans ses visées initiales, l'organisation communautaire est une pratique sociale menée pour combattre les inégalités, la centralisation du pouvoir, les structures de domination et les discriminations qui affectent les milieux populaires. L'organisation communautaire s'adresse aux différentes collectivités pour stimuler leur autodéveloppement en tant que communautés géographiques ; elle intervient pour favoriser le regroupement des populations sur la base de leur quartier, de leur ville ou de leur région, qui sont considérés comme des lieux significatifs d'appartenance sociale. Sur le plan des communautés d'intérêts, elle intervient pour regrouper autour de problèmes sociaux spécifiques des groupes donnés (locataires, sans-emploi, assistés sociaux, etc.) ; sur le plan des communautés d'identité, elle intervient pour soutenir des catégories sociales prédisposées au regroupement par leur identité (jeunes, femmes, minorités culturelles ou personnes âgées).

En outre, contrairement à l'aide sociale, l'organisation communautaire ne s'intéresse pas aux milieux populaires parce qu'ils sont démunis (psychologiquement, socialement, etc.), mais pour la force réelle ou potentielle dont ils disposent. La tradition de la réforme sociale, celle des *settlement houses*, est sa filiation première (Kramer et Specht, 1983). Ce mouvement est apparu au XIXe siècle dans les grands centres urbains de l'Angleterre et des États-Unis pour répondre aux besoins des communautés locales aux prises avec les problèmes de l'urbanisation et de l'industrialisation rapide (logements temporaires, absence de services de santé et de services sociaux, manque d'emplois, etc.). Il a cherché à développer des actions collectives de services, d'éducation populaire et de revendications avec les populations concernées. C'est ce qui le différencie des *Charity Organization Societies*, qui entreprirent la création d'agences sociales et de conseils d'agences sociales en misant non pas d'abord sur l'action collective et la réforme sociale mais, surtout, sur l'aide individuelle et le service, et sur la rationalisation de l'aide individuelle et des services. L'organisation communautaire se rattache principalement à l'une des deux grandes traditions qui ont donné naissance au travail social, les *settlement houses*.

L'organisation communautaire emprunte beaucoup aux mouvements sociaux. La pratique de l'action sociale emprunte au syndicalisme tout comme la pratique du développement local emprunte au mouvement de l'économie sociale. Ces pratiques s'inspirent également, dans des initiatives sociales de type alternatif dans le secteur de la santé et des services sociaux, du mouvement des femmes et du mouvement associatif (communautaire). On considérera aussi que, réciproquement, les professionnels de l'organisation communautaire favorisent la progression des mouvements sociaux et de leurs pratiques communautaires.

L'organisation communautaire mise sur la démocratie mais ne considère pas que celle-ci va de soi. La démocratie résulte d'un processus long et permanent, toujours précaire et toujours menacé. Selon une perspective fondamentale, « la démocratie devrait assurer aux plus faibles les mêmes chances qu'aux plus forts » (Gandhi, cité dans Jurdan, 1988). Elle ne vient pas d'abord aider les gens, mais plutôt soutenir leur organisation dans un souci d'efficacité sociale. En d'autres termes, la vitalité d'une collectivité repose sur son degré d'organisation et sur sa capacité de générer des institutions qui lui sont propres, de prendre des décisions et d'entreprendre les actions collectives qui s'imposent autour d'enjeux connus de tous. Pour ce faire, l'organisation d'une communauté donnée doit, par l'action collective entreprise, gagner des points et obtenir des victoires, fussent-elles symboliques. Elle cherche à modifier les conditions existantes issues du passé, c'est-à-dire de piètres conditions de vie et une mentalité marquée par le fatalisme et le sentiment d'impuissance. Saul Alinsky formule bien ce problème lorsqu'il mentionne que l'oppression réside très souvent dans le conditionnement des pauvres, qui se résignent à leur pauvreté, à leur exclusion et au pouvoir des autres : « Le pouvoir n'est pas seulement ce que l'ordre établi possède, mais bien plus ce que nous croyons » (Quinqueton, 1989, p. 67).

Mais cela n'est pas suffisant. Pour être efficace, l'organisation communautaire doit aussi contribuer à bâtir des organisations dans lesquelles la collectivité locale a le sentiment d'augmenter son pouvoir et son influence, et où les gens considèrent être en train de changer l'ordre des choses. Harry C. Boyte (1980) résume bien la question en citant en exemple la Midwest Academy et son rôle comme centre de formation d'organisateurs communautaires aux États-Unis :

> The Academy's three essential lessons of successful movement building are hammered home again and again : to be effective, organizing must win real victories that improve people's lives ; it must build organization through which people can gain a sense of their own power and it must contribute to the general change in power relations, democratizing the broader society (Boyte, 1980, p. 110).

On peut donc caractériser ainsi le travail d'organisation communautaire :

- une intervention sociale qui a lieu principalement au sein de communautés locales, ce que les Américains appellent un *bottom-up process,* une approche par en bas par opposition au *top-down approach,* une approche par en haut fondée sur les politiques sociales d'un État ;
- une intervention sociale qui mise sur le potentiel de changement social des communautés locales en fonction de la reconnaissance de besoins ou de problèmes suscitant des tensions dans ces communautés ;
- une intervention sociale qui a un objectif de transformation sociale et de démocratisation permanente, y compris à l'intérieur des organisations démocratiques qu'elle a elle-même contribué à mettre sur pied ;
- une intervention sociale qui vise principalement à organiser de nouveaux pouvoirs et services au sein de ces communautés locales ;
- une intervention sociale qui se démarque du travail social traditionnel, de la pratique traditionnelle d'aide sociale (les *Charity Organizations*), qui met donc l'accent sur les forces, les talents et les habilités des gens, et non pas sur leurs insuffisances, d'où la notion d'*empowerment* ou de pouvoir d'agir.

L'organisation communautaire a non seulement son histoire et des figures de proue qui l'inspirent, mais elle a aussi développé un système de valeurs, une pensée sociale qui lui est propre. En effet, ses toutes premières bases sont les milieux populaires, la justice sociale, la création de « nouveaux pouvoirs » dans les communautés locales (*grassroots democracy*), l'éducation populaire conscientisante, l'action politique locale, bref, l'*empowerment* (Lebossé et Dufort, 2001 ; Ninacs, 1995 ; 1998).

LES PRINCIPALES APPROCHES DE L'ORGANISATION COMMUNAUTAIRE

Au fil des années, l'organisation communautaire s'est ramifiée et complexifiée à tout point de vue. Dans les années 60, elle n'était pratiquée que par une poignée d'intervenants issus des sciences humaines et sociales et travaillant à la mise sur pied de comités de citoyens et de groupes populaires ici et là dans les quartiers les plus démunis des grands centres urbains[3] ou des régions rurales éloignées. Mais, aujourd'hui, plusieurs centaines d'intervenants sont des organisateurs et des travailleurs communautaires qui exercent leur profession dans plus de 150 CLSC dans toutes les régions du Québec. Elle est aussi pratiquée par un nombre plus considérable encore d'organisateurs communautaires qui travaillent pour les groupes du secteur communautaire lui-même, comme les coopératives d'habitation et les comités de logement, les centres communautaires de loisirs, les maisons de la famille, les groupes d'entraide de toute sorte (dans le domaine de la santé et des services sociaux, mais aussi dans le domaine de l'insertion socioprofessionnelle comme les Carrefours jeunesse emploi, par exemple), les maisons de jeunes ou les centres de femmes, les associations de défense des consommateurs (ACEF), les groupes de défense de l'environnement ; des centaines d'autres encore sont des agents de développement dans des CDÉC, des CDC, des CLD et des SADC.

L'organisation communautaire québécoise ne s'en est pas tenue à ses premières bases. D'autres valeurs

3. Voir à ce propos l'expérience du Conseil de développement social de Montréal et celle de la Compagnie des jeunes Canadiens (CJC), décrites et analysées par D. MACGRAW (1975), *Le développement des groupes populaires à Montréal,* Montréal, Saint-Martin.

se sont inscrites dans sa culture organisationnelle, soit l'économie sociale, fondée sur des entreprises coopératives ou communautaires, le développement de plans d'intervention, la concertation locale, régionale et nationale entre groupes travaillant sur des problèmes sociaux différents, l'écologie sociale, la solidarité et la coopération internationale.

D'où l'utilité de recourir à une typologie de base, de clarifier les principales pratiques d'organisation communautaire au Québec et de les mettre en perspective. De toutes les typologies développées (Taylor et Roberts, 1985; Doré, 1985; Fisher, 1987), celle de Jack Rothman (1979) est peut-être la typologie qui dégage avec le plus de justesse les principales approches en organisation communautaire. Cet auteur a développé sa typologie autour de trois notions cardinales: l'**action sociale,** l'**approche socioinstitutionnelle,** dite aussi de «planning social», et le **développement local.** Avant d'aborder ces trois modèles, esquissons une première définition de l'organisation communautaire.

L'organisation communautaire est une intervention visant le changement social qui est planifié dans des communautés locales. Selon Kramer et Specht (1983, p. 14):

> [elle] réfère à différentes méthodes d'intervention par lesquelles un agent de changement professionnel aide un système d'action communautaire composé d'individus, groupes ou organisations à s'engager dans une action collective planifiée dans le but de s'attaquer à des problèmes sociaux en s'en remettant à un système de valeurs démocratique. Sa préoccupation touche des programmes visant des changements sociaux en relation directe avec des conditions de l'environnement et des institutions sociales.

Plus spécifiquement, l'organisation communautaire prend la forme d'une intervention qui vise le développement, soit une intervention sociale dont le but arrêté est de susciter l'organisation et la mobilisation des populations ou de parties des populations des communautés locales en vue de leur donner plus de force et de leur assurer un gain de pouvoir social (*empowerment*). Mais, dans une plus large perspective que celle de Kramer et Specht, il s'agit à la fois d'une démarche de participation volontaire (mettant à contribution l'engagement social de leaders des communautés concernées) et d'une démarche de participation suscitée ou provoquée mettant à contribution des intervenants professionnels ou semi-professionnels engagés par des populations qui désirent être mieux organisées.

Pour en arriver à réaliser ces objectifs, l'organisation communautaire, comme tout mode d'intervention, doit être considérée du point de vue des croyances qui ont trait à la capacité de changement des communautés locales, à la capacité qu'ont les communautés locales de modifier le cours des choses, de devenir des acteurs du changement dans certaines conditions, d'une part, et de celui d'un art ou d'un savoir-faire qui a trait à l'animation des communautés, à l'organisation et à la négociation, à l'information et à la formation de leaders communautaires, à la planification de projets, à la coordination des différentes composantes d'un milieu et à la concertation entre ces composantes, d'autre part. Cet art ou ce savoir-faire s'exerce à l'intérieur de diverses stratégies.

L'organisation communautaire comprend un bagage de connaissances systématisées, fondées sur un ensemble de pratiques et sur l'apport des sciences humaines relativement à la vie des groupes, aux pouvoirs, aux modes de vie, etc. On lui reconnaît donc sa théorie, ses stratégies et sa méthodologie. Nous verrons ici de façon plus approfondie ce qui la compose sur le plan des approches ou des stratégies qu'elle a su développer au fil de son histoire, et des multiples expériences dont elle a été l'instigatrice.

Précisons d'entrée de jeu qu'aucune intervention dans un milieu ou une communauté donnée ne peut être neutre. Toute intervention sociale a une direction, une trajectoire de changement social. Par exemple, si on travaille à mettre sur pied un comité de logement ou une coopérative d'habitation, on répond, dans les deux cas, à un besoin social dans le domaine du logement et on travaille à l'organisation démocratique d'un milieu. Mais le processus d'intervention diffère substantiellement selon le type de cas. Ainsi, les méthodes utilisées si on crée un comité de logement ne seront pas les mêmes que si on développe une coopérative d'habitation; les résultats, en dernière analyse, en ce qui a trait au pouvoir social de la communauté concernée, ne seront pas les mêmes. Les parties de la population de la communauté concernée seront aussi distinctes.

En fonction d'un certain nombre de critères, il est possible de camper trois approches de l'organisation communautaire relativement distinctes, soit le développement local de type communautaire, l'action sociale et le planning social. Ces critères sont la finalité de l'intervention projetée, le point de départ de l'action collective entreprise dans une communauté, les formes d'organisation mises de l'avant au sein de la communauté, les acteurs impliqués et les principaux moyens mis en œuvre pour les impliquer, et le type des structures mises en place pour favoriser un développement durable du changement.

Le développement local

Le développement local est une approche d'intervention que l'on peut brièvement caractériser par les éléments suivants :

- la résolution des problèmes sociaux par un autodéveloppement économique et social de communautés locales vivant dans un contexte de pauvreté ;
- l'attention prêtée aux problèmes les plus criants liés à l'emploi et au manque d'infrastructures économiques et de services de base ;
- la mise sur pied, sur le plan organisationnel, d'entreprises collectives (de services ou de production de biens), de coopératives, de groupes d'entraide dans les principaux secteurs de la vie des communautés concernées (logement, travail, services sociaux, etc.) ;
- le travail en partenariat des principaux acteurs de la communauté locale : les organisations populaires et communautaires de même que les syndicats, et aussi les paroisses et l'élite locale (gens d'affaires) ;
- des structures autonomes en partie financées par des sources publiques, privées ou associatives (des fondations).

Au Québec, ce type de stratégie d'organisation communautaire a été associé, dans un premier temps, à l'expérience du BAEQ dans les années 60, expérience amorcée par le gouvernement dans l'est du Québec, lequel, après quelques années, a abandonné l'effort massif entrepris. L'expérience du développement local se poursuit durant les années 70 dans la même région (le Bas-Saint-Laurent), dans le cadre du JAL[4], et ailleurs, principalement dans des régions éloignées des grands centres urbains. Mais le développement local prend alors une autre forme, soit celle d'une relance par les communautés elles-mêmes, indépendamment de l'État. Au cours de la décennie 80, le développement local fait un bond en avant en se développant hors des milieux ruraux et des régions éloignées, soit en milieu urbain ou semi-urbain, comme c'est le cas des CDEC à Montréal et ailleurs au Québec, et des corporations de développement communautaire, comme la Corporation des Bois-Francs à Victoriaville (Favreau, 1989).

L'approche socioinstitutionnelle (dite de « planning social »)

Voici, très brièvement, les caractéristiques de ce type d'organisation communautaire :

- la résolution des problèmes sociaux des communautés locales par une intervention de proximité des services publics, lesquels sont investis des pouvoirs et des ressources leur permettant de s'attaquer aux problèmes sociaux de l'heure en intervenant localement (les CLSC, par exemple) ou sur le plan municipal (les services de rénovation urbaine) ;
- l'utilisation de la démarche scientifique fondée sur le postulat du recours aux experts pour repérer les problèmes prioritaires, pour concevoir des programmes cadres, pour prescrire des moyens d'implantation de ces programmes dans les communautés locales. Les programmes cadres des ministères en constituent des exemples types ;
- l'implantation, sur le plan organisationnel, de services publics (de première ligne) de santé et

Coup d'œil sur l'action sociosanitaire associée au développement local en Ontario

Les Initiatives communautaires intégrées (ICI) sont un exemple de ce à quoi peuvent contribuer les professionnels de la santé dans le domaine du développement local. Les ICI ciblent à la fois le mieux-être des individus et des familles et l'amélioration des conditions de vie des quartiers. Elles sont souvent des initiatives multisectorielles où des intervenants sociaux, sanitaires et en développement économique communautaire unissent leurs efforts pour intervenir auprès des populations. Les quartiers ou groupes de citoyens ciblés créent des stratégies de développement communautaire dans le cadre plus large du développement local en ciblant un de ses aspects de façon plus spécifique, comme l'amélioration des conditions de vie, que ce soit dans le domaine de la santé, de l'habitation ou de l'environnement (Torjman et Leviten-Reid, 2003).

4. C'est en 1974 que les 2000 habitants de 3 paroisses (Saint-Juste, Auclair et Lejeune) décident de former une coopérative de développement, la Coopérative de développement agro-forestier du Témiscouata, dite la « Coop du JAL ». Voir G. ROY (1979), « L'animation sociale et la mise en place d'entreprises autogestionnaires », dans B. Lévesque, *Animation sociale, entreprises communautaires et coopératives,* Montréal, Saint-Martin, p. 21-36.

de services sociaux de même que de services communautaires dans les communautés locales en fonction de populations cibles considérées d'abord comme bénéficiaires ou consommatrices de services;

- l'organisation de la concertation entre les organismes de l'État et les ressources communautaires locales;
- la participation des organisations communautaires à l'élaboration de plans de services à la population. Par exemple, les régies régionales issues de la réforme des services de santé et des services sociaux (réforme Côté, au début de 1991) ont amené cette forme de participation.

Au Québec, historiquement, c'est d'abord avec les conseils de développement social, dans les années 60, puis avec les services sociaux et de santé publics de proximité, soit les CLSC, dans les années 70, que commence véritablement la pratique à grande échelle de ce type de stratégie d'organisation communautaire.

Jusqu'à un certain point, cette stratégie n'appartient pas seulement, du moins en ce qui a trait à l'expérience québécoise, à l'organisation communautaire mais aussi, par certains côtés, à un nouveau type de pratique d'administration sociale, donc à ses gestionnaires. Des organisateurs communautaires, particulièrement dans les CLSC, sont devenus des acteurs du planning social (études de milieu, diagnostics sociaux et interventions par programmes nationaux) au fur et à mesure de la pénétration de ce secteur dans les communautés locales. À cet égard, l'intervention des CLSC dans le domaine du maintien à domicile en offre une excellente illustration. Il s'agit d'une politique appliquée à la grandeur du territoire, d'une politique qui bénéficie de sa propre enveloppe budgétaire, d'une politique qui associe tous les CLSC. Ainsi, dans un certain nombre de CLSC, des organisateurs communautaires travaillent sur ce dossier sur une base régulière ou ponctuelle, devenant ainsi des agents actifs de planning social (organisation d'une « popote roulante » ou animation d'un groupe de retraités en vue de mettre sur pied une coopérative d'habitation disposant d'un ensemble de services communs, par exemple).

Comme cette approche participe à la fois de l'administration sociale et de l'organisation communautaire, on ne se surprendra pas de voir ses actions moins fortement liées à des objectifs de transformation sociale ou d'*empowerment* des communautés, puisqu'il s'agit surtout d'être d'efficaces prestataires de services.

L'action sociale

L'action sociale comporte les caractéristiques majeures suivantes :

- la résolution des problèmes sociaux par les groupes sociaux les plus démunis, plus spécifiquement par un travail de défense de leurs droits;
- l'attention prêtée aux problèmes sociaux les plus fortement ressentis par la partie la plus défavorisée des communautés locales;
- la mise sur pied d'organismes de revendication et de pression permettant le développement d'un rapport de forces qui pourrait être favorable aux groupes sociaux démunis;
- l'organisation d'actions directes, l'éducation populaire et l'information communautaire, la négociation de solutions avec les autorités en place;
- une action collective basée sur des structures autonomes de type syndical (au sens large du syndicalisme de cadre de vie) fonctionnant sur le mode démocratique des organismes sans but lucratif (OSBL). Un regroupement d'assistés sociaux, un comité de logement, une association de protection des consommateurs, une association de défense des retraités en sont des exemples types.

Coup d'œil sur l'approche socioinstitutionnelle en Ontario francophone

Les Centres de santé communautaire (CSC) de l'Ontario, dont ceux destinés aux francophones, offrent des services de santé primaire et de services sociaux à des populations éprouvant des besoins en raison de leur situation de précarité économique ou de vulnérabilités personnelles. Leur financement vient surtout du ministère de la Santé de l'Ontario. Leur action est d'abord centrée sur la prévention des maladies et la promotion de la santé, et les professionnels qui y travaillent utilisent des stratégies d'éducation et, parfois, d'organisation de groupes pour mettre sur pied des services améliorant les conditions de vie.

Par exemple, le CSC Côte de sable à Ottawa offre des activités en sécurité alimentaire (jardins communautaires, boîtes vertes, etc.), des services d'animation pour les aînés et du soutien aux chambreurs.

COUP D'ŒIL SUR L'APPROCHE DE L'ACTION SOCIALE EN ACADIE ET AILLEURS

L'histoire du mouvement d'affirmation des Acadiens est largement tributaire des stratégies d'action sociale adoptées par les militants qui ont dénoncé les inégalités sociales vécues par les minorités acadiennes des diverses provinces maritimes, qui ont revendiqué de justes conditions de vie comme l'ont fait les animateurs du nord-est du Nouveau-Brunswick et qui ont donné une dimension politique aux revendications acadiennes, lesquelles ont mené, un temps, aux activités du Parti acadien.

L'action sociale peut se faire plus localement. La dénonciation de la situation des sans-abri à Toronto, les campagnes des organisations de défense des droits des locataires qui dénoncent le coût de l'habitation à Vancouver, les manifestations des mouvements écologiques locaux ou régionaux qui s'insurgent contre les problèmes de pollution industrielle en sont autant d'exemples.

Cette approche nous renvoie à l'expérience des comités de citoyens et à celle des organisations populaires de défense de droits sociaux qui ont suivi. Elle est aussi partie prenante de l'expérience des organismes d'éducation populaire et des initiatives d'action politique locale, dont les plus connues et les plus manifestes, historiquement, ont été le Rassemblement populaire à Québec et le Rassemblement des citoyens de Montréal. Les minorités francophones du Canada ont dû, elles aussi, s'engager dans la défense de leurs droits sur le terrain social, économique et politique.

UNE SYNTHÈSE QUI SUSCITE LA QUESTION DU CHOIX D'UNE APPROCHE

L'organisation communautaire s'articule donc autour de trois axes : la défense de droits sociaux, qui peut prendre différentes formes, dont l'action sociale de revendication, l'éducation populaire ou, encore, l'action politique municipale ; l'approche socioinstitutionnelle, dite « de planning social », axée sur l'insertion de services publics de proximité dans les communautés locales ; l'autoorganisation (*self-help*) de type coopératif de même que le développement local en matière de logement, d'aménagement du territoire, de création d'entreprises locales, etc. Une typologie de l'organisation communautaire apparaît dans le tableau 12.1.

Au regard de ces différentes approches, deux questions viennent spontanément à l'esprit : doit-on en privilégier une ? Quelle est la meilleure ? L'histoire québécoise des 40 années de pratique en organisation communautaire nous incite à formuler 2 propositions.

En premier lieu, ces approches peuvent correspondre à des séquences différentes dans le temps ; elles peuvent même constituer des étapes singulières d'un même processus. Le planning social, qu'on a souvent tendance à opposer à l'action sociale et au développement local, a été et est encore, parfois, associé à la récupération des revendications populaires par les autorités, tandis que l'on voit dans l'action sociale le leadership du changement social en fonction des intérêts des classes populaires.

Or, à regarder de près l'évolution du mouvement communautaire au Québec (1960-2000), on constate que, dans les années 60, des comités de citoyens sont apparus sans que l'État y soit véritablement impliqué. Les intervenants dans ce type d'action sociale, en revendiquant la création de centres de santé et de centres communautaires dans les quartiers populaires, ont fini par provoquer la mise en place de CLSC dans la décennie suivante. Ces mêmes CLSC, 15 ans plus tard, évoluent très souvent vers le planning social. Mais il est encore possible d'envisager, localement ou régionalement, le soutien d'organisateurs communautaires à ces mêmes CLSC afin de créer, sur le plan social, des structures et des groupes d'action. Ajoutons, en outre, que la jonction entre des organisations communautaires et des intervenants de CLSC est très souvent à l'origine de pratiques de développement local de type communautaire, comme les CDEC et les coopératives de travail.

Deuxièmement, le consensus ou le conflit ne caractérise pas de façon satisfaisante une approche par rapport à une autre, surtout lorsqu'il s'agit de l'action sociale et du développement local. Par exemple, le développement local a longtemps été considéré comme une approche consensuelle englobant les organisations sociales d'une même communauté et les pouvoirs en place. Or, l'expérience de nombreuses communautés locales tend plutôt à démontrer le contraire : l'émergence de conflits avec le gouvernement central. Par ailleurs, les groupes d'action sociale doivent, quant à eux, entamer à un moment ou l'autre des négociations et en venir à certains compromis sur le contenu de leurs revendications s'ils veulent arriver à un quelconque résultat.

TABLEAU 12.1 **TYPOLOGIE DE L'ORGANISATION COMMUNAUTAIRE (TROIS APPROCHES DE BASE)**

CRITÈRES	DÉVELOPPEMENT LOCAL	INTERVENTION SOCIOINSTITUTIONNELLE	ACTION SOCIALE
FINALITÉ	Autodéveloppement économique et social	Résolution de problèmes par une intervention publique de proximité	Résolution de problèmes sociaux par la défense de droits sociaux
ORIGINE	Problèmes les plus criants	Expertise sur des problèmes liés à des programmes cadres des pouvoirs publics	Problèmes les plus fortement ressentis par la population locale (ou des groupes spécifiques)
FORME D'ORGANISATION	Groupes d'entraide, coopératives, entreprises collectives	Services publics de première ligne	Organisations de revendication et de pression
ACTEURS CONCERNÉS	Démarche partenariale multi-acteurs	Collaboration service public et associations locales	Action directe (conflit et compromis avec les autorités)
TYPES DE STRUCTURES	Structures autonomes	Participation du secteur associatif aux structures publiques	Structures autonomes de type syndical

Il ne faut pas croire pour autant à une coexistence harmonieuse entre ces approches telles qu'elles sont pratiquées. La **démocratie** est faite d'**institutions** et de **mouvements,** de compromis et de conflits. Les groupes communautaires se frottent régulièrement aux intervenants des CLSC. Les CDEC ne peuvent pas, pour bien faire leur travail, se trouver constamment en première ligne des actions entreprises par des organisations de défense de droits sociaux. Par ailleurs, des organisateurs communautaires de CLSC ont souvent à faire face à des conservatismes profonds au sein de populations locales, conservatismes qui font bien l'affaire des élites en place.

Il est donc important de retenir, à ce stade-ci, que la pertinence et l'efficacité de chacune de ces approches en organisation communautaire sont relatives à des situations données. Selon que l'on est en milieu rural ou en milieu urbain, selon que l'on travaille pour un employeur du secteur communautaire ou un employeur du secteur public, selon que l'on travaille dans une communauté locale complètement désorganisée ou dans une communauté disposant déjà d'une certaine impulsion, on suivra une démarche qui permettra de mettre en place ou de consolider telle ou telle approche au sein des communautés locales lors de la planification de l'intervention, considérée comme un processus de longue durée, et non comme une affaire de quelques mois.

Il est capital aussi de retenir que ces trois stratégies d'organisation communautaire sont, en tant que tentatives de résoudre des problèmes sociaux, des réponses à des droits différents de chaque communauté locale : dans le premier cas, le droit des populations locales d'être soutenues dans leur volonté de participer au développement de leur propre communauté sur des bases autonomes ; dans le second cas, le droit des citoyens les plus démunis de s'organiser, de revendiquer et de s'inscrire dans le rapport social des forces de leur société afin d'en tirer quelque avantage pour eux ; enfin, dans le dernier cas, le droit des citoyens de ces communautés d'obtenir de l'État, en tant que contribuables, des services sociaux et de santé de proximité.

Finalement, mentionnons que chaque approche a son histoire particulière (selon les régions et les sociétés), ses ressources et ses moyens particuliers, ses influences dans sa relation avec les mouvements sociaux, et qu'elle est également bénéficiaire de l'apport de certaines disciplines des sciences humaines. Par exemple, l'action sociale s'inspire beaucoup du syndicalisme, et la science politique lui est une discipline fort utile pour connaître les mécanismes du pouvoir dans la société. Le développement local, quant à lui, s'inspire du mouvement de l'économie sociale (des coopératives, par exemple) et la microéconomie lui est fort utile comme discipline. Finalement, le planning social s'inspire de la démarche de l'expertise et croît à la lumière de la sociologie de l'organisation.

LA CAPACITÉ DE RENOUVELLEMENT DE L'ORGANISATION COMMUNAUTAIRE

Même si, avec les années, l'organisation communautaire a su reconnaître ses principaux modèles et décrire ses stratégies, son action n'en est pas pour autant enfermée dans ces modèles. Toujours attentive à l'évolution de la question sociale et à ce qui anime les mouvements sociaux, l'organisation communautaire s'inscrit encore aujourd'hui dans un **espace d'innovation sociale.** Le registre des actions des organisateurs communautaires de « métier » s'est élargi. Ils s'activent maintenant dans des champs novateurs comme ceux du développement économique communautaire, de l'économie sociale et de l'insertion en emploi. Les autres professionnels de la santé ou du secteur des services sociaux sont, eux aussi, conviés à s'engager dans des stratégies innovatrices d'organisation des communautés locales, dans la perspective de la mise en œuvre de services de proximité ou de l'engagement dans l'action concertée de développement local.

DE NOUVEAUX ESPACES D'INNOVATION POUR LES ORGANISATEURS COMMUNAUTAIRES : LE DÉVELOPPEMENT ÉCONOMIQUE COMMUNAUTAIRE, L'ÉCONOMIE SOCIALE ET L'INSERTION EN EMPLOI

Voilà déjà plus de 15 ans, notamment avec la création des premières corporations de développement économique communautaire (CDEC) dans la région de Montréal, des premières CDC en région et des premières SADC dans les communautés rurales en difficulté, que les mouvements sociaux locaux ont adopté le DÉC et l'économie sociale comme stratégies d'organisation communautaire. De plus, l'implication de ces mouvements dans la production de services, la création d'emplois et la revitalisation économique et sociale de communautés locales s'est accrue. Pourquoi ? Parce que, comme composante d'un **troisième pôle de l'économie,** l'associatif est engagé auprès des pouvoirs publics non seulement dans la revendication d'un transfert de la richesse collective à des groupes de la société qui sont démunis, mais également dans la création de richesses avec et pour ces groupes. Cet engagement nous conduit aujourd'hui, malgré toutes les difficultés et tensions que cela induit, à disposer de meilleures assises pour développer la démocratie locale.

En effet, durant la décennie 90, l'organisation communautaire et les mouvements sociaux locaux ont ouvert de nouveaux chantiers et, parmi ceux-ci, celui de **l'insertion par le travail,** notamment par l'intermédiaire des Carrefours jeunesse emploi et des entreprises d'insertion. En milieu urbain régional ou dans les grands centres comme Montréal, ces mouvements ont également opéré un saut qualitatif en mettant sur pied des projets et des dispositifs de **solidarité économique de quartier** (les CDÉC) ; en **milieu rural,** des initiatives pilotées, entre autres, par les SADC ont vu le jour. Bref, un certain nombre d'intervenants et de militants sociaux (d'organisations communautaires et syndicales, de groupes de femmes et de groupes écologiques) ont opté non seulement pour de nouvelles formes d'entraide socioéconomique (Fréchette, 2000) et d'insertion par le travail (Assogba, 2000), mais aussi pour le développement économique communautaire (Favreau et Lévesque, 1999), inspirés en cela par l'expérience du développement local en milieu rural (Deschênes et Roy, 1994) et, surtout, par l'expérience américaine des CDC (Favreau, 1994).

Mentionnons ici les principaux réseaux qui se sont formés dans la dernière décennie autour, notamment, de la question de l'emploi : un réseau d'une centaine de carrefours jeunesse emploi (CJE) ; quelque 150 autres organismes communautaires de formation de la main-d'œuvre ; un réseau d'une cinquantaine de corporations de développement communautaire (CDC) ; un réseau de corporations de développement économique communautaire (17 CDÉC) ; une centaine d'entreprises communautaires ou d'insertion ; plusieurs dizaines de fonds locaux et régionaux de développement. De plus, il existe une mise en réseau de cet ensemble dans un cadre national grâce, entre autres, à la Coalition des organismes communautaires de développement de la main-d'œuvre (400 associations). L'ensemble de ces réseaux sont à leur tour réseautés. En effet, le Chantier de l'économie sociale regroupe des représentants de la plupart des organisations communautaires, de femmes, écologiques, syndicales et coopératives, ce qui donne aux responsables de ces initiatives économiques et sociales un plus grand pouvoir de négociation. Leur capacité de changer de niveau d'intervention est accrue,

autonome (SACA) et la nouvelle législation sur les coopératives de solidarité.

L'insertion en emploi est au cœur du renouvellement de l'action communautaire non seulement en matière de développement territorialisé, mais aussi en matière d'insertion de personnes vulnérables. En ce sens, elle rejoint d'autres professionnels de la santé et du milieu social qui s'associent aux organisateurs communautaires pour adapter l'entreprise aux caractéristiques des personnes ciblées. Dans le domaine de la santé mentale, l'insertion en emploi est un sujet de débat depuis longtemps. Cette population a pu profiter de l'association de l'économique et du social dans des organisations qui ont cru en l'importance du travail comme moyen d'améliorer la vie des personnes vulnérables. Une expérience ontarienne illustre bien la question.

De nouvelles filières de développement local, d'économie sociale et d'action communautaire se sont donc progressivement mises en place depuis une dizaine d'années, ce qui a favorisé, si on met en perspective cette nouvelle tendance, l'arrivée de nouvelles générations d'organisations et d'institutions dans la lutte pour la revitalisation des communautés et régions en difficulté.

C'est le croisement actif d'initiatives locales et de nouvelles politiques publiques (notamment la réforme qui a donné naissance aux Centres locaux de développement) qui constitue une des originalités du développement communautaire au Québec dans la dernière décennie. D'où l'apparition, dans certains secteurs, d'une institutionnalisation forte avec ses gains, et certains ratés sous la forme de filières.

Pourquoi ? Parce que, tant dans les mouvements que dans les institutions, l'économie ne fonctionne pas seulement aux politiques macroéconomiques et à l'internationalisation des marchés, pas plus qu'au seul dynamisme des entrepreneurs et de leurs entreprises. Entre les deux, une autre intervention — de niveau intermédiaire — favorise le développement social et économique : celle qui émane des communautés locales. Mais, pour que ces communautés jouent pleinement leur rôle, il faut des espaces publics de négociation ou de dialogue social, ce qui n'est pas donné d'avance. Ces espaces relèvent d'une construction sociale permanente, que 40 ans de travail illustrent fortement.

Les services de proximité et la concertation autour du développement social local

L'évolution de la conjoncture sociale incite aussi d'autres professionnels à s'engager dans de nouvelles formes de soutien aux communautés locales. Créer des conditions favorables au renforcement de l'action communautaire, comme l'évoque la *Charte d'Ottawa pour la promotion de la santé,* fait toujours partie des orientations d'actualité quant à l'amélioration des conditions de vie, telle qu'elle est prônée dans la *Politique de la santé et du bien-être* du gouvernement du Québec. La façon de passer à l'action a cependant évolué.

Les professionnels de la santé et du milieu social qui s'engagent dans des stratégies de prévention et de promotion sociale savent que le seul renforcement du potentiel des personnes ne suffit pas ; ils s'impliquent donc de plus en plus dans une activité de développement social des communautés locales (Fréchette, 2001 ; Chamberland et autres, 1993). En ce sens, les professionnels de la santé sont souvent mobilisés pour le développement de services de proximité.

La notion de services de proximité, d'abord utilisée en France, a fait son chemin au Québec dans les débats sur l'économie sociale dans le secteur communautaire. La notion de proximité recouvre plus d'un sens. Laville (1992) se réfère à deux types de proximité : une proximité objective, définie comme l'ancrage dans le territoire local ou dans le voisinage, et une proximité subjective, qui met l'accent sur la dimension relationnelle et la coproduction du service. La notion de service de proximité est associée à l'économie sociale et fait que, dans le cas des cuisines collectives, par exemple, l'utilité sociale du service sert toujours de toile de fond à son aspect économique (Fréchette, 2000).

Un réseau d'entreprises d'économie sociale arrimé à la promotion de la santé mentale

L'Ontario Council of Alternative Businesses réunit des entreprises qui emploient plus de 600 personnes ayant vécu des problèmes de santé mentale. Les 11 entreprises du réseau sont installées dans diverses villes, dont Toronto, Cambridge, Kitchener et Brandford. Elles offrent des emplois dans les secteurs de la restauration-alimentation, de l'ébénisterie, de l'entretien de bureaux, du transport de courrier et de l'artisanat. En 1995, l'Ontario Association of Community Development Corporations et le Community Business Resource Centre attribuaient à l'Ontario Council of Alternative Businesses un prix attestant de sa contribution remarquable au développement économique communautaire.

Les services de proximité issus d'initiatives associatives locales se distinguent des services sociaux publics du fait qu'ils sont conçus en fonction d'une expression des besoins mêmes des populations et qu'ils ont plus de chances de répondre à des demandes nouvelles émanant des changements conjoncturels liés à la crise de l'emploi et des dispositifs de socialisation comme la famille et l'école. Ces services s'éloignent de l'« assistantialisme » et voient l'usager comme un acteur de changement relativement à sa situation et comme un participant au développement de son quartier ou de son village.

C'est dans cette perspective que des infirmières, des nutritionnistes et des travailleuses sociales participent à la mise en œuvre des cuisines collectives, des jardins communautaires, des entreprises d'économie sociale en santé mentale. Les cuisines collectives que l'on trouve un peu partout au Canada illustrent cette contribution au développement social entreprise par des professionnels de la santé ou du milieu social.

Participer à la concertation pour le développement des communautés locales

Le renouvellement des pratiques sociales n'est pas que l'affaire des organisateurs communautaires. On voit comme essentielle la contribution des professionnels de la santé et des services sociaux au travail de concertation qui vise le développement des communautés locales. En effet, la question de la santé, dans son sens large, est un élément incontournable, souvent à l'ordre du jour des grandes tables de concertation ou des actions collectives de développement social à l'échelle locale, régionale ou nationale.

À l'échelle locale, pensons à des tables comme les tables de concertation contre la pauvreté, où siègent des professionnels de la santé, des services sociaux, des organisations communautaires et des centres d'insertion en emploi, des responsables de pastorales sociales d'allégeance religieuse diverse, etc. À l'échelle régionale,

Une cuisine collective où la santé et les conditions de vie sont prises en compte

Les Tabliers en folie

Sur l'initiative d'une intervenante communautaire du CLSC se développe à Richmond (3100 habitants) la cuisine collective Les Tabliers en folie. Douze groupes de cinq à six personnes s'y réunissent, deux jours par mois, pour cuisiner collectivement. S'y ajoutent des cuisines pour des jeunes de huit à seize ans. On y trouve une garderie, un service de récupération alimentaire avec congélation des mets, de petits prêts de dépannage, des ateliers « santé et nutrition », des activités sociales.

Incorporée depuis 1991, la cuisine est gérée par un conseil d'administration de cinq membres. Elle compte depuis 1995 deux professionnelles (direction et animation) appuyées par une vingtaine de bénévoles. Elle bénéficie du soutien financier d'organismes gouvernementaux, d'institutions financières, de fondations et d'un syndicat, et de dons de communautés religieuses et de particuliers ; des activités d'autofinancement complètent ce soutien financier. Elle profite depuis ses débuts du soutien d'une organisatrice communautaire et d'une infirmière du CLSC. La cuisine est membre des regroupements régional et national de cuisines, de la Table de concertation sur la pauvreté et du Regroupement des organismes communautaires de l'Estrie.

On va à la cuisine pour faire des économies, nourrir sa famille et rencontrer des gens. Le sentiment d'isolement diminue. On commence à échanger de menus services (garde d'enfants, covoiturage, peinture). On se soutient dans les périodes difficiles. On se parle de ses préoccupations et des projets familiaux. La garderie emploie des femmes de la cuisine qui ont appris à organiser des activités pour les enfants. Des membres s'initient à l'établissement de budgets et à la vente de produits destinés à l'autofinancement des cuisines. D'autres, devenues conscientes des contraintes imposées par leur sous-scolarisation, retournent aux études. Tout en permettant le développement des compétences de ses membres, la cuisine induit donc une dynamique d'entraide et de mise en réseau à portée préventive.

L'organisme et d'autres partenaires ont mis sur pied un réseau d'échange local où des gens échangent des biens et des services entre eux. L'entraide devient, en quelque sorte, institutionnalisée dans la communauté. Des services aussi variés que le traitement de texte, le gardiennage, l'entretien domestique, la couture, le lavage de voitures, l'accompagnement de personnes handicapées et l'entretien de terrains y sont offerts, en plus de l'échange sur place de biens (vêtements, articles ménagers, mets congelés, meubles). La cuisine est ainsi engagée dans le développement de la communauté locale et participe de l'économie sociale (Fréchette, 2000).

on trouve des réseaux d'organismes se concertant pour modifier la qualité de vie dans le milieu ou des programmes de développement mettant à profit le travail d'intervenants issus de diverses disciplines des sciences de la santé et des sciences humaines. Le programme ontarien *Partir d'un bon pas pour un avenir meilleur* s'inscrit dans cette mouvance régionale de développement des familles et des communautés. Organisé dans huit communautés ontariennes, en milieu urbain et en milieu rural, il réunit des intervenants, des décideurs locaux et des leaders de la population pour planifier des services en vue de créer de meilleures conditions d'apprentissage et de développement pour les enfants, leur famille et la communauté locale. Axé sur la prévention et la promotion, il favorise la mise en place de services comme des garderies, des centres d'échanges culturels, des groupes de discussion pour parents, etc.

La concertation et les diverses formes de partenariat qu'elle enclenche font place à de nouvelles formes de collaboration entre divers acteurs du développement local. On trouvera réunis des organisateurs communautaires, des infirmières, des directeurs de caisses populaires, des directeurs d'écoles, des élus municipaux, etc. Le phénomène, souvent amorcé à l'échelle locale, prend parfois une ampleur telle qu'il en devient un sur le plan national. Le cas du Réseau québécois Villes et villages en santé et de son pendant canadien Healthy Communities en sont de bons exemples. Nous en faisons un bref portrait ici à la lumière du cas du Mouvement acadien des Communautés en santé du Nouveau-Brunswick (MACS-N.-B).

La concertation et le partenariat, dans la perspective du développement local, ne sont pas de l'ordre de l'opération qui nivelle les expertises professionnelles

L'adoption d'une perspective communautaire chez les intervenants sociaux et sanitaires

Le Mouvement acadien des Communautés en santé du Nouveau-Brunswick

Le Mouvement acadien des Communautés en santé du Nouveau-Brunswick, créé en 1996, a donné naissance à un Réseau acadien de Communautés en santé en 1999. Il se situe dans la foulée des programmes Villes-santé instaurés par l'Organisation mondiale de la santé (OMS) en Europe à partir de 1984, du Réseau québécois Villes et villages en santé (1988) et du réseau canadien des Healthy Communities, mis sur pied en 1990.

Le MACS fait la promotion du concept de « communautés en santé » par une action d'animation sociale, communautaire et économique dans les milieux où il s'implante. On y réunit les décideurs locaux, les acteurs du milieu et la population locale pour qu'ils s'approprient une démarche d'amélioration des conditions de vie en fonction de la santé, de l'environnement et de l'économie. On parle d'une perspective de développement local largement tributaire du planning social. L'approche englobe plusieurs disciplines des sciences humaines, et les projets locaux rejoignent des intervenants sociaux et sanitaires de formations variées (travail social, récréologie, sciences de la santé, administration, éducation, etc.)

Le rôle d'un comité de « communauté en santé », tel qu'il est décrit par le MACS, illustre bien comment des professionnels de la santé et des services sociaux sont appelés à intégrer en partie dans leur travail des stratégies relevant de l'organisation communautaire.

Le rôle d'un comité de « communauté en santé » :

- Sensibiliser le milieu au nouveau concept de santé véhiculé par le mouvement des « communautés en santé ».
- Consulter la population et ses dirigeants.
- Analyser l'environnement et tracer un portrait de la communauté, de ses besoins, de ses ressources et de son potentiel.
- Décrire les projets et les stratégies, repérer les expériences susceptibles de favoriser le développement.
- Mobiliser les décideurs locaux, les organismes du milieu, les partenaires privés et publics et la population en général autour de projets collectifs visant à améliorer la qualité de vie dans la communauté.
- Créer un climat favorable à l'émergence de nouveaux projets de concertation visant la santé et le mieux-être de la communauté.
- Prendre les moyens et trouver les ressources pour parvenir à ses buts et objectifs et mener à bien ses projets.
- Travailler dès le départ à la réussite de projets simples et réalistes qui respectent les capacités du milieu et qui collent à la réalité naturelle de la communauté.

C'est ainsi que plusieurs communautés acadiennes ont mis sur pied des cuisines et des jardins collectifs, des activités de relance économique ou de lutte à la pauvreté, des maisons de jeunes, des clubs de marche, des journaux communautaires et d'autres projets socioéconomiques ou sociosanitaires.

respectives des participants. Pour les professionnels de la santé et ceux du domaine psychosocial, la vulnérabilité des personnes, des familles ou des réseaux et la vulnérabilité des communautés sont au cœur de l'exclusion et de l'insertion. Ces professionnels proviennent de disciplines qui ont souvent donné le ton au discours relatif à la relation d'aide. Le discours s'est ensuite élargi aux perspectives plus larges de la prévention et de la promotion, plus particulièrement sur la base de la contribution de la psychologie communautaire. Un certain travail social et l'organisation communautaire ont, quant à eux, fait émerger le caractère plus social de la promotion en valorisant la dimension communautaire de l'intervention et l'élargissement du cadre d'analyse des problèmes sociaux contemporains. C'est sur ce terrain que les organisateurs communautaires et les autres professionnels se rejoignent pour rentabiliser socialement la concertation en faveur du développement local.

Cet amalgame entre les professionnels de l'organisation communautaire et les autres professionnels qui y adhèrent favorise des pratiques sociales plus larges et plus décentralisées. Des pratiques qui s'orientent vers le développement de solutions globales et de stratégies regroupant un plus grand nombre de personnes en fonction de plusieurs points d'attaque. L'articulation des stratégies ne signifie pas leur fusion ni la perte de leurs différences, mais, s'il faut distinguer prévention sociale, organisation communautaire et développement local, on ne peut dissocier ces pratiques qui se situent toutes, chacune selon leur spécificité respective, dans la même perspective d'*empowerment*.

Références

ALINSKY, S. (1976). *Manuel de l'animateur social,* Paris, Seuil.

ASSOGBA, Y. (2000). *Insertion des jeunes, organisation communautaire et société,* Sillery, Presses de l'Université du Québec (coll. « Pratiques et politiques sociales »).

BÉLANGER, J.P. (1995). *Les organismes communautaires du réseau : un secteur de l'économie sociale à consolider et à développer,* document de travail, Ministère de la Santé et des Services sociaux du Québec.

BOURQUE, G.-L. (2000). *Le modèle québécois de développement : de l'émergence au renouvellement,* Sillery, Presses de l'Université du Québec (coll. « Pratiques et politiques sociales »).

BOYTE, H.C. (1980). *The Backyard Revolution : Understanding the New Citizen Movement,* Philadelphie, Temple University Press, p. 110.

CHAMBERLAND, C. et autres (1993). « La prévention des problèmes sociaux : réalité québécoise », *Service social,* vol. 42, n° 3, p. 55-81.

CHANTIER D'ÉCONOMIE SOCIALE (1996). *Osons la solidarité ! Rapport du groupe de travail sur l'économie sociale,* Sommet sur l'économie et l'emploi, Montréal, octobre 1996, 64 p.

COMEAU, Y. et autres (2001). *Emploi, économie sociale et développement local : les nouvelles filières,* Sillery, Presses de l'Université du Québec (coll. « Pratiques et politiques sociales »).

CONSEIL DES AFFAIRES SOCIALES (1992). *Le Québec solidaire. Rapport sur le développement,* Boucherville, Gaëtan Morin ; Publications du Québec.

CONSEIL DE SANTÉ ET DU BIEN-ÊTRE (1996). *L'harmonisation des politiques de lutte contre l'exclusion,* avis au Ministère de la Santé et des Services sociaux, Gouvernement du Québec.

DEFOURNY, J., L. FAVREAU et J.-L. LAVILLE (1998). *Insertion et nouvelle économie sociale : un bilan international,* Paris, Desclée de Brouwer.

DESCHÊNES, A. et G. ROY (1994). *Le JAL : Trajectoire d'une expérience de développement local,* Rimouski, GRIDEQ, Université du Québec à Rimouski.

DORÉ, G. (1985). « L'organisation communautaire : définitions et paradigme », *Service social,* vol. 34, n° 2-3, p. 210-223.

DOUCET, L. et L. FAVREAU (1997). *Théorie et pratiques en organisation communautaire,* Sillery, Presses de l'Université du Québec (coll. « Pratiques et politiques sociales »).

FAVREAU, L. (1999). « Mouvement populaire et économie communautaire », dans *Mouvement populaire et intervention communautaire, de 1960 à nos jours : continuités et ruptures,* Montréal, Centre de formation populaire ; Éditions du Fleuve, p. 99-153 (coll. « Alternatives »).

FAVREAU, L. (1994). « L'économie solidaire à l'américaine : le développement économique communautaire », dans J.-L. Laville (dir.), *L'économie solidaire : une perspective internationale,* Paris, Desclée de Brouwer, p. 95-135 (coll. « Sociologie économique »).

FAVREAU, L. et Y. HURTUBISE (1993). *C.L.S.C. et communautés locales : la contribution de l'organisation communautaire,* Sainte-Foy, Presses de l'Université du Québec.

FAVREAU, L. et B. LÉVESQUE (1999). *Développement économique communautaire, économie sociale et intervention,* Sillery, Presses de l'Université du Québec (coll. « Pratiques et politiques sociales »).

FISHER, R. (1987). « Community organizing in historical perspective : A typology », dans F. Cox et autres, *Strategies of Community Organization,* Itasca (Illinois), Peacok Publishers, p. 387-397.

FRÉCHETTE, L. (1995). « De l'école à la communauté : amorce de changement social engageant des jeunes, des parents et des leaders locaux », dans C. Mercier et autres, *Au cœur des changements sociaux : les communautés et leurs pouvoirs,* Sherbrooke, Université de Sherbrooke ; RQIIAC, p. 175 à 190.

FRÉCHETTE, L. (2000). *Entraide et services de proximité, l'expérience des cuisines collectives,* Sillery, Presses de l'Université du Québec (coll. « Pratiques et politiques sociales »).

FRÉCHETTE, L. (2001). « La prévention et la promotion en santé mentale : des incontournables en psychologie communautaire », dans F. Dufort et J. Guay (dir.), *Agir au cœur des communautés,* Québec, Les Presses de l'Université Laval, p. 217-248.

FREIRE, P. (1974). *Pédagogie des opprimés,* Paris, Maspéro.

JURDAN, M.M. (1988). *Le défi écologiste,* Montréal, Boréal.

KRAMER, R.M. et H. SPECHT (1983). *Readings in Community Practice Organization,* Englewood Cliffs (New Jersey), Prentice-Hall, p. 2-23.

LAMOUREUX, J., R. MAYER et J. PANET-RAYMOND (1996). *L'intervention communautaire,* Montréal, Saint-Martin.

LAVILLE, J.-L. (1992). *Les services de proximité en Europe,* Paris, Syros ; Alternatives.

LAVILLE, J.-L. (dir.) (1994). *L'économie solidaire : une perspective internationale,* Paris, Desclée de Brouwer (coll. « Sociologie économique »).

LEBOSSÉ, Y. et F. DUFORT (2001). « Le pouvoir d'agir (*empowerment*) des personnes et des communautés : une autre façon d'intervenir », dans F. Dufort et J. Guay (dir.), *Agir au cœur des communautés,* Québec, Les Presses de l'Université Laval, p. 75-116.

LÉVESQUE, B. (1979). *Animation sociale, entreprises communautaires et coopératives,* Montréal, Saint-Martin.

MULLER, J.M. (1981). *Stratégie de l'action non violente,* Paris, Seuil.

NINACS, W.A. (1995). « Empowerment et service social : approches et enjeux », *Service social,* vol. 44, n° 1, p. 69-93.

NINACS, W.A. (1998). « Empowerment et organisation communautaire », dans G. Desprès, M. Guilbert et R. Tourigny (dir.), *Vision globale, visée locale,* Trois-Rivières, Actes du 6e colloque du Regroupement québécois des intervenants et intervenantes en action communautaire, p. 75-96.

QUINQUETON, T. (1989). *Saul Alinsky, organisateur et agitateur,* Paris, Desclée de Brouwer.

ROTHMAN, J. (1979). « Three models of community organization practice, their mixing and phasing », dans F. Cox et autres, *Strategies of Community Organization,* Itasca (Illinois), Peacok Publishers, p. 3-26.

TAYLOR, S.H. et R.W. ROBERTS (1985). *Theory and Practice of Community Social Work,* New York, Columbia University Press, p. 59-216.

TORJMAN, S. et E. LEVITEN-REID (2003). *Les initiatives communautaires intégrées,* Ottawa, Caledon Institute of Social Policy, 26 p.

Sites à consulter

http://www.uqo.ca/crdc-geris/
Site de la Chaire de recherche en développement communautaire et du Centre d'études et de recherches en intervention sociale (CÉRIS) de l'Université du Québec en Outaouais. Regroupement d'une dizaine de chercheurs de l'UQO œuvrant dans différentes disciplines, dont le travail social, les relations industrielles et les sciences sociales. Des professeurs d'autres universités (du Québec et d'Europe) y sont associés.

http://www.unites.uqam.ca/crises
Site du Centre interuniversitaire de recherche sur les innovations sociales dans les entreprises privées, publiques et d'économie sociale (CRISES), foyer de recherches et d'analyses en économie sociale actif depuis près de 10 ans. Regroupe une vingtaine de chercheurs et une centaine d'étudiants de 2e et 3e cycle de 7 universités du Québec. Deux grands volets : innovations dans le domaine du travail ; économie sociale.

Liste des principaux sigles utilisés dans le texte

CDC Corporation de développement communautaire
CDÉC Corporation de développement économique communautaire
CJE Carrefour jeunesse emploi
CLE Centre local d'emploi
CLSC Centre local de services communautaires
CRD Conseil régional de développement
CRDC Chaire de recherche du Canada en développement des collectivités
CSBE Conseil de la santé et du bien-être (Québec)
DÉC Développement économique communautaire
ÉS Économie sociale
MRC Municipalité régionale de comté
OSBL Organisme sans but lucratif
SADC Société d'aide au développement de la collectivité
SOLIDE Société locale d'investissement pour le développement de l'emploi

CHAPITRE 13

ENVIRONNEMENT ET SANTÉ PUBLIQUE[1]

PIERRE GOSSELIN

INTRODUCTION

La santé environnementale se rapporte à tous les aspects de la santé et de la qualité de vie des populations qui résultent de l'action de facteurs biologiques, chimiques et physiques de l'environnement, qu'ils soient d'origine naturelle ou anthropique. Elle englobe aussi les pratiques visant à maîtriser les dangers (par exemple, les agresseurs) associés à ces facteurs. Ce chapitre présente le contexte global dans lequel s'inscrit la santé environnementale, son objet et ses limites. Dans un premier temps, on traitera des agresseurs environnementaux et des grands problèmes de santé contemporains qui en découlent. Suivra un rappel des particularités et des difficultés méthodologiques qui caractérisent toute démarche en santé environnementale visant à faire le lien entre les agresseurs environnementaux et certains problèmes de santé ou certaines maladies. On schématisera ensuite la relation santé-environnement en y reliant les divers niveaux de la prévention, puis on présentera la notion de principe de précaution. Le chapitre se terminera par un survol du rôle des institutions de santé publique et des professionnels quant au positionnement de la santé environnementale dans le contexte plus général de la santé publique ; quelques ressources utiles pour mener une action concrète seront proposées.

HISTORIQUE

Que la qualité de l'environnement physique, chimique et microbiologique soit un des principaux déterminants de l'état de santé des populations, cela apparaît aujourd'hui comme une évidence. On sait que la qualité de l'eau distribuée, de l'air respiré à l'intérieur ou à l'extérieur des bâtiments et des aliments ingérés, que la radioactivité et que le bruit sont des facteurs qui ont une influence directe ou indirecte sur l'incidence des maladies.

Les préoccupations liées à l'environnement apparurent dans la foulée du mouvement hygiéniste du XIXe siècle, qui attira l'attention sur l'assainissement, l'importance de l'eau potable, la salubrité des logements, les conditions de travail et la sécurité alimentaire. Ces préoccupations furent à l'origine de la médecine préventive et de la santé publique moderne. Toutefois, au XXe siècle, tout s'est passé comme si les succès de la médecine curative avaient éclipsé ceux de la prévention collective et de l'hygiène publique. Cette évolution a abouti au paradoxe actuel entre le rôle reconnu de l'environnement comme facteur déterminant de la santé (notamment par toutes les législations environnementales) et le peu d'importance qu'on lui accorde aujourd'hui en santé publique.

Selon l'Organisation mondiale de la santé (OMS), la santé est un état de bien-être physique, mental et social qui ne se caractérise pas seulement par l'absence de maladie ou de handicap. Il s'agit d'un concept large,

1. Ce chapitre constitue une adaptation de « La santé environnementale », par Pierre Chevalier, Sylvaine Cordier, William Dab, Michel Gérin, Pierre Gosselin et Philippe Quénel, dans M. Gérin et autres, éd. (2003), *Environnement et santé publique : Fondements et pratiques*, Montréal ; Paris, Édisem ; Éditions Tec et Doc, 1023 p. Adaptation réalisée avec l'aimable autorisation de M. André Bohuon, éditeur.

influencé par de nombreux déterminants interdépendants, soit les facteurs génétiques (hérédité), biologiques (comme le vieillissement), socioculturels (par exemple, ressources, activité professionnelle, logement), comportementaux liés au mode de vie (nutrition, exercice physique, tabagisme, toxicomanie, etc.) et environnementaux (dangers biologiques, chimiques et physiques), et l'accessibilité et la qualité des services de santé.

La notion d'environnement est perçue de façon très diverse selon les interlocuteurs ou les acteurs. Généralement, le concept d'environnement renvoie au milieu dans lequel nous vivons, c'est-à-dire à la notion de lieux et de conditions de vie. Ceux-ci recouvrent plusieurs dimensions, qui vont de l'individu à la collectivité, du milieu familial au milieu de travail, du rural à l'urbain, du local au planétaire. Pour l'individu, cependant, l'environnement se réduit le plus souvent au monde tel qu'il le voit ou le perçoit, à travers les milieux physiques d'intérêt collectif (air, eau, sol, alimentation), ses conditions de vie personnelles ou professionnelles et les agresseurs biologiques, chimiques ou physiques.

Plus récemment, la notion de santé environnementale a été développée par l'OMS. Elle élargit l'ancienne vision «hygiéniste», se rapportant dorénavant à l'ensemble des mesures (préventives) à mettre en œuvre pour acquérir ou conserver la santé et au concept d'interactions entre la santé et l'environnement, qui inclut les interactions positives (avantages) et négatives (inconvénients). Parallèlement, une approche plus environnementaliste et moins anthropocentrique a vu le jour avec le concept d'écologie, qui renvoie aux relations des êtres vivants entre eux et avec leur milieu, essentiellement au sens physique et biologique. Si l'environnement et la santé semblent des notions simples en apparence, et qui relèvent du sens commun, comme le suggère le slogan de l'OMS, «Environnement d'aujourd'hui, santé de demain», force est néanmoins de constater que la relation qui les unit est en réalité très complexe.

Les dangers liés aux modifications environnementales et aux technologies contemporaines[2]

Il importe d'abord de différencier les notions de «danger» et de «risque». Le danger (qualitatif) est le potentiel que possède un agresseur quelconque (biologique ou chimique, par exemple) d'avoir un impact négatif sur la santé. Quant au risque (quantitatif), c'est la probabilité que des effets néfastes sur la santé humaine se produisent à la suite d'une exposition à un danger ou un agresseur[3].

Les agresseurs peuvent être classés selon leur nature (par exemple, biologique ou chimique), le vecteur d'exposition (air intérieur, air extérieur, eau de consommation, alimentation, etc.) ou le lieu d'exposition (résidence, lieu de travail, école, hôpital, etc.). La présentation la plus classique est basée sur la nature des agresseurs et elle a été retenue pour ce chapitre. Dans le contexte de la santé environnementale, quatre groupes de dangers seront succinctement présentés: biologiques, chimiques, physiques et autres.

Les dangers biologiques[4]

Les dangers biologiques découlent de l'exposition à toutes les formes de vie, incluant leurs sous-produits, comme les toxines. Ce sont toutefois les dangers découlant d'une exposition microbienne qui font l'objet d'une attention particulière en santé publique: les bactéries, les virus et les protozoaires parasites, comme les amibes et les vers microscopiques (par exemple, les nématodes et les cestodes), sont les micro-organismes auxquels l'humain est le plus souvent exposé. On inclut également dans ce groupe les prions, responsables de la maladie de Creutzfeldt-Jakob chez l'humain (maladie de la «vache folle»). Nous traitons ici des modes de transmission qui sont peu couverts dans le chapitre sur les maladies infectieuses, soit la transmission environnementale par voie aérienne, hydrique ou alimentaire, ou par l'intermédiaire de vecteurs (animaux ou insectes).

L'augmentation du risque lié aux dangers biologiques est favorisée par de nouveaux modes de vie, notamment les déplacements aériens, qui permettent de transporter sur une distance de plusieurs milliers de kilomètres, en quelques heures, un virus ou une bactérie pathogène. Dans ce contexte, on parle maintenant de cas de «paludisme aéroportuaire» survenant dans les aéroports ou dans leur voisinage, observés dans des pays situés hors des zones impaludées; ces cas sont consécutifs au transport de moustiques infectés à bord d'avions. Les contaminations par des espèces exotiques (comme les algues) amenées par la vidange des

2. L'essentiel de l'information présentée dans cette section est tiré du chapitre 2 de World Health Organization (1998).
3. Ministère de la Santé et des Services sociaux (1999).
4. Des informations complémentaires sont tirées de Gorbach, Bartlett et Blacklow (1998) et de World Health Organization (1999); les données sur l'incidence et la prévalence sont tirées de World Health Organization (1997).

ballast des cargos en est un autre exemple fréquent et éloquent.

La *voie aérienne* transmet des micro-organismes qui sont surtout responsables d'infections respiratoires, comme la pneumonie, le rhume, l'influenza (grippe) ou la tuberculose, qui sont plus fréquentes chez les populations vivant beaucoup à l'intérieur. Les moisissures jouent aussi un rôle important dans les cas de pneumo-allergie. La concentration hydrique des matériaux de construction entraîne davantage leur prolifération que le taux d'humidité relative des logements. En plus des allergies, on note des symptômes irritatifs et des infections répétées des voies respiratoires supérieures liées à ces expositions. Plusieurs de ces moisissures sont aussi capables de produire des mycotoxines qui peuvent être transportées par les spores et inhalées, avec des effets irritatifs (par exemple, des sinusites) ou même systémiques (fatigue, céphalées, vertiges, etc.). Les données à ce sujet demeurent cependant fragmentaires[5].

Les infections d'origine *hydrique* représentent un autre grand problème de santé publique, particulièrement dans les pays en développement et dans les zones tropicales. La contamination de l'eau résulte souvent de la gestion inadéquate des déjections humaines ou animales et peut être responsable d'infections pouvant être fatales ou avoir des séquelles permanentes, notamment le choléra, les fièvres typhoïdes, la dysenterie, l'hépatite A, la schistosomiase, la giardiase et la cryptosporidiose. Par ailleurs, plusieurs centaines d'espèces de micro-organismes peuvent causer des malaises gastro-intestinaux de gravité variable. L'accroissement démographique et l'absence de services sanitaires adéquats sont à la source de la majorité des infections d'origine hydrique dans les pays en développement. Dans les pays industrialisés, l'accroissement de la charge polluante provenant des activités de production animale est de plus en plus mise en cause dans des cas de contamination de l'eau de surface ou des nappes phréatiques. Par ailleurs, plusieurs groupes d'aliments, notamment les produits carnés et laitiers, constituent d'excellents milieux pour la prolifération microbienne. Plus de quatre milliards de cas de diarrhée se manifesteraient annuellement sur la planète.

Quant au *sol*, il peut être à l'origine de certaines infections, notamment chez les enfants en bas âge qui peuvent ingérer de la terre contaminée. Le risque est accru dans des régions où les déjections humaines ou animales ne font pas l'objet d'une gestion adéquate. Dans le milieu de travail, l'infection au virus de l'hépatite B et C, au VIH et à la tuberculose (agents de santé) et les parasitoses chroniques (touchant les ouvriers agricoles et forestiers) sont des exemples des affections les plus courantes liées à l'exposition à des agents biologiques.

Il y a lieu de faire état des infections émergentes ou des nouveaux risques infectieux[6], que l'on peut définir comme des infections nouvellement apparues, ou réapparues, dont l'incidence ou la portée géographique s'accroissent. Le SIDA en est un exemple bien connu, dont on traite ailleurs dans ce manuel. Signalons les fièvres hémorragiques virales; certaines sont causées par le contact avec des rongeurs infectés ou leurs excrétions (virus Junin en Argentine et Machupo en Bolivie) et seraient favorisées par des modifications aux pratiques agricoles, alors que d'autres, causées par le virus ébola en Afrique (première manifestation au Congo en 1976), découleraient de la déforestation. Dans l'est de l'Amérique du Nord, la maladie de Lyme, pouvant engendrer une pathologie neurologique, cardiaque ou arthritique, est transmise par une tique qui s'infecte surtout au contact du cerf de Virginie. On l'a formellement identifiée pour la première fois au Connecticut en 1975; sa dissémination a été associée à la pratique croissante d'activités de plein air en milieu forestier ainsi qu'au développement de banlieues dans des zones forestières et à l'habitude de leurs habitants de nourrir les cerfs. Plus récemment, en 1999, le virus de la fièvre du Nil occidental, habituellement confiné à l'Afrique du Nord et à l'Asie du Sud, est apparu à New York, où il a fait quelques victimes pour ensuite se répandre en seulement cinq ans dans toute l'Amérique du Nord, occasionnant des centaines de décès et des milliers d'infections chez l'humain, surtout aux États-Unis.

Les dangers chimiques[7]

Les substances toxiques

Jusqu'à la révolution industrielle, les humains n'étaient exposés, dans l'environnement, qu'à un nombre limité de substances toxiques. Il s'agissait, essentiellement, de

5. Voir le chapitre 12 de M. Gérin et autres (2003), ainsi que d'Halewyn et autres (2002).
6. Des informations spécifiques sont tirées de Ducel (1995), Ministère de la Santé et des Services sociaux (1998) et World Health Organization (1999).
7. Information complémentaire puisée dans Comité de santé environnementale (1995).

gaz et de fumées provenant de la combustion ainsi que de substances pétrolières ou minérales naturellement présentes dans l'eau ou le sol de certaines régions. Or, depuis le début du XXe siècle, plus de 10 millions de substances diverses ont été synthétisées en laboratoire. Toutefois, seulement 1 % d'entre elles sont produites régulièrement sur une base commerciale, et un certain nombre sont disséminées volontairement dans l'environnement (le cas des pesticides et des fertilisants). Il existe plusieurs sources et banques de données permettant d'obtenir de l'information sur les substances toxiques (sous la forme de fiches signalétiques, par exemple), dont plusieurs sont accessibles par Internet; une liste de certains sites et portails Internet utiles est présentée à la fin de ce chapitre.

Les dangers découlant de l'exposition aux agresseurs chimiques sont clairement liés à l'industrialisation de la société, qui a amené l'utilisation de dizaines de milliers de produits de synthèse. On qualifie aussi ces substances de xénobiotiques (*xénos* signifiant « étranger » en grec) parce qu'elles n'existent pas dans l'environnement naturel et qu'elles proviennent essentiellement des activités humaines. Les effets des xénobiotiques qui sont toxiques sont parfois mis en évidence avant, mais souvent après, leur introduction dans l'environnement, grâce à des études toxicologiques et épidémiologiques. Comme exemple d'un effet dont les liens avec les expositions aux substances chimiques n'ont été que récemment connus, on peut citer le syndrome, cependant encore controversé, nommé « intolérance multiple aux produits chimiques », ou sensibilité chimique multiple [8]. Il faut cependant éviter de faire l'adéquation simpliste entre substance synthétique et toxicité humaine, d'une part, et substance naturelle et innocuité, d'autre part. Ainsi, la très grande majorité des xénobiotiques, dans les conditions actuelles de leur utilisation dans une myriade de produits (produits sanitaires, produits de consommation, etc.), ne constituent pas une menace pour la santé humaine mais sont plutôt à la base même de la santé, du bien-être et de la qualité de vie de la population.

Nous avons déjà établi la différence entre le danger et le risque; précisons ici que la toxicité est la capacité inhérente à une substance de provoquer divers problèmes physiologiques et pathologiques chez un organisme vivant, par exemple, des irritations et des effets neurologiques, génétiques ou cancérogènes. Les produits chimiques sont habituellement divisés en deux groupes, inorganiques et organiques, qui sont par la suite subdivisés en sous-groupes. Les prochains paragraphes présentent succinctement un certain nombre d'entre eux qui sont importants sur le plan de la santé environnementale.

LES SUBSTANCES INORGANIQUES

En chimie, on définit une substance inorganique comme une substance dont le carbone ne constitue pas l'élément principal (à l'exception des carbonates, des cyanures et des cyanates). Trois groupes de *substances inorganiques* représentant un danger pour la santé publique peuvent être sommairement décrits: les métaux, les agents corrosifs et les composés halogénés. Parmi les *métaux* constituant le plus grand risque pour la santé, on trouve le cadmium, le chrome, le cuivre, le manganèse, le mercure, le nickel et le plomb. On peut ajouter l'arsenic (qui est, en fait, un métalloïde). Le chrome, le cuivre et le manganèse sont physiologiquement essentiels, notamment en ce qui a trait au fonctionnement de certaines enzymes, mais en très petites quantités seulement. Les autres n'ont aucune fonction physiologique connue et sont généralement toxiques à faibles concentrations: l'arsenic et le cadmium sont cancérogènes alors que le mercure et le plomb sont neurotoxiques et peuvent causer des dommages permanents. Les *agents corrosifs* sont surtout constitués d'acides et de bases fortes; concentrés, ils causent de graves irritations cutanées, oculaires et respiratoires (par leurs vapeurs et brouillards). Certains polluants atmosphériques, comme l'ozone troposphérique et les oxydes d'azote, ont également un pouvoir irritant. Parmi les *halogènes* (fluor, chlore, brome et iode), le fluor et le chlore sont des gaz qui causent de sévères irritations du système respiratoire. Plusieurs composés halogénés comme les fluorures, les acides fluorhydrique et chlorhydrique sont également toxiques. Le risque associé aux halogènes peut également découler de leur incorporation dans des molécules organiques (organohalogénés) dont nous traiterons plus loin.

LES SUBSTANCES ORGANIQUES

Les *composés organiques* ont, pour leur part, le carbone comme base (chaînes ou noyaux) et contiennent aussi de l'hydrogène, et souvent d'autres éléments comme l'oxygène ou l'azote. Ils sont très nombreux et ils peuvent être classés en plusieurs dizaines de groupes. Aux fins de cette présentation sommaire, on retiendra surtout les *hydrocarbures* et leurs dérivés. Un hydrocarbure

8. Consulter Auger (2000) pour plus d'information sur ce problème.

simple et linéaire (appelé « aliphatique ») est une molécule composée seulement d'atomes de carbone et d'hydrogène ; les plus petites de ces molécules sont le méthane, l'éthane, le propane et le butane, qui sont des gaz ayant la capacité de s'enflammer ou d'exploser. Certains d'entre eux, comme le propane et le butane, ont aussi un effet dépresseur sur le système nerveux. Les *hydrocarbures aromatiques* ont une molécule de benzène (anneau cyclique formé de six carbones) comme base de leur structure ; certains ont une structure formée de plusieurs molécules de benzène auxquelles se greffent diverses chaînes linéaires ou des anneaux non benzéniques. Le benzène a des effets cancérogènes sur l'humain ; d'autres hydrocarbures aromatiques ont des propriétés neurotoxiques ou irritent les muqueuses. Les hydrocarbures aromatiques polycycliques (HAP), qui sont engendrés par la combustion de toutes les matières organiques (notamment le pétrole, le bois et le charbon), sont particulièrement préoccupants parce qu'ils persistent dans l'environnement et peuvent s'accumuler dans la chaîne alimentaire ; un certain nombre d'entre eux sont cancérogènes. Les *hydrocarbures halogénés* possèdent un ou plusieurs atomes de fluor, de chlore, de brome ou d'iode, ce qui leur confère une toxicité particulière et, pour plusieurs, une longue persistance environnementale (plusieurs décennies, dans certains cas). Plusieurs sont couramment utilisés dans l'industrie ou le commerce. Appartiennent à cette famille les chlorofluorocarbures impliqués dans la destruction de la couche d'ozone stratosphérique. Le dichlorométhane, le trichloroéthylène et le perchloroéthylène utilisés comme solvants sont des exemples d'hydrocarbures aliphatiques chlorés. Les dioxines, les furanes, les polychlorobiphényles (PCB), plusieurs pesticides organochlorés (comme le DDT, le mirex et le chlordane) ainsi que des rejets polluants comme ceux des fabriques de pâte à papier qui utilisent le chlore comme agent de blanchiment appartiennent au groupe des hydrocarbures aromatiques chlorés ; ils sont souvent désignés comme des polluants organiques persistants (POP). Ces produits peuvent être cancérogènes ou neurotoxiques, et ceux qui sont chlorés peuvent causer une irritation cutanée appelée « chloracné ».

Il y a lieu de mentionner l'émergence possible d'un problème lié à la présence de substances qu'on nomme « perturbateurs endocriniens » et dont la particularité est d'imiter certaines hormones comme les œstrogènes, la testostérone et les hormones thyroïdiennes [9]. Les conséquences d'une exposition à ces substances seraient des nouveau-nés de petit poids, une perturbation du développement cognitif et comportemental de ces enfants ainsi qu'une réduction du nombre de spermatozoïdes ; il y a cependant un manque d'études épidémiologiques concluantes à ce sujet. La liste des perturbateurs endocriniens présumés comprend les dioxines, les furanes, les HAP, les PCB, des pesticides organochlorés ainsi que les alkylphénols et les esters de phtalates. Ces deux derniers groupes de substances ont été à la source de vives controverses puisqu'elles sont présentes dans certains détergents à lessive, dans des nettoyeurs et des détachants à vêtements ainsi que dans certains plastiques utilisés pour l'emballage alimentaire. Il est toutefois difficile de préciser le risque, réel ou appréhendé, découlant de l'exposition à ces substances ; les agences et organismes impliqués dans l'évaluation de leur toxicité affirment actuellement que le risque serait minime, sans écarter la possibilité de mettre éventuellement en évidence des effets plus notables.

LES DANGERS PHYSIQUES

Les dangers physiques découlent de l'exposition à différentes formes d'énergie dont les effets peuvent être rapides (comme les brûlures et les engelures) ou se manifester après une période plus ou moins longue (par exemple, les cancers). L'exposition à des sources énergétiques peut être naturelle ou d'origine anthropique. Les dangers physiques abordés ici sont le bruit [10], les vibrations, les rayonnements ionisants et non ionisants [11] ainsi que les températures extrêmes.

LE BRUIT

On définit le *bruit* comme un son indésirable et potentiellement nuisible dont l'intensité est mesurée en décibels (dB). Précisons ici qu'une conversation normale entre quelques personnes produit une intensité sonore d'environ 60 dB, que l'intérieur d'un métro qui roule en tunnel émet une intensité de près de 90 dB et qu'un tir d'arme à feu de gros calibre près de l'oreille produit un bruit de près de 140 dB, soit le seuil maximal tolérable par l'oreille humaine. Un bruit de trop forte

9. Informations complémentaires tirées de Bosman-Hoefakker, Passchier et vanWijnen (1997) ; Cheek et autres (1998) ; Colborn, Dumanoski et Peterson Myers (1996) ; Santé Canada (1997).
10. Voir à ce propos le chapitre 18 de M. Gérin et autres (2003).
11. Voir à ce propos les chapitres 16 et 17 de M. Gérin et autres (2003).

intensité, ou d'une intensité moindre mais étalé sur une longue période (plusieurs années), peut endommager les cellules ciliées situées dans la cochlée (oreille interne) et causer des dommages temporaires ou permanents qui se manifestent par une perte auditive. Par ailleurs, un bruit ambiant et constant en milieu résidentiel, comme on en trouve dans les grandes villes, près des autoroutes ou de certaines industries, peut engendrer des problèmes psychosociaux (par exemple, insomnie, stress, diminution de la qualité de vie); il s'agit du bruit « communautaire », directement lié à l'urbanisation, pour lequel l'Organisation mondiale de la santé a édicté des intensités sonores maximales souhaitables [12]. Le tableau 13.1 présente ces recommandations. Quant aux *vibrations,* elles représentent surtout un risque à la suite d'une exposition professionnelle (manipulation de foreuse pneumatique ou de tronçonneuse à essence, par exemple) et peuvent engendrer une désensibilisation des doigts et de la main, phénomène connu sous le nom de « main blanche ».

Les rayonnements ionisants et non ionisants

Le *rayonnement électromagnétique* [13] comprend l'ensemble des émissions, depuis les rayons gamma (longueur d'onde de l'ordre de 10^{-12} m) jusqu'aux ondes radio (10^5 m). Le rayonnement de longueur d'onde inférieure à 10^{-10} m est qualifié d'*ionisant* et il regroupe les rayons X et gamma. On y inclut aussi les particules émises par divers éléments radioactifs (radiations alpha et bêta). Une exposition à une trop forte intensité de rayonnement ionisant, ou à un tel rayonnement durant une trop longue période, peut entraîner des dommages cellulaires ou à l'ADN, et engendrer potentiellement un cancer. Une bonne part de l'exposition des humains aux rayons ionisants est d'origine naturelle (rayons cosmiques, radon dans certaines résidences) alors qu'une autre portion provient des diagnostics médicaux (radiographies, médecine nucléaire) ou de l'utilisation d'objets comme les détecteurs de fumée et certaines montres lumineuses. Le *rayonnement non ionisant* comprend toutes les émissions de longueur d'onde supérieure à 10^{-10} m : rayons ultraviolets, lumière visible, rayons infrarouges et micro-ondes. Les rayons ultraviolets sont notamment émis par le soleil et une longue exposition peut être la cause de divers problèmes : cancers de la peau, cataractes et déficience du système immunitaire. La diminution de la couche d'ozone serait responsable d'une exposition plus intense au rayonnement ultraviolet. En ce qui concerne les champs électromagnétiques générés par les lignes à haute tension, à une fréquence de 50 ou 60 Hz, des études épidémiologiques suggèrent une association possible avec certains cancers chez l'humain, mais un lien direct de cause à effet n'a pu être établi [14]. Quant à la lumière visible, elle peut causer des problèmes visuels allant jusqu'à la cécité partielle ; ce type de problème se manifeste surtout durant les éclipses solaires, lorsque certaines personnes regardent le phénomène sans protection adéquate.

Les températures extrêmes

S'exposer à des températures extrêmes peut causer des effets négatifs permanents et même la mort. L'exposition à de basses températures durant une trop longue période cause des engelures qui peuvent nécessiter une amputation, notamment des doigts et des orteils. Quant à l'hypothermie, c'est une diminution de la température corporelle qui peut entraîner la mort. Ces dangers sont inhérents aux pays ayant des hivers très froids ou aux personnes qui font de l'alpinisme en haute montagne. En ce qui concerne l'exposition à une température trop élevée, elle peut être responsable de la crampe de chaleur et du coup de chaleur. Le premier phénomène se produit après une transpiration abondante qui élimine l'eau et le sel (NaCl), ce qui entraîne des contractions musculaires douloureuses. Le coup de chaleur se produit lorsque la température et l'humidité relative sont élevées, ce qui réduit le débit sanguin de la peau. Ces phénomènes sont de plus en plus souvent observés dans les grandes villes durant les vagues de chaleur estivales et pourraient être attribuables, au moins en partie, à l'effet de serre. Aux États-Unis, par exemple, plusieurs dizaines de personnes en milieu urbain, parfois plus d'une centaine, décèdent chaque année à la suite d'un coup de chaleur. L'exemple européen, et surtout français, est venu confirmer la gravité de ce risque avec quelque 20 000 décès observés lors de la canicule du mois d'août 2003 [15].

12. Pour plus d'information à ce sujet, voir Berglund, Lindvall et Schwela (1995) ainsi que le chapitre 16 de M. Gérin et autres (2003).
13. Voir à ce propos le chapitre 15 de M. Gérin et autres (2003).
14. Voir Levallois et Lajoie (1998) pour plus d'information à ce sujet.
15. Voir, par exemple, le rapport de l'Institut de Veille Sanitaire français au http://www.invs.sante.fr/publications/default.htm (consulté le 3 mai 2005).

TABLEAU 13.1 NIVEAUX LIMITES DE BRUIT PROPOSÉS PAR L'OMS POUR DIFFÉRENTS ENVIRONNEMENTS ET DIFFÉRENTS EFFETS SUR LA SANTÉ

ENVIRONNEMENTS	EFFETS SUR LA SANTÉ	LAEQ (dB)	BASE DE TEMPS (HEURES)	LAMAX, RAPIDE (dB)
Zones résidentielles extérieures	Gêne sérieuse, jour et soir; gêne modérée, jour et soir	55 50	16 16	— —
Résidences, intérieur	Interférence avec la communication, gêne modérée, jour et soir	35	16	—
Chambres à coucher	Perturbation du sommeil	30	8	45
Extérieur – Chambres à coucher	Perturbation du sommeil, fenêtre ouverte	45	8	60
Salles de classe et jardins d'enfants, intérieur	Interférence avec la communication, perturbation de l'extraction d'information, communication des messages	35	Durant la classe	—
Aires de repos – Jardins d'enfants, intérieur	Perturbation du sommeil	30	Durant la période de repos	45
Écoles, aires de jeux, extérieur	Gêne (sources extérieures)	55	Durant le jeu	—
Hôpitaux, chambres, intérieur	Perturbation du sommeil, nuit	30	8	40
	Perturbation du sommeil, jour et soir	30	16	—
Hôpitaux, salles de traitement, intérieur	Interférence avec le repos et la convalescence	Aussi bas que possible		
Zones commerciales, industrielles, marchandes, de circulation, intérieur et extérieur	Dommage à l'audition	70	24	110
Cérémonies, festivals, divertissements	Dommage à l'audition (exposition < 5 fois/année)	100	4	110
Discours, manifestations, intérieur et extérieur	Dommage à l'audition	85	1	110
Musique avec écouteurs, haut-parleurs	Dommage à l'audition (valeur en champ libre)	85	1	110
Bruits impulsionnels émis par les jouets, feux d'artifice, armes à feu	Dommage à l'audition – adulte ; dommage à l'audition – enfant (niveau crête, 10 cm de l'oreille)	—	—	140 120

Source : Adapté de Berglund et autres (2000).

Les autres types de dangers

Selon les définitions de la santé environnementale, on peut y inclure des problématiques liées à des dangers de nature autre que biologique, chimique ou physique. Nous consacrerons quelques lignes aux dangers de nature mécanique et au stress. Comme dangers mécaniques, mentionnons les catastrophes naturelles (notamment les inondations, les tornades, les ouragans, les tempêtes de neige ou de verglas), dont la fréquence a notablement augmenté depuis les années 1980. En juin 2000, la Fédération internationale des Sociétés de la Croix-Rouge et du Croissant-Rouge publiait un rapport (*World Disasters Report 2000*) dans lequel les changements climatiques étaient ciblés comme étant la première cause de l'accroissement des désastres naturels. Rappelons aussi que 250 millions d'accidents du travail, qui sont principalement de nature mécanique, causent chaque année dans le monde environ 300 000 morts et mettent des millions de personnes dans l'incapacité, temporaire ou permanente, de travailler. L'énergie mécanique dégagée au cours d'accidents industriels (par exemple, des explosions) peut également blesser les populations environnantes.

Le stress, parfois considéré comme « danger psychosocial », fait partie de la vie quotidienne mais, lorsqu'une personne devient incapable de le gérer, un ensemble de réactions négatives de nature psychique (dépression, violence, malaises psychosomatiques ou suicide) ou physique (hypertension, ulcères d'estomac, asthme bronchique, etc.) apparaît. Bien documenté en milieu de travail, il affecte aussi l'environnement général. L'exposition au stress sera d'autant plus marquée que le niveau d'incertitude ou l'incapacité d'agir seront importants. Ainsi, l'exposition à des radiations ionisantes à la suite d'un accident nucléaire est un exemple d'événement qui menace l'intégrité des personnes et qu'il peut être très difficile, individuellement, de contrôler ou de contrecarrer. Dans plusieurs cas, le stress devient collectif et peut affecter une communauté entière si on refuse de lui donner toute l'information pertinente quant à une situation environnementale ayant engendré des risques ; dans les cas extrêmes, une situation de crise s'enclenche et les réactions négatives peuvent se manifester pendant des mois, voire des années. Cette situation démontre qu'il est crucial, dans le cas de projets de développement pouvant avoir des incidences sur la santé, de procéder à une évaluation environnementale où toutes les personnes concernées sont informées et consultées, et, dans le cas de catastrophes technologiques ou de désastres naturels, que les organismes de protection publique fassent preuve de transparence quant à la transmission des informations.

Les grands problèmes de santé liés à l'environnement[16]

Plusieurs groupes de problèmes de santé ont été liés aux agresseurs précédemment décrits (voir la section précédente) et aux conditions de dégradation de l'environnement. Il faut cependant souligner que les facteurs environnementaux ne sont pas toujours les seuls mis en cause. Dans le cas des cancers ou des maladies cardiovasculaires, par exemple, ces conditions sont aussi associées aux habitudes de vie ou à des facteurs héréditaires. À la lecture des paragraphes qui suivent, on constatera que la pollution de l'air intérieur et atmosphérique ainsi que les mauvaises conditions d'hygiène sont les facteurs de l'environnement les plus souvent évoqués. À moins de mention contraire, le milieu de travail n'est pas inclus systématiquement dans cette section. De nombreux problèmes de santé importants, comme les effets sur la santé du bruit, les problèmes relatifs aux systèmes neurologique et reproductif ou, encore, les décès et blessures liés aux sinistres naturels et technologiques, ne sont pas traités ici[17].

Les infections respiratoires aiguës

Ce groupe de maladies englobe toutes les infections virales et bactériennes des poumons et des voies respiratoires supérieures, ainsi que certaines maladies infantiles pouvant engendrer des complications respiratoires, comme la rougeole et la coqueluche. Les infections respiratoires sont les maladies infectieuses les plus meurtrières dans l'ensemble du monde (figure 13.1). On estime qu'environ 60 % des cas d'infections respiratoires auraient une composante environnementale, notamment par l'entremise de la pollution de l'air. Bien que la plupart de ces infections soient bénignes et guérissent spontanément, plusieurs cas dégénèrent en pneumonies, parfois fatales, ou en complications diverses (otites, méningites, etc.). Le problème est particulièrement sérieux chez les enfants de moins de cinq ans. Cette situation est surtout observée en Afrique subsaharienne et en Amérique latine, mais le nombre

16. Information tirée de Organisation mondiale de la santé (1997) et de World Health Organization (1998).
17. Pour plus d'information sur ces sujets, voir respectivement les chapitres 18, 27, 24 et 20 de M. Gérin et autres (2003).

d'enfants subissant des complications respiratoires est également élevé dans les anciennes républiques socialistes de l'Europe. Dans les pays industrialisés, l'utilisation des antibiotiques et une bonne hygiène personnelle ont considérablement contribué à la réduction des pneumonies. La malnutrition et un faible poids à la naissance sont, par ailleurs, reconnus comme des facteurs de risque relativement au développement d'une pneumonie, alors que les fortes densités de population favorisent la transmission des bactéries et des virus respiratoires. On a aussi noté un lien entre ces maladies et la qualité de l'air intérieur puisque l'utilisation du bois ou du charbon pour la cuisson favorise les infections respiratoires. Par ailleurs, la forte densité des personnes dans certains logements, dans les lieux publics, les garderies et les crèches constitue un autre facteur important quant à la transmission de personne à personne de ces infections.

LES GASTRO-ENTÉRITES

On regroupe sous ce terme plusieurs types d'infections, les plus préoccupantes étant la campylobactériose, le choléra, les fièvres typhoïdes et paratyphoïdes, les salmonelloses, la shigellose, la giardiase, la cryptosporidiose ainsi que les infections causées par l'*Escherichia coli* entéro-hémorragique. L'incidence et la sévérité de ces infections sont directement liées à de mauvaises conditions hygiéniques qui se traduisent par la contamination de l'eau et des aliments. Les régions offrant le moins de services sanitaires ont les taux les plus élevés de mortalité et de morbidité dues à ces infections ; ainsi, les épisodes et les cas de gastro-entérites sont de cinq à six fois plus nombreux dans les pays en développement que dans les pays développés. Quatre milliards d'épisodes ou de cas de diarrhées sont enregistrés sur la planète annuellement, et plus de deux millions de personnes en décèdent (voir la figure 13.1). Les groupes

FIGURE 13.1 LES MALADIES INFECTIEUSES LES PLUS MEURTRIÈRES

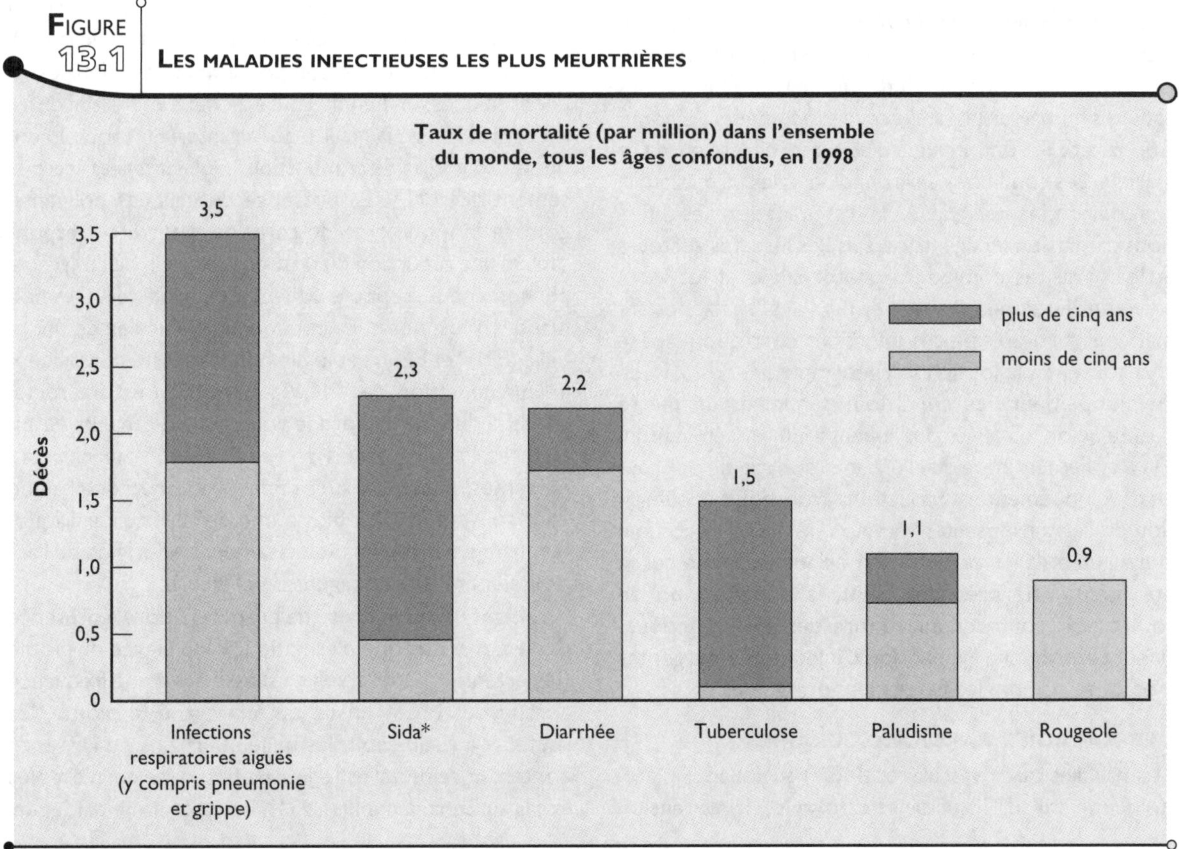

* Les décès de tuberculeux séropositifs ont été comptés comme décès attribuables au sida.

Sources : World Health Organization (1999). La figure est tirée du site Internet de l'organisme.
Solomon et Schettler (2000).

à risques sont les enfants de moins de cinq ans, notamment dans les pays en développement, les personnes âgées et celles ayant un système immunitaire déficient.

Le paludisme (malaria) et les infections tropicales transmises par des vecteurs [18]

Outre le paludisme, les principales infections tropicales les plus préoccupantes sont la leishmaniose (entraînant notamment la formation d'ulcérations et de défigurations cicatricielles), la trypanosomiase (maladie du sommeil), l'onchocercose (provoquant la cécité) et la maladie de Chagas (forme de la maladie du sommeil en Amérique du Sud). Le paludisme demeure cependant la plus importante de ces infections, affectant entre 300 et 500 millions de personnes, et causant une mortalité annuelle de plus d'un million de personnes (voir la figure 13.1). La croissance importante de l'écotourisme et du tourisme en zone tropicale expose les Canadiens à des niveaux de risque plus élevés relativement à ces maladies. On note une augmentation régulière des cas de paludisme importés au pays, lesquels ont quadruplé depuis 20 ans. La maladie est endémique dans toutes les zones tropicales et subtropicales, à l'exclusion de l'Australie et de la Nouvelle-Zélande, et la modification de l'environnement par les activités humaines (agriculture, déplacements de populations, etc.) a une influence sur la progression de la maladie. Les conditions environnementales (climatiques) sont déterminantes quant à la dissémination des infections tropicales, les agents causals (les insectes vecteurs et les parasites comme les protozoaires et les vers) préférant les zones chaudes et humides. Les zones climatiques favorables à ces infections correspondant le plus souvent à la localisation géographique des pays en développement, les conditions sanitaires de piètre qualité qu'on y trouve contribuent à leur dissémination. On a également noté que l'urbanisation rapide des pays en développement est un facteur favorisant la prolifération de certains insectes vecteurs de maladies comme la dengue et la fièvre jaune. Par ailleurs, comme cela a été mentionné précédemment, la construction de routes et la coupe en milieu forestier «vierge» pourraient contribuer à l'apparition d'infections émergentes tropicales comme les fièvres hémorragiques.

Les maladies cardiovasculaires [19]

Les maladies cardiovasculaires (MCV) englobent l'infarctus du myocarde, l'insuffisance cardiaque, l'hypertension ainsi qu'un ensemble de problèmes comme les arythmies et la cardiomyopathie. Les MCV constituent la deuxième cause de mortalité sur la planète, après les maladies infectieuses, provoquant plus de 15 millions de décès par an. Parmi les nombreux facteurs de risque, nous examinons ici des facteurs environnementaux comme la pollution de l'air, les températures extrêmes et l'ingestion de métaux toxiques, et certaines infections.

Plusieurs études ont démontré que l'incidence des MCV augmente, dans un premier temps, à mesure que la prospérité d'une société s'accroît, puis diminue par la suite. Au cours du XXe siècle, on a observé un tel accroissement de l'incidence en Amérique du Nord ainsi qu'en Europe de l'Ouest, qui fut suivi d'une réduction au cours des dernières décennies du siècle. Par ailleurs, l'incidence des MCV est en augmentation dans les pays en développement ainsi que dans les anciens pays du bloc soviétique à mesure que ces sociétés adoptent un mode de vie semblable à celui de l'Amérique du Nord et de l'Europe de l'Ouest. Cette situation serait surtout attribuable à des phénomènes sociaux qui relèvent de facteurs comme le style de vie, le stress et la position hiérarchique d'une personne dans son milieu de travail.

Outre les causes comportementales, sociales et économiques, un lien de cause à effet a été établi entre la dégradation de la qualité de l'air intérieur (notamment due à l'utilisation de combustibles polluants) et l'accroissement des MCV. La présence de certains polluants, comme le monoxyde de carbone, peut être responsable d'une réduction du transport sanguin de l'oxygène, phénomène susceptible d'affecter le myocarde. Des polluants atmosphériques comme les particules de petite taille (PM_{10} et $PM_{2,5}$) et le dioxyde de soufre contribuent à l'augmentation des MCV. Leur action est indirecte, car ils réduisent d'abord le volume et la capacité respiratoires. Par ailleurs, les décès consécutifs aux chaleurs extrêmes, menant à la crampe et au coup de chaleur, sont souvent attribuables à une défaillance cardiaque; les changements climatiques seraient à l'origine de l'accroissement de ces vagues de chaleurs.

Dans un autre ordre de préoccupation, la présence d'une concentration plasmatique trop élevée de plomb (hypertension) ou d'arsenic est associée à une fréquence accrue des MCV. En ce qui concerne le plomb, les secteurs à risque sont les milieux urbains où l'essence contenant ce métal est encore utilisée (ce qui n'est plus le cas au Canada depuis 1991). Le mécanisme par lequel

18. Information complémentaire tirée de Markell, John et Krotoski (1999).
19. Informations supplémentaires tirées de Evans, Barer et Marmor (1994).

l'arsenic serait à l'origine des MCV n'est pas clairement connu, l'apport découlant essentiellement de l'ingestion d'eau provenant de certains sites géologiques naturellement riches en arsenic. Finalement, diverses infections sont à l'origine de l'augmentation de la mortalité et de la morbidité liées aux MCV. Ce sont principalement les infections du myocarde à streptocoques, la fibrose découlant d'une infection parasitaire (la filariose) ainsi que des complications associées à des maladies comme la tuberculose et la malaria.

Le cancer

Le cancer est responsable d'environ six millions de décès annuellement. Il est bien établi que le développement d'un cancer peut être consécutif à une exposition à divers agresseurs de l'environnement ou du milieu de travail, ou associés aux habitudes de vie. On ne peut toutefois pas nier le rôle des facteurs héréditaires et du vieillissement de la population, qui agissent souvent de concert avec les agresseurs environnementaux. En fait, le développement d'un cancer est quasi toujours multifactoriel et il est souvent impossible d'en préciser l'origine chez un individu. Huit types de cancers sont surtout en cause en ce qui concerne la mortalité à l'échelle planétaire. Par ordre décroissant d'importance, ce sont les cancers du poumon, de l'estomac, du foie, du côlon, de l'œsophage, de la bouche et du pharynx, de la prostate ainsi que les lymphomes; il faut cependant noter que cet ordre varie selon les pays ou les régions. Les causes les plus fréquentes sont liées aux habitudes de vie et impliquent surtout l'alimentation, le tabagisme et l'alcool, alors que, pour le cancer de la peau, l'exposition excessive au rayonnement solaire est le facteur prépondérant.

Toutefois, de nombreux agresseurs environnementaux (biologiques, chimiques et physiques), parfois difficilement contrôlables, sont reconnus comme étant des agents cancérogènes. À titre d'exemple, citons les aflatoxines (produites par certaines moisissures), qui peuvent se trouver dans les aliments à base d'arachides ou de certaines céréales, ainsi que la bactérie *Helicobacter pylori,* associée au cancer de l'estomac. Par ailleurs, comme nous le mentionnions dans la deuxième section de ce chapitre, on sait que plusieurs composés chimiques ainsi que certains rayonnements sont cancérogènes pour l'humain. Ils ont souvent été mis en évidence dans des études épidémiologiques du milieu de travail, le cancer professionnel constituant une catégorie importante des maladies professionnelles. La pollution de l'air est un facteur environnemental vraisemblablement lié aux cancers pulmonaires; les substances impliquées seraient surtout des sous-produits de la combustion, comme les hydrocarbures aromatiques polycycliques (HAP). Le radon résidentiel serait également en cause dans un grand nombre de cancers pulmonaires dans certaines régions. L'arsenic d'origine géologique et les nitrates provenant des fertilisants et déjections, qu'on peut trouver dans l'eau potable, pourraient être associés à des cancers; le rôle cancérogène des sous-produits de la chloration de l'eau, cependant, n'est pas établi scientifiquement de façon solide.

On trouve dans le tableau 13.2 les principaux cancérogènes avérés ou probables relatifs aux humains.

Tableau 13.2 Agents cancérogènes du milieu de travail et de l'environnement classés selon le siège des cancers

Site, siège	Agents bien établis	Agents possibles
Nez, sinus nasaux	Chrome VI, composés du nickel, poussière de bois	Formaldéhyde, acide sulfurique et autres acides forts, huiles minérales peu ou non raffinées, poussière de cuir
Nasopharynx		Formaldéhyde, poussière de bois
Poumons	Chrome VI, composés du nickel, béryllium et composés, cadmium et composés, silice cristalline (quartz, cristobalite, milieu de travail), arsenic et composés, amiante, érionite, talc avec fibres asbestiformes, brai de goudrons de houille, goudrons de houille, bischlorométhyl éther et chlorométhyl méthyl éther, suies, radon et ses produits de désintégration, radiations ionisantes	Huiles minérales peu ou non raffinées, gaz d'échappement, gaz d'échappement diesel, laine de roche et de laitier, fumées et gaz de soudage, acide sulfurique et acides forts, chlorure de vinyle, application d'insecticides non arsénicaux, toluènes a-chlorés et chlorure de benzoyle, TCDD*, fumée de tabac environnementale, pollution de l'air en milieu urbain

▼

Tableau 13.2 Agents cancérogènes du milieu de travail et de l'environnement classés selon le siège des cancers (*suite*)

Site, siège	Agents bien établis	Agents possibles
Plèvre (mésothéliome)	Amiante	Talc avec fibres asbestiformes
Larynx	Brouillards d'acides minéraux forts contenant de l'acide sulfurique (exposition professionnelle)	Brai de goudrons de houille, amiante
Bouche et pharynx		Brai de goudrons de houille, huiles minérales peu ou non raffinées
Œsophage		Tétrachloroéthylène, silice, amiante
Estomac	Radiations ionisantes	Poussière de charbon, amiante
Foie et voies biliaires	Chlorure de vinyle, mélanges d'aflatoxines d'origine naturelle, aflatoxine B1	Biphényles polychlorés, trichloroéthylène, arsenic et composés
Côlon et rectum	Radiations ionisantes	Huiles minérales peu ou non raffinées, amiante, sous-produits de chloration de l'eau
Rein		Amiante, cadmium, plomb, pesticides, trichloroéthylène, arsenic et composés
Vessie	4-Aminobiphényle, benzidine, 2-naphthylamine, arsenic et composés	4-Chloro-ortho-toluidine, ortho-toluidine, gaz d'échappement, gaz d'échappement diesel, huiles minérales peu ou non raffinées, goudrons de houille, brai de goudrons de houille, sous-produits de chloration de l'eau
Thyroïde	Radiations ionisantes	
Peau	Arsenic et composés, brai de goudrons de houille, goudrons de houille, huiles minérales peu ou non raffinées, huiles de schiste, suies, rayonnement solaire	Créosote, rayonnements UV
Col de l'uterus		Tétrachloroéthylène, trichloroéthylène
Tissus mous, sarcome		Chlorophénols, herbicides chlorophénoxy, TCDD*
Cerveau	Radiations ionisantes	Chlorure de vinyle, champs électromagnétiques (50-60 Hz)
Leucémies	Benzène, radiations ionisantes	Oxyde d'éthylène, butadiène, chlorure de vinyle, champs électromagnétiques (50-60 Hz)
Lymphomes	Radiations ionisantes	Chlorure de vinyle, herbicides chlorophénoxy, chlorophénols, application d'insecticides non arsenicaux, oxyde d'éthylène, tétrachloro-éthylène, trichloroéthylène, TCDD*
Sein	Radiations ionisantes	DDT, dieldrine
Prostate		Cadmium

* TCDD : 2,3,7,8-tetrachloro dibenzo-para-dioxine

Source : M. Gérin et P. Band, dans M. Gérin et autres (2003), chapitre 25.

Les maladies respiratoires chroniques

Sous ce terme est regroupé un ensemble de maladies comme l'asthme, l'emphysème, l'insuffisance respiratoire et la fibrose kystique. La pollution de l'air (atmosphérique ou intérieur) a été mise en cause dans l'aggravation de certaines maladies respiratoires chroniques, notamment l'asthme. Les enfants et les femmes des pays en développement ont souvent des épisodes plus fréquents et plus graves à cause de leur exposition à la pollution de l'air intérieur causée par l'utilisation de combustibles fossiles de mauvaise qualité. Par ailleurs, dans la plupart des mégalopoles, la pollution atmosphérique est importante et touche davantage les enfants.

L'importante augmentation des cas d'asthme chez les enfants des pays industrialisés pourrait être attribuable à cette pollution atmosphérique urbaine (notamment l'ozone) et à l'exposition à la fumée de tabac dans certains pays, alors que la forme allergique pourrait découler d'une exposition à un nombre croissant de produits chimiques volatils utilisés en milieu domestique (comme les phtalates présents dans les plastiques) et, bien sûr, aux acariens, blattes (ou cafards) et animaux de compagnie. Divers autres facteurs favorisants entrent aussi en ligne de compte, comme l'humidité des matériaux de construction, la présence de tapis, d'autres tissus ou de moisissures, la ventilation et le nombre d'occupants.

Finalement, mentionnons que le milieu de travail constitue une importante source quant au développement de maladies respiratoires chroniques; on estime à 50 millions le nombre annuel de nouveaux cas émanant de ce milieu. À titre d'exemple, citons des maladies comme les pneumoconioses (comme l'amiantose et la silicose), la bronchite chronique, des œdèmes pulmonaires ainsi que l'asthme et l'emphysème.

Les particularités et les problèmes méthodologiques

Les aspects organisationnels : vers une démarche multidisciplinaire

Jusqu'à présent, dans l'évaluation des problèmes de santé publique liés aux agresseurs environnementaux, une démarche strictement environnementale a largement été privilégiée. Faisant appel à des mesures physiques, chimiques ou microbiologiques, elle vise essentiellement à caractériser la qualité des milieux, laquelle qualité est cependant une notion très complexe et en constante évolution. L'humain est exposé simultanément à une multitude de substances, présentes dans l'air, l'eau, le sol et les aliments, qui pénètrent dans l'organisme par les voies respiratoire, digestive ou cutanée. Certes nécessaire, cette approche se révèle néanmoins insuffisante, car elle repose trop souvent sur une vision sectorielle de l'environnement: les milieux (air, eau et sol), les nuisances (bruit, déchets, etc.) et les produits de « consommation » (comme les aliments et les médicaments). Cette approche, qui résulte en partie d'un cloisonnement intellectuel et institutionnel, doit évoluer vers une vision plus intégrée et globalisante de la notion d'exposition, et prendre en compte davantage les notions de milieux, de voies d'entrée ou d'associations de contaminants.

L'approche sanitaire, dont le champ est la santé humaine, objet ultime de la recherche et de l'action dans le domaine santé et environnement, a été beaucoup moins développée, qu'il s'agisse de l'expérimentation, de l'observation humaine (épidémiologie) ou de l'organisation de services spécifiques. Considérée parfois comme un indicateur de la qualité de l'environnement, la santé peut être mesurée de diverses manières: clinique et fonctionnelle d'une part, biologique d'autre part. Le développement de la chimie analytique, de la biochimie et de la biologie moléculaire a, par ailleurs, permis, dans un nombre limité de cas, le développement de marqueurs biologiques; on a pu ainsi prendre en compte la susceptibilité individuelle et, partant, déterminer une dose biologiquement active d'un médicament pour une personne, observer une réponse précoce à un traitement ou diagnostiquer rapidement une maladie chez un individu.

Pour que le concept de santé environnementale devienne véritablement opérationnel, il est donc nécessaire de créer les conditions favorisant un rapprochement des spécialistes et des cultures, encore trop éloignés à ce jour. Seule la multidisciplinarité, qui regroupe médecins, épidémiologistes, infirmières, biologistes, toxicologues, hygiénistes et spécialistes des sciences sociales et du comportement, permettra d'appréhender l'impact sur la santé des facteurs environnementaux et de mieux les maîtriser pour protéger les populations.

Les difficultés méthodologiques

Au delà des aspects organisationnels, de nombreuses questions méthodologiques doivent être prises en compte pour analyser les relations entre les facteurs d'environnement et la santé.

L'estimation de l'exposition

Les expositions aux facteurs environnementaux peuvent être aiguës, chroniques, discontinues ou continues et alternées. En dehors des situations accidentelles, la mise en place de mesures de prévention dans les pays industrialisés a fait diminuer les risques biologiques ou toxiques liés à des expositions à de fortes doses de contaminants. La situation actuelle se caractérise avant tout par des expositions relativement faibles et chroniques, mais multiples, où les phénomènes d'interaction sont le plus souvent inconnus. De plus, il existe une grande variabilité spatiotemporelle dans l'exposition aux facteurs environnementaux et une forte hétérogénéité dans la façon dont les individus sont exposés aux polluants. Cette situation a pour conséquence de rendre très difficile l'estimation de l'exposition. Dans le cas de certains composés toxiques persistants et mesurables dans les fluides biologiques (principalement les métaux lourds et les organochlorés), on peut cependant évaluer une exposition totale chez un individu, toutes sources confondues.

Les facteurs d'hôte

De façon analogue, la susceptibilité de chaque individu aux agresseurs de l'environnement est très variable. Les facteurs d'hôte ou de susceptibilité individuelle sont encore largement inconnus, ce qui rend difficile la détermination des populations sur lesquelles devraient porter en priorité les études. Si la proportion de personnes susceptibles ou vulnérables est trop faible, le risque sera dilué et difficile à détecter.

Dose effective et latence

Un autre facteur de complexité provient de la différence, essentielle à faire, entre les notions de contamination, d'exposition et de dose. La contamination concerne la qualité des différents milieux, bien qu'un milieu très dégradé ne constitue pas nécessairement une menace pour l'humain. S'il n'existe pas de possibilité de contact entre un individu et un milieu dégradé, on a sans doute un problème écologique à résoudre, mais pas un problème de santé publique. Ce qui compte, de ce point de vue, c'est la dose biologiquement effective, c'est-à-dire la quantité de polluant qui atteint les organes cibles dont le fonctionnement est susceptible d'être altéré. Or, la connaissance de cette dose est fort difficile à obtenir. Quant aux manifestations sanitaires en rapport avec l'exposition à ces facteurs, qu'elles soient de nature toxique, infectieuse ou allergique, elles peuvent survenir à court, à moyen ou à long terme sans que, la plupart du temps, la période de latence entre l'exposition et la survenue de ces manifestations soit nécessairement connue avec précision.

Les indicateurs de santé

Par ailleurs, l'amélioration générale de l'état de santé s'est traduite par un allongement de la durée de vie, ce qui rend encore plus difficile la mise en évidence d'un impact spécifique de l'environnement. Lorsque le bruit de fond est élevé (par exemple, la prévalence des maladies qui augmente avec l'âge), la détection demande de meilleurs outils d'observation. Une question doit alors être posée : quels sont les indicateurs de santé pertinents à prendre en compte ? Les indicateurs classiques de mortalité et de morbidité sont souvent insuffisants pour caractériser entièrement la santé sous ses différents aspects, notamment ceux qui sont positifs. Malgré des avancées récentes, il reste difficile de mesurer, sur une base routinière et à long terme, dans une optique de comparabilité, des dimensions telles que le stress ou la qualité de vie.

Qu'il s'agisse de caractériser la santé, d'apprécier correctement les expositions ou de quantifier les liens entre ces deux variables, les difficultés sont donc nombreuses, sans toutefois être insurmontables. Il en résulte que l'estimation des risques liés aux facteurs environnementaux reste le plus souvent entachée d'incertitude, et que l'inférence causale des résultats observés est souvent limitée, du fait, notamment, de l'exposition simultanée à une multitude de contaminants interagissant entre eux.

La faiblesse de la recherche et de la formation

Outre ces obstacles méthodologiques, les difficultés éprouvées dans la mise en relation de la santé et de l'environnement tiennent également à la faiblesse de la recherche dans ce domaine, où les moyens sont souvent dispersés, où peu de laboratoires possèdent une masse critique suffisante ou les compétences interdisciplinaires requises, et où la coordination est mal assurée. Cette faiblesse résulte également de l'insuffisance de formation en santé environnementale, encore peu développée et structurée, notamment pour les milieux cliniques. Il existe aussi des raisons structurelles liées au cloisonnement ou à la forte décentralisation des administrations concernées et à l'existence de nombreux partenaires, engagés dans le domaine sans véritable coordination. Cet éclatement des compétences se traduit par un accès difficile aux connaissances et freine les mécanismes de transfert entre la recherche et l'action.

Les maladies environnementales : une reconnaissance difficile qui nuit à la prévention[20]

La reconnaissance de l'impact réel de l'environnement sur la santé souffre de la difficulté à établir, sur une base individuelle, l'origine environnementale d'une maladie. Distinguons cependant d'abord, d'une part, les blessures ou traumatismes résultant d'accidents et, d'autre part, les maladies et décès résultant d'une exposition à des agresseurs chimiques, physiques ou microbiologiques. Que ce soit en milieu de travail ou dans la communauté, les lésions ou les décès résultant d'accidents (par exemple, la catastrophe de Bhopal, en Inde, ou les chutes des travailleurs de la construction) sont soudains et peuvent être reliés assez facilement à leur cause. Il en va cependant tout autrement pour les maladies professionnelles et environnementales, et pour les décès qui en découlent, qui sont fortement sous-estimés. Le problème est particulièrement aigu dans le cas des effets reliés à l'exposition à des substances toxiques, effets apparaissant souvent à moyen ou à long terme et dont la « signature » échappe généralement aux médecins.

Plusieurs facteurs contribuent à cette sous-évaluation. Un obstacle de taille provient de la *latence,* souvent importante, entre l'exposition et l'effet diagnosticable, rendant l'établissement du lien causal problématique. Les expositions ou emplois passés sont oubliés ou il n'y a plus de renseignements objectifs sur l'exposition. D'autre part, la *non-spécificité* de la plupart des effets liés à l'environnement (par exemple, asthme, bronchite, cancer du poumon) fait que leur origine environnementale possible passe inaperçue. Par contre, certaines maladies comme les mésothéliomes, spécifiques de l'environnement mais généralement rares, attireront plus facilement l'attention, dans ce cas-ci sur l'amiante. Parallèlement, la *multicausalité,* soit le fait que des effets sont associés à plusieurs facteurs possibles en plus de l'environnement, incluant diverses conditions médicales préexistantes et des habitudes de vie, vient brouiller l'établissement du lien causal. Un cancer pulmonaire chez un fumeur exposé professionnellement à des fumées de goudron ou à tout autre cancérogène pulmonaire sera-t-il reconnu comme étant d'origine professionnelle ? Le *cadre législatif* de l'indemnisation est au centre de la sous-déclaration. Inexistant dans le cas des maladies environnementales, il est souvent déficient dans le cas des maladies professionnelles : « tableaux » ne couvrant qu'une partie des pathologies reconnues, ou une partie des travailleurs selon leur statut socio-professionnel, critères restrictifs d'imputabilité et pratiques administratives tatillonnes décourageant la déclaration. Il faut finalement constater le *manque de formation* des médecins, ce qui ne les incite pas à rechercher les causes environnementales possibles des maladies lorsqu'ils établissent leurs diagnostics. Le modèle « tout curatif » est encore bien ancré dans les pratiques, au détriment de la médecine préventive.

Cette sous-reconnaissance des maladies environnementales et professionnelles, spécialement lorsqu'elles sont d'origine toxique, mène à leur peu de visibilité dans les statistiques sanitaires. Les facteurs qui les sous-tendent doivent être bien compris pour que ne se relâchent pas les efforts de prévention.

Un environnement en constante évolution modifie l'exposition et les risques

Au cours des dernières décennies, les dangers auxquels les humains sont soumis ont connu un développement considérable, car jamais nous n'avons eu une telle capacité de produire autant de nouveaux agresseurs pouvant potentiellement altérer la santé. Certes, depuis les années 1950, certaines pollutions ont diminué dans les pays industrialisés (par exemple, les polluants atmosphériques « traditionnels » comme le dioxyde de soufre et le plomb), mais un nombre considérable de nouveaux polluants sont en augmentation (toujours dans le milieu atmosphérique, citons les composés organiques volatils, comme le benzène, ainsi que l'ozone troposphérique). Par ailleurs, les ressources en eau sont menacées par l'utilisation intensive des fertilisants et des pesticides.

Les conditions et les modes de vie ont également connu, dans les sociétés industrialisées, une évolution d'une rapidité sans précédent. Ainsi, sur le plan de la démographie, l'urbanisation signifie un accroissement du nombre de personnes potentiellement exposées. Sur le plan social, cela se traduit par l'apparition de phénomènes de précarisation et d'exclusion aux conséquences imprévisibles. Par ailleurs, le vieillissement s'accompagne inévitablement d'une augmentation de la prévalence des problèmes de santé. Les modes de production se sont industrialisés et, dans ce contexte, toute erreur sur la chaîne de production peut avoir des impacts sanitaires à des milliers de kilomètres du lieu

20. Adapté de M. Gérin (1992).

de production. Les modes de fabrication des aliments ont connu une véritable révolution, sans même parler de l'introduction des organismes génétiquement modifiés. Les bâtiments neufs sont de mieux en mieux isolés, sous la pression des mesures incitatives visant une économie d'énergie, mais ce phénomène s'accompagne de l'introduction de nouveaux matériaux de synthèse utilisés dans la composition des immeubles, des peintures et d'une multitude de produits dont l'utilisation est difficile à contrôler.

Ce qui est certain, c'est que les conditions de vie ont subi plus de transformations au cours du dernier siècle qu'au cours des deux derniers millénaires. La vraie question est donc celle de la rapidité de ces changements et de la capacité des organismes humains de s'y adapter. Si un tel tableau peut paraître apocalyptique, il ne faut cependant pas oublier que les évolutions technologiques ont aussi favorisé l'efficacité de la médecine, l'amélioration des contrôles de qualité et le développement des systèmes de surveillance permettant de détecter les risques de plus en plus tôt. Nous payons sans doute aujourd'hui le prix de certaines expositions passées qui ont notablement diminué. L'augmentation de la fréquence de certaines maladies pourrait également résulter d'un effet paradoxal de la médecine, qui permet à plus de personnes fragiles de vivre plus longtemps. L'amélioration des outils diagnostiques peut aussi contribuer à donner la fausse impression d'un plus grand risque. Cela pourrait être le cas pour les tumeurs du cerveau, à cause des progrès considérables de l'imagerie médicale. Dans les faits, on constate aussi que l'espérance de vie augmente, même à un âge avancé, que plusieurs milieux sont moins pollués dans les pays industrialisés, que les réglementations sont de plus en plus contraignantes et que les concentrations limites d'exposition sont de plus en plus sévères dans bon nombre de pays.

La prévention et la précaution

La relation santé-environnement et le continuum des activités de prévention [21]

Le tableau 13.3 présente un schéma conceptuel associant, d'un côté, le cheminement d'un contaminant, depuis sa source jusqu'à ses effets irréversibles éventuels dans l'organisme humain, et, de l'autre, les diverses approches préventives et leur hiérarchie. Les milieux d'exposition considérés sont aussi bien l'air du milieu de travail ou de milieux intérieurs, l'air extérieur, l'eau de consommation ou utilisée à des fins récréatives, les sols ou les aliments. Les interventions préventives peuvent porter sur divers niveaux : la source du contaminant (un procédé industriel, par exemple), afin d'éliminer ou de réduire son utilisation ou son émission dans le milieu ; le milieu lui-même, de façon à maîtriser et à surveiller l'exposition ; l'individu ou la communauté, afin de réduire le contact avec les contaminants présents dans le milieu, de surveiller l'exposition interne par des méthodes biologiques, de dépister les effets précoces éventuels, de repérer et de surveiller les cas de maladies irréversibles.

En ce qui concerne une substance toxique, l'élimination à la source signifie, dans l'absolu, son exclusion par la substitution ou un changement de procédé qui éliminera le recours à cette substance. Si son utilisation ne peut être éliminée, elle pourrait être réduite par le recours à ces mêmes méthodes préventives ou par l'adoption de stratégies de recyclage, de récupération et de réutilisation sur place. On peut aussi maîtriser l'émission de la substance par des moyens techniques comme l'isolement, l'encoffrement, le captage ou la ventilation locale, et par le traitement des effluents et des émissions atmosphériques à l'aide de méthodes mécaniques, chimiques, thermiques ou biologiques. L'action préventive peut aussi viser à maîtriser la quantité d'une substance ou le niveau d'exposition à cette substance, dont on accepte la présence dans l'environnement, par le recours à des moyens de protection collective comme la ventilation, le nettoyage, la décontamination ou la mise en décharge. Une dernière forme de maîtrise consiste à intervenir auprès des individus en réduisant les contacts avec les contaminants, notamment en milieu de travail. Cela prendra fréquemment la forme de moyens individuels, comme le port de vêtements protecteurs et l'installation d'appareils de protection respiratoire. À l'échelle de la population, on pense davantage à des modifications de comportements, par exemple, l'interdiction de consommer certains produits marins contaminés.

En ce qui concerne les activités de connaissance ou de surveillance, qui complètent les activités de maîtrise des pollutions, on pourra effectuer une surveillance du milieu ou de l'exposition par les méthodes classiques basées sur la mesure de la concentration des contaminants dans l'air, l'eau, le sol et les aliments. Les

21. Adapté de M. Gérin (1993).

TABLEAU 13.3 SCHÉMA CONCEPTUEL ASSOCIANT DE MANIÈRE HIÉRARCHIQUE LE CHEMINEMENT D'UN CONTAMINANT ET LES DIVERSES APPROCHES PRÉVENTIVES

SOURCE	**Agresseurs biologiques, chimiques ou physiques**	*Élimination et réduction à la source* • substitution • réduction d'utilisation • recyclage et réutilisation *Maîtrise de l'émission* • isolation, encoffrement • captage, ventilation locale • traitement des effluents
MILIEU	**Présence d'agresseurs dans l'environnement**	*Maîtrise dans le milieu* • ventilation générale • maintenance, nettoyage • décontamination • mise en décharge *Surveillance environnementale* • mesure/dosage dans les milieux
INDIVIDU ET COMMUNAUTÉ	**Contact avec les agresseurs**	*Maîtrise des contacts* • protection individuelle *Surveillance biologique de l'exposition* • dosage de l'agresseur ou des métabolites • paramètre biochimique d'exposition
	Absorption ou exposition	*Dépistage précoce* • paramètre biochimique de l'effet • examen fonctionnel • questionnaire
	Effets réversibles ou précoces	*En clinique* • reconnaissance des cas • soins, réhabilitation
	Maladie irréversible	*Surveillance épidémiologique* • collecte de données diverses

concentrations mesurées seront comparées à des valeurs de référence à portée sanitaire dans le cadre d'un processus visant à évaluer le risque d'atteintes à la santé. Dans ce contexte, c'est au stade de l'absorption que l'on peut situer, conceptuellement, la surveillance biologique de l'exposition, lorsque cela est applicable, c'est-à-dire pour les substances exerçant leurs effets à la suite d'une absorption par l'organisme. Ici encore, les concentrations (biologiques) des substances seront comparées à des valeurs de référence dans une démarche d'évaluation du risque.

L'ensemble des activités énumérées ci-dessus constituent de la prévention primaire puisque l'on se préoccupe de l'élimination du danger ou de la réduction du risque en se focalisant sur le contaminant et non sur ses effets. Le dépistage précoce de la maladie constitue l'étape subséquente des activités de prévention. Il s'agit alors, par définition, de prévention secondaire, car cette activité, parfois appelée « dépistage médical » ou « surveillance médicale », a comme objectif la détection d'altérations précises et à un stade précoce, chez des individus généralement asymptomatiques, avant que ces altérations ne soient irréversibles ou avant qu'elles n'entraînent un déficit fonctionnel plus important.

Finalement, on trouve la maladie à son stade clinique irréversible. La personne doit alors être traitée de manière adéquate pour prévenir la détérioration de son état et de façon à ce qu'elle soit, éventuellement, réhabilitée. Il s'agit alors du domaine de la prévention dite tertiaire. Rappelons qu'en fonction des cas notifiés, on peut mettre en place des systèmes de surveillance épidémiologique, lesquels auront également un rôle à jouer dans le repérage et la prévention des maladies professionnelles ou environnementales.

Le portrait dressé ci-dessus, bien que forcément simplificateur, met en relief une certaine hiérarchie des actions préventives. Ainsi, il peut y avoir une exposition (présence d'un agresseur) sans contamination (imprégnation de l'organisme) et une contamination sans intoxication ; naturellement, l'inverse est impossible. Il sera cependant toujours préférable d'éliminer le danger à la source plutôt que de chercher à maîtriser le contaminant dans le milieu ou, à défaut, au moment du contact avec l'individu. De même, il est préférable de mesurer l'exposition, que ce soit par des méthodes environnementales ou biologiques, plutôt que d'attendre la manifestation d'effets toxiques, qu'ils soient précoces, réversibles ou irréversibles, puis de mettre en place des systèmes de surveillance épidémiologique. Il apparaît cependant très clairement que, dans la réalité, ces démarches sont complémentaires, chaque niveau servant à parer les déficiences des autres niveaux et de tremplin à une rétroaction préventive. La mise en place de mesures de dépollution demande souvent des efforts financiers et technologiques importants qui ne peuvent se réaliser qu'à long terme. Les mesures de prévention secondaires et tertiaires s'inscrivent alors dans une période de transition avant que l'exposition ne soit réellement diminuée. Le tableau 13.4 illustre cette complémentarité des surveillances environnementale et biologique de l'exposition et du dépistage précoce des effets en montrant les principaux avantages comparatifs de chacune des approches.

LE PRINCIPE DE PRÉCAUTION

Des crises environnementales récentes ont démontré que les citoyens avaient une meilleure perception des risques que leur font courir leurs milieux de vie, les sources d'énergie et les conditions actuelles de production industrielle de biens de consommation. Le développement des moyens modernes de communication contribue sans doute à cette nouvelle capacité d'appréhender l'émergence de risques nouveaux avant que les recherches scientifiques n'aient pu faire toute la lumière sur le problème. L'opinion publique demande alors aux décideurs de prendre en compte cette perception ainsi que les craintes qui s'y rattachent et de mettre en place des mesures préventives pour supprimer le risque perçu ou, tout au moins, le limiter à un niveau acceptable.

Dès lors, décider de prendre des mesures sans attendre toutes les connaissances scientifiques nécessaires relève d'une nouvelle approche fondée sur le principe de précaution. Ce dernier stipule qu'en cas de risque de dommages graves ou irréversibles, l'absence

TABLEAU 13.4 AVANTAGES COMPARATIFS DES SURVEILLANCES ENVIRONNEMENTALE ET BIOLOGIQUE DE L'EXPOSITION ET DU DÉPISTAGE PRÉCOCE DES EFFETS

SURVEILLANCE ENVIRONNEMENTALE	SURVEILLANCE BIOLOGIQUE	DÉPISTAGE PRÉCOCE
Non intrusive	Notion de dose interne plus proche des effets observables	Utile si les niveaux sont près ou au-dessus des normes
Description temporelle et spatiale de l'exposition	Intègre l'ensemble des voies d'absorption.	Utile si les normes sont inadéquates ou inexistantes
Reconnaissance des méthodes de maîtrise à la source, dans le milieu	Intègre l'influence de l'exercice et de la charge de travail.	Protège les individus plus susceptibles de contracter une maladie.
Surveillance en continu	Permet la mesure de l'efficacité des moyens de protection individuelle.	Utile s'il y a défaillance des systèmes de contrôle ou de maîtrise
Nombre important de substances mesurables	Intègre l'ensemble des milieux.	Intègre l'ensemble des milieux.
Spécifique de chaque milieu	Permet, dans certains cas, de mesurer l'exposition à long terme ou *a posteriori*.	

de certitude scientifique ne doit pas servir de prétexte pour remettre à plus tard l'adoption de mesures effectives visant à prévenir la dégradation de l'environnement et à protéger la population. Par ailleurs, cela ne signifie pas qu'il faille attendre d'être scientifiquement certain du caractère inoffensif d'une activité avant de la permettre. Cependant, il faut absolument s'assurer de connaître et de mettre en place les mesures adéquates qui vont permettre de prévenir la dégradation présumée de l'environnement et de la santé de la population. Ce principe marque un engagement éminemment politique qui s'exerce dans des conditions d'incertitude scientifique. Comme le souligne un document de la Commission européenne, « entre le principe d'interdire (ou de ne pas autoriser) un produit ou un procédé tant que la science n'a pas prouvé son entière innocuité et le principe de ne pas interdire (ou d'autoriser) ce produit ou ce procédé tant que la science n'a pas démontré qu'il y a un risque réel, il y a un grand espace pour l'application d'un principe de précaution raisonné ».

Le concept du principe de précaution a été développé et juridiquement établi dans le domaine de la protection de l'environnement, et il est né dans le cadre de conventions internationales. Ainsi, le principe 15 de la *Déclaration de Rio sur l'environnement et le développement* [22], adoptée en 1992, stipule que « pour protéger l'environnement, des mesures de précaution doivent être largement appliquées par les États selon leurs capacités. En cas de risques ou de dommages graves ou irréversibles, l'absence de certitude scientifique absolue ne doit pas servir de prétexte pour remettre à plus tard l'adoption de mesures effectives visant à prévenir la dégradation de l'environnement ». De même, la *Convention-cadre des Nations unies sur le changement climatique* [23] (aussi appelée *Protocole de Kyoto*) prévoit, dans son article 3, des dispositions analogues. Le Canada est signataire de ces deux conventions internationales.

Parallèlement, on assiste actuellement à de nombreuses prises de position déplorant une exigence sociale de risque nul. Les tenants de ces positions rappellent que le risque fait partie de la vie, que sans risque, le progrès est condamné et que nos sociétés connaissent un niveau de sécurité jamais atteint dans l'histoire. D'où ces appels réitérés à la « raison ». Si une part de risque est inévitable, si les faibles doses ont une action probabiliste, alors la question du niveau de risque tolérable doit être abordée. Cette discussion reste encore, pour l'essentiel, de nature technocratique et elle se réduit le plus souvent à la fixation d'un niveau de risque que l'on transpose en valeurs d'exposition à ne pas dépasser au cours d'une vie. L'idée qu'il puisse un jour exister un seuil universel de risque accepté socialement semble vouée à l'échec. En réalité, ce qui est acceptable ou non n'est pas tant le niveau de risque que le processus décisionnel aboutissant au choix d'une option de gestion du risque. C'est en ce sens qu'on peut dire qu'un risque accepté est, avant tout, un risque quantifié.

En définitive, au delà du résultat de l'évaluation des risques, ce qui compte tout autant, c'est la transparence de son processus de gestion. En rendant plus facilement compréhensibles les données scientifiques, en faisant en sorte que ce ne soit pas la dernière étude publiée qui ait systématiquement prééminence, l'évaluation des risques force les décideurs à expliciter à leur tour leurs critères de gestion. L'acceptabilité est donc un processus social, ce n'est pas un objectif déterminable à l'avance. C'est d'autant plus important que les actions visant la réduction des risques dans un secteur peuvent s'accompagner de leur accroissement dans d'autres secteurs. L'exemple des déchets industriels en constitue une excellente illustration, car ils augmentent sous une forme solide à mesure que l'on diminue la présence des contaminants dans les émissions atmosphériques ou dans les effluents. Le risque est alors transposé d'un milieu à un autre ; on souhaite alors que sa gestion soit améliorée, ce qui n'est évidemment pas toujours le cas.

L'incertitude est donc véritablement un trait commun à la plupart des questions de santé environnementale. Le traitement de ces questions ne peut que bénéficier du développement de la recherche en santé environnementale, associée au renforcement de la formation dans ce domaine et au renforcement et à la structuration de l'interdisciplinarité qui, seules, permettront de jeter les bases d'une démarche transparente de quantification des risques, élément indispensable pour débattre du problème de manière éclairée et responsable.

LE RÔLE DES PROFESSIONNELS DE LA SANTÉ AU SEIN DE LA COMMUNAUTÉ [24]

Les professionnels de la santé publique, et plus particulièrement ceux œuvrant dans le domaine de la santé

22. http://www.un.org/french/events/rio92/rio-fp.htm (consulté le 3 mai 2005).
23. http://www.unep.org/Documents.Multilingual/Default.asp?DocumentID=43&ArticleID=242&l=fr (consulté le 3 mai 2005).
24. D'après Hancock (1999) et World Health Organization (1998).

environnementale, doivent favoriser le développement de communautés en santé, ce qui devrait constituer leur but ultime. La formation d'équipes multidisciplinaires doit être favorisée car elle permet de décloisonner les différentes professions malgré le rôle spécifique essentiel rattaché à chacune d'elles. Ainsi, dans une situation d'urgence mettant en danger la santé de personnes intoxiquées, par exemple, le médecin et l'infirmière sont les professionnels de première ligne dont l'intervention est requise dans les plus brefs délais. Toutefois, entre les périodes d'urgences ou de crises environnementales, la tâche principale devient la prévention et la préparation de politiques visant à favoriser le développement de communautés en santé. Ce travail se fait habituellement en collaboration avec, entre autres, des épidémiologistes et des toxicologues. L'épidémiologiste mettra en évidence des tendances de fond quant aux conditions sociales ou environnementales entraînant l'apparition de certaines maladies ou carences, alors que le toxicologue pourra déterminer la nature des risques découlant de l'exposition à certains agresseurs environnementaux.

Sur un autre plan, des personnes comme des hygiénistes (ou des « inspecteurs » en santé publique), des spécialistes de la santé et de la sécurité en milieu de travail, et des infirmières en milieu communautaire seront en mesure d'évaluer les effets des mesures de prévention, ou de leur absence, sur la santé de divers groupes de personnes. Ces spécialistes font le plus souvent face aux effets chroniques ou à long terme résultant, par exemple, de l'exposition à des facteurs environnementaux en milieu de travail ou découlant de conditions de vie nuisant à la santé (comme le tabagisme ou l'alcoolisme). Leurs observations pourront inciter d'autres professionnels de la santé à analyser plus spécifiquement ces facteurs et ces conditions.

En plus d'intervenir directement auprès de la population par le truchement de conférences, de publications ou de feuillets d'information, les professionnels de la santé environnementale doivent faire part de leurs observations et de leurs conclusions aux décideurs et aux gouvernements afin que ces derniers modifient, le cas échéant, les politiques, les lois ou les règlements. Bien que les interventions législatives ou coercitives ne soient pas toujours souhaitables, certaines situations l'exigent. Le meilleur exemple en est la réglementation sur la vente et la lourde taxation des produits du tabac, les campagnes d'information publiques ayant été souvent mises en échec par des tendances sociales lourdes et difficiles à infléchir.

Le rôle des professionnels de la santé environnementale est donc vaste, allant de la prévention aux interventions curatives, en passant par la formulation de recommandations aux pouvoirs publics. Leurs interventions se font dans l'ensemble de la population, mais elles doivent également être orientées vers les groupes les plus à risques, comme les enfants, les communautés vivant dans des régions où peuvent exister des risques associés à des agresseurs environnementaux spécifiques (par exemple, les populations autochtones du Nord canadien exposées, par suite de l'ingestion de produits de la chasse et de la pêche, à diverses substances toxiques d'origine anthropique), les travailleurs exposés à divers dangers (biologiques, chimiques ou physiques).

Les professionnels de la santé devraient donc être considérés comme l'avant-plan du système de santé. Leur rôle est multiple et complexe, mais vise d'abord la réduction du risque et de l'exposition à divers agresseurs ; le résultat devrait être une amélioration globale de la santé, ce qui se traduirait par une réduction des coûts du système.

Le rôle des divers groupes de professionnels de la santé environnementale (médecins, infirmières, épidémiologistes, toxicologues, hygiénistes du travail et autres) s'exerce dans une communauté et un environnement social dont les qualités idéales seraient les suivantes :

- salubrité : absence de pollution du milieu naturel ou de détérioration portant atteinte à la santé ;
- durabilité : activité économique respectueuse de l'environnement, de la santé et des écosystèmes (développement durable) ;
- prospérité : partage de la richesse permettant d'atteindre un degré de bien-être satisfaisant ;
- équité : satisfaction des besoins essentiels et chances égales pour chacun de réaliser pleinement son potentiel ;
- convivialité : milieu de vie harmonieux où chaque membre participe pleinement à la vie de la communauté en ayant accès aux réseaux de soutien social.

Un tel milieu de vie idéal demeure un objectif à atteindre car, à l'heure actuelle, la dégradation de l'environnement compromet encore la qualité de vie ou crée divers risques pour la santé. L'une des principales causes de l'inexistence de communautés réellement en santé est la contrainte imposée par une économie dont le fonctionnement suppose des ponctions constantes et importantes dans l'environnement naturel ainsi que dans le capital humain. Il serait souhaitable de considérer les impacts sociaux, environnementaux et sanitaires découlant des décisions économiques plutôt que l'inverse.

Un tel changement ne peut venir que de la communauté, à l'échelle locale, plutôt que des gouvernements centraux ou même régionaux. Dans ce contexte, l'établissement de politiques publiques saines à l'échelle locale peut être facilité ou défavorisé par divers facteurs, comme le montre le tableau 13.5. De telles politiques ne sont toutefois pas sans conséquences pour un gouvernement central, qui devrait passer d'une vision à court terme et compartimentée à une forme d'administration holistique ; le tableau 13.6 énumère les principales implications qui pourraient inspirer un gouvernement désireux de bâtir des communautés en santé.

Conclusion

Dans le domaine de la santé publique, l'étude et la pratique clinique de la santé environnementale sont relativement nouvelles comparativement, par exemple, à la recherche sur les maladies infectieuses et à la correction des problèmes qui en découlent. Malgré l'abondance

Tableau 13.5 Les politiques publiques saines à l'échelle locale

L'établissement de politiques publiques saines à l'échelle locale est …	
facilité par …	**rendu plus difficile par …**
• la familiarité avec les gens, les réseaux sociaux, l'échelle humaine. • des liens plus étroits entre les décideurs et les gens affectés par les décisions. • le fait que les petites bureaucraties peuvent répondre plus rapidement aux besoins locaux et y être plus sensibles. • le fait que les décideurs vivent où ils travaillent et sont donc directement affectés par leurs décisions.	*Gouvernement central* • le contrôle d'enjeux majeurs, particulièrement des enjeux économiques. • la résistance et même l'opposition au pouvoir local. • la délégation de responsabilités sans les ressources ou le pouvoir qui y correspondent. *Gouvernement local* • le manque de compétence, de pouvoir. • le manque de ressources, d'expertise. • la tendance à se déclarer sans pouvoir et à blâmer le gouvernement central.

Source : Adapté de Hancock (1999).

Tableau 13.6 Des communautés en santé : quelles sont les implications pour le gouvernement ?

- Le *but du gouvernement* : le but principal de l'administration, et des gouvernements, est ou devrait être d'accroître le développement humain de la population.
- L'*approche du gouvernement* : nous devons développer une approche holistique du gouvernement et de l'administration où on reconnaît que tout est lié à tout le reste.
- Le *niveau d'intervention du gouvernement* : la sphère d'intervention du gouvernement municipal devrait se déplacer à la fois vers le haut, à l'échelle régionale, et vers le bas, à l'échelle des quartiers.
- Le *style du gouvernement* : il faut passer du vieux style de gestion hiérarchique et compétitif à un nouveau mode de gestion collégial et axé sur la collaboration.
- La *structure du gouvernement* : il faut passer des modèles du XIXe siècle, basés sur le cloisonnement des disciplines et la séparation verticale des secteurs, à un modèle du XXIe siècle basé sur des tables rondes réunissant des personnes représentant des intérêts multiples.
- Le *processus démocratique du gouvernement* : la démocratie est à la base même de l'approche villes/communautés en santé ; nous devons nous rapprocher de plus en plus de la démocratie participative.

Source : Adapté de Hancock (1999).

d'information sur les risques pour la santé découlant de l'exposition à divers agresseurs environnementaux, il est encore difficile de faire reconnaître les états pathologiques qui en découlent en dehors de l'environnement bien circonscrit du travail, et, même en milieu de travail, on ne peut le faire que de façon très incomplète.

Les effets sur la santé des agresseurs environnementaux, bien que souvent invisibles sur le plan individuel ou même collectif, sont pourtant bien réels. Ils se manifestent parfois de façon spectaculaire lorsque surviennent des accidents déjouant les systèmes de prévention mis en place. De multiples difficultés, évoquées dans ce chapitre, expliquent le peu de visibilité de plusieurs situations d'exposition plus chronique. Sans tomber dans l'alarmisme, les professionnels de la santé environnementale doivent informer les populations de ces dangers et veiller à leur protection sur la base des connaissances les plus valides et à jour. Une véritable approche fondée sur la santé publique doit cependant intégrer plusieurs réalités : celle des agresseurs, des milieux et des maladies de nature très diverse, celle des disciplines et des outils comme la toxicologie, l'épidémiologie, l'infectiologie, l'hygiène et l'analyse de risque, celle des niveaux d'intervention des professionnels, allant de la source à la communauté en passant par le milieu et l'individu.

Plusieurs ressources peuvent être consultées pour guider les choix concrets d'intervention à l'école, à la maison ou dans la communauté. Le meilleur choix se trouve bien sûr dans Internet. Même si la qualité varie d'un site à l'autre, certaines ressources permettent d'avoir accès à des données bien évaluées et mises à jour de façon continue afin d'en assurer la qualité et la pertinence. Nous proposons les portails ci-dessous, qui offrent d'excellentes ressources en français dans le domaine de la santé environnementale.

- Le portail Eurêkapro.info : http://www.eurekapro.info/Eurekapro/index.asp
- Le Réseau canadien de la santé : http://www.canadian-health-network.ca/
- L'Institut national de santé publique du Québec : http ://www.inspq.qc.ca/
- Santé Canada : http ://www.hc-sc.gc.ca/francais/protection/environnement.html
- L'Institut de Veille Sanitaire (France) : http://www.invs.sante.fr/
- L'Organisation mondiale de la santé : http ://www.who.int/topics/fr/

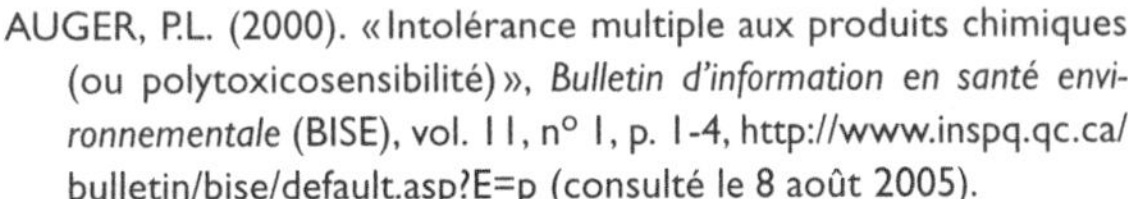

Références

AUGER, P.L. (2000). « Intolérance multiple aux produits chimiques (ou polytoxicosensibilité) », *Bulletin d'information en santé environnementale* (BISE), vol. 11, n° 1, p. 1-4, http://www.inspq.qc.ca/bulletin/bise/default.asp?E=p (consulté le 8 août 2005).

BERGLUND, B., T. LINDVALL et D.H. SCHWELA (1995). *Guidelines for Community Noise*, http://whqlibdoc.who.int/hq/1999/a68672.pdf (consulté le 22 avril 2005), 161 p. (Voir aussi http://www.who.int/topics/noise/fr/).

BERGLUND, B.T. et autres (2000). *Guidelines for Community Noise*, Genève, World Health Organization ; Singapour, Institute of Environmental Epidemiology, World Health Organization Collaborating Center for Environmental Epidemiology, Ministry of the Environment.

BOSMAN-HOEFAKKER, S., W.F. PASSCHIER et J.H. VANWIJNEN (1997). « Hormone disruptors in humans », *Human and Ecological Risk Assessment*, n° 3, p. 1023-1027.

CHEEK, A.O. et autres (1998). « Environmental signaling : A biological context for endocrine disruption », *Environmental Health Perspectives*, n° 106 (suppl. 1), p. 5-10.

COLBORN, T., D. DUMANOSKI et J. PETERSON MYERS (1996). *Our Stolen Future*, Dutton, Penguin Books, 306 p.

COMITÉ DE SANTÉ ENVIRONNEMENTALE (1995). *L'oncogénèse environnementale au Québec*, Québec, Comité de santé environnementale, 146 p.

CORDIER, S. (1995). « Environnement et santé : une relation difficile à étudier », *Revue trimestrielle du Haut Comité de la santé publique*, dossier spécial n° 13 (dossier d'actualité en santé publique), p. 3-6.

D'HALEWYN, M.-A. et autres (2002). *Les risques à la santé associés à la présence de moisissures en milieu intérieur*, Québec, Institut national de santé publique, http://www.inspq.qc.ca/ (consulté le 26 avril 2005).

DUCEL, G. (1995). « Les nouveaux risques infectieux », *Futuribles*, n° 203, p. 5-32.

EVANS, R.G., M.L. BARER et T.R. MARMOR (dir.) (1994). *Why Are Some People Healthy and Others Not?*, New York, Aldine de Gruyer, 378 p.

GÉRIN, M. (1992). « Pour une meilleure reconnaissance des maladies professionnelles reliées aux substances toxiques », *Travail et santé*, n° 8, p. S8-S10.

GÉRIN, M. (1993). « Prévention et surveillance biologique de l'exposition », dans Association des médecins du travail du Québec, *Actes du colloque sur la surveillance biologique de l'exposition des travailleurs*, Montréal, 25 mars.

GÉRIN M. et autres (dir.) (2003). *Environnement et santé publique : Fondements et pratiques*, Montréal ; Paris, Édisem ; Éditions Tec et Doc, 1023 p.

GORBACH, S.L., J.G. BARTLETT et N.R. BLACKLOW (1998). *Infectious Diseases*, Philadelphie, W.B. Saunders, 2594 p.

HANCOCK, T. (1999). *Des gens en santé dans des communautés en santé dans un monde en santé : un défi pour la santé publique au* XXI*e siècle*, Québec, conférence tenue lors des Journées annuelles de santé publique 1999, 4 novembre, 34 p. Résumé présenté au http://www.inspq.qc.ca/pdf/publications/096_Sante CommunautesResume.pdf (consulté le 26 avril 2005).

LEVALLOIS, P. et P. LAJOIE (1998). *Pollution atmosphérique et champs électromagnétiques,* Québec, Les Presses de l'Université Laval, 266 p.

MARKELL, E.K., D.T. JOHN et W.A. KROTOSKI (1999). *Medical Parasitology,* Philadelphie, W.B. Saunders, 501 p.

MC CONSULTANT (1998). *Environnement et santé publique : principes, méthodes et pratiques,* Montréal, MC Consultant enr., 115 p.

MINISTÈRE DE LA SANTÉ ET DES SERVICES SOCIAUX (1998). *Infections en émergence au Québec : État de la situation et perspectives,* Québec, Gouvernement du Québec, Ministère de la Santé et des Services sociaux, Direction générale de la santé publique, 291 p. et annexes.

MINISTÈRE DE LA SANTÉ ET DES SERVICES SOCIAUX (1999). *Évaluation et gestion du risque toxicologique au Québec : Principes directeurs d'évaluation du risque toxicologique pour la santé humaine,* Québec, Ministère de la Santé et des Services sociaux, 57 p.

ORGANISATION MONDIALE DE LA SANTÉ (1997). *Rapport sur la santé dans le monde 1997 : Vaincre la souffrance, enrichir l'humanité,* Genève, Organisation mondiale de la santé, 166 p.

SANTÉ CANADA (1997). *La santé et l'environnement,* Ministère de la Santé, Gouvernement du Canada, 224 p.

SOLOMON, G.-M. et T. SCHETTLER (2000). « Environment and health : 6. Endocine disruption and potential human health implications », *Medical Association Journal,* vol. 163, n° 11, p. 1471-1476.

WORLD HEALTH ORGANIZATION (1997). *Health and Environment in Sustainable Development,* World Health Organization, 242 p.

WORLD HEALTH ORGANIZATION (1998). *Basic Environmental Health,* Office of Global and Integrated Environmental Health, World Health Organization, 349 p.

WORLD HEALTH ORGANIZATION (1999). *Faire tomber les obstacles au développement dans la santé : Rapport sur les maladies infectieuses,* Organisation mondiale de la santé, http://www.who.int/infectious-disease-report/idr-french/.

CHAPITRE 14

LES GROUPES VULNÉRABLES : COMPRENDRE LA VULNÉRABILITÉ ET AGIR

DAVE HOLMES
AMÉLIE PERRON

INTRODUCTION

Les soins aux personnes vulnérables font partie de l'exercice professionnel de toutes les infirmières et de tous les infirmiers, et ce, sans égard à leurs ambitions personnelles ou professionnelles. Ainsi, le personnel infirmier entretient une relation privilégiée avec les personnes dont la condition de santé (physique, mentale ou sociale) est précaire. Le personnel infirmier, investi d'un mandat social clair (voir Johnson, 1959) de prévention de la maladie et de restauration de la santé, s'engage par le fait même à lutter contre les inégalités sociales qui influencent directement la santé de la personne et des populations. Il est donc permis d'affirmer que le personnel infirmier manifeste (ou, du moins, devrait manifester) quotidiennement son engagement au regard de la justice sociale, concept clé en santé communautaire. Par ailleurs, les notions de *vulnérabilité* et de *populations vulnérables* sont très à la mode, tout spécialement dans le contexte de la recherche dans les sciences de la santé. Par contre, comme n'importe quel autre engouement, cet intérêt est susceptible de s'étioler étant donné le caractère peu prestigieux que l'on associe à ce domaine d'étude. Cependant, il faut se rappeler que les personnes vulnérables, elles, seront toujours soignées par le personnel infirmier.

Les figures de la vulnérabilité sont polymorphes et évoquent des images mentales parfois fortes. Ces images peuvent être associées à des personnes ou à des groupes de personnes (agrégats et communautés) dont les conditions d'existence domestiques ou institutionnelles sont telles que les divers aspects de la santé s'en trouvent affectés ou menacés. Quelques-unes de ces images renvoient aux personnes vivant dans des situations d'extrême pauvreté, sans domicile fixe ou incarcérées, aux victimes de violences, aux personnes atteintes de troubles mentaux, aux personnes âgées, immigrantes ou autochtones, ou encore aux personnes stigmatisées en raison d'un état de santé particulier (handicap, VIH/SIDA, etc.). Toutes ces personnes partagent une certaine forme d'exclusion sociale (qui prend souvent racine, entre autres, dans nos institutions de santé), voire de stigmatisation. Plusieurs années de travail clinique comme infirmier (Dave) et infirmière (Amélie) auprès des personnes souffrant de troubles mentaux, des toxicomanes, des sans-abri, des prostitués des deux sexes et des détenus nous ont appris que, dans les soins offerts à des personnes marginalisées, on ne peut ignorer la compréhension de la séquence stigmatisation-exclusion-vulnérabilité. La complexité de cet axe requiert une réflexion théorique approfondie qui dépasse l'objectif de ce chapitre. Par conséquent, nous nous limiterons à introduire certains concepts permettant d'établir un lien entre les dimensions cliniques et politiques des soins infirmiers communautaires et la personne et les populations vulnérables. La perspective critique entourant certains concepts apparentés à la vulnérabilité, comme le risque, l'intervention experte et les technologies politiques du gouvernement s'appliquant à la personne et aux populations, sera négligée au profit d'une présentation adaptée au lectorat. Ceci étant dit, certains écrits d'auteurs, respectés pour le contenu critique de leurs travaux, seront évoqués afin de guider les lecteurs qui seraient intéressés à consulter les ouvrages déterminants qui ont façonné notre représentation du soin infirmier fourni à la personne et aux populations vulnérables. Ce chapitre est donc une entreprise professionnelle (pédagogique) mais aussi personnelle.

Définition conceptuelle de la vulnérabilité

Dans le domaine de la santé communautaire, nous estimons nécessaire de considérer deux perspectives au regard du concept de vulnérabilité : la vulnérabilité dite individuelle et la vulnérabilité dite collective. Sachant très bien que la conceptualisation de la première souffre encore aujourd'hui du peu d'attention qui lui est accordée au profit de la seconde, nous insistons sur le fait que la personne vulnérable en tant qu'entité existe en dehors de la conceptualisation de la vulnérabilité populationnelle. Ainsi, nous sommes d'avis, tout comme De Chesnay (2005), que le personnel infirmier est en contact direct avec des populations vulnérables mais aussi avec des personnes vulnérables.

Le concept de *vulnérabilité* s'apparente à celui de *susceptibilité* mais aurait, selon De Chesnay (2005), une connotation spécifique dans le domaine de la santé, où il entretient des liens étroits avec le concept de risque, de telle sorte que la vulnérabilité équivaut souvent à être « à risque de manifester des problèmes de santé », que ceux-ci soient physiques, mentaux ou sociaux (Aday, 2001). Il importe ici de souligner que les concepts de risque et de vulnérabilité ne sont pas synonymes. Une distinction s'impose donc.

Le concept de risque (ou l'expression « être à risque ») s'est d'abord développé dans les champs de l'actuariat et de l'épidémiologie, et peut être défini comme *la possibilité ou la probabilité de subir un dommage ou une perte* (Beck, 1986 ; Lupton, 1999). Sur la base de cette brève définition, il est permis de croire qu'il existe des facteurs de risque, c'est-à-dire des variables (ou déterminants) ou des caractéristiques de nature biologique-génétique, environnementale ou psychosociale (Santé Canada, 1997) qui, lorsqu'elles sont associées à une personne, augmentent les probabilités que cette dernière développe un problème de santé comparativement à une personne ne présentant pas ces caractéristiques. Ainsi, les facteurs de risque précèdent la manifestation d'un problème (Castel, 1981), ils peuvent être de durée variable, donc transitoires, et, enfin, trouvent leur origine dans la personne même, dans sa famille, dans sa collectivité ou dans son environnement immédiat. Par conséquent, on pressent que les facteurs de risque jouent un rôle déterminant dans l'apparition d'un problème de santé, lorsqu'ils ne sont tout simplement pas un indice de ce problème (Santé Canada, 1997). Certains auteurs se sont par ailleurs employés à définir les dimensions de la vulnérabilité (Dever et autres, 1988, cité dans Stanhope et Lancaster, 1996), illustrées dans la figure 14.1.

Dans des domaines de recherche comme la santé publique, entres autres, on cherche à déterminer les facteurs de risque internes (génétiques, biologiques, comportementaux, etc.) et externes (environnementaux, sociopolitiques, démographiques, etc.) en vue d'en atténuer les effets négatifs sur la santé (Lupton, 1999). La connaissance de ces facteurs de risque permet de formuler des recommandations dans le domaine sanitaire et, ainsi, de forger les paramètres des programmes de prévention et d'intervention à l'intérieur desquels le personnel infirmier prend une part active (Holmes et Gastaldo, 2002). Enfin, ajoutons que la notion de risque comporte à la fois un élément objectif (probabilité) et un élément subjectif (danger perçu).

Retenons ici que le risque n'est pas une certitude mais bien une probabilité. Ce ne sont donc pas tous les gens qui sont exposés à une situation ou à un facteur de risque qui en subiront des répercussions négatives. Certains résultats négatifs de nature physiologique ou biochimique précis démontrent toutefois l'existence de relations de cause à effet (De Chesnay, 2005). Par contre, dans la plupart des cas, surtout ceux touchant la santé mentale et les problématiques d'ordre psychosocial, il serait inexact de présumer qu'il existe une relation directe de cause à effet entre un facteur de risque donné et un résultat négatif particulier. Le risque est donc un concept relatif, qui définit un « continuum de risque » : les facteurs de risque peuvent donc représenter des indices de situations peu nocives ou, encore, des indications relatives à des situations menaçant la vie. Selon l'Association canadienne de gérontologie (1995), le risque personnel se situe dans un continuum, allant des risques qu'on court volontairement en tant que possibilités à exploiter (sports extrêmes) à ceux qui nous laissent peu de choix (accidents). Il existe aussi un continuum social de risques, allant de ceux que la société considère comme inévitables, ou qu'elle est disposée à accepter (prendre l'avion), à ceux qui sont considérés comme inacceptables ou déraisonnables (relations sexuelles non protégées). Par conséquent, nous insistons sur le fait que le risque n'est pas un concept neutre ; il consiste à déterminer les conséquences qui sont acceptables ou inacceptables (Association canadienne de gérontologie, 1995). Ajoutons que les facteurs de risque multiples et persistants ont une valeur de prédiction plus forte que n'importe quel facteur de risque transitoire et considéré individuellement. C'est donc dire que les risques interagissent et

FIGURE 14.1 DIMENSIONS DE LA VULNÉRABILITÉ

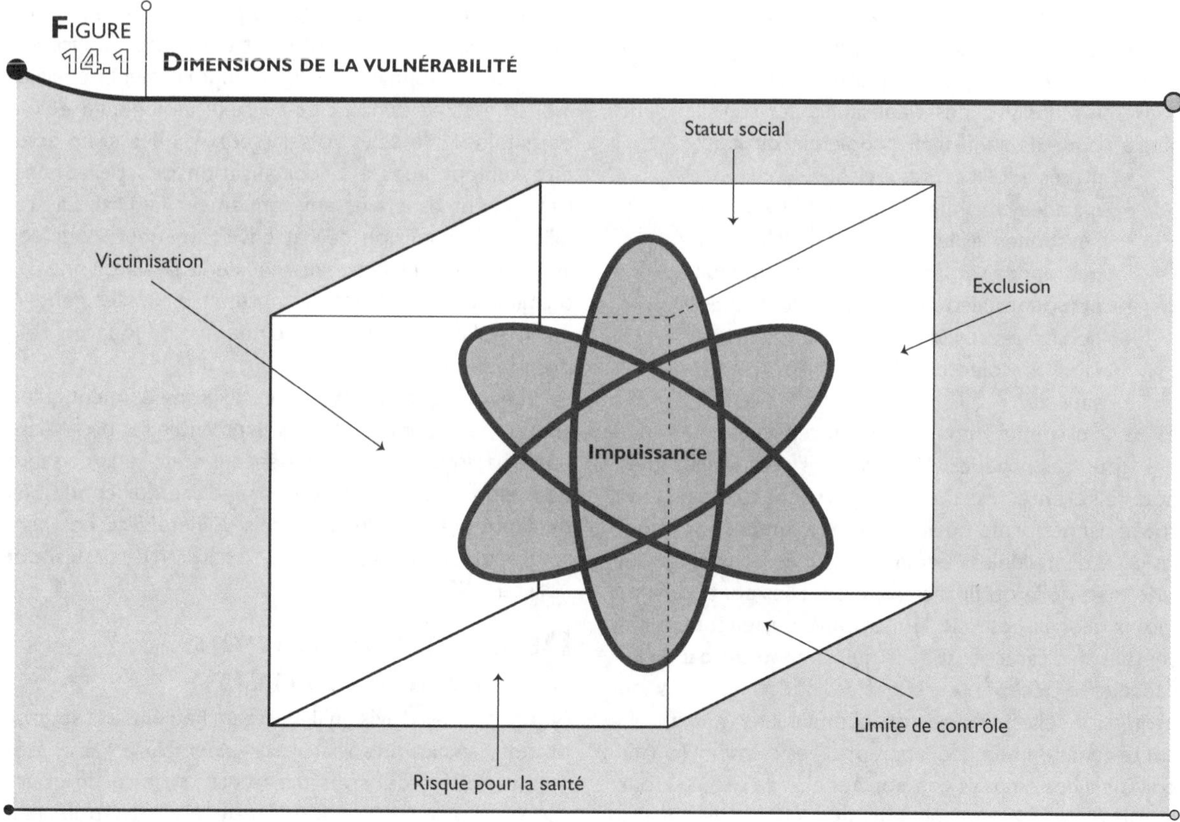

Source : Adapté de Stanhope et Lancaster (1996).

s'additionnent. Dans bien des cas, et cela a été démontré, non seulement les facteurs de risque sont-ils cumulatifs, mais ils peuvent se multiplier dans leurs effets (Santé Canada, 1997).

Les écrits scientifiques actuels nous aident bien peu à clairement définir le concept de vulnérabilité, dont le nom vient du latin *vulnerare,* qui veut dire « blesser ». Santé Canada (1997) définit la vulnérabilité comme une chose ou un être « qui peut être blessé ou endommagé, exposé à des dommages, à une crise, etc. » et considère qu'un individu ou un groupe d'individus sont vulnérables s'ils sont « prédisposés à la maladie, à un dommage ou à une issue négative quelconque ». Maurer (2005) soutient, quant à elle, que la personne vulnérable est plus encline qu'une autre à développer des problèmes de santé et a plus de difficulté à les évaluer et à les résoudre de manière efficace et sécuritaire. Elle ajoute, en outre, que les personnes vulnérables ont une espérance de vie plus courte que celle de la population en général. Rappelons au passage que la vulnérabilité est un état qui varie dans le temps. Par conséquent, nous sommes tous potentiellement vulnérables, et ce, à l'intérieur d'un espace-temps et d'un contexte précis. De plus, être membre d'une population dite vulnérable ne veut pas nécessairement dire être vulnérable à tout moment. En fait, plusieurs personnes préféreront que l'on s'attarde à leurs forces plutôt qu'à leurs faiblesses afin d'éviter d'exacerber la marginalisation dont elles font l'objet. Pour elles, l'expression « population vulnérable » est un jargon professionnel qui favorise la création d'un ghetto populationnel nécessitant une intervention experte (donc professionnelle) soutenue : une sorte de gestion bio-politique (à grande échelle, voir Foucault, 2002) où la surveillance et les aspects policiers du soin ont la priorité sur les aspects caritatifs (Holmes et Gastaldo, 2002 ; Perron, Fluet et Holmes, 2005).

LA PERTINENCE DU THÈME DE LA VULNÉRABILITÉ EN SANTÉ COMMUNAUTAIRE

Le personnel infirmier qui exerce dans le domaine de la santé communautaire fait souvent face à des personnes ou à des groupes de personnes dont la vulnérabilité est précipitée par des iniquités sociales qui se transforment en iniquités sur le plan sanitaire. La pratique infirmière en santé communautaire, par exemple, oblige le personnel infirmier à entrer en contact avec des groupes vulnérables et fortement marginalisés au sein de la communauté. Aday (2001) souligne que, parmi l'ensemble des groupes vulnérables, les suivants sont plus à risque de souffrir de problèmes de santé :

- mères adolescentes à risque ;
- malades chroniques ou handicapés ;
- personnes vivant avec le VIH/SIDA ;
- personnes souffrant de troubles mentaux ;
- personnes alcooliques ou toxicomanes ;
- personnes suicidaires ou homicidaires ;
- familles violentes ;
- sans-abri ;
- personnes immigrantes ou réfugiées.

Tous ces groupes de personnes sont vulnérables pour différentes raisons. Ces personnes connaissent souvent une forme quelconque d'isolement social qui les prive de multiples ressources (soutien psychologique, aide matérielle ou financière, etc.). Elles sont souvent moins scolarisées que la moyenne ou, encore, présentent des caractéristiques qui les mettent dans l'incapacité d'occuper certaines fonctions sociales ou professionnelles. Dans un cas comme dans l'autre, cela limite généralement leurs perspectives d'emploi (ou les confine à des emplois comportant plus de risques pour la santé) et, par conséquent, leur niveau de revenu (Agence de santé publique du Canada, 2002). En raison de leur faible niveau socioéconomique, ces personnes vivent souvent dans des environnements physiques peu sécuritaires ou qui peuvent présenter un risque pour la santé (par exemple, piètre qualité de l'air). De même, certains services, comme les soins de santé, leur sont difficilement accessibles. Cette limite peut être imposée par un manque de moyens financiers mais, également, par une barrière linguistique, comme c'est couramment le cas pour les personnes nouvellement immigrées. Chez certaines personnes, l'état de santé (physique ou mental) peut induire des comportements à risque pouvant entraîner des accidents. Ces comportements comprennent, par exemple, la consommation de substances nocives ou des pratiques sexuelles à risque (Holmes et Warner, 2005).

Par ailleurs, de nombreuses problématiques de santé ont été associées au sexe biologique des personnes. Par exemple, les femmes sont plus à risque d'être victimes de violence sexuelle, physique ou psychologique, de souffrir de troubles dépressifs, d'être monoparentales et d'avoir de faibles revenus. Parallèlement, les hommes sont plus à risque de subir des traumatismes physiques et d'être impliqués dans des activités illégales pouvant mener à des épisodes de violence (Statistique Canada, 2003). Ces problématiques ont un lien direct avec les rôles, les attentes, les valeurs, les traits de personnalité et les comportements socialement déterminés associés au sexe biologique, et qui déterminent le sexe social (genre). Elles sont donc directement liées à la socialisation des personnes, notamment dans leur environnement familial. La stabilité et la cohésion de cet environnement, couplées aux valeurs véhiculées au sein de la famille, sont déterminantes dans l'état de santé ultérieur des gens. À ce titre, l'héritage culturel d'une famille joue un rôle prépondérant.

Les quelques exemples décrits ici ne donnent qu'un aperçu de la complexité des liens entre les divers facteurs de risque. Ceux-ci influencent donc l'état de santé de multiples façons et peuvent induire des conditions de santé précaires menant à la vulnérabilité des personnes et, possiblement, à leur exclusion du tissu social (Castel, 1981).

De la stigmatisation à la vulnérabilité

Nous sommes d'avis qu'il existe un lien entre la stigmatisation, l'exclusion sociale et la vulnérabilité. Par conséquent, nous proposons dans cette section un court survol théorique de la notion de stigmatisation telle qu'elle est définie par le sociologue américain (né canadien) Erving Goffman, dont les travaux de recherche ont été abondamment cités dans le domaine des sciences humaines mais qui sont encore très peu utilisés en sciences de la santé. Nous croyons, tout comme Sibley (1999), que la stigmatisation dont font l'objet certaines personnes, agrégats ou communautés concourt au processus d'exclusion sociale dont ils sont victimes et, par là même, exacerbe la vulnérabilité qui les caractérise.

Dans l'ouvrage intitulé *Stigmate : les usages sociaux des handicapés,* Goffman (1975, 1996) s'emploie à décrire la situation sociale de personnes marquées par une empreinte les disqualifiant au sein de la société, tout en mettant en lumière les rapports existant entre le stigmate et la marginalité. Ce faisant, il tente de conceptualiser ce qu'il appelle l'« information sociale », soit tout un ensemble de données (codes, symboles, etc.) qu'une personne livre à son sujet et met à la disposition du reste du corps social. Les Grecs inventèrent le terme stigmate pour désigner des marques (corporelles) dont la fonction était d'exposer à autrui le statut inhabituel ou détestable de la personne qui les portait. Ainsi, l'histoire nous rappelle que le stigmate désigne une inscription marquée sur le corps d'une personne (tatouage, marque au fer rouge, etc.) qui révèle à autrui ses écarts de conduite, l'objectif étant de ramener dans la sphère du public, donc du visible, ce qui relevait de la sphère morale (privée, invisible). La personne ainsi signalée montrait alors sa disgrâce malgré elle, disgrâce perpétuée par l'ensemble du corps social qui s'appliquait à répudier et même à honnir l'incarnation de l'immoralité. Au fil du temps, la définition du terme stigmate a quitté le champ de la manifestation corporelle pour désigner davantage la notion d'exclusion sociale qui en résulte. Les origines de cette exclusion proviennent depuis d'une source différente, beaucoup plus inclusive.

La notion de stigmate implique nécessairement celle d'attente sociale au regard d'une attitude ou d'un comportement particuliers jugés « naturels ». Ces attentes constituent le résultat d'une catégorisation minutieuse (effet d'un processus normatif généralisé dans les grands dispositifs étatiques comme celui des services de santé) des personnes, dont découlent les impressions liminaires du groupe dominant par rapport aux « autres ». Ces impressions marquent une empreinte sociale qui module les rapports sociaux et les rend routiniers dans le cadre d'interactions sociales bien établies à l'intérieur de normes. Il faut préciser que ces attentes sociales constituent des exigences inconscientes au regard des performances sociales d'un groupe précis, qui donnent naissance aux stéréotypes, sortes de condensés de ces exigences. Les attentes sociales constituent, en quelque sorte, une norme construite – donc arbitraire – à laquelle on compare les attributs de l'*autre*. En cas d'écart, ces attributs peuvent générer des qualificatifs tels que étrange, bizarre, mauvais, voire dangereux, et induire chez cet *autre* une destitution implicite de son rang social (Lupton, 1999). Ces attributs, qui caractérisent les stigmates, jettent un profond discrédit sur la personne et la condamnent à vivre en marge de la société. Les stigmates désignent donc la relation entre l'attribut et le stéréotype.

L'observation d'une différence chez les personnes stigmatisées repose sur tout un ensemble de qualités, réelles ou perçues, qui constitue les bases d'un schème de référence ou d'une idéologie qui permet aux groupes dominants de rationaliser et de justifier l'animosité engendrée par les stigmates. Goffman (1975, 1996) a décrit trois types de stigmates :

1. les monstruosités du corps (handicaps, malformations congénitales, certaines maladies telles que la lèpre, etc.) ;
2. les tares du caractère (folie, alcoolisme, criminalité, homosexualité, chômage, délinquance, vagabondage, itinérance, etc.) ;
3. les stigmates tribaux (race, ethnie, religion, etc.).

Une personne (ou un groupe de personnes) affligée d'un stigmate intériorise les critères propres à la catégorie à laquelle elle doit appartenir. Selon Goffman (1975, 1996), la personne stigmatisée perçoit qu'elle peut obtenir du soutien de deux catégories de personnes : ses « semblables », qui partagent son stigmate, et les « initiés », soit les personnes qui pénètrent dans son monde de stigmatisé selon des circonstances particulières et qui « comprennent » sa réalité. Une façon d'être initié consiste à travailler auprès des stigmatisés, au sein d'un établissement de santé qui pourvoit à leurs besoins, par exemple.

Toute personne appartenant à un groupe social particulier et qui ne met pas en œuvre les actions que l'on attend d'elle constitue un « déviant » social (Rose, 1999). Selon Goffman (1975, 1996), ces déviants peuvent initier l'étude de la déviance sociale en ce sens qu'ils en constitueront le centre d'intérêt : prostituées, drogués, fous, délinquants, criminels, clochards, chômeurs, homosexuels, pauvres. On perçoit ces personnes comme si elles étaient engagées dans un refus collectif de l'ordre social, comme si elles ne voulaient pas progresser dans les allées que leur ouvre la société ; elles constituent ainsi l'emblème de l'échec social (Rose, 1999). Les personnes dites « déviantes » sont acceptées dans la mesure où leurs activités ne dépassent pas le cercle auquel elles appartiennent, quoique cela soit rarement le cas. C'est alors que la société, afin de préserver son intégrité, se charge de mettre en place les structures jugées nécessaires (souvent disciplinaires, comme la police, ou caritatives, comme les soins infirmiers) à la réhabilitation de ces personnes, dans l'espoir de pouvoir éradiquer ces agrégats « dangereux ». Nous estimons, au contraire, que ces personnes dites dangereuses sont victimes d'une stigmatisation de tous les instants qui les amène à vivre davantage en marge de la société, les confinant du coup dans un état de vulnérabilité dont elles ont peine à s'extirper. Nous soulevons au passage l'importance des travaux de Robert Castel (1981) et de Michel Foucault (1999) sur cette question.

Les déterminants de la santé et la vulnérabilité

À chaque étape de la vie, l'état de santé d'une personne est influencé par une série d'interactions complexes entre plusieurs facteurs désignés comme les *déterminants de la santé*. Au Canada, ces facteurs sont au nombre de 12 :

- niveau de revenu et statut social ;
- réseaux de soutien social ;

- éducation et alphabétisme;
- emploi et conditions de travail;
- environnements sociaux;
- environnements physiques;
- habitudes de santé et capacités personnelles d'adaptation;
- développement de la petite enfance;
- patrimoine biologique et génétique;
- disponibilité des services de santé;
- sexe;
- culture.

Source : Agence de santé publique du Canada (2003).

Ces facteurs n'agissent pas de manière isolée. En effet, ce sont plutôt les combinaisons possibles entre ces variables qui influencent l'état de santé d'une personne ou d'un groupe de personnes (agrégats, communautés, populations). Au Canada, les instances gouvernementales, par l'entremise de diverses agences sanitaires, tentent de comprendre les effets de ces combinaisons sur l'état de santé des populations dans le but d'influencer l'opérationnalisation des combinaisons entre les déterminants de la santé. Ces déterminants constituent donc des variables importantes qui peuvent expliquer la vulnérabilité de certaines personnes ou de certains groupes au regard de problématiques de santé diverses. Par exemple, une personne âgée vivant sous le seuil de la pauvreté et sans réseau de soutien social est plus vulnérable qu'une personne capable de subvenir aisément à ses besoins et pourvue d'importants réseaux de soutien social. Le faible niveau socio-économique de cette personne l'empêche de s'alimenter, de se vêtir et de se loger adéquatement, alors que l'absence de réseaux de soutien social bien articulés peut aussi exacerber sa situation déjà précaire puisqu'elle doit se déplacer seule pour se rendre à ses divers rendez-vous médicaux ou remplir ses autres obligations.

Les recherches actuelles dans le champ de la santé des populations ou de la santé publique sont orientées vers la découverte de moyens permettant de mieux connaître le fonctionnement des déterminants de la santé et, aussi, de mieux comprendre les conséquences de ces combinaisons d'éléments qui affectent l'état de santé (Santé Canada, 1997).

La justice sociale et les soins infirmiers

Les risques peuvent être le reflet d'inégalités sociales structurelles (Ewald, 1986, 1988). Il existe des situations de risque qui sont des circonstances générales, sur lesquelles les personnes ont peu de prise, ou n'en ont pas, et qui sont connues pour avoir une incidence sur leur état de santé (Santé Canada, 1997). Il s'agit habituellement d'une résultante de mesures d'intérêt public, qu'il est possible de modifier au moyen d'une action collective concertée en vue d'une réforme sociale. Sont à risque (donc vulnérables) les gens qui, du fait de leur situation économique et sociale, sont isolés et n'ont pas accès aux ressources et aux occasions de participer à la vie de leur collectivité. Sont à risque les gens qui ont peu de capacités fonctionnelles et qui, de ce fait, n'ont pas l'impression d'avoir une emprise sur leur vie et leur milieu. Sont à risque les gens qui, pour diverses raisons, dont un grand nombre liées à leur condition sociale, n'ont pas accès à des soins primaires et à des services de santé préventifs convenables, ou ont des habitudes de vie nocives (Santé Canada, 1997).

Le personnel infirmier peut donc jouer un rôle de premier plan dans la création d'un lobby (ou y participer) où les intérêts des populations plus fragiles (vulnérables) sont pris en compte. On définira la justice sociale comme l'ensemble des actions auxquelles le personnel infirmier participe en vue de :

- contester la discrimination négative : contester la discrimination négative lorsqu'elle est basée sur des critères tels que le handicap, l'âge, la culture, le sexe, l'état civil, les opinions politiques, la couleur de la peau ou d'autres caractéristiques physiques, l'orientation sexuelle et les croyances religieuses ou spirituelles;
- reconnaître la diversité humaine : reconnaître et respecter la diversité raciale et culturelle (entendue ici au sens large) des sociétés dans lesquelles il intervient, et prendre en compte les différences individuelles et familiales des agrégats et des communautés;
- distribuer les ressources équitablement : s'assurer que les ressources sanitaires à sa disposition sont distribuées équitablement, en fonction des besoins des personnes, des agrégats ou des communautés à desservir;
- contester les pratiques et les politiques socio-sanitaires et économiques injustes risquant de causer un préjudice à des personnes et à des populations vulnérables; porter à l'attention des employeurs, des législateurs, des politiciens et du grand public les situations où les ressources sont inadéquates et les cas où les politiques ou les pratiques sont injustes ou nocives pour la santé (physique, mentale, sociale);

- promouvoir la solidarité sociale : dénoncer les conditions sociopolitiques et économiques qui contribuent à l'exclusion sociale, à la stigmatisation ou à la soumission, afin de tendre vers une société plus accueillante et juste pour tous (International Federation of Social Workers, 2005).

Les travailleurs sociaux constituent un groupe socioprofessionnel déjà très engagé sur le plan sociopolitique. Du côté des soins infirmiers, certains diront que beaucoup de travail reste à faire. Mais, depuis toujours, le personnel infirmier a été interpellé par le concept de justice sociale. En effet, le code d'éthique qu'impose le Conseil international des infirmières et des infirmiers inclut les éléments de droits humains et de dignité humaine (CII, 2005). Ce sont d'ailleurs ces éléments d'éthique qui poussèrent Nightingale (1969) à travailler avec les plus pauvres et les plus démunis. La justice sociale constitue une des bases importantes sur lesquelles les soins infirmiers se sont développés au fil du temps (Barnes, 2005). Les valeurs associées au soin de l'autre, comme les notions d'*empowerment* et d'*advocacy*, ainsi que l'engagement des infirmières et des infirmiers à travailler pour établir un système de santé public centré sur les besoins des patients contribuent à la réalisation de cette justice sociale.

Cela étant dit, on est en droit de s'interroger sur les formes que prennent les actions entreprises par la main-d'œuvre infirmière contemporaine en vue de participer à l'édification d'une société équitable et respectueuse de la diversité des personnes et des groupes de personnes. À cet égard, l'American Association of Colleges of Nursing (1998) soutient que l'enseignement collégial et universitaire en sciences infirmières doit inclure la notion de justice sociale, et elle s'attend à ce que les nouvelles infirmières (tout comme leurs collègues œuvrant déjà dans la profession) :

- défendent les politiques de soins de santé justes, qui respectent la diversité et combattent toutes les formes de discrimination ;
- promeuvent l'accès universel aux soins de santé ;
- et encouragent les décideurs à légiférer afin de maintenir la concordance entre politiques sociosanitaires et avancement des soins infirmiers. Ces éléments de justice sociale sont aussi partagés par l'Association des infirmières et infirmiers du Canada (2003).

L'urgence d'agir : de l'éthique du soin à la *parrhésia*

Le soin infirmier est une pratique professionnelle qui dépasse le cadre de la technique de soin. Nous estimons que la pratique du soin infirmier est une pratique sociale et que l'acte professionnel de l'infirmière et de l'infirmier (Roth et Harrison, 1991) doit refléter un juste équilibre entre les obligations privées (soin aux personnes, aux agrégats et aux communautés) et les obligations publiques (bien commun, participation aux débats publics en matière d'allocation et de distribution des services de santé). Ce juste équilibre suppose un processus de conscientisation qui devrait faire partie de la socialisation de tous les étudiants inscrits à des programmes de sciences infirmières. La représentation des groupes vulnérables dans la sphère publique suppose donc une éthique professionnelle et une éthique personnelle strictes basées sur les valeurs précédemment énoncées au regard de la justice sociale.

La définition de l'excellence en soins infirmiers doit dépasser l'engouement actuel pour les données probantes et s'étendre à la capacité des infirmières et des infirmiers à prendre part aux grands débats de société. On s'attend à ce que le personnel infirmier prenne position en matière de soins de santé, et ce, à l'intérieur des institutions qui l'embauchent et, aussi, dans les débats provinciaux, nationaux et internationaux. Cette prise de position publique permettra au personnel infirmier de remettre en question certains fonctionnements institutionnels cristallisés dans la répétition des discours en vogue, alors que certains d'entre eux, hissés au rang de vérités, vont tout simplement à l'encontre d'une société juste et équitable pour tous (Holmes, Kennedy et Perron, 2004 ; Malherbe, 2003). Il s'agit donc pour le personnel infirmier de mieux comprendre les rapports de pouvoir à l'œuvre dans les institutions de santé afin de les court-circuiter (Leuning, 2001).

Pour mettre en lumière les rapports de pouvoir, le personnel infirmier doit faire preuve de *parrhésia*. Il s'agit d'une prise de position dans l'arène politique, donc d'une prise de position publique, qui crée, pour la personne qui prend la parole, un espace de risque (Gros, 1996). La *parrhésia* est une parole franche et critique qui s'oppose aux régimes ou aux idéologies en place (Foucault, 1991). Il y a *parrhésia* quand la prise de parole est risquée (congédiement, par exemple) pour la personne qui s'en prévaut et que celle-ci fait preuve d'un courage exemplaire aux yeux des autres. Il s'agit, pour la personne, de se donner un espace de liberté afin de manifester un rapport à soi structuré par la liberté de dire, même si cela dérange. Cette tactique politique est tout à fait adaptée au rôle d'*advocacy* que doit remplir le personnel infirmier au regard des populations vulnérables.

Les soins infirmiers aux personnes vulnérables

Le personnel infirmier exerçant dans le domaine de la santé communautaire et de la santé publique est fréquemment en contact avec les personnes et les groupes vulnérables dont les besoins en matière de soins de santé sont souvent très complexes, car ces personnes sont affectées par de multiples problèmes de santé concomitants. Ces problèmes résultent très souvent de déficits sur le plan socioéconomique (Maurer, 2005). Il importe donc que le personnel infirmier s'outille en la matière afin de mieux comprendre les aspects socio-économiques et politiques des soins de santé.

Ainsi, une connaissance des politiques économiques et sanitaires en vigueur ou futures est fondamentale pour le personnel infirmier qui œuvre auprès de cette population. Il importe aussi que le personnel soit très bien informé relativement aux ressources publiques et communautaires disponibles. Une connaissance approfondie des programmes ainsi que de leurs objectifs et des résultats attendus est aussi souhaitable. Par conséquent, le personnel infirmier doit entretenir des relations professionnelles avec les agences qui font partie du réseau public, parapublic et communautaire (Maurer, 2005), et être au courant des ressources disponibles pour les personnes vulnérables afin de pouvoir les orienter vers ces ressources lorsque cela est nécessaire, dans une optique de continuité des soins.

Mais, au-delà de toutes ces considérations, le personnel infirmier doit faire preuve de sensibilité à l'égard des personnes vulnérables et de leurs différences, et être en mesure de reconnaître les facteurs pouvant induire une situation de précarité. De même, il doit tolérer certaines formes de marginalité, et reconnaître en quiconque le potentiel d'agir positivement sur sa santé.

Références

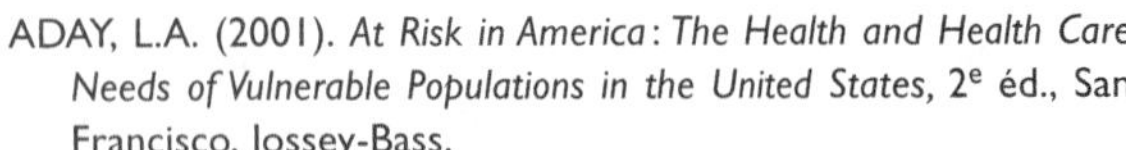

ADAY, L.A. (2001). *At Risk in America: The Health and Health Care Needs of Vulnerable Populations in the United States*, 2e éd., San Francisco, Jossey-Bass.

AGENCE DE SANTÉ PUBLIQUE DU CANADA (2002). *Pour une compréhension commune: une clarification des concepts clés de la santé de la population*, Ottawa, Gouvernement du Canada, http://www.phac-aspc.gc.ca/ph-sp/ddsp/docs/commune/annexe_c.html (consulté le 6 avril 2005).

AGENCE DE SANTÉ PUBLIQUE DU CANADA (2003). *Qu'est-ce qui détermine la santé?*, Ottawa, Gouvernement du Canada, http://www.phac-aspc.gc.ca/ph-sp/ddsp/determinants/#key_determinants (consulté le 6 avril 2005).

AMERICAN ASSOCIATION OF COLLEGES OF NURSING (1998). *The Essentials of Baccalaureate Nursing Education for Professional Nursing Practice*, Washington, American Association of Colleges of Nursing.

ASSOCIATION CANADIENNE DE GÉRONTOLOGIE (1995). «Les aînés à risque: un cadre théorique», document préparé par Charmaine Spencer pour la Division du vieillissement et des aînés, Santé Canada, non publié.

ASSOCIATION DES INFIRMIÈRES ET INFIRMIERS DU CANADA (2003). *L'Infirmière canadienne*, vol. 4, n° 7, p. 12-15.

BARNES, C. (2005). «The nature of social justice», dans M. De Chesnay, *Caring for the Vulnerable*, Toronto, Jones and Bartlett, p. 13-19.

BECK, U. (1986). *La société du risque*, Paris, Alto/Aubier.

CASTEL, R. (1981). *La gestion des risques*, Paris, Éditions de Minuit.

CII (2005). *Code de déontologie*, Genève, Conseil international des infirmières et des infirmiers.

De CHESNAY, M. (2005). *Caring for the Vulnerable*, Toronto, Jones and Bartlett.

EWALD, F. (1986). *L'État providence*, Paris, Grasset et Fasquelle.

EWALD, F. (1988). «Un pouvoir sans dehors», dans *Michel Foucault, philosophe: rencontre internationale, Paris 9, 10, 11 janvier*, Paris, Seuil.

FOUCAULT, M. (1991). *Fearless Speech*, New York, Semiotext(e).

FOUCAULT, M. (1999). *Les anormaux*, Paris, Gallimard et Seuil.

FOUCAULT, M. (2002). *Histoire de la sexualité: la volonté de savoir*, Paris, Gallimard, coll. «Tel».

GOFFMAN, E. (1975, 1996). *Stigmate: les usages sociaux des handicaps*, Paris, Éditions de Minuit.

GROS, F. (1996). *Michel Foucault*, Paris, Presses Universitaires de France.

HOLMES, D. et D. GASTALDO (2002). «Nursing as means of governmentality», *Journal of Advanced Nursing*, vol. 38, n° 7, p. 557-565.

HOLMES, D., S. KENNEDY et A. PERRON (2004). «Mentally ill and social exclusion: a critical examination of the use of seclusion from the patient's perspective», *Mental Health Nursing*, n° 25, p. 559-578.

HOLMES, D. et D. WARNER (2005). «The anatomy of a forbidden desire: Men, penetration and semen exchange», *Nursing Inquiry*, vol. 12, n° 1, p. 10-20.

INTERNATIONAL FEDERATION OF SOCIAL WORKERS (2005). *Assemblée générale de la FITS 2004: proposition pour un nouveau document d'éthique*, http://www.ifsw.org/GM-2004/GM-EthicsF.html (consulté le 5 avril 2005).

JOHNSON, D. (1959). «The nature of the science in nursing», *Nursing Outlook*, vol. 7, n° 5, p. 291-294.

LEUNING, C.J. (2001). «Advancing a global perspective: The world as classroom», *Nursing Science Quarterly*, vol. 14, n° 4, p. 298-303.

LUPTON, D. (1999). *Risk*, Londres, Routledge.

MALHERBE, J.-F. (2003). *Les ruses de la violence dans les arts du soin*, Montréal, Liber.

MAURER, F. (2005). «Vulnerable populations», dans F. Maurer et C. Smith (dir.), *Community/Public Health Nursing Practice: Health for Families and Populations*, 3e éd., St. Louis, Elsevier.

NIGHTINGALE, F. (1969). *Notes on Nursing: What Is It and What It Is Not*, New York, Dover.

PERRON, A., C. FLUET et D. HOLMES (2005). « Agents of care and agents of the state : Bio-power and nursing practice », *Journal of Advanced Nursing*, vol. 50, n° 5, p. 1-9.

ROSE, N. (1999). *Powers of Freedom*, Cambridge, Cambridge University Press.

ROTH, P.A. et J.K. HARRISON (1991). « Orchestrating social change : An imperative in the care of the chronically ill », *Journal of Medicine and Philosophy*, n° 16, p. 343-359.

SANTÉ CANADA (1997). *Risque, vulnérabilité, résilience. Implications pour les systèmes de santé*, Ottawa, Gouvernement du Canada.

SIBLEY, D. (1999). *Geographies of Exclusion*. New York, Routledge.

STANHOPE, M. et J. LANCASTER (1996). *Community Health Nursing*, 4e éd., St. Louis, Mosby.

STATISTIQUE CANADA (2003). *Examen des différences entre les sexes quant à la délinquance*, Ottawa, Gouvernement du Canada, http://www.statcan.ca/francais/research/85-561-MIF/85-561-MIF2003001.pdf (consulté le 6 avril 2005).

CHAPITRE 15

DES SOINS TRANSCULTURELS COMPÉTENTS : LE MODÈLE DE PURNELL

GINETTE COUTU-WAKULCZYK

INTRODUCTION

La diversité culturelle au Canada n'est pas un phénomène nouveau. La nouveauté relève davantage de l'importance que revêt ce phénomène sur le plan des soins de santé et des interactions entre toutes les personnes impliquées dans la prestation de services. Les services offerts à l'individu, à sa famille ou à la collectivité par les intervenants doivent être planifiés de façon cohérente et appuyés par des politiques de santé. Parallèlement à l'accroissement de la diversité ethnique des populations s'est imposée la nécessité de sensibiliser les travailleurs de la santé aux défis que représentent les différences culturelles dans le domaine de la santé. Cette situation prévaut tant sur le plan des services et de l'administration que sur celui de la formation des professionnels, car l'ouverture consciente à la diversité culturelle améliore la capacité des travailleurs du domaine de la santé à fournir des soins culturellement compétents et efficaces.

CONCEPTS CULTURELS ET DÉFINITION DES TERMES

Selon Purnell et Paulanka (1998), la culture se rapporte à la totalité des modèles de comportements socialement transmis relatifs aux arts, aux croyances, aux valeurs, aux coutumes et aux habitudes de vie, et à l'ensemble du travail humain et des caractéristiques de la pensée des personnes composant la population. La culture guide à la fois la vision du monde, la façon de percevoir l'environnement et la prise de décisions. Ces modèles de comportements, explicites et implicites, sont appris et transmis au sein des familles et partagés par la majorité des membres d'une même culture ; il s'agit de phénomènes émergents qui changent la réponse à un phénomène appréhendé dans sa globalité. Or, bien que relevant du domaine de l'inconscient, la culture a une influence directe ou indirecte puissante sur les perceptions quant à la santé et à la maladie. La compétence culturelle implique, dans le contexte du modèle transculturel de Purnell, de devenir conscient de sa propre existence, de ses sensations, de ses pensées et de son environnement, sans laisser transparaître dans ses comportements (incluant les comportements verbal et paraverbal) une influence indue des sources extérieures, de démontrer une connaissance et une compréhension de la culture du client, d'accepter et de respecter les différences culturelles, et d'adapter les soins de façon congruente à la culture du client.

La compétence culturelle est un processus conscient et non linéaire, selon Purnell et Paulanka (1998, 2003), et l'évolution progressive menant à l'acquisition d'une telle compétence se subdivise en quatre stades. Au début, la personne se situe au stade de l'*incompétence inconsciente,* c'est-à-dire de l'absence de conscientisation de son manque de connaissances au regard de l'autre culture. Le deuxième stade, l'*incompétence consciente* réfère à la présence d'une sensibilisation suffisante pour reconnaître son manque de connaissances relativement à la culture du client. Le troisième stade est celui de la *compétence consciente.* À ce stade, il existe une évolution progressive menant à la capacité d'apprendre et de prendre en compte des éléments de la culture d'autrui susceptibles d'être utiles aux professionnels de la santé pour concevoir des interventions culturellement spécifiques. Enfin, le quatrième stade, la *compétence inconsciente,* est caractérisé, dans le cadre de la prestation de soins, par le développement d'automatismes culturellement congruents à des clients de différentes cultures. Ce dernier stade dans l'évolution de la compétence culturelle est difficile à atteindre; aussi, la majorité des professionnels de la santé ne parviendront qu'au troisième stade, soit celui de la *compétence consciente.* Cependant, sans l'utilisation de soins culturellement adaptés, la pleine participation des personnes et des familles à la continuité des soins est loin d'être acquise et met en péril l'efficacité minimale des services de soins de santé. En effet, des interventions utiles et bénéfiques reposent sur leur intégration aux valeurs culturelles.

En matière de compétence culturelle, il est primordial d'arriver à une compréhension de sa propre culture et des valeurs personnelles qui s'y rattachent, en plus d'acquérir l'habileté de se détacher de l'« excédent de bagage » associé à la culture. Et, pourtant, même après des efforts conscients pour y parvenir, des traces de l'ethnocentrisme peuvent inconsciemment prévaloir sur les attitudes et les comportements personnels. Par définition, l'ethnocentrisme signifie, pour tout être humain, de considérer sa propre façon de penser et d'agir comme la meilleure, la plus appropriée et la plus naturelle. Cette tendance universelle perpétue chez l'individu l'attitude voulant que des croyances très différentes de sa propre culture sont bizarres, étranges et non éclairées, et, par conséquent, « incorrectes ». Cette attitude s'avère la principale embûche à la prestation de soins consciemment ouverts à la culture. Alors que les valeurs sont des principes et des normes ayant une signification valable et conforme pour une personne, une famille, un groupe ou une collectivité, l'intensité avec laquelle les valeurs culturelles sont intrinsèquement ancrées influence la tendance à l'ethnocentrisme: en d'autres mots, plus la personne a intégré ses valeurs culturelles, plus il lui est difficile d'éviter la tendance à l'ethnocentrisme.

Les attitudes, les croyances et l'idéologie

Les termes « attitudes », « croyances » et « idéologie » font partie intégrante de la définition même de la culture. Ainsi, une attitude correspond à un état de pensée ou à un sentiment à l'égard de la culture; une croyance se rapporte à une chose, acceptée comme vraie, posée comme principe ou groupe de principes spécifiques ralliant le peuple d'un même groupe ethnoculturel. Les attitudes et les croyances n'ont pas à être prouvées et, inconsciemment, elles sont acceptées comme étant la « vérité ». Par ailleurs, l'idéologie consiste en des pensées et des croyances qui reflètent les besoins sociaux et les aspirations d'un individu ou d'un groupe ethnoculturel.

Les soins de santé transculturels

Le débat se poursuit autour des définitions précises à donner aux termes *transculturel* et *interculturel,* plusieurs auteurs les définissant différemment. Dans la perspective du modèle de Purnell (Purnell et Paulanka, 1998), ces dénominations sont utilisées de façon interchangeable pour signifier *traverser, franchir* sa propre culture, ou l'*entrecroiser* avec une autre (*spanning, crossing, intersetting*). Toute interaction avec des personnes d'une autre culture devient automatiquement un pas vers l'ouverture à la diversité culturelle. Par exemple, les membres d'une population peuvent porter le même type de vêtements, se promener au volant de voitures similaires et regarder les mêmes émissions télévisées, mais, en dépit de ces similarités, ces personnes peuvent se situer à des lieux de distance quant aux origines culturelles et ethniques qui forgent la base de leurs héritages de valeurs.

Dans la société moderne, très peu de groupes ont reconnu aussi clairement l'influence de la diversité culturelle que les professionnels de la santé. Les sciences infirmières ont depuis longtemps mis l'accent sur l'importance de dispenser des soins consciemment adaptés à la culture et respectueux des différences individuelles, et d'intégrer les valeurs uniques et les habitudes de vie aux modes de prestations de soins de santé. Les professionnels de la santé, aussi bien les professeurs que les étudiants, ont soutenu le concept de l'holisme et reconnu la nécessité de comprendre les traditions des clients afin d'offrir des soins intégraux et respectueux des valeurs personnelles et de l'individualité des clients.

Les théories et les modèles conceptuels de la diversité culturelle

Vers 1960, les théoriciens s'intéressant aux soins de santé ont commencé à élaborer des cadres conceptuels relatifs à l'évaluation des besoins, à la planification et à la mise en œuvre d'interventions culturellement compétentes. Parmi les modèles transculturels les plus connus, le modèle Sunrise, élaboré par Leininger (1988) pour les besoins des sciences infirmières, arrive bon premier, suivi du Outline of Cultural Material, de Murdock (1971), qui permet d'évaluer les collectivités. D'autres modèles ont aussi de nombreux adeptes : celui de Tripp-Reimer, Brink et Saunders (1984), qui se rapporte spécifiquement aux sciences infirmières; celui de

Giger et Davidhizar (1995), utilisé par différents techniciens en soins de santé; le CONFHER de Fong (1985), basé sur l'évaluation de sept aspects des antécédents culturels, incluant la communication, l'orientation, la nutrition, les relations familiales, les croyances en matière de santé, l'éducation et la religion; et, finalement, le modèle de Campinha-Bacote (1991), qui réfère à la connaissance culturelle, à la conscientisation, aux habiletés, au désir et aux rencontres. Le modèle des compétences transculturelles de Purnell (Purnell et Paulanka, 1998, 2003) se détache de l'ensemble de ces modèles par sa structure et son niveau opérationnel. Ce modèle est constitué d'un cadre organisationnel que les praticiens et les professionnels des diverses disciplines de la santé peuvent facilement utiliser et comprendre, sans égard à leur origine ethnique ou à leurs antécédents culturels.

Le modèle transculturel de Purnell

Dans l'étude de phénomènes complexes tels que la culture et l'ethnicité, les établissements universitaires et les agences de soins mettent généralement l'accent sur la structure, la systématisation et la formulation. Le modèle évolutionniste des compétences culturelles de Purnell fournit un cadre de référence intégratif, systématique et concis pour l'apprentissage des particularités culturelles. Ce modèle est également utile pour les professionnels, les gestionnaires et les administrateurs de toutes les disciplines de la santé, et les différentes personnes œuvrant dans les milieux d'interventions, incluant les services en établissement et dans la communauté.

Une vue d'ensemble du modèle

Le modèle est schématisé sous la forme d'un cercle entouré de cerceaux externes (figure 15.1). La bordure la plus éloignée du centre représente la société dans sa globalité suivie, vers l'intérieur, d'un cerceau illustrant la communauté; viennent ensuite les cerceaux de la famille et de la personne. Le cercle se subdivise en douze pointes, chacune se rapportant à un domaine culturel particulier et aux concepts afférents. Le centre noir du cercle représente les phénomènes inconnus, mais pourtant bien présents. À la base du cercle et des cerceaux apparaît une ligne brisée représentant l'évolution du concept non linéaire de la connaissance culturelle et de la compétence consciente.

Les aspects macroscopiques du modèle

Les aspects macroscopiques de ce modèle interactionnel se composent des concepts sous-jacents aux métaparadigmes que sont la *société globale*, la *communauté*, la *famille*, la *personne* et la *compétence consciente*. Les domaines connexes intégrés au modèle sont liés à la biologie, à l'anthropologie, à la sociologie, à l'économie, à la géographie, à l'histoire, à l'écologie, à la physiologie, à la psychologie, à la science politique, à la pharmacologie et à la nutrition, ainsi qu'aux théories de la communication, du développement de la famille et du soutien social. Le modèle de Purnell s'utilise autant en pratique clinique, en éducation, en recherche et en administration qu'en gestion des services de santé.

Le modèle transculturel de Purnell : la compétence culturelle

Les phénomènes liés à la *société globale* englobent la communication et la politique à l'échelle mondiale, les conflits et les guerres, les désastres naturels et les famines, les échanges internationaux sur le plan du commerce et de l'information technologique, l'avancement dans les sciences de la santé, l'exploration spatiale et l'amélioration des possibilités de voyage autour du monde, augmentant ainsi les interactions entre les sociétés. Les événements à l'échelle du monde, diffusés par la télévision et la radio, ou transmis par satellite et les médias écrits et virtuels, affectent directement ou indirectement toutes les sociétés. Ces événements amènent les peuples à changer leurs habitudes de vie et leur vision du monde, qu'ils en soient conscients ou non.

Au sens large de sa définition, la *communauté* représente un groupe de personnes ayant en commun une identité et des intérêts propres, et habitant dans une localité spécifique. Le terme *communauté* réfère à des caractéristiques physiques, sociales et symboliques qui amènent les gens à communiquer entre eux. Cependant, les montagnes, les cours d'eaux, le milieu urbain plutôt que rural, et même les voies ferrées contribuent à la définition physique ou géographique du concept de communauté. Si l'économie, la religion, la politique, l'âge, la génération et l'état civil entrent en jeu sur le plan de la définition du concept de communauté sociale, le partage d'une langue spécifique ou d'un dialecte, les habitudes de vie, l'histoire, l'habillement, l'art et la musique traduisent les caractéristiques symboliques d'une communauté. Les gens entretiennent activement ou passivement des relations réciproques avec la communauté, car il est nécessaire qu'ils s'adaptent et s'assimilent pour maintenir l'équilibre et l'homéostasie dans leur vision du monde. Les individus peuvent changer de communauté physique, sociale ou symbolique lorsque celle-ci ne répond plus à leurs besoins.

La *famille*, pour Purnell, est un ensemble de deux personnes ou plus, émotionnellement engagées. Ces personnes ne doivent pas nécessairement vivre sous un même toit ou à proximité l'une de l'autre. Comme

FIGURE 15.1 **LE MODÈLE TRANSCULTUREL DE PURNELL : LA COMPÉTENCE CULTURELLE**

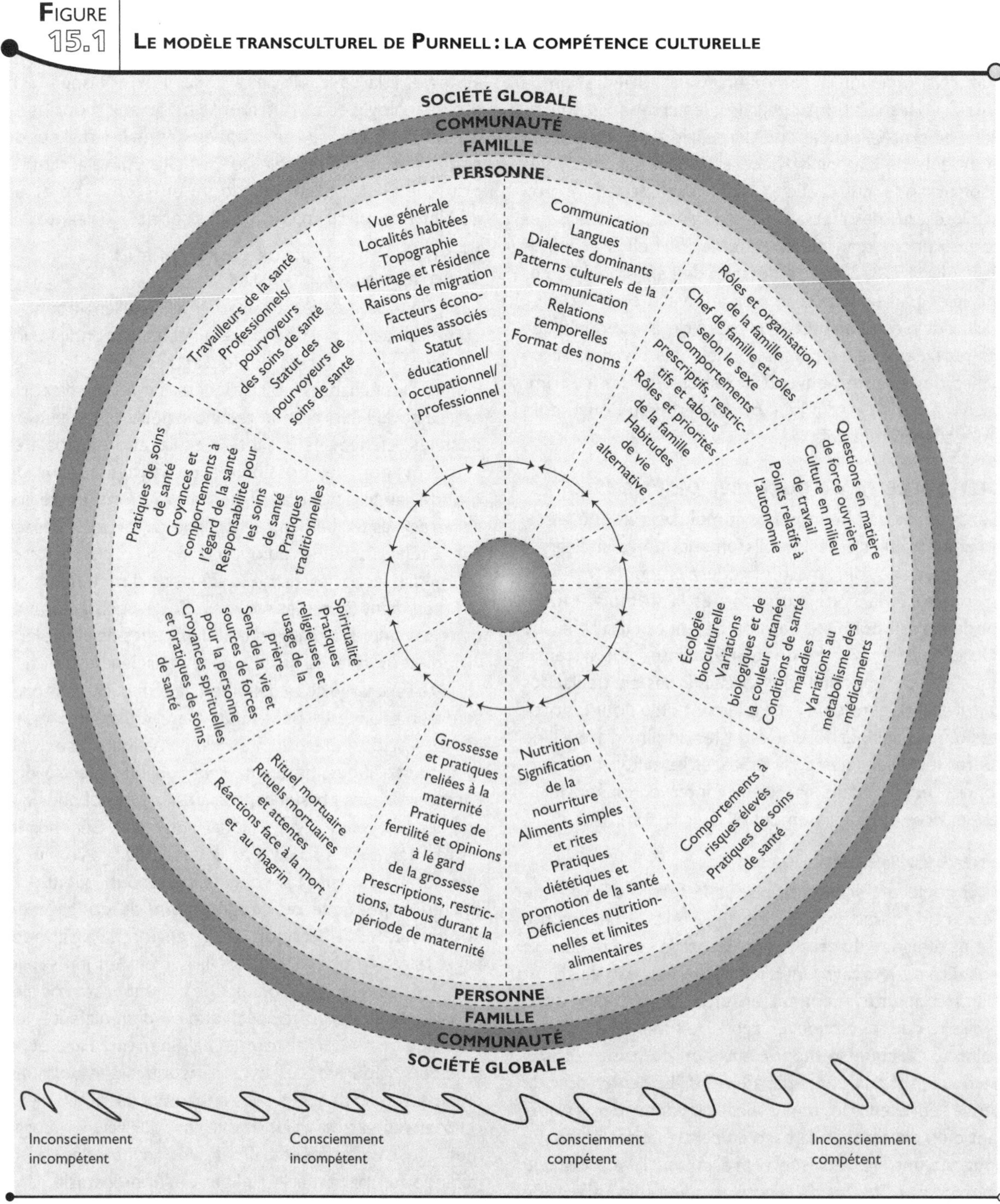

Source : Adapté avec la permission de L. Purnell, Newark, Del. Traduit par G. Coutu-Wakulczyk, 1999.

personnes significatives, la famille peut inclure des personnes émotionnellement proches, qu'elles soient ou non éloignées les unes des autres sur le plan géographique, et des personnes physiquement proches, avec ou sans liens sanguins directs et avec ou sans liens de mariage. La structure et les rôles de la famille changent selon l'âge, la génération, l'état civil, la localisation ou l'immigration, le statut socioéconomique exigeant de chacun qu'il revoie ses croyances et son mode de vie.

La *personne* est un être humain bio-psycho-socioculturel en constante adaptation. Les humains s'adaptent biologiquement et physiologiquement tout le long de leur vie; psychologiquement, ils changent dans le contexte des relations sociales, du stress et des activités récréatives; socialement, les personnes interagissent avec la collectivité en perpétuel changement et, dans une perspective ethnoculturelle, à l'intérieur des paramètres de la société globale.

Le concept de santé est défini en fonction d'un point de vue global, national, régional, local et individuel, et imprègne tous les métaparadigmes conceptuels de la culture. Ainsi, un peuple peut parler de l'état de santé des individus ou bien de l'état de santé de la population, et vice versa. En outre, la santé est décrite de façon objective et subjective. La santé, dans le contexte de cet ouvrage, correspond à un énoncé de bien-être tel qu'il est défini par la population d'un même groupe ethnoculturel et inclut généralement l'état physique, mental et spirituel étant donné les relations réciproques des membres du groupe avec la famille, la communauté et la société globale.

Les aspects microscopiques du modèle

Sur le plan microscopique, le modèle possède un cadre organisationnel composé de 12 domaines dont les concepts sont communs à toutes les cultures. Ces 12 domaines sont liés les uns aux autres, et chacun représente des implications pour la santé. Ce cadre organisationnel présente l'avantage d'offrir une structure concise utile dans une multitude de milieux et applicable à un large éventail d'expériences empiriques. Ce modèle peut soutenir autant un raisonnement inductif que déductif dans le domaine culturel. Ainsi, le praticien peut adopter, modifier ou rejeter le régime de soins de santé, à la suite de l'analyse des données culturelles; les soins doivent respecter les besoins du client et améliorer la qualité des expériences en soins de santé et l'existence personnelle et familiale.

Les 12 domaines de la culture

Les 12 domaines essentiels à l'établissement d'un bilan des attributs ethnoculturels d'un individu, d'une famille ou d'un groupe sont les suivants:

- le sommaire[1], la localité habitée et la topographie;
- la communication;
- les rôles et l'organisation de la famille;
- les questions relatives à la main-d'œuvre;
- l'écologie bioculturelle;
- les comportements à risques élevés pour la santé;
- la nutrition;
- les pratiques durant la grossesse et la maternité;
- les rituels mortuaires;
- la spiritualité;
- les pratiques de soins;
- les pratiques des intervenants dans le domaine de la santé.

Le sommaire, la localité habitée et la topographie

Ce domaine a trait à l'influence du pays d'origine sur la santé. Les conditions économiques, politiques et éducationnelles qui y prévalent peuvent affecter les raisons de l'immigration, le choix d'emploi et les réponses comportementales des individus et des familles au regard de la santé et de la maladie. Les événements historiques saillants du pays d'origine, dont la discrimination, affectent la culture et influencent le système de valeurs, les croyances et les schèmes de références utilisés dans la vie quotidienne. Étant donné les caractéristiques primaires et secondaires de la diversité culturelle, il faut agir avec prudence et éviter les idées préconçues et stéréotypées qui pourraient être à mille lieues des croyances et du système de valeurs d'un individu ou d'une famille.

L'héritage et la résidence d'origine. Plusieurs immigrants s'installent dans des régions où une collectivité partageant des idéologies communes est déjà établie. Cette collectivité permet de leur assurer un soutien initial et possède des agents culturels capables de les orienter dans la nouvelle culture et dans le système de santé. Toutefois, lorsque les immigrants vivent et travaillent exclusivement dans des communautés à prédominance ethnique, le soutien primaire augmente au détriment de l'acculturation et de l'assimilation. La collaboration entre les services de prestation de soins de santé et la communauté ethnoculturelle est alors essentielle à la promotion et au maintien de la santé, à la prévention et au traitement de la maladie.

1. Ce terme réfère à un résumé de l'histoire de la famille (individu) entourant le départ du pays d'origine, jusqu'à l'arrivée et l'insertion dans le groupe ethnique (s'il y a lieu, les différences sur le plan professionnel, etc.).

Les raisons de la migration et les facteurs économiques associés. Les raisons sous-jacentes à l'immigration d'un réfugié ou d'une personne en séjour transitoire « avec ou sans papiers » fournissent des indices quant au modèle d'acculturation adopté. La plupart des immigrants des décennies antérieures profitaient d'enclaves ethniques qui les recevaient et les assistaient. En l'absence de ces enclaves, l'adaptation au nouveau pays, à sa langue, à l'accessibilité aux services de santé, aux logements et aux possibilités d'emploi devient beaucoup plus difficile. Toutefois, les personnes qui déménagent volontairement d'une culture à l'autre vivent des expériences d'acculturation moins difficiles que les personnes forcées d'émigrer (Berry, 1990).

Le niveau d'instruction et d'emploi. La valeur investie dans la scolarisation formelle diffère selon les personnes et les groupes ethniques et culturels ; ces différences sont souvent associées au statut socio-économique des individus dans leur pays d'origine, aux raisons de leur émigration et à leurs habiletés. Pour certains, la scolarité représente une valeur importante alors que, pour d'autres, elle n'est pas une condition d'emploi dans leur pays d'origine. Là s'installe un cercle vicieux, car sombrer dans la pauvreté limite les possibilités de scolarité et le potentiel de planification de l'avenir.

Les styles d'apprentissage varient selon les individus et les cultures. Aussi, se familiariser avec les valeurs personnelles relatives au mode d'apprentissage revêt toute son importance pour les travailleurs de la santé, les éducateurs et les employeurs, qui doivent choisir des stratégies d'enseignement et un matériel adaptés aux habiletés d'apprentissage et langagières des clients, des étudiants et des employés, et bien campés à l'intérieur des croyances et du cadre culturel. Souvent, l'expérience antérieure incite une personne à choisir un emploi dans des secteurs à hauts risques de maladies chroniques (par exemple, exposition aux pesticides et aux produits chimiques). Il arrive fréquemment qu'une personne, perçue comme quelqu'un possédant un haut niveau de savoir dans son pays d'origine, éprouve de la difficulté à trouver un travail comparable à celui qu'elle accomplissait auparavant (Lipson et Haifizi, 1997), ce qui entraîne un « gaspillage de cerveau » et du sous-emploi (Ronaghy, 1975). Dans certaines cultures, l'information présentée à l'aide d'une méthodologie hiérarchique s'avère difficile à comprendre (Crow, 1993). Par exemple, dans les cas où prévaut une façon de penser qui est spirale et circulaire, la pensée se transmet de concept en concept sans démontrer de linéarité ou de séquences. Une étude effectuée dans un hôpital universitaire de Montréal (Parks, 2002) a montré combien cet aspect prend une signification toute particulière lorsqu'il s'agit de consigner des informations dans le dossier de soins.

La communication

Aucun autre domaine ne présente une plus grande complexité que la communication, en raison de son interaction avec tous les autres domaines du modèle et de son étroite association avec les habiletés verbales, qui relèvent de la langue dominante, des dialectes, de l'usage contextuel et des variations para-langagières comme le volume, la tonalité, les intonations de la voix et la volonté de partager des pensées et des sentiments. D'autres caractéristiques importantes de la communication se rapportent aux aspects non verbaux, dont le contact visuel, les expressions du visage, le toucher, le langage corporel, les distances et les salutations usuelles acceptables ; la temporalité, comme l'orientation au passé, au présent et au futur ; l'heure réelle et l'heure sociale, et le niveau de formalité dans l'usage des noms. Cependant, les styles de communication peuvent varier entre les membres d'une famille et les amis intimes, et avec les inconnus, ce qui inclut les travailleurs dans le domaine de la santé.

La langue dominante et les dialectes. Le travailleur du domaine de la santé se doit d'être conscient de la langue dominante et des difficultés rattachées aux dialectes lorsqu'il communique dans la langue maternelle du client. Par exemple, au Mexique, plus de 50 dialectes différents sont utilisés, 55 en Chine et 87 aux Philippines. Ainsi, pour l'intervenant, en dépit de sa connaissance de la langue dominante du pays, le dialecte peut constituer un obstacle important à la communication. Les dialectes qui diffèrent les uns des autres peuvent poser un sérieux défi au moment de la collecte des données subjectives, augmentant d'autant les risques d'un diagnostic inexact. Il est préférable d'obtenir les services d'une personne capable d'interpréter le message et sa signification plutôt que de traduire simplement les mots. Il faut sélectionner des phrases et des mots simples, s'assurer de l'intonation correcte de la voix, éviter les argots régionaux et les jargons professionnels afin de bien se faire comprendre.

Pour communiquer, le tact et une approche pleine d'égards sont de mise car, pour amener le client à divulguer l'information requise, il faut gagner sa confiance et son respect en l'écoutant attentivement, s'adresser à lui en se servant de son nom officiel et démontrer une ouverture et une cordialité authentiques. Les explications doivent être brèves, directes et claires. Il faut éviter d'utiliser des phrases complexes. Les directives doivent être subdivisées en étapes séquentielles.

Les styles de communication culturelle. La communication réfère à la volonté de partager des pensées et des sentiments. Commencer la conversation de façon simple, en demandant des nouvelles de la famille avant d'aborder les questions de santé, permet d'établir un climat de confiance, de faciliter une communication ouverte et d'encourager le partage d'informations importantes en matière de santé. L'emploi du toucher comme méthode de communication non verbale présente des variations entre les cultures. Travailler auprès de groupes et en milieu multiethnique demande le respect de la distance spatiale entre les individus, qu'il s'agisse du personnel ou de la clientèle. Maintenir le contact des yeux sans pour autant fixer la personne répond à des attentes différentes selon la culture, l'âge et le rang social, et, en matière de santé, ce contact mérite d'être interprété en fonction du contexte culturel. Les expressions faciales varient aussi selon les cultures. Les préférences quant aux salutations, sur le plan de la gestuelle et du langage corporel acceptable, varient aussi selon les groupes culturels.

Les relations temporelles. Sur le plan des relations temporelles, dans de nombreuses sociétés, les personnes font montre d'équilibre en respectant le passé, en valorisant et profitant du présent et en économisant pour l'avenir. L'orientation temporelle devient parfois une source de préoccupations et de mésententes chez les travailleurs qui œuvrent dans le domaine de la santé. Par exemple, une personne issue d'une culture orientée vers l'avenir retardera l'achat de choses non essentielles afin d'avoir les moyens de payer les médicaments prescrits par le médecin. À l'inverse, les personnes appartenant à des cultures moins orientées vers l'avenir achètent les choses non essentielles, facilement accessibles, et reportent dans le temps l'achat de médicaments et des autres nécessités du régime thérapeutique. Quiconque a travaillé auprès de personnes des peuples autochtones du Canada a vite compris que le concept de ponctualité ne revêt pas la même signification dans toutes les cultures. Le retard au rendez-vous ne doit pas être interprété comme un signe d'irresponsabilité ou de non-valorisation de la santé. Par ailleurs, le travail auprès de personnes d'une autre culture requiert que les détails de l'observance du régime thérapeutique soient soigneusement expliqués et tiennent compte du calendrier religieux et des valeurs du client et de sa famille.

Les rôles et l'organisation de la famille

Les rôles et l'organisation de la famille, vus dans une perspective culturelle, affectent tous les autres domaines du modèle, qu'il soit question des membres de la famille ou de l'entourage. Ce domaine inclut les concepts relatifs au maître de la maison et aux rôles des membres de la famille selon le sexe, aux buts de la famille, aux priorités, aux tâches selon le stade de développement des enfants et, enfin, aux rôles des personnes âgées et des autres membres de la famille étendue. La structure familiale détermine les rôles et les priorités des membres de la famille, et les normes comportementales acceptables, et ce, en fonction du statut social de l'individu et de sa famille dans la communauté ; elle détermine aussi les styles de vie non traditionnels (la famille monoparentale, l'orientation sexuelle non traditionnelle, le couple sans enfant et le divorce).

Le chef de la maison et les rôles selon le sexe. La connaissance et la différenciation (*awareness*) des modèles dominants de rôles dans la famille sont parfois nécessaires, particulièrement lorsqu'une décision importante doit être prise en matière de soins de santé. Dans certaines sociétés, des rôles très précis sont dévolus aux hommes et aux femmes à cet égard.

Les prescriptions, les restrictions et les comportements tabous pour les enfants et les adolescents. Toute société possède ses rites et ses pratiques de tabous relativement aux enfants et aux adolescents. Les normes liées aux croyances prescrites sont les choses que les enfants et les adolescents doivent respecter afin de conserver l'harmonie dans la famille et de réussir dans la société. Les pratiques restrictives se rapportent aux actions que les enfants et les adolescents doivent s'abstenir de poser pour obtenir des résultats positifs. Les pratiques taboues sont des actions qui, si elles sont accomplies, engendreront des inquiétudes importantes et des résultats négatifs pour les enfants, les adolescents, la famille et la communauté en général.

Les adolescents possèdent leur propre sous-culture et leurs propres valeurs, croyances et pratiques, qui ne sont pas d'emblée en harmonie avec celles du groupe ethnique majoritaire. Il est particulièrement important pour un adolescent d'être en harmonie avec ses pairs et de se conformer au groupe quant à l'habillement, au style de coiffure, aux parures et aux accessoires. Des conflits de rôles deviennent souvent une source de tension familiale considérable lorsque les croyances ethniques traditionnelles se heurtent à la perception de valeurs d'individualisme, d'indépendance et d'intégration personnelle issue des relations d'égalitarisme, et sont influencées par elles (Nguyen, 1985). De nombreux adolescents sont pris entre « le marteau et l'enclume » lorsqu'ils sont exposés aux valeurs véhiculées à l'extérieur de la famille.

Les buts et les priorités de la famille. La définition du vieillissement varie d'une culture à l'autre et s'appuie sur l'âge, qui est fonction du nombre d'années, des capacités fonctionnelles ou des coutumes sociales. Le concept d'appartenance relatif aux membres de la famille étendue varie selon les sociétés. La famille étendue est très importante dans certaines cultures, et les décisions en matière de soins de santé ne peuvent être prises sans consultation avec la famille entière (Murillo, 1978). La famille étendue comprend aussi bien la parenté biologique que les membres non biologiques considérés comme des frères, des sœurs, des oncles ou des tantes. Parfois, l'influence de la décision des grands-parents est plus importante que celle des parents (Manio et Hall, 1987). Sur le plan de la promotion de la santé et de la prévention de la maladie, les praticiens de la santé doivent également composer avec les croyances culturelles relatives au statut socioéconomique.

Les styles non traditionnels de vie. Pour certains, la famille traditionnelle dite nucléaire se compose d'un homme et d'une femme vivant ensemble avec un ou plusieurs enfants non mariés alors que, pour d'autres, la famille étendue est aussi traditionnelle et comprend, en plus des parents et des enfants non mariés, les enfants mariés, leurs enfants et les grands-parents, tous partageant un même toit. Ces dernières années, la composition des familles contemporaines a subi des variations notoires pour inclure des couples non mariés, des personnes vivant seules, hommes ou femmes, des célibataires de même sexe ou de sexe opposé, vivant ensemble avec ou sans enfants, des familles monoparentales avec enfants dont le chef de famille est un homme ou, plus souvent, une femme. Les familles reconstituées comprennent deux parents remariés avec présence d'enfants issus du ou des mariages précédents et des enfants issus de la présente union (Lepage, Essiembre et Coutu-Wakulczyk, 1996).

Les questions relatives à la main-d'œuvre

Ce domaine concerne les questions relatives à la main-d'œuvre et à la force ouvrière. Les différends et les conflits qui surviennent au sein des organismes de santé entre les travailleurs issus d'une culture homogène peuvent s'intensifier lorsque le groupe est composé de personnes provenant de plusieurs cultures. Les obstacles émanant de la langue, du degré d'assimilation, de l'acculturation et des questions relatives à l'autonomie sont des facteurs d'influence incontournables. De plus, l'assignation des rôles selon le sexe, le style culturel particulier de communication, les pratiques en soins de santé du pays d'origine ainsi que certains concepts relevant des autres domaines du modèle affectent les questions de main-d'œuvre dans un environnement de travail multiculturel.

La culture et le milieu de travail. La diversité culturelle des travailleurs d'hôpitaux est observable autant dans les postes de techniciens de laboratoire, de cuisiniers, d'aides-infirmiers et de concierges que dans les postes de cliniciens. Néanmoins, les postes requérant peu de compétences particulières sont plus accessibles aux nouveaux immigrants (Motwani, Hodge et Crampton, 1995). Deux attitudes fondées sur la culture, la ponctualité et le moment opportun pour prendre des jours de congé sont susceptibles de créer de sérieux problèmes dans un milieu de travail multiculturel. Par exemple, des conflits peuvent survenir en raison des retards au travail et du choix des jours de travail assignés. Les demandes relatives au respect de l'horaire et des responsabilités personnelles sont parfois diamétralement opposées à l'éthique et à la ponctualité observées dans le pays d'origine.

Les questions liées à l'autonomie. Les différences culturelles ayant trait à la confiance en soi influencent la façon dont les professionnels de la santé se perçoivent entre eux. Les infirmières ne sont pas toujours préparées adéquatement pour assumer, socialement ou culturellement, un rôle décisionnel quant à la gestion des risques et à l'éducation, ou comme agents de changement (Harner et autres, 1994). Les diplômés étrangers qui ne sont pas habitués au niveau d'autonomie professionnelle, à la liberté du client et aux pratiques du consentement éclairé du pays d'accueil, acquièrent plus d'assurance si les tâches assignées sont expliquées en fonction de différents aspects, qui vont de la législation professionnelle à l'éthique et à la qualité des soins.

L'utilisation de la langue d'origine au travail peut s'avérer une source de mésentente et de litige autant pour le client que pour le personnel médical (Burner, Cunningham et Hatter, 1990; Martin, Wimberley et O'Keese, 1994). Certains professionnels peuvent avoir besoin d'instructions écrites pour rédiger les plans de soins et les procédures particulières. Comme l'a démontré l'étude de Parks (2002), les employeurs des milieux de soins de santé auraient tout avantage à offrir des cours et des ateliers aux employés œuvrant auprès de clients et de personnel de cultures différentes afin d'améliorer la communication verbale et écrite.

L'écologie bioculturelle

Ce domaine regroupe les variations physiques, biologiques et physiologiques spécifiques associées aux origines ethniques et raciales. Ces variations incluent, en plus de la couleur de la peau, une liste de différences de l'habitus. Aucune tentative n'est ici faite pour expliquer ou justifier les avis nombreux, et parfois contradictoires, relatifs aux questions génétiques et environnementales sous-jacentes aux variations. Pour en connaître davantage sur les perspectives controversées liées aux variations anthropologiques, génétiques et biologiques, les lecteurs intéressés sont priés de se référer aux ouvrages de Brislin (1993) et de Brown (1984). L'exactitude des observations varie selon les individus et, fréquemment, les variations intra-ethniques sont plus grandes que les variations inter-ethniques.

La coloration de la peau et les autres variations biologiques. La coloration cutanée représente une préoccupation d'importance. Les techniques d'évaluation des niveaux d'ictère et d'oxygénation sanguine diffèrent selon que la peau de la personne est foncée ou pâle. Chez la personne d'origine asiatique, l'ictère est plus facilement détectable par l'examen de la sclérotique que par le changement de la couleur de la peau. Le travailleur en soins de santé aura tout avantage à établir une base pour bien déterminer la couleur de la peau (en s'informant auprès d'un membre de la famille ou de quelqu'un qui connaît la personne), à utiliser la lumière directe du soleil si cela est possible, à observer les endroits où la pigmentation est la moins prononcée et à palper pour détecter les érythèmes. L'évaluation de l'anémie chez une personne au teint très foncé se fait plus facilement par l'examen de l'état de la muqueuse buccale ou du retour capillaire à la base de l'ongle.

Les conditions de santé et la maladie. Les maladies endémiques sont les maladies affectant habituellement un groupe racial ou une ethnie spécifique. Les praticiens de la santé devraient évaluer les nouveaux immigrants en ayant à l'esprit les maladies communes de leur pays d'origine. Une sensibilisation accrue au problème des maladies endémiques spécifiques des populations permet aux professionnels de la santé de fournir un dépistage et des programmes de promotion de la santé pertinents. La connaissance des facteurs de risques spécifiques liés à la topographie du pays d'origine et de la résidence actuelle améliore le processus diagnostique et assure l'exactitude du bilan de santé.

Certains groupes ethniques présentent des susceptibilités génétiques par rapport à des maladies et à des conditions spécifiques de santé. C'est le cas du diabète, dont la prédiction de l'incidence varie selon les groupes culturels ; par exemple, l'incidence du diabète chez les Noirs est au moins 1,6 fois supérieure à celle rapportée chez les Euro-Américains (Roseman, 1985). Les Navajos ont entre 1,9 et 3 fois plus de risques d'être atteints de diabète que la population générale américaine (Freeman et autres, 1989), et plus de 65 % des Pimas, après l'âge de 30 ans, présentent des signes de diabète non insulinodépendant (Department of Health and Human Services, 1995) Le réservoir génétique limité parmi les populations amish entraîne une plus grande proportion de désordres génétiques, dont le nanisme et la dystrophie musculaire (Thayer, 1993). La fibrose kystique est la maladie héréditaire mortelle la plus répandue parmi les Canadiens français, suivie des problèmes liés au métabolisme des lipides (De Braekeleer, 1991). L'anémie à hématies falciformes (*sickle-cell anemia*) survient plus communément chez les Noirs, et la maladie de Tay-Sachs se trouve en prédominance chez les Canadiens français (De Braekeleer, 1991) et les descendants juifs de l'Europe de l'Est (Ashkenazi). Une étude génétique spécifique à l'ethnie permet le dépistage des problèmes de santé des nouveau-nés, la reconnaissance des symptômes et l'établissement de protocoles de traitement qui facilitent la prestation des services de santé.

Les variations du métabolisme des médicaments. Parmi les divers groupes ethniques et raciaux, les informations relatives au métabolisme des médicaments revêtent d'importantes implications quant à la prescription, aux dosages et aux effets secondaires. Il faut examiner les études portant sur les variations propres à chaque culture et permettre aux professionnels de la santé de partager leurs connaissances avec leurs collègues pour qu'ils aident les clients à reconnaître les effets secondaires des médicaments.

Les comportements à risques élevés pour la santé

Des variations intraculturelles importantes existent en matière de comportements à risques élevés. Ces comportements ont trait, notamment, à l'usage du tabac, de l'alcool et des drogues illicites récréatives, et à l'activité physique. La consommation d'alcool concerne tous les groupes culturels et socioéconomiques, et même les cultures où la consommation d'alcool est considérée comme taboue ne sont pas épargnées (Al-Issa et Dennis, 1970).

Les pratiques en soins de santé. Les praticiens du domaine de la santé peuvent aider les clients obèses à réduire leur apport calorique consommé en ciblant des choix sains parmi leurs **aliments** typiquement culturels préférés, en les invitant à changer le mode de préparation de leurs aliments et en les incitant à réduire leurs portions de nourriture. Dans certains cas, les autosoins ethnoculturels basés sur des coutumes folkloriques et magico-religieuses passent avant la consultation d'un professionnel. Ces pratiques peuvent avoir des effets négatifs et parfois néfastes sur l'individu, rendant le traitement du problème de santé plus difficile ou menant à un traitement prolongé. Les facteurs de risque peuvent être contrôlés par des interventions fondées sur la promotion de la santé et la prévention des maladies à l'intérieur de programmes éducatifs spécifiques à l'ethnie et offerts dans les écoles, les agences d'affaires, les églises et les centres récréatifs et communautaires. Ces programmes peuvent être présentés au cours d'entrevues individuelles ou à l'aide d'une approche où prévaut le counselling familial.

La nutrition

La nutrition est plus que le simple accès à suffisamment de nourriture pour assouvir sa faim. Aussi faut-il tenir compte de la signification de la nourriture au sein du groupe culturel, des aliments courants et des rituels, des déficiences nutritionnelles et des restrictions alimentaires. Enfin, il ne faut pas ignorer le rôle de la nourriture dans la promotion de la santé, la prévention de la maladie et le rétablissement de la santé.

La signification de la nourriture. Les aliments, le manque de nourriture et la faim prennent diverses significations selon les cultures et les individus, et jouent un rôle primordial dans la socialisation. Les croyances et les valeurs culturelles ainsi que les types d'aliments offerts dans le nouveau pays influent sur les habitudes alimentaires, qui doivent être modifiées afin de rendre la nourriture disponible et conforme aux coutumes, et constituent un gage de sécurité et d'adhésion à la culture (Leininger, 1988). Selon Leininger (1988), la nourriture se rattache non seulement à la signification symbolique d'une coexistence calme et paisible, mais aussi aux notions de soins ou de manque de soins, d'intimité, de parenté et de solidarité ; dans certaines cultures, elle sert même à exprimer des sentiments comme l'amour ou la colère, perceptibles dans l'utilisation de différentes épices ou de condiments particuliers.

Les aliments habituels et rituels. En matière de coutumes alimentaires ethnoculturelles, chaque groupe ethnique mérite une attention ; on doit s'intéresser aux aliments propres au groupe, aux ingrédients composant certains plats originaux et au mode de préparation. Dans le domaine de la santé, les travailleurs ont tout avantage à acquérir des connaissances en cette matière et à s'informer sérieusement auprès du client et de la famille. En diététique, pour assurer des consultations culturellement compétentes, il faut prendre en considération les particularités alimentaires, comme le choix des aliments et les heures de repas.

Dans de nombreuses cultures, boire et manger font partie intégrante du rituel accompagnant certains comportements, et offrir de la nourriture et des breuvages à un invité qui arrive ou au cours d'une réunion sociale est pratique courante. Les conseils en matière de groupes d'aliments recommandés, de restrictions et d'exercices doivent respecter les habitudes de vie et les comportements culturels des personnes. Des groupes religieux exigent le jeûne durant certaines périodes de l'année. Les intervenants doivent rappeler aux clients que le jeûne n'est pas souhaitable durant les périodes de maladie ou de grossesse. Les rituels alimentaires méritent d'être connus et intégrés à la planification afin d'aider le client à faire des choix sains et culturellement acceptables.

Les pratiques alimentaires et la promotion de la santé. Sur le plan nutritionnel, dans la majorité des cultures, les personnes savent reconnaître les nutriments nécessaires pour atteindre un équilibre nutritionnel. De plus, la tradition dans de nombreuses cultures attribue à certains aliments le pouvoir de conserver la santé et, à d'autres, le pouvoir de prévenir la maladie. Parfois, il existe même un terme précis pour désigner les aliments préparés en fonction de différentes conditions de santé, selon le sexe et l'âge. Néanmoins, de façon générale, dans toutes les cultures, la notion d'équilibre nutritionnel inclut la consommation d'aliments au goût aigre, doux et sucré dans différentes proportions selon l'âge, le sexe et les activités.

Les déficiences nutritionnelles et les restrictions alimentaires. En dépit de leurs ressources socio-économiques et de la disponibilité des aliments de leur pays d'origine dans leur nouvel environnement, les immigrants pourraient bien être privés d'une source alimentaire importante, ce qui mène éventuellement à des problèmes de santé. Cette situation est davantage évidente lorsque des individus arrivent dans un pays où ils ne peuvent se procurer facilement les aliments de leur pays d'origine et qu'ils ne connaissent pas les aliments contenant des éléments nutritifs comparables. En conséquence, ces personnes ne savent plus quels aliments choisir pour conserver une diète équilibrée. Également, certains groupes raciaux et ethniques présentent des déficiences enzymatiques qui empêchent le métabolisme de certains aliments. Par exemple, une déficience en glucose-6-phosphate-déshydrogénase (un déficit touchant surtout la race noire) lorsqu'il y a consommation de fèves (*fava bean*) produit une hémolyse provoquant une anémie aiguë (Reipl et autres, 1993). Dans ces cas particuliers, il incombe aux intervenants en santé d'aider les familles à déterminer les aliments qui équivalent aux aliments de leur pays d'origine.

Les pratiques durant la grossesse et la maternité

Aucun autre domaine n'est caractérisé par autant de croyances traditionnelles, folkloriques et magico-religieuses que celui des pratiques entourant le contrôle de la fertilité, de la maternité, de la grossesse, de l'accouchement et de la période post-partum. La raison sous-jacente à cela est peut-être le mysticisme qui entoure le processus de la conception, de la grossesse et de l'accouchement. Les idées relatives aux pratiques de la conception, de la grossesse et de l'accouchement ont été transmises de génération en génération et souvent transformées et adaptées à la nouvelle société, sans être complètement comprises ni validées. Pour certains, le succès de la technologie moderne, qui rend possible l'induction d'une grossesse chez une femme post-ménopausée ou chez une femme qui désire un enfant par fertilisation *in vitro* et qui en plus offre la possibilité de choisir le sexe de l'enfant, soulève de sérieuses questions d'éthique.

Les pratiques de fertilité et les opinions concernant la grossesse. Les méthodes de contrôle de la fertilité comprennent les méthodes du suivi de l'ovulation naturelle, les pilules contraceptives, les mousses, le Norplant, la pilule du lendemain, le stérilet, la stérilisation (ou ligature des trompes), la vasectomie, les méthodes prophylactiques et l'avortement. Bien que ces méthodes ne jouissent pas toutes d'un même niveau d'acceptation dans la population, plusieurs femmes en utilisent une combinaison pour contrôler leur fertilité. Les méthodes les plus extrêmes de contraception sont la stérilisation et l'avortement.

Les pratiques de fertilité et d'activités sexuelles, questions éminemment délicates pour les femmes, surtout à l'adolescence, représentent un domaine dans lequel les intervenants sont parfois plus efficaces que les professionnels connus des clientes. L'utilisation de vidéos montrant des images du groupe ethnique à qui ils s'adressent, et dont les textes sont écrits dans un niveau de langue approprié au degré de scolarité du groupe, est un excellent moyen d'améliorer la compréhension et l'observance des méthodes de planification familiale. Dans de nombreuses sociétés où la grossesse n'est pas vue comme une maladie, l'idée même de consulter un professionnel de la santé durant cette période ne va pas de soi. Néanmoins, les femmes enceintes consultent régulièrement les aînées et les membres de leur famille pour obtenir des conseils (Mattson et Lew, 1991). C'est d'ailleurs le cas chez nombre de peuples autochtones du Canada.

Les préceptes, les restrictions et les tabous au sein de la famille durant la maternité. La majorité des sociétés entretiennent des croyances consacrées par l'usage et observent des restrictions et des tabous relativement aux comportements durant les périodes de grossesse et d'accouchement dans le but de donner naissance à un bébé en santé. Ces croyances affectent les comportements de la vie quotidienne durant la grossesse, l'accouchement et le post-partum. Les pratiques prescrites, ou préceptes, concernent les actions que la mère doit faire pour vivre une saine grossesse et donner naissance à un bébé en santé. Les pratiques restrictives sont les gestes qu'une mère doit éviter alors que les croyances taboues se rapportent aux comportements susceptibles de causer du tort à la mère et au bébé (Purnell et Paulanka, 1998).

Lorsqu'une femme enceinte ne se prépare pas à la naissance du bébé, il ne faut pas conclure à l'absence d'autosoins ou du désir du bébé en gestation. Il y a des traditions ou des croyances taboues qui interdisent certaines pratiques ou certains mouvements. Par exemple, la femme enceinte doit éviter de ranger ou de prendre un objet en levant les bras au-dessus de la tête. Dans certaines cultures, les préceptes entourant la naissance concernent la présence du père dans la salle d'accouchement et la vue de la mère et du nouveau-né avant la toilette à la suite de l'accouchement. Aussi, l'absence du père dans la salle d'accouchement ou son refus de voir la mère et le nouveau-né sitôt après la naissance ne doivent pas être interprétés comme un manque d'intérêt ou d'amour ; il s'agit plutôt de la crainte que cela ne cause du tort ou du dommage au nouveau-né ou à la mère. À l'opposé, dans la culture de personnes originaires d'Europe de l'Est, le père est fortement encouragé à suivre les classes prénatales avec la mère enceinte et à jouer un rôle de soutien tout le long de la période du travail et de l'accouchement. Les pères ayant ces croyances pourraient même ressentir de la culpabilité s'ils ne respectaient pas ces préceptes. Les intervenants du domaine de la santé doivent respecter les croyances culturelles associées à la grossesse et au processus de la naissance sur le plan des décisions relatives aux soins prodigués à la femme enceinte, particulièrement si ces pratiques ne présentent pas de danger pour la mère et le nouveau-né.

Les rituels mortuaires

Le domaine culturel en matière de rituels mortuaires réfère à la façon qu'ont l'individu et la société d'entrevoir la mort et l'euthanasie, les rituels de préparation à la mort et les pratiques du deuil et de l'enterrement. Les rituels mortuaires des groupes culturels et ethniques sont des pratiques qui ont peu tendance à changer au fil du temps et qui sont souvent des sources de problèmes pour le personnel travaillant dans le domaine de la santé, surtout lorsqu'il s'agit de personnel multiethnique. Afin d'éviter les embûches concernant les tabous culturels, les professionnels de la santé doivent acquérir les connaissances nécessaires relativement aux pratiques spécifiques entourant la mort, l'agonie et le deuil.

Les rituels mortuaires et les attentes. Selon un des rituels juifs orthodoxes, la mise en terre du défunt doit se dérouler avant le coucher du soleil du jour suivant le décès, et les rituels post-mortuaires durent plusieurs jours. Par ailleurs, la personne juive doit être enterrée «en entier»; or, cela peut présenter des difficultés si le défunt a subi une amputation. D'autres groupes ont un cérémonial élaboré de commémoration du défunt pouvant durer plusieurs jours. Le deuil se vit en plusieurs stades (Eisenbruch, 1984) de services funéraires, 40 jours après la mise en terre, et de rituels pratiqués au troisième, au sixième mois et annuellement par la suite.

Les réponses à la mort et au chagrin. L'expression de la perte et du deuil en réponse à la mort peut varier autant entre les membres d'une même ethnie qu'entre les ethnies elles-mêmes. Les variations en matière de processus de deuil peuvent être source de confusion pour les professionnels de la santé, qui pourraient percevoir la réaction de certains clients comme une réaction outrepassant la réaction normale du deuil, et considérer que d'autres clients ont peu ou pas de chagrin. Des services culturellement compétents dans ce domaine exigent des connaissances des croyances ethnoculturelles sous-jacentes aux comportements associés au processus de la perte et du deuil. Les stratégies de soutien durant le deuil impliquent d'être physiquement présent, d'encourager l'orientation vers la réalité temporelle, de reconnaître ouvertement le droit de la famille à son chagrin, d'aider les personnes à exprimer leurs sentiments et leurs émotions, d'encourager les relations interpersonnelles, de promouvoir l'idée de commencer une vie nouvelle et de diriger la personne vers d'autres professionnels de la santé ou un membre du clergé (Stuart et Sundeen, 1995).

La spiritualité

La spiritualité, l'une des composantes de la santé liée à l'essence même de la vie, représente l'expérience vitale de l'être humain. La spiritualité est davantage associée à l'âme qu'au corps (Hill et Smith, 1985) et se caractérise par la signification et l'espoir (Clark et autres, 1991), le but, l'amour, la confiance, le pardon et la créativité (Carson, 1989). La spiritualité est façonnée inconsciemment en fonction des perceptions de chacun à l'égard de postulats, de concepts et de prémisses. Ces perceptions influencent tous les aspects de la vie d'une personne, sans questionnement ni raisonnement (Crow, 1993). Les personnes qui adhèrent aux préceptes d'une religion particulière peuvent dévier quelque peu de l'opinion ou de la position de la majorité. Emblen et Halstead (1993) ont relevé cinq interventions communément utilisées par les intervenants du domaine de la santé pour répondre aux besoins spirituels de leurs clients: la prière, les écritures (instructions religieuses), la présence, l'écoute et leurs préférences ou désirs.

La religion dominante et la prière. Les croyances religieuses d'une personne peuvent affecter profondément les pratiques de soins de santé. Les intervenants de la santé qui sont conscients des pratiques religieuses de leur client et de leurs besoins spirituels sont davantage en mesure d'offrir des services de santé culturellement compétents. Tout professionnel de la santé se doit de montrer du respect à l'égard des croyances et des pratiques religieuses, et d'éviter tout commentaire négatif. Les clients trouvent généralement très réconfortant de pouvoir parler avec un chef religieux au moment d'une crise ou d'une maladie grave. Par ailleurs, la prière prend différentes formes et significations; certaines personnes prient quotidiennement et possèdent même des autels dans leur maison. Parallèlement, d'autres se considèrent comme dévotieuses et, pourtant, elles ne prient qu'à des occasions spéciales ou en temps de crise ou de maladie.

Le sens donné à la vie et les sources d'énergie. La source de ce qui donne un sens à la vie varie selon les individus et selon les groupes culturels. Pour certaines personnes, la pratique des rites religieux représente la plus importante facette de la satisfaction des besoins spirituels alors que, pour d'autres, les ressources de forces prennent une forme différente (la santé, l'argent, le travail). Il importe que les professionnels de la santé connaissent les croyances personnelles et familiales. Ils sont alors mieux outillés pour aider les individus et leur famille à composer avec les difficultés, à retrouver leurs forces et à atteindre un plein épanouissement.

Les croyances spirituelles et les pratiques de santé. Le bien-être spirituel donne un sentiment de réalisation de soi par l'observance d'habitudes de vie saines et plaisantes composée de choix libres, d'une satisfaction de soi et d'estime de soi (Pilch, 1988). Par exemple, dans la culture navajo, non seulement les pratiques qui entravent la vie spirituelle personnelle nuisent au rétablissement de la santé, mais elles favorisent aussi la présence de la maladie physique. Aussi, les professionnels de la santé devraient s'informer pour savoir si la personne désire rencontrer un membre du clergé ou un membre du groupe religieux de son choix. Les symboles religieux ne devraient pas être retirés car ils peuvent apporter un réconfort à la personne et diminuer l'anxiété. Parfois, un bilan complet de la vie spirituelle est essentiel pour connaître des solutions et des ressources pouvant servir de soutien au cours d'autres traitements.

Les pratiques de soins de santé

Le point central des soins de santé curatifs ou préventifs repose sur des croyances traditionnelles, magico-religieuses et biomédicales, sur la responsabilité personnelle au regard de sa propre santé, sur les pratiques d'autosoins, sur les opinions entretenues à l'égard de la maladie mentale, sur la chronicité, sur la réadaptation, sur le don et sur la transplantation d'organes. De plus, les réponses à la douleur et au rôle du malade sont façonnées par des croyances ethnoculturelles spécifiques.

Les croyances et les comportements relatifs à la santé. Depuis des siècles, les diverses populations ont développé une vaste gamme d'actions médicales de guérison et de moyens pour se maintenir en santé. Les croyances en matière de santé demeurent intimement liées aux valeurs et aux croyances traditionnelles, qui consistent en une relation harmonieuse avec tout ce qui est vivant. Certaines cultures tentent de recréer l'harmonie entre la personne, la société et le monde car, selon les croyances qui y prévalent, la maladie n'est pas une simple déviation de la santé, mais une manifestation karmique associée aux pensées et aux comportements malséants (Bell, 1994).

L'Organisation mondiale de la santé (OMS) a joué un rôle primordial dans le développement de l'immunisation infantile. La majorité des pays endossent la pratique de l'immunisation, mais les âges prescrits varient grandement d'un pays à l'autre en dépit du calendrier de vaccination fourni par l'OMS. Certains groupes religieux, dont les scientistes chrétiens, ne croient pas à l'immunisation, ce qui peut constituer un risque pour la santé des enfants. Par ailleurs, certaines sociétés ne possèdent ni les ressources ni la technologie nécessaires pour promouvoir la santé au sein de leur population. Par exemple, le test de Papanicolaou est à peine connu en Égypte, et certaines sociétés ignorent même l'existence de la mammographie. Aussi, les professionnels de la santé ont tout avantage à s'informer des connaissances et des expériences vécues avant de présenter un programme de prévention ou de promotion de la santé.

La responsabilité à l'égard des soins de santé. Le système de prestation des soins de santé du pays d'origine a pu façonner les croyances du client et des travailleurs quant à la responsabilité personnelle. De nombreux travailleurs à faible revenu ne peuvent souscrire à une assurance-maladie. Les intervenants en santé ne doivent pas présumer que les clients sans couverture d'assurance ou qui n'adhèrent pas aux pratiques de prévention ne tiennent pas à leur santé. Ces comportements sont souvent le fruit du manque de connaissances quant à la procédure à suivre, aux ressources disponibles et aux conséquences à long terme. Chaque client doit être évalué individuellement afin que l'intervenant puisse présenter un enseignement culturellement compétent en matière d'activités de promotion de la santé et de prévention de la maladie.

Dans un contexte d'autosoins, les comportements susceptibles d'entraîner des risques élevés au niveau de la santé comprennent également l'automédication. Même si l'automédication est souvent inoffensive, elle peut avoir une action néfaste sur la santé de la personne lorsqu'elle est combinée à des ordonnances médicales ou qu'elle est utilisée en remplacement de celles-ci. S'agissant des prescriptions médicales, une pratique largement répandue consiste à prendre le médicament prescrit jusqu'à la disparition des symptômes, puis à cesser le traitement prématurément, particulièrement dans le cas des médicaments antihypertenseurs et des antibiotiques. Chaque pays contrôle différemment l'achat et l'usage de médicaments. Les gens habitués à acheter des remèdes en vente libre ne voient souvent rien d'anormal dans le fait de partager leurs médicaments prescrits avec les membres de leur famille et leurs amis. Afin de prévenir les dangers et les effets néfastes de cette pratique d'échange et du régime thérapeutique mal suivi, les professionnels de la santé devraient s'enquérir des pratiques d'automédication du client. Il ne faut pas prendre à la légère l'énorme quantité de médicaments en vente libre dans les pharmacies et les boutiques de produits naturels, et ceux qui font l'objet des nombreuses publicités télévisées sur l'automédication.

Les pratiques traditionnelles et folkloriques. Plusieurs sociétés pratiquent une combinaison de soins

RÉFÉRENCES

AL-ISSA, I. et W. DENNIS (1970). *Cross-Cultural Studies of Behavior,* New York, Holt Rinehart & Winston.

BELL, R. (1994). « Prominence of women in Navajo healing beliefs and values », *Nursing Health Care,* vol. 15, n° 1, p. 232-242.

BERRY, J.W. (1990). « Psychology of acculturation : Understanding individuals moving between cultures », dans R. Breslin (dir.), *Applied Cross-Cultural Psychology,* Newbury Park (Californie), Sage Publications, p. 232-253.

BRISLIN, R. (1993). *Understanding Culture's Influence on Behavior,* New York, Harcourt Brace.

BROWN, S.C. (1984). *Objectivity and Cultural Divergence,* Londres, Cambridge University Press.

BURNER, O.Y., P. CUNNINGHAM et H.S. HATTER (1990). « Managing a multicultural nursing staff in a multicultural environment », *Journal of Nursing Administration,* vol. 20, n° 6, p. 30-34.

BUSHY, A. (1992). « Cultural considerations for primary health care : Where do self-care and folk medicine fit ? », *Holistic Nursing Practice,* vol. 6, n° 4, p. 10-18.

CAMPINHA-BACOTE, J. (1991). *The Process of Cultural Competence : A Culturally Competent Model of Care,* 2e éd., Wyoming (Ohio), Transcultural C.A.R.E. Associates.

CARSON, V. (1989). *Spiritual Dimensions of Nursing Practice,* Philadelphie, W.B. Saunders.

CLARK, C. et autres (1991). « Spirituality : Integral to quality care », *Holistic Nursing Practice,* vol. 5, n° 3, p. 67-76.

CROW, K. (1993). « Multiculturalism and pluralistic thought in nursing education : Native American world view and the nursing academic world view », *Journal of Nursing Education,* vol. 32, n° 5, p. 198-204.

DE BRAEKELEER, M. (1991). « Deleterious genes », dans G. Bouchard et M. De Braekeleer (dir.), *History of a Genome : Population and Genetics in Eastern Quebec,* Québec, Institut québécois de recherche sur la culture.

DEPARTMENT OF HEALTH AND HUMAN SERVICES (1995). « Indians health service : Primary care provider », *Health Service Clinical Support Center,* vol. 8, n° 20.

EISENBRUCH, M. (1984). « Cross-cultural aspects of bereavement. II : Ethnic and cultural variations in the development of bereavement practices », *Culture, Medicine, and Psychiatry,* n° 8, p. 315-347.

EMBLEN, J.D. et L. HALSTEAD (1993). « Spiritual needs and interventions : Comparing the views of patients, nurses, and chaplains », *Clinical Nurse Specialist,* vol. 7, n° 4, p. 175-182.

FONG, C.M. (1985). « Ethnicity and nursing practice », *Topics in Clinical Nursing,* vol. 7, n° 3, p. 1-10.

FREEMAN, W.L. et autres (1989). « Diabetes in American Indians of Washington, Oregon and Idaho », *Diabetes Care,* n° 12, p. 282-288.

GIGER, J.N. et R. DAVIDHIZAR (1995). *Transcultural Nursing : Assessment and Intervention,* St. Louis, C.V. Mosby.

HARNER, R. et autres (1994). « Community-based nursing education in Pakistan », *Journal of Continuing Education,* vol. 25, n° 3, p. 130-132.

HILL, L. et N. SMITH (1985). *Self-care nursing,* Norwalk (Connecticut), Appleton-Century-Crofts.

KLEINMAN, A., L. EISENBERG et B. GOOD (1978). « Clinical lessons from anthropologic and cross-cultural research », *Annals of Internal Medicine,* vol. 88, n° 2, p. 251-258.

LEBEAU, S. (2001). « Relation entre le point de service, les déterminants de santé et l'utilisation du test Papanicolaou », thèse de maîtrise, Université d'Ottawa.

LEININGER, M.E. (1988). « Transcultural eating patterns and nutrition : Transcultural nursing and anthropological perspectives », *Holistic Nursing Practice,* vol. 3, n° 1, p. 16-25.

LEPAGE M., L. ESSIEMBRE et G. COUTU-WAKULCZYK (1996). « Les types de familles répertoriés dans la littérature et observés dans la société contemporaine », *The Canadian Nurse/L'Infirmière canadienne,* vol. 92, n° 7, p. 40-44.

LIPSON, J. et H. HAIFIZI (1997). « Iranian Americans », dans L. Purnell et B. Paulanka (dir.), *Transcultural Health Care : A Culturally Competent Approach,* Philadelphie, F.A. Davis.

MANIO, E.B. et R.R. HALL (1987). « Asian family traditions and their influence in transcultural health care delivery », *Children's Health Care,* vol. 15, n° 3, p. 172-177.

MARTIN, K., D. WIMBERLEY et K. O'KEESE (1994). « Resolving conflict in a multicultural nursing department », *Nursing Management,* vol. 25, n° 1, p. 49-51.

MATTSON, S. et L. LEW (1991). « Culturally sensitive prenatal care for Southeast Asians », *Journal of Obstetric, Gynecological, and Neonatal Nurses,* vol. 12, n° 1, p. 48-54.

MIRALLES, M.A. (1989). *A Matter of Life and Death : Health Seeking Behaviors of Guatemalan Refugees in South Florida,* New York, AMS Press.

MOTWANI, J., J. HODGE et S. CRAMPTON (1995). « Managing diversity in the health care industry : A conceptual model and an empirical investigation », *Holistic Care Supervisor,* vol. 13, n° 3, p. 16-23.

MURDOCK, G. (1971). *Outline of Cultural Materials,* 4e éd., New Haven (Connecticut), Human Relations Area Files.

MURILLO, N. (1978). « The Mexican American family », dans R.A. Martinez (dir.), *Hispanic Culture and Health Care : Fact, Fiction, Folklore,* St. Louis, C.V. Mosby, p. 3-18.

NGUYEN, D. (1985). « Culture shock : A review of Vietnamese culture and its concept of health and disease », *Western Journal of Medicine,* vol. 142, n° 3, p. 409-412.

PARKS, S. (2002). « Culture, contexte et rédaction de notes d'infirmières en langue seconde », dans G. Coutu-Wakulczyk, *L'interculturel et le processus d'évaluation en matière de santé : au-delà des mots,* Actes du colloque, Congrès de l'Acfas, Ottawa, 1999, p. 105-121.

PILCH, J. (1988). « Wellness spirituality », *Health Values,* vol. 12, n° 3, p. 28-30.

PURNELL, L.D. et B.J. PAULANKA (1998). *Transcultural Health Care : A Culturally Competent Approach,* Philadelphie, F.A. Davis.

RANDALL, T. (1991). « Key to organ donation may be cultural awareness », *Journal of the American Medical Association,* vol. 285, n° 2, p. 176-178.

REIPL., R. et autres (1993). « Broad beans as a cause of acute hemolytic anemia », *Deutsche Medizinische Wochenschrift,* n° 118, p. 932-935.

RONAGHY, H. (1975). « Migration of Iranian nurses to the United States : A study of one school of nursing in Iran », *International Nursing Review,* vol. 22, p. 87-88.

ROSEMAN, J.M. (1985). *Diabetes in Black Americans. Diabetes in America,* Washington, Department of Health and Human Services.

STUART, G. et S. SUNDEEN (1995). *Principles and Practices in Psychiatric Nursing*, 6ᵉ éd., St. Louis, Mosby Year Book.

THAYER, S. (1993). « The epidemiology of Amish communities », dans J. Dow, W. Enninger et J. Raith (dir.), *Amishland*, Des Moines, Iowa State University.

TRIPP-REIMER, T. (1982). « Barriers to health care : Variations in interpretation of Appalachian client behaviors by Appalachian and non-Appalachian health professionals », *Western Journal of Nursing Research*, vol. 4, nᵒ 2, p. 179-191.

TRIPPREIMER, T., P. BRINK et J. SAUNDERS (1984). « Cultural assessment : Content and process », *Nursing Outlook*, vol. 32, nᵒ 2, p. 78-82.

ZBOROWSKI, M. (1969). *People in Pain*, San Francisco, Jossey-Bass.

CHAPITRE 16

LA VIOLENCE ET LA SANTÉ COMMUNAUTAIRE OU MIEUX COMPRENDRE LA VIOLENCE POUR MIEUX INTERVENIR

HÉLÈNE LACHAPELLE

INTRODUCTION

En 1996, l'Assemblée mondiale de la santé déclarait que la violence est un problème de santé publique majeur qui prend de l'ampleur partout dans le monde, entraînant des conséquences dévastatrices pour les personnes qui la subissent. Qu'elle soit auto-infligée, collective ou dirigée contre autrui, la violence fait plus d'un million de morts chaque année et encore plus de blessés. Elle figure parmi les principales causes de décès chez les personnes âgées de 15 à 44 ans (Organisation mondiale de la santé, 2002a).

Le *Rapport mondial sur la violence et la santé* définit la violence comme étant « la menace ou l'utilisation intentionnelle de la force physique ou du pouvoir contre soi-même, contre autrui ou contre un groupe ou une communauté qui entraîne ou risque fortement d'entraîner un traumatisme, un décès, des dommages psychologiques, un maldéveloppement ou des privations » (Organisation mondiale de la santé, 2002a, p. 5).

L'Organisation mondiale de la santé (2002a) propose une typologie qui divise la violence en trois catégories correspondant aux caractéristiques de ceux qui commettent l'acte violent: la violence auto-infligée (le suicide), la violence interpersonnelle ou dirigée contre autrui et la violence collective.

La première catégorie renvoie à la violence familiale et conjugale qui s'exerce contre un membre d'une famille ou contre un partenaire intime. Elle comprend la maltraitance des enfants, la violence exercée par le partenaire intime contre sa conjointe et la maltraitance des personnes âgées. Ce type de violence se produit dans le milieu familial et conjugal.

La deuxième catégorie a trait à la violence communautaire. Elle concerne les personnes qui ne sont pas apparentées et qui peuvent ne pas se connaître. Ce type de violence se produit à l'extérieur du domicile. Elle comprend la violence des jeunes, les actes de violence commis à l'extérieur du domicile, les viols et les agressions sexuelles commis par des étrangers, la violence qui se produit en milieu institutionnel, tels le taxage dans les écoles, le harcèlement sexuel au travail, etc.

Quant à la violence collective, elle comprend la violence économique, sociale et politique, et elle est souvent exercée par des groupes de personnes ou par des États. Les actes terroristes du 11 septembre 2002 contre le World Trade Center à New York et la guerre en Irak représentent des exemples de ce type de violence.

La violence envers les personnes est en progression constante à l'échelle mondiale. Les êtres les plus vulnérables représentent des cibles de choix vers lesquelles la violence est le plus souvent dirigée. Dans ce chapitre, nous traiterons plus particulièrement de la violence interpersonnelle vécue dans un contexte familial et conjugal. Elle comprend la violence faite aux femmes dans un contexte conjugal et la maltraitance des enfants et des aînés. Nous présenterons la problématique relative à chacun de ces groupes vulnérables et nous fournirons des pistes pour permettre aux infirmières et aux infirmiers d'intervenir auprès de ces groupes dans des situations de violence au moment du dépistage.

Le premier volet de ce chapitre traite de la violence conjugale, et plus particulièrement de la violence faite aux femmes. Tout d'abord, nous en présenterons la problématique: les définitions de la violence conjugale et ses origines, les facteurs en cause et les préjugés qui la perpétuent. Puis, nous aborderons les questions concernant l'ampleur du problème, le cycle de la violence conjugale, les formes de violence et les conséquences sur la santé des femmes et des enfants. Nous terminerons cette partie en décrivant les indices de violence et nous donnerons les bases pour intervenir au cours de l'entrevue de dépistage.

La violence conjugale

Définitions de la violence conjugale

Qu'est-ce que la violence conjugale ? Au fil des ans, les définitions de la violence conjugale se sont élargies pour tenir compte de la nature pluridimensionnelle de la violence conjugale et de l'étendue des mauvais traitements infligés aux femmes. Ainsi, plusieurs organisations sociales et politiques ont proposé leur définition de la violence conjugale.

Macleod (1987) met de l'avant une définition qui tient compte du caractère pluridimensionnel de la violence conjugale. La femme victime de violence conjugale, « c'est celle qui a perdu sa dignité, son autonomie et sa sécurité, qui se sent prisonnière et sans défense parce qu'elle subit directement et constamment ou de façon répétée des violences physiques, psychologiques, économiques, sexuelles ou verbales. C'est celle qui doit essuyer des menaces continuelles et qui voit son amoureux, mari, conjoint, ex-mari ou ex-amoureux, homme ou femme se livrer à des actes violents sur ses enfants, ses proches, ses amis, ses animaux familiers ou les biens auxquels elle tient » (Macleod, 1987, p. 17).

La déclaration de l'Organisation des Nations unies sur l'élimination de la violence faite aux femmes met en lumière l'aspect intentionnel des comportements violents. « La violence conjugale est un geste de domination d'un homme sur une femme, dans le cadre général et historique de la domination des hommes sur les femmes et des rapports de force inégaux entre les deux genres sur les plans public et privé » (Organisation mondiale de la santé, 1993).

L'origine de la violence conjugale

Quelle est l'origine de la violence conjugale ? Comment peut-on expliquer qu'à l'échelle de la planète, des hommes aient encore recours à la violence conjugale dans leurs relations avec les femmes ?

La violence exercée par le conjoint ou le partenaire intime existe dans tous les pays et dans tous les groupes sociaux, économiques, religieux et culturels. Dans la majorité des cas, ce sont des femmes qui sont victimes de violence de la part de leur partenaire masculin (Organisation mondiale de la santé, 2002a). La violence conjugale s'est développée dans un contexte historique, celui de la domination des hommes sur les femmes. Elle s'est perpétuée à travers les civilisations et les siècles à cause de l'appui des structures sociales, politiques, économiques et religieuses qui assurent l'inégalité de pouvoir entre les hommes et les femmes. Ces structures se sont renforcées mutuellement pour produire et maintenir la domination masculine. Le problème de la violence faite aux femmes prend sa source dans la croyance socioculturelle selon laquelle les femmes ont moins d'importance et de valeur que les hommes et qu'elles n'ont pas droit au même statut et au même respect qu'eux. (Le règne des talibans en Afghanistan illustre bien la société patriarcale ; les femmes afghanes n'avaient pratiquement aucun droit. Leur droit aux soins de santé, notamment, était régi par l'autorisation du conjoint ou de la communauté des hommes.)

Le pouvoir et le contrôle sont les moteurs de cette violence, et l'homme agresseur y a recours pour maintenir son pouvoir et contrôler sa conjointe. C'est pourquoi on retrouve dans les programmes d'aide aux hommes violents une démarche de responsabilisation à l'intention de l'agresseur. Il devient important pour le personnel infirmier d'adopter une vision non traditionnelle de la vie de couple, pour qu'il soit en mesure de dépister la violence conjugale et d'intervenir dans ce domaine (Larouche et Gagné, 1990).

Les facteurs favorisant la violence conjugale

Qu'est-ce qui renforce la violence conjugale ? Outre le patriarcat qui explique la cause de la violence conjugale, plusieurs facteurs renforcent cette violence. Selon Larouche et Gagné (1990), trois types de facteurs y contribuent : ceux qui incitent à la violence envers les femmes, ceux qui renforcent la violence des agresseurs et ceux qui augmentent la tolérance des femmes victimes de violence.

Les facteurs incitant à la violence envers les femmes

Ce type de facteurs renvoie au rapport de domination des hommes sur les femmes : l'apprentissage des stéréotypes sexistes par les enfants dans les écoles, au sein de la famille, dans les médias ; le renforcement des rôles sexistes ; le maintien de la cellule familiale traditionnelle ; la structure économique qui ne reconnaît pas la valeur productive des femmes ou qui prône la double tâche pour celles-ci : travail à l'extérieur et travail domestique non rémunéré ; la pornographie ; la violence à la télévision, dans les jeux vidéo et sur le réseau Internet.

LES FACTEURS RENFORÇANT LA VIOLENCE CHEZ LES HOMMES AGRESSEURS

Ce deuxième type de facteurs permet aux hommes violents de minimiser et de justifier la violence qu'ils exercent envers leur partenaire et de s'en déresponsabiliser. Il s'agit de l'intégration de stéréotypes masculins et de l'apprentissage du pouvoir par la violence.

Ces stéréotypes entretiennent les comportements violents et les agresseurs s'en servent pour justifier leur pouvoir et leur recours à la violence. L'intégration des stéréotypes masculins suggère que la virilité se manifeste par des gestes agressifs et violents. Cette vision laisse entendre que les femmes sont des êtres inférieurs et que leur rôle consiste à combler les besoins affectifs de leur entourage et de leur conjoint. La punition physique devient un moyen acceptable pour contrôler sa partenaire et l'agression sert à prouver et à établir la domination des hommes sur les femmes.

L'apprentissage du pouvoir par la violence concerne les apprentissages de violence durant l'enfance et l'adolescence. Il s'agit des apprentissages qui soutiennent les gestes violents pour régler les conflits sans avoir à négocier : l'enfant témoin de violence, l'enfant maltraité, le recours à la violence dans les relations prémaritales, la participation à des jeux violents durant l'enfance ou l'adolescence, la violence des adolescents à l'égard de leurs parents pour avoir le contrôle, l'utilisation de la violence pour régler les conflits.

LES FACTEURS AUGMENTANT LA TOLÉRANCE DES FEMMES VICTIMES DE VIOLENCE

Ce troisième type de facteurs augmente la tolérance des femmes victimes de violence. Il s'agit de l'intégration de stéréotypes féminins et des expériences de victimisation. L'intégration de stéréotypes féminins fait appel à des attitudes qui empêchent les femmes de s'affirmer : l'oubli de soi, l'appropriation de l'entière responsabilité des besoins affectifs du conjoint et des enfants, la douceur et la passivité, la censure de la colère, la faible estime de soi et l'apprentissage de la non-affirmation.

Les expériences de victimisation peuvent aussi contribuer à augmenter le seuil de tolérance des femmes victimes de violence. Ce sont le passé d'enfant maltraité ou témoin de violence conjugale, la dépendance affective et économique, et l'isolement social.

MYTHES ET PRÉJUGÉS

La politique québécoise en matière de violence conjugale souligne que les préjugés empêchent souvent les professionnels de la santé de dépister les personnes violentées, d'agir sur la cause des malaises ou de diriger leur clientèle vers une ressource mieux habilitée à intervenir. « Certains ne se considèrent pas concernés sur le plan professionnel par la violence conjugale ou se sentent impuissants devant la situation. Enfin, sur le plan individuel, les intervenantes et les intervenants sont exposés aux mêmes préjugés face à la violence que le reste de la population, ce qui peut les amener à ignorer les appels à l'aide » (Gouvernement du Québec, 1995, p. 41).

Les perceptions ayant trait au phénomène de la violence conjugale influent sur les interventions auprès des femmes violentées. Comme l'indique Sinclair (1986), les préjugés entraînent des interventions inadéquates qui, à leur tour, perpétuent les préjugés. Pour intervenir de façon adéquate auprès des femmes victimes de violence conjugale, les infirmières et les infirmiers doivent prendre conscience de leurs préjugés et de l'ensemble de la problématique de la violence conjugale.

Lachapelle et Forest (2000) ont examiné les principaux préjugés ou mythes qui entraînent des interventions inadéquates auprès des femmes victimes de violence conjugale. En voici quelques-uns qui servent à renforcer les actes violents en déresponsabilisant l'agresseur : l'alcoolisme et la toxicomanie, la maladie mentale, des problèmes de communication, une situation économique difficile, le stress, etc.

L'alcoolisme et la toxicomanie sont souvent associés à la violence conjugale. L'alcool peut être un déclencheur ou un prétexte à des actes violents, mais il n'en est pas la cause. Tous les hommes alcooliques ne sont pas violents, mais plusieurs hommes utilisent ce prétexte pour justifier leurs comportements violents.

La maladie mentale est souvent invoquée pour expliquer les agressions des hommes envers leur conjointe. Cependant, le problème de la violence conjugale est trop répandu pour qu'il puisse être expliqué par la maladie mentale. Les personnes qui interviennent auprès des agresseurs s'entendent pour dire que l'homme violent est, dans la majorité des cas, un homme ordinaire ne présentant aucun trouble mental et souvent reconnu dans sa communauté.

L'incapacité de l'homme violent à communiquer est souvent invoquée. C'est une façon d'excuser l'agresseur et de responsabiliser la femme à l'égard des gestes violents. Le mythe de l'homme qui a agressé sa conjointe parce qu'il vit trop de stress est souvent évoqué pour justifier les actes de violence. Ces mythes ou préjugés servent à minimiser l'acte de violence.

L'ampleur du problème de la violence conjugale

Plusieurs études ont mis en évidence l'étendue du problème de la violence conjugale. Même si elle est très répandue, elle reste difficile à quantifier. Les données sont souvent incomplètes. De plus, elles proviennent de sources diverses et ne reposent pas toujours sur une même définition de la violence conjugale. L'ampleur peut être sous-estimée puisque les femmes gardent encore souvent le silence sur les violences qu'elles subissent. Elles ne disent pas toujours qu'elles sont victimes de violence ; elles se présentent souvent dans le réseau de la santé et des services sociaux pour des problèmes de santé ou d'accidents, sans en préciser nécessairement la véritable cause.

Toutefois, de 48 enquêtes menées dans le monde, il ressort que de 10 à 69 % des femmes déclarent avoir été agressées physiquement par un partenaire intime de sexe masculin à un moment de leur vie (Organisation mondiale de la santé, 2002a).

Des données extraites de l'enquête sur la violence envers les femmes réalisée en 1993 par Statistique Canada auprès d'un échantillon représentatif de la population adulte révèlent que 3 femmes sur 10 au Canada, mariées ou l'ayant été, ou vivant en union libre, ont été victimes au moins une fois d'un acte de violence physique ou sexuelle perpétré par leur partenaire actuel ou par leur ex-mari ou conjoint de fait (Rodgers, 1994). Aussi, cette enquête révèle que 21 % des femmes qui ont dit avoir été victimes de violence de la part de leur conjoint ont précisé avoir subi des sévices durant leur grossesse (Rodgers, 1994).

Le Centre canadien de la statistique juridique recueille de l'information sur les crimes signalés à la police par l'entremise du Programme de déclaration uniforme de la criminalité. Cent soixante-six services policiers dans neuf provinces participent à ce programme et rendent compte de 53 % du volume national de crimes signalés. Il ressort de ces données une information descriptive au sujet des types de crimes portés à l'attention de la police. En 2000, les victimes de violence conjugale représentaient 18 % de toutes les victimes d'infractions avec violence déclarées à ce sous-ensemble de services policiers au Canada et 64 % d'entre elles étaient des victimes de violence familiale. Les femmes représentaient la majorité (85 %) des quelque 34 000 victimes des cas de violence conjugale signalés à ce sous-ensemble de services policiers en 2000 (Trainor, Lambert, et Dauvergne, 2002). Les statistiques révèlent que, dans la majorité des cas de violence signalés aux services policiers dans les provinces canadiennes, les victimes sont des femmes. Ce sont aussi majoritairement des femmes qui sont victimes de tous les types de violence conjugale (enlèvement ou prise d'otage, agression sexuelle, harcèlement criminel, menaces, voies de fait simples, etc.) (Trainor et autres, 2002).

Les voies de fait constituent l'infraction la plus grave pour la majorité des victimes. Dans l'ensemble, les personnes plus jeunes courent un risque plus élevé de faire l'objet de violence conjugale que les personnes plus âgées. Les jeunes femmes séparées courent plus de risque d'être tuées par leur conjoint âgé (Trainor et autres, 2002).

Les homicides entre conjoints représentent une importante proportion de tous les homicides commis au Canada. Depuis 1974, près de 2 600 homicides entre conjoints ont été enregistrés, la majorité ayant été commis contre des femmes (Statistique Canada, 2002).

Le cycle de la violence conjugale

La violence conjugale s'inscrit dans la dynamique de la relation entre un homme et une femme. Cette dynamique se construit lorsque des liens affectifs existent entre les partenaires et elle est marquée par un cycle de la violence qui se développe progressivement. La plupart du temps, la violence conjugale se produit selon une séquence répétitive comportant un cycle de quatre phases. La figure 16.1, adaptée d'un document du Regroupement provincial des maisons d'hébergement et de transition pour femmes victimes de violence conjugale (1990), indique, pour chacune des phases, en quoi consistent les émotions des hommes agresseurs et des femmes victimes de violence conjugale.

Lachapelle et Forest (2000) ont décrit chacune de ces phases.

La phase 1 : tension et contrôle de l'homme / peur chez la femme

Comment la violence s'installe-t-elle dans la relation conjugale ? Au début, tout semble bien se dérouler. Puis, graduellement, un climat de tension se construit. L'homme violent exige que tout se déroule selon ses désirs. Au début de la relation, il justifie son comportement contrôleur en disant qu'il agit ainsi par amour ! Et lorsque la femme ne répond pas à ses attentes, il devient maussade ou il choisit des façons blessantes de la punir ; par exemple, au moment des repas, il ne dit pas un mot, il la boude.

La femme perçoit la menace croissante d'agression. Elle tente par tous les moyens d'abaisser la tension du conjoint. Elle surveille ses moindres gestes et paroles

Figure 16.1 Le cycle de la violence conjugale

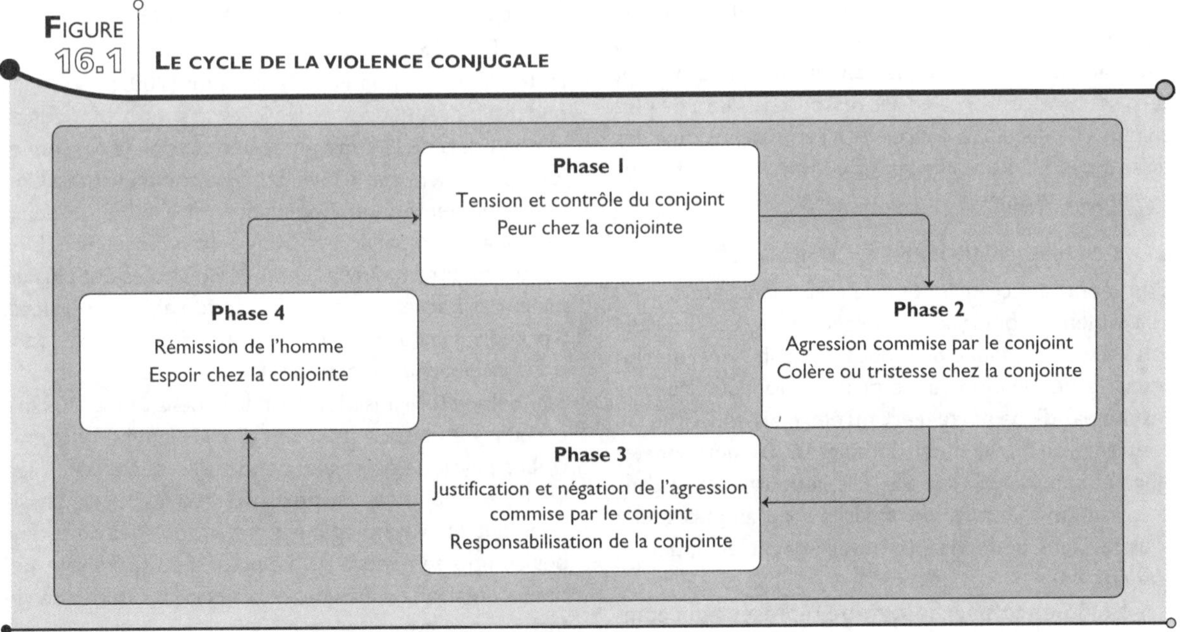

pour éviter de le contrarier. Elle cherche à lui faire plaisir. De plus en plus, cette femme s'ajuste aux besoins du conjoint et devient centrée sur ses humeurs. Durant cette phase, elle peut vivre de l'anxiété, de la peur et de la culpabilité.

La phase 2 : agression commise par l'homme/ colère ou tristesse de la femme

La violence conjugale entre dans une deuxième phase quand le climat de tension fait place à des actes de violence. Ces actes peuvent être d'ordre verbal, psychologique, physique, sexuel et économique. L'homme peut donner l'impression de perdre le contrôle de lui-même lorsqu'il agresse sa conjointe. En fait, il choisit de perdre le contrôle.

Au moment de l'agression, la femme peut utiliser différentes stratégies de survie : essayer de calmer le partenaire, se protéger des agressions, s'enfuir du domicile. Elle peut se sentir triste, outragée et manifester sa colère. Plusieurs femmes utilisent cette colère pour se mobiliser afin de sortir de cette situation. D'autres sont impuissantes, paralysées et paniquées.

La phase 3 : justification et négation de l'agression commise par l'homme / responsabilisation de la femme

À la suite de l'agression, le conjoint violent a tendance à minimiser le caractère et la gravité de son acte. Il se justifie en invoquant ses problèmes d'alcool, de drogue ou de surconsommation de médicaments. Il rend sa conjointe responsable de ses gestes violents et la culpabilise. C'est sa faute s'il est violent : « Si tu n'avais pas dansé avec Jacques, je ne me serais pas fâché. »

Devant ces justifications et ces réactions, la femme victime de violence se croit responsable des comportements violents de son conjoint. Elle pense qu'en modifiant ses attitudes et ses comportements, la violence cessera.

La phase 4 : rémission de l'homme / espoir chez la femme

Au cours de la quatrième phase du cycle de la violence, l'homme perçoit qu'il peut perdre le contrôle de sa conjointe. Il craint qu'elle ne décide de le quitter. C'est alors qu'il lui fait la promesse de changer, lui demande de lui pardonner et lui offre souvent des cadeaux. Ce sont des comportements manipulateurs et séducteurs qui entretiennent chez la femme l'espoir que son conjoint va changer. La femme espère qu'il changera si elle modifie ses comportements en répondant à ses demandes.

Cette phase ne dure pas très longtemps parce que le cycle se répète rapidement et que la période de rémission a tendance à raccourcir. La fréquence et l'intensité de la violence augmentent avec le temps et les délais entre chaque récidive diminuent. C'est ce qui caractérise l'escalade de la violence conjugale. L'homme a de moins en moins peur de perdre sa conjointe. Tandis que la femme se sent de plus en plus incompétente et perd souvent confiance en ses ressources, elle a de plus en plus de difficulté à s'adresser à ses proches ou à des ressources institutionnelles et communautaires pour demander de l'aide.

Les formes de violence conjugale

Comment la violence conjugale se manifeste-t-elle ? « La violence conjugale comprend les agressions verbales, psychologiques, physiques, sexuelles ainsi que les actes de domination sur le plan économique. Elle ne résulte pas d'une perte de contrôle, mais constitue, au contraire, un moyen pour dominer l'autre personne et affirmer son pouvoir sur elle. Elle peut être vécue dans une relation maritale, extramaritale ou amoureuse, à tous les âges de la vie » (Gouvernement du Québec, 1995, p. 23).

La **violence psychologique** représente un comportement intentionnel et répétitif qui consiste à dévaloriser l'autre personne ; elle se traduit par des attitudes et des propos méprisants, par l'humiliation, le dénigrement, le chantage, qui visent à blesser sur le plan émotionnel et à isoler la femme victime de violence (Lindsay et Clément, 1998).

La **violence verbale** découle souvent de la violence psychologique, sexuelle et économique ; elle consiste en des insultes, des hurlements, des propos dégradants et humiliants, du chantage et des menaces. La violence verbale prépare à la violence physique, crée un climat de peur et d'insécurité qui empêche la conjointe de se mobiliser (Gouvernement du Québec, 1995).

La **violence physique** se manifeste par des coups, des blessures de toutes sortes, allant de la bousculade à la brûlure, à la fracture et même à l'homicide. Les mauvais traitements sont souvent déguisés en accidents.

La **violence sexuelle** se traduit par des agressions sexuelles, du harcèlement, de l'intimidation, de l'humiliation, de la brutalité en vue d'une relation sexuelle non consentie, etc.

La **violence économique** se caractérise par la domination exercée par l'homme qui prive sa conjointe de ressources financières ou matérielles nécessaires au bon fonctionnement de la vie familiale et conjugale. Les activités de la femme sont contrôlées et surveillées, de sorte qu'elle n'a pas le pouvoir de décider quoi que ce soit en cette matière, et ce, indépendamment du fait qu'elle travaille ou non à l'extérieur du domicile (Gouvernement du Québec, 1995).

Les conséquences sur la santé des femmes

L'Organisation mondiale de la santé (2002a) soutient que les conséquences de la violence sont profondes et vont au-delà de la santé et du bonheur de la personne, lesquels influent sur le bien-être des communautés. Une femme violentée perd confiance en elle-même et en ses capacités à participer à la vie communautaire. Des études montrent que les femmes violentées ont plus de difficultés à accéder à de l'information et à des services, à prendre part à la vie publique et à demander du soutien aux proches et à la famille.

Selon l'Organisation mondiale de la santé (2002a), certaines études démontrent que les femmes victimes d'abus physique ou sexuel pendant l'enfance ou à l'âge adulte sont plus souvent malades que les autres physiquement et psychologiquement, et qu'elles adoptent des comportements à risque pour la santé : tabagisme, consommation de drogues et d'alcool, habitudes de vie malsaines, prostitution, etc.

Le tableau 16.1 résume les conséquences immédiates et ultérieures de la violence conjugale sur la santé physique et mentale des femmes qui en sont victimes.

Au Québec, en 1995, la mise en application de la politique d'intervention en matière de violence conjugale a permis d'établir des liens plus étroits entre les problèmes de violence conjugale et les situations d'abus à l'égard des enfants. Dans une proportion très significative des situations, les enfants sont témoins de la violence conjugale, ce qui entraîne des difficultés particulières (Gouvernement du Québec, 2001). La violence conjugale a des effets dévastateurs sur la santé physique et mentale des femmes qui en sont victimes, ainsi que sur les enfants qui y sont exposés.

Les effets de la violence sur la santé des enfants

Les enfants exposés à la violence conjugale ne sont pas outillés pour reconnaître que leur mère est victime de violence conjugale et que leur père a des comportements violents envers leur mère ; « maman est folle, elle a fait quelque chose de mal ». En même temps, ils sont sensibles aux rapports de pouvoir dans la relation de couple. Lorsque la relation parentale est saine, l'enfant se sent en sécurité physique et psychologique avec les deux parents. C'est une relation circulaire entre le père, l'enfant et la mère. Que se passe-t-il lorsque les enfants sont exposés à la violence conjugale ?

Ils voient des scènes, ils entendent des cris et ils sont témoins d'actes de violence commis envers leur

Tableau 16.1 Conséquences de la violence conjugale sur les plans physique, psychologique et sexuel

Physique	Psychologique	Sexuel
• Traumatismes abdominaux et thoraciques • Blessures • Fractures • Lésions oculaires et auditives • Syndrome de douleur chronique • Invalidité • Fibromyalgie • Troubles gastro-intestinaux • Syndrome du côlon irritable • Lacérations et ulcérations • Fonctions physiques diminuées	• Alcoolisme et toxicomanie • Dépression et angoisse • Troubles du sommeil et de l'alimentation • Sentiments de honte et de culpabilité • Phobies et troubles paniques • Inactivité physique • Perte d'estime de soi • Syndrome de stress post-traumatique • Troubles psychosomatiques • Tabagisme • Comportement suicidaire • Comportement sexuel à risque	• Troubles gynécologiques • Infertilité • Endométrite • Complications durant la grossesse • Dysfonction sexuelle • Maladies transmises sexuellement • Grossesse non désirée • Perte du fœtus

Source : Adapté de l'Organisation mondiale de la santé (2002a, p. 112).

mère par leur père ou par le conjoint de celle-ci. Ils peuvent être directement témoins de la violence, se trouver dans une autre pièce ou être au lit, essayant de s'endormir. Ils peuvent constater les résultats de la violence. Ils voient des scènes qui vont de la violence verbale à l'agression physique ou sexuelle. Ils entendent presque toujours la violence verbale et les insultes qui accompagnent la violence physique. Cette violence sous-tend une relation conjugale caractérisée par un manque de respect de l'agresseur à l'égard de leur mère. Le milieu familial dans lequel ces enfants vivent est caractérisé par un environnement malsain qui peut entraver leur bien-être et leur développement ; ils évoluent dans un milieu où règne une atmosphère de peur, d'anxiété, de colère et de tension (Sudermann et Jaffe, 1999).

Les effets de la violence conjugale se répercutent à la fois sur les plans psychologique, comportemental et physique pour les enfants témoins d'actes de violence en milieu familial. Parmi les problèmes les mieux documentés et les plus fréquents, on remarque des enfants qui présentent des comportements agressifs, des problèmes affectifs, des difficultés relatives au développement social et scolaire, et qui peuvent être atteints du syndrome de stress post-traumatique (Sudermann et Jaffe, 1999).

Les enfants témoins d'actes de violence conjugale sont souvent agressifs envers leurs frères et sœurs, leurs pairs et leurs enseignants. Ils ont tendance à être indisciplinés et irritables. Les comportements agressifs sont souvent plus prononcés chez les garçons, mais ils existent aussi chez les filles (Sudermann et Jaffe, 1999).

Les troubles affectifs englobent les problèmes d'anxiété, de dépression, de faible estime de soi, de repli sur soi et de léthargie. D'autres enfants présentent des réactions psychosomatiques (douleurs physiques, maladie sans cause médicale, allergies, céphalées, maux de ventre, etc.). Ces enfants vivent souvent dans un climat de peur, ce qui les soumet à une forte tension sans moyen efficace pour la réduire. Ils ne peuvent parler des questions qui les préoccupent et ne savent pas comment chercher l'aide nécessaire pour résoudre leurs difficultés.

Les enfants témoins d'actes de violence envers les femmes sont fréquemment handicapés dans leur développement social et scolaire. Ils sont préoccupés par le climat familial insalubre et présentent souvent des difficultés d'attention et de concentration dans les tâches scolaires, et des retards dans les apprentissages. Leur développement social peut être retardé parce qu'ils sont tristes et anxieux ou parce qu'ils ont tendance à utiliser des stratégies agressives pour résoudre les conflits avec leurs pairs. Par conséquent, ils sont peu aimés dans leur groupe et se sentent rejetés (Sudermann et Jaffe, 1999).

Les enfants exposés à la violence conjugale manifestent souvent des symptômes de stress post-traumatique: peur de revivre le traumatisme, anxiété, irritabilité, difficulté à se concentrer, souvenirs importuns des actes de violence, accès de colère et hyperactivité (Lehmann, 1997).

L'intervenant qui croit qu'un enfant vit dans un contexte de violence conjugale doit valider cette perception auprès de la mère en lui parlant du comportement de son enfant. Il peut lui dire, par exemple: « La brutalité de Pierre envers les autres enfants m'inquiète, et je voudrais l'aider à changer de comportement. J'aimerais savoir ce que vous observez à la maison. Avez-vous une idée de ce qui peut le perturber? » (Sudermann et Jaffe, 1999).

Sudermann et Jaffe (1999) suggèrent quelques questions à poser aux enfants susceptibles d'être exposés à la violence conjugale. En voici quelques-unes:

- Toutes les familles se querellent et ont des divergences d'opinions. Que se passe-t-il dans la tienne lorsque ta mère et ton père (ton beau-père, l'ami de ta mère) ne sont pas d'accord? En viennent-ils parfois aux hurlements et aux coups? Que ressens-tu alors?
- Que fais-tu lorsqu'il y a de la violence dans ta famille? As-tu déjà tenté d'intervenir ou d'appeler la police? As-tu déjà été blessé?
- Y a-t-il des endroits sécuritaires où tu peux essayer de te cacher dans les moments de violence?
- T'arrive-t-il d'être blessé ou frappé chez toi? Es-tu menacé? Est-ce qu'il t'arrive d'autres choses graves?
- Les moments de violence chez toi sont-ils gardés secrets ou d'autres personnes savent-elles ce qui se passe? Serais-tu d'accord pour que j'en parle à ta mère?
- J'aimerais regarder avec toi comment assurer ta sécurité dans les moments de violence.

Le contact entre les professionnels de la santé et les femmes victimes de violence conjugale et leurs enfants représente un moment privilégié pour élaborer un plan de sécurité auprès des femmes et des enfants.

Le dépistage des femmes victimes de violence conjugale

Le personnel infirmier occupe une place privilégiée pour dépister et accueillir les femmes victimes de violence conjugale et leur apporter l'aide nécessaire. Les infirmières et les infirmiers, qui travaillent dans les services de première ligne en santé communautaire, rencontrent fréquemment des femmes victimes de violence dans leur pratique quotidienne, que ce soit en périnatalité, en soins à domicile, aux services courants, en santé scolaire ou en santé mentale. Toutefois, selon Le Bossé (1991), les médecins et le personnel infirmier sont au nombre des intervenants du réseau de la santé et des affaires sociales qui rapportent le moins de cas de victimes de violence conjugale.

Pourtant, les conséquences de la violence sur la santé des femmes sont multiples et affectent autant leur santé physique que leur santé mentale. Si l'on ne décèle pas la présence de cette violence, il est impossible de répondre de façon appropriée aux besoins des femmes violentées. Un traitement, qu'il soit médical ou psychosocial, prescrit dans un contexte où la violence est ignorée, peut avoir des conséquences négatives à court et à long terme (CLIIPP, 2001).

Selon le document *Politique d'intervention en matière de violence conjugale du gouvernement du Québec,* « le dépistage consiste à reconnaître les indices de la violence conjugale et à créer un climat de confiance apte à amener les victimes et les conjoints à dévoiler leur situation et à se mobiliser pour la changer » (Gouvernement du Québec, 1995, p. 40).

Il importe que les intervenants en santé publique connaissent ces conséquences, car les motifs de consultation y sont liés et constituent une occasion privilégiée pour procéder au dépistage systématique. Il n'est pas facile de dépister les femmes violentées parce que, la plupart du temps, elles consultent pour des motifs autres que celui d'être victime de violence conjugale. Sans le dévoiler, elles consultent sur les conséquences de la violence qu'elles subissent ou sur ses effets néfastes sur la santé physique et psychologique des enfants. De plus, les valeurs sociales, le silence des victimes, la non-spécificité des signes liés à la violence conjugale et la difficulté d'aborder la question de la violence concourent à cette situation. Le Centre de liaison sur l'intervention et la prévention psychosociales (CLIIPP) souligne qu'un dépistage efficient doit être systématique et intégré aux politiques professionnelles et institutionnelles de tous les secteurs concernés. Que l'on œuvre dans le champ de la médecine, des sciences infirmières, de la psychologie ou du travail social, le dépistage de la violence est une intervention préventive essentielle: c'est le premier pas permettant de répondre efficacement aux besoins des victimes en tenant compte de leur situation réelle et de leurs besoins psychosociaux particuliers (CLIIPP, 2001).

Le *Protocole de dépistage et guide d'intervention* propose aux intervenantes et aux intervenants des CLSC du Québec d'adopter une stratégie qui comble cette lacune en se demandant chaque fois qu'ils rencontrent une femme dans le réseau de la santé et des services sociaux: « Se pourrait-il que cette femme subisse de la violence de la part de son partenaire ? » (Rinfret-Raynor, Turgeon, et Joyal, 1998, p. 29). À partir du moment où il se pose cette question, le personnel infirmier devient plus sensible aux signes de violence.

Rinfret-Raynor, Turgeon et Joyal (1998) ont élaboré trois instruments qui constituent l'assise du protocole: une grille d'observation qui contient les signes et l'état émotionnel pouvant indiquer la présence de violence, les comportements du partenaire observés ou rapportés, les facteurs associés à la violence conjugale, une entrevue de dépistage et un questionnaire portant sur les comportements de violence physique, non physique et sexuel. Le recours aux instruments est progressif; on ne fait appel aux deux derniers instruments que si la grille d'observation cumule un nombre suffisant d'indices pour justifier qu'on passe aux étapes suivantes. On ne soumet le questionnaire que si l'entrevue préalable a permis d'en établir la pertinence (Beaudoin, Cousineau, Jauvin et Paquet, 2000). Le Centre de liaison sur l'intervention et la prévention psychosociales (CLIPP) et le Centre de communication en santé mentale de l'Hôpital Rivière-des-Prairies (CECOM) ont aussi créé une trousse de formation sur le dépistage (CLIPP, 2002). La trousse comprend un guide de formation et deux documents vidéo portant sur le dépistage.

Lachapelle et Forest (2000) ont présenté des pistes d'observation élaborées par l'Ordre des infirmières et infirmiers du Québec (1987) et Larouche (1987) pour aider l'ensemble des professionnels à reconnaître les femmes victimes de violence. Nous résumons ces indices quoiqu'ils ne soient pas tous présents dans chaque situation de violence conjugale. Le jugement professionnel des intervenantes et des intervenants est nécessaire pour détecter la présence des indices de violence et apporter un soutien adéquat au moment de l'entrevue de dépistage. Le dépistage par le personnel médical et infirmier permet à la femme de faire le lien entre la situation de violence et les symptômes ou les problèmes de santé qu'elle présente (Rinfret-Raynor, Turgeon et Dubé, 2001).

Les indices de violence conjugale chez les femmes qui en sont victimes

Les blessures

Les blessures constituent les indices de violence physique les plus faciles à observer. La localisation des blessures, la discordance entre la blessure et la description de l'accident, la fréquence des blessures ainsi que le délai inexpliqué entre le moment de l'accident et celui de la consultation constituent d'autres indices de violence conjugale.

Les problèmes de santé

Comme nous l'avons dit précédemment, les femmes violentées consultent non pas pour un problème de violence conjugale mais pour les conséquences qu'elle engendre: anxiété, angoisse, insomnie, phobies diverses, état dépressif et idées suicidaires, problèmes psychosomatiques divers, etc.

Les attitudes et l'état émotionnel

En entrevue, certaines femmes semblent détachées émotionnellement. Elles ont tendance à rationaliser et à justifier les comportements violents de leur conjoint. Elles sont habitées par une variété de sentiments: la peur, la honte, la culpabilité, l'impuissance et la résignation, le manque de confiance et d'estime de soi, la négation de soi, l'isolement et l'ambivalence (Gaumond et Lemieux, 1991). Il ne faut pas sous-estimer ses raisons pour rester; elle a peur de perdre ses enfants et croit qu'elle peut les protéger.

Les indices de comportements violents chez les hommes

Certains hommes peuvent être violents avec leur conjointe mais fonctionner normalement en société et présenter des comportements adéquats dans leur milieu de travail. C'est dans le rapport de domination et de contrôle à l'égard de leur partenaire et dans le recours à la violence pour résoudre des conflits que les intervenantes et les intervenants trouveront des indices de comportements violents chez les hommes (Lachapelle et Forest, 2000).

Voici quelques indices de comportements violents: le besoin de tout contrôler (finances, sorties, tenue vestimentaire, amis), la négation des comportements violents, la déresponsabilisation relativement aux actes de violence, la crainte de perdre leur conjointe, l'incapacité d'exprimer des émotions autres que la colère et l'isolement.

Les indices de violence dans la relation de couple

La relation dans le couple peut aussi révéler des indices de violence conjugale. Ces indices, qui indiquent une relation de pouvoir et de domination de la part du conjoint violent, peuvent se traduire par une relation inégalitaire, une dévalorisation de la femme par l'homme ou un mode de résolution des conflits où la femme est toujours perdante.

L'entrevue de dépistage

Ce dernier volet aborde les objectifs d'intervention lors d'une entrevue de dépistage de violence conjugale. Tout d'abord, il est essentiel de créer un climat de confiance et d'ouverture avec les femmes violentées. Elles ont besoin de se sentir accueillies sans jugement et respectées dans leur cheminement. Une femme violentée qui ne se sent pas en confiance avec le personnel soignant ou qui se sent jugée gardera le silence sur la violence qu'elle subit. Au contraire, l'intervenante ou l'intervenant qui établit un climat de confiance et qui prend conscience de ses jugements de valeur sera capable de confirmer la situation de violence et d'aider la personne violentée à mobiliser ses ressources.

Au cours d'une entrevue de dépistage, l'infirmière peut être amenée à explorer huit objectifs d'intervention : mettre en place les préalables à l'intervention, soutenir la femme dans l'expression de ses émotions, confirmer la situation de violence conjugale, expliquer le cycle et l'escalade de la violence, évaluer la dangerosité, élaborer un scénario de protection, présenter les ressources d'aide et aider la femme dans sa prise de décision (Lachapelle et Forest, 2000).

Il n'est pas nécessaire de voir chacun de ces thèmes au cours de l'entrevue parce que chaque entrevue peut être différente. Par exemple, une femme peut ne pas se sentir prête à s'ouvrir sur la violence qu'elle subit. Il est important que l'intervenante ou l'intervenant respecte le rythme et le choix de la personne. C'est dans ce sens qu'on dit que l'intervenante est à l'écoute et qu'elle respecte les besoins de la femme violentée. Cela ne signifie pas qu'elle ne lui donne pas de renseignements. Bien au contraire, elle lui donne les renseignements minimaux pour assurer sa sécurité si sa vie est en danger.

Mettre en place les préalables à l'intervention

Il est important d'assurer la sécurité physique de la femme et de ses enfants au cours de l'entrevue. Comme les hommes violents veulent contrôler l'entrevue, l'intervenante doit se débrouiller pour rencontrer la femme sans son conjoint. La présence du conjoint empêche la femme de s'exprimer sur la violence qu'elle subit et peut mettre sa vie en danger. Il est important de ne pas exposer ses enfants à cette discussion. Cela peut se faire en donnant rendez-vous à la femme à la clinique de santé ou en la rencontrant à son domicile sans la présence de son conjoint. À la limite, l'entrevue peut se faire par téléphone. Il est important que les intervenantes et les intervenants assurent la confidentialité de l'entrevue. Il faut dire clairement à la cliente que le conjoint ne connaîtra pas la teneur de l'entrevue. Le respect de la confidentialité peut aider à développer un climat de confiance pendant l'entrevue.

Soutenir la femme dans l'expression de ses émotions

Les femmes violentées éprouvent plusieurs émotions en même temps : peur, colère, impuissance, culpabilité, tristesse, etc. Il est important de les soutenir dans l'expression de ce qu'elles éprouvent et de leur signifier clairement que toute femme, placée dans leur situation, ressentirait de telles émotions. Le fait d'en parler leur permet de réduire leur tension, d'affronter leur réalité avec moins d'appréhension et de définir leurs besoins. Toutefois, il est important de respecter leur rythme.

Confirmer la situation de violence conjugale

La plupart des femmes victimes de violence ne se voient pas comme des victimes. Même si leur vie est en danger, leur seuil de tolérance à la violence est très élevé. Elles ont tendance à se blâmer, à se sentir coupables. Au début de l'entrevue, les intervenantes et les intervenants observent les indices verbaux et non verbaux en gardant en mémoire les indices qui peuvent aider au dépistage. Les intervenantes et les intervenants qui reconnaissent un ou plusieurs indices (blessures, problèmes de santé, état émotionnel de la femme, attitudes et état émotionnel du conjoint) utiliseront ces indices pour donner à la femme l'occasion de s'exprimer sur la violence qu'elle subit. L'entrevue permettra de poser des questions relatives à la vie de couple, aux conflits possibles entre la femme et le conjoint, et aux moyens généralement utilisés pour les régler. L'intervenante doit être à l'écoute et décoder les messages verbaux et non verbaux. Le jugement de l'intervenante ou de l'intervenant est important à cette étape ; elle doit juger de la situation pour valider la situation de violence conjugale. Des questions simples permettent de vérifier si la femme est violentée par son conjoint : « Je vous écoute et j'ai l'impression que vous avez peur de me dire quelque chose. Votre conjoint est-il violent avec vous ? » Il est important de prendre position contre les comportements violents du conjoint. Il faut amener la femme à prendre conscience qu'il s'agit de violence et que c'est son conjoint qui en est responsable. Il faut confirmer ses sentiments envers son conjoint (amour, anxiété, peur, etc.), lui affirmer que la violence est inacceptable et qu'elle a le droit d'être respectée comme personne.

Expliquer le cycle et l'escalade de la violence

Les femmes qui se présentent dans un service de santé n'ont en général aucune connaissance du cycle de la violence conjugale. Leur donner cette information leur permet de prendre conscience du fait qu'elles ne sont pas seules à vivre une telle situation et que les comportements violents de leur conjoint ressemblent à ceux des autres hommes violents. En connaissant le cycle de la violence, elles peuvent prévoir la dynamique de la situation et y réagir en mobilisant leurs ressources.

Évaluer la dangerosité et élaborer un scénario de protection

Campbell (1986) a élaboré un outil pour évaluer le risque d'homicide. Plus le nombre d'indices est élevé, plus la vie de la femme est menacée. Le fait d'examiner les indices avec la femme lui permet de prendre conscience des dangers pour sa vie et de la nécessité de se mobiliser. Voici les principaux indices à vérifier : le conjoint possède une arme à la maison ; il l'a déjà agressée sexuellement ; il prend de la drogue et de l'alcool ; il est violent en dehors de la maison ; il a menacé de tuer sa conjointe ; il contrôle plusieurs aspects de la vie de sa conjointe ; il est très jaloux ; il l'a battue durant sa grossesse ; il est violent avec ses enfants ; il a fait une ou des tentatives de suicide ; la conjointe a menacé de se suicider ou a tenté de le faire.

Élaborer un scénario de protection

À la suite de l'évaluation de la dangerosité de la situation et de la confirmation que la femme est victime de violence conjugale, il est important d'établir un scénario de protection. D'abord, l'intervenante ou l'intervenant cerne avec la femme les indices précurseurs d'épisodes de violence et insiste sur l'importance de partir si elle sent un danger pour elle ou pour ses enfants. Ensuite, l'intervenante ou l'intervenant discute avec la femme des façons de faire pour assurer sa sécurité et celle de ses enfants. Une liste de numéros de téléphone est dressée pour que la femme puisse l'utiliser en cas d'urgence (maison d'hébergement, hôpital, police, amis et amies dignes de confiance). De plus, l'intervenante ou l'intervenant dresse avec la femme une liste des ressources de son réseau primaire de relations (amis, parents, voisins) qui peuvent lui apporter de l'aide. En cas d'urgence, la femme se munira d'un sac contenant les articles nécessaires pour agir en toute sécurité (cartes de crédit, argent liquide, pièces de 25 ¢ pour téléphoner, carte d'assurance-maladie, médicaments, clés de la maison et de l'auto, jouet pour chaque enfant, passeport, visa, documents d'immigration).

Présenter les ressources d'aide

Les femmes victimes de violence ne connaissent pas toujours les ressources communautaires qui peuvent leur apporter de l'aide en cas de besoin. Les premières ressources auxquelles se réfèrent d'abord la majorité des femmes violentées sont leur famille immédiate, leur parenté, la famille de leur conjoint ou leurs amies (Jones et Schechter, 1994). Ces ressources peuvent leur donner un répit en les hébergeant et les aider à voir plus clair dans leur situation.

Il est important de parler avec elles des ressources communautaires qui peuvent leur donner du soutien dans les démarches à faire. Dans la plupart des milieux, il existe des organismes pour répondre aux besoins de ces femmes. Il est important que les intervenants en santé communautaire se familiarisent avec ces ressources et orientent les femmes vers ces ressources au besoin. Par exemple, dans les régions du Québec, S.O.S violence conjugale peut mettre les femmes en contact direct avec une maison d'hébergement et les diriger vers d'autres ressources appropriées (1 800 363-9010). Les maisons d'hébergement offrent un lieu sécuritaire où les femmes peuvent prendre un répit et voir plus clair dans leur situation. Elles accueillent gratuitement les femmes avec ou sans enfants pour des périodes allant de quelques jours à plusieurs mois.

Il est important de transmettre clairement les renseignements concernant les recours juridiques. Lachapelle et Forest (2000) ont décrit les principaux recours juridiques des femmes violentées : les recours prévus par le Code criminel canadien et le Code civil. Selon le Code criminel canadien, plusieurs actes commis par les hommes violents sont reconnus comme des actes criminels. Voici quelques exemples d'actes criminels : proférer des menaces, commettre des voies de fait, faire du harcèlement criminel. La femme peut porter plainte pour ces actes criminalisables. Le policier peut aussi porter plainte sans le consentement de la femme. En outre, les femmes peuvent se prévaloir des dispositions du Code civil pour se protéger, par exemple la déclaration de résidence familiale, la demande de séparation de corps ou de divorce pour cruauté mentale et physique, la saisie de biens et la demande de garde provisoire.

Les professionnels de la santé ne doivent pas hésiter à demander de l'information juridique aux personnes spécialisées dans le domaine.

Aider la femme dans sa prise de décision

Quitter un conjoint violent n'est pas une décision facile. La peur de leur partenaire, le manque de confiance et d'estime d'elles-mêmes font que plusieurs femmes violentées hésitent à partir. Pfouts (1978) a décrit trois types de rupture qui peuvent aider les intervenants à comprendre la démarche des femmes violentées. Il s'agit de la rupture évolutive, de la rupture à contrecœur et de la rupture rapide.

Lachapelle et Forest (2000) ont résumé les types de rupture. Dans la rupture évolutive, les femmes quittent leur partenaire, puis reprennent la relation avec lui à plusieurs reprises avant de rompre définitivement. Dans la rupture à contrecoeur, après avoir essayé, souvent pendant plusieurs années, d'enrayer la violence par tous les moyens, elles prennent conscience de leur échec. La rupture est alors inévitable et définitive pour elles. Dans la rupture rapide, les femmes réagissent dès la première agression de leur partenaire : elles ne tolèrent pas d'être violentées et mettent fin à leur relation.

Les infirmières qui connaissent ces types de rupture sont outillées pour soutenir la femme dans son choix de quitter ou de demeurer avec son conjoint.

Chaque entrevue avec une femme victime de violence conjugale est particulière. Ce sont les professionnels qui s'adaptent à chacune des situations difficiles et souvent complexes en utilisant leurs connaissances et leur jugement professionnel.

La maltraitance chez les enfants

Le deuxième volet du chapitre décrit la problématique de la maltraitance à l'égard des enfants. Nous retrouvons une définition du phénomène de maltraitance, des données statistiques du problème, les facteurs de risque de maltraitance et les conséquences de la maltraitance sur la santé des enfants maltraités. La deuxième partie de ce volet décrit les les éléments essentiels sur lesquels sont fondés le dépistage et les interventions auprès des enfants : les indicateurs, le rôle des intervenants, la procédure à suivre lors d'un signalement, les attitudes à adopter au moment du dépistage. Nous terminerons cette partie par des exemples de programmes de prévention de la maltraitance des enfants.

Définition de la maltraitance

Qu'entend-on par « enfance maltraitée » ? Les mauvais traitements sont difficiles à définir et à mesurer, car il n'existe pas de consensus sur les définitions des mauvais traitements autres que les voies de fait graves. Ce qui est perçu comme de l'abus par certains est considéré comme normal et acceptable par d'autres. Cependant, la plupart des spécialistes de la protection de l'enfance s'entendent sur une définition similaire de la violence envers les enfants (personnes âgées de moins de 18 ans) (Latimer, 1998). Il s'agit de mauvais traitements infligés à un enfant ou de négligence des besoins liés au développement de ce dernier par un parent, un tuteur ou une personne qui en prend soin, entraînant ainsi ou pouvant entraîner des blessures ou des effets néfastes sur le plan affectif ou psychologique. L'Organisation mondiale de la santé (2002a) donne une définition qui s'oriente dans le même sens. La maltraitance de l'enfant inclut « toutes les formes de mauvais traitements physiques et/ou affectifs, de sévices sexuels, de négligence ou de traitement négligent, ou d'exploitation commerciale ou autre, entraînant un préjudice réel ou potentiel pour la santé de l'enfant, sa survie, son développement ou sa dignité dans le contexte d'une relation de responsabilité, de confiance ou de pouvoir » (p. 65).

Latimer (1998) et l'Organisation mondiale de la santé (2002a) ont décrit chacune de ces formes de mauvais traitements dans les termes suivants.

L'**abus physique** comprend des actes commis par les tuteurs (ou parents) qui entraînent des dommages corporels ou risquent d'en entraîner. Il désigne aussi le fait de frapper ou de battre un enfant, notamment de le brûler, de lui infliger des coups, de le mordre, de le secouer (syndrome du bébé secoué), de l'étrangler, ou d'exercer toute force ou forme de contrainte contre lui (punition excessive). La violence physique équivaut à appliquer délibérément, sur n'importe quelle partie du corps d'un enfant, une force qui provoque ou peut provoquer une blessure non accidentelle. Il peut s'agir de frapper un enfant une seule fois ou encore de le frapper de façon répétée. Souvent, la violence physique à l'égard des enfants est associée à un châtiment corporel ou est confondue avec des mesures de discipline (Santé Canada, 2001).

De multiples définitions de l'**abus sexuel** sont décrites de façon clinique, légale ou médicale. Nous retiendrons celle du Secrétariat du Groupe de travail fédéral provincial-territorial sur l'information, sur les services à l'enfance et à la famille (2002). « L'**abus sexuel** désigne un geste posé par une personne donnant ou recherchant une situation sexuelle non appropriée quant à l'âge ou au niveau de développement d'un enfant ou d'un adolescent. Lorsque l'agresseur a un lien de consanguinité avec la victime ou se trouve en position de pouvoir ou d'autorité avec elle, il est jugé qu'il y a atteinte à l'intégrité physique ou mentale de l'enfant ou de l'adolescent » (SEF information sur les services à l'enfance et à la famille, 2002, p. 74). L'Étude canadienne sur l'incidence des signalements de cas de violence et de négligence envers les enfants (ÉCI) a répertorié sept formes d'abus sexuel, allant de la relation sexuelle au harcèlement sexuel (Trocmé et autres, 2001) : la relation sexuelle (orale, vaginale ou anale), la tentative d'avoir une relation sexuelle, les attouchements et caresses des organes génitaux, l'exhibitionnisme, le voyeurisme, le harcèlement sexuel et l'exploitation sexuelle (à des fins de prostitution ou de pornographie) (Trocmé et autres, 2001).

Il y a **négligence** lorsqu'un enfant subit des sévices ou que sa sécurité ou son développement sont compromis par un manque d'attention ou de protection de la part de la «personne qui en prend soin». La négligence est souvent une situation chronique qu'il est difficile de déceler en tant qu'incident particulier (Trocmé et autres, 2001).

L'ÉCI soulève huit formes de négligence: le manque de supervision ou de protection entraînant des sévices physiques ou des abus sexuels; la négligence physique (le fait de ne pas nourrir, vêtir ou loger convenablement un enfant, d'ignorer systématiquement ses besoins et ses problèmes, ou de ne pas lui offrir une surveillance adaptée à son niveau de développement; la négligence sur le plan médical; l'omission de procurer des soins en cas de problème sur le plan mental, affectif ou développemental, une attitude permissive à l'égard d'un comportement mésadapté ou criminel, l'abandon ou le refus d'assurer la garde et la négligence sur le plan de l'éducation (Trocmé et autres, 2001).

La **violence psychologique** est aussi difficile à définir et à détecter. L'Étude canadienne sur l'incidence des signalements de cas de violence et de négligence envers les enfants la décrit de la façon suivante: elle englobe des actes ou omissions de la part des parents ou des personnes chargées de prendre soin de l'enfant qui causent ou pourraient causer de sérieux troubles comportementaux, cognitifs, émotionnels ou mentaux (Trocmé et Wolfe, 2001). Elle peut inclure les menaces verbales, l'humiliation, l'intimidation, l'isolement social, la corruption, l'exploitation et le fait de terroriser un enfant ou le fait d'avoir couramment des exigences déraisonnables à son endroit (Santé Canada, 2001). Selon l'ÉCI, on reconnaît quatre formes de violence psychologique: les mauvais traitements psychologiques (l'enfant est exposé à un risque élevé de troubles mentaux, affectifs ou développementaux causés par une attitude ouvertement hostile ou punitive ou par une violence verbale, par des menaces, etc.); le retard de croissance d'origine non organique; la négligence psychologique (l'enfant est exposé à un risque élevé de troubles mentaux, affectifs ou développementaux causés par un manque de soins ou d'affection psychologique) et l'exposition à la violence conjugale qui survient quand l'enfant en est témoin directement ou indirectement. L'enfant peut être physiquement présent et observer la violence, ou se trouver dans une autre pièce d'où il peut entendre les échanges violents.

L'AMPLEUR DU PROBLÈME

Il est difficile de faire des comparaisons précises entre les pays concernant l'ampleur du problème de la maltraitance en raison des différences dans la complétude de la notification et dans les attitudes à l'égard de la maltraitance. Cependant, nous pouvons affirmer que la maltraitance existe dans toutes les sociétés, où elle constitue presque toujours un sujet tabou. Il est aussi difficile de connaître l'ampleur de la violence faite aux enfants au Canada (Locke, 2002).

Beaucoup de professionnels s'accordent pour dire que les cas déclarés demeurent généralement en deçà de la réalité. Deux sources principales de données nationales peuvent servir à examiner la violence faite aux enfants et aux jeunes: les données déclarées par la police et celles des organismes de protection de l'enfance (Locke, 2002).

Il n'existait jusqu'à maintenant aucune source de statistiques nationales fiable et exhaustive sur la nature et l'importance des cas de maltraitance et de négligence envers les enfants au Canada. L'Étude canadienne sur l'incidence des signalements de cas de violence et de négligence envers les enfants (ÉCI) est la première enquête canadienne visant à combler cette lacune au moyen d'un ensemble commun de définitions (Santé Canada, 2001). L'ÉCI fournit des estimations de l'ampleur et des caractéristiques du phénomène de la violence et de la négligence envers les enfants. Selon les estimations de cette étude, 135 573 enquêtes ont été effectuées sur des cas de maltraitance d'enfants au Canada en 1998, ce qui représente un taux annuel de 21,52 enquêtes pour 1 000 enfants. Dans cette étude, on a tenu compte des cas enquêtés qui étaient corroborés, présumés et non corroborés. L'étude donne une image ponctuelle des enfants dont les cas ont été signalés aux services de protection de l'enfance et enquêtés par ceux-ci au cours de la période de trois mois comprise entre octobre et décembre 1998 (Trocmé et autres, 2001). Les principaux motifs des enquêtes concernant des mauvais traitements infligés aux enfants étaient la négligence (40 % de toutes les enquêtes), suivie de la violence physique (31 %), des mauvais traitements psychologiques (19 %) et de l'abus sexuel (10 %) (Santé Canada, 2001).

Les cas corroborés de violence physique se répartissaient ainsi: punition excessive (69 % des cas d'abus physique), syndrome du bébé secoué (1 %), autres formes de violence physique (31 %). Les cas corroborés d'abus sexuel se distribuaient de la façon suivante : attouchements et caresses (68 % des cas d'abus sexuel), relation sexuelle et tentative d'avoir une relation sexuelle (35 %), exhibitionnisme (12 %). Les cas corroborés de négligence se partageaient ainsi : défaut de supervision entraînant des sévices physiques (48 % des cas de négligence), négligence physique (19 %), acceptation d'un comportement criminel (14 %), abandon et négligence sur le plan de l'éducation (12 % et 11 % respectivement). Quant aux cas corroborés de violence psychologique, ils se répartissaient ainsi : exposition à la violence conjugale (58 % des cas de violence psychologique), mauvais traitements psychologiques (34 %), négligence psychologique (16 %).

Il est important de dire que l'étude n'a pas tenu compte des cas au sujet desquels seule la police a fait enquête, des cas signalés à d'autres professionnels mais non aux services de protection de l'enfance, des cas non rapportés dans la communauté et des cas non connus (Santé Canada, 2001).

Examinons maintenant le profil des cas d'agressions physiques et sexuelles déclarés à la police au Canada en 2000. Les voies de fait et les agressions sexuelles ont été définies selon le Code criminel. Dans cette étude, les enfants et les jeunes constituaient près du quart des victimes des agressions déclarées par la police.

- Près de la moitié des enfants et des jeunes victimes de violence ont été agressés par une connaissance (52 %), par des membres de la famille (23 %) et par des étrangers (19 %).
- Les taux de voies de fait à l'endroit des enfants et des jeunes progressent avec l'âge.
- Les victimes de sexe masculin sont plus jeunes que celles de sexe féminin.
- Les garçons sont plus souvent victimes de voies de fait, et les filles, plus souvent victimes d'agression sexuelle.
- La force physique constitue la forme de violence la plus courante des agressions rapportées.
- La majorité des accusés membres de la famille sont de sexe masculin (Locke, 2002).

Selon Latimer (1998), la violence envers les enfants ou d'autres symptômes de problèmes familiaux graves touchent de 20 à 40 % des familles.

Les facteurs de risque de maltraitance

Il est important que les infirmières et les autres professionnels de la santé aient une excellente compréhension des facteurs de maltraitance parce qu'elle leur donnera des moyens pour procéder au dépistage des enfants maltraités et pour intervenir auprès d'eux et de leur famille. La violence envers les enfants est un phénomène qui touche tous les types de familles et toutes les couches de la population, quels que soient leur religion, leur appartenance ethnique, leur classe sociale et leur sexe (Latimer, 1998). Toutefois, certains facteurs renforcent une situation de maltraitance et le cumul de ces facteurs augmente le risque de maltraitance. Aucun facteur n'explique à lui seul pourquoi certaines personnes sont abusives envers d'autres. La maltraitance résulte de l'interaction complexe de facteurs individuels, relationnels, sociaux, culturels et environnementaux (Organisation mondiale de la santé, 2002a). MacMillan (2001) souligne que la principale difficulté inhérente aux approches de dépistage du risque de violence faite aux enfants demeure le taux inacceptable de faux résultats positifs. D'autres auteurs ont souligné le fait qu'il est impossible de prédire quels individus sont à risque lorsqu'il est question de violence faite aux enfants. La majeure partie des renseignements concernant les cas de violence faite aux enfants provient d'enquêtes transversales. Ce type d'étude offre des données de corrélation relativement à la violence faite aux enfants, mais ne peut cependant pas nous informer sur le lien causal entre les indicateurs et la violence ou la négligence dont les enfants font l'objet (MacMillan, 2001).

L'Organisation mondiale de la santé (2002a) a réalisé une revue exhaustive des écrits concernant les facteurs qui rendent l'enfant plus à risque de subir des mauvais traitements et d'être privé de soins. Il existe quatre groupes de facteurs : les caractéristiques de l'enfant et de la famille, la description du tuteur ou de l'auteur de la violence et de la privation de soins, la nature de la communauté locale, le contexte économique, social et culturel. Pour quelles raisons maltraite-t-on les enfants ? Est-ce le fait de malades mentaux, de parents qui ont été battus dans leur enfance ? Y a-t-il un lien entre les conditions de vie et les mauvais traitements ? Existe-t-il des enfants plus susceptibles que d'autres d'être victimes ? Il n'existe pas de cause unique. Chaque situation de mauvais traitements s'avère différente et résulte d'un nombre de facteurs en interaction. Il existe toutefois des facteurs dont l'incidence est plus élevée chez les familles maltraitantes.

Les caractéristiques individuelles des enfants

Certaines caractéristiques chez les enfants les exposent davantage à la violence. D'une façon générale, les très jeunes enfants sont les plus exposés au risque de violence physique (la plupart des cas où la violence physique entraîne la mort concernent des nourrissons, les victimes ayant moins de deux ans, alors que les enfants qui ont atteint la puberté ou l'adolescence sont plus souvent victimes d'abus sexuels (Organisation mondiale de la santé, 2002a). Les taux d'homicide parmi les enfants de 0 à 4 ans sont 2 fois plus élevés que parmi les enfants de 5 à 14 ans. Dans la plupart des pays, les filles risquent plus que les garçons d'être victimes d'infanticide, de violence sexuelle, de privations sur le plan de l'éducation et de la nutrition, et d'être entraînées dans la prostitution. Il semble que les garçons soient davantage exposés à des châtiments corporels sévères.

Les enfants prématurés, les jumeaux et les enfants handicapés risquent plus d'être victimes de violence physique et de privation de soins. Il semble qu'une insuffisance pondérale à la naissance, une naissance prématurée, une maladie ou des handicaps physiques ou mentaux chez le nourrisson ou l'enfant constituent une entrave à la formation d'un attachement parental et de liens affectifs, ce qui expose davantage l'enfant à des violences. Cependant, ces caractéristiques ne semblent pas constituer des facteurs de risque de violence déterminants si l'on tient compte des variables parentales et sociétales qui semblent être les plus importantes pour prédire le risque de maltraitance (Organisation mondiale de la santé, 2002a).

Les caractéristiques de la famille et des personnes s'occupant de l'enfant

La recherche a établi un lien entre certaines caractéristiques de la personne qui s'occupe de l'enfant ou du tuteur et des éléments du milieu familial. Le type de violence détermine en partie le sexe de son auteur. Les femmes semblent recourir aux châtiments corporels plus que les hommes. Cependant, les hommes sont six fois plus souvent les auteurs de traumatismes crâniens parfois mortels, de fractures résultant de violence et d'autres blessures entraînant la mort. Dans de nombreux pays, les auteurs de maltraitance envers des filles et des garçons sont majoritairement des hommes. Les parents maltraitants sont plus souvent jeunes, célibataires, pauvres et chômeurs, et leur niveau d'instruction est inférieur à celui des parents non maltraitants. Les jeunes mères, célibataires et pauvres, comptent parmi les parents qui risquent le plus de se montrer violents envers les enfants (Murry, Baker et Lewin, 2000).

La taille de la famille peut également faire augmenter le risque de violence. Le risque de maltraitance s'accroît dans les ménages surpeuplés. Un milieu familial instable où la composition du ménage change souvent, des membres de la famille et d'autres personnes allant et venant, est une caractéristique fréquente des cas de privation de soins.

Les parents qui risquent le plus de se montrer violents physiquement envers leurs enfants ont souvent une faible estime d'eux-mêmes, maîtrisent mal leurs impulsions, ont des problèmes de santé mentale et manifestent des comportements antisociaux. Ces parents ont aussi de la difficulté à supporter le stress et à s'adresser au réseau d'aide sociale.

Les parents maltraitants ont des attentes peu réalistes par rapport au développement de l'enfant. Ces parents sont plus irrités et contrariés par les humeurs et le comportement de leurs enfants; ils se montrent moins encourageants, moins affectueux, moins enjoués et moins sensibles avec leurs enfants, et ils sont plus autoritaires et hostiles à leur égard.

Des études citées par l'OMS démontrent que des parents qui ont été maltraités pendant leur enfance risquent davantage de maltraiter leur propre enfant. Cependant, d'autres enquêtes indiquent que la majorité des parents maltraitants n'ont pas été maltraités eux-mêmes (Organisation mondiale de la santé, 2002a). Il semble que d'autres facteurs, notamment le stress, l'isolement, une famille surpeuplée, la toxicomanie et la pauvreté soient plus prédictifs. Un lien a également été établi entre le stress et l'isolement social du parent d'une part, et les mauvais traitements infligés aux enfants et la privation de soins d'autre part. Il semble que le stress résultant du changement d'emploi, de la perte de revenus, de problèmes de santé et d'autres aspects du milieu familial peut augmenter les conflits familiaux et faire en sorte que les membres soient moins capables d'y faire face et de trouver du soutien (Organisation mondiale de la santé, 2002a).

Les facteurs communautaires

Plusieurs études démontrent qu'il existe un lien étroit entre la pauvreté et la maltraitance (Latimer, 1998). De plus, lorsque le capital social est pauvre, c'est-à-dire qu'il existe peu de cohésion de solidarité dans les communautés locales et que le soutien communautaire est faible, les enfants des quartiers pauvres, par exemple, risquent davantage d'être exposés à la maltraitance. En revanche, il est prouvé que les réseaux sociaux et les relations de voisinage ont un effet protecteur sur les enfants. Cela s'applique aux enfants exposés à plusieurs facteurs de risque comme la pauvreté, la violence, la toxicomanie et le faible niveau d'instruction des parents.

Les facteurs sociétaux

Il semble qu'un éventail de facteurs de société influent sur le bien-être des enfants et des familles. Le rôle des valeurs culturelles et des forces économiques dans les choix auxquels les familles font face, les inégalités liées au sexe et aux revenus, les normes culturelles relatives aux rôles des femmes, aux relations parents-enfants, les politiques relatives à l'enfant et à la famille sont tous des facteurs importants qui influent sur le risque de maltraitance.

Les conséquences de la maltraitance pour la santé de l'enfant

Quelles séquelles laissent les mauvais traitements ? Au cours des deux dernières décennies, les conséquences négatives des mauvais traitements infligés aux enfants ont été largement étudiées. Les agressions physiques, psychologiques et sexuelles, de même que la négligence, peuvent produire des répercussions considérables sur la vie des victimes et mener à des complications sur le plan de la santé physique, à des problèmes de santé mentale à long terme ainsi qu'à des problèmes sur le plan des relations ou du fonctionnement social (Latimer, 1998). Il est de plus en plus reconnu que l'exposition à la violence conjugale est préjudiciable et qu'elle met les enfants à risque de subir des effets négatifs à long terme. Ces répercussions sont ressenties non seulement pendant l'enfance et l'adolescence, mais également au cours de la vie adulte (Locke, 2002).

Selon Latimer (1998), les conséquences sont, en général, plus intériorisées chez les filles (idées parasuicidaires, troubles de l'alimentation, faible estime de soi et troubles psychologiques) et plus extériorisées chez les garçons (comportement agressif exacerbé, délinquance et violence conjugale). Le tableau 16.2 présente les principales conséquences de la violence faite aux enfants sur leur santé.

Le dépistage des enfants maltraités et l'intervention auprès de ces derniers

Pourquoi la prévention de la maltraitance est-elle si importante ? Hellinckx (2002) résume les raisons le plus souvent évoquées dans la littérature. La prévention est importante en raison des conséquences que la maltraitance cause dans les familles. Les victimes de la maltraitance risquent au moins six fois plus de maltraiter leurs enfants que des parents qui n'ont pas été maltraités dans leur enfance. De plus, on a constaté que l'aide aux familles qui ont une longue histoire de maltraitance n'a que des résultats limités, comparativement

Tableau 16.2 Conséquences de la maltraitance sur les plans physique, psychologique et comportemental, et sexuel et génésique

Physique	Psychologique et comportemental	Sexuel et génésique	Autres conséquences sur la santé à long terme
• Traumatismes à l'abdomen et au thorax • Lésions cérébrales • Ecchymoses • Brûlures • Lésion du système nerveux central • Invalidité • Fractures • Lacérations et abrasions • Lésions oculaires	• Alcoolisme et toxicomanie • Déficience intellectuelle • Délinquance, violence et prise de risques • Dépression et angoisse • Retard de développement • Troubles de l'alimentation et du sommeil • Sentiments de honte et de culpabilité • Hyperactivité • Mauvaises relations • Difficultés scolaires • Piètre estime de soi • Troubles de stress post-traumatique • Troubles psychosomatiques • Comportements suicidaires et automutilation	• Problème de santé génésique • Dysfonctionnement sexuel • Infections transmises sexuellement • Grossesse non désirée	• Cancer • Affection pulmonaire chronique • Fibromyalgie • Syndrome du côlon irritable • Cardiopathie ischémique • Maladie du foie • Problèmes de santé génésiques tels que l'infertilité

Source : Adapté de l'Organisation mondiale de la santé (2002a, p. 77).

à l'aide préventive aux familles qui ont une histoire de maltraitance plus courte. Comme nous l'avons mentionné, la violence faite aux enfants a des conséquences graves sur leur vie présente et future. En détectant et en déclarant le plus tôt possible les cas de violence faite aux enfants, on permet aux victimes d'agression de surmonter les séquelles désastreuses que la violence génère. Cela demande un engagement ferme de la part des infirmières parce qu'elles font partie des intervenants de première ligne contre la violence faite aux enfants.

Les signes de maltraitance ne sont pas toujours détectés. Une proportion de 15 à 49 % d'enfants ne présentent aucun indice immédiat de détresse après la révélation de l'abus sexuel. Le délai d'apparition des symptômes peut s'étaler sur plusieurs années (Viaux, 2002). Le symptôme le plus unanimement décrit comme conséquence de la négligence et de la violence est la modification des stratégies d'attachement et, notamment, une forme d'attachement anxieux et non sécurisant (Viaux, 2002). Selon Éthier (1999), l'enfant victime d'inceste est aussi un enfant négligé (par son parent qui n'entend pas ses signaux d'appel) ou victime d'abus émotionnels avant d'être victime d'actes sexuels. Le dépistage de risques de maltraitance physique et de négligence est très complexe. Des chercheurs ont tenté d'élaborer des instruments et des stratégies de dépistage. Les équipes scientifiques se sont heurtées à des problèmes similaires lors du dépistage. Trois difficultés ont été définies, dont une connaissance insuffisante de l'étiologie de la maltraitance, et des problèmes méthodologiques et éthiques (Hellinckx et Grietens, 2002).

Malgré cela, il est important que les professionnels de la santé évaluent le risque ou la présence de maltraitance des enfants et des familles. La tendance actuelle dans les services de santé n'est pas d'évaluer toutes les familles mais plutôt d'évaluer les enfants et les familles à risque de maltraitance et d'intervenir auprès de ces familles (Murry *et al.*, 2000). Les trois premières années de la vie de l'enfant sont considérées comme une période cruciale en prévention de la maltraitance. L'équipe multidisciplinaire (infirmières, médecins, travailleurs sociaux, etc.) occupe une place privilégiée pour reconnaître les familles à risque de maltraitance et pour préparer un plan d'intervention afin de soutenir le fonctionnement de la famille. Il est primordial que l'équipe de soins ait les connaissances et les habiletés nécessaires pour évaluer, interagir, détecter et orienter les familles qui ont besoin d'assistance dans l'apprentissage des rôles parentaux adéquats ou pour acquérir un soutien social formel et informel. Plusieurs études ont démontré que lorsque les interventions tiennent compte des indicateurs de maltraitance, il est possible de réduire l'incidence de la maltraitance à l'égard des enfants (Garbarino, 1986).

Le tableau 16.3 présente quelques indicateurs de maltraitance. Ces indicateurs sont donnés à titre de repères, puisque la présence d'un ou même de plusieurs indicateurs ne constitue pas une preuve que l'enfant est victime de mauvais traitements ; ils permettent aux professionnels de la santé d'explorer cette hypothèse, qui devra toutefois être quelque peu approfondie lorsque viendra le temps d'effectuer un signalement. L'absence d'un syndrome type de l'enfant maltraité et les contradictions de la littérature internationale obligent les professionnels de la santé à conserver une attitude prudente et critique (Viaux, 2002).

Le rôle des intervenantes et des intervenants auprès des enfants

Le gouvernement du Québec (2001) mentionne qu'il existe des problèmes majeurs dans la concertation et la communication entre les différents partenaires qui interviennent auprès des enfants victimes d'abus sexuels, de mauvais traitements physiques ou d'une absence de soins menaçant leur santé physique. Ces problèmes provoquent des interventions morcelées, non planifiées ou mal planifiées, et rendent souvent le processus d'orientation vers d'autres ressources inopérant et la transmission d'information difficile. Ces problèmes sont fondés sur l'utilisation de grilles d'analyse et d'intervention différentes ainsi que sur les préjugés, la méconnaissance de certains éléments et la méfiance qui s'établit entre les intervenants liés à un même dossier.

La clé d'une intervention réussie, en matière de protection, réside dans une bonne concertation entre le milieu de l'éducation, le milieu de la santé, les policiers, l'ensemble du milieu judiciaire et les intervenants sociaux responsables de la protection des enfants. Cette concertation permet une intervention plus rapide parce qu'elle rend le dépistage précoce. Afin de résoudre ces difficultés, le gouvernement du Québec a mis en œuvre une « entente multisectorielle relative aux enfants victimes d'abus sexuels, de mauvais traitements physiques ou d'une absence de soins menaçant leur santé physique » (Gouvernement du Québec, 2001). Des politiques similaires existent dans les autres provinces canadiennes.

Les professionnels de la santé qui interviennent à domicile auprès des familles maltraitantes et des enfants doivent utiliser leurs connaissances de cette problématique, adopter des attitudes d'ouverture et acquérir un

Tableau 16.3 **Indicateurs de mauvais traitements**

Abus physiques	Négligence	Abus sexuels
• Révélations faites par l'enfant ou un témoin • Version peu plausible ou contradictoire sur la cause des blessures • Délai de consultation d'un médecin pour des blessures – Consultations répétées chez le médecin – Signes de blessures à répétition – Traumatisme crânien – Fracture avant les premiers pas • Menaces verbales de la part des parents • Parents méfiants, agressifs et non collaborateurs ; hâte de quitter le lieu de consultation • Pas de réaction à la douleur de l'enfant • Parents très critiques envers l'enfant • Attentes excessives envers l'enfant • Mauvaise perception des besoins de l'enfant • Peur de l'enfant à l'égard des parents	• Retard de développement (physique ou psychique) • Manque d'hygiène • Nutrition inappropriée • Vêtements inadéquats • Accidents fréquents • Absence de surveillance • Crainte, tristesse, apathie, dépendance, agressivité • Réponse affective inappropriée • Fatigue excessive à l'école • Absentéisme scolaire chronique • Rôle des parents joué par l'enfant • Troubles du comportement • Conduite délinquante • Fugue • Multiples plaintes somatiques • Problèmes médicaux non traités • Traitement recommandé non suivi	• Lésions aux organes génitaux • Dilatation anormale des orifices vaginaux ou rectaux • Douleur, prurit aux organes génitaux • Réticence inhabituelle à l'examen des organes génitaux • Révélations faites par l'enfant ou un témoin • Masturbation excessive • Trouble du sommeil et énurésie • Peurs inexpliquées • Changement subit de comportement • Langage et jeux sexualisés ; précocité sexuelle • Attitude séductrice • Absence d'inhibition • Conduite sexuelle inappropriée • Sexualisation des relations • Prostitution • Abus sur un enfant plus jeune • Réponse affective inappropriée • Gestes ou idéations suicidaires

Source : Adapté de Dubé et St-Jules (1987).

savoir-faire pour orienter leur pratique. Giguère et Lafortune (2000) ont clarifié le rôle des infirmières relativement à ces différents aspects.

Les connaissances à acquérir ou à actualiser à propos de la maltraitance sont les suivantes :

- Posséder des connaissances de base sur les besoins, les soins, la croissance et le développement de l'enfant.
- Reconnaître les signes d'attachement parents-enfant (les habiletés relationnelles, les styles d'éducation, etc.).
- Reconnaître les facteurs biopsychosociaux de protection, de vulnérabilité ou de risque liés à la maltraitance des enfants.
- Connaître les éléments d'intervention appropriés aux situations de maltraitance envers les enfants.
- Établir le lien entre les problématiques reliées à la toxicomanie, à la criminalité et à la santé mentale et la maltraitance des enfants pour tenir compte de ces aspects lors des interventions auprès des familles.

Quant aux habiletés d'intervention auprès des enfants souffrant de maltraitance, elles se définissent comme suit :

- Être capable d'examiner un enfant à toutes les étapes de sa croissance en ayant le souci de déceler des signes de maltraitance.
- Enseigner aux parents des activités de stimulation qui favorisent le développement de l'enfant.
- Développer ses capacités à travailler en équipe interdisciplinaire (médecins, travailleurs sociaux, psychologues, etc.).
- Être capable de s'adresser aux ressources gouvernementales et communautaires de protection de l'enfance dans ses interventions.

Au moment du dépistage, les professionnels doivent adopter certaines attitudes. Travaillant auprès d'enfants maltraités et de parents abusifs, ils sont appelés à vivre des moments très intenses émotionnellement, ils éprouvent parfois le désir d'exprimer leur colère envers le ou les parents responsables de l'abus, se sentent tristes en pensant aux enfants, etc. Ces sentiments sont normaux et demandent à être reconnus, mais rarement au moment de l'intervention. Certaines attitudes sont plus aidantes que d'autres. Dubé (1987) favorise huit attitudes de base chez les intervenants en matière de protection : accepter la marginalité des clients ; garder un recul psychologique ; intervenir de façon souple ; éviter de créer une dépendance ; refuser de cautionner la violence ; prendre une position claire par rapport à la compromission ; être concret avec les victimes et les abuseurs ; les voir tels qu'ils sont. L'intervention auprès des enfants maltraités est délicate. L'intervenant se sent tiraillé entre le désir de protéger les enfants, de punir le ou les parents et d'offrir aux enfants le cadre de vie qui leur apportera les meilleures garanties d'épanouissement.

Il est important de tenir compte du savoir expérientiel de ces familles. L'intervenante ou l'intervenant se perçoit comme un partenaire de la famille dans la résolution des problèmes et non comme un expert.

Il faut aussi prendre conscience que, dans plusieurs situations de maltraitance, les conditions de vie de ces familles influent sur leurs capacités à remplir leur rôle parental.

Enfin une connaissance de soi, un sens de la créativité et une capacité à reconnaître l'apport des autres membres de l'équipe aideront l'infirmière à travailler en équipe multidisciplinaire.

Les intervenantes et les intervenants en milieu scolaire et communautaire sont susceptibles de recevoir les confidences d'un parent ou d'une personne qui soupçonne une situation d'abus sexuel envers un enfant. Caron Trabut (2000) donne quelques pistes d'intervention à suivre au cours d'une entrevue de dépistage.

- Rencontrer la personne de préférence dans un endroit calme afin de faciliter la communication.
- Diriger l'entrevue de façon à obtenir les données nécessaires pour comprendre la situation et orienter l'intervention. Il est important de recueillir les données concernant les circonstances du dévoilement par l'enfant afin de savoir depuis quand les gestes sont commis, de déterminer leur gravité et de comprendre les comportements observés chez l'enfant et ceux qui sont rapportés.
- Traiter avec prudence et respect les renseignements obtenus, qu'il s'agisse des verbalisations faites par l'enfant ou des signes physiques et psychologiques observés par le parent ou la personne qui signale la situation.
- Ne pas interroger l'enfant, afin d'éviter toute question suggestive qui pourrait « contaminer » le dévoilement et lui faire perdre sa validité sur le plan juridique. Cependant, si l'enfant verbalise spontanément les faits, l'intervenant doit rapporter les faits tels qu'ils ont été racontés.
- Informer le parent ou la personne des démarches à faire pour protéger l'enfant et des ressources pouvant l'aider, et établir en collaboration le plan des démarches à entreprendre.
- Expliquer l'importance de signaler la situation de maltraitance au Directeur de la protection de la jeunesse (DPJ) ou à tout autre organisme responsable de la protection de l'enfance et insister pour que le signalement soit fait.

La marche à suivre lors d'un signalement aux organismes de protection

Tous les professionnels de la santé ont un rôle important à jouer lors du signalement d'un enfant maltraité. Dans toutes les provinces et tous les territoires du Canada, la loi oblige toute personne à déclarer aux autorités de protection de l'enfance les cas suspects ou corroborés de violence faite aux enfants. Le professionnel qui ne déclare pas ces cas commet une infraction criminelle (Latimer, 1998).

Au Canada, un professionnel n'a pas à prouver qu'il y a eu violence pour signaler un cas de violence faite à un enfant. Il suffit qu'il ait des **soupçons.** C'est aux responsables de la protection de l'enfance qu'il incombe ensuite de faire enquête sur tout cas signalé et de constituer des dossiers.

Au Québec, selon l'article 39 de la Loi sur la protection de la jeunesse, tout professionnel, dont l'infirmière, qui, dans l'exercice de sa profession, a un motif de croire que la sécurité ou le développement d'un enfant est ou peut être compromis au sens des articles 38 ou 38.1, est tenu de signaler sans délai la situation à la Direction de la protection de la jeunesse (DPJ) et ce, même si ce professionnel est lié par le secret professionnel (Commission des droits de la personne et des droits de la jeunesse, 1998).

Selon l'article 38, la sécurité ou le développement d'un enfant sont considérés comme compromis, entre autres :

- Si ses parents sont décédés ou n'en assument pas de fait le soin, l'entretien ou l'éducation (l'enfant ne vit plus avec ses parents et il est ballotté d'un endroit à l'autre) ;

- Si son développement mental ou affectif est menacé par l'absence de soins appropriés ou par l'isolement dans lequel il est maintenu ou par un rejet affectif grave et continu de la part de ses parents ;
- Si sa santé physique est menacée par l'absence de soins appropriés (maladies non traitées, blessures non désinfectées) ;
- S'il est privé de conditions matérielles d'existence appropriées à ses besoins et aux ressources de ses parents ou de ceux qui en ont la garde (présence de poux et fréquence de ce problème, apparence physique dénotant une insuffisance de nourriture, de sommeil, vêtements inappropriés à l'âge de l'enfant, etc.) ;
- S'il est gardé par une personne dont le comportement ou le mode de vie risque de représenter pour lui un danger moral ou physique (abus de drogues, d'alcool ou de médicaments par le parent) ;
- S'il est victime d'abus sexuels ou soumis à des mauvais traitements physiques par suite d'excès ou de négligence ;
- S'il manifeste des troubles de comportement sérieux et que ses parents ne prennent pas les moyens nécessaires pour mettre fin à la situation qui compromet la sécurité ou le développement de leur enfant, ou n'y parviennent pas.

De plus, l'article 43 de la Loi sur la protection de la jeunesse assure l'immunité pour la personne qui fait un signalement. Aucune poursuite en justice ne peut être intentée contre une personne qui a fourni de bonne foi des renseignements lors d'un signalement. La loi protège aussi l'action de signaler en établissant que nul ne peut dévoiler ou être contraint de dévoiler l'identité de la personne signalante sans son consentement (Commission des droits de la personne et des droits de la jeunesse, 1998).

Lors d'un signalement au directeur de la protection de la jeunesse, plusieurs renseignements doivent être fournis par le signalant. Le signalant doit préciser qu'il est un professionnel de la santé. Il doit fournir tous les renseignements qu'il possède et qui permettent d'identifier l'enfant. Il doit transmettre l'information qu'il possède sur la situation que vit l'enfant en décrivant tous les faits qui portent à croire que sa sécurité ou son développement sont compromis. Le signalant doit noter le nom de la personne du Service de réception et traitement des signalements de la DPJ avec laquelle il a communiqué. Par la suite, il pourra demander si le signalement a été retenu ou non.

Pour faire un signalement, on peut communiquer en tout temps avec le directeur de la protection de la jeunesse en composant le numéro qui apparaît à la page 2 de l'annuaire téléphonique de sa région, sous la rubrique « Urgence sociale », ou dans la section Affaires sous la rubrique « Centres jeunesse ». On peut effectuer un signalement par écrit.

Malgré les lois sur la déclaration obligatoire et l'importance de détecter rapidement les enfants maltraités pour planifier des interventions afin d'assurer leur sécurité physique et affective, les sondages révèlent qu'une importante proportion des cas de violence faite aux enfants n'est pas déclarée (Latimer, 1998). Une enquête menée auprès des omnipraticiens du Canada révélait que 90 % des répondants estimaient avoir un rôle important à jouer pour protéger les enfants. Cependant, seulement la moitié d'entre eux ont reçu une formation concernant cette problématique (Hendry, 1997). On peut se poser la question : « Pourquoi les infirmières et les professionnels ne déclarent-ils pas toujours les cas de violence ? » Latimer (1998) explique les raisons qui motivent les professionnels à ne pas déclarer les cas de violence.

L'infirmière peut croire qu'elle n'a pas assez de preuves pour déclarer un cas de maltraitance. Pourtant, comme nous l'avons mentionné précédemment, le professionnel de la santé n'a pas à prouver que l'enfant est victime de violence. Souvent, derrière cette difficulté se cache l'idée selon laquelle on ferait plus de tort que de bien à l'enfant ou à la famille. Il est vrai que cela peut perturber la famille et bouleverser l'enfant, mais une détection précoce et une intervention rapide réduisent parfois considérablement le risque de graves séquelles à long terme pour l'enfant (Latimer, 1998).

Les programmes de prévention et de dépistage

La prévention primaire. Elle désigne les activités qui visent le grand public et qui ont pour but de réduire la violence à l'égard des enfants. Les activités de prévention primaire comprennent les campagnes d'éducation publique et de sensibilisation, les cours sur la sécurité personnelle et l'autonomie fonctionnelle, l'éducation parentale et les programmes de visites à domicile. Ce dernier type comporte souvent un volet de dépistage et un volet secondaire de prévention (Wachtel, 1999).

Toujours selon Wachtel (1999), les campagnes d'éducation publique font souvent appel aux médias de communication. Elles ont pour but de sensibiliser la population et de modifier les attitudes. En 1994-1995, une campagne d'éducation publique a été orchestrée au Canada. Une alliance entre différents ministères du gouvernement fédéral a permis la diffusion du message « La violence : ne restons pas indifférents ».

En 1996, le deuxième volet de cette campagne a porté sur la violence faite aux femmes et aux enfants. Chaque message comprenait un conseil sur la façon de lutter contre la violence. La documentation préparée par le gouvernement a aussi été distribuée par les radiodiffuseurs dans les écoles et les groupes communautaires. Ces initiatives ont souvent tendance à être orientées vers la prévention secondaire, puisqu'elles livrent un message clair aux victimes : la violence est inacceptable et les agresseurs sont responsables de leurs comportements violents.

Les programmes de sécurité communautaire. Deux programmes importants visent à sensibiliser et à mobiliser les membres d'une collectivité : *Community Watch* et *Parents Secours*, lesquels reçoivent le soutien des policiers. Le premier invite les voisins à être plus vigilants et le second crée un réseau communautaire de lieux sûrs où un enfant en difficulté ou en détresse peut trouver refuge.

Les visites à domicile. Elles sont considérées comme la pièce maîtresse des programmes de prévention primaire de la maltraitance. Il s'agit d'un service axé sur le soutien et l'aide concrète. MacMillan (2001) et le Groupe d'étude canadien sur les soins de santé préventifs ont recensé les études publiées entre 1993 et 1999 portant sur la prévention de la violence envers les enfants. Le type de publication se limitait aux articles de recherche originaux, aux analyses de synthèse, aux méta-analyses et aux directives pratiques. Aucune méta-analyse n'a été effectuée de façon systématique en raison de la diversité des interventions analysées. Il a été impossible de mettre en commun les résultats d'études ayant porté sensiblement sur la même intervention, en raison de leurs différences de conception.

En 1994, une analyse systématique des programmes périnatals et des programmes pour la petite enfance en matière de prévention de la violence physique et de la négligence est arrivée à la conclusion suivante : « Bien que de nombreux programmes aient échoué à faire état d'une réduction de ces deux types de mauvais traitements à l'endroit des enfants, on a noté que l'extension du programme de visites à domicile permettait de prévenir efficacement la violence physique et la négligence au sein des familles défavorisées » (MacMillan, MacMillan, Offord, Griffith et MacMillan, 1994). Les résultats d'une méta-analyse réalisée par Roberts (1996) ont révélé que les visites à domicile avaient un effet préventif significatif sur l'occurrence des lésions infligées aux enfants. En somme, l'analyse des programmes périnatals et des programmes de la petite enfance indique que des visites à domicile fréquentes, effectuées par des infirmières durant la période prénatale et jusqu'au deuxième anniversaire de l'enfant, peuvent prévenir la violence faite aux enfants et les conséquences qui y sont associées (MacMillan, 2001). Plus particulièrement, MacMillan (2001) rapporte que depuis 1993, quatre enquêtes ont étudié l'efficacité des programmes périnatals et des programmes destinés à la petite enfance touchant la prévention de la violence physique et de la négligence envers les enfants.

L'analyse des programmes périnatals et de ceux se rapportant à la petite enfance révèle que les visites fréquentes à domicile effectuées par des infirmières auprès de mères d'un premier enfant (durant la période périnatale et jusqu'à deux ans) qui vivent en milieux défavorisés et qui sont mères de famille monoparentale ou adolescentes peuvent prévenir la violence faite aux enfants et les conséquences qui y sont associées. En fait, on a observé une diminution du nombre de signalements de cas de violence et de négligence, et une diminution des consultations pour blessures et empoisonnements (MacMillan, 2001).

Le programme *Prenatal and Early Infancy* présente plusieurs caractéristiques. Durant la période prénatale, le transport est offert aux mères afin qu'elles fréquentent une clinique médicale de qualité, et le suivi de l'infirmière porte sur la planification d'une grossesse équilibrée et la détection de complications durant l'accouchement. Les visites postnatales durent jusqu'à ce que l'enfant ait deux ans. Les infirmières poursuivent trois objectifs : l'éducation parentale, la contribution du réseau informel au soutien de la mère et les liaisons avec les services communautaires.

Les résultats montrent que les mères qui utilisent davantage les ressources communautaires font un meilleur usage du réseau informel et améliorent leur alimentation. Les bébés sont plus gros et le nombre de prématurés est moins élevé. Les enfants sont en meilleure forme ; ils sont plus stimulés, plus éveillés et plus rarement victimes d'abus et de négligence. Les visites à domicile comptent parmi les rares programmes de prévention qui ont fait leurs preuves (MacMillan, 2001).

La prévention secondaire. Elle désigne les activités visant certains groupes à risque élevé et a pour but d'aider ces groupes à réduire le risque de violence ou d'intervenir le plus rapidement possible en cas de maltraitance.

Naître égaux – Grandir en santé est un programme intégré de promotion de la santé et de prévention en périnatalité. Il vise l'amélioration de la santé et du bien-être des familles et des tout-petits qui vivent dans

Les facteurs communautaires et sociétaux. L'isolement social (absence de soutien du réseau public de services ou de la famille) est considéré comme un facteur important de la maltraitance chez les personnes âgées. Ce facteur peut être considéré comme une cause et une conséquence de la maltraitance. Plusieurs personnes âgées sont isolées parce qu'elles ont une infirmité physique ou mentale.

Les facteurs sociétaux sont considérés comme des facteurs de risque importants de maltraitance. On reconnaît que les normes et les traditions culturelles, comme l'âgisme, le sexisme et une culture de violence, jouent un rôle important dans la détermination de la violence faite aux aînés. L'âgisme est un phénomène constitué d'un ensemble de préjugés négatifs qui circulent au sujet du vieillissement et des personnes âgées. L'idée de la « non-productivité » des personnes âgées pourrait être la pierre d'assise de la perception globale négative de la vieillesse et des personnes âgées. Cette perception mène à leur exclusion. D'ailleurs, les femmes âgées, pauvres et sans soutien sont encore plus exposées au risque de maltraitance, de négligence et d'exploitation. Les attitudes négatives et les préjugés défavorables à l'endroit des personnes âgées sont véhiculés non seulement dans l'opinion publique, mais aussi par des intervenants et des professionnels de la santé qui travaillent auprès de cette clientèle.

Le manque de soutien et de ressources disponibles des familles figure parmi les explications qui mettent en évidence les conditions sociales et environnementales difficiles qui contribuent à la dégradation des soins et des services et, par conséquent, favorisent les mauvais traitements. Le tableau 16.4 présente un résumé des principaux facteurs en cause dans le problème de la maltraitance.

L'ampleur du problème

Quelle est l'étendue du problème ? L'Organisation mondiale de la santé (2002a) a analysé cinq enquêtes réalisées au cours de la dernière décennie dans cinq pays développés (Canada, Finlande, États-Unis, Pays-Bas, Angleterre). Les résultats révèlent un taux de maltraitance de 4 à 6 % chez les personnes âgées se définissant par de la violence physique et psychologique, de l'exploitation financière et de la négligence.

Au Canada, les estimations de l'étendue de la violence faite aux personnes âgées proviennent de deux sources : les enquêtes populationnelles et les enquêtes sur les victimes d'actes criminels qui reposent sur des cas de violence déclarés par les victimes et sur les statistiques policières. Les résultats de ces sources de données présentent une sous-estimation du problème réel de la maltraitance dans la population, notamment parce que la méthode des enquêtes téléphoniques ne réussit pas à joindre les répondants qui n'ont pas accès à un téléphone ou qui sont isolés, ceux qui souffrent de déficience auditive et ceux qui vivent en établissement. Elle ne rejoint pas les personnes les plus vulnérables,

Tableau 16.4 Facteurs de risque de maltraitance

Contexte	Agresseur	Personne maltraitée
• Problèmes financiers • Violence conjugale • Isolement social • Surpeuplement • Manque de soutien familial	• Alcoolique agressif • Abus de drogues • Problèmes mentaux et émotifs • Manque d'expérience du soignant • Abus envers les enfants • Stress • Personne confuse ou démente • Dépendance financière • Liens sociaux faibles • Besoin de contrôle	• Mauvais traitements physiques • Violence verbale chronique • Exploitation matérielle • Négligence • Femme • Dépendance fonctionnelle • Mauvaise santé et handicap • Âge • Dépendance économique • Conflit entre générations • Alcoolique • Antécédents d'abus • Blâme intériorisé • Problèmes de comportement

Source : Adapté de Kozak, Elmslie et Verdon (1995).

ce qui signifie que ces dernières sont à haut risque d'être maltraitées.

Les enquêtes sur les victimes d'actes criminels saisissent uniquement ce que les victimes révèlent. Plusieurs personnes âgées ne déclarent pas les infractions criminelles qu'elles ont subies pour différentes raisons: peur de ne pas être crues, peur des représailles, peur d'être rudoyées si elles parlent, peur d'être abandonnées, laissées à leur sort, privées de visites ou de contacts avec leurs petits-enfants, peur d'être placées dans un foyer et laissées seules, peur d'être expulsées de la maison d'hébergement, sans savoir où aller. Elles craignent de causer un conflit dans la famille ou un scandale dans la résidence où elles habitent.

Les résultats de la première enquête canadienne réalisée par le Ryerson Polytechnical Institute de Toronto auprès de 2008 personnes âgées vivant à leur domicile indiquent que 4 % d'entre elles sont victimes de mauvais traitements de la part d'un membre de leur famille ou d'un ami. Il ressort des données étudiées que l'exploitation financière est la forme de mauvais traitements la plus fréquente, suivie par l'agression verbale chronique, la violence physique et la négligence. La violence physique et l'agression verbale sont l'œuvre des conjoints, tandis que l'exploitation financière a tendance à être exercée par un parent éloigné ou un étranger plutôt que par un proche parent (Podnieks, 1992).

Une deuxième enquête canadienne fournit les plus récentes données déclarées par les victimes sur la fréquence des incidents de violence envers les adultes plus âgés. Ces données proviennent de l'Enquête sociale générale (ESG) sur la victimisation menée en 1999 par Statistique Canada. Aux fins de cette étude, plus de 4000 Canadiens âgés ont été interviewés au sujet de leurs expériences concernant la violence psychologique, l'exploitation financière, la violence physique et sexuelle de la part d'enfants, d'aidants naturels et de conjoints. Les résultats indiquent que 7 % des aînés ont déclaré avoir fait l'objet d'une de ces formes de violence au cours de la période de cinq ans précédant l'enquête (Dauvergne, 2002).

Les statistiques policières canadiennes de 2000 donnent quelques caractéristiques sur les formes de violence exercées contre les personnes âgées, sur les victimes et sur les auteurs de ces agressions. En résumé, les voies de fait simples (pousser, gifler, donner des coups de poing et menacer d'utiliser la force) constituent l'infraction la plus fréquente dont les personnes âgées sont victimes. Les victimes de violence plus âgées sont les femmes. En 2000, elles représentaient près des deux tiers du nombre total des victimes de violence familiale plus âgées. Les hommes sont plus susceptibles d'être les auteurs de la violence familiale contre les adultes plus âgés. En 2000, 80 % des personnes accusées d'un acte de violence envers un membre plus âgé de la famille étaient des hommes. Les enfants adultes et les conjoints sont généralement les auteurs des agressions. Les hommes plus âgés sont plus souvent victimisés par leurs enfants adultes (43 %), tandis que les femmes plus âgées sont victimisées par leur conjoint (36 %) et leurs enfants (37 %). En ce qui a trait aux homicides de personnes âgées, les conjoints et les enfants sont généralement les auteurs des homicides familiaux d'adultes plus âgés. Les auteurs des homicides de personnes âgées commis par les membres de la famille entre 1974 et 2000 étaient le plus souvent les conjoints (39 %), suivis des enfants adultes (37 %) et des membres de la famille étendue (24 %). Les femmes plus âgées sont beaucoup plus susceptibles que les hommes plus âgés d'être victimes d'homicides entre conjoints. Plus de la moitié des femmes plus âgées victimes d'homicide familial ont été tuées par leur conjoint comparativement à un quart des hommes plus âgés. Les antécédents de violence conjugale constituent donc un facteur de risque au regard de l'homicide (Dauvergne, 2002).

Les conséquences de la maltraitance

Pour les personnes âgées, les conséquences de la maltraitance peuvent être graves. Elles sont physiquement plus faibles et plus vulnérables que des adultes plus jeunes. Un traumatisme bénin peut entraîner des dommages permanents et graves. Pensons à la fragilité des victimes sur le plan osseux; une fracture du col du fémur peut entraîner des dommages irréversibles, et des traumatismes divers peuvent aboutir à la grabatisation. Plusieurs personnes âgées survivent avec peu de moyens financiers; par conséquent, la perte d'une somme d'argent peut entraîner de lourdes conséquences sur le plan de leur autonomie.

Il existe peu d'études cliniques portant sur les conséquences de la maltraitance. Cependant, les quelques études existantes affirment que les personnes âgées maltraitées sont plus nombreuses à souffrir de dépression ou de détresse psychologique que celles qui ne le sont pas (Bristowe et Collins, 1989; Phillips, 1983; Huguenot, 1998). D'autres symptômes rappellent les conséquences pour les femmes victimes de violence conjugale; il s'agit de sentiments d'impuissance, d'aliénation, de culpabilité, de honte, de peur, d'angoisse et des signes de stress post-traumatique. Les mauvais traitements entraînent un stress interpersonnel extrême qui peut accroître le risque de décès. Selon Hugenot

(1998), la plupart des personnes âgées agressées se réfugient dans le silence et dans une attitude fataliste devant l'incapacité de la société à résoudre ces problèmes de violence.

Le dépistage de la maltraitance

Dupuis (1989) fait ressortir des mécanismes de défense et de réticence qui freinent la réaction des intervenantes et des intervenants dans les situations d'abus et de négligence. Il distingue notamment l'ignorance du problème, le manque de sensibilisation, la peur d'être envahi par le problème de la personne âgée, les préjugés qui stigmatisent la personne âgée victime d'abus ou de violence, des expériences de violence vécues par les intervenants eux-mêmes, ce qui atténue leur capacité d'intervenir.

Selon Dupuis (1989), plusieurs réticences empêchent les intervenantes et les intervenants de procéder au dépistage et à l'intervention. Voici quelques raisons souvent invoquées : l'incapacité de trouver des moyens concrets pour enrayer le problème ; la difficulté à accepter qu'un acte criminel ou une négligence puisse être commis dans un milieu physiquement et économiquement bien organisé ; la difficulté à déceler la violence ou l'abus chez la personne qui commet ces actes, qui projette l'image d'une personne polie, « de bonne situation », le professionnel qui ne veut pas s'engager et qui prétexte « le respect du client ». Les caractéristiques de la personne qui abuse rendent ses agressions et ses négligences bénignes aux yeux de l'intervenante ou de l'intervenant. Les attitudes désagréables de la victime peuvent faire penser « qu'elle a ce qu'elle mérite ».

Nonobstant ces réticences, nous allons explorer des pistes qui mobiliseront et orienteront les infirmiers et les infirmières au cours du dépistage et de la planification des interventions.

Le profil des personnes âgées victimes de maltraitance

Comment reconnaître une personne âgée victime de maltraitance ? Les personnes âgées à risque de maltraitance sont des personnes de plus de 75 ans qui dépendent de quelqu'un d'autre pour leurs besoins de tous les jours, celles qui ont des comportements difficiles à supporter (agressivité, errance) et celles qui souffrent d'incontinence (Montminy, 1998 ; Podnieks et autres, 1990). Les personnes âgées victimes de mauvais traitements et leurs abuseurs sont souvent, mais pas toujours, issus de milieux socioéconomiques défavorisés ; dans la plupart des cas, ils vivent au même domicile. De plus, les femmes sont plus souvent victimes d'abus que les hommes (Hudson et Johnson, 1986).

Selon le Comité sur les abus exercés à l'endroit des personnes âgées (1989), 25 % de l'ensemble des situations d'abus en milieu familial mettent en cause les enfants. Wigdor, cité par Montminy (1998), désigne le conjoint comme principal agresseur. Viennent ensuite les fils et les beaux-fils, puis les filles et les belles-filles vivant sous le même toit que l'aîné.

Kosberg et Nahmiash (1996) ont recensé la documentation sur le profil des victimes et de leurs agresseurs. Elles donnent une liste de caractéristiques des personnes âgées victimes de mauvais traitements. Il s'agit principalement de femmes, surtout des veuves qui ont une mauvaise santé, qui présentent des problèmes de toxicomanie et qui vivent dans des conditions de logement précaires. Les personnes abusées souffrent de problèmes psychologiques (dépression, démence, dépendance, isolement, manque de soutien social). Généralement, les victimes subissent plus d'une forme de mauvais traitements. Ces derniers ne constituent pas un incident isolé, mais plutôt une situation vécue quotidiennement. Le type d'abus le plus fréquent chez les personnes âgées est l'abus financier, suivi de l'abus psychosocial et physique (Nahmiash, 1990).

Le profil des personnes agressant les personnes âgées

Kosberg et Nahmiash (1996) ont établi les caractéristiques de l'agresseur : problèmes de toxicomanie, troubles mentaux et émotifs, manque d'expérience pour assurer le rôle d'aidant, résistance à prodiguer des soins, passé de violence, dépendance à l'égard de la personne aidée, confusion, démence, stress, épuisement à la suite de soins à donner, manifestation d'abus de pouvoir et de contrôle, blâme, critique excessive, absence de compassion, manque de soutien social. Selon Nahmiash (1995), le contexte social joue un rôle important dans des situations de mauvais traitements : difficultés financières, relations sociales pauvres, violence conjugale, précarité dans les conditions de logement.

Les indicateurs de maltraitance

Un certain nombre d'indicateurs peuvent signifier la présence d'une situation de maltraitance. Le tableau 16.5 propose des indices de maltraitance. Cette liste peut aider tout intervenant à reconnaître une personne âgée à risque de maltraitance.

Le rôle des infirmières et des infirmiers

Reis et Nahmiash (1998) ont décrit le rôle des intervenantes et des intervenants qui prennent soin des personnes âgées à risque de maltraitance, et plus particulièrement celui des infirmières et des infirmiers. Ces

Tableau 16.5 Indicateurs de maltraitance

Indicateurs physiques	Indicateurs psychosociaux	Exploitation financière	Négligence
• Chutes et blessures inexpliquées, répétées (contusions, membres fracturés, ecchymoses à des endroits inhabituels, coupures ou autres preuves de contention) • Plusieurs consultations médicales dans des services différents • Difficulté à faire soigner les blessures par un médecin ou résistance à admettre leur existence • Désorientation ou allure chancelante • Manifestation de crainte en la présence d'un soignant ou d'un membre de la famille • Agression sexuelle	• Interdiction à la personne âgée de prendre part aux décisions la concernant • Absence de chaleur humaine dans l'attitude à l'égard de la personne âgée • Contrainte d'isolement social, physique ou émotif • Violence verbale (cris, infantilisation, remarques humiliantes) • Interdiction de participer à des événements importants	• D'importantes sommes sont retirées du compte bancaire. • Les signatures sur les chèques ou sur d'autres documents sont suspectes. • La personne âgée est endettée sans savoir pourquoi. • Les relevés bancaires ne sont plus envoyés au domicile de la personne âgée. • La personne âgée refait son testament sans préavis. • Des biens personnels, vêtements ou bijoux disparaissent. • La personne âgée a peur ou est inquiète lorsqu'il est question d'argent.	• La personne âgée ne reçoit pas les soins essentiels. • L'aidant refuse à la personne âgée eau, nourriture, médicaments, soins médicaux, vêtements. • Signes possibles d'utilisation d'un médicament inapproprié ou médication insuffisante • Malnutrition ou déshydratation sans cause médicale • Preuve de soins insuffisants ou mauvaise hygiène • Négliger la douleur, ne pas l'évaluer, ne pas la soulager, la minimiser

Source : Adapté de MacLeod (1994).

derniers évaluent la personne âgée potentiellement à risque de subir des mauvais traitements. Ce sont souvent les premières personnes à entrer en contact avec la personne âgée maltraitée. Les objectifs d'intervention visent à faire une évaluation de la santé de la personne et de son environnement en explorant les aspects biologique, psychologique, social et culturel, tout en établissant une relation de confiance avec elle. Le jugement clinique de l'intervenant devient crucial pour évaluer les situations à risque de maltraitance. Il détermine quels sont les indices de mauvais traitements et de négligence chez l'aidant et chez la personne aidée en ce qui concerne l'état physique, les échanges sociaux, la situation financière et la négligence.

Observer l'état physique de la personne âgée. Elle peut montrer des signes d'abus physique et sexuel telles des ecchymoses sur une ou plusieurs parties du corps, une perte de poids inexpliquée, etc. Certaines peuvent être pincées, bousculées, rudoyées, frappées, attachées à leur lit ou à leur fauteuil. D'autres se voient forcées de prendre des médicaments qui les rendent plus vulnérables ou plus susceptibles de subir des actes violents dans leur intimité ou leur sexualité.

Être attentif aux échanges verbaux. Il importe que l'infirmière ou l'infirmier prête attention aux conversations entre le conjoint et la conjointe, entre les aidants et les personnes aidées afin de reconnaître les signes d'abus psychologiques et moraux, tels que le dénigrement, l'injure, le mépris ou encore l'intimidation. Les personnes âgées sont menacées d'être mises en institution ou à la porte, d'être privées de visites ou de contacts avec leurs petits-enfants. Certaines sont menacées d'être enfermées à la maison, confinées à une seule pièce, sans accès au téléphone. D'autres sont traitées de « gâteuses », comme si elles étaient incapables ou irresponsables.

Aborder le sujet de la situation financière. Poser des questions avec tact, à propos de la propriété, de l'argent et des finances de la personne âgée, peut aider à déceler des signes d'abus financiers et matériels : vols, détournements de fonds, procurations frauduleuses, vente ou achat forcé, refus de remboursement d'un emprunt, appropriation d'un héritage avant le décès, etc. (Près de 60 % des abus dénoncés sont d'ordre financier ou matériel.)

Déceler le moindre signe de négligence. Il faut être attentif au moindre signe de négligence décelable ; par exemple, négligence de fournir des soins essentiels à une personne, de lui donner de la nourriture ou des boissons adéquates, des médicaments ou les soins d'hygiène dont elle a besoin.

Voici quelques questions que l'infirmière ou l'infirmier peut se poser pour explorer différents aspects de la maltraitance :

- Quels sont les indicateurs qui permettent de dire que cette personne est victime de maltraitance ?
- Quels sont les indicateurs qui permettent de dire que cette personne a des comportements abusifs ?
- La personne victime de mauvais traitements a-t-elle un réseau de soutien ?
- Comment est-elle isolée ?
- A-t-elle déjà été victime d'abus physique et psychologique, de négligence et d'exploitation financière ? Si oui, par qui et comment ?
- Est-il urgent d'intervenir ? La vie de la personne est-elle en danger ?
- Quels sont les sentiments et les réactions de la victime à l'égard de l'abus ou de la négligence ?
- Faut-il prendre des mesures d'urgence ?
- De quelle façon la victime pense-t-elle résoudre le problème ?

L'infirmière ou l'infirmier trace un portrait de l'ensemble des éléments qui indiquent que la personne est maltraitée. Cette étape est cruciale pour déterminer si la personne âgée est victime de mauvais traitements et pour planifier un plan d'intervention qui tiendra compte des résultats du dépistage. La personne âgée peut présenter un état dépressif et des idées suicidaires reliés aux situations d'abus. Ne pas reconnaître les indices de maltraitance peut fausser le diagnostic et orienter le problème de la personne âgée vers un problème de santé mentale ou autre, alors que les abus subis sont la conséquence de sa dépression. C'est pourquoi tous les membres de l'équipe d'intervention à domicile doivent être mis à contribution pour planifier les interventions.

L'équipe d'intervention à domicile

L'équipe peut être composée du client ou de la cliente, d'une auxiliaire familiale, d'un infirmier ou d'une infirmière, d'un travailleur social, de l'ergothérapeute, de la physiothérapeute et du médecin. Un travail d'équipe est essentiel pour assurer le dépistage, l'évaluation et le traitement de la violence à l'égard des aînés (Centre national d'information sur la violence dans la famille, 1998). Le plan et les choix d'intervention dépendront de la compréhension que la personne âgée maltraitée a de la nature et des conséquences des abus. Les compétences et le jugement de la personne âgée sont évalués. Plusieurs objectifs d'intervention visent à briser le cycle de la violence et à donner à la personne âgée des moyens concrets pour acquérir plus de pouvoir sur sa propre vie. Lorsque la personne âgée est en possession de ses moyens, c'est-à-dire qu'elle peut subvenir à ses besoins, les objectifs suivants sont orientés en ce sens.

- Confirmer la situation de maltraitance auprès de la victime.
- Prendre une position claire contre la violence.
- Assurer la sécurité de la personne âgée maltraitée (prévoir un scénario de protection si la personne décide, par exemple, de demeurer avec un conjoint violent ou une autre personne qui risque d'abuser d'elle, ou un hébergement d'urgence si nécessaire).
- Apporter un soutien psychologique par un suivi hebdomadaire, en alternance avec les intervenantes ou intervenants de première ligne.
- Soutenir la personne âgée dans les démarches à entreprendre, en lui fournissant de l'information pertinente sur les ressources légales pour défendre ses droits (porter plainte en cas de voie de fait simple ou grave).
- Aider la personne sur le plan de la gestion financière en lui fournissant les ressources nécessaires pour enrayer l'exploitation financière et matérielle.
- Informer la personne et l'orienter, si nécessaire, vers les ressources communautaires pertinentes, à savoir une maison d'hébergement pour femmes victimes de violence conjugale.
- Explorer d'autres possibilités d'hébergement, si nécessaire.
- Recueillir des avis juridiques auprès d'un avocat pour connaître les recours juridiques existants.
- Respecter la décision de la personne âgée quant à ses choix de vie.

Dans le cas où la personne âgée est incapable de subvenir à ses besoins, l'ordre de la cour, la Curatelle publique et l'intervention policière sont des choix qui peuvent être privilégiés pour assurer la protection de la personne victime d'abus ou de négligence.

Les ressources et les programmes de prévention de la maltraitance

Au Québec, la législation ne reconnaît pas de droits juridiques spécifiques pour les personnes âgées. Notons toutefois que ces dernières sont protégées par la Charte des droits et libertés de la personne au même titre que tout autre citoyen, par le Code civil, qui prévoit différents régimes de protection, comme le mandat en cas d'inaptitude, le régime de curatelle et le Code criminel. Ces ressources juridiques peuvent être des stratégies à envisager du point de vue légal.

Au Canada, la moitié des provinces (Nouvelle-Écosse, Nouveau-Brunswick, Ontario, Saskatchewan, Alberta, Île-du-Prince-Édouard) ont adopté une forme de loi spéciale concernant les mauvais traitements envers les personnes âgées (Gnaedinger, 1989).

Au sujet du signalement obligatoire des mauvais traitements infligés aux personnes âgées, Gnaedinger (1989) souligne que le principal obstacle vient de la réticence des personnes âgées elles-mêmes à les déclarer ou à reconnaître qu'elles en sont victimes. Les raisons souvent invoquées sont la peur de subir des représailles ou d'être abandonnées dans un établissement, la honte des comportements abusifs de leurs enfants à leur égard, le fait que la violence familiale ou conjugale constitue pour elles un comportement normal, ou parce qu'elles n'arrivent pas à s'exprimer en raison de barrières linguistiques ou de leurs facultés intellectuelles affaiblies.

Le Centre national d'information sur la violence dans la famille (1999) a créé le *Répertoire des services et programmes répondant aux besoins des personnes âgées, victimes de violence au Canada.* Il présente les programmes et les services offerts dans chacune des provinces canadiennes.

Gorkoff, Proulx et Comaskey (2000) ont fait l'inventaire des ressources actuellement utilisées au Canada pour former les professionnels de la santé et les travailleurs de première ligne dans le domaine du dépistage et de la prévention des mauvais traitements infligés aux aînés. Ce document intitulé *La prévention des mauvais traitements des aînés : guides de formation canadiens* décrit les guides utilisés dans chacune des provinces canadiennes. On peut trouver dans ce document des références, des cahiers d'exercices, des guides d'information, des renseignements sur la façon d'organiser un atelier sur les mauvais traitements, des guides d'intervention, etc.

Le Réseau canadien pour la prévention des mauvais traitements envers les aîné(e)s a été créé en 1998 et a obtenu le statut légal d'organisme sans but lucratif en septembre 2000. Le but du réseau est de promouvoir la sensibilisation et l'amélioration des connaissances par l'éducation et la formation en matière de dépistage et de prévention des mauvais traitements ; de partager l'information en recensant les ressources locales, régionales et nationales ; d'assister à l'élaboration de politiques en cernant les enjeux, en appuyant la révision de politiques publiques et d'impacts des pratiques, ainsi qu'en effectuant un travail de défense d'intérêts sociaux auprès des décideurs (Podnieks, 2000). Cet organisme a son site Web à l'adresse suivante : http://www.mun.ca/elderabuse/.

Le CLSC René-Cassin de Montréal a ouvert un centre d'appels téléphoniques pour les personnes maltraitées. Les personnes témoignent et portent plainte au sujet de situations de maltraitance dont elles sont victimes. Elles trouvent des façons de s'en libérer et évaluent leurs capacités de s'en sortir avec de l'aide. Ce service est offert à toute la population du Québec ; on y oriente la personne vers des services adaptés à ses besoins en fonction de son lieu de résidence (Milette, 1999).

Le CLSC René-Cassin a aussi élaboré un protocole et un guide d'intervention portant sur la maltraitance des personnes âgées. Le protocole est un guide pour aider les intervenants et les intervenantes à comprendre le sujet, à établir une approche à l'égard de la problématique d'abus envers les aînés et à faire l'évaluation et l'élaboration d'un traitement dans les cas à risque élevé de maltraitance. Le protocole *Personnes âgées victimes d'abus et de négligence – Protocole et guide d'intervention* comprend trois volets. Le premier volet donne de l'information sur les définitions et les causes de l'abus, et présente des indicateurs d'abus et des recours légaux en cas de situation de violence. Le deuxième volet présente les procédures de dépistage. Le troisième volet expose les interventions : les objectifs d'intervention en tenant compte de la compétence de la personne, les stratégies d'aide auprès des personnes âgées victimes de mauvais traitements et les choix d'interventions pour l'aidant naturel ou toute autre personne significative pouvant intervenir. Les formulaires de dépistage sont compris dans le protocole (CLSC René-Cassin, 1993).

Reis et Nahmiash (1998) ont élaboré un modèle d'intervention en prévention de la maltraitance des personnes âgées. Elles expliquent leur méthode de dépistage et d'intervention utilisée auprès des personnes âgées victimes de négligence et de mauvais traitements. À l'aide d'histoires de cas, elles illustrent la mise en application des sept étapes de leur démarche. Des outils d'intervention sont également proposés.

Conclusion

La question de la violence envers les femmes, les enfants et les personnes âgées dépasse les frontières et les cultures. C'est pourquoi tant de groupes cherchent à unir leurs forces, au-delà des cultures et des religions, pour contrer les effets de la violence et détruire ses racines partout sur la planète.

Il existe une trame sous-jacente à tous les types d'abus exercés contre les victimes: l'abus de pouvoir des agresseurs vis-à-vis des personnes vulnérables. Cet abus de pouvoir se manifeste par un système de contrôle exercé à leur endroit.

Les spécialistes de la violence conjugale, de la maltraitance envers les enfants et les personnes âgées s'entendent pour affirmer que l'ampleur réelle de la violence faite à ces clientèles est sous-estimée. Les chiffres et les statistiques répertoriés sont difficiles à comparer, car les méthodologies utilisées varient d'une étude à une autre, de même que les définitions et les mesures de la violence conjugale, de la maltraitance des enfants et des personnes âgées. La violence demeure un sujet tabou et, de ce fait, elle est encore sous-déclarée.

Des similitudes existent également quant aux conséquences de la violence sur la santé des victimes et ses répercussions négatives sur les plans biologique, psychologique, social et économique. En outre, le silence des victimes demeure un obstacle à surmonter pour enrayer la violence présente dans leur vie.

Il sera possible d'effectuer un dépistage systématique des situations de violence dans la mesure où les professionnels de la santé permettront aux victimes de briser le silence et leur apporteront leur soutien. Intervenir dans des situations de violence nécessite des habiletés particulières, car les victimes ont tendance à cacher leur réalité par honte ou par crainte des conséquences d'une dénonciation. Parfois, elles sont incapables de communiquer cette réalité en raison de leur âge et parce qu'elles font encore peu appel à des services d'aide.

Il est primordial de promouvoir la concertation interprofessionnelle sur les façons de faire afin d'assurer un dépistage efficace et une intervention appropriée auprès des groupes vulnérables de la population. Comme les problèmes de violence sont très complexes, ils exigent une collaboration entre tous les professionnels de la santé, des services sociaux et des services juridiques (médecins, infirmières, intervenants sociaux, psychologues, nutritionnistes, policiers, avocats, etc.), ainsi qu'un partenariat avec les ressources communautaires: maisons d'hébergement, centres de femmes, centres de défense des droits des femmes et des enfants, et les groupes intervenant auprès des conjoints violents.

Pour intervenir auprès des groupes vulnérables, il faut que les professionnels des services de santé et des services sociaux reçoivent une formation adéquate sur le dépistage de la violence et qu'un suivi soit assuré pour soutenir les intervenants dans cette démarche. Selon Beaudoin (2000), une des stratégies visant à assurer que le dépistage de la violence soit le fait des professionnels dans leur pratique quotidienne est que le dépistage fasse partie de la formation de base dans les programmes collégiaux et universitaires de formation professionnelle. La formation continue des professionnels de la santé dans les milieux de pratique doit aussi devenir une priorité pour les employeurs du réseau de la santé et des services sociaux.

Références

BEAUDOIN, A., M.-M. COUSINEAU, N. JAUVIN et J. PAQUET (2000). *L'évaluation de l'implantation du protocole systématique de dépistage de la violence conjugale dans les CLSC du Québec*, Québec, Centre de recherche sur les services communautaires, Université Laval.

BRISTOWE, E. et J. COLLINS (1989). «Family mediated abuse of non institutionalised elder men and women living in British Columbia», dans *Journal of Elder Abuse and Neglect*, n° 1, p. 45-54.

CAMPBELL, J.C. (1986). «Nursing assessment for risk of homicide with battered women», dans *Advances in Nursing Science*, vol. 8, n° 4, p. 36-45.

CARON TRABUT, P. (2000). «Les abus sexuels chez les enfants en bas âge», dans *L'infirmière du Québec*, septembre / octobre, p. 27 à 32.

CENTRE NATIONAL D'INFORMATION SUR LA VIOLENCE DANS LA FAMILLE (1998). *Mauvais traitements et négligence à l'égard des aînés*, Ottawa, Santé Canada.

CENTRE NATIONAL D'INFORMATION SUR LA VIOLENCE DANS LA FAMILLE (1999). *Répertoire des services et programmes répondant aux besoins des personnes âgées victimes de violence au Canada*, Ottawa, Santé Canada.

CLIPP (2001). *Actes du colloque Implantation d'un protocole de dépistage systématique des femmes victimes de violence conjugale dans les CLSC du Québec: Résultats et enjeux*, Montréal, Centre de liaison sur l'intervention et la prévention psychosociales.

CLIPP (2002). *Trousse de formation Programme de formation*, Montréal, Centre de liaison sur l'intervention et la prévention psychosociales (CLIPP), Centre de communication en santé mentale de l'Hôpital Rivière-des-Prairies (CECOM).

CLSC RENÉ-CASSIN (1993). *Personnes âgées victimes d'abus et de négligence – Protocole et guide d'intervention*, Côte-Saint-Luc, CLSC René-Cassin.

COMITÉ SUR LES ABUS EXERCÉS À L'ENDROIT DES PERSONNES ÂGÉES (1989). *Vieillir... en toute liberté*, Québec,

Rapport du Comité sur les abus exercés à l'endroit des personnes âgées.

COMMISSION DES DROITS DE LA PERSONNE ET DES DROITS DE LA JEUNESSE (1998). *Signaler, c'est déjà protéger,* Québec, Commission des droits de la personne et des droits de la jeunesse, Direction de l'éducation et des communications.

COMMISSION DES DROITS DE LA PERSONNE ET DES DROITS DE LA JEUNESSE (2001). *L'exploitation des personnes âgées : vers un filet de protection resserré,* Québec, Commission des droits de la personne et des droits de la jeunesse.

DAUVERGNE, M. (2002). « Violence familiale envers les adultes plus âgés », dans *La violence familiale au Canada : Un profil statistique 2002,* Ottawa, Statistique Canada.

DUBÉ, R. et M. ST-JULES (1987). *Protection de l'enfance, réalité de l'intervention,* Chicoutimi, Gaëtan Morin.

DUPUIS, J. et A. VANDAL (1989). « Abus envers les personnes âgées », dans *Nursing Québec,* vol. 9, n° 6, p. 19-23.

ÉTHIER, L.S. (1999). « La négligence et la violence à l'égard des enfants », dans *Psychopathologie de l'enfant et de l'adolescent,* Montréal, Gaëtan Morin, p. 595-614.

GARBARINO, J. (1986). « Can we measure success in preventing child's abuse ? Issues in policy, programming and research » dans *Child Abuse & Neglect,* vol. 10, n° 1, p. 143-156.

GAUMOND, L. et D. LEMIEUX (1991). *Au-delà de nos dires – document d'animation,* Lévis, La Jonction pour elle.

GIGUÈRE, V. et N. LAFORTUNE (2000). « Intervenir à domicile auprès des familles négligentes et maltraitantes », dans *L'infirmière du Québec,* vol. 8, n° 1, p. 33-35.

GNAEDINGER, N. (1989). *Les mauvais traitements infligés aux personnes âgées,* Ottawa, Division de la prévention de la violence familiale du ministère de la Santé et du Bien-être social Canada.

GORKOFF, K., J. PROULX et B. COMASKEY (2000). *La prévention des mauvais traitements des aînés : Guide de formation canadien,* Ottawa, L'Unité de la prévention de la violence familiale, Santé Canada.

GOUVERNEMENT DU QUÉBEC (1995). *Politique d'intervention en matière de violence conjugale – Prévenir, dépister et contrer la violence conjugale,* Québec, Gouvernement du Québec, ministère de la Santé et des Services sociaux.

GOUVERNEMENT DU QUÉBEC (2001). *Entente multisectorielle relative aux enfants victimes d'abus sexuels, de mauvais traitements physiques ou d'une absence de soins menaçant leur santé physique,* Québec, La direction des communications du ministère de la Santé et des Services sociaux.

HELLINCKX, W. et H. GRIETENS (2002). « Dépistage des risques de maltraitance physique et de négligence : développement d'un instrument pour infirmières sociales », dans *Évaluation des maltraitances, rigueur et prudence,* Paris, Fleurus, p. 177-211.

HENDRY, E. (1997). « Engaging general practitioners in child protection training », dans *Child abuse review,* n° 6, p. 60-64.

HUDSON, M.F. et T.F. JOHNSON (1986). « Elder neglect and abuse : A review of the literature », dans *Annual Review of Gerontology and Geriatrics,* n° 6, p. 81-134.

HUGONOT, R. (1998). *La vieillesse maltraitée,* Paris, Dunod.

JONES, A. et S. SCHECHTER (1994). *Quand l'amour ne va plus – Échapper à l'emprise d'un conjoint manipulateur,* Montréal, Le Jour.

KOSBERG, J.I. et D. NAHMIASH (1996). « Characteristics of victims and perpetrators and milieus of abuse and neglect », dans *Assessing Elder Abuse in Health Care Settings,* Baltimore, Health professions press.

KOZAK, J.F., T. ELMSIE et J. VERDON (1995). « Perspectives épidémiologiques des mauvais traitements et de la négligence à l'endroit des personnes âgées : revue des textes de recherche nationale et internationale », dans MacLean (dir.), *Mauvais traitements auprès des personnes âgées : stratégies de changement,* Montréal, Saint-Martin.

LACHAPELLE, H. et L. FOREST (2000). *La violence conjugale Développer l'expertise infirmière,* Québec, Presses de l'Université du Québec.

LAROUCHE, G. (1987). *Agir contre la violence,* Montréal, Éditions de la pleine lune.

LAROUCHE, G. et L. GAGNÉ (1990). « Où en est la situation de la violence envers les femmes dans le milieu familial, dix ans après les colloques sur la violence ? », dans *Criminologie,* vol. 23, n° 2, p. 23-45.

LATIMER, J. (1998). *Les conséquences de la violence faite aux enfants – Guide de référence à l'intention des professionnels de la santé,* Ottawa, Unité de prévention de la violence familiale, Santé Canada.

LE BOSSÉ, Y., F. LAVOIE et G. MARTIN (1991). « Influence du contexte de travail des professionnels et professionnelles de la santé en regard de leurs attitudes vis-à-vis des femmes violentées en milieu conjugal », dans *Recherches féministes,* vol. 4, n° 1, p. 226.

LEHMENN, P. (1997). « The development of post-traumatic stress disorder (PTSD) in a sample of child witnesses to mother assault », dans *Journal of Family Violence,* vol. 12, n° 3, p. 241-257.

LINDSAY, J. et M. CLÉMENT (1998). « La violence psychologique : sa définition et sa représentation selon les sexes », dans *Recherches féministes,* vol. 11, n° 2, p. 139-160.

LOCKE, D. (2002). « Violence envers les enfants et les jeunes », dans *La violence familiale au Canada : un profil statistique,* Ottawa, Statistique Canada, p. 39-53.

MACLEOD, F. (1994). *Violence et négligence à l'égard des personnes âgées,* Ottawa, Santé Canada.

MACLEOD, L. (1987). *Pour de vraies amours... Prévenir la violence conjugale,* Ottawa, Conseil consultatif canadien sur la situation de la femme.

MACMILLAN, H., J. MACMILLAN, D. OFFORD, L. GRIFFITH et A. MACMILLAN (1994). « Primary prevention of child physical abuse and neglect : A critical review : Part I », dans *Child Psychol Psychiatry,* n° 122, p. 511-516.

MACMILLAN, H.L. (2001). « Prévention de la violence faite aux enfants », dans *Le médecin du Québec,* vol. 36, n° 2, p. 69-79.

MARTIN, C. et G. BOYER (1995). *Naître égaux – Grandir en santé. Un programme intégré de promotion de la santé et de prévention en périnatalité,* Québec, Ministère de la Santé et des Services sociaux, Direction générale de la santé publique.

MILETTE, C. (1999). *Revue de littérature sur la promotion de la santé des personnes âgées,* Québec, Ministère de la Santé et des Services sociaux.

MONTMINY, L. (1998). « Pour mieux connaître et comprendre la problématique des mauvais traitements exercés envers les personnes âgées », dans *Intervention,* vol. 4, n° 106, p. 8-17.

MURRY, S.K., A.W. BAKER et L. LEWIN (2000). « Screening families with young children for child's maltreatment potential », dans *Pediatric Nursing.*

NAHMIASH, D. (1990). « L'intervention en situation de risque d'abus en milieu naturel », dans *Vieillir sans violence,* Québec, Presses de l'Université du Québec, p. 87-95.

NAHMIASH, D. (1995). « Quelques réflexions sur les mauvais traitements et la négligence exercés à l'endroit des personnes âgées », dans *Revue Service social*, vol. 44, n° 2, p. 111-128.

ORDRE DES INFIRMIÈRES ET INFIRMIERS DU QUÉBEC (1987). *La violence conjugale – Intervention infirmière auprès des femmes – Écouter le langage des maux*, Montréal, OIIQ.

ORGANISATION MONDIALE DE LA SANTÉ (1993). *Déclaration de l'Organisation des Nations unies sur l'élimination de la violence faite aux femmes*, Commission de l'Assemblée générale des Nations unies.

ORGANISATION MONDIALE DE LA SANTÉ (2002a). *Rapport mondial sur la violence et la santé*, Genève, OMS.

ORGANISATION MONDIALE DE LA SANTÉ (2002b). *Rapport sur la violence et la santé résumé*, Genève, OMS.

PFOUTS, J.H. (1978). « Violent families: Coping responses of abused wives », dans *Child Welfare*, vol. 57, n° 2, p. 39-54.

PHILLIPS, L. (1983). « Abuse and neglect of the frail elderly at home: an exploration of theorical relationships », dans *Advanced Nursing*, n° 8, p. 379-382.

PILLMER, K.A. et D. FINKELHOR (1989). « Causes of elder abuse: caregiver stress versus problem relatives », dans *American journal of orthopsychiatry*, vol. 59, n° 2, p. 179-187.

PODNIEKS, E. (1992). « National survey on abuse of the elderly in Canada », dans *Journal of Elder Abuse and Neglect*, n° 4, p. 5-58.

PODNIEKS, E. (2000). « Réseau canadien pour la prévention des mauvais traitements envers les aîné(e)s », dans *Bien vieillir – La prévention de l'abus envers les aînés: initiatives, orientation et solutions*, vol. 6, n° 3.

PODNIEKS, E., K. PILLEMER, J.-P. NICHOLSON, T. SHILLINGTON et A. FRIZZEL (1990). *Une enquête nationale sur les mauvais traitements des personnes âgées au Canada*, Toronto, Ryerson Polytechnical Institute.

REGROUPEMENT PROVINCIAL DES MAISONS D'HÉBERGEMENT ET DE TRANSITION POUR FEMMES VICTIMES DE VIOLENCE CONJUGALE (1990). *La violence conjugale... C'est quoi au juste? C'est un moyen pour un homme de contrôler sa conjointe*, Montréal, Regroupement provincial des maisons d'hébergement et de transition pour femmes victimes de violence conjugale.

REIS, M. et D. NAHMIASH (1998). *Les mauvais traitements à l'égard des personnes âgées*, Québec, Presses de l'Université Laval.

RINFRET-RAYNOR, M., J. TURGEON et M. DUBÉ (2001). « Évaluation des effets d'un protocole de dépistage systématique de la violence conjugale au CLSC Saint-Hubert », dans *Intervention*, n° 113, p. 38-47.

RINFRET-RAYNOR, M., J. TURGEON et L. JOYAL (1998). *Protocole de dépistage et guide d'intervention – Le dépistage systématique des femmes victimes de violence conjugale*, Québec, Gouvernement du Québec.

ROBERTS, I., M. KRAMER et S. SUISSA (1996). « Does home visiting prevent childhood injury? A systematic review of randomised controlled trials », dans *BMJ*, n° 312, p. 29-33.

RODGERS, K. (1994). « La violence conjugale au Canada », dans *Tendances sociales canadiennes*, n° 34, p. 2-9.

SANTÉ CANADA. (2001). *L'étude canadienne sur l'incidence des signalements de cas de violence et de négligence envers les enfants*, Ottawa, Ministre des Travaux publics et Services gouvernementaux Canada.

SEF INFORMATION SUR LES SERVICES À L'ENFANCE ET À LA FAMILLE (2002). *Le rôle des responsables provinciaux et territoriaux dans la prestation des services de protection de l'enfance – Bien-être de l'enfance au Canada 2000*, Hull.

SERGERIE, M. (1991). *L'abus et la négligence envers les personnes âgées vivant en milieu naturel: une recension des écrits*, Rimouski, Département de santé communautaire, Centre hospitalier régional de Rimouski.

SINCLAIR, D. (1986). *Pour comprendre le problème des femmes battues*, Toronto, Librairie du gouvernement de l'Ontario.

STATISTIQUE CANADA. (2002). *La violence familiale: un profil statistique 2002*, Ottawa, Statistique Canada.

SUDERMANN, M. et P. JAFFE (1999). *Les enfants exposés à la violence conjugale et familiale: guide à l'intention des éducateurs et des intervenants en santé et en services sociaux*, Ottawa, ministre des Travaux publics et Services gouvernementaux.

TRAINOR, C., M. LAMBERT et M. DAUVERGNE (2002). *La violence familiale au Canada: Un profil statistique 2002*, Ottawa, Statistique Canada.

TROCMÉ, N., B. MACLAURIN, B. FALLON, J. DACIUK, D. BILLINGSLEY, M. TOURIGNY, M. MAYER et J. WRIGHT (2001). *Étude canadienne sur l'incidence des signalements de cas de violence et de négligence envers les enfants – Rapport final*, Ottawa, Santé Canada.

TROCMÉ, N.M. et D.A. WOLFE (2001). *Maltraitance des enfants au Canada: étude canadienne sur l'incidence des signalements de cas de violence et de négligence envers les enfants: résultats choisis*, Ottawa, Centre national d'information sur la violence dans la famille.

VIAUX, J.-L. (2002). « Évaluation des mauvais traitements sur les enfants: un processus méthodologique, dans *Évaluation des maltraitances*, Paris, Éditions Fleurus, p. 143-176.

WACHTEL, A. (1999). *Le point sur la prévention des mauvais traitements à l'égard des enfants, 1997*, Ottawa, L'unité de prévention de la violence familiale de Santé Canada.

Chapitre 17

Les soins centrés sur la famille

Diane Alain

Introduction

Malgré les changements continus dans la nature de la famille, l'importance de son rôle dans la promotion de la santé des individus et de la collectivité est bien établie (Smith, 2002). La famille demeure une source essentielle de soutien et d'encouragement. Elle facilite la croissance physique et psychosociale de ses membres. De nombreux déterminants de la santé prennent naissance au sein de la famille, notamment les habitudes de vie, les capacités d'adaptation, le développement sain durant l'enfance et l'établissement des relations sociales (Comité consultatif fédéral-provincial-territorial sur la santé de la population, 1994).

Selon Whall (1986), les infirmières en santé publique ont été les premières à clairement intervenir auprès des familles en tant qu'unité de soins. Depuis, on note une évolution certaine du rôle de la famille dans la prestation des soins, mais une démarche axée sur la famille reste plus un idéal qu'une pratique répandue, que ce soit en milieu hospitalier, dans les cliniques ou dans les centres communautaires (Friedman, 1997). Selon Sluzki (1974), il est peut-être plus facile pour les professionnels débutants que pour les professionnels formés selon le modèle médical traditionnel de se représenter l'individu comme une personne se définissant en fonction de sa famille, de ses proches et de l'ensemble de la collectivité.

Pour intervenir efficacement et soutenir la famille dans son rôle de promotion de la santé et de prévention des maladies, les professionnels de la santé doivent acquérir les notions de base concernant les soins à la famille et prendre en compte l'influence du contexte familial et communautaire. Ce chapitre présente une définition du concept de famille et examine les divers types de familles ainsi que leur cycle de vie. Il définit également le rôle des professionnels de la santé et la démarche des soins. Bien que les modèles présentés ici soient utilisés principalement dans le domaine des soins infirmiers, les notions générales et les interventions proposées peuvent être utiles à tout professionnel de la santé œuvrant auprès des familles.

Le concept de soins centrés sur la famille

Les modèles cités dans ce chapitre sont ceux de Calgary, Friedman et McGill. Les principales théories sur lesquelles s'appuient ces modèles comprennent notamment la théorie des systèmes de Von Bertalanffy, la théorie de la communication de Watzlawick et la théorie du changement de Maturana. Une brève description de ces théories est présentée ici; pour plus de détails, le lecteur est invité à consulter leurs ouvrages respectifs.

La théorie des systèmes de Von Bertalanffy (1936) a fortement influencé la vision de la famille. Cette théorie suggère que la famille est un ensemble d'éléments en constante interaction. Lorsqu'un membre de la famille vit une situation particulière, le système en subit également l'effet. Afin de visualiser ce concept, Allmond, Buckman et Gofman (1979) proposent de comparer la famille à un mobile. Lorsqu'on frappe sur un mobile, tous les éléments qui le composent bougent en même temps, puis, après divers balancements, le mobile finit par retrouver son équilibre.

Chaque membre du système a son individualité, mais la famille dans son ensemble dépasse le nombre de ses membres. Une famille de trois personnes compte quatre liens. Par exemple, lorsqu'une famille consulte un professionnel pour un problème de discipline chez un enfant, ce problème sera évalué selon la perception de la mère, du père et de l'enfant. Puis, en connaissant la perception de l'ensemble de la famille, on comprendra mieux le comportement des trois personnes lorsqu'elles interagissent.

La théorie de la communication de Watzlawick (1967), révisée par Bavelas (1992), sert d'appui à la façon dont les professionnels de la santé doivent entrevoir les interactions entre les membres de la famille. Selon les travaux de ces chercheurs, l'intervenant doit d'abord prendre en compte l'aspect non verbal de la communication, car sa signification a beaucoup d'importance. L'aspect verbal ne doit pas être dissocié du non verbal, les deux étant totalement intégrés et souvent interchangeables (Bavelas, 1992). La communication est donc qualifiée de « globale ». Toute communication est symétrique et complémentaire, et comporte deux niveaux, soit le contenu et la relation. Au-delà des mots, les professionnels de la santé devront développer leur capacité à analyser les diverses informations que les individus fournissent dans leurs interactions.

Selon la théorie du changement de Maturana (1978), le système familial tend vers le changement. Les changements sont nécessaires afin de compenser les perturbations vécues par la famille et lui permettre ainsi de retrouver l'équilibre. Maturana croit que le changement intervient continuellement au sein de la famille, souvent sans que la famille s'en rende compte. Les professionnels de la santé sont fréquemment appelés à intervenir lorsque le changement imposé par la maladie ou par une situation de crise perturbe les membres de la famille au point de les empêcher d'entrevoir les solutions possibles.

Le modèle de Calgary (MCEF), un modèle canadien d'évaluation de la famille, a été publié pour la première fois en 1984. Depuis, il est utilisé dans les écoles de sciences infirmières dans plusieurs pays. Dans ce modèle, l'accent est mis sur la détermination des forces et des ressources de la famille. Les interventions infirmières sont axées sur l'assistance à la prise de décision par la famille. Le rôle de l'infirmière est de promouvoir les comportements familiaux qui contribuent à l'amélioration du bien-être de la famille.

Le modèle de Freidman s'appuie également sur la théorie générale des systèmes, du développement de la famille et de la diversité culturelle. L'analyse approfondie des données, telle que le suggère ce modèle, permet à l'infirmière d'offrir des soins adaptés aux besoins spécifiques de chaque famille. Le choix des interventions est influencé par le niveau de fonctionnement de la famille, sa participation, ainsi que l'expérience de l'intervenant. Le but des soins est de faciliter l'autonomie et l'individualité de chaque membre de la famille. Néanmoins, Friedman propose une série d'interventions à chaque composante de l'évaluation. Selon elle, l'évaluation des besoins et des interventions est un élément indissociable de la démarche de soins (Friedman, 2003).

Le modèle de McGill reflète la philosophie des soins de santé primaires proposés par l'Organisation mondiale de la santé (Malo et autres, 1998). L'accent est mis sur la famille en tant qu'unité de soins, sur ses forces et son potentiel plutôt que d'amorcer une approche en fonction de ses faiblesses et de ses déficits (Malo et autres, 1998). Le but des soins est de maintenir et de promouvoir la santé de la famille en créant un environnement propice. La collaboration est l'approche choisie puisqu'elle permet à l'infirmière d'offrir des soins adaptés aux besoins de chaque famille en tenant compte de leurs motivations, de leurs buts et de leurs priorités (Gottlieb et Feeley, 1996).

Définition de la famille

Selon Malo et ses collègues (1998), la famille peut inclure toute personne ayant une influence sur les décisions de l'individu, qu'il fasse partie de la famille immédiate (exemple : un frère, une sœur) ou qu'il s'agisse d'un ami. La définition suivante s'est avérée utile pour les professionnels de la santé : « La famille est celle qui s'identifie comme un groupe de deux individus ou plus, dont l'association est caractérisée par des termes spéciaux, qui peuvent être liés par le sang ou non, ou par la loi, mais qui fonctionne de manière à se considérer comme une famille dont les membres ont obligatoirement des liens émotifs » (Whall, 1986 ; St-Denis, Poplea et Coutu-Wakulczyk, 2000). La définition proposée par l'Association des infirmiers et infirmières du Canada (AIIC) rejoint celle de Malo et entend par « famille » toute personne qui estime recevoir un soutien familial de sa part, qu'elle lui soit biologiquement liée ou non.

D'autres auteurs ont précisé dans leur définition de la famille que les membres d'une famille fonctionnent ensemble (Whall, 1986, et Duhamel, 1995), et que la famille est ce que le client pense qu'elle est (Patterson, 1995). Quelle que soit la définition utilisée, il est important pour les professionnels de la santé de savoir que l'unité de base de la famille influence les styles de vie et l'état de santé de ses membres et qu'elle est responsable d'au moins 75 % de tous ses soins de santé, y compris la promotion, la prévention, l'intervention précoce et la réadaptation (Duffy, 1988). Il est important de reconnaître le client comme membre d'une famille, même si le professionnel de la santé n'a pas la possibilité d'inclure la famille dans les soins.

La classification des divers types de familles

À travers les âges et les cultures, la structure de la famille a pris différentes formes. Au Canada, la famille traditionnelle, composée d'un homme et d'une femme, mariés, ayant plusieurs enfants, était la norme avant les années soixante. Aujourd'hui, dans les familles de type «traditionnel», en moyenne, le nombre d'enfants a beaucoup diminué et plusieurs autres modèles se sont développés. Pour certaines personnes, l'animal de compagnie peut être considéré comme membre de la famille tandis que pour d'autres, le phénomène de gang peut prendre différentes significations, allant de l'amitié à la symbolique familiale. Friedman (2003) est la seule auteure à étendre le concept de famille aux personnes vivant seules. Ces personnes n'ont pour toute famille que les souvenirs qu'elles entretiennent avec ce qui était leur famille; cela leur donne un sentiment d'appartenance familiale.

Pour mieux cerner la problématique, l'intervenant doit connaître le type de famille. La perception de toutes les personnes concernées peut être prise en considération dans l'analyse de la situation et le choix des interventions. Lepage et ses collègues (1996) proposent les types de familles présentées dans le tableau 17.1.

Le cycle de vie des familles

D'autres repères servant de guide à l'entrevue portent sur le cycle d'évolution de la famille. Les premières recherches sur le cycle de vie familiale ont été effectuées par Duvall en 1977. Le modèle proposé par Duvall a ensuite été révisé par Carter et McGoldrick (1988). En dépit de la transformation des rôles et des responsabilités liés à la grande variété des types de familles et de l'accroissement de la diversité ethnique, il est possible de tracer le portrait de la famille contemporaine. Le tableau 17.2 présente les stades de développement de la famille contemporaine «typique» et les tâches qui y sont associées. Plusieurs modèles de cycles de développement, selon le type de famille, ont été proposés. Le lecteur est invité à consulter des ouvrages spécialisés pour un examen plus approfondi de ces notions.

Les recherches ont démontré que les tâches et les liens entre les membres d'une famille sont propres aux cycles de développement. En effet, chaque famille est façonnée par son environnement humain et physique ainsi que par les événements difficiles qui surviennent. Par exemple, les catastrophes, les incendies, les tremblements de terre, les maladies, la criminalité, les fluctuations de la Bourse, les fusions d'entreprises et les tendances sociales peuvent influer sur l'évolution de la famille. De façon plus générale, la littérature présente le cheminement que suivent habituellement les familles et met l'accent sur les arrivées et les départs de ses membres. Les stades associés aux arrivées et aux départs (naissance, éducation et départ des enfants,

Tableau 17.1 Les types de familles

Famille nucléaire: homme, femme, avec ou sans enfant.

Famille élargie: inclut les grands-parents, les oncles, les tantes, les cousins, etc.

Famille monoparentale: un seul parent avec un ou plusieurs enfants.

Commune: type de famille (1960-1970) qui ne fait plus partie de la réalité des années 2000; toutefois, pour certaines personnes, le phénomène de gang peut avoir différentes significations, allant de l'amitié à la symbolique familiale.

Famille homosexuelle: couple de même sexe, avec ou sans enfant.

Famille reconstituée: personne divorcée, séparée ou veuve qui s'unit avec un ou une autre adulte. Il peut y avoir des enfants issus des unions précédentes et de la nouvelle union.

Famille substitutive, qui peut inclure:

- **Famille d'accueil** – surtout les individus qui sont appelés à changer souvent de famille. La famille permanente sera une famille reconstituée.
- **Famille seule** – personne vivant avec ses «souvenirs» lui procurant un sentiment d'appartenance familiale (Friedman, 1997, 2003) ou personne vivant avec un animal de compagnie considéré comme un membre de la famille.

Tableau 17.2 Les stades du développement familial et les tâches qui y sont associées

Stades	Tâches liées à la poursuite du développement
1. Le jeune adulte célibataire.	• Différenciation du moi par rapport à la famille d'origine. • Développement de relations intimes avec ses pairs. • Définition du moi par rapport au travail et à l'autonomie financière.
2. Le nouveau couple et l'union des familles par le mariage.	• Établissement de l'identité du couple. • Réajustement des relations avec les familles élargies afin d'intégrer le conjoint. • Décision ou non de devenir parents. Les couples qui ont élaboré des structures conjugales satisfaisantes avant la naissance de leur premier enfant semblent plus aptes que les autres à intégrer l'enfant dans la famille.
3. La famille qui compte de jeunes enfants.	• Adaptation du système conjugal à l'arrivée des enfants. • Partage des tâches relatives à l'éducation des enfants, à la recherche de ressources financières et à l'entretien de la maison. • Réajustement des relations avec la famille élargie afin d'intégrer les rôles de parents et de grands-parents.
4. La famille qui compte des adolescents.	• Modification des relations parents-enfants pour permettre aux adolescents d'entrer dans le système et d'en sortir. • Réévaluation des questions concernant le mariage et la carrière. • Amorce de la transition vers le partage des soins dispensés aux parents âgés.
5. La famille dont les enfants quittent le foyer.	• Renégociation du système conjugal en tant que dyade. • Établissement de relations d'adulte à adulte entre les enfants et les parents. • Réajustement des relations afin d'intégrer les conjoints des enfants et les petits-enfants. • Adaptation aux maladies et au décès des grands-parents.
6. La famille dont les conjoints sont à la retraite.	• Maintien du fonctionnement et des activités du couple et de chacun des conjoints, en dépit du déclin physiologique ; exploration de nouvelles possibilités quant à l'exercice des rôles familial et social. • Promotion d'un rôle central pour la génération intermédiaire. • Reconnaissance de la sagesse et de l'expérience des aînés. • Adaptation à la perte du conjoint, des frères, des sœurs et des amis, et préparation de sa propre mort.

Source : Adapté de Wright et Leahey (2001).

retraite et mort) nécessitent généralement une réorganisation des rôles et des règles existant au sein de la famille. Bien entendu, chaque famille a un développement unique ; toutefois, la connaissance des stades de la famille permet d'explorer son adaptation à un stade spécifique. De plus, les ouvrages spécialisés suggèrent des moyens utiles pour aider la famille à traverser chacune de ces périodes.

Le rôle des professionnels de la santé

Il est difficile d'aider un individu à changer une habitude de vie sans tenir compte de la famille, car la santé d'un de ses membres affecte la santé de toute l'unité familiale. Par exemple, la préparation des repas influe sur l'acquisition des habitudes alimentaires saines de l'enfant et des autres membres de la famille. Les professionnels de la santé doivent inclure la famille dans la planification des soins. D'ailleurs, une des premières recommandations du document traitant des lignes directrices pour des pratiques exemplaires auprès de la famille (LDPE) est l'établissement d'un partenariat entre le professionnel de la santé et la famille (RNAO, 2002). Ce partenariat est essentiel au soutien des familles (Skemp Kelley et autres, 2000).

Que ce soit dans le milieu hospitalier ou dans le milieu communautaire, les professionnels de la santé occupent une place privilégiée qui leur permet d'intervenir auprès des familles. Selon Friedman (2003), les infirmières en santé communautaire consacrent une grande partie de leur travail à la famille au cours de la deuxième étape de son cycle de vie, qu'il s'agisse des cours prénatals, des visites postnatales à domicile ou des cliniques de vaccination. Leurs interventions portent principalement sur l'enseignement des soins à donner aux jeunes enfants, sur le développement normal de l'enfant, la prévention des accidents et la planification des naissances à venir. Outre leurs fonctions traditionnelles au regard des immunisations, du dépistage, de la référence ou des soins relatifs aux problèmes de santé, les infirmières doivent parfois aider les familles à trouver une nouvelle forme d'harmonie dans leurs interactions familiales (Paul, 1993). Afin d'exercer adéquatement ces diverses fonctions, l'infirmière doit acquérir d'excellentes connaissances concernant les soins dispensés à la famille. Dans cette partie, il sera question des diverses étapes de la démarche de soins infirmiers axés sur la famille (cette démarche est applicable à tous les professionnels de la santé œuvrant auprès des familles).

Première étape : la collecte de données

La collecte de données est la première étape de la démarche de soins infirmiers. Plusieurs techniques sont utilisées pour recueillir les données, mais l'interview est celle qui est la plus appropriée avec les familles (Potter et Perry, 2002).

La description de la famille

La collecte de données permet de déterminer la composition et le fonctionnement de la famille dans la situation particulière où le professionnel de la santé intervient. Il s'agit d'explorer avec la famille la façon dont est perçu l'événement pour lequel un professionnel de la santé est requis. De plus, la collecte de données permet à l'infirmière d'explorer les forces et les besoins de la famille dans une situation particulière (Neabel, Fothergill-Bourbonnais et Dunning, 2000).

Il existe plusieurs modèles ou façons de recueillir les données nécessaires à l'obtention d'une image complète de la famille. Dans le présent chapitre, la collecte des données est celle proposée par Wright et Leahey (modèle de Calgary).

Ce modèle propose trois catégories principales d'analyse :

1. la structure de la famille ;
2. le développement de la famille ;
3. le fonctionnement de la famille.

Chacune de ces catégories est divisée en sous-catégories pour assurer une collecte de données la plus complète possible. Précisons qu'il n'est pas nécessaire d'utiliser toutes les sous-catégories, mais il faut cibler celles qui sont pertinentes au problème particulier de la famille. Avec l'expérience, l'intervenant réussira à repérer facilement l'information qu'il doit rechercher lors de l'entrevue auprès de la famille.

La structure de la famille représente sa composition et les relations qu'elle entretient avec l'extérieur, ainsi que le contexte environnemental dans lequel elle évolue. On distingue trois composantes de la structure : la structure interne, la structure externe et la structure contextuelle.

La structure interne se rapporte aux six sous-catégories suivantes :

1. la composition de la famille ;
2. le sexe des individus composant la famille ;
3. l'orientation sexuelle ;
4. le rang dans la famille ;
5. les sous-systèmes ;
6. les frontières.

La structure externe, elle, correspond aux deux sous-catégories ci-dessous :

1. la famille élargie ;
2. les suprasystèmes.

Enfin, la structure contextuelle correspond aux cinq sous-catégories suivantes :

1. l'origine ethnique ;
2. la race ;
3. la classe sociale ;
4. la religion et la spiritualité ;
5. l'environnement.

La **structure interne** sera mieux comprise si l'intervenant interroge la famille sur sa composition. Par exemple, la famille comprend-elle un père, une mère, des frères, des sœurs ? Héberge-t-elle un enfant en famille d'accueil ? Il est primordial de dépasser la perception de la famille liée par le sang, l'adoption ou le mariage, ou habitant le même espace. L'intervenant qui veut accomplir son travail correctement doit concevoir la famille telle que les membres la décrivent.

Le sexe des membres de la famille est une autre donnée importante, car le sexe de la personne peut jouer un rôle dans sa vision du monde et dans les situations vécues (Wright et Leahey, 2001). Par exemple, dans l'exercice du rôle parental, la personne qui soigne l'enfant malade est souvent la femme. C'est un rôle qui lui est habituellement dévolu au sein de la famille (Wright et Leahey, 2001).

L'orientation sexuelle a aussi son importance et il faut en tenir compte. Les familles homosexuelles se heurtent à de nombreux préjugés et à la discrimination qu'entraînent l'ignorance, les stéréotypes et l'insensibilité, ce qui risque certainement d'influencer leur façon de prendre soin d'elles-mêmes.

Le rang ou la position qu'occupent les enfants dans la famille, selon leur âge et leur sexe, doit aussi faire l'objet d'une attention particulière. Certaines études ont révélé des faits importants au sujet de la fratrie. Le théorème de la duplication de Toman (1988) suggère que plus vous cultivez des relations sociales semblables à celles de la fratrie, plus elles se révèlent heureuses et durables. Selon une recension des écrits (141 recherches examinées), il semble n'y avoir aucune différence essentielle de personnalité entre un enfant élevé seul et un enfant élevé avec un ou plusieurs autres enfants (Mellor, 1990). De plus, les recherches de McGoldrick et Gerson (1985) ont démontré que certains facteurs peuvent influer sur le sous-système de la fratrie. En effet, le sous-système variera en fonction de l'étape de la vie de la famille au moment de la naissance de chaque enfant, des traits de caractère distinctifs des enfants, des ambitions que la famille nourrit à leur égard et des attitudes et des préjugés des parents par rapport aux différences entre les sexes. Simon (1988) décrit l'influence du rang dans la famille sur la structure de la personnalité des frères et des sœurs. Comparativement à leurs cadets, les aînés ont plus souvent tendance à reproduire les expériences familiales dans des contextes sociaux extérieurs (maternelle, école ou club).

La cinquième sous-catégorie qui rend compte de la structure de la famille comprend les divers sous-systèmes. « Les sous-systèmes représentent le degré de différenciation qu'on note au sein d'une famille » (Wright et Leahey, p. 83). La dyade mari-femme ou mère-enfant est un exemple de ces sous-systèmes. Il est à noter que la même personne peut appartenir à plusieurs sous-systèmes ; ainsi, une femme de 65 ans peut être à la fois grand-mère, fille, sœur, épouse et mère. L'appartenance à un sous-système détermine aussi le comportement des individus qui le composent ; par exemple, un enfant dans le sous-système parents-enfant n'agit pas de la même manière que dans la fratrie. Un cas d'inceste peut parfois résulter du fait que l'enfant s'est introduit dans le sous-système du couple (Minuchin, 1974). Cette notion de sous-système est très importante pour le travail des professionnels de la santé, car ils auront souvent à le reconnaître, à évaluer la dynamique dans la famille et peut-être aussi à intervenir, par exemple lorsque la famille doit assumer de nouveaux rôles ou adopter de nouveaux comportements.

Les frontières constituent la dernière sous-catégorie de la structure familiale. Elles servent à protéger l'aspect unique de la famille. Cette partie de la collecte des données consiste à savoir qui sont les participants et comment ils participent au système (Minuchin, 1974). Le système familial peut posséder des frontières floues ou rigides, ou relativement perméables. Lorsque les frontières du sous-système sont floues, le système est en déséquilibre. « Les frontières floues se rencontrent chez les familles où les enfants deviennent le parent, parce que les parents croient à une égalité entre eux et les enfants » (Ashby, 1969, p. 208). Il est important de souligner que, lorsqu'une famille vit un changement, il est possible que ses frontières soient floues le temps que dure le processus de réorganisation (Boss, 1980). La séparation est un exemple pertinent. Les adultes très attristés par une séparation peuvent abandonner leur rôle de parents temporairement. D'autres auteurs (Daneshpour et autres, 1998) ont démontré que les frontières peuvent aussi être rigides. Il est possible que des parents fassent preuve de rigidité dans l'éducation de leur enfant parce qu'ils veulent assumer leur rôle de protecteurs. C'est souvent le cas des familles récemment arrivées dans un pays pour y immigrer.

Selon Green et Werner (1996), et Wood (1985), le partage du territoire peut être évalué en fonction des aspects suivants :

- le temps de contact, le temps passé ensemble ;
- l'espace personnel, la proximité physique, le toucher ;
- l'espace informationnel, c'est-à-dire ce qu'on connaît l'un de l'autre ;
- les conversations privées dont les autres membres sont exclus ;
- l'espace décisionnel, à savoir qui prend les décisions.

La **structure externe** touche la famille élargie, la famille d'origine, la famille biologique, la génération actuelle, la belle-famille, les demi-frères et demi-sœurs. Elle peut exercer une influence positive ou négative sur la structure familiale. Elle n'est pas à négliger, malgré la distance géographique. La structure externe prend toute son importance au moment de l'évaluation du fonctionnement familial par rapport aux ressources, à la disponibilité de la famille en cas de besoin et aux modes de communication établis entre les membres.

Les suprasystèmes font partie de l'environnement. Ce sont les organismes sociaux et les professionnels avec lesquels la famille entretient des liens significatifs, notamment les systèmes liés au travail, l'aide sociale, l'aide à l'enfance, le placement en famille d'accueil, les tribunaux et les services de consultations externes. Certaines organisations s'adressent à des groupes spécifiques (santé mentale, personnes âgées). Les ressources informatiques sont aussi à considérer car, de nos jours, ce réseau d'information offre du soutien aux familles et permet même de participer à des forums électroniques. L'environnement englobe aussi la collectivité, le quartier et le domicile. L'espace, l'intimité, l'accès aux écoles, aux garderies, aux services de loisirs et aux transports en commun sont des facteurs qui influent sur le fonctionnement de la famille. Il est important de savoir comment la famille perçoit les liens qu'elle entretient avec les suprasytèmes.

La **structure contextuelle** se rapporte au contexte dans lequel s'inscrit la famille et influe grandement sur ses comportements. Elle regroupe la culture, l'origine ethnique, la race, la classe sociale, la religion et la spiritualité. Le terme « culture » englobe un ensemble de croyances, de valeurs, de coutumes et de comportements transmis socialement. L'ensemble de ces éléments définit un groupe de personnes, guide leur vision du monde et leur prise de décision (Purnell et Paulanka, 1998). Chaque culture est unique ; elle est stable d'une génération à l'autre, bien que des changements s'opèrent avec le temps (Purnell et Paulanka, 1998).

Les professionnels de la santé doivent être particulièrement conscients et vigilants concernant leurs propres perceptions à l'égard des autres cultures. Ils doivent aussi réaliser qu'il existe une grande diversité au sein d'une même communauté. Par exemple, il existe des différences entre les immigrants de la deuxième, de la troisième ou de la quatrième génération et les immigrants récemment arrivés au pays, y compris les réfugiés. Ils ne réagiront pas de la même façon devant une situation donnée.

L'adaptation culturelle est un moment de transition difficile qui s'accompagne parfois de problèmes tels que la survie économique, le racisme et les changements au sein de la famille élargie et du réseau de soutien. Il est important pour les professionnels de la santé de pouvoir reconnaître la grande diversité au sein même des familles issues des différents groupes ethniques et de cerner les stéréotypes nuisibles aux soins qui leur sont dispensés. McGoldrick (1998) insiste sur le fait que le travail auprès des familles de diverses origines ethniques devrait être l'occasion pour l'infirmière de mettre en valeur l'équilibre entre nos ressources communes en tant qu'êtres humains et les différences qui nous caractérisent. L'ethnocentrisme est un principe important dans la prestation des soins. N'oublions pas que la culture structure la pensée et les valeurs, mais qu'elle risque aussi de nous inciter à juger les autres. L'ethnocentrisme, c'est le fait de croire que mes valeurs sont les meilleures, sinon les seules valables (Ladewig, London et autres, 2003). Les professionnels de la santé se doivent d'apprendre à travailler dans le plus grand respect des valeurs culturelles de leurs clients en prenant conscience de leurs propres valeurs, et à accepter de modifier les préjugés qui leur viennent inconsciemment à l'esprit. Pour plus d'information sur les soins interculturels, le lecteur est invité à se reporter au chapitre 15.

Selon Watt et Norton (2004), l'ethnicité a trait à des pratiques et à des coutumes qui permettent de différencier un groupe de personnes d'un autre. Certaines caractéristiques telles que le langage, la religion, les ancêtres, les croyances et les traditions servent à différencier les groupes ethniques. L'ethnicité, tout comme la culture, influe sur les croyances et les comportements relatifs à la santé.

Le mot « race » décrit des caractéristiques physiques ; il s'agit d'un élément de base et non d'une variable intermédiaire. La race se trouve au cœur de l'identité des individus et des groupes (race noire, race caucasienne). Selon *Le Petit Robert* (2000), ce sont les caractères anatomiques. Les attitudes à l'égard de la race, les idées stéréotypées et la discrimination exercent une grande influence sur la famille et les interactions familiales. Souvent, le problème est lié aux attitudes plutôt qu'au fait d'être différent.

La classe sociale est l'un des principaux facteurs qui modèlent le système de valeurs et de croyances de la famille ; elle se rattache au niveau d'instruction, au revenu et à la profession des membres de la famille. Chaque classe sociale possède son propre ensemble de valeurs, de modes de vie et de comportements qui modifient les interactions de la famille et ses pratiques de santé.

L'intervenant doit apprendre à voir au-delà de ces réalités et à traiter les clients de façon équitable.

Toutefois, au moment de l'évaluation, il doit tenir compte des ressources dont dispose la famille et des croyances liées à la classe sociale. Ces dernières peuvent avoir un impact sur la facilité avec laquelle la famille se tournera vers l'extérieur pour demander de l'aide.

La religion et la spiritualité peuvent influer sur les valeurs familiales, la taille de la famille et les pratiques en matière de santé. La religion a un effet direct sur les croyances relatives à la maladie et sur la manière de l'affronter. Par exemple, l'expression « Dieu éprouve ceux qu'il aime », parfois utilisée par les catholiques, peut amener certaines personnes à accepter la maladie avec fatalité.

La spiritualité concerne le domaine de l'âme et le processus de croissance et de développement peut être ou ne pas être stimulé par des croyances religieuses (Becvar, 1997). L'Association des Alcooliques Anonymes (AA) est un bon exemple d'un organisme qui intègre la spiritualité dans ses pratiques de lutte contre l'alcoolisme. L'expérience de la souffrance ou de la maladie tend souvent à devenir une expérience de spiritualité puisque la famille essaie de trouver un sens à sa douleur et à sa détresse (Wright, 1999).

Deux outils précieux donnent un aperçu rapide de la structure interne (génogramme) et externe (écocarte) de la famille. Ils servent à la fois à la collecte des données et à l'évaluation des besoins pour la planification des interventions. Le génogramme et l'écocarte sont utilisés pour recadrer les comportements, les relations et les liens chronologiques, et pour neutraliser et normaliser les perceptions que les familles ont d'elles-mêmes (Kuehl, 1995, p. 239). Ces outils de représentation schématique permettent aussi bien à la famille qu'à l'intervenant de visualiser une quantité considérable de données en un seul coup d'œil et peuvent remplacer une foule d'explications écrites.

Le génogramme ressemble à un arbre généalogique qui décrit la composition de la famille sous une forme visuelle et contient une foule de données sur trois générations (voir l'annexe à la fin du chapitre). Les membres d'une famille sont disposés horizontalement et les générations sont reliées par des lignes verticales. Les enfants sont placés par ordre de naissance, l'aîné à gauche. Les membres de la famille qui vivent ensemble sont encerclés. On utilise des symboles pour décrire la structure de la famille et de ses membres. À l'intérieur du carré (homme) ou du cercle (femme), on inscrit le nom et l'âge de la personne et, à l'extérieur, des données importantes la concernant (voyage beaucoup, se dit déprimée, s'investit beaucoup dans son travail, etc.). Le triangle peut servir à incorporer une situation particulière comme un avortement spontané. Lorsqu'il y a un décès, on trace des petites lignes à l'intérieur du symbole. Lorsqu'il y a un divorce ou une séparation, on trace deux traits horizontaux sur les lignes verticales qui relient les générations et les membres de la famille. Dans le cas des familles recomposées, il n'est pas nécessaire d'avoir toute l'information sur les ex-conjoints.

L'écocarte sert à décrire les liens que les membres de la famille entretiennent avec les suprasystèmes. Elle permet de visualiser ces liens (voir l'annexe à la fin du chapitre). On peut placer le génogramme de la famille dans le grand cercle ; les autres cercles représentent les personnes, les organismes ou les établissements qui jouent un rôle essentiel dans le contexte de la famille. La taille des cercles n'a pas d'importance. Ce qui compte vraiment, ce sont les liens qu'entretiennent les membres de la famille avec ces cercles. Les liens très forts peuvent être représentés par des lignes multiples ; un lien moins fort, mais tout aussi positif, par deux lignes. En revanche, un lien posant des difficultés peut être représenté par des barres obliques ou encore par une ligne brisée. Des flèches peuvent aussi indiquer le sens du lien. Des flèches pointant dans les deux sens représentent des liens réciproques.

Le fonctionnement de la famille

L'évaluation du fonctionnement de la famille porte sur tous les détails du comportement des individus les uns envers les autres selon deux dimensions : la dimension instrumentale et la dimension expressive.

La dimension instrumentale concerne les activités courantes de la vie quotidienne, notamment l'alimentation, le sommeil, la préparation des repas, l'administration des injections, le changement des pansements, etc. Cette dimension se manifeste par la performance physique de l'individu dans l'unité familiale (Roy, 1986). En présence d'un problème de santé, ces activités sont généralement plus nombreuses et plus fréquentes que dans la situation familiale habituelle. Par exemple, une personne quadraplégique a besoin d'aide pour accomplir presque toutes les activités instrumentales de la vie quotidienne.

La dimension expressive touche l'expression des émotions et des sentiments, la communication verbale et non verbale, la communication circulaire, la résolution de problèmes, les rôles, l'influence et le pouvoir, les croyances et les alliances, et les coalitions. Ces neuf sous-catégories ont été empruntées en partie au « Family Categories Schema » d'Epstein, Sigal et Rakoff (1978).

L'évaluation du fonctionnement doit porter essentiellement sur l'immédiat, c'est-à-dire « ici et maintenant ».

L'intervenant doit évaluer les forces et les difficultés de la famille pour chacune des sous-catégories. Lorsqu'il recueille les données sur le fonctionnement de la famille, il doit faire preuve de curiosité, manifester de l'intérêt et, surtout, de la considération pour la façon dont les familles ont toujours fonctionné. Toutefois, le respect du fonctionnement de la famille ne signifie pas que l'intervenant doit fermer les yeux sur la violence ou les mauvais traitements dont il pourrait être témoin dans sa démarche. Le travail de l'intervenant consiste d'abord à être le témoin de la situation de la famille. Pour ce faire, il doit observer attentivement les gestes, les comportements et les interactions entre les membres de la famille, ce qui requiert beaucoup de pratique. Le moindre geste peut être une occasion de voir la situation sous un autre angle et aider l'intervenant à proposer les solutions appropriées.

La communication émotionnelle a trait aux émotions exprimées par l'individu, soit par des paroles ou par des gestes. Plutchik (1980) parle de huit émotions primaires incluant la joie, l'acceptation, la peur, la surprise, la tristesse, le dégoût, la colère et l'anticipation. Quant aux émotions secondaires, elles sont un mélange des émotions primaires. Selon Plutchik, cette approche peut aider l'intervenant débutant à circonscrire les émotions ressenties par la famille.

L'intervenant recherchera les caractéristiques de la communication verbale, qui peut être directe ou indirecte. Lorsque la cible visée est atteinte, on parle de communication verbale directe. Si la cible n'est pas atteinte, on parle de communication indirecte. L'intervenant ne doit pas favoriser ce type de communication s'il souhaite que les membres de la famille expriment leurs émotions. Pour évaluer la communication verbale correctement, il faut se demander s'il y a distorsion du message et valider sa perception. Savoir dire ce qui est « pensé » et penser ce qui est « dit », voilà une bonne façon d'être clair et direct.

Le lecteur trouvera dans divers ouvrages de communication les définitions des mécanismes défensifs souvent utilisés dans les relations interpersonnelles (par exemple, Richard et Lussier, 2005). Ces ouvrages proposent aussi des façons d'amener les personnes à réaliser que leur communication manque de clarté. Par exemple, le déplacement est courant dans nos vies. Il vous est sans doute déjà arrivé d'être en colère ou frustré contre une personne au travail et de déplacer cette colère dans le milieu familial. Pour une meilleure compréhension des mécanismes de défense, le lecteur est invité à compléter ses connaissances en consultant des ouvrages spécialisés en communication.

La communication non verbale se rapporte aux messages non verbaux, y compris la posture (dos voûté, pianotage, attitude ouverte ou fermée), le contact visuel (soutenu, regard fuyant), le toucher, les gestes, les expressions du visage (grimaces, regard dans le vague, bâillements), la distance entre les membres de la famille (Travelbee, 1978). Les messages appelés « messages paraverbaux » comprennent la tonalité, les sons gutturaux, les pleurs, le bégaiement. Durant cette partie de l'évaluation du fonctionnement, l'intervenant doit toujours garder en tête l'influence de la culture et porter attention à l'enchaînement des messages, à la personne à qui ils sont adressés et au moment où ils sont transmis.

La communication circulaire se rapporte à la réciprocité de la communication.

Il existe des formes de communication coopératives et des formes négatives (cercle vicieux). L'observation d'un pattern de communication circulaire (PCC) négatif peut aider à mieux comprendre certaines situations. Par exemple, lorsque les personnes en cause se blâment mutuellement, il sera difficile d'améliorer la communication des partenaires s'ils continuent à se blâmer. L'intervenant peut amener les personnes à sortir de ce cercle en posant des questions appropriées.

La résolution de problèmes concerne l'aptitude de la famille à résoudre efficacement ses propres problèmes. L'intervenant peut évaluer, en collaboration avec la famille, les conséquences du choix des solutions et souligner celles qui pourraient être inefficaces. Par exemple, la décision d'un homme âgé de ne pas demander d'aide et de s'occuper seul de sa femme qui vient d'avoir une fracture de la hanche peut représenter un grand risque pour sa santé (Wright et Leahey, 2001).

Les rôles sont une série définie d'attentes d'une personne occupant une position par rapport à une autre ou par rapport à une personne occupant une autre position. Ces rôles sont composés de modèles de comportements qui sont attribués à chaque membre de la famille (Roy, 1986). Un rôle est un comportement non statique qui évolue en fonction d'une situation déterminée. Comme le rôle est l'action entreprise par rapport aux comportements visés, il subit l'influence des autres (Roy, 1986). Les rôles se transforment, d'où l'importance d'évaluer correctement la façon dont les membres de la famille s'en acquittent « ici et maintenant ». Des questions peuvent être soulevées à propos de la performance du rôle. Y a-t-il des conflits dans l'expression du rôle ? Les membres sont-ils en mesure d'assumer leurs rôles ? Certains rôles sont formels (père, mère, aîné, cadet) et d'autres informels (ange, rebelle, bouffon de la classe). Compte tenu de la définition que chaque membre de la famille peut donner aux divers rôles, il est important que l'infirmière conçoive l'évaluation des rôles en fonction de la famille plutôt que de l'individu. (Wright et Leahey, 2001).

L'influence se rapporte à la méthode utilisée pour modifier le comportement d'autrui. Le pouvoir est l'habileté d'une personne ou d'un groupe à définir les critères selon lesquels différentes visions de la réalité sont jugées. Le pouvoir peut s'exercer positivement ou négativement, ouvertement ou subtilement, pour élargir ou pour restreindre les options (Wright et Leahey, 2001).

L'influence ou le pouvoir peuvent être instrumentaux, psychologiques ou physiques. Lorsqu'ils sont instrumentaux, ils peuvent prendre diverses formes, par exemple, l'argent, l'autorisation de regarder la télévision, de se servir de l'ordinateur ou du téléphone, de manger des friandises, de prendre des vacances, etc. Sur le plan psychologique, les moyens utilisés pour avoir de l'influence ou du pouvoir consistent à donner des directives, à faire des éloges, à exprimer une critique ou à essayer de culpabiliser la personne. Ici, on vise à modifier un comportement au moyen de la communication et de l'expression des sentiments. Les expressions physiques de l'influence et du contrôle exercés par une personne comprennent les contacts physiques, les étreintes, toutes les punitions corporelles telles que les fessées.

Les croyances ont trait aux attitudes, aux principes, aux valeurs et aux assertions fondamentales des individus et des familles. Les croyances peuvent être contraignantes ou dites facilitantes. Toutes les interactions comprennent un ensemble de croyances : celles du client, celles des membres de sa famille et celles de l'intervenant. Tous nos choix, toutes nos actions et tous nos comportements émanent de nos croyances (St-Arnaud, 1995). Tous les comportements sont déterminés par la perception que la personne a d'elle-même, de l'événement ou de la situation (maladie, discussion, etc.) et de l'environnement humain et matériel à ce moment précis.

Les alliances et les coalitions ont trait à l'orientation, à l'équilibre et à l'intensité des relations que les membres de la famille établissent entre eux ou avec l'intervenant. Les relations entre deux personnes peuvent être complémentaires ou symétriques. La relation entre trois personnes est triangulaire. La plupart des relations familiales sont triangulaires, car il est plus facile de tolérer l'anxiété dans ce type de relation que dans une relation à deux (Wright et Leahey, 2001). Il existe de nombreux triangles dans chaque famille ; le travail de l'intervenant consiste à savoir si ces alliances sont nuisibles ou enrichissantes. Les coalitions entre générations coïncident parfois avec un comportement problématique.

DEUXIÈME ÉTAPE : L'ANALYSE DES DONNÉES

Cette section traite de l'étape où l'intervenant peut tirer des conclusions pertinentes au sujet de la situation du client et de sa famille, définir les besoins de la famille et arriver à se représenter la famille grâce aux observations conjointes de la famille et de l'intervenant. Une fois l'information recueillie, la famille et l'intervenant cherchent, ensemble, à l'expliquer et à lui donner un sens en fonction de la situation. À la suite de cet examen, ils seront en mesure de juger de la nécessité d'une intervention.

L'analyse et l'interprétation permettent de déterminer la nature du problème. Les deux partenaires doivent s'entendre pour définir le problème jugé prioritaire. Dans la littérature, il existe différentes façons d'exprimer le problème ; elles varient selon la profession de l'intervenant. L'infirmière peut utiliser soit le diagnostic infirmier, soit l'élaboration d'hypothèses. À cette étape du travail, l'important est de mettre de l'avant la relation de coopération entre le client et l'intervenant. Dans une relation de coopération, les partenaires arrivent à un consensus quant à la définition du problème (Wright et Leahey, 2001 ; Friedman, 2003). Selon le modèle de McGill (2002), le rôle de l'infirmière au cours de l'analyse et de l'interprétation des données en partenariat avec la famille consiste à :

- soulever des questions concernant le problème ou la préoccupation immédiate ;
- établir des liens entre les données ;
- procéder à des bilans et à des synthèses ;
- encourager le client ou la famille à expliquer son problème ;
- souligner les forces et les capacités du client ou de la famille, et les ressources disponibles.

Selon le modèle de Calgary, pour exprimer le résultat de l'analyse, la formulation d'une hypothèse (explication plausible de la situation) est plus facile que la recherche d'un diagnostic ou d'une représentation objective. L'objectif de l'intervenant n'est pas de rechercher la vérité ou la réalité, mais bien de faire en sorte que son travail soit utile à la famille. Ainsi, il ne faut pas s'attarder à formuler l'hypothèse la plus juste mais l'hypothèse la plus utile pour la famille. On ne cherche pas nécessairement la cause du problème, mais la cause de ce qui semble le perpétuer.

Les hypothèses évoluent constamment au cours des échanges avec le client ou la famille, et ce, à mesure qu'une relation de confiance s'établit. L'hypothèse est une proposition ou une intuition provisoire servant de base à la poursuite de l'exploration. Wright et Leahey (2001) suggèrent un guide de questions simples pour aider les intervenants débutants à formuler des hypothèses. L'hypothèse proposée peut s'avérer des plus complètes si l'intervenant a pris soin de répondre aux cinq questions suivantes : qui ? quoi ? pourquoi ? où ? quand ? comment ?

En expliquant la notion d'hypothèse, Friedman (2003) propose que cette dernière soit axée sur le questionnement de l'intervenant et que le travail avec la famille s'articule autour d'un diagnostic infirmier. Le diagnostic infirmier permet de regrouper l'information afin de formuler le problème (Carpenito, 2003). Il permet à l'intervenant de reconnaître le problème actuel et d'observer la réaction du client ou de la famille à l'agent stressant. Les deux composantes de l'élaboration du diagnostic infirmier, les comportements et les stimuli, permettent à l'intervenant de relier le problème au principal facteur de stress et de décrire la réaction (symptômes, caractéristiques). Friedman utilise les diagnostics infirmiers classés selon l'Association des infirmières de l'Amérique du Nord (NANDA).

Le professionnel de la santé élabore-t-il un diagnostic infirmier ou énonce-t-il une hypothèse ? L'élaboration d'hypothèses ou de diagnostics infirmiers constitue l'aboutissement de la collecte de données. Elle sert de fondement à l'élaboration des objectifs d'intervention (Gordon, 2000). Le plus important, c'est que l'intervenant inclue la famille tout au long du processus de formulation du problème et dans la planification de la résolution du problème, indépendamment du modèle choisi. Si les données recueillies sont pertinentes et validées par la famille, le diagnostic infirmier sera assez précis. Le diagnostic infirmier conduira à des objectifs à court et à long terme et à des interventions visant à aider la famille à s'adapter plus efficacement (Friedman, 2003).

TROISIÈME ÉTAPE : LES INTERVENTIONS

La planification des interventions visant le changement s'effectue aussi en partenariat avec les membres de la famille. À cette étape, l'intervenant, de concert avec la famille, conçoit le scénario souhaité pour la famille-cliente et l'énonce clairement dans des objectifs à atteindre. Ces objectifs servent à la fois de guide dans la mise en place des interventions et de balise dans l'évaluation de l'atteinte des objectifs. Plus les objectifs sont clairs, précis, justes, réalistes et mesurables, plus ils seront faciles à évaluer. C'est la règle des Q : qui fera quoi et quand (Carpenito, 2003). Les interventions sont donc les mesures à prendre pour atteindre les objectifs. Elles peuvent viser à promouvoir, à améliorer et à maintenir le fonctionnement de la famille. Wright et Leahey (2001) préconisent l'application des neuf critères présentés ci-dessous pour juger de la pertinence des interventions proposées en tenant compte des trois facteurs suivants :

- Les interventions visent à améliorer le fonctionnement de la famille dans divers domaines (cognitif, affectif ou comportemental) ; elles ne constituent pas une liste d'interventions prescriptives qui limitent la créativité des intervenants.
- Les connaissances, fondées sur des données probantes, font également partie intégrante du processus.
- Les professionnels doivent appuyer leurs interventions sur des recherches et des données scientifiques reconnues.

PREMIER CRITÈRE : POSER DES QUESTIONS SYSTÉMIQUES (DUHAMEL, 1995) OU CIRCULAIRES (WRIGHT ET LEAHEY, 2001)

Les questions systémiques aident à cerner le problème. Elles sont axées sur l'investigation et servent à explorer les perceptions des membres de la famille concernant le problème à résoudre et leur façon de les décrire. Les questions circulaires favorisent le changement ; elles sont plus productives et proposent de nouveaux liens ouvrant la voie à des comportements nouveaux ou différents. Les questions peuvent être de quatre types : elles peuvent porter sur les différences entre les personnes, les relations, le temps, les idées et les croyances ; sur l'effet d'un comportement ; sur l'avenir (d'ordre hypothétique) et sur une triade.

DEUXIÈME CRITÈRE : METTRE EN VALEUR LES FORCES INDIVIDUELLES ET FAMILIALES

Il est important pour l'intervenant de faire la différence entre mettre des forces en valeur et faire des compliments à la famille. Un compliment est fait sur des observations tandis que la mise en valeur d'une force est faite après avoir observé un pattern de comportements. Par exemple, on peut souligner les efforts que la famille a déployés pour changer une situation. Selon McElheran et Harper-Jaques (1994), les études ont démontré que souvent, les intervenants ne font aucune remarque pour souligner les forces de la famille. Cela devient du renforcement négatif, car la famille ne sait pas ce qu'elle fait de bien. Il semble donc plus efficace de mettre l'accent sur ses forces plutôt que sur ses limites.

Troisième critère : présenter l'information, les diverses opinions sur le sujet et faire de l'enseignement

Il est primordial pour la famille d'être informée par des professionnels de la santé en ce qui concerne les moyens à adopter pour prendre en charge la maladie d'un de ses membres, promouvoir la santé et favoriser le développement de ses membres (Hickey, 1990). Lorsqu'il veut présenter de l'information à la famille, l'intervenant doit utiliser un langage pertinent, clair et précis, et offrir des textes faciles à lire. Il peut également inscrire sur une fiche les points essentiels afin d'aider la famille à les reconnaître facilement. Il est nécessaire que l'intervenant renseigne la famille sur les groupes de soutien et les autres ressources communautaires. Si la famille exprime des réticences à consulter ces groupes, l'intervenant peut préciser de quelle manière ils ont aidé d'autres familles.

L'enseignement de soins particuliers est parfois nécessaire. Il faut alors élaborer un plan, tout comme pour la démarche de soins. L'intervenant doit déterminer les besoins, les objectifs et les moyens qu'il utilisera pour atteindre ces objectifs (voir le chapitre 6).

Quatrième critère : légitimer ou normaliser les réactions affectives (reconnaître l'expérience de la famille, lui donner de l'espoir et décrire la situation comme normale)

Cette intervention permet d'alléger le sentiment d'isolement et de solitude qu'éprouve la famille. Cependant, l'intervenant ne doit pas exagérer. Par exemple, une phrase du genre « Ne vous en faites pas, ce que vous vivez est très normal et tout va rentrer dans l'ordre » peut empêcher les membres de la famille d'exprimer ce qu'ils ressentent vraiment.

Cinquième critère : inviter la personne à faire le récit de l'expérience de la maladie

L'important, c'est d'encourager les familles à parler de leur façon d'affronter la maladie plutôt que de leur expérience médicale. Les professionnels de la santé ont tendance à se fier à l'histoire médicale rapportée dans le dossier plutôt que d'écouter la famille. Or, le fait de décrire son expérience permet à la famille de parler non seulement de la maladie et de la souffrance mais aussi du courage et de la ténacité de ses membres. Ce type d'intervention permet aux professionnels de la santé de recueillir beaucoup de renseignements utiles, mais il faut d'abord établir une relation de confiance avec la famille. Cette approche favorise un climat propice à l'expression des sentiments telles la peur, la colère et la tristesse. Chaque membre de la famille doit pouvoir s'exprimer dans un contexte où il sent qu'il a droit à ses émotions, aussi intenses soient-elles.

Sixième critère : promouvoir l'entraide au sein de la famille

L'intervenant peut jouer un rôle de catalyseur en facilitant la communication entre les membres de la famille afin qu'ils partagent leurs préoccupations et leurs sentiments (Craft et Willadsen, 1992). Cette approche est particulièrement bénéfique lorsqu'un des membres a des croyances culturelles qui dictent son comportement envers un autre membre ou encore envers la problématique de santé. En les aidant à exprimer leurs émotions, l'intervenant favorise un début d'entraide entre les membres de la famille.

Septième critère : soutenir les membres de la famille dans leur rôle de soignants

Souvent, la timidité ou la peur empêchent les membres de la famille de participer aux soins du malade. Pourtant, une fois qu'ils ont surmonté ces sentiments, l'expérience montre qu'ils sont habituellement heureux de faire quelque chose pour la personne malade. Cette intervention les rassure et leur permet de se sentir utiles. Et comme ils réussissent à vaincre partiellement leur sentiment d'impuissance devant la maladie, ils ont l'impression d'avoir une plus grande maîtrise de la situation. Bien entendu, l'intervenant doit demeurer vigilant pour éviter que les aidants naturels, cherchant à en faire trop, s'épuisent.

Huitième critère : encourager les membres de la famille à s'accorder un répit

Les soignants naturels éprouvent beaucoup de difficulté à s'accorder du répit parce qu'ils se sentent coupables ou qu'ils ont l'impression de faillir à la tâche. Le besoin de repos varie d'une famille à l'autre (selon la gravité de la maladie, les ressources financières et les autres ressources des membres de la famille). On doit tenir compte de ces facteurs avant de recommander des périodes de répit, mais ces périodes sont indispensables aux familles.

Neuvième critère : proposition de rituels (suggérer des comportements, faire des essais)

L'intervenant peut proposer de nouveaux rituels thérapeutiques, car souvent, les problèmes obligent la famille à renoncer aux rituels auxquels elle est habituée. Par exemple, les parents dont les méthodes d'éducation diffèrent finissent par créer de la confusion chez leurs enfants (messages contradictoires). Dans ce cas, on peut suggérer aux parents de jouer leur rôle en alternance auprès des enfants afin de diminuer la confusion.

Bien entendu, il existe une multitude d'autres interventions auxquelles l'intervenant peut avoir recours en accord avec la famille. Il peut utiliser des méthodes visant à modifier le comportement, du counseling et des stratégies de prise en charge ; il peut aussi, en collaboration avec le client, travailler à modifier l'environnement, les habitudes de vie, etc. La lecture des recherches dans ce domaine et la créativité des professionnels de la santé aideront les partenaires à trouver des solutions qui conviennent aux familles en difficulté.

QUATRIÈME ÉTAPE : L'ÉVALUATION DES INTERVENTIONS

L'évaluation consiste à observer les signes qui démontrent que l'objectif a été atteint. Il s'agit d'évaluer les objectifs et non les interventions. Quand l'objectif n'a pas été atteint ou que la famille estime qu'elle n'a pas surmonté ses difficultés, il est nécessaire d'évaluer et de remettre en question les interventions faites. L'intervenant peut retourner aux données de départ ou encore réexaminer le problème en collaboration avec la famille.

CONCLUSION

Les professionnels de la santé occupent une place privilégiée dans la vie des clients qu'ils côtoient. Lors des visites à domicile, notamment auprès des familles les plus à risque, l'intervention des professionnels de la santé peut aider les membres de la famille à améliorer leur santé et surtout à la prendre en charge. Certaines études ont démontré que les visites effectuées auprès des familles à des périodes précises de la grossesse ont grandement contribué à améliorer la santé de la mère et du fœtus, et ont aidé à maintenir cet état tout au long de la grossesse (Fetrick, Christensen et Mitchell, 2003).

En général, les professionnels de la santé jouissent de la confiance du public en ce qui a trait à leurs compétences et aux soins dispensés. L'intervenant qui travaille auprès d'une famille doit toujours se poser deux questions fondamentales : y a-t-il eu une évaluation ? De quelle façon la famille participe-t-elle aux soins donnés au client ? Il doit également se demander si cette famille reçoit un soutien adéquat et si elle possède les ressources nécessaires pour répondre à ses besoins. L'avenir de la santé de la population appartient aux futurs professionnels de la santé et dépend de leur détermination à offrir des soins de qualité.

RÉFÉRENCES

ADAM, E. (1979). *Être infirmière*, Montréal, Éditions HRW.

ALLMOND, B.W., W. BUCKMAN et H.F. GOFMAN (1979). *The family is the patient*, St. Louis, C.V. Mosby.

ASHBY, W. (1969). *Design For a Brain*, London, Chapman & Hall, Science and Behavior Books.

BANDURAS, A. (1986). *Social Foundations of Thought and Action : A Social Cognitive Theory*, Englewood Cliffs (New Jersey), Prentice-Hall.

BAVELAS, J.B. (1992). « Research into the pragmatics of human communication », *Journal of Strategic and Systemic Therapies*, vol. 11, n° 2, p. 15-29.

BECVAR, D.S. (1997). « Soul healing and the family », dans D.S. Becvar, (dir.), *The Family, Spirituality and Social Work*, Binghamton (New York), Harworth Press.

BOSS, P. (1980). « Normative family stress : Family boundary changes across the life-span », *Family Relationship*, n° 29, p. 445-450.

CARPENITO, L.J. (2003). *Manuel de diagnostics infirmiers*, adaptation française par Lina Rahal, Saint-Laurent (Québec), Éditions du renouveau pédagogique inc.

CARTER, B. et M. McGOLDRICK (1988). *The changing family life cycle : A framework for therapy*, New York, Garner Press.

CHENG-HAM, M.D. (1989). « Family therapy with immigrant families : Constructing a bridge between different world views », *Journal of Strategic and Systemic Therapies*, n° 8, p. 1-2.

CHESLA, C.A et D. STANNARD (1997). « Breakdown in the nursing care of families in the ICU », *American Journal of Critical Care*, n° 6, p. 64-71.

COMITÉ CONSULTATIF FÉDÉRAL-PROVINCIAL-TERRITORIAL SUR LA SANTÉ DE LA POPULATION (CCSP) (1994). *Stratégies pour la santé de la population : investir dans la santé des Canadiens*, ministre des Approvisionnements et Services, Ottawa.

CRAFT, M.J. et J.A. WILLADSEN (1992). « Interventions related to family », *Nursing Clinics of North America*, vol. 27, n° 2, p. 517-540.

DANESHPOUR, M. (1998). « Muslim families and family therapy », *Journal of Marital and Family therapy*, vol. 24, n° 3, p. 355-368.

DUFFY, M.E. (1988). « Health promotion in the family : Current findings and directives for nursing research », *Journal of Advanced Nursing*, vol. 13, n° 1, p. 109-117.

DUHAMEL, F. (1995). *La santé et la famille. Une approche systémique en soins infirmiers*, Montréal, Gaëtan Morin éditeur.

DUVALL, E. (1977). *Marriage and Family Development*, Philadelphia, J.B. Lippincott.

EPSTEIN, N., D. BISHOP et S. LEVIN (1978). « The McMaster model of family functioning », *Journal of Marriage and Family Counseling*, n° 4, p. 19-31.

FETRICK, A., M. CHRISTENSEN et C. MITCHELL (2003). « Does public health nurse home visitation make a difference in the health outcomes of pregnant clients and their offspring ? », *Public Health Nursing*, vol. 20, n° 3, p. 184-189.

FRIEDMAN, M.M. (2003). *Family nursing : Research, theory and practice*, Upper Saddle River (New Jersey), Pearson Education Inc.

FRIEDMAN, M.M. (1997). *Family nursing : Research, theory and practice*, East Norwalk (Connecticut), Appleton & Lange.

GORDON, M. (2000). *Manual of nursing diagnosis*, St. Louis, Mosby.

GOTTLIEB, L.N. et N. FEELEY (1996). « The McGill model of nursing and children with chronic condition : "Who benefits, and why?" », *Canadian Journal of Nursing Research*, vol. 28, n° 3, p. 29-48.

GREEN, R.J. et P.D. WERNER (1996). « Intrusiveness and closeness-caregiving : Rethinking the concept of family enmeshment », *Family Process*, vol. 35, n° 2, p. 115-136.

HICKEY, M. (1990). « What are the needs of families of critically ill patients ? : A review of the literature since 1976 », *Heart and Lung*, n° 19, p. 401-415.

KUEHL, B. (1995). « The solution-oriented genogram : A collaborative approach », *Journal of Marital and Family Therapy*, vol. 21, n° 3, p. 239-250.

LADEWIG, P.W., M.L. LONDON, S. MOBERLY et S.B. OLDS (2003). *Soins infirmiers en périnatalité*, adaptation française par Francine Benoit, Manon Bernard, Pauline Roy et France Tanguay, Saint-Laurent (Québec), Éditions du renouveau pédagogique inc.

LANDSBERRY, C.R. et E. RICHARDS (1992). « Family nursing practice paradigm perspectives and diagnostic approaches », *Advances in Nursing Science*, vol. 15, n° 2, p. 66-75.

LEPAGE, M., L. ESSIEMBRE et G. COUTU-WAKULCZYK (1996). « Variations sur le thème de la famille », *L'infirmière canadienne*, vol. 92, n° 7, p. 40-44.

LUSSIER, R. (2005). *La communication professionnelle en santé*, Saint-Laurent (Québec), Éditions du renouveau pédagogique inc.

LYOTARD, J.F. (1992). *The inhuman : Reflections on time*, Stanford, Stanford University Press.

MALO, D., S. CÔTÉ, V. GIGUÈRE et L. O'REILLY (1998). « Modèle de McGill et CLSC : Une combinaison gagnante », *L'infirmière du Québec*, vol. 6, n° 2, p. 28-35.

MATURANA, H. et F. VARELA (1992). *The Tree of Knowledge : The Biological Roots of Human Understanding*, Boston (MA), Shambhala Publications.

McELHERAN, N. et S. HARPER-JAQUES (1994) « Commendations : A resource intervention for clinical practice », *Clinical Nurse Specialist*, vol. 8, n° 1, p. 7-10.

McGOLDRICK, M. et R. GERSON. (1985). *Genograms in Family Assessment*, New York, W.W. Norton.

McGOLDRICK, M. (1998). « Introduction : Revisioning family therapy through cultural lens », dans M. McGoldrick (dir.), *Revisioning Family Therapy : Race, Culture, and Gender*, New York, The Guilford Press, p. 3-19.

MELLOR, S. (1990). « How do only children differ from other children ? », *Genetic Psychology*, vol. 151, n° 2, p. 221-230.

MINUCHIN, S. (1974). *Families and Family Therapy*, Cambridge (MA), Harvard University Press.

NEABEL, B., F. FOTHERGILL-BOURBONNAIS et J. DUNNING (2000). « Family assessment tools : A review of the literature from 1978-1997 », *Heart and Lung : The Journal of Acute and Critical Care*, vol. 29, n° 3, p. 196-209.

PATTERSON, J. (1995), dans D.L. WONG (2002). *Soins infirmiers : pédiatrie*, Laval (Québec), Éditions Études Vivantes, p. 33.

PATTERSON, C. (1992), dans D.L. WONG (2002). *Soins infirmiers : pédiatrie*, Laval (Québec), Éditions Études Vivantes, p. 39.

PAUL, D. (1993). « Les étapes du cycle de la vie familiale », *Nursing Québec*, vol. 13, n° 4, p. 32-39.

PLUTCHIK, R. (1980). *Emotion : A Psycho-Evolutionary Synthesis*, New York, Harper and Row.

POTTER, P.A. et A.G. PERRY (2002). *Soins infirmiers : théorie et pratique*, Laval (Québec), Éditions Études Vivantes.

PURNELL, L.D. et B.J. PAULANKA (1998). *Transcultural Health Care : A Culturally Competent Approach*, Philadelphia, F.A. Davis.

REGISTERED NURSES ASSOCIATION OF ONTARIO (2002). *Supporting and Strengthening Families Through Expected and Unexpected Life Events*, Toronto, Registered Nurses Association of Ontario.

RICHARD, C. et M.T. LUSSIER (2005). *La communication professionnelle en santé*, Saint-Laurent (Québec), Éditions du renouveau pédagogique inc.

ROBINSON, C.A. et M. WRIGHT (1995). « Family nursing interventions : What families say make a difference », *Journal of Family Nursing*, vol. 1, n° 3, p. 327-345.

ROY, C. (1986). *Introduction aux soins infirmiers : un modèle d'adaptation*, Chicoutimi, Gaëtan Morin éditeur.

ST-ARNAUD, Y. (1995). *L'interaction professionnelle. Efficacité et coopération*. Montréal, Les Presses de l'Université de Montréal.

ST-DENIS, Y., E. POPLEA et G. COUTU-WAKULCZYK (2000). « La famille-cliente en services de santé : une approche systématique », *Reflets*, n° 6, p. 180-190.

SIMON, R. (1988). « Family life cycle issues in the therapy system », dans B. Carter et M. McGoldrick (dir.), *The Changing Family Life Cycle : A Framework for Family Therapy*, 2e éd., New York, Gardner Press.

SKEMP KELLEY, L., J.K. PRINGLE SPECHT et M.L. MAAS (2000). « Family involvement in care for individuals with dementia protocol », *Journal of Gerontological Nursing*, vol. 8, n° 3, p. 13-21.

SLUZKI, C. (1974). « On training to think interactionnally », *Social Science and Medicine*, n° 8, p. 483-485.

SMITH, L. (2002). « Caring for the Family », *Australian Nursing Journal*, vol. 10, n° 3, p. 1-7.

TOMAN, W. (1988). « Basics of family structure and sibling position », dans M.D. Kahn et K.G. Lewis (dir.), *Sibling in Therapy : Life Span and Clinical Issues*, New York, W.W. Norton.

TRAVELBEE, J. (1978). *La relation d'aide en nursing psychiatrique*, traduit de l'anglais par Charlotte Tremblay-Duval, Saint-Laurent (Québec), Éditions du renouveau pédagogique inc.

VON BERTALANFFY, L. (1974). « General System Theory and Psychiatry », dans S. Arieti, *American Handbook of Psychiatry*, New York, John Wiley & Sons.

WATT, S. et D. NORTON (2004). « Culture, ethnicity, race : what's the difference ? », *Pediatrics Nursing*, vol. 16, n° 8, p. 37-42.

WATZLAWICK, P., J.H. BEAVIN et D.D. JACKSON (1967). *Pragmatic of Human Communication*, New York, W.W. Norton.

WHALL, A.L. (1986). « The family as the unit of care in nursing : A historical Review », *Public Health Nursing*, vol. 3, n° 4, p. 240-249.

WRIGHT, L.M., W.L. WATSON et J.M. BELL (1990). « The family nursing unit : A unique integration of research, education and clinical practice », dans J.M. Bell, W.L. Watson et L.M. Wright, *The Cutting Edge of Family Nursing*, Calgary, Unité de nursing familial de l'Université de Calgary.

WRIGHT, L.M. (1999). « Spirituality, suffering and beliefs : The soul of healing with families », dans F. Walsh (dir.), *Spiritual Resources in Family Therapy*, New York, Guilford Press.

WRIGHT, L.M. et M. LEAHEY (2001). *L'infirmière et la famille*, adaptation française de la deuxième édition par Lyne Campagna, édition originale 2000, Saint-Laurent (Québec), Éditions du renouveau pédagogique inc.

WOOD, B. (1985). « Proximity and hierarchy : Orthogonal dimensions of family interconnectedness », *Family Process*, n° 24, p. 487-507.

ANNEXE

Voici un exemple de génogramme et d'écocarte (voir les figures 17.1, 17.2 et 17.3, aux pages 270 et 271) construit à partir de renseignements recueillis sur la famille Terville.

LA FAMILLE TERVILLE

La famille Terville a été envoyée au centre de santé de la ville par l'hôpital où la mère a accouché de son dernier enfant. La feuille de consultation révèle que madame Terville désire en savoir plus sur les méthodes de planification des naissances. De plus, elle souhaite avoir la visite de l'infirmière afin de s'assurer qu'elle se rétablit bien de l'accouchement et que son fils est en bonne santé.

Marie Terville est âgée de 35 ans. Son dernier fils, prénommé Daniel, est né il y a cinq jours. Il pèse 3 238 g et mesure 48 cm. L'accouchement s'est bien déroulé et le lien d'attachement est présent à la sortie de l'hôpital. Durant sa grossesse, madame Terville a fait de l'hypertension gravidique sans protéinurie. L'accouchement a causé une lacération du deuxième degré au périnée.

Lors de la première visite, nous avons obtenu les renseignements suivants à propos de la famille. Le père, Jean-Baptiste, a 43 ans. Il est chauffeur de taxi pour la compagnie Blue Line et il est au travail au moment de votre visite. Les deux plus vieux enfants sont à l'école. L'aîné, Joseph, a six ans. Il est en première année. Sa mère le décrit comme un enfant indépendant et brillant. C'est un leader à la maison et à l'école. Madame Terville lui confie des responsabilités avec ses frères et sœurs, mais elle doit quand même le surveiller pour éviter qu'il se prenne pour le père. Elle se dit proche de son Joseph, car il est sensible et obéissant.

Mégane a cinq ans et va à la maternelle. C'est une enfant calme et docile; elle aime jouer toute seule et s'occuper du nouveau-né. Mégane suit toujours son grand frère Joseph.

Béatrice est âgée de quatre ans et elle est très dynamique. Elle aime chanter, jouer à la princesse, courir et s'amuser avec ses amies. Bruni, âgé de trois ans, est très actif. Il aime faire le tour de la maison en courant et se promener sur son tricycle. Il pleure et crie lorsqu'il ne peut pas jouer dehors. Il rend la vie de la famille plus difficile. Il y a aussi Daniel, le nouveau-né.

Le couple est marié depuis sept ans. Le père de Jean-Baptiste, prénommé Jean, a 78 ans, et sa mère, Marianne, 72 ans. Jean souffre de maux de dos, et Marianne, d'ostéoarthrite. Arrivé au Canada depuis peu, le couple vit près de la famille Terville. Le père de Marie est décédé il y a un an d'un grave problème cardiaque. La mère de Marie, Tatie, vit toujours; elle est âgée de 70 ans et est en très bonne santé. Elle est restée en Haïti avec ses sœurs et ses frères. Toutefois, Marie et sa sœur sont très proches l'une de l'autre et se voient régulièrement. Les Terville sont très pratiquants et vont à l'église tous les dimanches. L'église est près de la maison et la famille peut s'y rendre à pied. La communauté religieuse s'occupe beaucoup de la famille Terville. Le médecin de madame Terville est tout proche de la maison et doit revoir Marie dans cinq semaines. Jean-Baptiste aime bien bavarder avec ses copains au restaurant créole du quartier, le Méli-Mélo. Ce n'est pas seulement un restaurant; c'est aussi un lieu de rencontre pour la communauté haïtienne, qui échange des nouvelles du pays.

Figure 17.1 Les symboles utilisés pour construire un génogramme

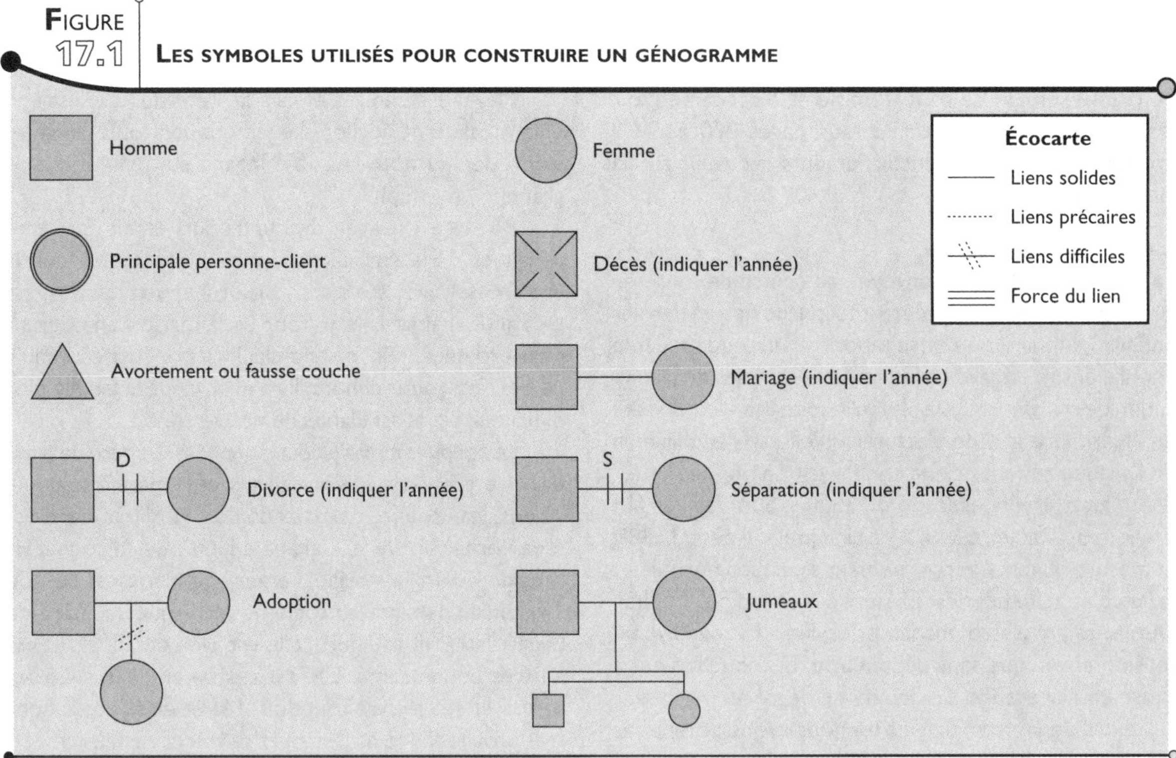

Figure 17.2 Le génogramme

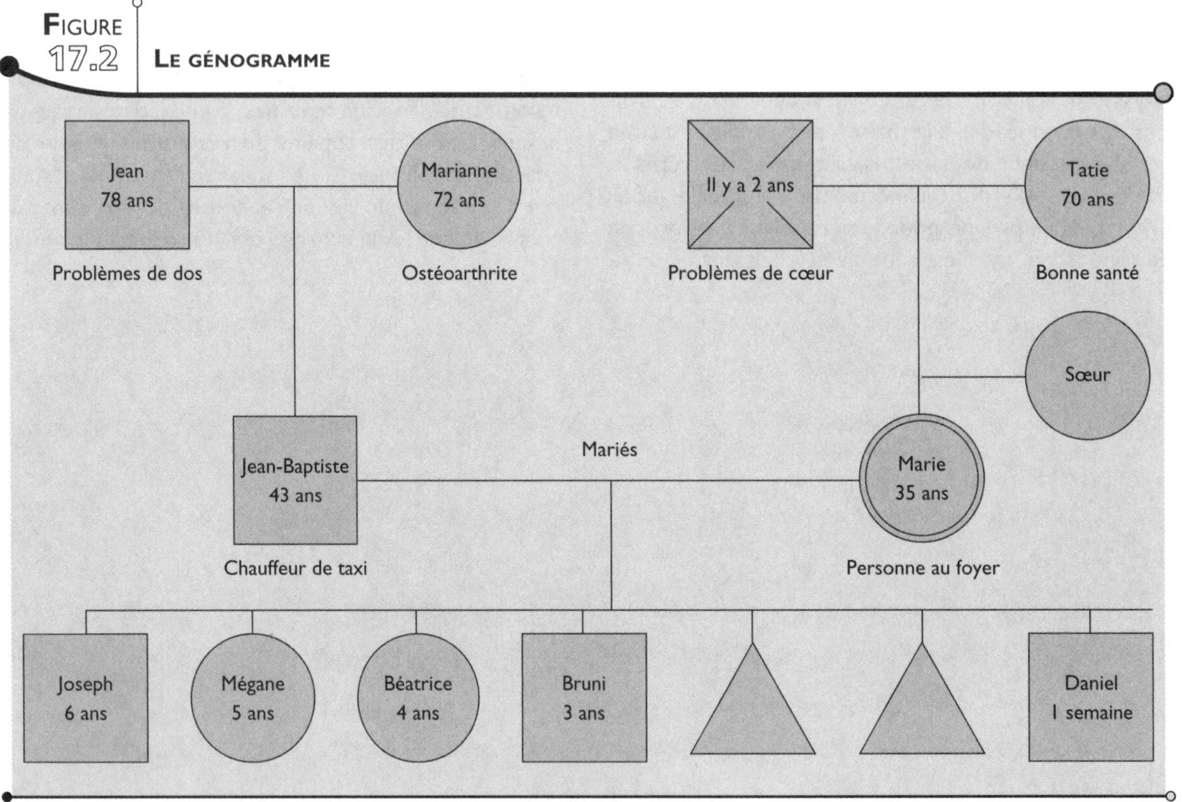

FIGURE 17.3 L'ÉCOCARTE

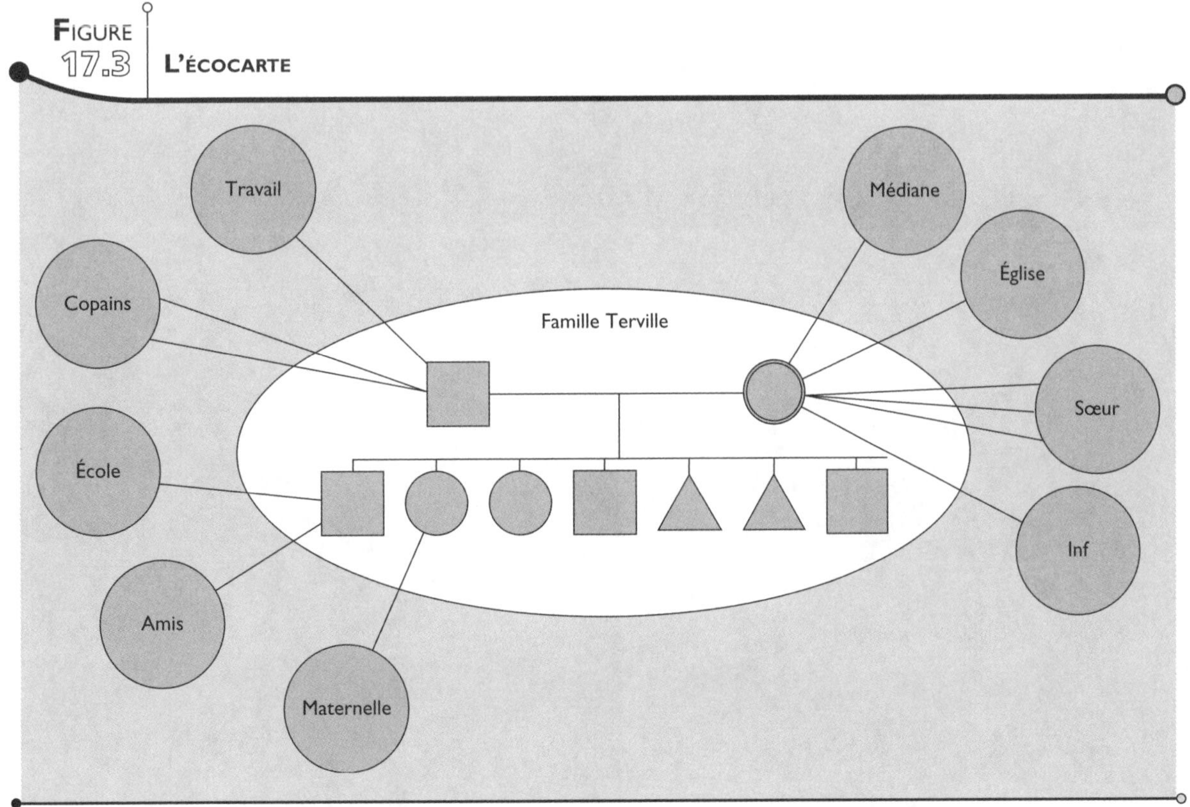

Source : Les figures 17.1 à 17.3 sont inspirées de Wright et Leahey (1994), *Nurses and Families : A Guide to Family Assessment and Intervention*, 2e éd., Philadelphie, Davis.

CHAPITRE 18

MODÈLE D'ÉVALUATION ET D'INTERVENTION AUPRÈS DES FAMILLES À LA PÉRIODE POSTNATALE

LINDA BELL
AUDETTE SYLVESTRE

INTRODUCTION

L'accompagnement des familles accueillant un nouveau-né se révèle une expérience riche en défis pour l'infirmière. En effet, l'arrivée d'un enfant constitue un changement radical pour le couple (Belsky et Rovine, 1990) ainsi qu'une tâche développementale majeure de l'âge adulte (Gilligan, 1982). Elle implique notamment un nouveau partage des responsabilités à l'intérieur du couple, l'acquisition de compétences pour prendre soin de l'enfant et assurer son développement, un ajustement entre vie conjugale et fonction parentale, et l'établissement d'une complicité dans l'exercice du rôle parental nécessitant une négociation constante des pratiques parentales (Borenstein, 2002; Cowan et Cowan, 1988; Heinicke, 2002; Osofsky et Osofsky, 1980). L'infirmière accompagnant les familles dans ces périodes d'ajustements personnels, conjugaux et familiaux doit bien comprendre les dynamiques en jeu afin de faciliter les adaptations requises par cette nouvelle étape de vie.

Le soin infirmier à la famille en période périnatale vise à évaluer, à promouvoir et à soutenir la croissance et le développement des enfants de même que le développement du potentiel parental et de la famille. Le rôle de l'infirmière en périnatalité est déterminant puisque la période entourant la naissance de l'enfant constitue une occasion privilégiée pour l'apprentissage de comportements propices à la santé et au bien-être de ce dernier. Les infirmières occupent donc une position stratégique et interviennent de façon précoce pour aplanir les difficultés qui peuvent survenir dans l'adaptation au rôle de parent au cours des toutes premières semaines de vie de l'enfant.

Le but du présent chapitre est de présenter aux infirmières travaillant auprès des familles durant la période périnatale un modèle d'évaluation et d'intervention relatif aux principaux processus d'adaptation mis en branle à l'arrivée d'un enfant. D'entrée de jeu, précisons que ce guide que nous proposons aux infirmières pour évaluer les processus et intervenir auprès des familles cible la période postnatale, soit la première année suivant la naissance de l'enfant. Quoiqu'il y ait un lien entre les processus physiologiques, psychologiques et familiaux présents durant la grossesse et le dénouement en période postnatale (Heinicke, 2002), il nous apparaît judicieux, pour des questions de clarté théorique et pratique, de traiter séparément ces deux épisodes de la période périnatale.

LE MODÈLE THÉORIQUE À LA BASE DE L'APPROCHE PROPOSÉE

Notre approche se base sur une perspective écologique de l'expérience des mères, des pères et de leurs enfants au cours de la première année suivant la naissance d'un enfant. Le modèle écologique, mis de l'avant par Bronfenbrenner pour la première fois en 1979, vise à rendre compte de la nature des interrelations complexes entre l'individu et son environnement (Bronfenbrenner, 1979; 1986; 1994). Il conjugue l'effet des contextes à celui du développement des personnes et des relations à l'intérieur de la famille pour expliquer le parentage et le développement des enfants (Belsky, 1984; Bouchard, 1981; Bronfenbrenner, 1979).

Notre approche, basée sur ce modèle, met en évidence les processus déployés par la famille à différents niveaux de son système écologique pour faire face aux défis posés par la naissance d'un enfant. Au cœur même de la famille, qui constitue le premier environnement dans lequel l'enfant se développe, s'effectue un ensemble de transformations et d'ajustements que l'infirmière œuvrant en périnatalité se doit de bien connaître. Cela lui permettra d'appréhender la situation clinique de manière organisée tout en étant sensible à l'ensemble des préoccupations individuelles et familiales présentes au moment de l'arrivée d'un enfant. En nous basant sur les principaux écrits dans le domaine de la transition vers le rôle de parent (Cowan et Cowan, 1988; Heinicke, 2002; Osofsky et Osofsky, 1980), nous suggérons que la famille, avec l'arrivée d'un enfant, fait face à cinq tâches développementales: l'adaptation individuelle; le développement des compétences parentales; le développement de la relation entre les parents et leur enfant; la négociation de la place de l'enfant dans le couple et la famille; et l'intégration de l'enfant dans les réseaux sociaux des parents. Comme le montre la figure 18.1, ces cinq tâches développementales agissent directement sur le développement de l'enfant et l'adaptation de la famille. Nous les appellerons les «facteurs proximaux». D'autres facteurs, les facteurs distaux, ne sont pas impliqués directement dans le bien-être de la famille à cette période de la vie, mais agissent plutôt de façon indirecte par l'entremise de leur influence sur les facteurs proximaux. La liste présentée dans la figure 18.1 ne se prétend pas exhaustive. Elle donne plutôt un aperçu de ces facteurs distaux. Tous ces facteurs, proximaux et distaux, peuvent constituer des facteurs de risque ou des facteurs de protection dans le processus d'adaptation de la famille et le développement de l'enfant. Compte tenu de l'espace qui nous est dévolu dans le présent chapitre, nous nous intéresserons exclusivement aux facteurs proximaux.

Les tâches développementales personnelles et familiales à l'arrivée d'un enfant

Dans les prochains paragraphes, les cinq tâches développementales de la famille à la période périnatale seront définies, et leurs principaux enjeux seront présentés ainsi que leurs déterminants. Une brève présentation des problèmes auxquels les familles peuvent avoir à faire face dans l'accomplissement de ces tâches viendra conclure chacune des sections.

L'adaptation individuelle

La première tâche développementale de chacun des membres de la famille consiste à s'adapter, sur les plans physiologique (pour la mère et le nouveau-né), cognitif, émotif et comportemental, à une nouvelle réalité, celle d'être mère, père, frère ou sœur. L'adaptation postnatale est définie par le ministère de la Santé et des Services sociaux du Québec (MSSSQ) (1991) comme une façon de vivre les différentes demandes de changement et de rechercher des stratégies d'adaptation à la période de transition qu'est le post-partum. La manière de faire face à cette tâche s'inscrit dans le contexte de la biologie, des événements du passé, des conditions dans lesquelles l'accouchement s'est déroulé et des ressources disponibles. Elle s'exprime de manière individualisée chez la mère, le père, le nouveau-né et la fratrie.

Figure 18.1 Modèle d'évaluation des processus et d'intervention auprès des familles à la période postnatale

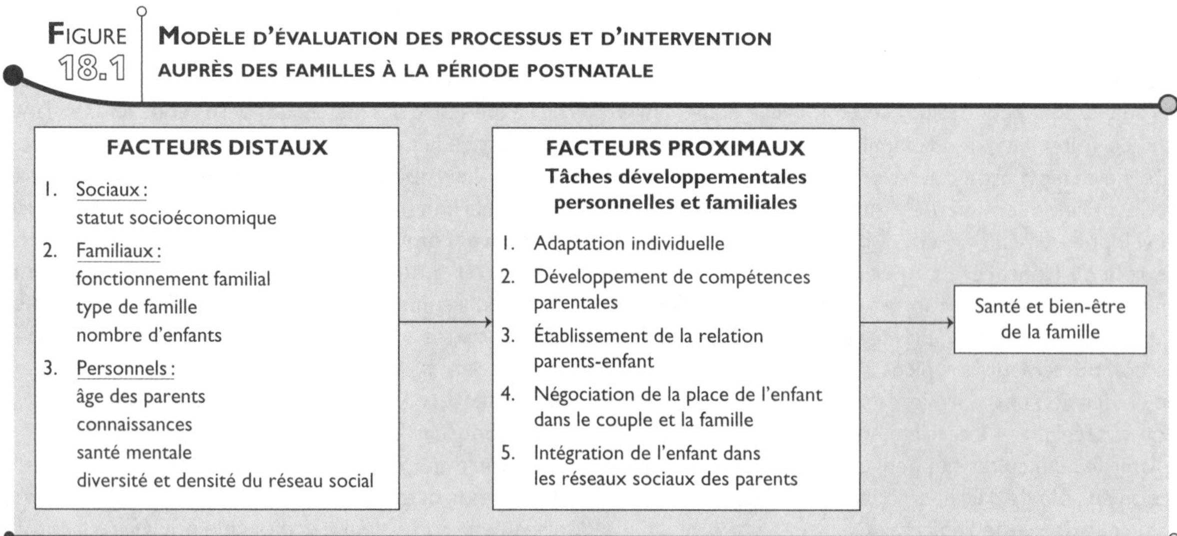

FACTEURS DISTAUX
1. Sociaux:
statut socioéconomique
2. Familiaux:
fonctionnement familial
type de famille
nombre d'enfants
3. Personnels:
âge des parents
connaissances
santé mentale
diversité et densité du réseau social
FACTEURS PROXIMAUX
Tâches développementales personnelles et familiales
1. Adaptation individuelle
2. Développement de compétences parentales
3. Établissement de la relation parents-enfant
4. Négociation de la place de l'enfant dans le couple et la famille
5. Intégration de l'enfant dans les réseaux sociaux des parents
Santé et bien-être de la famille

La mère

Pour la mère, cette adaptation s'opère d'abord dans la récupération physique et physiologique qui suit inévitablement l'accouchement. La récupération physique s'effectue graduellement au cours des six premières semaines du post-partum. De la fatigue et des difficultés de concentration peuvent persister au cours des six premiers mois (Troy et Dalgas-Pelish, 1997).

Graduellement, alors que leur corps se remet de l'expérience de l'accouchement, les mères développent leur confiance quant à leur capacité de prendre soin de leur enfant et à l'intégrer dans leur vie. La rétroaction positive, particulièrement celle provenant du conjoint et de femmes significatives, joue un rôle majeur dans le développement du sentiment que la mère a de sa compétence à prendre soin de son enfant. Ce travail de développement de l'identité maternelle se prolonge tout le long de la première année de vie de l'enfant. Il a été décrit de manière éloquente par Stern (1995) à l'aide d'une structure qu'il a nommée « constellation maternelle ». Cet auteur estime que, lorsqu'une femme devient mère, dans notre culture, du moins, quatre thèmes principaux émergent. Le premier thème est celui de *l'entretien de la vie,* qui est cette préoccupation centrale de la mère quant à sa capacité de nourrir son enfant, de le protéger et de favoriser son développement. Le deuxième thème est celui de la *relation primaire*. Ce thème est marqué par l'engagement émotionnel de la mère auprès de son enfant. Le troisième thème, appelé *matrice de soutien,* est caractérisé par le besoin de la mère de s'entourer du soutien dont elle a besoin pour répondre adéquatement aux exigences de ses nouvelles fonctions. Enfin, la nouvelle mère vit la dialectique intérieure de la transformation de son identité personnelle : elle doit y inclure une identité maternelle sans sacrifier certains aspects de sa vie qu'elle valorise (son travail, par exemple). Il s'agit du thème de la *réorganisation de l'identité*. Stern (1995) ainsi que plusieurs autres auteurs (Fonagy, Steele et Steele, 1991 ; Siegel et Hartzell, 2003) soulignent le rôle des relations que la mère entretient avec sa propre mère et le rôle de ses expériences passées d'attachement dans l'accomplissement de cette importante tâche de restructuration de l'identité après la naissance d'un enfant. Les relations antérieures d'attachement seraient au cœur de différents défis intérieurs qui peuvent surgir chez la mère et avoir des conséquences sur la relation qu'elle établit avec son enfant.

L'adaptation individuelle de la mère après la naissance d'un enfant est cruciale à cause de son influence sur l'accomplissement des autres tâches de développement de la famille. L'anémie, les infections puerpérales (mastite, endométrite) ainsi que les douleurs (seins, périnéales) comptent parmi les principaux problèmes de santé physiques que les mères peuvent connaître durant cette période (Pritchard, MacDonald et Gant, 1985). La fatigue du post-partum, quant à elle, est considérée par les mères comme l'un des principaux problèmes de santé et de bien-être au cours des six premiers mois suivant la naissance de l'enfant (Milligan et autres, 1997). La dépression post-partum affecte entre 7 % et 25 % des femmes (O'Hara, 1996) et constitue un problème de santé important si l'on considère ses conséquences pour la mère, le développement de l'enfant et l'ajustement familial (Campbell, Cohn et Meyers, 1995 ; Tronick et Weinberg, 1997). Enfin, un niveau de stress élevé vécu par les mères à cause de leur rôle s'avère une menace pour leur santé ainsi que pour le bien-être de l'enfant et des autres membres de la famille (Levy-Shiff et autres, 1998).

Le père

La définition de la relation avec son enfant ainsi que sa nouvelle place dans la configuration familiale exigent du père davantage d'ajustements et de créativité, plus que ce qui est demandé à la mère, à qui la responsabilité de l'enfant est clairement dévolue dans notre société. Il semble que le défi d'acquérir une identité paternelle soit relevé de façon moins stéréotypée que celui des mères (Jordan, 1990). Selon les observations de Bell (2002), dès la naissance, les pères se projettent dans le futur ainsi que dans le passé. Ils sont préoccupés par l'acquisition de leur identité, et réévaluent leurs priorités relativement au travail et aux loisirs personnels. Les études menées par Dyke et Saucier (2000), Dulac (2001) ainsi que Zelkowitz et Milet (1997) mettent en évidence le fait que la conciliation de la famille et du travail est, pour les hommes, un défi majeur parce qu'il est largement méconnu et peu soutenu par les milieux du travail et la société.

L'implication des pères dans les soins à l'enfant augmenterait au cours de la première année de vie de ce dernier. Cela fait en sorte qu'à la fin de la première année de vie de l'enfant, le père est plus engagé dans les tâches reliées à sa discipline et à la protection de sa santé (Grych et Clark, 1999). Dans l'ensemble, l'implication des pères dans les soins à l'enfant demeure moindre que celle des mères (McBride et Rane, 1998 ; Parke, 1990) et est davantage caractérisée par les activités ludiques (Demick, 2002 ; Lamb, 1977 ; Parke, 1990). En dépit d'un investissement moins important que celui des mères, il semble que les pères seraient tout aussi compétents que ces dernières pour prodiguer des soins adéquats aux enfants (Beitel et Parke, 1998; Parke, 1990). Une attitude positive par rapport à la paternité, la motivation à devenir père, les habiletés à prendre soin de l'enfant ainsi qu'une personnalité sociable et affiliative seraient les principaux déterminants de l'adaptation des pères à leur nouveau rôle (Demick, 2002; Lamb, 1977).

Ces propos indiquent que les pères font face au défi de s'adapter à leur rôle, dont les modalités sont moins clairement définies que celles de l'adaptation des mères. Le stress lié à la fonction parentale compte parmi les principaux problèmes d'adaptation pouvant être éprouvés par les pères. Il semble d'ailleurs que le stress des pères par rapport à leur rôle parental augmente significativement au cours de la première année de vie de l'enfant (Osofsky et Osofsky, 1980). Ce stress est surtout associé aux restrictions imposées par la présence de l'enfant, à l'isolement et à la santé (Harrison et Magill-Evans, 1996). Les pères semblent également démontrer un niveau de stress significativement plus élevé que celui des mères par rapport aux caractéristiques de l'enfant, dont son adaptabilité, son acceptabilité, son humeur et sa capacité de renforcer le père dans l'exercice de son rôle parental (Harrison et Magill-Evans, 1996).

Le nouveau-né

Pour sa part, le nouveau-né fait face au défi de l'adaptation physiologique à la vie extra-utérine ainsi qu'à celui de la croissance et du développement. Son état de santé ainsi que l'expression de ses capacités biosensorimotrices sont au cœur de son adaptation. Dès sa naissance, l'enfant possède un répertoire impressionnant de capacités sensorielles et motrices qui s'organisent graduellement pour servir ses buts ultimes de survie, d'adaptation et d'attachement. Ces capacités sont de nature visuelle, sensorielle, motrice, auditive et gustative (Klaus et Klaus, 2000). Elles sont les toutes premières expressions de son tempérament et de son potentiel inné d'interaction avec son environnement.

De façon plus spécifique, les observations de Brazelton (1992) ont permis d'illustrer le fait que les enfants se développent suivant des poussées de croissance normales et prévisibles dont le déclenchement est caractérisé par une désorganisation généralisée du comportement. Dans ces moments d'acquisition accélérée, certains aspects du développement de l'enfant régressent et celui-ci peut alors devenir difficile à comprendre pour ses parents. Une connaissance approfondie des jalons normaux de toutes les sphères du développement (moteur, cognitif, social, langagier) de l'enfant au cours de la première année de vie constitue donc un préalable essentiel permettant à l'infirmière d'établir une relation de collaboration avec les parents en vue de mieux comprendre l'enfant et d'adapter leurs stratégies pour favoriser son développement. Le concept de « zone proximale de développement », qui traduit l'« espace » à l'intérieur duquel l'enfant adopte un comportement nouveau à l'aide du soutien d'un adulte compétent (Vygotsky, 1978), est souvent utilisé comme principe de base pour guider les stratégies favorables au développement de l'enfant.

La maladie ainsi que les retards de la croissance et du développement comptent parmi les principaux problèmes de santé à surveiller au cours de la première année de vie de l'enfant. Plus précisément, l'enfant est plus à risque que l'adulte de présenter des problèmes respiratoires, allergiques et infectieux (Ball et Bindler, 2003). Sa croissance physique est influencée par des facteurs biologiques et environnementaux, notamment son mode d'alimentation. Les carences alimentaires en vitamine D et en fer sont particulièrement à surveiller au cours des premiers mois de la vie de l'enfant (Société canadienne de pédiatrie, Les diététistes du Canada et Santé Canada, 1998). Par ailleurs, le développement socioémotif et communicatif de l'enfant constitue un aspect crucial de sa première année de vie. C'est aussi au cours de cette période que l'enfant crée une relation sécurisante ou non avec sa principale figure d'attachement, le plus souvent sa mère. L'établissement d'une relation non sécurisante peut avoir des conséquences durables sur le développement social et émotif de l'enfant ainsi que sur l'ensemble de ses capacités cognitives (Thompson, 1999).

La fratrie

Enfin, l'arrivée d'un frère ou d'une sœur constitue, pour le ou les autres enfants de la famille, une demande d'adaptation individuelle et le partage de l'attention et de l'amour des parents. Le comportement d'un enfant peut alors se modifier. Ainsi, la naissance d'un frère ou d'une sœur peut être associée à une hausse significative des problèmes de comportement chez le premier-né ainsi qu'à une diminution de l'estime de soi et de la performance cognitive (Baydar, Hyle et Brooks-Gunn, 1997). Dans une autre étude, les mères ont rapporté qu'après la naissance de leur enfant, leur premier-né a démontré plus de comportements de recherche de proximité et d'affect négatif (Dunn, Kendrick et MacNamee, 1982). Ces perturbations seraient toutefois temporaires. Certains auteurs ont observé que les enfants qui entretiennent des relations positives avec leurs amis auraient plus de facilité à s'adapter à l'ajout d'un membre à la fratrie (Kramer et Gottman, 1992) et que l'adaptation peut être plus difficile dans les milieux défavorisés sur le plan socioéconomique (Baydar, Hyle et Brooks-Gunn, 1997). Selon certaines données, il semble que la participation accrue du père dans les soins à l'aîné soit un déterminant majeur de son adaptation à l'arrivée d'un nouvel enfant (Belsky, 1981). Les difficultés d'adaptation de la fratrie constituent l'une des principales préoccupations des mères d'un nouvel enfant (Stainton, 1989) et il importe d'aborder ce sujet lors d'une évaluation familiale au cours de la période postnatale.

LE DÉVELOPPEMENT DES COMPÉTENCES PARENTALES

Le concept de compétence parentale est généralement examiné à la lumière de deux perspectives différentes, soit la compétence parentale observée et la compétence parentale ressentie. La compétence parentale observée est définie comme étant la qualité de l'environnement familial et des interactions mère-enfant (Caldwell et Bradley, 1984). Elle désigne l'habileté réelle d'un parent à répondre aux besoins physiques, émotifs, de stimulation et de protection de son enfant (Steinberg et autres, 1994). Pour sa part, la compétence parentale ressentie, ou le sentiment de compétence parentale, correspond au jugement personnel du parent quant à ses propres habiletés à prendre soin de son enfant (Léonard et Paul, 1996). Il s'agit d'une expérience subjective qui ne constitue pas nécessairement un reflet de la compétence observée (Julian, 1983). Cette précision sur la définition du concept de compétence parentale nous amène à considérer les processus par lesquels les parents acquièrent leurs habiletés à prendre soin de leur enfant et à se sentir compétents dans leur rôle.

Le rôle des facteurs hormonaux dans l'activation des comportements parentaux est reconnu. La recherche de proximité physique et affective avec l'enfant ainsi que l'activation du système de protection de l'enfant sont intimement associées à l'activité hormonale de la nouvelle mère. En effet, l'oxytocine et le cortisol, sécrétés au moment de la naissance, seraient intimement impliqués dans le déclenchement et le maintien de comportements de soins maternels, comme l'allaitement (Brown et autres, 1996; Rosenblatt, 1995). Le rôle de la prolactine et de la testostérone est moins bien connu dans le cas des pères, mais il semble que ces hormones concourent également au déclenchement de leur conduite parentale (Rosenblatt, 1995). Cependant, il est maintenant bien établi que la compétence à prendre soin d'un enfant n'est pas que naturelle et spontanée.

En effet, la croyance populaire en l'existence d'un « instinct maternel » ne tient plus depuis que les facteurs contribuant au développement du sens maternel et paternel ont été mis en évidence. Une étude menée auprès de parents révèle que plusieurs d'entre eux ont une conception individualiste de la compétence parentale, croyant que leur habileté à prendre soin de leur enfant est entièrement dépendante de leurs ressources personnelles (Massé, 1991). Or, le développement des habiletés à prendre soin d'un enfant dépend d'un ensemble de facteurs personnels, familiaux et environnementaux qui dépassent largement le seul répertoire des compétences individuelles du parent.

Les données de recherche disponibles suggèrent que la compétence maternelle à prendre soin de l'enfant augmente graduellement au cours de la première année de vie de l'enfant. En effet, au cours de cette année, les mères acquièrent un répertoire de stratégies de plus en plus variées, souples, et ajustées à la fois à leurs ressources personnelles et aux caractéristiques de leur enfant (Pridham, 1989). Concernant les pères, il semble que plus ils s'impliquent dans les soins à leur enfant dès la naissance, plus ils sont confiants dans leurs compétences (Grych et Clark, 1999). Les auteurs ne précisent toutefois pas si ce sentiment accru de compétence se manifeste dans la compétence observée.

L'abus et la négligence représentent les formes les plus graves d'insuffisance de compétences parentales. Il s'agit d'un problème prioritaire de santé (MSSSQ, 1993) qui constitue la première cause de décès par accident des enfants de moins d'un an aux États-Unis (Guterman, 2001). L'abus et la négligence peuvent avoir des répercussions graves et durables sur le développement de l'enfant (MSSSQ, 1993) et nécessitent une intervention multidisciplinaire, continue et intense avec la famille concernée. L'exploration de cette problématique large et complexe va toutefois au-delà des visées du présent chapitre.

LE DÉVELOPPEMENT DE LA RELATION ENTRE LES PARENTS ET LEUR ENFANT

La relation entre le parent et son enfant est définie essentiellement par des boucles d'interactions où le parent et l'enfant se rencontrent et s'influencent mutuellement (Lamour et Barraco, 1998). Dans un mouvement d'aller-retour incessant, parent et enfant modulent réciproquement leur façon d'être et d'agir en fonction de leur niveau de développement, du temps et du contexte. La danse des échanges se joue sur les plans du comportement, de l'affect et des représentations de chaque partenaire de l'interaction. L'arrimage singulier qui constitue la relation parent-enfant représente le premier environnement dans lequel tout être humain va se développer.

En se basant sur une analyse systématique des écrits, Bell et ses collaboratrices (2002) soutiennent que la relation parent-enfant à la période périnatale est composée de cinq thèmes centraux, soit la découverte, le contact physique, la relation affective, l'amorce des interactions et l'investissement dans le rôle parental. La découverte de l'enfant fait référence au processus par lequel les parents et leur enfant apprennent à se connaître. Le contact physique entre le parent et son enfant tient aux comportements utilisés par le parent et l'enfant pour interagir. La relation affective comporte les affects des parents et de l'enfant ainsi que leur régulation mutuelle. L'amorce des interactions correspond à l'habileté et à la motivation du parent à entreprendre, à maintenir et à terminer les interactions avec son enfant, en tenant compte des capacités interactives de ce dernier. Il s'agit d'un processus qui se caractérise, d'une part, par la sensibilité du parent aux signes émis par l'enfant et, d'autre part, par la contingence de son comportement. Enfin, la composante relative à l'investissement dans le rôle parental fait référence à la capacité du parent d'assumer de nouvelles responsabilités et de s'engager réellement envers l'enfant.

L'établissement d'une relation sensible et chaleureuse entre le parent et son enfant dans chacune des composantes de la relation est au cœur du développement de l'enfant comme être social (Bowlby, 1969). C'est dans sa relation avec sa mère et avec son père que l'enfant acquiert sa conscience de lui-même, sa confiance en lui et dans les autres ainsi que son goût pour la vie et les défis qu'elle comporte (Greenberg, 1999).

L'enfant n'ayant pas fait l'expérience d'une réponse chaleureuse et contingente à ses besoins au cours de sa première année de vie serait nettement plus vulnérable qu'un autre sur les plans physique et émotif. En effet, les enfants évoluant dans des relations problématiques sont plus susceptibles de présenter un moins bon état de santé général, notamment en ce qui a trait au cerveau et au système nerveux (Gunnar, 2000), et divers retards de développement (Lobo, Barnard et Coombs, 1992). Leur système immunitaire est également fragilisé, de sorte qu'ils sont plus vulnérables à un ensemble de maladies infectieuses et virales (Spangler et Schieche, 1994). De plus, moins habiles dans les relations interpersonnelles, ces enfants pourront avoir tendance à s'isoler, et à vivre plus de colère, d'anxiété et de comportements agressifs à l'âge préscolaire et scolaire (Weinfield et autres, 1999).

La négociation de la place de l'enfant dans le couple et la famille

L'arrivée d'un premier enfant force une transition de la dyade vers la triade et, avec elle, le réaménagement des liens d'attachement dans le couple afin d'inclure l'enfant (Cowan et Cowan, 1988 ; Osofsky et Osofsky, 1980). Le couple s'ajuste de manière à créer un espace pour intégrer sa nouvelle fonction parentale. Il apprend des façons d'interagir qui tiennent compte du besoin des deux parents de passer du temps avec l'enfant et de tisser une relation affective avec lui. De ce fait, l'intimité du couple est réduite pour faire une place à l'établissement de la relation avec l'enfant. Les nouveaux parents travaillent ainsi à la structuration de leur identité de couple parental. Le développement de cette alliance parentale suppose la négociation des règles et des rôles de chacun à l'intérieur de la famille.

L'établissement des règles touche les domaines des soins à donner à l'enfant, du partage des tâches, de l'espace et du temps personnels, des façons d'interagir, du pouvoir et de la place de l'enfant (Cowan et Cowan, 1988 ; Osofsky et Osofsky, 1980). Ces règles de fonctionnement sont influencées par les croyances qu'entretiennent les parents quant à l'importance du lien mère-enfant et père-enfant. Généralement, on observe chez les parents nord-américains une croyance selon laquelle le lien mère-enfant est plus intense et défini par les soins à apporter à l'enfant. Le lien père-enfant, pour sa part, est perçu comme un lien dont l'intensité augmentera avec l'âge de l'enfant, et il est principalement défini par le domaine de la stimulation et du jeu (Lamb, 1977 ; LeCamus, 2000 ; Parke, 1990 ; 2002).

Le développement d'un système de frontières par la famille contribue à l'élaboration de la structure nécessaire à la négociation de la relation conjugale. La mise en place d'une frontière extérieure à la famille témoigne, en premier lieu, de l'émergence de la vie familiale et d'un fonctionnement différencié. Cette frontière extérieure permet aux parents et à leur enfant de s'organiser, de se protéger et d'assurer l'établissement d'une relation affective. Durant la période postnatale, le système peut sembler fonctionner de façon autonome, sans apport de l'extérieur. Ainsi, on observe que les mères s'investissent intensément dans la relation avec leur enfant et que les pères agissent pour protéger le sous-système mère-enfant des influences externes.

Quoique ces derniers doivent également investir une bonne somme d'énergie dans leur travail, il est clair que la famille constitue pour eux une valeur prioritaire (Bell, 2002; Dulac, 2001).

À l'élaboration d'une frontière extérieure au système familial s'ajoute l'établissement de frontières entre les sous-systèmes parents et enfant. Les mères établissent graduellement, au cours de la première année, une plus grande distance physique avec leur enfant et développent un répertoire varié de stratégies pour répondre à ses besoins. Les pères, pour leur part, stimulent l'établissement de cette frontière entre les mères et leur enfant. En outre, un accord dans le couple sur les manières de faire avec l'enfant renforce le degré d'autonomie du sous-système parental.

Les conflits entre les parents concernant la place de l'enfant, le partage des tâches ou la vie conjugale sont fréquents à la période postnatale (McHale, Fivaz-Depeursinge et Corboz-Warnery, 2000). Toutefois, la capacité de régler ces différends rapidement et efficacement est essentielle à la protection du couple et de la famille, et au développement de l'enfant. La persistance de conflits dans le couple concernant la négociation des règles et des rôles a été associée à l'éclatement des familles à la période périnatale (McHale, Fivaz-Depeursinge et Corboz-Warnery, 2000) de même qu'à l'apparition de problèmes de comportement chez l'enfant à l'âge préscolaire (McHale et Rasmussen, 1998).

L'intégration de l'enfant dans les réseaux sociaux des parents

La niche écologique, composée des réseaux sociaux auxquels appartiennent les parents, aurait une influence sur le développement de l'enfant. Ainsi, le quartier, le réseau d'amis, les différentes ressources utilisées par la famille ainsi que le travail des parents sont autant de facteurs contribuant au fonctionnement de la famille à la période périnatale (Schonkoff et Phillips, 2000). La perception qu'entretiennent les parents à l'égard de leur enfant serait un déterminant de la qualité des relations que les membres de l'entourage développeront avec l'enfant. Une perception positive de l'enfant facilite son acceptation et la création des liens d'attachement avec les grands-parents, les tantes, les oncles, les amis et les autres personnes significatives pour les parents. Toutefois, les liens entretenus avec les personnes constituant le réseau social des parents se transforment à l'arrivée d'un premier enfant. Cochran et Niego (2002) ont démontré que les nouveaux parents favorisent le soutien émotif et instrumental que leur procurent parents et amis. La sphère privée de la famille et sa vie affective sont donc soumises aux influences des diverses relations entretenues par les parents avec les personnes significatives de leur environnement, et elles sont aussi influencées par le type de travail des parents et la place qu'ils lui donnent dans leur vie.

La conciliation du travail avec la fonction parentale constitue un défi auquel les familles n'échappent pas. La quantité de travail, sa qualité et sa nature influencent les comportements parentaux (Parke, 2002). Dans l'ensemble, les résultats des études suggèrent que les familles où la mère est à la maison se portent mieux sur le plan des relations que celles où les deux conjoints travaillent à l'extérieur du foyer (Belsky, Rovine et Fish, 1989; Braungart-Reiker, Courtney et Garwood, 1999; Grych et Clark, 1999), à moins que les responsabilités familiales ne soient réparties équitablement entre les deux parents (McHale, Crouter et Bartko, 1991).

L'isolement social constitue une menace pour la santé et le bien-être de tous les membres de la famille à la période périnatale. En effet, il a été démontré que les mères qui possèdent un faible réseau social de soutien s'adaptent moins bien à leur nouveau rôle et sont plus susceptibles de souffrir d'une dépression post-partum (Beck, 1996). Pour leur part, les enfants qui grandissent dans des réseaux pauvres sont plus susceptibles de présenter des retards de développement (Cochran et Niego, 2002) et un attachement non sécurisant à leur mère (Crockenberg, 1981). Toutes les formes de violence sont également plus fréquentes dans les familles isolées sur le plan social (Cochran et Niego, 2002; MSSSQ, 1993).

L'évaluation de la famille et l'hypothèse de travail

Dans cette section, nous présentons les objectifs de l'évaluation des familles à la période postnatale, les principes guidant cette évaluation et les moyens mis à la disposition des infirmières pour mener cette tâche à bien. Nous terminons par une présentation du concept de l'hypothèse de travail tel qu'il peut s'appliquer dans un contexte de santé communautaire.

L'objectif général de l'évaluation

Comme l'indique la figure 18.1, à la page 274, l'évaluation basée sur un modèle écologique à la période postnatale s'appuie sur l'examen minutieux des différentes tâches développementales personnelles et familiales qu'on associe à l'arrivée d'un nouveau-né (facteurs proximaux) ainsi que sur les paramètres qui influencent l'adaptation de la famille (facteurs distaux). Il s'agit de dresser un portrait exhaustif de la situation familiale d'une famille donnée, et des facteurs impliqués dans son développement et son adaptation ; ce portrait doit être suffisamment juste et détaillé pour procurer une vision globale de la situation. Comme il est au-delà de la visée d'un programme d'intervention précoce de manipuler tous les paramètres qui influencent le développement de l'enfant et l'adaptation de la famille, l'évaluation doit conduire à l'élaboration d'une hypothèse de travail servant à orienter le choix, au moment de l'intervention, d'un degré de complexité approprié à la situation (Sameroff et Fiese, 2000).

Les principes guidant l'évaluation

Trois principes sont à la base de l'évaluation des forces et des besoins d'un enfant et d'une famille à la période postnatale. Selon le premier principe, on doit prendre pour cibles de l'évaluation l'enfant lui-même, sa famille et l'environnement élargi susceptible d'influencer l'accomplissement des tâches développementales associées à l'arrivée d'un enfant. Il s'agit, dès lors, de procéder à une reconnaissance systématique des processus individuels et familiaux en cours, de même que des différents facteurs de risque et de protection qui caractérisent la situation de l'enfant et de sa famille.

Selon le deuxième principe, l'infirmière doit tirer avantageusement profit de son lien privilégié avec les familles pour collecter des données dans le contexte naturel, confortable et non menaçant du foyer familial (Meisels et Provence, 1989). En effet, l'observation des expériences quotidiennes et familières des personnes maximisent les chances de relever avec justesse la façon dont elles agissent et les éléments qui favorisent ou entravent leurs réponses aux défis posés par leur développement dans leur environnement (Meisels, 1996). La participation active des parents au processus d'évaluation est à privilégier afin de maximiser leur sentiment d'efficacité personnelle et le partenariat entre les familles et les intervenants (Dunts et Trivette, 1997 ; Neisworth et Bagnato, 1996). Concrètement, cela veut dire relever le point de vue des parents et en tenir compte tout le long du processus de reconnaissance des forces et des besoins de la famille et de ses membres.

Finalement, selon le troisième principe guidant l'évaluation, il est préférable de procéder de façon récurrente plutôt qu'en une seule occasion (Greenspan et Meisels, 1996). Des collectes de données répétées assurent en effet la stabilité des résultats et permettent de déceler d'éventuels changements (Bagnato, Neisworth et Munson, 2000). Cette façon de faire permet aussi de dresser un portrait élargi des besoins et du fonctionnement d'une famille dans des situations diverses, de valider les observations et d'éviter de poser trop rapidement un jugement relatif à la famille. Au besoin, l'infirmière est encouragée à s'entourer d'intervenants provenant de disciplines complémentaires à la sienne, notamment un psychoéducateur ou un intervenant social, qui peuvent apporter un éclairage distinct sur la situation d'une famille.

Les moyens d'évaluation

Les différentes tâches développementales personnelles et familiales, constituant les facteurs les plus directement reliés au développement des enfants et à celui du potentiel parental et de la famille à l'arrivée d'un nouveau-né, ont été décrites dans la première section de ce chapitre, « Le modèle théorique à la base de l'approche proposée ». Différents instruments de mesure sont disponibles pour évaluer ces cinq composantes, notamment l'observation, l'entrevue individuelle ou familiale ou, encore, l'entretien téléphonique. S'ajoutent à cela divers questionnaires qui, utilisés dans le contexte d'une entrevue structurée, permettent à l'infirmière soupçonnant un problème d'aiguiser davantage son jugement clinique (Epps et Jackson, 2000). Une évaluation de qualité requiert l'utilisation de plusieurs types d'instruments et de méthodes (Bagnato, Neisworth et Munson, 2000).

Dans les pages qui suivent, divers moyens d'évaluation sont proposés relativement à chacune des cinq tâches développementales (voir le tableau 18.1).

L'adaptation individuelle de la mère et du père

L'adaptation individuelle de la mère et du père peut être évaluée à l'aide de l'Indice de stress parental (ISP), version française du *Parenting Stress Index* (Abidin, 1990), conçu par Bigras, LaFrenière et Abidin en 1995. Ce questionnaire, rempli directement par le parent, permet de mesurer différentes dimensions de son adaptation individuelle. Il se compose de 101 items répartis en 2 sous-échelles, la première correspondant à des caractéristiques de l'enfant et la seconde, à celles des différentes dimensions personnelles et environnementales du parent. De façon plus spécifique, le domaine de l'enfant comprend 47 items répartis en 6 sous-échelles qui permettent d'observer les dimensions suivantes : hyperactivité, adaptabilité, acceptabilité, exigence, humeur et renforcement. Le domaine du parent est évalué à l'aide de 54 items répartis en 7 sous-échelles : dépression, attachement, contraintes imposées par l'exercice du rôle parental, sentiment de compétence, isolement social, relation conjugale et santé. Le score global indique l'état général du système parent-enfant. Un

Tableau 18.1 Évaluation des tâches développementales

Tâche développementale	Instruments suggérés pour l'évaluation
1. **Adaptation individuelle** De la mère et du père Fatigue post-partum Dépression post-partum Du nouveau-né De la fratrie	• Indice de stress parental (Abidin, 1990) version française de Bigras, LaFrenière et Abidin (1995) • *Fatigue Symptom Checklist,* adapté par Milligan et ses collaborateurs (1997) • Grille postnatale Edinburgh (Cox, Holden et Sagovsky, 1987) • *Brazelton Neonatal Assessment Scale* (Brazelton, 1973) • Inventaire du développement de l'enfant entre 0 et 7 ans (Brigance, 1997) • Observation, entrevue avec les parents
2. **Développement des compétences parentales**	• Échelle du sentiment de compétence parentale (Gibaud-Wallston et Wandersman, 1978), traduite par Léonard et Côté (1993) • *Home Observation for Measurement of the Environment* (Caldwell et Bradley, 1984) • Inventaire concernant le bien-être de l'enfant en lien avec l'exercice des responsabilités parentales (Vézina et Bradet, 1990)
3. **Développement de la relation parents-enfant**	• *Q-Sort* de l'attachement maternel (Pederson et autres, 1990)
4. **Négociation de la place de l'enfant dans le couple et la famille**	• Observation de l'alliance parentale dans une situation de jeu et de soin à l'enfant (Schoppe et Mangelsdorf, 2003)
5. **Intégration de l'enfant dans les réseaux sociaux des parents**	• Carte de réseau (Desmarais, Blanchette et Mayer, 1982)

score élevé à ce questionnaire indique que le parent vit des difficultés d'adaptation à son rôle parental (niveau de stress important).

La fatigue post-partum

L'évaluation de la fatigue post-partum peut être réalisée à l'aide de la *Fatigue Symptom Checklist,* dont l'adaptation et la validation reposent sur un échantillon de 285 femmes américaines (Milligan et autres, 1997). Il s'agit d'un questionnaire rempli directement par la mère. Il comprend 10 énoncés évaluant le niveau de fatigue physique et mentale chez les femmes à la période postnatale. Il n'est offert qu'en anglais, à notre connaissance.

La dépression post-partum

La Grille postnatale Edinburgh (Cox, Holden et Sagovsky, 1987) est proposée pour le dépistage de la dépression post-partum. Cet instrument comporte 10 questions à choix multiples auxquelles la mère répond en moins de 5 minutes. Les énoncés portent sur les sentiments vécus par la mère au cours des sept derniers jours et sont cotés sur une échelle à quatre niveaux indiquant la fréquence d'apparition de ces sentiments. Les items font référence à l'humeur dépressive, à la culpabilité, à l'anxiété et aux idées suicidaires. Lorsque le score obtenu est égal ou supérieur à sept, il est suggéré de diriger la mère vers un médecin, qui verra alors à établir le diagnostic et à offrir un suivi approprié.

L'adaptation individuelle du nouveau-né

Le *Brazelton Neonatal Assessment Scale* (Brazelton, 1973) est un outil d'observation des capacités du nouveau-né qui peut être utilisé pour aider les parents à découvrir les sensibilités particulières de leur enfant et à ajuster leur comportement en conséquence.

Les instruments servant à l'évaluation de chacun des domaines du développement de l'enfant doivent être sensibles et suffisamment détaillés pour que cette évaluation puisse se prolonger dans un plan d'intervention et permettre de déceler d'éventuels changements chez l'enfant (Bagnato et Neisworth, 1991). Dans l'univers francophone, l'Inventaire du développement de l'enfant entre zéro et sept ans (Brigance, 1997) constitue l'instrument de prédilection. Cet instrument permet d'évaluer cinq dimensions chez le nouveau-né: les habiletés motrices, les habiletés comportementales, le langage, l'autonomie et le développement socioaffectif. Les items sont organisés suivant une échelle permettant de préciser le stade de développement de l'enfant et de mesurer ses forces et ses besoins. L'échelle développementale relie l'évaluation à l'intervention en organisant les tâches de manière hiérarchique et en appariant des objectifs d'intervention appropriés à ces tâches dans chaque domaine d'évaluation.

L'adaptation individuelle de la fratrie

L'adaptation individuelle de la fratrie peut être estimée à l'aide d'une entrevue avec la mère ou le père. L'infirmière interrogera les parents sur leur perception de la réaction de l'aîné à la naissance du nouvel enfant ainsi que sur les stratégies qu'ils utilisent pour faciliter son adaptation.

Le développement des compétences parentales

L'évaluation des compétences parentales se fait principalement par l'observation du parent dans des activités normales de soin à son enfant, comme le boire, le bain ou encore les interactions sociales. Au meilleur de notre connaissance, il n'existe pas d'instrument de mesure des comportements parentaux dans une perspective de compétence au cours de la première année de vie de l'enfant. L'infirmière peut toutefois avoir recours aux trois instruments suivants pour aiguiser son sens clinique quant à la compétence ressentie et démontrée par les parents.

L'Échelle du sentiment de compétence parentale de Gibaud-Wallston et Wandersman (1978), traduite par Léonard et Côté (1993), peut être utilisée comme une mesure de la perception du parent de son habileté à prendre soin de son enfant. Ce questionnaire comporte 17 énoncés auxquels la mère et le père répondent en indiquant leur degré d'approbation ou de désapprobation sur une échelle à 6 niveaux. L'outil comprend deux sous-échelles. La première est constituée de sept énoncés évaluant les habiletés et les connaissances du parent. La deuxième sous-échelle est, pour sa part, formée de huit énoncés se rapportant au sentiment de valorisation et de confort dans les fonctions reliées au rôle parental. Un score est obtenu pour chacune des sous-échelles de même qu'un score global. Un score élevé est associé à un sentiment de compétence élevé chez le parent.

Le *Home Observation for Measurement of the Environment* (*HOME*) (Caldwell et Bradley, 1978) a été conçu dans le but de mesurer la quantité de stimulation et de soutien offerts à l'enfant dans son environnement familial, et la qualité de cette stimulation et de ce soutien. Il s'agit de procéder à une observation semi-structurée de l'environnement familial. La cible de l'observation est l'enfant et les ressources disponibles dans son environnement familial. Le *HOME* est constitué de 45 items regroupés en 6 sous-échelles, soit l'acceptation de l'enfant, le matériel éducatif disponible, l'investissement parental, la sensibilité parentale, la variété des expériences ainsi que l'organisation de l'environnement. Les réponses sont à choix binaire. Une réponse positive à un item signifie la présence d'une condition favorable au développement de l'enfant. Le nombre élevé de réponses positives est ainsi l'indication d'un environnement favorable à l'enfant.

Enfin, l'Inventaire concernant le bien-être de l'enfant (ICBE) en lien avec l'exercice des responsabilités parentales (Vézina et Bradet, 1990) est privilégié pour mesurer les compétences parentales dans un contexte de présomption d'abus ou de négligence. Cet instrument est une adaptation québécoise du *Outcome Measures for Child Welfare Services* (Magura et Moses, 1986). Il comporte 43 sous-échelles cernant chacune un aspect de la vie de l'enfant et de ses parents selon 4 composantes: l'accomplissement des rôles parentaux, la capacité de prendre soin de l'enfant, l'accomplissement des rôles de l'enfant et la capacité de l'enfant d'accomplir ses rôles. Les données sont collectées à l'aide d'entrevues avec les parents (généralement deux entrevues d'une heure chacune) et d'observation directe du milieu physique, des personnes, de leurs attitudes et de leurs comportements. Quatre à six niveaux de besoins peuvent être établis selon chacune des sous-échelles. Ces niveaux vont de «très adéquat» à «très inadéquat». Un logiciel informatique dessine un histogramme pour chacune des sous-échelles et situe les seuils cliniques indiquant les domaines nécessitant une intervention.

Le développement de la relation entre les parents et leur enfant

Le *Q-Sort* de l'attachement maternel (Pederson et autres, 1990) constitue l'instrument de choix pour évaluer la qualité de la relation qui se développe entre la mère et son enfant au cours de la première année de vie de ce dernier. De façon plus précise, le *Q-Sort* de l'attachement maternel vise à reconnaître les comportements maternels sensibles impliqués dans le développement d'une relation sécurisante pour l'enfant. La description de chacun des 90 items composant l'instrument est écrite sur une carte. L'infirmière doit juger si l'item est caractéristique, non caractéristique ou neutre par rapport au comportement observé chez la mère. Ce faisant, l'infirmière forme trois piles de cartes distinctes. Parmi l'ensemble des items, 12 décrivent les comportements les plus typiques d'une mère sensible alors que 12 autres dressent le portrait d'une mère typiquement non sensible. Ces 24 items représentent les comportements les plus significatifs dans l'évaluation de la sensibilité maternelle. L'interprétation des résultats est basée sur la position de chacun des items par rapport à sa position idéale selon la sensibilité maternelle. L'utilisation de la méthodologie *Q-Sort* et du cadre conceptuel sous-jacent à cet instrument nécessite une formation préalable permettant d'assurer la validité de la mesure. L'utilisation du *Q-Sort* de l'attachement maternel exige également de l'infirmière qu'elle connaisse particulièrement bien la dyade mère-enfant faisant l'objet de l'évaluation.

La négociation de la place de l'enfant dans le couple et la famille

L'alliance formée par les parents en vue de fournir des soins et de l'éducation à leur enfant peut être évaluée par l'observation des comportements des parents l'un à l'égard de l'autre. Schoppe et Mangelsdorf (2003) proposent une évaluation de l'alliance parentale basée sur l'observation d'une activité de jeu suivie d'une activité de soin à l'enfant. Pendant le jeu, il est demandé aux deux parents de jouer simultanément et librement avec leur enfant durant cinq minutes. La tâche de soin consiste à demander aux deux parents d'enfiler ensemble un vêtement à leur enfant. Dans les deux cas, l'infirmière observe trois dimensions de l'alliance parentale, soit le plaisir ou le déplaisir, la collaboration ou la compétition et l'affection ou la froideur. Une alliance parentale caractérisée par davantage de plaisir, de coopération et de partage d'affection est favorable au développement de l'enfant (McHale, Fivaz-Depeursinge et Corboz-Warnery, 2000) ainsi qu'au développement du lien d'attachement, particulièrement entre le père et son enfant (Matestic, 2003).

L'intégration de l'enfant dans les réseaux sociaux des parents

La carte de réseau conçue par Desmarais, Blanchette et Mayer (1982) est proposée pour évaluer le système de soutien des parents à la période postnatale. Il s'agit de dresser avec eux l'inventaire des personnes de leur entourage qui peuvent leur apporter de l'aide et du réconfort en cas de besoin. Cet inventaire des personnes du réseau est complété à l'aide d'un graphique qui met en évidence les différentes catégories de personnes constituant le réseau des parents (famille nucléaire, famille étendue, compagnons de travail, amis, voisins, compagnons de loisirs, réseau secondaire) ainsi que la fréquence des contacts avec ces personnes (toutes les semaines, toutes les deux ou trois semaines ou une fois toutes les quatre semaines ou plus). Les prénoms des personnes mentionnés par les parents sont inscrits sur la carte de réseau. En plus de la diversité, la densité et la richesse du soutien social ainsi que le degré de réciprocité des échanges doivent aussi être spécifiés. L'évaluation globale de la carte de réseau se fait en établissant la satisfaction du parent au regard des différentes dimensions de son réseau de soutien. Les forces et les lacunes de réseau sont ainsi connues et des cibles pour l'intervention peuvent être envisagées.

L'hypothèse de travail

Après une collecte de données exhaustive, l'infirmière sera en mesure d'établir des liens entre les différents facteurs examinés afin de trouver un fil conducteur qui guidera l'intervention dans le respect de la complexité de la situation et de tous les paramètres considérés au moment de l'évaluation.

On définit une hypothèse de travail comme une supposition admise provisoirement (Pluymaekers, 1989) visant à donner du poids et une direction aux différents facteurs proximaux et distaux associés au développement de l'enfant et à l'adaptation de la famille à la période postnatale. Cette hypothèse ne constitue nullement un diagnostic ; il s'agit plutôt d'un énoncé subjectif qui traduit l'enchaînement des facteurs de risque et qui permet de reconnaître l'effet tampon des facteurs de protection dans une situation donnée. L'hypothèse de travail s'établit et se transforme au fur et à mesure que s'ajoutent de nouveaux éléments d'information ; l'élaboration d'une hypothèse est ainsi un processus dynamique.

L'intervention

Cette section a pour but de présenter l'objectif général de l'intervention infirmière à la période postnatale, les principes guidant cette intervention et certains moyens existants pour ce faire.

L'objectif général de l'intervention

L'objectif général de l'intervention précoce de l'infirmière en périnatalité est de créer ou de recréer les conditions écologiques favorables à l'atteinte d'un développement optimal chez l'enfant et à l'adaptation de la famille à l'arrivée d'un nouveau-né. Dans la majorité des cas, les besoins des familles nécessitent seulement un service d'accompagnement de la part de l'infirmière au cours de cette nouvelle étape de leur vie. Toutefois, certaines familles connaissent des difficultés dans la réalisation des différentes tâches développementales et peuvent avoir besoin d'un soutien plus intense. L'intervention infirmière consistera alors principalement à chercher à contrecarrer l'impact des facteurs de risque et à promouvoir l'action des facteurs de protection ciblés lors de l'évaluation (Dunst et Trivette, 1997; Trivette, Dunst et Deal, 1997; Wolery, 2000). Tout cela sera fait en vue d'aider la famille à faire face aux défis posés par ses nouvelles tâches développementales, dans le respect de ses croyances et de ses priorités (Epps et Jackson, 2000).

Les principes guidant l'intervention

Cinq principes guident l'intervention écologique à la période postnatale. Les deux premiers ont déjà été mentionnés sous la rubrique traitant des principes guidant l'évaluation. Il s'agit de prendre pour cibles l'enfant lui-même, sa famille et l'environnement élargi en faisant des interventions simultanées sur ces différents plans, et de travailler dans le contexte naturel du foyer familial. Selon le troisième principe, l'infirmière doit considérer les parents et les membres de la famille et de l'environnement élargi comme étant compétents ou susceptibles de le devenir, et créer des contextes dans lesquels des comportements favorables peuvent se produire (Epps et Jackson, 2000; Meisels et Shonkoff, 2000). Pour ce faire, une place prépondérante devra être accordée à la relation d'aide, ce qui constitue le quatrième principe. En effet, la façon dont la relation famille-intervenant est établie s'avère prédictive de l'efficacité de l'intervention (Dunst, Trivette et Deal, 1988). Finalement, on se rappellera qu'aucune intervention unique et universelle ne permet de combler tous les besoins de l'ensemble des familles. Ainsi, une intervention efficace se trouvera dans l'individualisation d'un programme ciblé pour une famille spécifique dans un contexte social particulier (Sameroff et Fiese, 2000).

Les moyens d'intervention

Les moyens d'intervention varient selon l'objectif poursuivi dans l'intervention infirmière, qui est d'accompagner la famille dans une nouvelle étape de sa vie ou de soutenir une famille qui éprouve des difficultés à composer avec les tâches développementales de la période périnatale. Dans le premier cas, l'intervention infirmière consiste principalement à favoriser et à valoriser l'utilisation des ressources et des capacités des familles. L'infirmière peut également jouer un rôle d'éducatrice sur le plan des comportements de santé et aider les familles à prévoir les défis qui les attendent et à s'y préparer. Dans le cas où l'infirmière intervient auprès d'une famille en difficulté, le modèle d'intervention proposé par Sameroff et Fiese (2000) permet de dégager trois angles d'intervention: remédier à une situation indésirable, redéfinir des croyances et des attentes, et modifier des façons de faire.

Remédier à une situation indésirable est nécessaire lorsque, par exemple, un problème de santé physique se manifeste chez l'enfant ou chez la mère. L'infirmière verra alors à soutenir l'adaptation individuelle de la personne concernée en apportant de l'aide instrumentale. Par exemple, l'infirmière pourrait guider les parents dans l'utilisation d'une technologie de soutien à la qualité de vie de leur enfant prématuré. En outre, lorsque la situation requiert une intervention propre à un domaine de spécialisation particulier (par exemple, la nutrition, la psychologie), l'infirmière verra à diriger la personne ou la famille vers des services appropriés (Epps et Jackson, 2000). Son rôle sera alors d'accompagner la famille dans le processus de cette demande de services jusqu'au début de la prise en charge.

Diverses stratégies d'intervention sont offertes lorsque l'objectif vise à **redéfinir** des croyances et des attentes ayant un impact sur la réalisation des tâches développementales à la période postnatale. De façon générale, ces stratégies sont axées sur la prise de conscience des facteurs d'adaptation positifs et négatifs, et sur la normalisation de l'expérience vécue. L'intervention proposée par Wright, Watson et Bell (1996) consiste en une action visant à ébranler les croyances contraignantes de la famille et à renforcer ses croyances facilitantes de manière à augmenter la flexibilité ainsi que les forces adaptatrices de la famille.

Enfin, la **modification** des façons de faire sera privilégiée pour permettre le développement des compétences nécessaires à la réalisation des tâches développementales. Par exemple, il peut s'agir d'éducation sur des façons concrètes d'apporter des soins à l'enfant, de le stimuler, de l'insérer dans le réseau des parents, etc. (Thurman et Widestrom, 1990). La modélisation et l'enseignement direct sont alors privilégiés pour donner de l'information et du soutien relatifs à des habiletés spécifiques. Les interventions de modification des façons de faire concernent typiquement les aspects pratiques du fonctionnement familial et non les aspects affectifs. Elles mettent l'accent sur les échanges immédiats et momentanés entre les membres de la famille dans le but de permettre à ces derniers de mieux s'ajuster au fonctionnement désiré.

Rappelons que ces moyens d'intervention qui visent à accompagner les familles ou, encore, à remédier, à redéfinir ou à modifier les façons de faire s'inscrivent dans une programmation d'intervention formelle et organisée au sein d'un établissement offrant des services en ce sens.

CONCLUSION

En guise de conclusion, soulignons aussi l'importance, pour l'infirmière, de participer de façon active à la définition de la relation qui s'établit entre elle et la famille, et d'être en mesure de connaître et de comprendre ses préoccupations personnelles à l'intérieur de cette relation. Le soutien à l'intervention infirmière lors d'échanges avec des collègues d'une équipe interdisciplinaire constitue une condition essentielle au succès de l'intervention auprès des familles dans une perspective écologique.

RÉFÉRENCES

ABIDIN, R.R. (1990). *Parenting Stress Index*, 3e éd., Charlottesville, Pediatric Psychology Press.

AFFONSO, D.D. et autres (1990). « A standardized interview that differentiates pregnancy and postpartum symptoms from perinatal clinical depression », *Birth*, nº 17, p. 121-130.

BALL, J. et R. BINDLER (2003). *Soins infirmiers en pédiatrie*, Saint-Laurent, Éditions du renouveau pédagogique inc.

BAGNATO, S.J. et J.T. NEISWORTH (1991). *Assessment for Early Intervention: Best Practices for Professionals*, New York, Guilford Press.

BAGNATO, S.J., J.T. NEISWORTH et S.M. MUNSON (2000). *Linking Assessment and Early Intervention: An Authentic Curriculum-Based Approach*, Baltimore, Brookes.

BAYDAR, N., P. HYLE et J. BROOKS-GUNN (1997). « A longitudinal study of the effects of the birth of a sibling during preschool and early grade school years », *Journal of Marriage and the Family*, vol. 59, nº 4, p. 957-965.

BEAL, J. (1986). « The Brazelton neonatal behavioral assessment scale: A tool to enhance parental attachment », *Journal of Pediatric Nursing*, vol. 1, nº 3, p. 170-177.

BECK, C.T. (1996). « A meta-analysis of predictors of postpartum depression », *Nursing Research*, nº 45, p. 297-303.

BEITEL, A.H. et R.D. PARKE (1998). « Paternal involvement in infancy: The role of maternal and paternal attitudes », *Journal of Family Psychology*, vol. 12, nº 2, p. 268-288.

BELL, L. (2002). *Perceptions parentales de l'établissement de la relation avec leur enfant à la période périnatale et en contexte familial*, Sherbrooke, Université de Sherbrooke, thèse non publiée.

BELSKY, J. (1981). « Early human experience: A family perspective », *Developmental Psychology*, vol. 17, nº 1, p. 3-23.

BELSKY, J. (1984). « The determinants of parenting: A process model », *Child Development*, nº 55, p. 83-96.

BELSKY, J. et M. ROVINE (1990). « Patterns of marital change across the transition to parenthood: Pregnancy to three years postpartum », *Journal of Marriage and the Family*, nº 52, p. 5-19.

BELSKY, J., M. ROVINE et M. FISH (1989). « The developing family system », dans M.R. Gunnar et E. Thelen (dir.) *Systems and Development, The Minnesota Symposium on Child Psychology*, Hillsdale (New Jersey), Lawrence Erlbaum, vol. 22, p. 119-166.

BIGRAS, M., P. LAFRENIÈRE et R.R. ABIDIN (1995). *Indice de stress parental: Manuel francophone en complément à l'édition américaine*, Toronto, Multi-Health Systems.

BORENSTEIN, M. (2002). *Handbook of Parenting*, Mahwah (New Jersey), Lawrence Erlbaum, vol. 3.

BOUCHARD, C. (1981). « Perspectives écologiques de la relation parent(s)-enfant: des compétences parentales aux compétences environnementales », *Apprentissage et Socialisation*, nº 4, p. 4-23.

BOWLBY, J. (1969). *Attachment and Loss*, New York, Basic Books, vol. 1.

BRAUNGART-RIEKER, J., S. COURTNEY et M.M. GARWOOD (1999). « Mother – and father – infant attachment: Families in context », *Journal of Family Psychology*, vol. 13, nº 4, p. 535-553.

BRAZELTON, T.B. (1973). *Neonatal Behavioral Assessment Scale*, Philadelphie, J.B. Lippincott.

BRAZELTON, T.B. (1992). *Touchpoints: The Essential Reference*, Reading (Massachusetts), Merloyd Lawrence Book.

BRICKER, D. (1993). *AEPS Measurement for Birth to Three Years*, Baltimore, Brookes.

BRIGANCE, A.H. (1985). *BRIGANCE Prescriptive Readiness: Strategies and Practice*, N. Billerica, Curriculum Associates.

BRIGANCE, A.H. (1997). *Inventaire du développement de l'enfant entre 0 et 7 ans*, 3e éd., Vanier, CFORP.

BRONFENBRENNER, U. (1979). *The Ecology of Human Development: Experiments by Nature and Design*, Cambridge, Harvard University Press.

BRONFENBRENNER, U. (1986). « Ecology of the family as a context for human development: Research perspectives », *Developmental Psychology*, vol. 22, nº 6, p. 723-742.

BRONFENBRENNER, U. 1994). « Ecological models of human development », dans T. Husen et T.N. Postletwaite (dir.), *International Encyclopedia of Education*, 2e éd., Oxford, Pergamon Press.

BROWN, J.R. et autres (1996). « A defect in nurturing in mice lacking the immediate early gene *fosB* », *Cell*, nº 86, p. 297-309.

CALDWELL, B. et R.H. BRADLEY (1984). *Home Observation for Measurement of the Environment (HOME)*, Little Rock (Arkansas), University of Arkansas at Little Rock.

CAMPBELL, S.B., J. COHN et T. MEYERS (1995). « Depression in first-time mothers: Mother-infant interaction and depression chronicity », *Developmental Psychology*, vol. 31, nº 3, p. 349-357.

COCHRAN, M. et S. NIEGO (2002). « Parenting and social networks », dans M. Bornstein (dir)., *Handbook of Parenting*, Mahwah (New Jersey), Lawrence Erlbaum, vol. 4, p. 123-148.

COLTRANE, S. (1996). *Family man*, New York, Oxford.

CONSEIL DE LA FAMILLE (1990). *État et famille: des politiques sociales en mutation*, Gouvernement du Québec, cahier nº 2.

COWAN, A.P. et C.P. COWAN (1988). « Changes in marriage during the transition to parenthood: Must we blame the baby? », dans G.Y. Michaels et W.A. Goldberg (dir.), *The Transition to Parenthood*, Cambridge, Cambridge University Press, p. 114-154.

COX, J.L., J.M. HOLDEN et R. SAGOVSKY (1987). « Detection of postnatal depression: Development of the 10-item Edinburgh postnatal depression scale », *British Journal of Psychiatry*, nº 150, p. 782-786.

CROCKENBERG, S. (1981). « Infant irritability, mother responsiveness, and social support influences on the security of infant-mother attachment », *Child Development,* n° 52, p. 857-865.

DEMICK, J. (2002). « Stages of parental development », dans M. Bornstein (dir.), *Handbook of Parenting,* Mahwah (New Jersey), Lawrence Erlbaum, vol. 3, p. 389-413.

DESMARAIS, D., L. BLANCHETTE et R. MAYER (1982). « Modèle d'intervention en réseau au Québec », *Cahiers critiques de thérapie familiale et de pratiques de réseaux,* nos 4-5, p. 109-118.

DULAC, G. (2001). *Aider les hommes aussi…,* Montréal, VLB.

DUNN, J., C. KENDRICK et R. MACNAMEE (1982). « The reaction of first-born children to the birth of a sibling : Mothers' reports », dans S. Chess et T. Alexander (dir.), *Annual Progress in Child Psychiatry and Child Development 1982,* New York, Brunner-Mazel, p. 143-165.

DUNST, C.J. et C.M. TRIVETTE (1997). « Early intervention with young at-risk children and their families », dans R. Ammerman et M. Hersen (dir.), *Handbook of Prevention and Treatment with Children and Adolescents : Intervention in the Real World,* New York, Wiley.

DUNST, C.J., C.M. TRIVETTE et A.G. DEAL (1988). *Enabling and Empowering Families : Principles and Guidelines for Practice,* Cambridge, Brookline Books.

DYKE, N. et F. SAUCIER (2000). *Cultures et paternités,* Montréal, Éditions Saint-Martin.

ENSHER, G.L. et autres (1996). *Syracuse Scales of Infant and Toddler Development,* Syracuse, Applied Symbolix.

EPPS, S. et B.J. JACKSON (2000). *Empowered Families, Successful Children : Early Intervention Programs that Work,* Washington, American Psychological Association.

FONAGY, P., H. STEELE et M. STEELE (1991). « Maternal representations of attachment during pregnancy predict the organization of infant-mother attachment at one year of age », *Child Development,* n° 62, p. 891-905.

GIBAUD-WALLSTON, J. et L.P. WANDERSMAN (1978). *Development and Utility of the Parenting Sense of Competence Scale,* article présenté au congrès de l'American Psychological Association, Toronto, Canada.

GIGUÈRE, V. (1998). *Les représentations de la compétence parentale de parents de nourrissons vivant en situation de grande pauvreté,* Montréal, Université de Montréal, mémoire de maîtrise non publié.

GILLIGAN, C.G. (1982). *In A Different Voice : Psychological Theory and Women's Development,* Cambridge, Harvard University Press.

GREENBERG, M.T. (1999). « Attachment and psychopathology in childhood », dans J. Cassidy et P.R. Shaver (dir.), *Handbook of Attachment : Theory, Research and Clinical Applications,* New York, Guilford Press, p. 469-496.

GREENSPAN, S.I. et S.J. MEISELS (1996). « Toward a new vision for the developmental assessment of infants and young children », dans S.J. Meisels et E. Fenichel (dir.), *New Visions for the Developmental Assessment of Infants and Young Children,* Washington, Zero to Three.

GRYCH, J.H. et R. CLARK (1999). « Maternal employment and development of the father-infant relationship in the first year », *Developmental Psychology,* vol. 35, n° 4, p. 893-903.

GUNNAR, M.R. (2000). *Brain-Behavior Interface : Studies of Early Experience and the Physiology of Stress,* Montréal, 7th Congress of the World Association for Infant Mental Health, 26-30 juillet.

GUTERMAN, N.B. (2001). *Stopping Child Maltreatment Before it Starts : Emerging Horizons in Early Home Visitation Services,* Thousand Oaks, Sage, p. 14-37.

HARRISON, M.J. et J. MAGILL-EVANS (1996). « Mother and father interactions over the first year with term and preterm infants », *Research in Nursing and Health,* n° 19, p. 451-459.

HEINICKE, C.M. (2002). « The transition to parenting », dans M. Bornstein (dir.), *Handbook of Parenting,* Mahwah (New Jersey), Lawrence Erlbaum, vol. 3, p. 363-388.

JORDAN, P.L. (1990). « Laboring for relevance : Expectant and new fatherhood », *Nursing Research,* vol. 39, n° 1, p. 11-16.

JULIAN, K.C. (1983). « A comparison of perceived and demonstrated maternal role competence of adolescent mothers », *Health Care of Women,* n° 4, p. 223-236.

KLAUS, M.H. et P.H. KLAUS (2000). *La magie du nouveau-né,* Paris, Albin Michel, p. 7-109.

KRAMER, L. et J.M. GOTTMAN (1992). « Becoming a sibling : "With a little help from my friends" », *Developmental Psychology,* vol. 28, n° 4, p. 685-699.

LAMB, M.E. (1977). « Father-infant and mother-infant interaction in the first year of life », *Child Development,* n° 48, p. 167-181.

LAMOUR, M. et M. BARRACO (1998). *Souffrances autour du berceau : des émotions au soin,* Paris, Gaëtan Morin Éditeur Europe.

LECAMUS, J. (2000). *Le vrai rôle du père,* Paris, Odile Jacob.

LÉONARD, N. et M.C. CÔTÉ (1993). *Échelle de mesure du sentiment de compétence parentale (E.M.S.C.P.),* Sherbrooke, Université de Sherbrooke, Département des sciences infirmières, version non publiée.

LÉONARD, N. et D. PAUL (1996). « Devenir parents : les facteurs liés au sentiment de compétence », *L'infirmière du Québec,* vol. 4, n° 1, p. 38-45.

LEVY-SHIFF, R. et autres (1998). « Cognitive appraisals, coping strategies, and support resources as correlates of parenting and infant development », *Developmental Psychology,* vol. 34, n° 6, p. 1417-1427.

LINDER, T.W. (1993). *Transdisciplinary Play-Based Assessment : A Functional Approach to Working with Young Children – Revised,* Baltimore, Brookes.

LOBO, M.L., K.E. BARNARD et J.B. COOMBS (1992). « Failure to thrive : A parent-infant interaction perspective », *Journal of Pediatric Nursing,* vol. 7, n° 4, p. 251-261.

MAGURA, S. et B.S. MOSES (1986). *Outcome Measures for Child Welfare Services : Therapy and Applications,* Washington, Child Welfare League of America.

MARTELL, L.K. (2001). « Heading toward the new normal : A contemporary postpartum experience », *Journal of Obstetrical, Gynecologic and Neonatal Nursing,* vol. 30, n° 5, p. 496-506.

MASSÉ, R. (1991). « La conception populaire de la compétence parentale », *Apprentissage et socialisation,* vol. 14, n° 4, p. 279-290.

MATESTIC, P.A. (2003). *Early Parenting : Associations Between Marital Harmony and Maternal and Paternal Sensitivity,* Tampa, affiche présentée au congrès de la Society for Research in Child Development, 24-27 avril.

McBRIDE, B. et T.R. RANE (1998). « Parenting alliance as a predictor of father involvement : An exploratory study », *Family Relations,* n° 47, p. 229-236.

McHALE, S.M., A.C. CROUTER et W.T. BARTKO (1991). « Traditional and egalitarian patterns of parental involvement : Antecedents, consequences and temporal rhythms », dans R. Lerner et D. Featherman (dir.), *Advances in Life-Span Development,* Hillsdale (New Jersey), Lawrence Erlbaum, p. 117-131.

McHALE, J.P. et J.L. RASMUSSEN (1998). « Coparental and family group-level dynamics during infancy : Early family precursors of child and family functioning during preschool », *Development and Psychopathology*, vol. 10, n° 1, p. 39-59.

McHALE, J., E. FIVAZ-DEPEURSINGE et A. CORBOZ-WARNERY (2000). *What do Studies of the Formation of the Family Triad Contribute to Clinical Practice ?*, Montréal, conférence présentée lors du 7e congrès de l'Association pour la santé mentale du nourrisson, 26-30 juillet.

MEISELS, S.J. (1996). « Charting the continuum of assessment and intervention », dans S.J. Meisels et E. Fenichel (dir.), *New Visions for the Developmental Assessment of Infants and Young Children*, Washington, Zero to Three.

MEISELS, S.J. et S. PROVENCE (1989). *Screening and Assessment : Guidelines for Identifying Young Disabled and Developmentally Vulnerable Children and Their Families*, Washington, National Center for Clinical Infant Programs.

MEISELS, S.J. et J.P. SHONKOFF (2000). « Early childhood intervention : A continuing evolution », dans J.P. Shonkoff et S.J. Meisels (dir.), *Handbook of Early Childhood Intervention*, 2e éd., Cambridge, Cambridge University Press.

MICHAELS, G.Y. et W.A. GOLDBERG (1988). *The Transition to Parenthood : Current Theory and Research*, Cambridge, Cambridge University Press.

MILLIGAN, R.A. et autres (1997). « Measuring women's fatigue during the postpartum period », *Journal of Nursing Measurement*, vol. 5, n° 1, p. 3-16.

MINISTÈRE DE LA SANTÉ ET DES SERVICES SOCIAUX DU QUÉBEC (1991). *Rapport du groupe de travail pour les jeunes : Un Québec fou de ses enfants*, Québec, Gouvernement du Québec.

MINISTÈRE DE LA SANTÉ ET DES SERVICES SOCIAUX DU QUÉBEC (1993). *Politique de périnatalité*, Québec, Gouvernement du Québec.

NEISWORTH, J.T. et S.J. BAGNATO (1996). « Recommended practices in assessment for early intervention », dans S. Odom et M. McLean (dir.), *Early Intervention / Early Childhood-Special Education : Recommended Practices*, Austin, Pro-Ed.

O'HARA, M.W. et A.M. SWAIN (1996). « Rates and risk of postpartum depression – a meta-analysis », *International Review of Psychiatry*, n° 8, p. 37-54.

OSOFSKY, H.J. et J.D. OSOFSKY (1980). « Normal adaptation to pregnancy and new parenthood », dans P. Taylor (dir.), *Parent-Infant Relationships*, New York, Grune et Stratton, p. 25-48.

PARKE, R.D. (1990). « In search of fathers : A narrative of an empirical journey », dans I.E. Sigel et G.H. Brody (dir.), *Methods of Family Research*, Hillsdale (New Jersey), Lawrence Erlbaum, p. 153-188.

PARKE, R.D. (2002). « Fathers and families », dans M. Bornstein (dir.), *Handbook of Parenting*, Mahwah (New Jersey), Lawrence Erlbaum, vol. 3, p. 27-377.

PEDERSON, D.R. et autres (1990). « Maternal sensitivity and the security of infant-mother attachment : A Q-sort study », *Child Development*, n° 61, p. 1974-1983.

PLUYMAEKERS, J. (1989). *Familles, institutions et approche systémique*, Paris, Seuil.

PRIDHAM, K.F. (1989). « Mothers' decision rules for problem solving », *Western Journal of Nursing Research*, vol. 11, n° 1, p. 60-74.

PRITCHARD, J.A., P.C. MacDONALD et N.F. GANT (1985). *Williams Obstetrics*, 17e éd., Norwalk, Appleton-Century-Crofts.

ROSENBLATT, J. (1995). « Hormonal basis of parenting in mammals », dans M. Bornstein (dir.), *Handbook of Parenting*, Mahwah (New Jersey), Lawrence Erlbaum, vol. 2, p. 3-25.

SAMEROFF, A.J. et B.H. FIESE (2000). « Transactional regulation : The developmental ecology of early intervention », dans J.P. Shonkoff et S.J. Meisels (dir.), *Handbook of Early Childhood Intervention*, 2e éd., Cambridge, Cambridge University Press.

SAMPSELLE, C.M. et autres (1999). « Physical activity and postpartum well-being », *Journal of Obstetrical, Gynecologic and Neonatal Nursing*, vol. 28, n° 1, p. 41-49.

SCHOPPE, S.J. et S.C. MANGELSDORF (2003). *Fathers and Coparenting : Is More Involvement Necessarily Better ?*, Tampa, conférence donnée au congrès de la Society for Research in Child Development, 24-27 avril.

SCHONKOFF, J.P. et D.A. PHILLIPS (2000). *From Neurons to Neighborhoods : The Science of Early Childhood Development*, Washington, National Academy Press.

SIEGEL, D.J. et M. HARTZELL (2003). *Parenting From The Inside Out : How a Deeper Self-Understanding Can Help You Raise Children Who Thrive*, New York, Tarcher/Putnam.

SOCIÉTÉ CANADIENNE DE PÉDIATRIE, LES DIÉTÉTISTES DU CANADA et SANTÉ CANADA (1998). *La nutrition du nourrisson né à terme et en santé*, Ottawa, ministre des Travaux publics et des Services gouvernementaux du Canada.

SPANGLER, G. et M. SCHIECHE (1994). « Biobehavioral organization in one-year olds : Quality of mother-infant attachment and immunological and adrenocortical regulation », *Psychologische-Beitrage*, vol. 36, nos 1-2, p. 30-35.

STAINTON, C. (1989). « The perinatal family », dans C.L. Gillis et autres (dir.), *Toward a science of family nursing*, Menlo Park (Californie), Addison-Wesley, p. 199-214.

STEINBERG, L. et autres (1994). « Over-time changes in adjustment and competence among adolescents from authoritative, authoritarian, indulgent, and neglectful families », *Child Development*, n° 65, p. 754-770.

STERN, D.N. (1995). *The Motherhood Constellation : A Unified View of Parent-Infant Psychotherapy*, New York, Basic Books.

THOMPSON, R.A. (1999). « Early attachment and later development », dans J. Cassidy et P.R. Shaver (dir.), *Handbook of Attachment : Theory, Research, and Clinical Applications*, New York, Guilford Press, p. 265-286.

THURMAN, S.K. et A.H. WIDESTROM (1990). *Infants and Young Children with Special Needs : A Developmental and Ecological Approach*, 2e éd., Baltimore, Brookes.

TRIVETTE, C.M., C.J. DUNST et A.G. DEAL (1997). « Resource-based approach to early intervention », dans S.K. Thurman, J.R. Cornwell et S.R. Gottwald (dir.), *Contexts of Early Intervention : Systems and Settings*, Baltimore, Brookes.

TRONICK, E.Z. et M.K. WEINBERG (1997). « Depressed mothers and infants : Failure to form dyadic states of consciousness », dans L. Murray et P.J. Cooper (dir.), *Postpartum Depression and Child Development*, New York, Guilford Press, p. 54-81.

TROY, N.W. et P. DALGAS-PELISH (1997). « The natural evolution of postpartum fatigue among a group of primiparous women », *Clinical Nursing Research*, vol. 6, n° 2, p. 126-141.

TULMAN, L. et autres (1990). « Changes in functional status after childbirth », *Nursing Research*, n° 39, p. 70-75.

VÉZINA, A. et R. BRADET (1990). *Validation québécoise de l'Inventaire concernant le bien-être de l'enfant (ICBE) en lien avec l'exercice des responsabilités parentales*, Sainte-Foy, Université Laval, Centre de recherche sur les services communautaires.

VYGOTSKY, L.S. (1978). « Mind in society », dans M. Cole et autres (dir.), *The Development of Higher Psychological Processes,* Cambridge, Harvard University Press.

WEINFIELD, N.S. et autres (1999). « The nature of individual differences in infant-caregiver attachment », dans J. Cassidy et P.R. Shaver (dir.), *Handbook of Attachment: Theory, Research, and Clinical Applications,* New York, Guilford Press, p. 68-88.

WOLERY, M. (2000). « Behavioral and educational approaches to early intervention », dans J.P. Shonkoff et S.J. Meisels (dir.), *Handbook of Early Childhood Intervention,* 2e éd., Cambridge, Cambridge University Press.

WRIGHT, L.M., W.L. WATSON et J.M. BELL (1996). *Beliefs: The Heart of Healing in Families and Illness,* New York, Basic Books.

ZELKOWITZ, P. et T.H. MILET (1997). « Stress and support as related to postpartum paternal mental health and perceptions of the infant », *Infant Mental Health Journal,* vol. 18, no 4, p. 424-435.

CHAPITRE 19

LA SANTÉ DES ENFANTS D'ÂGE SCOLAIRE ET DES ADOLESCENTS

JACQUELINE ROY

INTRODUCTION

Dès l'enfance, on acquiert des habitudes de santé qui nous suivent tout au long de notre vie. Il est donc important d'offrir aux enfants, à leur famille et à leur entourage le soutien nécessaire pour les inciter à adopter des comportements susceptibles de favoriser un bon état de santé et de les aider à prévenir les maladies et les blessures. L'école demeure le milieu idéal pour la mise en œuvre d'activités de promotion auprès de cette population.

Le travail de l'infirmière en santé scolaire diffère d'une ville à l'autre et d'une province à l'autre. Certaines infirmières sont embauchées directement par les écoles ou les conseils scolaires tandis que d'autres travaillent pour des agences de santé publique ou communautaire qui offrent des services aux écoles. Ces services varient d'une région à l'autre, mais ils comportent tout de même certaines similitudes, puisque les besoins des enfants et des adolescents en matière de santé sont assez semblables. Ainsi, une saine alimentation et l'activité physique sont des éléments clés de la santé.

Dans ce chapitre, nous discuterons des habitudes de vie des enfants et des adolescents canadiens, des facteurs de risque pour ce groupe d'âge ainsi que des programmes de santé offerts dans les milieux scolaires. L'approche globale de la santé en milieu scolaire (AGSS) sera abordée en tant que modèle de travail auprès des écoles. En dernier lieu, nous discuterons du rôle de l'infirmière et des autres professionnels de la santé à la lumière d'exemples provenant du milieu scolaire.

L'ALIMENTATION

L'alimentation saine revêt une importance capitale chez l'enfant non seulement parce que l'enfance constitue une période de croissance critique pour l'acquisition d'une bonne santé, et que les nutriments y sont essentiels, mais aussi parce que c'est durant l'enfance que s'acquiert la capacité de prendre des décisions et de faire des choix. Il importe donc de guider les enfants dans l'adoption d'habitudes alimentaires saines, afin de prévenir l'apparition à l'âge adulte de certains problèmes de santé, entre autres, l'obésité, le diabète de type 2 et l'ostéoporose.

Selon Santé Canada (2005), plusieurs facteurs influent sur l'alimentation des enfants. Premièrement, les enfants adoptent ou rejettent un aliment principalement en raison du goût. Il importe donc de leur présenter des aliments nutritifs qu'ils aiment. Les préférences alimentaires des enfants les prédisposent à l'adoption et au maintien de comportements sains. Les enfants préfèrent les aliments auxquels ils ont déjà goûté. De plus, ils ont tendance à accepter un aliment qu'ils connaissent peu si on leur offre cet aliment de façon répétée (Crockett et Sims, 1995). Deuxièmement, la famille exerce une influence sur les connaissances et les habitudes alimentaires des enfants. Troisièmement, l'enseignement en classe des principes d'une bonne alimentation, appuyé sur des politiques alimentaires saines, incite les écoliers à apporter des dîners santé, et les cafétérias dans les écoles, à vendre des aliments sains. Quatrièmement, les messages publicitaires vantant les mérites de certains aliments souvent riches en sucre ou en gras exercent une grande influence sur les enfants. Enfin, les amis, surtout au début de l'adolescence, exercent aussi une influence sur les choix alimentaires des jeunes.

À partir de quatre ans, les besoins nutritifs des enfants peuvent être comblés en suivant le *Guide alimentaire canadien pour manger sainement* (Santé Canada,

1992). Le nombre de portions devrait être en accord avec leurs besoins énergétiques. L'appétit des enfants varie en fonction de leur activité physique et de leur âge. Un enfant actif dépense plus d'énergie et a donc plus d'appétit. Il consomme plus de portions par groupe alimentaire. Selon Santé Canada (2005), les filles âgées de sept à neuf ans ont à peu près les mêmes besoins énergétiques que les femmes adultes. Elles mangeront donc le nombre minimal de portions recommandées dans le guide alimentaire. En revanche, les filles âgées de 10 à 12 ans et les garçons âgés de 7 à 12 ans ont besoin de plus d'énergie ; ils consomment en général plus de portions dans chaque groupe alimentaire.

Le *Guide alimentaire canadien pour manger sainement* recommande de 5 à 12 portions par jour de produits céréaliers (de préférence des produits à grains entiers ou enrichis) et de 5 à 10 portions de légumes et de fruits (de préférence des légumes vert foncé ou orangés). Les filles sont plus portées que les garçons à manger des fruits tous les jours. Cette tendance demeure la même de la 6e année à la 10e année, bien que la consommation de fruits diminue graduellement chez les deux sexes (Institut canadien de la santé infantile [ICSI], 2000). Entre 1990 et 1998, on note également une diminution de la consommation de fruits chez les enfants en général (ICSI, 2000). Pour les enfants de 4 à 9 ans, le guide alimentaire recommande de deux à trois portions par jour de produits laitiers et pour les 10 à 16 ans, on augmente de 3 à 4 portions par jour. Les produits laitiers moins gras sont recommandés. Finalement, le guide alimentaire canadien recommande de deux à trois portions de viandes et substituts par jour (viandes, volailles, poissons maigres et légumineuses). On encourage également les enfants à consommer une variété d'aliments dans les quatre groupes alimentaires afin de leur fournir le plus de nutriments possible, et à choisir des aliments faibles en gras.

Pour se conformer aux recommandations du guide alimentaire canadien, il suffit de trois repas par jour et de collations au besoin. Le petit-déjeuner est un repas essentiel pour que les enfants commencent la journée du bon pied. Un enfant qui ne déjeune pas aura plus de difficulté à lire et à résoudre des problèmes mathématiques, surtout vers le milieu de la matinée (Pollitt et autres, 1981 ; Pollitt et autres, 1983 ; Conners et Blouin, 1982). Selon une étude menée par Ma et Zhang pour Santé Canada (2002a), 73 % des élèves de 6e année prennent le petit-déjeuner, mais ce pourcentage diminue graduellement avec l'âge ; en 10e année, seulement 48 % des élèves déjeunent tous les matins. De plus, les filles ont davantage tendance à se passer de petit-déjeuner, et cet écart augmente avec l'âge (ICSI, 2000). En 6e année, 71 % des garçons et 67 % des filles déjeunent, alors qu'en 10e année, 55 % des garçons et 41 % des filles déjeunent. Le désir de perdre du poids semble être la raison pour laquelle les filles sautent ce repas (ICSI, 2000).

En ce qui a trait aux collations, la consommation de boissons gazeuses est élevée chez les jeunes Canadiens, et les garçons en consomment plus que les filles. En 6e année, environ 38 % des garçons et des filles consomment une boisson gazeuse par jour, et en 10e année, ce pourcentage passe à environ 52 %. Les boissons gazeuses peuvent remplacer des aliments plus nutritifs et nuire ainsi à une saine alimentation. En outre, les garçons mangent plus de croustilles que les filles. En moyenne, environ 18 % des enfants de 6e année et 12 % des enfants de 10e année en consomment tous les jours (ICSI, 2000). L'alimentation est aussi une question d'accessibilité. Ainsi, les liens entre la pauvreté et la nutrition sont clairement établis. McIntyre (1997) a rapporté qu'une famille de quatre personnes qui reçoit des prestations d'aide sociale ne peut se permettre d'acheter les aliments nécessaires pour avoir un régime alimentaire équilibré. De plus, le prix de la nourriture est souvent plus élevé et la sélection plus limitée dans les quartiers pauvres que dans les quartiers aisés (Shah et autres, 1987). Les enfants pauvres sont donc privés d'un régime alimentaire adapté à leurs besoins de croissance et de développement. Les enfants les plus exposés à souffrir de la pauvreté sont ceux qui vivent avec un seul parent, principalement la mère. En plus d'être pauvres, ces familles souffrent de stress et ont peu de soutien social, ce qui diminue leurs chances de se nourrir sainement (Keating et Mustard, 1996).

Les familles à faible revenu consomment plus de lait (mais moins de lait partiellement écrémé), de viande et de produits dérivés de la viande (à forte teneur en gras), de gras, de sucre, de conserves, de pommes de terre et de céréales que les familles à revenu plus élevé (James et autres, 1997 ; Shah et autres, 1987). De plus, les familles pauvres consomment moins de fruits et de légumes frais, de produits riches en fibres tels que le pain brun et le pain à grains entiers. Leur apport en nutriments, surtout en calcium, en fer, en magnésium et en vitamines B et C, est inférieur à celui des familles plus aisées.

Dans les milieux défavorisés, la prévalence et la gravité des déficiences nutritionnelles sont plus élevées ; les connaissances et les habiletés en matière d'alimentation sont plus faibles. De plus, les familles pauvres ont accès moins facilement (géographiquement et financièrement) à la nourriture, aux services alimentaires et aux autres ressources que la population ayant un revenu supérieur. Les filles de milieux pauvres ont plus tendance à souffrir d'anémie (James et autres, 1997).

Les enfants pauvres ont plus de difficulté à faire leurs travaux scolaires, ce qui affecte leur rendement. La faim, en raison des repas manqués, est associée aux difficultés à résoudre des problèmes, à compléter des tâches, à se concentrer et à interagir socialement avec d'autres enfants (Pollitt et autres, 1981 ; Pollitt et autres, 1983 ; Conners et Blouin, 1982). On note toutefois une réduction de l'absentéisme ainsi qu'une attention et une concentration plus élevées chez les enfants qui participent à des programmes de petits-déjeuners (McIntyre et autres, 1997).

Compte tenu des données ci-dessus, il importe que la promotion d'une saine alimentation soit une priorité pour les professionnels de la santé qui œuvrent au sein de la population d'âge scolaire. En plus du soutien éducatif offert aux enseignants dans les écoles, les interventions visant la promotion d'une alimentation saine chez les enfants comprennent, entre autres, des clubs de petits-déjeuners, des cafétérias proposant des menus santé, des politiques favorisant le choix d'aliments sains dans les boîtes à lunch, l'éducation des parents sous forme d'ateliers et de communications écrites, le suivi des familles ayant des besoins particuliers, la promotion des programmes de boîtes vertes et d'autres ressources communautaires telles les banques alimentaires.

L'embonpoint et l'obésité chez les jeunes

Un excès de poids chez un enfant est un problème qui risque de persister à l'âge adulte, augmentant ainsi ses risques de morbidité et de mortalité. Chez les enfants, on attribue à l'embonpoint et à l'obésité des conséquences néfastes comme le diabète de type 2, l'hyperlipidémie et l'hypertension (Hill et Trowbridge, 1998). Les enfants qui accusent des problèmes de poids peuvent aussi souffrir d'une image corporelle négative et d'une faible estime de soi (Walsh-Pierre et Wardle, 1997 ; Corbin et autres, 1997).

Selon le supplément du *Rapport sur la santé* (2003), en 2000-2001, 17 % des garçons et 10 % des filles âgés de 12 à 19 ans souffraient d'embonpoint, tandis que 6 % des garçons et 3 % des filles étaient obèses. Cette étude définissait l'embonpoint et l'obésité selon le calcul de l'indice de masse corporelle en fonction de l'âge et du sexe établi par Cole et ses collaborateurs (2000). Les facteurs de risque définis dans cette étude étaient les suivants : un parent souffrant d'embonpoint ou d'obésité, le manque d'activité physique, les mauvaises habitudes alimentaires et l'usage du tabac. Une autre étude, réalisée par Tremblay et Willms (2000), montre que la prévalence d'embonpoint chez les garçons de 7 à 13 ans est passée de 15 % en 1981 à 28,8 % en 1996. Pour les filles du même âge, la prévalence d'embonpoint est passée de 15 % à 23,6 %. Durant cette même période, la prévalence de l'obésité est passée de 5 % à 13,5 % chez les garçons et de 11,8 % chez les filles. La prévention de l'embonpoint et de l'obésité repose surtout sur les programmes qui visent une alimentation saine et l'activité physique pour la population écolière en général. Des interventions plus poussées sont nécessaires pour les enfants qui souffrent déjà d'embonpoint ou d'obésité. Une étude longitudinale d'une durée de 40 ans, qui a suivi des enfants souffrant d'embonpoint, a conclu que des interventions sont nécessaires dès le jeune âge auprès des enfants obèses pour améliorer leur état de santé à long terme (Mossberg, 1989). Le rôle de l'infirmière est de déterminer quels sont les enfants à risque, de les diriger vers les professionnels de la santé appropriés et d'assurer le suivi auprès d'eux et de leur famille.

L'alimentation et l'image corporelle

L'image corporelle est « la représentation mentale que l'on se fait de son propre corps, à laquelle s'ajoutent les sentiments, les pensées et les jugements qu'ils suscitent en soi » (Réseau canadien de la santé, 2004). Selon Santé Canada (2002a), c'est en 7e et en 8e année que les élèves sont le plus préoccupés par leur image corporelle, soit près de 50 % par rapport à une moyenne de 24 % pour les élèves de 6e année, de 9e année et de 10e année.

De plus, les filles sont plus préoccupées par leur image corporelle que les garçons. Le nombre de filles qui suivent un régime ou qui estiment avoir du poids à perdre augmente aussi avec l'âge. Il passe de 29 % en 6e année à 45 % en 10e année. Les filles sont aussi moins satisfaites de leur corps ; 43 % d'entre elles changeraient quelque chose à leur corps en 6e année et 77 % en 10e année. Les garçons sont plus satisfaits de leur corps et ont moins tendance à vouloir changer quelque chose (31 % en 6e année et 52 % en 10e année).

Selon le Réseau canadien de la santé (2004), les facteurs qui contribuent à une image corporelle négative comprennent l'idéal féminin représenté dans les médias ; des antécédents d'abus physique ou sexuel ; des parents préoccupés par leurs poids et qui suivent des régimes amaigrissants ; des moqueries, de l'intimidation, du harcèlement au sujet de la taille, du sexe, de la race ou des aptitudes physiques; la réaction à la puberté; et finalement, des activités qui encouragent la minceur, tels la danse, la gymnastique et le métier de mannequin. De plus, les parents jouent un rôle important dans l'image corporelle de leurs enfants, en particulier celle de leur fille. Une étude, menée par Phillips et Piran (1992), a démontré que les taquineries d'un parent liées à l'apparence d'un enfant avaient un impact plus négatif que les blagues des amis. Enfin, les filles qui souffrent de leur image corporelle risquent de souffrir également d'une faible estime de soi et d'un trouble alimentaire comme l'anorexie et la boulimie (Réseau canadien de la santé, 2004).

Il s'avère important de prévenir ces effets négatifs en développant chez les jeunes l'idée d'une image corporelle positive. L'infirmière, ou d'autres professionnels de la santé, travaillent donc de concert avec les parents et les écoles dans une approche éducative qui encourage les habitudes alimentaires saines et qui mise spécifiquement sur la relation saine avec la nourriture (écouter son corps, éviter d'étiqueter les aliments comme bons ou mauvais, éviter d'utiliser la nourriture comme récompense ou comme punition) et qui favorise l'activité physique. Le programme devrait cibler les élèves les plus vulnérables, soit ceux de 7e et de 8e année. Un programme qui inclut le message de « Vitalité » de Santé Canada favorise une image corporelle saine. Le rôle du professionnel de la santé s'étend aussi à cibler les jeunes à risque en assurant un suivi approprié.

L'activité physique

Le Center for Disease Control and Prevention (1997) a effectué une recension des écrits sur les bienfaits de l'activité physique, en particulier chez les jeunes. On note, par exemple, chez le jeune en forme, une augmentation de l'endurance et de la force musculaire, une augmentation de la masse osseuse et une réduction des risques de maladies cardiovasculaires (l'indice de masse corporelle, les profils de lipides sanguins, la tension artérielle au repos). L'activité physique contribue à abaisser la tension artérielle chez les jeunes souffrant d'hypertension, à améliorer leur forme physique, et à faire perdre du poids aux jeunes qui souffrent d'obésité. On attribue à la forme physique une meilleure estime de soi et une réduction du niveau d'anxiété et de stress. Le *Guide d'activité physique canadien pour les jeunes* (Santé Canada, 2002b) propose d'augmenter les périodes d'activité physique à 90 minutes par jour et de diminuer de 90 minutes le temps consacré à des activités passives comme regarder la télévision, jouer à l'ordinateur ou à des jeux électroniques.

Les habitudes familiales sont un facteur déterminant pour la pratique de l'activité physique chez les enfants (DiLorenzo, 1998; Petchers et autres, 1987). Lorsque le parent fait des activités physiques avec son enfant, ce dernier prend conscience de ses compétences et développe une attitude positive à l'égard de l'activité physique (Brustad, 1996; Moore, 1991). Selon Brustar (1996), si les deux parents sont actifs, l'enfant a plus de chances d'être actif à son tour. Vers l'âge de 11 ans, les garçons sont incités plus que les filles à faire de l'activité physique. Les parents suivent en cela les stéréotypes de rôles associés aux deux sexes pour des raisons sociales (Brustad, 1996). En revanche, les filles de 14 ans ont tendance à réduire leur activité physique (Brustad, 1996).

Les facteurs déterminants en ce qui concerne l'activité physique changent à mesure que l'enfant grandit. Selon une étude menée par DiLorenzo (1998), pour les filles de 5e et de 6e année, le fait d'aimer l'activité physique est le facteur de prédiction le plus important, tandis que pour les garçons du même âge, le facteur de prédiction le plus important est le soutien de la famille et des amis, sous forme d'encouragement et de modèle. Pour les filles de 8e et de 9e année, le soutien social (amis) et familial (la confiance de la mère dans son habileté de prendre le temps de faire de l'activité physique, les empêchements de la mère, l'attitude du père envers l'activité physique), le rôle des parents en tant que modèles et la participation en groupe deviennent de plus en plus importants. Pour les garçons, l'intérêt pour les sports, le fait d'avoir été actifs physiquement dès le jeune âge et la présence du père s'avèrent les facteurs les plus importants.

L'activité physique est une habitude de vie que l'enfant doit développer tôt. Pourtant, on note une diminution de l'activité physique entre 1990 et 1998 (ISCI, 2000). En 1998, 71 % des garçons et 57 % des filles de 6e année faisaient de l'exercice deux fois par semaine ou plus en dehors des heures de classe. En 10e année, le pourcentage passe à 75 % chez les garçons et à 54 % chez les filles. Chez les élèves de 5e et de 6e année, le fait d'aimer l'activité physique était un facteur important de prédiction du maintien de l'habitude (DiLorenzo et autres, 1998). Quant aux adolescents de 15 à 19 ans, la majorité d'entre eux ont indiqué qu'ils faisaient de l'activité physique 3 fois par semaine ou plus, incluant des exercices d'assouplissement, du jogging, des sports de raquette, des sports d'équipe, de la danse ou de la marche rapide durant au moins 15 minutes (ICSI, 2000).

Les heures passées à regarder la télévision et à jouer aux jeux vidéo sont souvent mentionnées comme facteur important de l'inactivité physique chez les jeunes.

On recommande un maximum de deux heures par jour de télévision et de jeux vidéo (American Academy of Pediatrics Committee on Communications, 1995). Au Canada, 18 % des élèves de 6e année regardent au moins 2 heures de télévision par jour et consacrent au moins 4 heures par semaine aux jeux à l'ordinateur ; le phénomène touche les garçons plus que les filles (Santé Canada, 2002a). Ce pourcentage diminue graduellement jusqu'à 9 % en 10e année (Santé Canada, 2002a).

L'Association canadienne pour la santé, l'éducation physique, le loisir et la danse (ACSEPLD) encourage l'éducation physique quotidienne de qualité dans les écoles. L'Association recommande notamment la mise en application d'un programme d'enseignement quotidien pour tous les élèves, de la maternelle à la 12e année, par des enseignants qualifiés, les activités de loisir *intra-muros* et la mise en place de programmes sportifs entre les écoles. L'infirmière en santé communautaire ou d'autres professionnels de la santé œuvrant dans les écoles peuvent mobiliser les écoles afin qu'elles participent à un tel programme. Ces professionnels peuvent aussi travailler avec les parents pour les encourager à faire de l'activité physique à la maison avec les enfants.

LE TABAGISME

Les conséquences du tabagisme sont bien connues. Le tabagisme joue un rôle dans l'apparition de plusieurs cancers, notamment les cancers du poumon, de la bouche, de la gorge, du pancréas, de la vessie et du col de l'utérus. De plus, le tabagisme provoque l'apparition de maladies respiratoires et cardiaques. Le risque de souffrir de maladies du cœur, d'un infarctus ou d'hypertension est bien établi dans le cas des jeunes femmes qui fument et qui prennent des contraceptifs oraux. Pour les jeunes, les effets à court terme sont : la toux, la fréquence et la gravité accrues de maladies comme l'asthme, la grippe et la bronchite, la dépendance à la nicotine et les signes avant-coureurs des maladies cardiovasculaires, pour n'en nommer que quelques-uns (Santé Canada, 2005).

La fumée de tabac ambiante (FTA), celle qui se dégage de la cigarette et qui est exhalée par un fumeur, entraîne, chez les fumeurs et les non-fumeurs, les mêmes conséquences que celles du tabagisme comme tel. Plus particulièrement, les enfants qui sont exposés à la fumée de tabac ambiante dans leur maison sont plus sujets aux infections des voies respiratoires supérieures (rhumes et maux de gorge) et inférieures (diphtérie laryngienne, bronchite, pneumonie), aux otites moyennes, à une réduction de la fonction respiratoire, à une augmentation des crises d'asthme, à un ralentissement de la croissance, à des taux de cholestérol nuisibles, à un début d'athérosclérose et au syndrome de mort subite du nourrisson (« Médecins pour un Canada sans fumée » dans le Programme centre national de documentation sur le tabac et la santé, 2004). Santé Canada estime qu'en 2000, 900 000 enfants de moins de 12 ans étaient exposés à la fumée secondaire dans leur foyer (Santé Canada, 2005).

Malgré les effets dévastateurs de la cigarette, les jeunes commencent à fumer. Entre la 6e année et la 9e année, 56 % des élèves ont fumé au moins une fois (Santé Canada, 2002a). De plus, en moyenne, entre 1 % et 7 % des élèves de la 6e année à la 8e année, et environ 16 % des élèves de 9e année et de 10e année fument tous les jours (Santé Canada, 2002). Selon l'Institut canadien de la santé infantile (ICSI, 2000), en 1997, 20 % des élèves ontariens de la 7e à la 13e année fumaient tous les jours pendant l'année précédant l'enquête. Enfin, en Colombie-Britannique, la majorité des jeunes fumeurs âgés de 12 à 19 ans avaient essayé de cesser de fumer (ICSI, 2000).

La stratégie nationale contre le tabagisme, appuyée par le ministre fédéral et les ministres provinciaux et territoriaux de la Santé en septembre 1999, comprend des stratégies visant la protection, la prévention, l'abandon et la dénormalisation. L'infirmière et les autres professionnels de la santé œuvrant auprès des jeunes d'âge scolaire jouent un rôle important sur tous ces plans. Les activités de protection consistent à éliminer les effets de la fumée de tabac ambiante. Elles comprennent l'action politique visant à soutenir les lois antitabac ainsi que des activités éducatives à l'intention des élèves, des parents et des enseignants. Les activités de prévention visent surtout les enfants des niveaux élémentaires et ont pour but de les encourager à rester non-fumeurs. Les activités d'abandon de l'usage du tabac visent les jeunes fumeurs et consistent notamment en des groupes d'entraide, des campagnes et des concours incitant à l'abandon du tabagisme. Finalement, la dénormalisation a pour but d'« inverser le processus par lequel, depuis des décennies, l'industrie du tabac s'est présentée comme une industrie légitime et normale qui commercialise un produit légitime et normal » (Programme centre national de documentation sur le tabac et la santé, 2004).

LA CONSOMMATION D'ALCOOL ET DE DROGUES

Au Canada, l'âge légal pour consommer de l'alcool est 18 ou 19 ans, selon la province ou le territoire (Canadian

Centre on Substance Abuse, 2005). Pourtant, bon nombre de mineurs consomment de l'alcool. Selon Santé Canada (2002a), 68 % des élèves de 6e année ont consommé de l'alcool au moins une fois. Ce pourcentage augmente graduellement; en 10e année, 94 % des élèves ont consommé de l'alcool au moins une fois. De plus, selon ce même sondage, 15 % des élèves, entre la 6e et la 8e année, et 92 % des élèves entre la 9e et la 10e année consommaient de l'alcool au moins une fois par mois. Finalement, 16 % des élèves entre la 6e et la 8e année, et 58 % des élèves entre la 9e et la 10e année ont été en état d'ébriété au moins une fois.

La consommation excessive d'alcool constitue une problématique chez les jeunes. Ainsi, selon l'ICSI (2000), 52 % des adolescents âgés de 15 à 19 ans, et 35 % des adolescentes du même âge ont consommé de l'alcool de façon excessive (5 consommations ou plus en une occasion). De plus, 12 % des adolescents de 15 à 19 ans ont conduit une voiture au moins une fois après avoir consommé 2 verres ou plus. Malheureusement, 40 % des adolescents victimes d'un accident de la route avaient consommé de l'alcool et 44 % d'entre eux avaient un taux d'alcoolémie supérieur à 0,15 (Mayhew et Simpson, 1999).

Les séquelles d'abus d'alcool sont nombreuses. Le ministère de la Santé et des Services sociaux du Québec les explique dans sa publication intitulée *Les jeunes et l'alcool* (2001). Sur le plan physique, on note des problèmes de foie (risque de cirrhose et de cancer), des muscles (relâchement et affaiblissement), du système digestif (risque d'ulcères d'estomac, de cancer de la bouche, de la gorge, de l'estomac), du système cardiovasculaire (maladies cardiaques et problèmes de tension artérielle), du système nerveux (dommages aux nerfs et au cerveau) et des organes sexuels (risque d'impuissance et de stérilité; chez la femme enceinte, risque de malformation du fœtus). Sur le plan psychologique, on note une faible estime de soi et des problèmes d'affirmation de soi. Enfin, sur le plan comportemental, on remarque une altération du jugement, de la colère, de la nervosité, une tendance à s'isoler ou à se renfermer et des difficultés à affronter les problèmes de la vie. Ces effets peuvent aussi engendrer d'autres problèmes comme l'échec scolaire, une grossesse non planifiée ou une infection transmise sexuellement.

Le cannabis est la drogue que les jeunes consomment le plus. Selon le rapport de l'ICSI (2000), 25 % des adolescents de 15 à 17 ans, et 23 % des adolescents de 18 et 19 ans ont consommé du cannabis au cours de l'année précédente. Les indices de consommation abusive de drogues sont expliqués par l'American Academy of Child and Adolescent Psychiatry (1996). Les signes physiques comprennent la fatigue constante, les maux physiques répétés, les yeux rouges ou ternes et une toux persistante. Les signes émotionnels englobent un changement de la personnalité, des changements d'humeur, un comportement irresponsable, une faible estime de soi, une dépression ou un manque d'intérêt général. Enfin, les signes sociaux incluent de nouvelles amitiés, le manque d'intérêt pour les activités scolaires, des entorses à la loi, des tenues vestimentaires inhabituelles et des goûts musicaux moins conventionnels.

La prévention demeure la stratégie de choix en ce qui concerne l'alcool et les drogues. Le soutien des enseignants est un atout important pour l'infirmière et les autres professionnels de la santé qui œuvrent au sein des écoles primaires et secondaires. De plus, l'appui apporté aux parents est essentiel; il peut être offert sous forme de conférences, d'ateliers et de suivi individuel ou familial. Le bal qui marque la fin des études secondaires constitue un rituel de passage vers la vie de jeune adulte et offre une occasion parfaite pour prévenir les traumatismes possibles. Ainsi, l'infirmière travaille en collaboration avec les élèves qui organisent la fête. Elle les renseigne sur la responsabilité de l'hôte envers ses invités, sur les outils à utiliser pour planifier une fête où tous seront en sécurité, en établissant des liens avec les ressources communautaires telles que « Les mères contre l'alcool au volant » (2004) et « Les élèves ontariens contre l'ivresse au volant » (Ontario students against impaired driving, 2005) et en organisant des activités de sensibilisation aux drogues et à l'alcool.

La sexualité

La sexualité, comme toute autre dimension de la personne, est en constante évolution. La puberté fait partie de l'évolution sexuelle naturelle; c'est une période de changement importante durant laquelle l'enfant se transforme en adulte. Germain et Langis (1990) divisent la puberté en deux étapes: une étape physique et une étape psychosocioculturelle.

L'étape physique de la puberté débute vers l'âge de 10 ans et se termine avec la maturité sexuelle, vers 13 ou 14 ans, lorsque l'individu est prêt à se reproduire. L'hypothalamus, l'hypophyse et les gonades déclenchent les changements physiques conduisant à la maturation sexuelle (Germain et Langis, 1990). La puberté est la dernière d'une série de trois poussées de croissance. Ce changement des systèmes squelettique et musculaire transforme le corps de l'enfant en celui d'un adulte, chez les deux sexes. Toutefois, chez les garçons, la croissance est plus prononcée (Andrews et Boyle, 1995). La maturation sexuelle provoque chez les adolescents des pulsions sexuelles dont l'intensité et la fréquence dépendent de facteurs culturels et biologiques. Les pulsions sexuelles s'expriment sous forme de fantasmes, de rêves éveillés et de rêves nocturnes. Chez les garçons, ces pulsions mènent aux érections spontanées. Chez les garçons et les filles, les pulsions sexuelles mènent à la masturbation, un comportement universel qui a été observé à toutes les époques de l'histoire de l'humanité et dans toutes les sociétés (Germain et Langis, 1990).

L'étape psychosocioculturelle de la puberté est un processus de maturation où l'adolescent recherche une plus grande autonomie, affirme sa personnalité et s'engage dans ses premières relations amoureuses et sexuelles. Toutes les transformations physiques et la rapidité des changements qui s'opèrent chez l'adolescent affectent son image corporelle (Germain et Langis, 1990). Durant cette période d'ajustement, l'adolescent peut éprouver des problèmes de maîtrise corporelle; il est souvent maladroit et enclin aux accidents. Certains adolescents développent des complexes face à leur corps. D'autres manifestent une baisse de confiance en eux. Par ailleurs, ces changements physiologiques incitent l'adolescent à se préoccuper de son apparence et de son corps. Il passe plus de temps dans la salle de bains, se regarde sans cesse dans le miroir et mesure certaines parties de son corps.

L'identité du genre, c'est-à-dire le sentiment d'appartenir au sexe masculin ou au sexe féminin, se manifeste vers l'âge de six ans, selon Germain et Langis (1990). À partir de son modèle familial, l'enfant est nettement conscient des différences entre les hommes et les femmes. Au moment de la puberté, il établit automatiquement un lien entre sa ressemblance anatomique à un homme ou à une femme, et la ressemblance comportementale. C'est ainsi qu'à partir du modèle masculin du père ou du modèle féminin de la mère, l'enfant apprend son rôle sexuel surtout par l'observation. Le milieu culturel dans lequel il évolue influence la transmission des stéréotypes, les comportements typiques et rigides propres à chacun des sexes. La famille et l'entourage exercent des pressions sur l'enfant relativement à l'acquisition des rôles sexuels. Les attentes des parents amènent un conditionnement des enfants par des récompenses ou des punitions pour certains comportements.

Sur le plan des transformations psychosociales, six classes de comportements décrivent les différences sexuelles de façon culturelle. Ces classes sont le « nurturing », la responsabilité, l'obéissance, l'autosuffisance, l'indépendance et l'accomplissement (Andrews et Boyle, 1995). Pour sa part, Spanier (1977) parle d'une socialisation sexuelle appelée « sexualisation ». C'est un processus par lequel une personne acquiert des connaissances, des habiletés et une certaine disposition à se comporter de façon acceptable en tant que membre de la société. La sexualité est un construit social et n'existe pas à l'extérieur de son contexte culturel (Stein, 1989). Selon Brink (1987), la culture impose ses valeurs et ses règlements concernant certains aspects de la sexualité, dont la nature et la beauté, l'acceptation ou le rejet de certains comportements sexuels, la relation entre l'amour et le sexe, les comportements sexuels et le mariage, l'homosexualité et les rôles sexuels.

Sur le plan social, l'adolescent est soumis à des taquineries de la part des amis, de la famille et de son entourage. Les transformations physiques se produisent plus rapidement que l'acquisition de la maturité psychologique chez l'adolescent. Pourtant, les attentes des parents sont fonction de l'aspect physique du développement; ils s'attendent donc à ce que l'adolescent soit plus raisonnable et plus responsable. L'entourage a aussi des attentes à l'égard de l'orientation sexuelle du jeune. L'adolescent qui se pense homosexuel, par crainte de faire partie d'un groupe marginal, tente de vérifier son orientation en vivant une expérience hétérosexuelle.

Les premières expériences sexuelles font partie des changements d'ordre social. Vers l'âge de 14 ou 15 ans, et même avant, l'adolescent vit son premier coup de foudre, et découvre les activités qui s'y rattachent, c'est-à-dire les longs baisers, les caresses des différentes parties du corps, exception faite des organes génitaux. Depuis la fin des années 1970, en Amérique du Nord, les jeunes ont leur première relation sexuelle, en moyenne, vers l'âge de 16 ans (Germain et Langis, 1990). En Ontario, pour la période de 1984 à 1989, l'incidence de la première relation sexuelle à 14 ans était de 22 % chez les garçons et de 19 % chez les filles; 24 % des garçons et 21 % des filles avaient eu leur première relation à 15 ans; 25 % des garçons et des filles, à 16 ans, et 26 % des garçons et des filles, à 17 ans. Selon l'ICSI (2000), 51 % des adolescentes de 15 à 19 ans et 43 % des adolescents du même âge disent avoir déjà eu des relations sexuelles. L'utilisation du condom demeure faible chez les adolescents, et les plus jeunes ont moins tendance à utiliser des préservatifs. En effet, 24 % des garçons de 14 ans et 14 % des filles du même âge disent utiliser le condom, tandis que 37 % des garçons de 17 ans et 24 % des filles du même âge en font usage. Selon l'ICSI, (2000), 19 % des adolescentes de 15 à 24 ans, et 13 % des adolescents du même âge, ont eu

2 partenaires sexuels ou plus et n'ont pas utilisé de préservatifs au cours de l'année précédente.

Par conséquent, les adolescents sont vulnérables aux infections transmises sexuellement (ITS). La chlamydiase est l'infection la plus courante chez les jeunes âgés de 15 à 19 ans. Dans ce groupe d'âge, le taux de chlamydiase était de 999/100 000 en 1996, tandis qu'il était de 86/100 000 pour la gonorrhée (ICSI, 2000). La chlamydiase est guérissable, mais elle peut causer l'infertilité si elle n'est pas traitée ou si elle est traitée trop tardivement. Pour ce qui est du VIH, en 1998, au Canada, on rapporte 24 tests positifs chez les jeunes de 15 à 19 ans (ICSI, 2000).

Une autre conséquence de la relation sexuelle non protégée chez les adolescents est la grossesse non planifiée. Selon le rapport de l'ICSI (2000), le taux de grossesse chez les adolescentes de 15 à 19 ans était de 49/1000. Ce nombre comprend le nombre de grossesses qui se sont terminées par un avortement spontané ou thérapeutique ou par une mortinaissance. Le taux de natalité pour les adolescentes du même groupe d'âge était de 22/1000 en 1996 (ICSI, 2000).

L'adolescente enceinte se heurte à divers problèmes, notamment le décrochage scolaire, la dépendance sociale, l'isolement social, un faible niveau d'éducation, un emploi à faible revenu, un taux élevé de divorce et de séparation, une situation familiale monoparentale (Cloutier, 1996; Badlissi, 2001). En outre, les complications médicales sont fréquentes chez les adolescentes enceintes: l'anémie ferriprive, l'hypertension gravidique et une disproportion fœtopelvienne (Ladewig et autres, 1992). Selon Gallant et Terrisse (2000), les risques à la naissance comprennent les bébés de petit poids, une naissance prématurée, l'hypotrophie fœtale, un taux élevé de mortalité périnatale et infantile, des séquelles neurologiques avec retard de développement et un plus haut taux de morbidité. Enfin, les enfants nés de mères adolescentes sont plus susceptibles d'être victimes d'abus ou de négligence et d'être moins stimulés, parce que ces mères sont moins portées à parler à leur enfant, à lui sourire, à le toucher et à communiquer avec lui (Badlissi, 2001). On remarque, principalement chez les garçons, des capacités cognitives inférieures à la moyenne et plus d'impulsivité et d'agressivité (Cloutier, 1996).

Les jeunes filles enceintes subissent également les pressions du milieu et doivent choisir entre l'avortement, l'adoption ou le mariage. Celles qui choisissent de garder l'enfant doivent prendre des décisions concernant le déroulement de la grossesse et le sort de l'enfant. Selon Cloutier (1996), des séquelles psychologiques peuvent résulter d'une mauvaise connaissance de la situation et des enjeux de l'avortement, des pressions de l'entourage, qu'elles soient en faveur ou non de l'avortement, du fort sentiment de culpabilité à l'égard de la décision prise, du sentiment de ne pas avoir eu suffisamment de temps pour réfléchir avant de décider et d'une ambivalence entre le désir de garder l'enfant et le constat de son incapacité à lui assurer des conditions de vie décentes.

L'infirmière en milieu scolaire ou d'autres professionnels de la santé sont souvent consultés pour des questions liées à la santé sexuelle. Les enseignants qui hésitent à aborder le sujet peuvent faire appel à eux pour renseigner les élèves. Les parents peuvent participer à des ateliers de discussion sur la sexualité. Dans les écoles, il faut parler de la puberté en 5e et en 6e année. En 8e année, il faut parler de la prévention des grossesses, des infections transmissibles sexuellement et des relations interpersonnelles saines. Pour promouvoir une sexualité saine dans les écoles, l'infirmière doit jouer un rôle d'éducatrice et de conseillère auprès des parents et des enseignants. Elle peut aussi être appelée à faire de l'enseignement en classe. Enfin, certaines cliniques de santé en matière de sexualité sont rattachées aux écoles, où l'infirmière procède à une évaluation physique pour l'utilisation des contraceptifs oraux et le dépistage des ITS. Elle fait les tests de grossesse et aide les jeunes à prendre une décision lorsque le résultat est positif. Elle conseille les jeunes sur le dépistage du VIH et sur d'autres questions touchant la santé sexuelle. Enfin, elle assure le suivi prénatal et postnatal des adolescentes enceintes.

La santé

L'Association canadienne pour la santé mentale (ACSM, 1993) définit l'estime de soi comme étant la valeur que l'on s'accorde. « Elle est fondée sur la façon dont nous nous percevons en tant qu'être humain. C'est d'avoir confiance en notre pouvoir d'être aimé, nos capacités et notre individualité. Une bonne estime de soi signifie avoir une bonne opinion de soi-même, avoir confiance en sa valeur personnelle, avoir une attitude positive, être satisfait de soi-même la plupart du temps, se fixer des objectifs réalistes. » L'estime de soi se bâtit graduellement, mais les années formatrices de la moyenne enfance sont particulièrement importantes. Ainsi, une fois formée, l'estime de soi est difficile à modifier (Clarke-Stewart et Friedman, 1987). Les parents ont la plus grande influence sur l'estime de soi des enfants, mais ceux-ci sont aussi marqués par les autres membres de leur famille, leurs enseignants, leurs amis et d'autres adultes dans leur entourage (ACSM, 1993). L'Association canadienne pour la santé mentale (1993) décrit sept facteurs qui influencent l'estime de soi chez les enfants : l'amour et l'acceptation de la part des parents, un sentiment d'appartenance familiale et communautaire, un environnement sécuritaire, un climat de confiance, le respect de soi et des autres, le sentiment d'être spécial, et la confiance en soi.

LA DÉPRESSION

Même si les adultes perçoivent l'enfance comme une période d'insouciance, de nombreux enfants éprouvent des difficultés. Les adultes peuvent ne pas s'apercevoir qu'un enfant est déprimé, car ils perçoivent les problèmes de l'enfant de leur point de vue d'adulte. Pourtant, la dépression existe chez les enfants et les adolescents. En effet, selon Santé Canada (2002a), de 18 % à 26 % des élèves canadiens, entre la 6e année et la 10e année, se sentent dépassés par les événements de temps en temps. Les signes de dépression chez l'enfant peuvent être différents de ceux des adultes ; ils comprennent des changements dans les sentiments (tristesse, inquiétude, culpabilité, colère, crainte, impuissance, désespoir, solitude, rejet), des changements physiques (maux de tête, malaises, douleurs, manque d'énergie, problèmes de sommeil ou d'alimentation, fatigue), des changements dans sa façon de penser (verbalisation qui dénote une baisse de l'estime de soi, une dévalorisation, du blâme, des difficultés de concentration, des pensées négatives, des idées suicidaires) et des changements de comportement (isolement, pleurs, perte d'intérêt pour ses activités préférées, crises de colère ou de larmes soudaines pour des incidents banals) (Association canadienne pour la santé mentale, 1993).

LE SUICIDE

En 1996, le taux de suicide chez les adolescents de 15 à 19 ans était de 19/100 000 (ICSI, 2000), un taux 6 fois plus élevé qu'en 1961. On remarque que les garçons ont plutôt tendance à réussir une tentative de suicide, tandis que les filles ont plutôt tendance à être hospitalisées à la suite d'une tentative de suicide. Selon l'Association canadienne pour la santé mentale (2000), au Canada, environ 294 jeunes âgés de 10 à 24 ans se suicident chaque année. Les risques sont plus élevés chez les adolescents autochtones, et chez les gais et les lesbiennes. Les signes annonciateurs comprennent un changement de comportement soudain (positif ou négatif), l'apathie, le repli sur soi, des changements dans les habitudes alimentaires, une préoccupation inhabituelle au sujet de la mort, le don de ses effets personnels précieux, la dépression, une tentative de suicide passée ou récente, et le suicide d'un proche (Association canadienne de la santé mentale, 2000).

LA PRÉVENTION DE LA VIOLENCE DANS LES ÉCOLES

Cusson (1991) définit la violence comme l'exercice d'une force brutale d'intimidation qui inclut, selon l'auteur, « les bagarres et rixes entre élèves » et « les extorsions et vols avec violence » (Cusson, 1991, p. 214). Les bagarres sont des comportements fréquents dans les écoles, mais c'est la peur qui fait la différence entre ce qui est acceptable et ce qui est inacceptable. Pour Beaulieu (1999), trois facteurs contribuent à l'émergence de la violence : les comportements antisociaux, une faible réalisation de soi et des capacités intellectuelles limitées. De plus, l'auteur mentionne divers sentiments qui peuvent provoquer des comportements agressifs menant à la violence : la frustration, le sentiment de ne pas être à la hauteur, le rejet, l'insécurité, les carences affectives et, à l'inverse, une trop grande affection, la surprotection, trop d'indulgence et trop de liberté.

Comment régler le problème de la violence dans les écoles ? Selon Webster (1993), les programmes de résolution de conflit ont peu d'effets en matière de prévention. Il attribue ce résultat à un manque d'efforts concertés qui porteraient sur les facteurs environnementaux (famille, pairs, communauté) contribuant à la violence. Les professionnels de la santé doivent tenir compte de ces facteurs dans le choix de leurs interventions pour enrayer la violence à l'école.

Par exemple, un projet scolaire appelé Comité action jeunesse a été mis sur pied dans trois écoles secondaires de la ville d'Ottawa (Carroll et autres, 1999). Des élèves ont été invités à participer à ce comité et ont proposé d'aborder le thème de la violence dans leurs écoles. Les jeunes ont reçu une formation en gestion, en organisation et en leadership. Ils ont ensuite décidé d'organiser deux activités. La première consistait à présenter des dîners-causeries dans leurs écoles sur des sujets tels que la drogue, le racisme, l'agression sexuelle, le suicide, l'abus émotif, le rejet et les relations familiales. En tout, neuf dîners-causeries ont eu lieu. Ils étaient animés conjointement par un professionnel et par les membres du Comité action jeunesse. Après chaque dîner, les jeunes qui le désiraient pouvaient avoir un entretien personnel avec le professionnel. La majorité des jeunes (86,4 %) qui ont assisté aux dîners-causeries étaient d'avis que c'était là une façon efficace de sensibiliser leurs pairs à l'importance de la prévention de la violence et la plupart (83,6 %) ont estimé que l'information fournie leur était utile. Bon nombre de jeunes (75 %) recommanderaient à leurs amies et amis de participer aux dîners-causeries.

La deuxième activité consistait en une émission de télévision réalisée en collaboration avec un câblodiffuseur communautaire et la Fédération de la jeunesse franco-ontarienne, qui a fourni des animateurs adolescents. Les thèmes, le rejet et le racisme, ont été choisis par les jeunes. Aucun adulte n'était présent en studio lors du tournage de l'émission, ce qui permettait aux jeunes de s'exprimer et d'échanger entre eux. Afin de mesurer la cote d'écoute, les téléspectateurs ont été invités à participer à une tribune téléphonique et à faire part de leurs commentaires. En 120 minutes, 116 appels d'adolescents, d'adultes et d'aînés de la communauté ont été reçus. Par la suite, la vidéocassette, accompagnée d'un guide d'animation, a servi d'outil pédagogique pour les jeunes francophones de la région.

Dans les écoles primaires, un programme de prévention inclut des sessions en classe sur divers sujets liés à l'intimidation et au taxage. Ces thèmes incluent la définition de l'intimidation et divers moyens pour la contrer tels que l'affirmation de soi, comment faire appel à l'humour, comment rester en sécurité, comment feindre l'indifférence et avoir des pensées positives, comment créer des liens et attirer la gentillesse par la gentillesse (Lorusso, 2003). Le programme peut être complété par l'enseignant en classe et par des sessions en collaboration avec l'infirmière en santé communautaire (Morrissette et autres, 2003).

L'hygiène dentaire

Des dents saines sont nécessaires à la bonne mastication des aliments et à la clarté de l'élocution. Il importe que les enfants se brossent les dents deux fois par jour, particulièrement le soir avant le coucher. On encourage les parents à aider leurs enfants de moins de neuf ans à se brosser les dents au moins une fois dans la journée. De plus, à partir de l'âge de six ans, on encourage l'utilisation de la soie dentaire une fois par jour.

En ce qui a trait aux habitudes d'hygiène dentaire, les filles se brossent les dents plus que les garçons. En 1998, 68 % des filles et 55 % des garçons de 6e année se brossaient les dents 2 fois par jour ou plus ; en 10e année, ce pourcentage passait à 80 % chez les filles et à 57 % chez les garçons. Selon Santé Canada (2002a), 67 % des enfants de la 6e à la 10e année se brossent les dents 2 fois par jour et seulement 25 % d'entre eux utilisent la soie dentaire presque tous les jours.

L'hygiéniste dentaire en santé scolaire et d'autres professionnels de la santé font la promotion de l'hygiène dentaire en classe. L'enseignement comprend l'importance de l'hygiène dentaire pour prévenir les caries, une bonne technique de brossage des dents, l'utilisation de la soie dentaire, et les mérites des collations nutritives faibles en sucre. L'hygiéniste dentaire participe également aux évaluations dentaires des écoliers, au dépistage et au suivi des élèves ayant des besoins particuliers.

Les principaux problèmes de santé chez les jeunes : hospitalisation et causes de décès

Selon l'ICSI (2000), les principales causes d'hospitalisation chez les enfants de 5 à 9 ans au Canada en 1996-1997 étaient les troubles respiratoires (29 %), les blessures (17 %) et les troubles de l'appareil digestif (11 %). Les enfants de 10 à 14 ans étaient hospitalisés en raison de blessures (21 %), de troubles de l'appareil respiratoire (17 %) et de troubles de l'appareil digestif (14 %). Chez les jeunes de 15 à 19 ans, les principales causes d'hospitalisation chez les garçons étaient les blessures (29 %), les troubles digestifs (14 %), les troubles mentaux (13 %) et les troubles respiratoires (11 %). Dans le même groupe d'âge, les principales causes d'hospitalisation chez les filles étaient les troubles mentaux (16 %), les troubles digestifs (14 %), les troubles respiratoires (14 %), les blessures (14 %) et les troubles des voies génito-urinaires (11 %).

De plus, les blessures sont la cause principale de décès chez les enfants de 5 à 14 ans et chez les adolescents de 15 à 19 ans. Ces décès pourraient parfois être évités. Il est à noter que les blessures comprennent aussi les empoisonnements et les blessures auto-infligées. Le taux de suicide est demeuré stable depuis 1976, se situant autour de 4/100 000. Les garçons réussissent une tentative de suicide plus souvent que les filles. En revanche, les filles sont hospitalisées plus souvent que les garçons à la suite d'une tentative de suicide. Les cancers sont la deuxième cause de décès chez les enfants de 5 à 14 ans et chez les adolescents de 15 à 19 ans (ICSI, 2000).

Les blessures

Selon le rapport de l'ICSI (2000), les chutes demeurent la principale cause de blessures chez les enfants de 5 à 14 ans. C'est à la maison (42 %) et à l'école (21 %) que les enfants de 5 à 9 ans se blessent le plus fréquemment ; les enfants de 10 à 14 ans s'infligent des blessures à l'école (29 %), à la maison (29 %) et dans les centres sportifs et les centres de loisirs (20 %). Chez les enfants de 5 à 9 ans, le jeu demeure la principale cause de blessures (54 %) ; viennent ensuite le transport (10 %) et les sports (8 %). Chez les 10 à 14 ans, la principale cause de blessures vient des activités récréatives (33 %) ; viennent ensuite les sports (29 %) et le transport (10 %). Chez les 15 à 19 ans, les sports (35 %) demeurent la principale cause de blessures, suivis des loisirs (19 %). C'est à l'école (22 %), dans les centres sportifs ou les centres de loisirs (21 %) et à la maison (19 %) que les jeunes se blessent. Les garçons sont plus sujets aux blessures et ont plus souvent recours aux soins médicaux (Santé Canada, 2002a). En ce qui a trait au port de la ceinture de sécurité en voiture, en 6e année, 68 % des garçons et 75 % des filles la portaient souvent ou toujours, tandis qu'en 10e année, 61 % des garçons et 66 % des filles la portaient souvent ou toujours. Quant au casque de vélo, en 6e année, 54 % des garçons et 60 % des filles le portaient souvent ou toujours, tandis qu'en 10e année, 17 % des garçons et 18 % des filles le portaient souvent ou toujours (ICSI, 2000).

Pour éviter les accidents, plusieurs activités de prévention peuvent être organisées dans les écoles. Par exemple, une randonnée à bicyclette, particulièrement au printemps, qui touche des aspects tels que la sécurité routière, l'entretien du vélo, le port et l'ajustement du casque. Le patin à glace, le patin à roues alignées, le hockey, le traîneau et la luge constituent d'autres exemples d'activités sportives où l'on peut mettre l'accent sur la protection. Enfin, il importe d'encourager le port de la ceinture de sécurité.

Le travail en milieu scolaire

L'école demeure le milieu par excellence pour rejoindre une masse d'enfants et d'adolescents. L'infirmière et d'autres professionnels de la santé peuvent appuyer les enseignants et les parents dans une démarche visant à favoriser l'adoption de saines habitudes de vie. Il existe plusieurs modèles permettant de promouvoir la santé dans les écoles.

L'approche globale de la santé en milieu scolaire

L'approche globale de la santé en milieu scolaire (AGSS) est un modèle de promotion de la santé et de prévention des maladies centré sur l'école et ses environs. On définit l'AGSS comme une gamme de programmes, de politiques, d'activités et de services à l'école et dans la communauté (McCall, 1999). Les buts de l'AGSS sont de promouvoir la santé et le bien-être, de prévenir la maladie et les blessures, de venir en aide aux enfants à risque et d'offrir du soutien aux enfants dont l'état de santé a besoin d'être amélioré (McCall, 1999). Ainsi, le modèle favorise quatre stratégies qui influent sur la santé : l'enseignement, les services de soutien, le soutien social et un environnement physique propre et sécuritaire. Ces stratégies doivent être employées à toutes les échelles : locale, municipale, provinciale et nationale.

L'enseignement de la santé

On entend par « enseignement de la santé » la transmission des connaissances qui favorisent les attitudes, les capacités et les comportements nécessaires à une bonne santé (Santé Canada). Plus précisément, l'enseignement comprend un programme santé et bien-être, de la maternelle à la 12e année, un programme d'éducation physique, un programme d'études familiales et d'*économie domestique*, une formation efficace pour les enseignants, du matériel éducatif de qualité et à jour, des stratégies d'apprentissage appropriées, un apprentissage informel avec les pairs et les parents (McCall, 1999).

Les services de soutien

Les services de soutien sont des organismes comme les services de santé, les services d'orientation et les services sociaux qui se chargent de l'évaluation des besoins de santé des élèves, de la prévention de la maladie et du traitement de ceux qui en ont besoin (ACES et Santé et Bien-être Canada, 1993). On entend par « services de soutien » les services de santé pour les enfants et les adolescents, les services sociaux pour les enfants et les familles, les services d'orientation à l'école, les services à l'élève, le soutien pour la coopération interagence, interministérielle, interdisciplinaire, des services de dépistage et de diagnostic précoce, de référence, de traitement et de suivi, de formation pour les infirmières et les autres professionnels (McCall, 1999).

Le soutien social

On entend par « soutien social » les personnes qui entourent les élèves et qui leur servent de modèles. Ces personnes influencent leurs décisions relativement à un mode de vie sain. L'appui social comprend des programmes de pairs aidants, des adultes qui servent de modèles et de mentors, un climat scolaire positif, des politiques de santé publique adoptées par les conseils scolaires, des agences de santé publique et de service social, la coopération des médias locaux, l'implication des parents, de la famille, et de la communauté, et une planification formelle à partir d'une évaluation complète des besoins (McCall, 1999).

Un environnement physique propre et sécuritaire

Un environnement physique propre et sécuritaire sert à prévenir la maladie et les blessures tout en encourageant des comportements sains dans les habitudes de vie. Un milieu physique sain et sûr comprend des mesures de sécurité dans les écoles et les cours d'école, une inspection régulière et un entretien des installations et des équipements, des services d'alimentation fournissant des collations et des repas nutritifs, des politiques antitabac et antidrogues, des normes concernant l'hygiène, l'éclairage, le système sanitaire et autres, une politique contre la discrimination et le harcèlement (McCall, 1999).

L'infirmière en milieu scolaire et la promotion de la santé : qu'est-ce qu'une école en santé ?

Le projet École en santé est basé sur le concept Villes et villages en santé lancé à Toronto en 1984 lors de la conférence « Au-delà des soins de santé ». Le but du projet École en santé est fondé sur celui d'une ville saine « qui crée de nouveaux milieux physiques et sociaux, et les améliore constamment, qui élargit les ressources communautaires nécessaires aux habitants pour leur permettre de s'aider les uns les autres à s'acquitter de toutes les fonctions essentielles du quotidien, et de s'épanouir pleinement » (Hancock, 1987).

La structure d'un projet École en santé

Le comité École en santé est composé de parents, d'enseignants et de l'infirmière en santé communautaire. L'infirmière joue un rôle de leadership au sein du comité. Elle est responsable de l'évaluation des besoins auprès des élèves, des parents et des enseignants. Elle coordonne et préside les rencontres, elle assure la collaboration et la concertation entre les membres et guide le comité dans le choix des interventions, et dans la mise en œuvre et l'évaluation du projet. Enfin, elle joue un rôle clé dans la planification des interventions en promotion de la santé de ce projet. L'implication de l'infirmière dans un tel partenariat contribue à l'amélioration de la pratique infirmière en santé scolaire. Elle permet l'étude approfondie d'une question de santé et son élaboration, du début à la fin, en s'appuyant sur la théorie et la recherche. Elle permet aussi l'utilisation d'approches innovatrices en soins infirmiers communautaires.

Comment démarrer un projet École en santé ?

Le modèle conceptuel PRECEED-PROCEDE s'applique bien au contexte scolaire en matière de promotion de la santé, car il marie les objectifs des domaines de l'éducation et de la promotion de la santé : il met l'accent sur la maîtrise d'habiletés qui permettent l'adoption de comportements sains (Green et Kreuter, 1999).

Pour la mesure objective de l'évaluation sociale (la détermination des principaux problèmes sociaux), les indicateurs pouvant servir dans une école sont le nombre de familles desservies par celle-ci, l'origine culturelle des familles, le niveau d'éducation des parents, le revenu familial, la structure familiale, l'absentéisme des enfants à l'école, la prévalence du taxage, les causes et les méthodes de discipline à l'école. Les données du recensement canadien ainsi que les registres scolaires servent de références.

Pour la mesure subjective, les informateurs clés tels que les directeurs d'école, les membres du comité de parents ou du conseil d'école, les intervenants dans le domaine psychosocial, les superviseurs du dîner et de la cour d'école, les chauffeurs d'autobus, les secrétaires, les concierges peuvent fournir une foule de renseignements au sujet des conditions sociales dans l'école.

Puisque l'objectif est de mieux connaître la communauté scolaire en utilisant une démarche participative, l'évaluation sociale doit comprendre la perception des élèves, des parents et des enseignants des besoins de santé des enfants. Chaque groupe ayant ses caractéristiques propres, la méthode de choix pour recueillir l'information diffère d'un groupe à l'autre. Pour les enfants de la maternelle à la 3e année, on peut lire une histoire qui traite de la santé en général et demander aux enfants de faire un dessin sur ce qu'ils ont retenu. On peut par la suite leur demander individuellement d'expliquer leur dessin et leur poser des questions telles que : « Qu'est-ce qui t'aide à rester en santé à la maison et à l'école ? » ; « Qu'est-ce qui t'empêche d'être en santé à la maison et à l'école ? » ; « Qu'est-ce que tu voudrais qu'on fasse pour t'aider à rester en santé à la maison et à l'école ? » Pour les enfants de la 4e à la 8e année, on peut poser les mêmes questions en leur demander d'expliquer d'abord dans leurs propres mots ce que signifie « être en santé ». Les dessins peuvent également être une source de données intéressantes et créer une ambiance favorable à la collecte de données si on les affiche sur les murs de l'école. Pour les élèves du secondaire, les questionnaires peuvent être utiles, mais les groupes de discussion permettent de recueillir plus de renseignements.

Pour les parents, les entrevues téléphoniques, les questionnaires, les visites à domicile et les groupes de discussion sont toutes des méthodes appropriées. Le choix de la méthode doit toutefois tenir compte de certaines caractéristiques des parents : la langue parlée, la culture, l'alphabétisme et la disponibilité. Enfin, pour les enseignants, les entrevues individuelles, les groupes de discussion ou les questionnaires sont les méthodes de choix, mais il faut considérer le nombre d'enseignants et leur disponibilité.

Pour l'*évaluation épidémiologique* (les problèmes de santé les plus fréquents), les sources de données comprennent les dossiers scolaires pour les maladies ou les conditions particulières signalées par les parents et le service local de santé publique pour les données relatives à l'immunisation et aux caries dentaires. Les données épidémiologiques font généralement état des taux de morbidité et de mortalité, mais ceux-ci ne sont habituellement pas disponibles pour les élèves d'une école en particulier ; on se réfère donc aux données disponibles à l'échelon municipal ou régional.

Le but de l'*évaluation des comportements et de l'environnement* est de connaître les comportements positifs et négatifs liés au principal problème de santé chez les enfants de l'école ainsi que les facteurs environnementaux qui contribuent au problème. Des entrevues auprès des parents, des enseignants et même des enfants peuvent fournir cette information. Par exemple, le manque d'activité physique avait été retenu comme principal problème chez les élèves d'une école primaire. Les comportements des enfants liés à ce problème incluaient le manque d'intérêt pour l'activité physique et leur participation élevée à des activités sédentaires (télévision, jeux vidéo). Les facteurs liés à l'environnement comprenaient le manque d'activités organisées à l'école, le manque d'équipement dans leur gymnase, le manque d'organisation dans la cour d'école et le manque de structures de jeux, ainsi que les limites financières pour s'en procurer.

L'*évaluation éducationnelle et organisationnelle* consiste à élaborer les facteurs qui prédisposent, qui facilitent et qui renforcent l'adoption ou le maintien des comportements.

Les facteurs qui prédisposent. Les croyances, les attitudes et les connaissances influent sur le développement des habitudes de vie chez les enfants. La famille est une source majeure d'influence et de modelage pour les comportements de santé de l'enfant (Nader, 1996). L'influence et le niveau de connaissances des parents ont des conséquences importantes sur l'attitude des enfants à l'égard de la santé (Petchers et autres, 1987). Selon Perry, Crockett et Pririe (1987), les enfants aussi peuvent influencer les attitudes et les comportements de leurs parents.

Ces attitudes, ces croyances et ces valeurs sont intimement liées à la culture. Leininger (1988) décrit la culture comme un ensemble de valeurs, de croyances, de normes et de pratiques qui sont acquises et partagées par un groupe. Au Canada, plusieurs écoles accueillent des enfants issus de familles de diverses origines culturelles. Il est important de prendre en compte les différences culturelles dans l'élaboration de projets de promotion de la santé dans les écoles.

Les parents servent de modèles et transmettent leur culture à leurs enfants par leurs comportements, leur façon de communiquer et leur style de « parentage » (Andrews et Boyle, 1995). La culture se manifeste sous forme d'entente partagée et de codes ayant une grande influence sur l'individu. En fait, la culture impose des règlements à la fois implicites et explicites. En plus de la culture générale, les connaissances des parents prédisposent les enfants à l'adoption et au maintien de saines habitudes.

Des enseignants engagés dans le domaine de la promotion de la santé créent un environnement favorable à l'apprentissage, encouragent les comportements sains et servent de modèles pour les enfants. Des enseignants qui ont acquis des connaissances sur les sujets liés à la santé se sentent mieux préparés à les enseigner (Hausman et Rusek, 1995). De plus, des enseignants qui ont reçu une formation sont plus aptes à enseigner des sujets liés à la santé (Basen-Engquist et autres, 1994 ; Smith et autres, 1993).

Les facteurs qui facilitent. Les facteurs facilitants en ce qui concerne l'école sont la capacité des élèves et du personnel à acquérir de nouvelles habiletés, la mise en place de ressources accessibles, ainsi que les politiques qui favorisent la santé au sein de l'école et du conseil scolaire.

Le rôle de l'infirmière et des professionnels en santé scolaire consiste à élaborer et à mettre en œuvre des stratégies visant à modifier les comportements et l'environnement. Dans l'exemple cité plus haut, une intervention favorisant les changements dans l'environnement serait le réaménagement de la cour d'école pour encourager les enfants à faire de l'activité physique. L'école pourrait organiser une collecte de fonds, acheter une structure de jeux, tracer des lignes pour certains jeux comme la marelle, se servir des pistes de randonnées municipales à proximité pour le ski de fond l'hiver et la marche en été.

Les facteurs qui renforcent. Les facteurs de renforcement sont la famille, les amis, les enseignants, les professionnels de la santé et les autres leaders communautaires. Ils comprennent la reconnaissance et la satisfaction qu'éprouvent les élèves, les enseignants et les parents lorsqu'un comportement est adopté ou que l'environnement est modifié. Les adultes qui entourent les enfants, soit les parents, les enseignants et les autres adultes, peuvent encourager l'adoption et le maintien de comportements sains.

L'*évaluation administrative et politique* permet d'examiner le soutien de l'administration pour le projet proposé. Il importe d'obtenir l'approbation pour les activités proposées et d'élaborer un projet qui tient compte des valeurs et des attitudes du personnel. La réussite d'un projet de promotion de la santé dans une école dépend dans une large mesure du soutien de la direction. Il est donc préférable d'obtenir un engagement formel de la part de la direction. De plus, le soutien de l'école sera aussi assuré si un enseignant est étroitement lié au projet, c'est-à-dire s'il peut prendre du temps à l'intérieur de ses fonctions pour participer aux rencontres du comité École en santé et s'il est engagé dans la cause de la santé de façon professionnelle et personnelle. Certaines difficultés peuvent entraver la réalisation d'un projet de saine alimentation, par exemple les habitudes alimentaires du personnel (aliments peu nutritifs dans les collations et les dîners, distributrices d'aliments peu nutritifs dans la salle des professeurs, enseignants qui suivent souvent des régimes amaigrissants et qui sautent des repas).

Dans la *mise en œuvre*, il importe d'élaborer un plan de travail en équipe comprenant les tâches à accomplir et les personnes qui en sont responsables. Il importe aussi d'établir et de respecter les échéanciers. La participation des parents, des enseignants et des enfants contribue au succès du programme.

L'*évaluation du processus* et l'*évaluation de l'impact* du programme sont certes liées aux objectifs, et le plan doit être établi au préalable. À long terme (cinq ans et plus), il est souvent plus difficile de mesurer les effets d'un projet à l'échelle d'une école pour des raisons évidentes. Chaque année, des groupes d'élèves quittent l'école parce qu'ils ont terminé le programme d'études offert à cet endroit et de nouveaux groupes arrivent, ce qui veut dire que les groupes de parents changent aussi chaque année. De plus, il faut prendre en compte les changements qui surviennent dans le personnel enseignant et dans le personnel de soutien. Néanmoins, si les programmes de santé sont intégrés au conseil scolaire, certains indicateurs de santé peuvent démontrer leurs effets à long terme (par exemple, la qualité des collations et des dîners, le taux de carie dentaire, le taux de grossesse chez les adolescentes, le taux d'absentéisme à l'école).

Références

AMERICAN ACADEMY OF PEDIATRICS COMMITTEE ON COMMUNICATIONS (1995-1996). « Children, adolescents, and television », *Pediatric*, vol. 4, n° 1, p. 786-787.

AMERICAN ACADEMY OF CHILD AND ADOLESCENT PSYCHIATRY (1996). « Les jeunes, l'alcool et les autres drogues », n° 3, p. 10-92, www.aacap.org (consulté le 27 mai 2005).

ANDREWS, M.M. et J.S. BOYLE (1995). *Transcultural Concepts in Nursing Care*, 2e éd., Philadelphie, J.B. Lippincott Company.

ASSOCIATION CANADIENNE POUR LA SANTÉ, L'ÉDUCATION PHYSIQUE, LE LOISIR ET LA DANSE (2005). « Éducation physique quotidienne de qualité », www.cahperd.ca (consulté le 27 mai 2005).

ASSOCIATION CANADIENNE POUR L'ÉDUCATION À LA SANTÉ et SANTÉ ET BIEN-ÊTRE CANADA (1993). *L'approche globale de la santé en milieu scolaire : un guide de présentation et d'animation*, Ottawa, ministre des Approvisionnements et Services Canada.

ASSOCIATION CANADIENNE POUR LA SANTÉ MENTALE (2000). « Réflexions sur le suicide chez les jeunes », www.acsm.qc.ca (consulté le 27 mai 2005).

ASSOCIATION CANADIENNE POUR LA SANTÉ MENTALE (1993). « Les enfants et la dépression », www.acsm.qc.ca (consulté le 27 mai 2005).

ASSOCIATION CANADIENNE POUR LA SANTÉ MENTALE (1993). « Les enfants et l'estime de soi », www.acsm.qc.ca (consulté le 27 mai 2005).

BASEN-ENGQUIST, D., N. O'HARA-TOMPKINS, C. LOVATO, J. LEWIS, G. PARCEL et P. GINGISS (1991). « The effect of two types of teacher training on implementation of smart choices : A tobacco prevention curriculum », *Journal of School Health*, vol. 64, n° 8, p. 334-339.

BADLISSI, D. (2001). *Grossesse et maternité à l'adolescence*, Direction de la santé publique de Lanaudière.

BEAULIEU, A. (1999). « Ateliers de prévention de la violence chez les élèves du premier cycle du primaire », *Revue canadienne de psycho-éducation*, vol. 28, n° 2, p. 247-264.

BRINK, P.J. (1987). « Cultural aspects of sexuality », *Holistic Nursing Practice*, vol. 1, n° 4, p. 12-20.

BRUSTAD, R. (1996). « Attraction to physical activity in urban school children : Parental socialization and gender influences », *Research Quarterly for Exercise and Sport*, vol. 67, n° 3, p. 316-323.

CANADIAN CENTRE ON SUBSTANCE ABUSE (2005). « Legal drinking age by province », Canada, www.ccsa.ca (consulté le 27 mai 2005).

CARROLL, G., J. ROY et D. HÉBERT (1999). « Youth violence prevention strategies », *Journal of Adolescent Health*, n° 25, p. 7-13.

CENTRE FOR DISEASE CONTROL AND PREVENTION (1997). « Guidelines for school and community programs to promote lifelong physical activity among young people », *Journal of School Health*, vol. 67, n° 6, p. 202-219.

CLARKE-STEWART, A. et S. FRIEDMAN (1987). *Child Development : Infancy Through Adolescence*, New York, John Wiley & Sons, p. 519-520.

CLOUTIER, R. (1996). *Psychologie de l'adolescence*, Montréal, Gaëtan Morin éditeur.

COLE, T.J., M.C. BELLIZZI et K.M. FLEGAL (2000). « Establishing a standard definition for child overweight and obesity worldwide : International survey », *British Medical Journal*, vol. 320, n° 7244, p. 1240-1243.

CONNERS, C. et A. BLOUIN. (1982). « Nutritional effects on behaviour of children », *Journal of Psychiatric Research*, n° 17, p. 193-201.

CORBIN, W.R., C.B. CORBIN, R.P. PANGRAZI, G. PETERSEN et D. PANGRAZI (1997). « Self-esteem profiles : A comparison of children above and below national criteria for body fatness », *Physical Education*, n° 54, p. 47-56.

CROKETT, S.J. et L.S SIMS (1995). « Environmental influences on children's eating », *Journal of Nutrition Education*, vol. 27, n° 5, p. 235-251.

CUSSON, M. (1991). « La violence à l'école : le problème et les solutions », *Apprentissage et socialisation*, vol. 13, n° 3, p. 213-221.

DiLORENZO, T.M., R.C. STUCKY-ROPP, J.S. VANDER WAL et H.J. GOTHAM (1998). « Determinants of exercise among children. II. A longitudinal analysis », *Preventive Medicine*, n° 27, p. 470-477.

GALLANT, N. et B. TERRISSE (2000). « The adolescent mother : A developmental or social concept », Ottawa, Conseil des ministres de l'Éducation du Canada (CMEC).

GERMAIN, B. et P. LANGIS (1990). *La sexualité : regards actuels*, Montréal, Éditions Études Vivantes.

GREEN, L.W. et M.W. KREUTER (1999). *Health Promotion Planning, an Educational and Ecological Approach*, 3e éd., Mountain View, Mayfield Publishing Company.

HANCOCK, T. (1987). « Vers des villes saines : le projet canadien », *Promotion de la santé*, été, p. 2-4, 27.

HAUSMAN, A. et B.S. RUSEK (1995). « Implementation of comprehensive school health education in elementary schools : Focus on teacher concerns », *Journal of School Health*, vol. 65, n° 3, p. 81-86.

HILL, J.O. et F.L. TROWBRIDGE (1998). « Childhood obesity : Future directions and research priorities », *Pediatrics*, n° 101, p. 570-574.

INSTITUT CANADIEN DE LA SANTÉ INFANTILE (ICSI) (2000). *La santé des enfants du Canada : un profil de L'ICSI*, 3e éd., Ottawa.

INSTITUT CANADIEN D'INFORMATION SUR LA SANTÉ et STATISTIQUE CANADA (2003). « Rapports sur la santé. La santé de la population canadienne », Supplément des *Rapports sur la santé*, vol. 14, Ottawa.

JAMES, W.P., M. NELSON, A. RALPH et S. LEATHER (1997). « Socioeconomic determinants of health, contribution of nutrition to inequalities in health, *British Medical Journal*, n° 341, p. 1545-2549.

KEATING, D.P. et F.F. MUSTARD (1996). « The national longitudinal study of children and youth : An essential element for building a learning society in Canada », dans *Growing up in Canada*, Ottawa, Développement des ressources humaines Canada et Statistique Canada.

LADEWIG, P. et autres (1992). *Soins infirmiers : maternité et néonatalogie*, 2e éd., Ottawa, Éditions du renouveau pédagogique inc.

LEININGER, M.M. (1988). « Leininger's theory of nursing : Cultural care diversity and universality », *Nursing Sciences Quarterly*, vol. 1, n° 4, p. 152-160.

LORUSSO, A. (2003). *Programme de prévention contre l'intimidation*, Centre des ressources communautaires de l'ouest d'Ottawa.

MAYHEW, D.R. et H.M. SIMPSON (1999). « Youth and road crashes : reducing the risks from inexperience, immaturity and alcohol », MADD Canada, www. madd.ca (consulté le 27 mai 2005).

McCALL, D. (1999). « Comprehensive school health : Help for teachers from the community », *Cahperd Journal*, printemps, p. 4-9.

McINTYRE, L., K. TRAVERS et J. DAYLE (1997). *Children's Feeding Programs in Atlantic Canada : Reducing Inequities ?*, Halifax, Université Dalhousie.

Les mères contre l'alcool au volant / Mothers Against Drunk Driving, MADD Canada, 2004, www.madd.ca (consulté le 27 mai 2005).

MINISTÈRE DE LA SANTÉ ET DES SERVICES SOCIAUX, DIRECTION DES COMMUNICATIONS (2001). « Les jeunes et l'alcool », www.msss.gouv.qc.ca.

MOORE, L.L., D.A. LOMBARDI, M.J. WHITE, J.L. CAMPBELL, S.A. OLIVERIA et R.C. ELLISON (1991). « Influence of parents' physical activity levels on activity levels of young children », *The Journal of Pediatrics*, février, p. 215-219.

MORRISSETTE, W., J. PINET et J. ROY. (2003). « Une activité en milieu scolaire : Prévenir la violence », *Infirmière canadienne*, p. 4, 5-7.

MOSSBERG, H.-O. (1989). « 40-year follow-up of overweight children », *The Lancet*, août, n° 26, p. 491-493.

NADER, P. et autres (1996). « The effect of adult participation in a school-based family intervention to improve children's diet and physical activity : The child and adolescent trial for cardiovascular health », *Preventive Medicine*, n° 25, p. 455-464.

Ontario Students Against Impaired Driving, 2005, www.osaid.org (consulté le 27 mai 2005).

PERRY, C.L, S.J. CROKETT et P. PRIIRE (1987). « Influencing parental health behavior : Implications of community assessments », *Health education*, vol. 18, n° 5, p. 68-77.

PETCHERS, M., E. HIRSCH et B. BLOCH (1987). « The impact of parent participation on the effectiveness of a heart health curriculum », *Health Education Quarterly*, vol. 14, n° 4, p. 449-460.

PHILLIPS, S. et N. PIRAN (1992). « Factors affecting negative body image and eating attitudes in preadolescent females », présenté à la cinquième conférence internationale sur les troubles alimentaires, New York, avril 1992.

POLLITT, E., R.L. LEIBEL et D. GREENFIELD (1981). « Brief fasting, stress, and cognition in children », *American Journal of Clinical Nutrition*, n° 34, p. 1526-1533.

POLLITT, E., N.L. LEWIS, C. GARZA et R.J. SHULMAN (1983). « Fasting and cognitive function », *Journal of Psychiatric Research*, n° 17, p. 169-174.

PROGRAMME CENTRE NATIONAL DE DOCUMENTATION SUR LE TABAC ET LA SANTÉ (2004). « Fumée ambiante : notions de base », www.cctc.ca.

PROGRAMME CENTRE NATIONAL DE DOCUMENTATION SUR LE TABAC ET LA SANTÉ (2004). « Dénormalisation : notions de base », www.cctc.ca.

RÉSEAU CANADIEN DE LA SANTÉ (2004). « Image saine, fille saine ! », www.canadian-health-network.ca.

RÉSEAU CANADIEN DE LA SANTÉ (2004). *Comment aider ma fille à acquérir une image corporelle saine ?*, www.canadian-health-network.ca.

SHAH, C.P., M.K. KAHAN et J. KRAUSER (1987). « The health of children of low-income families », *Canadian Medical Association Journal*, n° 137, p. 485-490.

SANTÉ CANADA (1992). *Pour mieux se servir du guide alimentaire canadien* (brochure), Ottawa, ministre des Approvisionnements et Services Canada.

SANTÉ CANADA (2002a). *A National Assessment of Effects of School Experiences on Health Outcomes and Behaviors of Children* (rapport technique), Ottawa, ministre des Approvisionnements et Services Canada.

SANTÉ CANADA (2002b). *Guide d'activité physique canadien pour les Jeunes*, www.santecanada.ca/guideap (consulté le 27 mai 2005).

SANTÉ CANADA (2004). *En primeur : C'est quoi l'idée de fumer*, www.hc-sc.gc.ca/hecs-sesc/tabac/jeunesse/primeur.html.

SANTÉ CANADA (2004). *Fumée secondaire*, www.hc-sa.gc.ca/hecs0sesc/tabac/index.html, consulté le 20 mai 2005.

SANTÉ CANADA (2005). *Le guide alimentaire – Renseignements sur les enfants de six à douze ans à l'intention des éducateurs et des communicateurs*, www.hc-sc.gc.ca/fancais/vie_saine/nutrition.html (consulté le 27 mai 2005).

SMITH, S., L. McCORMICK, A. STECHKER et K. McLEROY (1993). « Teachers' use of health curricula : implementation of growing healthy, project SMART, and the teenage health teaching modules », *Journal of School Health*, vol. 63, n° 8, p. 349-354.

SPANIER, G.B. (1977). « Sexual socialization : A conceptual review », *International Journal of Sociology of the Family*, n° 7, p. 87-106.

STEIN, A. (1989). « Three models of sexuality : drives, identities and practices », *Sociological Theory*, vol. 7, n° 1, p. 1-13.

TREMBLAY, M.S. et J.D. WILLMS (2000). « Secular trends in the body mass index of Canadien Children », *Canadian Medical Association Journal*, vol. 163, n° 11, p. 1429-1433.

WALSH-PIERRE, J. et J. WARDLE (1997). « Cause and effect beliefs and self-esteem of overweight children », *Journal of Child Psychology and Psychiatry*, n° 38, p. 645-650.

WEBSTER, D.W. (1993). « Commentary : The unconvincing case for school-based conflict resolution programs for adolescents », *Health affairs*, p. 126-141.

CHAPITRE 20

LA SANTÉ DES ADULTES

GISÈLE CARROLL

INTRODUCTION

À l'âge adulte, les femmes et les hommes jouissent généralement d'une bonne santé, et l'adoption d'habitudes de vie saines leur permet d'en assurer le maintien. Toutefois, à cette période de leur vie, le temps et l'énergie qu'ils consacrent au travail et à la famille peuvent parfois les amener à négliger certains aspects de leur santé. Arrivés à l'âge mûr (vers 40 ans), lorsque les enfants ont grandi et que leur carrière est bien établie, les femmes et les hommes ont l'occasion de s'arrêter pour réfléchir à leurs besoins de santé et prendre les mesures qui s'imposent.

Le présent chapitre porte sur les besoins de santé des femmes et des hommes à l'âge adulte. Nous discuterons d'abord des différences ou des écarts observés entre la santé des femmes et celle des hommes et nous aborderons les explications que proposent les écrits. Ensuite, nous examinerons l'état de santé des hommes et des femmes ainsi que certains facteurs de risque auxquels ils sont exposés. Finalement, nous passerons en revue les diverses interventions ayant pour but de les aider à maintenir une bonne santé et à prévenir les maladies.

LES DIFFÉRENCES ET LES ÉCARTS ENTRE LA SANTÉ DES FEMMES ET LA SANTÉ DES HOMMES

Depuis plusieurs années déjà, les femmes réclament des soins de santé mieux adaptés à leurs besoins. Au début du mouvement pour la santé des femmes (aux États-Unis, au cours des années 1960-1970), les revendications des femmes étaient axées principalement sur les droits touchant la reproduction, notamment le contrôle des naissances et le droit à l'avortement, ainsi que sur les pratiques entourant la maternité (Breslin, 2003). Par la suite, certaines études ont démontré que les critères de soins sur lesquels était fondé le traitement de diverses maladies chroniques, tant chez les femmes que chez les hommes, n'avaient été établis qu'à partir d'expériences vécues par les hommes (Bird et Rieker, 1999). Pourtant, on ne peut tenir pour acquis que les résultats d'études dont les sujets sont exclusivement des hommes s'appliquent de la même façon aux femmes. À l'époque, les études sur la santé des femmes ne concernaient que les problèmes propres au sexe féminin (Bird et Rieker, 1999). Les études menées spécifiquement dans le but d'aborder les autres problèmes de santé des femmes n'ont débuté que vers les années 1990. Depuis, le traitement de plusieurs maladies chroniques affectant les femmes, notamment l'ostéoporose et le cancer, a fait l'objet d'études diverses qui ont permis d'apporter des améliorations importantes (Lundy et Janes, 2003). Selon Nichols (2000), le mouvement pour la santé des femmes a entraîné quatre retombées importantes : 1) les femmes peuvent exercer un meilleur contrôle de leurs droits en matière de reproduction ; 2) les recherches portant sur les maladies chroniques affectant les femmes progressent; 3) les différentes études biomédicales tiennent compte du sexe; 4) les problèmes de violence et de discrimination à l'endroit des femmes sont reconnus. Malgré ces progrès, sur le plan social, les femmes continuent à être désavantagées à plusieurs égards par rapport aux hommes, notamment en ce qui concerne le revenu et l'avancement en milieu de travail (Williams, 2003).

Puis, récemment, des études ont fait ressortir la nécessité de porter également attention à certains besoins qui concernent spécifiquement la santé des hommes. On ne sait pas exactement quand le mouvement pour la santé des hommes a commencé, mais selon Porche et Willis (2004), deux groupes américains, le « Men's Liberation » et le « Men against Sexism », auraient contribué à son essor. Le groupe « Men's Liberation » cherchait à protéger les hommes contre diverses formes d'oppression en raison de la race et du niveau socioéconomique (Porche et Willis, 2004). L'autre groupe, « Men against Sexism », dénonçait le sexisme, croyant qu'il était dommageable pour l'homme, tout en reconnaissant que les hommes en avaient tiré profit et qu'ils devaient accepter la responsabilité de l'enrayer (Porche et Willis, 2004). Le mouvement en émergence à l'heure actuelle porte plutôt sur les différences entre la santé des hommes et celle des femmes (Porche et Willis, 2004). Les adeptes de ce mouvement cherchent à promouvoir les questions relatives à la santé des hommes sans sous-estimer l'importance des questions concernant la santé des femmes (Porche et Willis, 2004). Les sujets sont axés principalement sur « la croissance personnelle, le développement et la guérison dans le contexte physique, psychologique et social actuel » (traduction libre, Porche et Willis, 2004).

La santé des hommes et la santé des femmes

Des facteurs socioculturels, en particulier les croyances relatives à la masculinité et à la virilité ancrées dans la culture et perpétuées par les institutions, influent sur les comportements des hommes en matière de santé (William, 2003). Dans la société nord-américaine, l'homme qui désire afficher des traits de virilité idéaux doit adhérer aux croyances typiquement masculines et rejeter tout ce qui est perçu comme étant « féminin » (Courtenay, 2000). Certains traits comme la domination ou le fait de prendre des risques physiques sont valorisés par les hommes, mais ces risques peuvent influer de façon négative sur leur santé (Courtenay, 2000). L'homme peut aussi faire valoir sa masculinité en cachant sa faiblesse et sa vulnérabilité, en maîtrisant ses émotions en toute occasion et en donnant l'impression d'être fort et robuste, d'où le recours moins fréquent des hommes aux services de santé (Courtenay, 2000). En général, les pressions exercées sur les femmes pour qu'elles se comportent selon les normes sociales prescrites sont moins importantes que celles subies par les hommes (Courtenay, 2000). Cependant, tous s'accordent pour dire que les femmes font l'objet d'une plus grande pression sociale lorsqu'il s'agit de conserver une silhouette au goût du jour, c'est-à-dire une silhouette caractérisée par la minceur (Lewis-Trabeaux et Porche, 2000). Selon Bird et Ricker (1999), il serait nécessaire de mener des études combinant les facteurs biologiques et socioculturels pour bien comprendre les différences entre la santé des hommes et celle des femmes. Des interventions appropriées, d'ordre biologique ou social, pourraient ensuite être proposées selon la nature des écarts et leurs effets sur la santé (Bird et Ricker, 1999).

Les changements biologiques et physiques

Bien que le corps humain soit en perpétuel changement au cours de l'âge adulte, les changements d'ordre physique se manifestent en particulier chez la personne d'âge mûr. Des signes de vieillissement, notamment une diminution de l'acuité visuelle et auditive, une perte d'élasticité de la peau et la calvitie transforment l'apparence physique des hommes et des femmes (Brooks, 2002). En Amérique, l'adaptation à ces changements corporels est souvent difficile, car la société valorise surtout la beauté et la vigueur de la jeunesse (Brooks, 2002). Certains changements touchent aussi le fonctionnement des organes. On note, entre autres, une diminution de l'élasticité et un épaississement des vaisseaux sanguins (Brooks, 2002). Les problèmes cardiaques sont également plus fréquents chez les personnes d'âge mûr (Brooks, 2002).

Toutefois, la ménopause est le changement biologique le plus important chez la femme d'âge mûr. Il s'agit d'un stade naturel dans la vie d'une femme qui correspond à l'arrêt définitif de l'ovulation et des menstruations provoqué par des changements hormonaux. Chez la femme ménopausée, on note en particulier une production minimale d'œstrogène par les ovaires (Patrick, 2003). Habituellement, la ménopause se produit entre l'âge de 45 et 55 ans, la moyenne se situant autour de 51 ans. La ménopause peut aussi être provoquée par chirurgie, par chimiothérapie ou par radiation, ou avec l'aide de certains médicaments. Il est à noter qu'une hystérectomie sans ovariectomie ne provoque pas de symptômes ménopausiques à moins qu'elle ne soit pratiquée en période naturelle de ménopause (The North American Menopause Society, 1998).

Pendant la préménopause, c'est-à-dire la période qui précède la ménopause, il est possible que les fluctuations hormonales engendrent des changements parfaitement normaux et naturels, mais il faut, au besoin, investiguer certains symptômes afin de déceler des désordres sérieux. Certains changements dans les menstruations (cycles plus courts, saignements plus ou moins abondants, etc.), une fertilité réduite, des bouffées de chaleur, des changements urogénitaux (assèchement des muqueuses vaginales, incontinence, etc.), des changements sur le plan de la performance sexuelle et des changements psychologiques peuvent survenir à divers degrés (Patrick, 2003 et Clark, 2003). Plusieurs femmes présentent trois de ces changements, ou plus, avant la ménopause, mais ils peuvent aussi être présents jusqu'à un an après la ménopause (Patrick, 2003). Cependant, il n'existe pas de preuve scientifique appuyant la croyance selon laquelle la ménopause naturelle est responsable de dépression clinique, d'anxiété ou de perte de mémoire (The North American Menopause Society, 1998). Certains chercheurs suggèrent que les troubles de l'humeur observés chez les femmes de ce groupe d'âge coïncident avec la ménopause sans y être vraiment liés (Patrick, 2003). Plusieurs autres changements se produisent à ce stade de la vie : changements dans les rôles familiaux, départ d'un conjoint ou d'un enfant, vieillissement et, parfois, apparition de maladies chroniques (Patrick, 2003).

La recherche de remèdes pour atténuer les malaises associés à certains de ces changements explique en partie la tendance à médicaliser cette étape naturelle de la vie des femmes (O'Grady et Bourrier-LaCroix, 2002). Jusqu'à tout récemment, le traitement hormonal de substitution (THS) était souvent utilisé pour traiter certains de ces malaises et pour diminuer le risque de maladies telles l'ostéoporose et pour les maladies cardiaques, ou pour retarder leur apparition (Lewis-Trabeaux et Porche, 2003). Selon des données statistiques de 2001, près de 4 millions de Canadiennes sont ménopausées (Société des obstétriciens et gynécologues du Canada, 2001) et 1,2 million d'entre elles ont recours à une forme d'hormonothérapie substitutive (Picard, 2003). Toutefois, les résultats inquiétants de plusieurs études d'envergure, en particulier la « Women's Health Initiative (WHI) », ont sensiblement changé notre compréhension des effets de l'hormonothérapie (Woods et Mitchell, 2004). Cette étude a démontré qu'il y avait effectivement une diminution du nombre de fractures associées à l'ostéoporose et une diminution des risques de cancer colorectal, mais elle a également révélé qu'il y avait plus de risques de maladies cardiaques, d'accidents vasculaires cérébraux et de formation de caillots de sang. Elle a en outre révélé une augmentation non significative du cancer du sein chez les femmes qui utilisaient le THS combiné (œstrogène et progestérone) à long terme comparativement aux femmes à qui on avait prescrit des placebos (O'Grady, Bourrier-LaCroix, 2002 ; O'Grady, 2003 ; Woods et Mitchell, 2004). À la lumière de ces résultats, l'usage préventif systématique du THS à long terme n'est généralement plus recommandé. Cependant, l'usage du THS à court terme (moins de cinq ans) peut s'avérer utile pour soulager certains malaises modérés ou graves attribuables aux changements associés à la ménopause (Blake et autres, 2002).

Par ailleurs, d'autres approches sont proposées, notamment la médecine alternative, les pratiques d'autosoins et d'autres types de médicaments dont certains antidépresseurs et antiépileptiques (Woods et Mitchell, 2004). Plusieurs femmes prennent des préparations de fines herbes, par exemple l'actée à grappe noire (*cimicifuga racemosa* ou *actaea racemosa*), pour réduire les bouffées de chaleur, mais leur efficacité n'a pu être démontrée de façon certaine (Woods et Mitchell, 2004). Au Canada, ces produits sont généralement vendus dans les pharmacies. Toutefois, on conseille aux femmes de consulter leur médecin avant de les utiliser. Il est également possible de réduire les bouffées de chaleur en ayant recours à des pratiques d'autosoins, par exemple, en augmentant la ventilation, en pratiquant la respiration lente, en évitant les boissons chaudes et les plats épicés, et en gardant des boissons froides à sa portée (Woods et Mitchell, 2004).

L'homme, quant à lui, traverse une période appelée « andropause » vers l'âge de 50-60 ans, mais il ne présente souvent aucun symptôme physique (Brooks, 2002). On ne note pas chez lui une réduction de la production d'hormones sexuelles aussi marquée que chez la femme, mais on a pu observer une diminution graduelle des hormones sexuelles dans le plasma sanguin chez les hommes âgés de 40 à 80 ans (Muller et autres, 2003). La production de testostérone et de spermatozoïdes par les testicules est réduite (Santé Canada, 2004). Certains hommes présentent des symptômes tels que de l'irritabilité, des changements dans leur désir sexuel et des signes de dépression, mais ils hésitent à en parler et, souvent, les ignorent (Brooks, 2002).

LA PRÉVENTION DE LA MALADIE ET LA PROMOTION DE LA SANTÉ

Les maladies cardiaques et le cancer sont deux des principales causes de décès chez les femmes et chez les hommes (Statistique Canada, 2001). Les hommes subissent leur première crise cardiaque plus jeunes que les femmes, mais les femmes sont plus susceptibles d'en mourir (Kanusky, 2003). Parmi les types de cancers, chez les femmes canadiennes, le cancer du sein demeure le plus courant mais celui du poumon est celui qui cause le plus de décès (Statistique Canada, 2001). Chez les hommes, le cancer de la prostate vient au premier rang, suivi du cancer du poumon puis, au troisième rang, ceux du colon et du rectum mais, comme chez les femmes, le cancer du poumon est celui qui cause le plus de décès. (Statistique Canada, 2001). Les causes de décès chez les jeunes adultes de sexe féminin (de 20 à 44 ans) sont les accidents de voiture, le cancer du sein et le suicide. Chez les jeunes hommes, ce sont le suicide, les accidents de voiture, le VIH et le cancer.

La culture et la race influent également sur les taux de mortalité et de morbidité. À plusieurs égards, les femmes autochtones (premières nations, Inuites, Métisses et premières nations sans statut légal) semblent plus défavorisées que les autres Canadiennes. Leur espérance de vie est réduite de cinq ans et le taux de maladies circulatoires et respiratoires, de diabète, de cirrhose du foie, de cancer du col utérin, de MTS et de SIDA est plus élevé que celui des autres Canadiennes (Santé Canada / Statistique Canada, 1999). De plus, elles deviennent mères plus jeunes, consomment plus d'alcool et de drogues et meurent trois fois plus souvent d'une mort violente, notamment le suicide (Santé Canada / Statistique Canada, 1999 ; Forum National sur la santé, 1997).

Les décès attribuables à la violence et à la consommation d'alcool et d'autres drogues sont aussi plus élevés chez les hommes autochtones que chez les autres Canadiens (Forum national sur la santé, 1997). L'espérance de vie des hommes autochtones est de 6,3 années de moins que celle des autres Canadiens et Canadiennes (Santé Canada / Statistique Canada, 1999). De plus, le taux de mortalité attribuable aux blessures et à l'empoisonnement est plus élevé chez les hommes autochtones que chez les femmes autochtones, et plus élevé que celui de la population canadienne en général (Santé Canada / Statistique Canada, 1999).

Beaucoup de décès prématurés et de maladies chroniques pourraient être évités en apportant des changements dans le mode de vie et en réduisant les facteurs de risque. Les facteurs liés aux comportements comprennent une mauvaise alimentation, la sédentarité, l'usage du tabac, de l'alcool et d'autres drogues ainsi que des comportements sexuels à risques élevés. Les mauvaises habitudes de vie ne relèvent pas uniquement d'un choix personnel ; elles dépendent aussi de l'environnement dans lequel l'individu travaille et vit. En plus d'offrir du soutien aux individus afin de les aider à modifier leurs comportements néfastes, il est essentiel de modifier l'environnement pour leur permettre d'améliorer leur style de vie. Chez les jeunes adultes (de 25 à 44 ans), les principaux obstacles à l'acquisition d'habitudes alimentaires saines sont liés au temps et au choix des aliments. La majorité des hommes et des femmes de ce groupe d'âge travaillent à l'extérieur du foyer et ont peu de temps à consacrer à la préparation des repas. Les repas-minute deviennent souvent une solution de rechange facile pour le repas du midi et même pour celui du soir. L'aspect financier peut aussi jouer un rôle dans la qualité et la quantité des aliments consommés, particulièrement au sein des familles monoparentales ou à faible revenu.

Le temps est un autre facteur qui peut influer sur la préparation des repas des adultes d'âge mûr ; parfois, ces adultes doivent répondre aux besoins de leurs parents vieillissants en même temps qu'à ceux de leur famille. De plus, les changements physiologiques associés à cet âge obligent les femmes et les hommes à réévaluer leurs besoins alimentaires.

Plusieurs autres raisons peuvent expliquer les mauvaises habitudes alimentaires. Beaucoup d'adultes ne connaissent pas les bonnes pratiques alimentaires, particulièrement les portions de fruits et de légumes nécessaires à une bonne santé (Brooks, 2002). Les diverses informations sur la nutrition concernant les avantages et les désavantages des différents aliments sont parfois contradictoires et peuvent contribuer à la confusion et à la frustration du public à ce sujet (Morin, Stark et Searing, 2004). Il faut reconnaître que ces informations sont souvent le reflet du discours scientifique sur les bienfaits et les risques reliés à la consommation de certains aliments (Morin, Stark et Searing, 2004). Il est donc important que les professionnels œuvrant en santé communautaire soient bien informés sur les bienfaits des divers aliments pour aider les personnes à adopter des habitudes alimentaires saines et prévenir ainsi l'embonpoint et l'obésité.

L'indice de masse corporelle (poids [kg]/taille [m^2]) est habituellement utilisé pour calculer le poids santé (Santé Canada, 2003). Un indice de masse corporelle (IMC) entre 18,5 et 24,9 dénote un poids normal ; entre 25,0 et 29,9, il dénote un excès de poids (embonpoint). Un indice de 30 et plus dénote un problème d'obésité à des degrés divers (Santé Canada, 2003).

Actuellement, l'obésité constitue un problème très important, car elle est associée à l'hypertension, aux maladies de la vésicule biliaire, au diabète de type 2, aux maladies cardiovasculaires, à une lipidémie anormale, à certains problèmes respiratoires telle l'apnée obstructive du sommeil et, chez les femmes, au cancer du sein et de l'utérus et aux problèmes de reproduction (Klauer et Aronne, 2002). Les statistiques américaines révèlent que plus de 60 % de la population adulte souffre d'embonpoint ou d'obésité, et que les femmes issues de minorités ethniques, et qui ont un statut socio-économique inférieur, en souffrent plus que les femmes de race blanche (Santé Canada, 2003). Cette tendance s'observe également au Canada, où la prévalence de l'excès de poids et de l'obésité a augmenté chez les adultes au cours des deux dernières décennies (Santé Canada, 2003). En outre, le nombre de décès liés à l'excès de poids et à l'obésité est passé de 2415 en 1985 à 4321 en 2000 (Kartzmarzyk et Arden, 2004). On estime que depuis 2000, presque une personne sur 10, parmi les adultes âgés de 20 à 64 ans, meurt à cause d'un excès de poids et de l'obésité (Kartzmarzyk et Arden, 2004).

La proportion de femmes canadiennes qui font de l'embonpoint est passée de 14 % en 1985 à 23 % en 1996-1997 (Santé Canada, 2003). Toutefois, les hommes canadiens sont presque 2 fois plus susceptibles que les femmes d'avoir un excès de poids (24 % contre 14 %) et plus susceptibles d'avoir un poids nettement excessif (35 % contre 23 %) (Santé Canada / Statistique Canada, 1999). De plus, au Canada, les personnes issues de la classe moyenne sont plus exposées à souffrir d'un excès de poids que celles des autres groupes socio-économiques (Santé Canada / Statistique Canada, 1999). Même s'il faut faire preuve de discernement dans les comparaisons entre les divers groupes, cette information demeure importante pour guider les efforts des professionnels de la santé qui visent à améliorer la santé de la population.

La minceur de la silhouette est devenue une obsession pour beaucoup de femmes et pour un nombre croissant d'hommes. Cette obsession de la minceur vient des médias et de la mode, qui créent des pressions sur les personnes (adolescents et adultes) pour qu'elles se conforment à l'image d'un corps idéal. Les messages voulant que toute personne puisse atteindre cet idéal de minceur est nuisible à l'image corporelle, c'est-à-dire à l'image que la personne se fait de son propre corps, et potentiellement dommageable à la santé. Les personnes obèses peuvent aussi souffrir de préjugés et de discrimination, particulièrement en matière d'emploi, puisque le taux de chômage est plus élevé chez les grosses personnes (Mongeau et autres, 1997). Selon Mongeau et ses collaborateurs (1997), les préjugés viendraient surtout du fait que l'obésité est perçue comme un problème « uniquement attribuable à la volonté de l'individu ».

Beaucoup d'adultes, principalement des femmes, cherchent à perdre du poids en adoptant différents régimes proposés dans des revues populaires ou publiés par une variété d'auteurs. On a même utilisé le terme de « femme accordéon » pour décrire celles qui suivent constamment ces régimes (Mongeau et autres, 1997). Pourtant, les études ont démontré qu'un programme multidimensionnel est nécessaire pour perdre du poids. Selon Dennis (2004), les meilleurs résultats sont obtenus lorsque le programme englobe les cinq dimensions suivantes : techniques de changement du comportement, stratégies cognitives, soutien social, nutrition et activité physique. Les techniques de modification du comportement et les stratégies cognitives comprennent, entre autres, l'établissement de buts à court et à moyen termes, la documentation relative aux efforts déployés et aux résultats (par exemple, la mesure du poids, les modifications alimentaires ou la pratique de l'activité physique), la résolution des problèmes, la promotion de l'efficacité personnelle et un contrôle efficace du stress (Dennis, 2004).

Les femmes sont généralement plus motivées que les hommes à changer leur alimentation et elles peuvent avoir une influence positive sur l'alimentation de leur conjoint. Le soutien de la part du conjoint, des amis et des proches est essentiel à la réussite.

L'éducation visant l'adoption d'habitudes alimentaires saines doit mettre l'accent sur la valeur nutritive des aliments et l'adaptation des recettes préférées. Les repas en famille doivent être préparés non seulement en fonction de leur valeur nutritive mais aussi en fonction des goûts et des besoins de chacun des membres de la famille. La connaissance de la valeur nutritive des aliments aide à choisir des aliments nutritifs et à réduire les portions (Dennis, 2004).

L'activité physique est une habitude de vie qui peut aider au maintien du poids, à la prévention de plusieurs maladies chroniques (par exemple, l'hypertension et le diabète de type 2) et au maintien de la santé en général. La diminution de l'activité physique chez les adultes a été attribuée à l'utilisation de la voiture pour se rendre au travail, aux emplois qui sont de plus en plus sédentaires et à la prolifération de la technologie (Spence-Jones, 2003). En effet, les adultes passent de plus en plus de temps devant la télévision ou l'écran de l'ordinateur (Spence-Jones, 2003). Au Canada, les statistiques révèlent que plus de 50 % de la population est inactive dans ses loisirs (Santé Canada / Statistique Canada, 1999). On observe aussi une baisse de l'activité physique avec l'âge et une relation positive entre le niveau d'activité physique et le niveau d'éducation ainsi qu'entre le niveau d'activité physique et le revenu (Santé Canada / Statistique Canada, 1999).

En général, les hommes font plus d'activité physique que les femmes et ils pratiquent davantage de sports (Clark, 2003). Le sport est reconnu comme un moyen efficace de promouvoir la santé, mais chez les hommes, il reflète aussi une image de masculinité (Robertson, 2003). Selon Robertson (2003), la décision de pratiquer ou non un sport ne relève pas d'un choix individuel; les raisons sous-jacentes à la pratique d'un sport ne sont pas liées à la santé mais plutôt à l'image de masculinité qu'il projette. On doit donc tenir compte de la signification du sport dans la vie des hommes pour que la pratique du sport devienne un moyen de promouvoir la santé (Robertson, 2003).

Les femmes pratiquent généralement moins de sports et font moins d'exercice que les hommes durant leurs loisirs, mais elles font plus d'activités physiques liées aux tâches ménagères et aux soins des enfants (Belza et Warms, 2004). Pour la plupart des femmes, le manque de temps constitue le principal obstacle à l'activité physique régulière (Dennis, 2004). Plusieurs études ont aussi porté sur des variables psychologiques comme indicateurs de l'activité physique chez les femmes. Une corrélation a été établie entre la capacité de percevoir les avantages à être actif et la capacité à maintenir un niveau d'activité sur une longue période de temps (Caserta et Gillet, 1998). Pour encourager les femmes à acquérir l'habitude de faire de l'activité physique de façon régulière, il est donc préférable de leur suggérer d'intégrer 30 minutes d'activités modérées à leurs tâches journalières (Belza et Warms, 2004). Par exemple, on peut inciter les femmes à aller faire les courses à pied plutôt qu'en voiture. Selon Dennis (2004), les bienfaits de la marche sont souvent sous-estimés.

L'usage du tabac et de l'alcool

Dans plusieurs pays industrialisés, l'usage du tabac constitue encore l'un des principaux facteurs de risque de mortalité et de morbidité. Au Canada, bien que le nombre de fumeurs ait chuté entre 1970 et 1990, aucune tendance nette n'a été observée depuis (Santé Canada / Statistique Canada, 1999). Chez la population adulte, les gros fumeurs quotidiens sont les hommes, les personnes âgées de 45 à 54 ans et celles qui n'ont pas terminé d'études universitaires (Santé Canada / Statistique Canada, 1999). De plus, le revenu est inversement proportionnel au taux de tabagisme: plus le revenu est faible, plus le taux de tabagisme est élevé (Santé Canada / Statistique Canada, 1999). Les peuples autochtones du Canada enregistrent le plus haut taux de tabagisme avec une incidence d'environ 72 % chez les 20 à 29 ans (Santé Canada / Statistique Canada, 1999).

L'abandon du tabagisme pose généralement des problèmes aux adultes, car les personnes acquièrent souvent cette habitude à l'adolescence ou au début de l'âge adulte. Arrivées à l'âge adulte, elles ont déjà développé une tolérance à la nicotine (Brooks, 2002). En matière de prévention secondaire, l'accent est mis sur des stratégies visant à rompre l'habitude. Selon Kenford et Fiore (2004), toutes les interventions auprès des fumeurs devraient inclure un traitement pharmacologique, un soutien social et de l'information sur la résolution de problèmes, sur les effets du tabac et sur les bienfaits de l'abandon du tabagisme. Les moyens proposés pour cesser de fumer comprennent le timbre de nicotine, la gomme à mâcher, le losange, l'inhalateur et le vaporisateur nasal. Une combinaison du timbre et de la gomme à mâcher ou de la vaporisation nasale augmente le taux de réussite à long terme comparativement à l'usage d'un seul agent pharmaceutique (Kenford et Fiore, 2004). L'efficacité des groupes d'entraide a aussi été démontrée (Pisinger et autres, 2005). L'étude menée par Pisinger et ses collaborateurs (2005) indique que même les fumeurs peu motivés à perdre cette habitude peuvent parvenir à cesser de fumer en participant à un programme d'abandon du tabagisme parallèlement à une consultation sur le style de vie. La décision, de plus en plus fréquente, d'interdire aux membres de la famille de fumer à l'intérieur de la maison incite souvent les fumeurs à perdre leur habitude (Pizacani et autres, 2004). Finalement, il est important de rappeler aux fumeurs les nombreux bienfaits associés à l'abandon du tabagisme, peu importe l'âge de la personne et la durée de l'habitude.

La fumée de tabac ambiante est associée à plusieurs problèmes de santé, entre autres, l'asthme, la bronchite (Dhala et autres, 2004) et les maladies cardiovasculaires (Ahijevych et Wewers, 2003). Les adultes sont susceptibles d'être exposés à la fumée du tabac ambiante non seulement à la maison mais aussi dans des endroits publics (par exemple, dans les bars) et dans leur milieu de travail.

De plus en plus de familles, particulièrement celles qui sont composées de non-fumeurs et de jeunes enfants, demandent que les fumeurs s'abstiennent de fumer à l'intérieur de leur foyer. Les fumeurs perçoivent souvent leur domicile comme étant le seul endroit où ils peuvent fumer sans interférence et hésitent souvent à accepter de vivre dans une demeure sans fumée.

Au Canada, l'usage du tabac dans le milieu du travail et dans les endroits publics est souvent interdit. Selon Mackay (2003), en 2005, 5 provinces et territoires, et 75 municipalités seront complètement « sans fumée ».

Les lois antitabac incitent plusieurs fumeurs à rompre avec leur habitude (Mackay, 2003). L'interdiction complète de l'usage du tabac a plus d'effet sur la réduction de son usage et sur l'abandon du tabagisme que la tolérance mitigée des milieux de travail où l'on met une salle à la disposition exclusive des fumeurs (Fichtenberg et Glantz, 2002).

La consommation régulière d'alcool, mais surtout la consommation régulière et *excessive* d'alcool, est une autre mauvaise habitude qui met la qualité de vie des consommateurs en péril. Au Canada, 53 % des personnes âgées de 12 ans et plus boivent régulièrement, et 18 % boivent régulièrement *à l'excès*. Les femmes sont moins susceptibles d'être des consommatrices régulières; elles boivent moins fréquemment et font moins d'excès que les hommes (Santé Canada / Statistique Canada, 1999). Toutefois, les femmes sont plus vulnérables que les hommes aux effets négatifs de l'alcool. En effet, on observe chez elles une progression plus rapide vers l'alcoolisme et une incidence plus élevée de complications médicales, entre autres les maladies du foie, l'hypertension, les maladies cardiovasculaires et les accidents de la route (Cyr et McGarry, 2002). Les femmes les plus exposées sont célibataires, divorcées ou séparées, et elles assument peu de rôles sociaux. Celles qui boivent à l'excès ont entre 21 et 30 ans et celles qui ont développé une dépendance ont entre 35 et 49 ans (Becker et Walton-Moss, 2001). Elles boivent pour différentes raisons: alors que les hommes consomment de l'alcool pour socialiser, les femmes boivent pour gérer leurs sautes d'humeur et leur stress (Becker et Walton-Moss, 2001). Les professionnels de la santé œuvrant dans la communauté ont un rôle important à jouer dans le dépistage des cas d'abus d'alcool, tant chez les hommes que chez les femmes, et ils doivent orienter ces personnes vers les ressources appropriées. L'efficacité des groupes d'entraide et de soutien est bien établie, comme le démontrent les groupes d'Alcooliques anonymes.

LA SANTÉ MENTALE

La santé mentale peut être définie comme un «ensemble d'attributs affectifs, relationnels et cognitifs qui permettent à l'individu d'assumer les fonctions voulues avec résilience et ainsi de bien relever les défis du fonctionnement tant mental que physique» (Stephens et autres, 2000). Les résultats d'une étude menée par Stephens et ses collaborateurs (2000) montrent qu'en général, les Canadiens (74 %) se perçoivent comme étant heureux et aimant la vie. Toutefois, 6 % se disent déprimés, 16 % éprouvent du stress et 29 % déclarent vivre une certaine détresse (Stephens et autres, 2000).

Une plus grande proportion d'hommes que de femmes se sont décrits comme ayant des niveaux élevés d'estime de soi, de sentiment de contrôle et de cohésion (Stephens et autres, 2000). Ceux qui souffraient le plus souvent de problèmes de santé mentale étaient les jeunes de 12 à 30 ans (Stephens et autres, 2000).

LA DÉPRESSION ET LE SUICIDE

La dépression est un état invalidant «caractérisé par une tristesse parfois accompagnée de sentiments d'impuissance, d'irritabilité et de désespoir» (Santé Canada / Statistique Canada, 1999). Les femmes en sont plus souvent atteintes que les hommes. Les taux de prévalence de dépression majeure, observés lors d'une enquête communautaire longitudinale canadienne (1994-1997), étaient de 3,40 % chez les femmes de 25 à 44 ans et de 2,50 % chez les femmes de 45 à 64 ans comparativement à 1,75 % chez les hommes de 25 à 44 ans et à 1,30 % chez les hommes de 45 à 64 ans (Patten, 2001).

Un lien a aussi été observé entre la dépression et le niveau socioéconomique. Des taux de dépression plus élevés ont été rapportés chez les personnes dont le revenu est inférieur (9 %) comparativement à celles qui ont un revenu supérieur (3 %) (Santé Canada / Statistique Canada, 1999).

La dépression peut être provoquée par des événements stressants comme un divorce, la perte d'un emploi ou d'un être cher (Brooks, 2002). Selon Desai et Jann (2000), chez la femme, les changements des niveaux d'œstrogène pourraient aussi accroître le risque de dépression.

Les personnes souffrant de dépression font partie des groupes chez qui le risque de suicide est élevé (Santé Canada / Statistique Canada, 1999). Une discussion sur le suicide, les facteurs de risque et les interventions préventives est présentée dans le chapitre portant sur les maladies chroniques (voir le chapitre 3).

Un réseau de soutien social peut aider les femmes à acquérir une bonne estime de soi et à prévenir la dépression. Les professionnels de la santé peuvent aussi orienter les hommes ou les femmes chez qui ils décèlent certains signes de dépression vers des groupes d'entraide ou des services spécialisés offerts par leur communauté.

LE STRESS

Hans Selye a été le premier à utiliser le mot «stress» pour décrire une condition humaine (Seaward, 1999). Aujourd'hui, le mot «stress» est souvent utilisé pour signifier la tension que les personnes ressentent lorsqu'elles ont à composer avec plusieurs responsabilités à la fois, entre autres le travail, la famille et d'autres responsabilités personnelles (Seaward, 1999). En médecine holistique, le mot « stress » est défini ainsi : « l'incapacité de faire face à un danger réel ou perçu (imaginaire), qui menace le bien-être mental, physique, émotionnel et spirituel de la personne, et qui se traduit par une série de réponses et d'adaptations physiologiques » (traduction libre, Seaward, 1999).

De nombreux adultes cherchent à obtenir de l'aide sur une base individuelle pour contrer le stress, mais certaines interventions de groupe peuvent aussi être bénéfiques, principalement en tant que stratégies visant à réduire le stress professionnel. Des sessions sur le contrôle du stress peuvent être utilisées non seulement pour trouver des solutions aux facteurs de stress liés au milieu du travail mais également pour aider les travailleurs à trouver de meilleures méthodes d'adaptation.

L'enseignement de stratégies visant à gérer le stress et à apprendre à s'affirmer, ainsi que les groupes de soutien, peuvent aussi contribuer à prévenir la dépression chez les femmes (Lewis-Trabeaux et Porche, 2003). Les groupes d'entraide favorisent les échanges concernant l'adoption de moyens efficaces pour affronter les multiples exigences de la vie quotidienne. Les hommes sont moins portés que les femmes à se joindre à des groupes de soutien (Barton, 2000), mais certains hommes acceptent, par exemple, de se joindre à des groupes d'hommes divorcés.

Les soins de santé préventifs

Les comportements des hommes et des femmes diffèrent quant aux soins de santé préventifs. Au Canada, plus de femmes que d'hommes subissent un examen médical annuel (Santé Canada, 1999a).

Le dépistage précoce de l'hypertension artérielle grâce à une vérification régulière de la tension est une des nombreuses interventions qui pourraient contribuer à réduire les ravages de la maladie coronarienne et vasculaire cérébrale. On observe que les femmes canadiennes sont plus disposées que les hommes à faire vérifier leur tension artérielle et que le taux de vérification de celle-ci augmente légèrement avec le niveau d'instruction (Santé Canada, 1999a). Le dépistage de problèmes de santé propres aux femmes et aux hommes est aussi très important. Chez les femmes, on prône avec insistance l'examen des seins et la mammographie pour le dépistage du cancer du sein et le test de Papanicolaou (test de Pap) pour celui du col utérin. Au Canada, de 1990 à 1997, on a noté une augmentation du nombre de femmes qui ont subi un examen des seins chez un professionnel de la santé au moins une fois dans leur vie, et qui ont subi une mammographie (Santé Canada / Statistique Canada, 1999). La même tendance a été observée pour le test de Pap, qui devrait être répété au moins tous les trois ans (Santé Canada / Statistique Canada, 1999).

Le dépistage du cancer de la prostate est généralement recommandé chez les hommes de 40 ans et plus. Deux mesures, soit l'examen rectal et le test sanguin (antigène prostatique spécifique), sont généralement utilisées. Le cancer des testicules, bien que moins fréquent, peut souvent être traité lorsqu'il est dépisté tôt (Atav et autres, 2003). Il est suggéré que l'auto-examen des testicules soit enseigné aux garçons dès l'âge de 13 ans (Atav et autres, 2003).

Conclusion

Pour répondre aux besoins de santé des adultes, les professionnels œuvrant en santé communautaire doivent planifier les programmes en tenant compte de plusieurs facteurs, notamment du stade de développement de la personne, du contexte familial, du travail, du milieu socioculturel et de l'environnement physique. Chez les jeunes adultes, l'accent est généralement mis sur le maintien de la santé, alors qu'à l'âge mûr, la prévention des maladies chroniques devient une priorité. Au Canada, les programmes qui ont l'appui des services de santé publique, dans les provinces ou les territoires, visent habituellement les comportements à risques élevés (par exemple les programmes d'abandon du tabagisme) et les maladies chroniques prioritaires (par exemple les programmes de prévention des maladies cardiaques, les campagnes de promotion du dépistage du cancer du sein chez la femme et de la prostate chez l'homme).

Le milieu de travail est souvent l'endroit idéal pour faire de l'éducation sur le maintien de la santé et la prévention des maladies chez les adultes. Selon Barton (2000), les programmes de promotion de la santé offerts en milieu de travail sont généralement bien utilisés par les hommes. C'est aussi le milieu idéal pour organiser des activités visant à réduire le stress professionnel. La diminution du stress au travail et l'acquisition de la maîtrise et de l'estime de soi peuvent contribuer à réduire la détresse psychologique chez les travailleurs (Cole et autres, 2002).

Les adultes ont tendance à choisir des programmes d'activités bien structurés, comprenant des objectifs clairs et une durée déterminée. Ils tiennent aussi compte des coûts, du temps et de l'énergie nécessaires pour participer aux activités.

Une évaluation des besoins de la communauté peut aussi faire ressortir les problèmes de santé spécifiques des groupes à risques plus élevés. Par exemple, il peut être nécessaire d'offrir des programmes de marche aux femmes provenant de milieux socioéconomiques moins favorisés, en raison des coûts souvent élevés exigés dans les centres d'activités physiques ; ces femmes peuvent alors bénéficier des effets positifs du soutien social pour adopter et maintenir des habitudes de vie saines.

Un effort doit être également déployé pour aller vers les nouveaux arrivants. Des programmes d'information sur l'immunisation et les soins de santé au Canada sont particulièrement utiles et offrent aux professionnels de la santé l'occasion de mieux connaître cette population et ses besoins de santé.

Les interventions le plus souvent utilisées en promotion de la santé peuvent être classées dans quatre grandes catégories : l'éducation et la sensibilisation, les outils et les stratégies de changement du comportement, les lois et les politiques, et le soutien social. Les professionnels de la santé jouent un rôle important dans l'éducation et la sensibilisation de la population en général, des parents et des groupes à risques élevés en particulier, pour tout ce qui concerne l'obésité, la sédentarité, la minceur, l'usage du tabac ou d'autres substances nocives ou d'autres risques pour la santé. Plusieurs moyens peuvent être utilisés pour diffuser l'information, entres autres, les médias (télévision, radio, journaux ou Internet), les rassemblements dans divers établissements, par exemple, les centres communautaires, et les consultations entre le professionnel de la santé et le client.

Souvent, l'éducation et la sensibilisation ne suffisent pas à elles seules à provoquer un changement de comportement ; il est alors nécessaire d'utiliser des outils ou des stratégies visant un tel but. Pour arriver à modifier des habitudes, il faut « une motivation interne profonde, du soutien et des conditions facilitantes » (Mongeau et autres, 1997). Par exemple, lorsqu'une personne essaie de perdre du poids, un des moyens pour l'aider à maintenir sa motivation et à reconnaître ses points faibles relativement à cette initiative est de prendre des notes sous forme de rapport écrit sur l'alimentation, les exercices quotidiens, le poids et le tour de taille afin de mesurer les progrès au fil du temps (Sizer et Whitney, 2003).

Il faut dire que les lois et les politiques se sont souvent avérées utiles pour inciter les personnes à modifier leurs comportements. Il suffit de penser aux lois antitabac, au port obligatoire de la ceinture de sécurité dans les voitures ou encore à l'interdiction de conduire après avoir consommé trop d'alcool. Toutefois, l'adoption ou la modification de lois et de politiques doit être précédée de mesures d'éducation et de sensibilisation et de stratégies de changement des comportements. Les professionnels de la santé peuvent ensuite exercer des pressions sur les gouvernements afin qu'ils mettent en place des lois et des règlements, tant à l'échelle municipale que provinciale ou nationale, pour soutenir les initiatives personnelles ou communautaires visant l'adoption d'habitudes de vie saines.

Le rôle du soutien social en promotion de la santé est bien établi. Les recherches ont démontré que des relations suivies, dans le contexte d'un soutien social adéquat, et le degré d'intégration de l'individu dans sa communauté, étaient liés à la santé (Berkman, 1995). Le soutien social peut influer sur le comportement, l'état psychologique et même l'état physique des individus (Keeling et autres, 1996). Les professionnels de la santé peuvent aider les personnes isolées à créer des liens avec les autres en les mettant en contact avec divers groupes communautaires, des groupes de soutien ou des groupes religieux. Ils peuvent aussi participer à la formation de groupes d'entraide et soutenir ces personnes dans leurs efforts visant à changer certains comportements. Souvent, il est nécessaire d'inciter les adultes à accepter l'aide offerte pas des membres de leur famille ou des amis.

RÉFÉRENCES

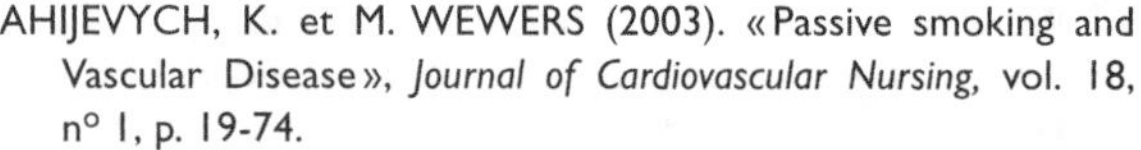

AHIJEVYCH, K. et M. WEWERS (2003). « Passive smoking and Vascular Disease », *Journal of Cardiovascular Nursing,* vol. 18, n° 1, p. 19-74.

ATAV, A.S., S. JANES et J.E. FARMER (2003). « Men's Health », dans K.S. Lundy, S. James et W. Dubuisson, *Community Health Nursing, Caring for the Public's Health,* Toronto, Jones and Bartlett Publishers.

BARTON, A. (2000) « Men's health : A cause for concerns », *Nursing Standards,* vol. 15, n° 10, p. 47-49.

BECKER, K.L. et B. WALTON-MOSS (2001). « Detecting and addressing alcohol abuse in women », *The Nurse Practitioner,* vol. 26, n° 10, p. 13-16, 19-23.

BELZA, B. et C. WARMS. (2004). « Physical activity and exercise in women's health », *Nursing Clinics of North America,* n° 39, p. 181-193.

BERKMAN, L.F. (1995). « The role of social relations in health promotion », *Psychosocial Medicine,* vol. 57, n° 3, p. 245-254.

BIRD, C.E. et P.P. RIEKER (1999). « Gender matters : An integrated model for understanding men's and women's health », *Social Science & Medicine*, n° 48, p. 745-755.

BLAKE, J., J. COLLINS, R. REID, D. FEDORKOW et A. LALONDE (2002). « Énoncé de principe de la SOGC au sujet du rapport WHI sur l'utilisation d'œstrogènes et de progestatifs par les femmes post-ménopausées », *Journal of Obstetricians and Gynecologists of Canada*, vol. 24, n° 10, p. 793-798.

BRESLIN, E.T. (2003). « Women's health challenges and opportunities », dans E.T. Breslin et V.A. Lucas, *Women's Health Nursing Towards Evidence-Based Practice*, St. Louis, Missouri, Saunders.

BROOKS, E.M. (2002). « Health promotion concerns of adult men and women », dans S. Clemen-Stone, S.L. McGuire et D.G. Eigsli, *Comprehensive Community Health Nursing, Family and Community practice*, St. Louis, Mosby.

CASERTA, M.S. et P.A. GILLET (1998). « Older women's feelings about exercise and their adherence to an aerobic regimen over time », dans M.A. Nies et T.C. Kershaw (2002), « Psychosocial and environmental influences on physical activity and health outcomes in sedentary women », *Journal of Nursing Scholarship*, vol. 34, n° 3, p. 243-257.

CLARK, M.J. (2003). *Community Health Nursing Caring for Population*, 4e éd., Upper Saddle River, N.S., Pearson Education Inc., p. 402.

COLE, D.C., S. IBRAHIM, H.S. SHANNON, F.E. SCOTT et J. EYLES (2002). « Facteurs de stress professionnel et de stress personnel et détresse psychologique chez les travailleurs canadiens : analyse des données de l'Enquête nationale sur la santé de la population de 1994 par la modélisation d'équations structurelles », *Maladies chroniques au Canada*, vol. 23, n° 3, p. 102-111.

COURTENAY, W.H. (2000). « Constructions of masculinity and their influence on men's well-being : A theory of gender and health », *Social Science & Medicine*, vol. 20, n° 10, p. 1385-1401.

CRAIG, C.L., S.J. RUSSELL, C. CAMERON et A. BAUMAN (2004). « Twenty-year trends in physical activity among canadian adults », *Canadian Journal of Public Health*, suppl. 2(S1), p. 4-9.

CYR, M.G. et K.A. McGARRY (2002). « Alcohol use disorders in women screening methods and approaches to treatment », *Postgraduate Medicine*, vol. 122, n° 6, p. 31-36.

DENNIS, K.E. (2004). « Weight management in women », *The Nursing Clinics of North America*, n° 39, p. 231-241.

DESAI, H. et M. JANN (2000). « Major depression in women. A review of the literature », *Journal of the American Phamaceutical Association*, vol. 40, n° 4, p. 525-537.

DHALA, A., K. PINKER et D.J. PREZANT (2004). « Respiratory health consequences of environmental tobacco smoke », *Medical Clinics of North America*, n° 88, p. 1535-1552.

FICHTENBERG, C.M. et S.A. GLANTZ (2002). « Effect of smoke-free workplaces on smoking behaviour : Systematic review », *British Medical Journal*, vol. 325, n° 7357, p. 188-198.

FORUM NATIONAL SUR LA SANTÉ (1997). *La santé au Canada : un héritage à faire fructifier*, Rapport de synthèse et documents de référence, Ottawa.

KANUSKY, C. (2003). « Health concerns of women in midlife », dans E.T. Breslin et V.A. Lucas, *Women's Health Nursing Towards Evidence-Based Practice*, St. Louis, Missouri, Saunders.

KATZMARZYK, P.T. et C.I. ARDEN (2004). « Overweight and obesity mortality trends in Canada », 1985-2000 », *Canadian Journal of Public Health*, vol. 95, n° 1, p. 16-20.

KEELING, D.I., P.E. PRICE, E. JONES et K.G. HARDING (1996). « Social support : Some pragmatic implications for health care professionals », *Journal of Advanced Nursing*, vol. 23, n° 1, p. 76-81.

KENFORD, S.L. et M.C. FIORE (2004). « Promoting tobacco cessation and relapse prevention », *The Medical Clinics of North America*, n° 88, p. 1553-1574.

KLAUER, J. et L.J. ARONNE (2002). « Managing overweight and obesity in women », *Clinical Obstetrics and Gynecology*, vol. 45, n° 4, p. 1080-1088.

LEWIS-TRABEAUX, S. et D.J. PORCHE (2003). « Women's health », dans M. Stanhope et J. Lancaster, *Community and Public Health Nursing*, 5e éd., St. Louis, Mosby.

LUNDY, K.S. et S. JANES (2003). *Essentials of Community-Based Nursing*, Toronto, Jones and Bartlett Publishers.

MacKAY, B. (2003). « Butting out in Canada : Five down, eight to go », *C.M.A.J.*, vol. 168, n° 11, p. 1459.

MONGEAU, L., J. LAFOND et G. OUELLET (1997). « Santé des femmes, image corporelle et pouvoir », *Bulletin de santé publique*, vol. 19, n° 2, http://www.aspq.org/bulletins/index2.htm (consulté le 5 mai 2004).

MORIN, K.H., M.A. STARK et K. SEARING (2004). « Obesity and nutrition in women throughout adulthood », *Journal of Obstetrics and Neonatal Nursing*, vol. 33, n° 6, p. 823-832.

MULLER, M., I. DEN TANKELAAR, J.H.H. THIJSSEN, D.E. GROBBEE et Y.T. VAN DER SCHOW (2003). « Endogenous sex hormones in men 40-80 years », *European Journal of Endocrinology*, n° 149, p. 583-589.

NICHOLS, F. (2000). « History of women's health movement in the 20th Century », *Journal of Obstetrics and Neonatal Nursing*, vol. 29, n° 1, p. 56-64.

O'GRADY, K. et B. BOURRIER-LACROIX (2002). « La médicalisation de la ménopause », Le Réseau canadien pour la santé des femmes.

O'GRADY, K. (2003). *L'hormonothérapie en vedette ! L'étude « Women's health initiative » expliquée*, Le Réseau canadien pour la santé des femmes.

PATRICK, T. (2003). « Female physical development », dans E.T. Breslin et V.A. Lucas, *Women's Health Nursing Towards Evidence-Based Practice*, St. Louis, Missouri, Saunders.

PATTEN, S.B. (2001). « La durée des épisodes de dépression majeure dans la population canadienne générale », *Maladies chroniques au Canada*, vol. 22, n° 1, p. 7-12.

PICARD, A. (2003). « 44 % of Canadian women abandon HRT », *The Globe and Mail*, Toronto.

PISINGER, C., J. VESTBO, K. BORCH-JOHSEN et T. JORGENSEN (2005). « It is possible to help smokers in early motivational stages to quit », *Preventive Medicine*, vol. 40, n° 3, p. 278-248.

PIZACANI, B.A., D.P. MARTIN, M.J. STARK, T.D. KOEPSELL, B. THOMPSON et P. DIEHR (2004). « A prospective study of household smoking bans and subsequent cessation related behavior : The role of stage of change », *Tobacco Control*, n° 13, p. 23-28.

PORCHE, D.J. et D.C. WILLIS (2004). « Nursing and men's health movement. Considerations for the 21st century », *Nursing Clinics of North America*, vol. 39, n° 2, p. 251-258.

ROBERTSON, S. (2003). « "If I let a goal in, I'll get beat up" : Contradictions in masculinity, sport and health », *Health Education Research*, vol. 18, n° 6, p. 706-716.

SANTÉ CANADA, STATISTIQUE CANADA (1999). *Pour un avenir en santé : deuxième rapport sur la santé de la population canadienne*, Rapport sur la santé de la population canadienne préparé par le Comité consultatif fédéral-provincial-territorial sur la santé de la population, Charlottetown, I.-P.-É., n° de catalogue H39-4671-1999F.

SANTÉ CANADA (2003). *Le nomogramme de l'indice de masse corporelle (IMC)*, Bureau de la politique et de la promotion de la nutrition, http://www.hc-sc.gc.ca/hptb-dgpsa/onpp-bppn/bmi_chart_java_f.html (consulté le 18 mai 2004).

SEAWARD, B.L. (1999). *Managing Stress: Principles and Strategies for Health and Wellbeing*, 2e éd., Toronto, Jones and Bartlett Publishers.

SIZER, F. et E. WHITNEY (2003). *Nutrition: Concepts and Controversies*, chapitres 9, 10 et 11, Wadsworth, Thomson, ISBN 0534-57799-7.

SOCIÉTÉ DES OBSTÉTRICIENS ET GYNÉCOLOGUES DU CANADA (2001). *La société des obstétriciens et gynécologues du Canada fait éclater les mythes au sujet de la ménopause*, communiqué de presse émis à l'occasion du mois national de sensibilisation à la ménopause, du 15 octobre au 15 novembre.

SPENCE-JONES, G. (2003). « Overview of obesity », *Critical Care Nursing Quarterly*, vol. 26, n° 2, p. 83-88.

STATISTIQUE CANADA (2003). « Rapports sur la santé de la population canadienne », *Rapport annuel 2001*, vol. 12, n° 3, Ottawa, Institut canadien d'information sur la santé.

STEPHENS, T., C. DULBERG et N. JOUBERT (2000). « La santé mentale de la population canadienne : une analyse exhaustive », *Maladies chroniques au Canada*, vol. 20, n° 3, p. 131-140.

STRYCHAR, I. (2004). « Fighting obesity: A call to arms », *Canadian Journal of Public Health*, vol. 95, n° 1, p. 12-15.

THE NORTH AMERICAN MENOPAUSE SOCIETY (1998). *Menopause guidebook helping you make informed decision at midlife*, U.S.A., The North American Menopause Society.

WILLIAMS, D.R. (2003). « The health of men: Structured inequalities and opportunities », *American Journal of Public Health*, vol. 93, n° 5, p. 724-731.

WOODS, N.F. et E.S. MITCHELL (2004). « Premenopause: An update », *Nursing Clinics of North America*, n° 39, p. 117-129.

Chapitre 21

La santé des aînés

Nicole Ouellet

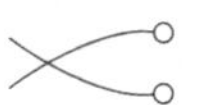

Introduction

Les aînés[1] occupent une place grandissante au Canada, et ce, tant sur le plan démographique que sur le plan politique et social. Dans une société vieillissante, les autorités de la santé publique doivent avoir la préoccupation d'améliorer la qualité de vie et de favoriser des actions de promotion et de prévention pour accroître le nombre d'aînés en bonne santé. Les professionnels de la santé, notamment les infirmières, ont donc tout avantage à promouvoir des comportements bons pour la santé dans la population, que celle-ci soit jeune ou âgée. La promotion de la santé et du bien-être de la population âgée doit être au cœur des préoccupations des infirmières œuvrant en santé communautaire.

Le présent chapitre trace un portrait de la santé des Canadiens âgés et propose des pistes d'intervention en promotion de la santé auprès de cette population. La première partie présente un aperçu du vieillissement de la population canadienne, traite de l'effet du vieillissement sur la santé et analyse des facteurs déterminants en matière de santé chez les Canadiens âgés. La deuxième partie offre une perspective de la promotion de la santé et propose deux exemples de promotion de la santé auprès de la population âgée, soit la prévention des chutes et la promotion d'une saine consommation de médicaments.

La santé des aînés au Canada

La démographie et le vieillissement

Les développements majeurs qu'ont connus les sociétés industrialisées au cours de la période d'après-guerre ont amené la plupart des gouvernements à établir le début de la vieillesse à 65 ans. L'âge de la retraite est le pilier des politiques de la vieillesse, car il donne droit aux prestations de vieillesse et aux avantages sociaux s'y rattachant. Les appellations sont nombreuses pour désigner les aînés : personnes du troisième âge, personnes retraitées ou « jeunes vieux » (les moins de 75 ans), personnes du quatrième âge, personnes âgées ou « vieux vieux » (les plus de 75 ans). Pour certains, les vieux les plus âgés ou les très vieux sont les personnes ayant 85 ans ou plus. Ces découpages chronologiques sont critiquables puisqu'ils regroupent au sein de mêmes groupes d'âge des personnes qui diffèrent sous plusieurs aspects (état de santé, qualité de vie, statut socio-économique, etc.) et qui, de plus, ne possèdent pas les mêmes besoins (Adam, 1996b).

En 2002, le Canada comptait un peu plus de 31 millions d'habitants, dont près de 4 millions étaient âgés de 65 ans et plus (Statistique Canada, 2002a). Les aînés représentent 12,6 % de la population totale, ce qui constitue une hausse importante par rapport aux 8 % enregistrés en 1971 (Statistique Canada, 2002a). Ils constituent l'un des segments de la population qui

1. Nous utiliserons le terme « aîné » pour désigner toute personne âgée de plus de 65 ans.

connaît la croissance la plus rapide, et c'est la population âgée de plus de 85 ans qui affiche la croissance la plus forte. En 2001, plus de 430 000 Canadiens avaient plus de 85 ans, soit plus du double par rapport à 1981 (Statistique Canada, 2002a). Au Canada, on estime que la proportion d'aînés de plus de 65 ans atteindra 21,4 % en 2026, et que 2,6 % des aînés seront alors âgés de plus de 85 ans (Statistique Canada, 2002a). Cette tendance au vieillissement s'explique en grande partie par une espérance de vie plus grande pour les Canadiens et une diminution importante des naissances.

L'espérance de vie

L'espérance de vie désigne le nombre moyen d'années que devrait vivre une personne. Elle décrit généralement l'espérance de vie à la naissance, et son calcul tient compte des taux de mortalité qui ont cours à ce moment. De façon générale, les personnes vivent plus longtemps qu'il y a 50 ans. Statistique Canada (1999) rapporte que l'espérance de vie au Canada est parmi les meilleures du monde. Parmi les pays développés membres de l'OCDE (Organisation de coopération et de développement économiques), le Canada se classe au troisième rang en ce qui a trait à l'espérance de vie de sa population, derrière la Suisse et le Japon (Statistique Canada, 1999). Au cours du dernier quart de siècle, l'espérance de vie des Canadiens s'est accrue d'environ cinq ans. On estime actuellement qu'un Canadien peut espérer vivre jusqu'à 78,7 ans. L'espérance de vie chez les hommes se situe à 75,7 années et, chez les femmes, à 81,4 années, un écart de près de 6 ans entre les 2 sexes (Statistique Canada, 1999). Santé Canada (2002) estime que l'espérance de vie continuera à augmenter et atteindra, en 2041, 81 ans pour les hommes et 86 ans pour les femmes.

Quant à l'espérance de vie en bonne santé, ou l'espérance de vie sans limitation d'activité, elle est un indicateur qualitatif qui permet d'estimer le nombre moyen d'années qu'une personne, à un âge donné, peut espérer vivre sans incapacité. Les démographes calculent cet indicateur en se basant sur les taux de mortalité et les taux d'incapacité selon l'âge. Statistique Canada (2002a) estime l'espérance de vie sans limitation d'activité à 68,6 ans (hommes 66,9, femmes 70,2[2]).

Les théories relatives au vieillissement

Le vieillissement est un phénomène universel, progressif et délétère ; il est l'inévitable conséquence de l'action du temps sur les êtres vivants. D'un point de vue médical ou biologique, le vieillissement est une suite programmée de mécanismes qui se succèdent et qui entraînent des altérations de l'organisme, à la fois sur les plans anatomique, histologique et physiologique. Il se caractérise par une perte généralisée de la complexité dans les dynamiques qui régulent le fonctionnement de différents organes et tissus, par une diminution progressive de l'entropie et par une diminution régulière de la capacité d'adaptation de l'organisme aux conditions variables de l'environnement (Marty, 1996).

C'est par des théories complexes que les chercheurs ont tenté d'expliquer le vieillissement biologique de l'être humain. En 1990, Medvedev dénombre et classifie plus de 300 théories portant sur le vieillissement. Bon nombre de ces théories donnent des informations pertinentes sur le processus du vieillissement, mais aucune n'est complète en soi. Le vieillissement biologique est un phénomène difficile à cerner, il est complexe, multidimensionnel et résulte de l'action de plusieurs mécanismes qui sont, eux aussi, fort complexes. Le vieillissement biologique s'explique en grande partie par l'action du temps sur les cellules et les tissus, les facteurs génétiques (horloge biologique) et l'ensemble des lésions environnementales ou externes.

Plusieurs théories associent le vieillissement biologique au vieillissement des composantes cellulaires (protéines, lipides, matériel génétique, tissus, organes, etc.). Les cellules, tissus et organes de sujets adultes sont comparés à ceux de sujets âgés et les observations permettent de tirer des conclusions sur les détériorations (usure) qui se produisent au cours du temps et qui amènent l'organisme à vieillir. Les théories génétiques, quant à elles, mettent l'accent sur le rôle joué par les gènes dans les changements associés au vieillissement. Selon ces théories, le vieillissement est le résultat d'un processus intrinsèquement programmé (Campion et Brice, 1997). Finalement, plusieurs autres théories associent le vieillissement aux différents facteurs externes ou internes qui altèrent les cellules et les tissus avec le temps. La théorie des radicaux libres de l'oxygène figure parmi les explications appartenant à cette dernière catégorie. Cette théorie impute la majorité des détériorations physiologiques du vieillissement aux avaries intracellulaires causées par les radicaux libres. Les radicaux libres de l'oxygène jouent un rôle important dans le métabolisme cellulaire normal.

2. Les estimations sont fondées sur des données tirées du recensement de 1996.

Par contre, lorsque leur production est excessive, ils altèrent les cellules, les tissus et les organes. Il semble qu'ils soient impliqués dans l'apparition de nombreuses pathologies, comme les maladies dégénératives, les cancers et les maladies cardiovasculaires (Ames, Shigenaga et Hagen, 1993). Avec l'âge, le corps humain perd de sa capacité de se défendre contre les radicaux libres et les lésions radicalaires deviennent plus importantes. Certains aliments et vitamines ont une action protectrice et peuvent réduire l'effet néfaste des radicaux libres, alors que d'autres facteurs, comme la pollution ou le stress, peuvent faire augmenter cet effet. Ce qui nous amène à souligner l'importance de promouvoir de bonnes habitudes de vie dans la population, que celle-ci soit jeune ou âgée.

Plusieurs auteurs ont aussi tenté d'expliquer ou de décrire le vieillissement du point de vue psychosocial (en élaborant, par exemple, les théories développementales, la théorie de la maturation, la théorie du désengagement, etc.). Cependant, ces théories n'expliquent pas vraiment le processus de vieillissement, mais en traitent plutôt sous l'angle de la réussite de la vieillesse ou sous celui de l'environnement social (Adam, 1996b). Puisque ces théories ne recèlent pas vraiment d'indications quant à l'intervention, nous ne les abordons pas de façon explicite dans ce chapitre[3].

LA SANTÉ DES CANADIENS ÂGÉS

Les aînés peuvent avoir tendance à évaluer leur santé en tenant compte des maladies qui les touchent ou, encore, de leur capacité d'accomplir certaines tâches (Krause et Jay, 1994). Quoi qu'il en soit, il n'existe pas de définition universelle de la santé ou du bien-être tels qu'ils sont perçus par les aînés. La perception qu'ils ont de leur santé ou de leur bien-être est variable et est généralement basée sur leurs attitudes et leurs habitudes de vie ainsi que sur leurs capacités fonctionnelles (Borawski, Kinney et Kahana, 1996).

La santé semble parfois difficile à décrire puisque la plupart des indicateurs utilisés sont axés sur la maladie et la mort (mortalité et morbidité), et peu d'indicateurs montrent ses aspects favorables. Nous traiterons dans cette section des deux types d'indicateurs de santé : les aspects positifs de la santé, comme la perception de la santé et du bien-être, et les aspects plus négatifs de la santé, comme les problèmes de santé et les maladies.

LA PERCEPTION DE L'ÉTAT DE SANTÉ ET DU BIEN-ÊTRE

Santé Canada (2002) estime que la plupart des aînés sont en forme et en bonne santé. En 1997, plus des trois quarts des aînés de plus de 65 ans vivant chez eux se disaient en bonne, très bonne ou excellente santé. Seulement 6 % d'entre eux qualifiaient leur santé de mauvaise. Dans la même enquête, 80 % des aînés de 65 à 74 ans et 70 % des aînés de plus de 85 ans se disaient en bonne santé (Santé Canada, 2002) (voir la figure 21.1).

On peut définir le bien-être « comme étant les caractéristiques physiques, mentales et sociales grâce auxquelles un individu peut surmonter avec succès les problèmes de santé et de fonctionnement » (Comité consultatif fédéral-provincial-territorial sur la santé de la population, 1999, p. 239). En 1994 et 1995, une enquête nationale sur la santé de la population mesurait le bien-être psychologique avec trois indicateurs : le sens de la cohérence, l'estime de soi et la maîtrise de la situation. Le sens de la cohérence permet à un individu de comprendre les événements de la vie, de surmonter les défis et de donner un sens à sa vie. L'estime de soi désigne le sentiment de sa propre valeur en tant qu'individu, alors que la maîtrise de la situation indique à quel point la personne perçoit le pouvoir qu'elle a sur sa propre existence (Comité consultatif fédéral-provincial-territorial sur la santé de la population, 1999).

Les résultats de cette enquête montrent que la proportion des personnes possédant un sens de la cohérence élevé est deux fois plus grande chez les aînés de plus de 65 ans que chez les jeunes de moins de 25 ans. Les aînés de 65 ans et plus estiment, dans une proportion de 42 %, qu'ils ont un sens de la cohérence élevé, alors que cette proportion est de 15 % chez les moins de 25 ans. L'estime de soi et la maîtrise de la situation s'améliorent avec l'âge pour atteindre un sommet à l'âge moyen (35 à 54 ans), avant de fléchir légèrement dans les années subséquentes (Comité consultatif fédéral-provincial-territorial sur la santé de la population, 1999). Ainsi, 46 % des Canadiens de 65 ans et plus possèdent une estime de soi élevée et 17 % considèrent qu'ils ont une excellente maîtrise de la situation[4].

3. Pour en savoir plus sur les théories psychosociales du vieillissement, vous pouvez lire S. LAUZON et E. ADAM (1996), *La personne âgée et ses besoins : interventions infirmières*, Saint-Laurent, Éditions du renouveau pédagogique.
4. Les proportions sont calculées à l'aide des données indiquées dans le rapport statistique sur la santé de la population canadienne (Comité consultatif fédéral-provincial-territorial sur la santé de la population, 1999).

Figure 21.1 L'autoévaluation de la santé par les Canadiens de plus de 65 ans

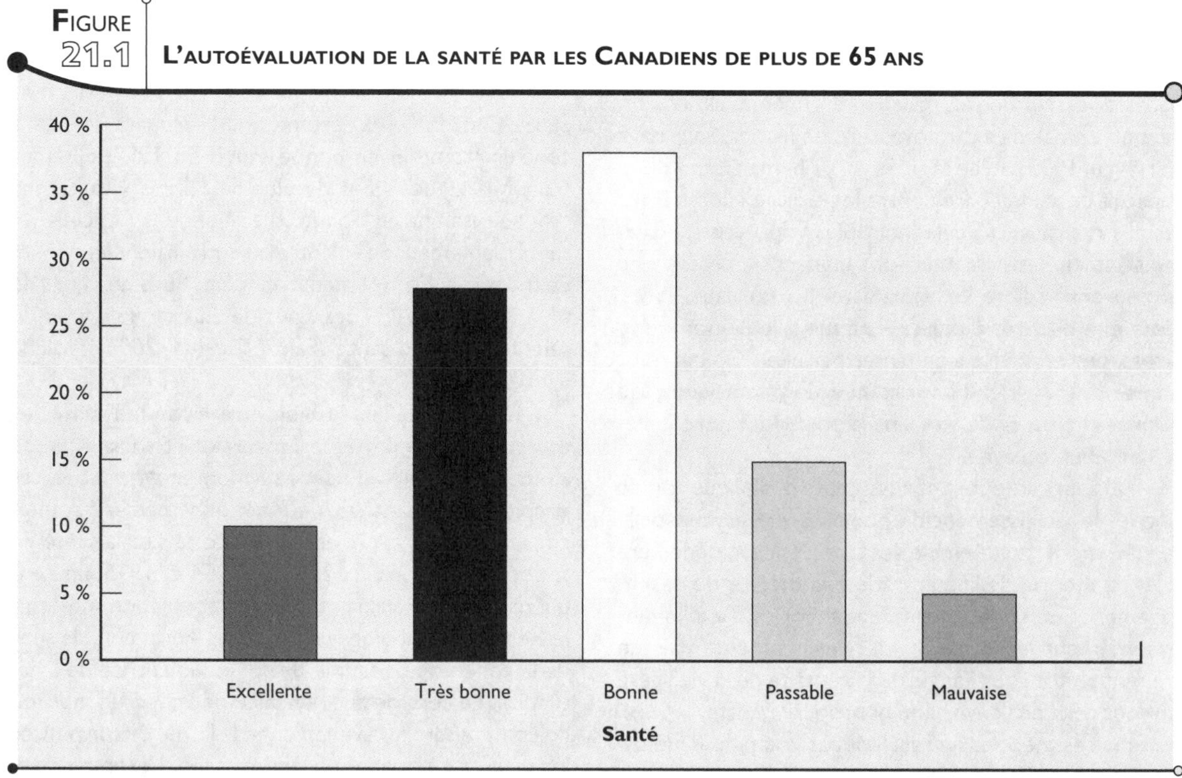

Source : Lindsay (1999).

Les principales causes de décès

« Les maladies de l'appareil circulatoire, le cancer et les maladies de l'appareil respiratoire sont les principales causes de décès au Canada » (Statistique Canada, 1999, p. 13). Il faut souligner qu'au cours des dernières décennies, le taux de mortalité associé aux maladies cardiovasculaires (MCV) a considérablement baissé chez les aînés, alors que les décès provoqués par le cancer et les maladies respiratoires ont augmenté (Santé Canada, 2002). On explique la baisse des MCV par la diminution du tabagisme et de la consommation de matières grasses, par l'augmentation de l'exercice physique et par de meilleurs traitements médicaux (dont ceux, entre autres, s'appliquant à l'hypertension artérielle) (Comité consultatif fédéral-provincial-territorial sur la santé de la population, 1999) (voir la figure 21.2).

Les MCV représentent à elles seules 37 % de la mortalité dans la population totale ; elles sont responsables de 35,2 % des mortalités chez les 65 à 74 ans, de 43 % des mortalités chez les 75 à 84 ans et de 48 % des mortalités chez les 85 ans et plus (Comité consultatif fédéral-provincial-territorial sur la santé de la population, 1999). Les cardiopathies ischémiques provoquent la majorité des décès attribuables aux MCV, et c'est à partir de 75 ans que les AVC augmentent substantiellement. Le cancer, sous ses nombreuses formes, se classe au deuxième rang des causes de mortalité autant dans la population en général que dans la population âgée. Cependant, c'est la population âgée qui est la plus touchée par le nombre de cancers ; à elle seule, elle totalise 87 % des nouveaux cas de cancer et 92 % de toutes les mortalités associées au cancer, tous âges confondus[5]. Le cancer du poumon demeure le cancer qui fait le plus de victimes chez les aînés (Comité consultatif fédéral-provincial-territorial sur la santé de la population, 1999). Les maladies respiratoires (maladie pulmonaire obstructive chronique [MPOC], cancer du poumon, grippe et pneumonie, bronchiolite, tuberculose, etc.) arrivent au

5. Les proportions sont calculées à l'aide des données indiquées dans le rapport statistique sur la santé de la population canadienne (Comité consultatif fédéral-provincial-territorial sur la santé de la population, 1999).

Figure 22.2 Principales causes de décès chez les aînés de plus de 65 ans

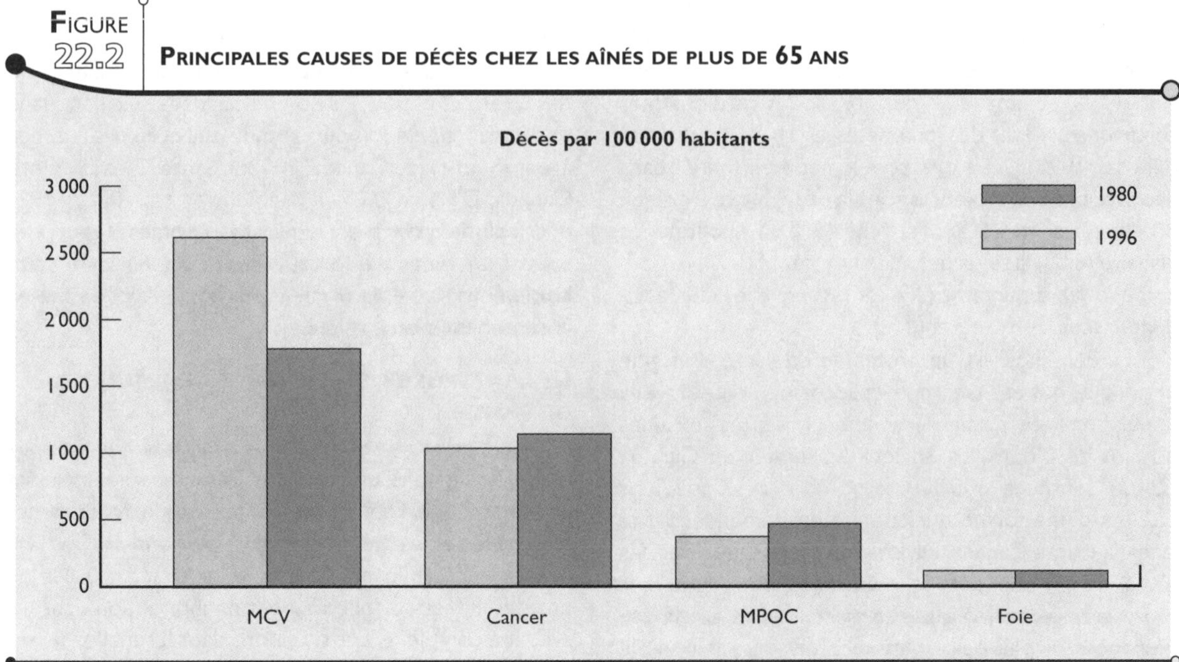

Source : Santé Canada (2002).

troisième rang des causes de décès chez les aînés et au troisième rang des causes d'hospitalisation les plus courantes (Santé Canada, 2001). Un bon nombre de maladies respiratoires touchent les adultes de 65 ans et plus, et on prévoit que le nombre de personnes souffrant de ces maladies augmentera au fur et à mesure que la population vieillira.

Les traumatismes

Chez les aînés, les traumatismes sont une préoccupation majeure puisque les hospitalisations et les décès dus aux blessures augmentent de façon inquiétante avec l'âge. On rapporte que les hospitalisations découlant d'un traumatisme sont 3 fois plus élevées chez les aînés de plus de 65 ans que chez les plus jeunes (Comité consultatif fédéral-provincial-territorial sur la santé de la population, 1999), et que 58 % des décès dus aux blessures surviennent chez les aînés de 65 ans et plus (Santé Canada, 2002). En raison de la fragilité physique qui augmente avec l'âge, les chutes provoquent de plus graves fractures chez les aînés, et elles se traduisent par une récupération plus longue, des hospitalisations plus fréquentes, voire des décès plus nombreux. Les hospitalisations et les décès (2 100 décès en 1995 selon Santé Canada, 2002) occasionnés par des chutes démontrent que le problème est important et qu'il mérite qu'on s'y intéresse. D'ailleurs, les chutes et les traumatismes ont des conséquences sérieuses sur la qualité de vie des aînés. À long terme, plusieurs d'entre eux subissent une perte d'autonomie et doivent recourir à des soins prolongés ou à de l'aide à la maison.

L'ostéoporose est directement liée à l'augmentation des blessures accidentelles et de leur gravité chez les aînés. Elle entraîne une dégénérescence de la structure osseuse et peut ainsi provoquer, à la suite d'impacts légers, des fractures, particulièrement au poignet, à la colonne vertébrale et à la hanche. Les fractures de la hanche associées à l'ostéoporose occasionnent des décès dans 12 % à 20 % des cas ; 75 % des personnes qui survivent à de telles fractures ne recouvrent pas leur statut fonctionnel (Santé Canada, Division du vieillissement et des aînés, 1997). L'ampleur du problème des chutes explique les nombreux programmes de prévention qui s'adressent aux aînés (voir la section « Les programmes de prévention des chutes », à la page 326).

Les problèmes de santé chroniques

Avec le vieillissement, les gens tendent à éprouver plus fréquemment des problèmes de santé chroniques. Les aînés déclarent l'arthrite et le rhumatisme parmi les problèmes de santé chroniques les plus courants

(Lindsay, 1999). En 1996 et 1997, 42 % des aînés autonomes souffraient d'arthrite ou de rhumatisme, 33 % présentaient de l'hypertension artérielle, 22 %, des allergies, 17 %, des maux de dos, 16 %, des cardiopathies chroniques, 15 %, des cataractes et 10 %, du diabète (Lindsay, 1999). Les autres problèmes mentionnés dans des proportions moindres sont la bronchite chronique ou l'emphysème (6 %), l'asthme (6 %), l'incontinence urinaire (6 %), la sinusite (5 %), les ulcères (5 %), le glaucome (5 %), la migraine (4 %) et les séquelles d'un accident vasculaire cérébral (4 %).

La démence est un problème de santé d'origine organique qui est très préoccupant par rapport à la population âgée, particulièrement par rapport aux aînés de plus de 75 ans. La Société Alzheimer du Canada (2002) estime à 300 000 le nombre de Canadiens atteints d'une forme quelconque de démence. Santé Canada (Santé Canada, Division du vieillissement et des aînés, 1997) rapporte que la maladie d'Alzheimer représente la dixième cause de mortalité au Canada. Les démences, en plus de la souffrance physique et mentale qu'elles occasionnent, ont un impact considérable sur la santé et le bien-être des aidants informels et sur les coûts des soins de santé.

Quoique la majorité des Canadiens âgés se disent en bonne santé, plus du quart des aînés de 65 ans et plus doivent restreindre leurs activités en raison de malaises, de déficits ou de douleurs chroniques, et le vieillissement accentue ces restrictions. La limitation d'activités affecte un peu plus d'un cinquième des aînés de 65 à 74 ans, et plus de la moitié des aînés de plus de 85 ans (Santé Canada, 2002).

La santé mentale

La santé mentale couvre un large éventail de problèmes qu'il est souvent difficile de mesurer adéquatement puisque les données disponibles font surtout état des services médicaux et hospitaliers rendus. L'incidence des maladies mentales n'est pas plus élevée chez les aînés que chez les personnes plus jeunes. En fait, la prévalence des troubles mentaux diminue après l'âge de 45 ans. Les problèmes les plus souvent rapportés relativement à la population âgée sont la dépression et le suicide (Statistique Canada, 2002b). À partir de 55 ans, la probabilité de dépression diminue, mais la durée de la dépression a tendance à augmenter (Comité consultatif fédéral-provincial-territorial sur la santé de la population, 1999). Quant aux taux de suicide, ils atteignent 12,4 par tranche de 100 000 habitants dans la catégorie des 65 ans et plus, et les hommes âgés se suicident dans une proportion 4 fois plus grande que celle des femmes âgées (Statistique Canada, 2002c). Santé Canada (Santé Canada, Division du vieillissement et des aînés, 1997) décrit plusieurs facteurs explicatifs, dont les plus importants semblent être le veuvage, le fait de vivre seul, l'isolement social, la maladie physique, l'alcoolisme et le sentiment d'être rejeté.

Les facteurs déterminants en matière de santé

Plusieurs facteurs sont associés à la santé d'une population. Soulignons, entre autres, l'environnement social et économique, l'environnement physique, et les caractéristiques et les comportements personnels. Ces facteurs ou déterminants de la santé ne sont pas isolés les uns des autres, ils fonctionnent en interaction dans un système complexe. Les situations dans lesquelles vivent les gens ont un effet sur leur santé et leur bien-être, et cela n'est pas différent pour les aînés. Nous discutons ici des principaux facteurs qui influencent la santé et le bien-être des aînés. C'est dans la section suivante que nous traiterons des interventions relatives à la promotion de la santé que les infirmières peuvent mener auprès de la population âgée.

Il a été prouvé qu'il existe une relation entre la classe sociale d'un individu et son état de santé. Le revenu des aînés a progressé depuis le début des années 1980. Ainsi, le revenu annuel moyen est de 26 150 $ pour les hommes âgés et de 16 100 $ pour les femmes âgées, soit une différence de 10 000 $ entre les deux sexes (Statistique Canada, 1999). Au Canada, moins d'un aîné sur cinq vit avec un faible revenu[6] et les femmes sont deux fois plus touchées que les hommes (Statistique Canada, 1999). La pauvreté amène souvent les aînés à vivre dans des logements modestes peu adaptés à leur situation. De plus, la pauvreté est souvent liée à des conditions de vie et à des habitudes qui ne favorisent pas la santé.

Plusieurs habitudes et conditions de vie exercent une influence prépondérante sur la santé et le bien-être de la population âgée. Parmi ces déterminants de la santé, nous traiterons ici des facteurs suivants : l'usage

6. L'expression « faible revenu » s'applique aux familles et aux personnes seules dont le revenu total est inférieur aux seuils de faible revenu de Statistique Canada. Les familles et les personnes seules dont le revenu est inférieur aux seuils de faible revenu consacrent habituellement plus de 54,7 % de leur revenu à la nourriture, au logement et à l'habillement (Statistique Canada, 1999).

du tabac, la consommation d'alcool et de médicaments, la pratique d'exercices physiques, l'alimentation, le sommeil et le sentiment d'isolement. Les dernières statistiques concernant les habitudes de vie des aînés démontrent que ceux-ci modifient leurs habitudes de vie en vieillissant. Selon Statistique Canada (2002d), les aînés de 65 ans et plus fument dans une proportion de 11,4 %, et 36 % des aînés sont d'anciens fumeurs. Les aînés sont également moins nombreux que les plus jeunes à consommer de l'alcool régulièrement. Trente-sept pour cent des aînés consomment un verre d'alcool et plus par mois, et tout juste 1 % en consomment dans des proportions plus grandes (Statistique Canada, 1999). Par ailleurs, les aînés sont plus susceptibles de consommer des médicaments de toutes sortes en raison de l'augmentation des problèmes de santé qui surviennent avec le vieillissement. Les analgésiques sont les médicaments les plus couramment utilisés par les aînés, suivis des antihypertenseurs et des médicaments pour le cœur (Régie de l'assurance-maladie du Québec, 2001). Malheureusement, cette tendance, chez les aînés, à prendre plus de médicaments ne va pas sans entraîner une certaine augmentation de la surconsommation (voir la section « La promotion d'une saine consommation de médicaments », à la page 327).

L'exercice procure de nombreux avantages pour la santé. Il permet de contrôler le poids, de réduire les risques de diabète, de cancer et d'ostéoporose, et de diminuer le stress (Comité consultatif fédéral-provincial-territorial sur la santé de la population, 1999). D'une manière générale, on observe une baisse de l'activité physique avec l'âge. Selon Statistique Canada (2002a), environ la moitié (52,1 %) des aînés de plus de 65 ans rapportent faire une activité énergique comme la gymnastique, le jogging ou la marche durant au moins 15 minutes, 3 fois par semaine, et 41,8 % disent en faire à une fréquence moindre. Le taux d'inactivité chez les femmes âgées est de 35,6 % alors que, chez les hommes âgés, il n'est que de 24,3 %.

Une saine alimentation contribue également à améliorer la santé des aînés et les aide à contrôler leur poids. Au Canada, on remarque une augmentation de l'embonpoint chez les aînés (Comité consultatif fédéral-provincial-territorial sur la santé de la population, 1999). Tout comme les adultes plus jeunes, les aînés ont besoin d'une alimentation équilibrée qui leur fournit les nutriments essentiels à leur santé. Plusieurs facteurs associés au vieillissement sont susceptibles d'agir sur l'alimentation des aînés : vieillissement biologique du goût et de l'odorat, vieillissement du système gastro-intestinal (réduction de la capacité de mastiquer et d'avaler, ralentissement de la digestion, etc.) et diminution des besoins caloriques. Une étude rapporte que la diminution calorique est d'environ 1100 kcal chez les hommes âgés de 80 ans par rapport aux hommes dans la vingtaine alors que, chez les femmes âgées, cette diminution est d'environ 700 kcal (Wakimoto et Block, 2001). La diminution des besoins caloriques associée à l'âge est attribuable à la diminution de l'activité physique ainsi qu'à la réduction de la masse musculaire et du métabolisme de base (Wakimoto et Block, 2001). La sous-alimentation et la malnutrition sont aussi présentes chez certains aînés. Plusieurs raisons peuvent amener les aînés à mal se nourrir : l'effort à déployer pour la préparation des repas, la perte d'autonomie, les changements physiologiques, la perte d'intérêt à bien se nourrir, le sentiment d'isolement, l'anxiété et la dépression.

Le sommeil est aussi une préoccupation et un besoin important chez les aînés. Les changements qui apparaissent avec le vieillissement modifient le sommeil et entraînent l'insomnie chez plusieurs. Avec l'âge, les aînés prennent plus de temps à s'endormir, ils dorment d'un sommeil plus léger et s'éveillent plus souvent durant la nuit (Ouellet, 1996). Ces changements sont normaux et se produisent chez la plupart des adultes âgés. En plus de ces changements, les problèmes de santé qui se font plus nombreux avec le vieillissement risquent de nuire au sommeil. Parmi ceux-ci, nous trouvons les problèmes respiratoires, les problèmes cardiaques, le diabète et la dépression. Ces problèmes s'accompagnent souvent de symptômes (douleur, toux, difficultés respiratoires) qui peuvent, eux aussi, perturber le sommeil. En soulageant le problème de santé et les symptômes qui l'accompagnent, le sommeil s'en trouve amélioré (Morin, 1997). De plus, certaines habitudes de vie et la consommation de somnifères ne sont pas toujours favorables au sommeil et peuvent avoir une influence négative sur la qualité de vie des aînés (Ouellet et Beaulieu, 2000).

Finalement, le dernier facteur lié à la santé et au bien-être des aînés traité dans cette section est le sentiment d'isolement. Adam (1996a) mentionne que le sentiment d'isolement n'est pas propre aux aînés. Cependant, en raison de divers problèmes de santé physique et mentale, les aînés frêles ou malades sont plus susceptibles d'en souffrir. Selon les études, le sentiment d'isolement est associé à plusieurs facteurs tels que l'alcoolisme, les problèmes de santé chroniques, l'anxiété, la dépression, la perte d'autonomie, la perte d'un conjoint et le fait de vivre seul (Ellaway, Wood et Macintyre, 1999 ; Hagerty et Williams, 1999 ; Tijhuis et autres, 1999 ; Rokach et Brock, 1997 ; De Filippi et autres, 1998). L'infirmière doit être en mesure de reconnaître et de repérer les aînés à risque.

La promotion de la santé auprès des aînés

La promotion de la santé est un processus qui permet aux individus et aux communautés d'assurer un meilleur contrôle sur leur santé et d'améliorer celle-ci (Organisation mondiale de la santé et autres, 1986). L'approche préconisée par la Direction générale de la population et la santé publique (Santé Canada, Direction générale de la population et la santé publique, Direction de la politique stratégique, 2001) vise à améliorer l'état de santé de la population en général et à réduire les inégalités en matière de santé entre les différents groupes démographiques (voir le chapitre 6).

La promotion de la santé doit viser les mêmes objectifs de bien-être et d'autonomie, qu'elle s'adresse à la population âgée ou au reste de la population. Les approches utilisées doivent favoriser les capacités d'adaptation et l'autonomie des aînés, elles doivent aussi encourager l'exploitation de stratégies qui incitent les aînés à participer et à s'entraider. La promotion de la santé de la population âgée présente des défis particuliers puisqu'une bonne proportion des aînés souffrent de problèmes de santé chroniques. Cependant, la grande majorité de ceux-ci ont la détermination morale, les capacités mentales et la motivation nécessaire pour jouer un rôle proactif dans la promotion de leur santé (Association canadienne de gérontologie, 2000). Bon nombre d'aînés participent aux activités de promotion de la santé qui sont offertes dans leur communauté, et plusieurs modifient leurs comportements pour favoriser l'adoption de saines habitudes. Les études démontrent qu'à long terme, ces efforts sont récompensés par une longévité accrue, une meilleure qualité de vie et moins de limitations dans les activités quotidiennes (Kahana et autres, 2002). Même à un âge avancé, les aînés bénéficient de l'adoption de bonnes habitudes de vie. Dans le but de favoriser une meilleure santé chez les aînés, il est primordial que les infirmières en santé communautaire emploient des stratégies d'éducation et de promotion de la santé auprès de cette clientèle. Des stratégies diverses peuvent être mises en place pour améliorer la santé. Dans cette perspective, la première partie de cette section donne un aperçu des différentes stratégies que les infirmières peuvent exploiter. La deuxième partie présente deux exemples de ce qui se fait en prévention des chutes, d'une part, et en promotion d'une saine consommation de médicaments chez les aînés, d'autre part.

Les stratégies de promotion de la santé

L'acquisition de bons comportements sur le plan de la santé se fait tout le long de la vie et, même à un âge avancé, il n'est jamais trop tard pour acquérir de saines habitudes de vie. Ainsi, les stratégies qui touchent les personnes dans la force de l'âge peuvent aussi être utiles pour les aînés. Plusieurs programmes visant la réduction du nombre de fumeurs au Canada et ailleurs ont produit des résultats encourageants et peuvent être adaptés aux aînés[7]. Même à un âge avancé, il n'est pas trop tard pour cesser de fumer et, ainsi, améliorer sa qualité de vie. Pour ce qui est de la consommation d'alcool, il semble que le problème soit moins important chez les aînés. Les programmes de sevrage ou de réduction de la consommation d'alcool peuvent être utilisés au sein de cette population et adaptés à ses besoins. Pour ce qui est de la consommation de médicaments, c'est un problème qui touche particulièrement les aînés, et ce problème s'accroît continuellement (voir la section « La promotion d'une saine consommation de médicaments », à la page 327).

Pour qu'ils demeurent en santé, Santé Canada (2000) a publié un guide à l'intention des aînés qui traite de tout ce qui est relatif à l'activité physique. Dans ce guide, Santé Canada recommande aux aînés de faire des activités physiques régulièrement, de préférence chaque jour, pendant une durée variant entre 30 et 60 minutes. Les activités physiques doivent mener au développement de l'endurance, de la souplesse et de la force (Santé Canada, 2000). Le guide suggère toute une gamme d'activités physiques qui peuvent être pratiquées de façon structurée ou non. Les associations d'aînés offrent aussi des activités physiques structurées.

La promotion d'une saine alimentation est tout aussi importante pour la population âgée que pour la population plus jeune. Le *Guide alimentaire canadien pour manger sainement* peut servir de base à une saine alimentation dans tous les groupes d'âge[8]. Les messages

7. Voir le site Web suivant : http://www.info-tabac.ca/.
8. Voir le site de Santé Canada : http://www.hc-sc.gc.ca/hpfb-dgpsa/onpp-bppn/food_guide_rainbow_f.html.

transmis aux aînés doivent insister sur l'apport de fruits, de légumes et d'aliments riches en calcium, ainsi que sur la restriction des produits non nutritifs, notamment le sel, l'alcool, le sucre et les gras. Puisque l'apport calorique nécessaire aux aînés est habituellement moindre que celui nécessaire aux autres tranches de la population, il est essentiel que les aliments choisis par les gens âgés soient nutritifs et suffisent à l'organisme. Les campagnes de promotion s'adressant aux aînés doivent viser une alimentation équilibrée et le maintien d'un poids santé[9].

La prévention de l'insomnie passe par la promotion de saines habitudes de vie. Nous pouvons mentionner, parmi les habitudes de vie qui favorisent le sommeil, le contrôle de l'anxiété par diverses techniques de relaxation et de respiration, les bonnes habitudes de sommeil, la pratique d'activités physiques et sociales stimulantes et enrichissantes, et les bonnes habitudes alimentaires (Ouellet, Beaulieu et Banville, 2000). La consommation de somnifères n'est pas souhaitable puisque ceux-ci sont inefficaces après une période d'environ deux semaines, sans compter la dépendance qu'ils créent (Schweizer et Rickels, 1998). Même s'il existe des programmes efficaces de sevrage des somnifères, il semble qu'il soit difficile de cesser de consommer des benzodiazépines. Il est donc souhaitable de ne pas en consommer et d'avoir une bonne hygiène du sommeil[10].

La prévention de l'isolement peut réduire les risques de complications plus importantes, notamment la dépression. Plusieurs activités de promotion de la santé visent à réduire le sentiment d'isolement chez les aînés, comme les activités sociales et celles qui encouragent le soutien social entre les aînés (McInnis et White, 2001). McInnis et White (2001) suggèrent le soutien téléphonique comme intervention pour prévenir l'isolement social. Les interventions en promotion de la santé visant la réduction du sentiment d'isolement chez les aînés sont peu décrites, voire inexistantes dans les écrits scientifiques. Les infirmières œuvrant dans le domaine de la santé publique ont donc toute liberté d'élaborer des stratégies de soutien et des mécanismes d'adaptation pour les aînés souffrant de solitude ou d'isolement.

La prévention des chutes chez les aînés

Les chutes constituent la principale cause de blessures chez les aînés et entraînent des coûts énormes sur les plans économique et social. En 1995, les chutes ont coûté aux Canadiens 2,4 milliards de dollars en coûts directs, soit 57 % du coût global associé aux blessures. Les soins aux aînés blessés ont coûté plus de 980 millions de dollars, soit 41 % des coûts directs engendrés par les chutes (Angus et autres, 1998). Pourtant, les chutes constituent un problème qu'on peut réduire par des actions de prévention adaptées à la population âgée. La promotion de comportements et d'un environnement sécuritaires est primordiale, et c'est pour cette raison que de nombreux programmes de prévention des chutes ont été élaborés par les infirmières travaillant en santé communautaire.

Les facteurs de risque des chutes se distinguent par leur origine intrinsèque ou extrinsèque. Les facteurs de risque intrinsèques dépendent de l'individu et sont provoqués par une perturbation des mécanismes qui assurent l'équilibre nécessaire au maintien de la posture et qui permettent les déplacements. Ces facteurs peuvent être nombreux et comprennent tous les changements physiologiques entraînés par le vieillissement normal et pathologique. Parmi les principaux facteurs associés aux chutes se trouvent une diminution de la vision, un état de santé précaire, une condition physique déficiente (force musculaire, équilibre), des déficits cognitifs et une utilisation accrue de médicaments, particulièrement de benzodiazépines. Les personnes les plus à risque de faire des chutes sont les femmes, les personnes plus âgées, les personnes ayant des limitations fonctionnelles et celles qui consomment plusieurs médicaments. Les facteurs extrinsèques, quant à eux, ne dépendent pas de l'individu et concernent son environnement physique. Les chutes surviennent sur des planchers inégaux, sur des surfaces glissantes ou glacées, lorsque la lumière est insuffisante ou que des objets ont été placés dans des endroits inhabituels. Ces derniers facteurs contribuent au tiers des chutes chez les aînés (Boudreault et Brien, 1999). Une bonne proportion de ces chutes se produisent à l'extérieur de la

9. Pour vous informer sur des interventions individuelles concernant spécifiquement l'alimentation, vous pouvez lire E. ADAM, « La personne âgée et son besoin de boire et de manger », dans S. Lauzon et E. Adam, *La personne âgée et ses besoins : interventions infirmières*, Saint-Laurent, Éditions du renouveau pédagogique, 1996, p. 529-578.

10. Pour obtenir plus d'information, voir N. OUELLET, M. BEAULIEU et J. BANVILLE (2000), *Bien dormir sans somnifères : Guide pour les personnes âgées*, Rimouski, Université du Québec à Rimouski.

maison. Le problème des chutes répétées est complexe et implique plusieurs facteurs ; il requiert aussi des interventions où les multiples aspects de la problématique doivent être considérés (Jensen et autres, 2002).

Les programmes de prévention des chutes

Les programmes de prévention des chutes sont tributaires d'une bonne compréhension de la problématique relative à la population âgée. Beaucoup de programmes de prévention des chutes destinés aux aînés sont orientés presque exclusivement sur l'information. Pourtant, les études démontrent que les connaissances, bien qu'essentielles, sont insuffisantes pour amener les aînés à procéder à des changements dans leurs habitudes de vie. Les comportements associés aux chutes peuvent être inscrits dans des habitudes bien ancrées et pas nécessairement faciles à modifier. D'ailleurs, les théories portant sur les changements de comportements le montrent bien, il faut plus que des connaissances théoriques pour changer un comportement (voir le chapitre 11). En effet, il est primordial que les programmes de prévention des chutes soient basés sur une très bonne compréhension de la problématique et que les stratégies proposées tiennent compte des facteurs qui influencent, facilitent et renforcent le changement de comportement. Les meilleures pratiques de prévention des chutes chez les aînés vivant dans la communauté incluent les programmes d'exercices, les modifications de l'environnement, les programmes d'éducation et la réduction de la consommation de benzodiazépines. Les programmes les plus efficaces combinent plusieurs stratégies et concernent plusieurs facteurs de risque (Edwards, 2000).

Le vieillissement s'accompagne d'une perte des capacités physiques qui se traduit, notamment, par une réduction de la force, un équilibre déficient, un accroissement du balancement du corps et un affaiblissement de la structure squelettique. Cette perte des capacités physiques rend les aînés plus vulnérables aux chutes et aux blessures qui en découlent. Pour réduire ce problème, plusieurs chercheurs ont expérimenté des programmes d'exercices physiques. D'une manière générale, les données probantes suggèrent que l'exercice physique contribue à réduire les chutes chez les aînés (Campbell et autres, 1999 ; Day et autres, 2002). L'exercice physique renforce la musculature et améliore l'équilibre et la posture, contribuant ainsi à réduire les chutes et les blessures qui y sont associées. Bien que les programmes d'exercices testés dans les études diffèrent, tous ces programmes comportent des exercices qui favorisent l'équilibre. Cependant, des recherches supplémentaires sont nécessaires afin de déterminer les exercices qui contribuent le plus à réduire les chutes chez les aînés. Tout programme d'exercices suppose une bonne connaissance des besoins particuliers des aînés qui y participent afin de pouvoir déterminer les activités qui sont les plus appropriées et les plus adaptées à leur situation.

L'environnement fait partie des facteurs de risque de chutes. Ainsi, l'élimination des obstacles environnementaux (tapis, cordons électriques), l'amélioration de l'éclairage et l'installation de mains courantes, de barres d'appui et de bandes antidérapantes font partie des stratégies qui permettent de réduire les chutes. Quelques études (Plautz et autres, 1996 ; Thompson, 1996) démontrent que la réduction des risques environnementaux, surtout en ce qui a trait aux aînés qui sont encore actifs et autonomes, contribue à diminuer les risques de chutes. Toutefois, plusieurs études montrent que les interventions visant uniquement à rendre l'environnement plus sécuritaire ne suffisent pas (Gill, Williams et Tinetti, 2000 ; Gillespie et autres, 2000 ; Stevens, Holman et Bennett, 2001). Pour en améliorer l'efficacité, on doit se fier aux données probantes qui suggèrent d'utiliser plusieurs stratégies pour appuyer l'effet des modifications de l'environnement.

Les stratégies éducatives, bien que l'on ne possède pas de preuves concrètes de leur efficacité, peuvent jouer un rôle important dans la prévention des chutes chez les aînés. L'information, dans bien des cas, ne peut remplacer le changement de comportement et doit être renforcée par des actions concrètes, comme la modification de l'environnement et la pratique d'exercices. Il est cependant important, quel que soit le programme de prévention des chutes, de prévoir un volet éducatif qui sensibilisera les aînés aux facteurs de risque et améliorera leurs connaissances à ce sujet. Ces personnes seront plus portées à modifier leur environnement physique par la suite et à modifier les comportements susceptibles d'entraîner des chutes.

Plusieurs études confirment que la consommation de médicaments psychotropes, notamment les benzodiazépines, est directement liée au risque de chutes (Ray, Thapa et Gideon, 2000 ; Tromp et autres, 2001). Cependant, peu d'études portent sur l'éducation des aînés relativement aux risques accrus de chutes attribuables à la consommation de certains médicaments. Dans une étude, Campbell et ses collaborateurs (1999) rapportent une diminution du nombre de chutes dans le groupe ayant abandonné les benzodiazépines. Toutefois, il est nécessaire qu'un plus grand nombre d'études soient effectuées à ce sujet pour confirmer ces résultats et proposer des lignes directrices concernant l'usage des benzodiazépines par les aînés.

Il peut arriver qu'une personne âgée frêle soit incapable de maintenir une stabilité pour prévenir la chute même lorsqu'il n'y a pas d'obstacles environnementaux. Dans un bon programme de prévention des chutes, on doit donc tenir compte de l'environnement physique, de l'amélioration de la condition physique (posture, stabilité et force musculaire) et de la sensibilisation aux facteurs de risque. Au moment de la conception d'un programme de prévention des chutes, il est préférable d'opter pour des stratégies qui ont fait leurs preuves sur le plan scientifique et dont l'efficacité est vérifiée par des données probantes. D'autres éléments sont importants dans l'élaboration et la mise en œuvre d'un programme de prévention des chutes (voir la section ci-dessous). Il faut notamment tenir compte de la population à qui s'adresse le programme, de ses besoins, des méthodes d'exécution du programme, des ressources disponibles, des coûts et des obstacles à la mise en œuvre.

Le *Programme intégré d'équilibre dynamique* (*PIED*). Préoccupée par l'ampleur du problème et la gravité des chutes chez les aînés vivant dans la communauté, la Direction de la santé publique de Montréal-Centre a conçu et testé un programme multifactoriel de prévention des chutes: le *Programme intégré d'équilibre dynamique* (*PIED*) (Laforest et autres, 1999). Ce programme vise la réduction de trois facteurs de risque de chute: l'altération de l'équilibre, les dangers dans l'environnement résidentiel et les comportements non sécuritaires. Il comporte 3 volets: des exercices physiques en groupe (2 fois par semaine), des exercices à domicile (une fois par semaine) et des capsules de discussion sur la prévention des chutes (10 capsules de 30 minutes). La durée du programme est de 12 semaines, et il est offert dans les centres communautaires. Des professionnels animent les rencontres, qui regroupent de 10 à 15 personnes. Celles qui y participent sont suffisamment autonomes pour se déplacer et participer à ces rencontres trois fois par semaine. Ce programme a été mis au point en étroite collaboration avec des partenaires œuvrant dans le milieu communautaire.

Le programme *PIED* prend comme modèle le cadre théorique de Rosenstock et de ses collaborateurs (1988) pour orienter ses interventions visant des changements de comportements. Cette approche incorpore des éléments de la théorie sociale cognitive et du modèle des croyances relatives à la santé. L'acquisition de connaissances constitue l'étape préliminaire des changements de comportements. Une fois qu'ils ont acquis les connaissances nécessaires, les aînés doivent franchir une deuxième étape, celle de la reconnaissance des risques de chutes pour eux-mêmes (perception de sa vulnérabilité). Finalement, ils doivent avoir confiance dans leur capacité de changer (efficacité du comportement; efficacité personnelle).

Les aînés qui participent au programme pratiquent les exercices en groupe, deux fois par semaine. Les exercices sont divisés en quatre parties: les exercices de proprioception et de stimulation vestibulaire, les activités d'intégration de l'équilibre, les exercices de renforcement et les mouvements d'assouplissement. Parallèlement, les participants pratiquent une douzaine d'exercices à la maison une fois par semaine. Le programme *PIED* comprend également une dizaine de capsules de discussion; la discussion a lieu immédiatement après une rencontre d'exercices en groupe. Divers sujets sont alors abordés: les obstacles environnementaux (carpettes glissantes, objets qui traînent, etc.), les risques de glissade, les comportements non sécuritaires et les solutions pour rendre le domicile sécuritaire. L'accent est mis sur l'acquisition de comportements sécuritaires par le truchement de techniques d'animation telles que le modelage, les questions à réflexion, les discussions de groupe et l'utilisation de grilles de vérification du domicile (Direction de la santé publique de Montréal-Centre, 2001).

À l'automne 1996, le programme *PIED* a été évalué et les résultats sont détaillés dans le rapport intitulé *Évaluation du Programme Intégré d'Équilibre Dynamique pour la prévention des chutes chez les aînés*. Succinctement, on peut dire que le programme s'avère efficace surtout sur le plan de l'équilibre. Il semble que les participants à l'étude aient amélioré leur équilibre de façon significative grâce au programme. Les auteurs mentionnent d'autres études qui confirment ces résultats et qui permettent de déterminer dans quelle mesure l'amélioration de l'équilibre se maintient une fois le programme terminé (Trickey et autres, 1999a; 1999b).

LA PROMOTION D'UNE SAINE CONSOMMATION DE MÉDICAMENTS

En 2001, 312,6 millions d'ordonnances ont été délivrées au Canada, soit une augmentation de 7,5 % par rapport à l'année 2000 et une moyenne de 10,1 ordonnances par personne (IMS Health Canada, 2002). La consommation de médicaments augmente de façon vertigineuse depuis les 10 dernières années, surtout chez les aînés, qui sont, de loin, les plus grands consommateurs de médicaments. La consommation de médicaments sous ordonnance ou en vente libre augmente avec l'âge, et cette augmentation est directement associée à l'accroissement des problèmes de santé attribués au vieillissement. En 1996 et 1997, 84 % des personnes de plus de 65 ans vivant chez elles avaient pris au moins un médicament au cours des 2 jours précédant l'enquête (Lindsay, 1999). La dernière enquête de Santé Québec révèle que près de 52 % des Québécois âgés ont affirmé avoir consommé au moins 3 médicaments différents au cours des 48 heures précédant l'enquête (Institut national de santé publique du Québec, 2001). Les femmes consomment généralement plus de médicaments que les hommes et elles sont aussi plus nombreuses à prendre des médicaments qui agissent sur le système nerveux central (des psychotropes : tranquillisants, antidépresseurs, anxiolytiques, somnifères). Aux problèmes de santé qui augmentent avec le vieillissement s'ajoutent les conditions de vie des femmes âgées. La solitude, l'isolement et la pauvreté vécus par un grand nombre d'entre elles affectent grandement leur qualité de vie et les amènent à consommer, parfois à tort, des médicaments psychotropes.

Actuellement, l'administration des médicaments représente l'intervention médicale la plus courante dans le traitement de diverses maladies et le soulagement de symptômes comme la douleur ; cette intervention a aussi pour objectif de réduire le nombre et la durée des hospitalisations. Pourtant, on ignore les risques de ces puissants agents thérapeutiques, dont les effets indésirables peuvent porter gravement atteinte à la santé et au bien-être des consommateurs âgés.

Les conséquences néfastes des médicaments semblent plus remarquables chez les aînés en raison de l'action normale du vieillissement, qui affecte leur métabolisme, de leur recours plus fréquent aux produits pharmaceutiques et de leur tendance à faire une utilisation prolongée ou concomitante de plusieurs médicaments. Certains risques pour la santé des aînés sont liés aux effets des médicaments eux-mêmes, alors que d'autres sont associés à de mauvaises pratiques de prescription ou de préparation des ordonnances (doses non appropriées, ordonnance fournie sans qu'on sache si la personne prend d'autres médicaments, contrôle inadéquat de l'efficacité du produit et des effets secondaires). Il existe, par ailleurs, des risques liés à un mauvais usage des médicaments (prise de doses insuffisantes ou excessives, utilisation à une fin autre que celle prescrite, interruption ou continuation indue, consommation concomitante d'alcool, automédication). On estime que de 10 à 20 % des hospitalisations gériatriques seraient liées à un usage inapproprié de médicaments (Organisation mondiale de la santé, 1987) et que la majorité de ces hospitalisations pourraient être évitées. Il apparaît qu'une meilleure diffusion d'informations justes et pertinentes pourrait réduire l'utilisation inappropriée de médicaments et, du même coup, le nombre d'hospitalisations s'y rattachant.

Les programmes visant la saine consommation de médicaments

Tout comme les programmes de prévention des chutes, les programmes relatifs à la promotion d'une saine consommation de médicaments chez les aînés sont tributaires d'une bonne compréhension de la problématique. En plus de fournir une information juste et adéquate aux aînés, ces programmes doivent viser à modifier les comportements de ceux qui consomment de façon inappropriée. La plupart des programmes de prévention sont axés principalement sur l'information et le changement de comportement, et peu de programmes s'intéressent au comportement des prescripteurs. Voici trois exemples de programmes élaborés au Canada et qui peuvent servir aux infirmières travaillant dans le milieu de la santé communautaire.

Le programme *Les médicaments, parlons-en.* Voulant régler le problème de la mauvaise utilisation de médicaments, Santé Canada (2000) a conçu le programme *Les médicaments, parlons-en : Comment vous pouvez aider les aînés à utiliser des médicaments de façon sécuritaire*. Cette trousse éducative a été préparée à l'intention des professionnels de la santé qui travaillent auprès des aînés. Elle porte surtout sur les sujets courants qui concernent les médicaments et fournit de l'information qui se rattache à l'usage des médicaments par les aînés. Cette information est écrite dans un style clair et simple, donc accessible tant aux professionnels de la santé qu'aux aînés ; les professionnels y trouveront des techniques de communication qui facilitent la diffusion de l'information auprès des aînés ayant un faible niveau d'alphabétisation.

La trousse est divisée en trois sections. La première section informe les professionnels sur les techniques efficaces de la communication verbale et écrite. La deuxième section contient les informations à donner aux personnes âgées relativement à une consommation sécuritaire. Quant à la troisième section, elle aide la personne âgée à se préparer pour la visite au médecin, à l'infirmière et au pharmacien, et met à la disposition des intervenants des feuillets pour guider l'aîné dans la gestion de ses médicaments.

Le programme *L'information est la meilleure prescription.* Préoccupée par l'utilisation inappropriée des médicaments, l'Association canadienne de l'industrie du médicament (1995) a mis en place ce programme essentiellement axé sur l'information. Ce dernier vise à sensibiliser les consommateurs à l'importance d'utiliser les médicaments de façon appropriée et à la nécessité pour les Canadiens de prendre une part active à leurs propres soins de santé. Un guide détaillé d'animation propose aux professionnels de la santé (pharmaciens, médecins ou infirmières) des activités planifiées pour de petits groupes. Cette formule permet aux participants de profiter directement de la formation, des connaissances et de l'expérience d'un professionnel de la santé appartenant à leur propre collectivité. Chacun des participants aux ateliers reçoit une brochure éducative et un carnet dans lequel il note les renseignements relatifs à sa santé et le nom de tous ses médicaments. Ce programme peut être obtenu gratuitement en communiquant avec l'Association canadienne de l'industrie du médicament (ACIM).

Le programme *Savoir et entraide pour un vieillissement éclairé* (*SEVE*). Ce programme est destiné aux femmes âgées consommatrices de médicaments. Il a été conçu en fonction des besoins des aînées, besoins qu'elles ont elles-mêmes décrits (Charest, 1994), et dans le but de les aider à actualiser leur potentiel, à conserver leur autonomie et à faire un usage adéquat des médicaments. Plusieurs aspects sont abordés dans le programme *SEVE*, notamment les différentes facettes du vieillissement et les motifs pouvant entraîner une consommation continue ou abusive de médicaments, particulièrement de somnifères et de tranquillisants. Les femmes participant aux ateliers sont invitées à prendre conscience des aspects positifs du processus de vieillissement et du potentiel individuel qu'il permet de développer. *SEVE* offre l'occasion aux femmes d'évaluer et d'expérimenter leur capacité de reprendre du pouvoir sur leur vie. Basé sur les besoins des femmes âgées, ce programme n'est pas seulement orienté vers la simple transmission de connaissances : les échanges sont encouragés dans les ateliers, ce qui offre la possibilité aux femmes âgées de prendre conscience des risques entourant la consommation de certains médicaments et les encourage à reprendre du pouvoir sur leur santé.

CONCLUSION

La promotion de la santé concerne tous les professionnels de la santé et doit viser tous les groupes d'âge, plus particulièrement les groupes à risque. À ce titre, les aînés devraient faire l'objet d'un intérêt particulier de la part de l'infirmière en santé communautaire, car celle-ci occupe une place privilégiée pour promouvoir leur santé et leur bien-être. Afin d'améliorer la santé et le bien-être de la population âgée et de réduire les inégalités en matière de santé entre les différents groupes sociaux, l'infirmière se doit d'agir sur les éléments et les conditions ayant une incidence sur la santé des aînés, ainsi que sur les facteurs qui influencent, facilitent et renforcent leurs comportements relatifs à la santé.

La promotion de la santé de la population âgée vise des objectifs de bien-être et d'autonomie. L'infirmière, à titre d'agent de changement, doit favoriser des approches qui encouragent la participation et l'entraide entre les aînés. Elle doit aussi encourager les individus et les groupes d'aînés à se responsabiliser par rapport à leur situation. Ceux qui se sentent touchés par les problématiques de la santé seront plus enclins à adopter de bons comportements et à influencer leurs pairs. La promotion de la santé et la prévention de la maladie sont donc des actions qui nécessitent beaucoup de concertation entre les différents acteurs concernés, soit les aînés eux-mêmes, qui sont les principaux intéressés, les professionnels de la santé ainsi que les différentes instances politiques.

RÉFÉRENCES

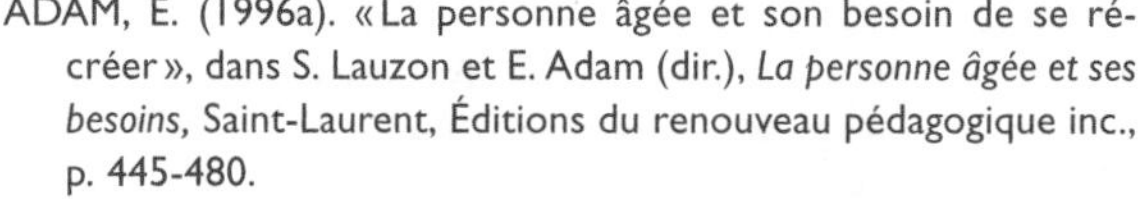

ADAM, E. (1996a). « La personne âgée et son besoin de se récréer », dans S. Lauzon et E. Adam (dir.), *La personne âgée et ses besoins*, Saint-Laurent, Éditions du renouveau pédagogique inc., p. 445-480.

ADAM, E. (1996b). « La personne âgée et son besoin de s'occuper de manière à se sentir utile », dans S. Lauzon et E. Adam (dir.), *La personne âgée et ses besoins : interventions infirmières*, Saint-Laurent, Éditions du renouveau pédagogique inc., p. 5-10.

AMES, B.N., M.K. SHIGENAGA et T.M. HAGEN (1993). « Oxidants, antioxidants, and the degenerative diseases of aging », *Proceedings of the National Academy of Sciences of the USA*, n° 90, p. 7915-7922.

ANGUS, D.E. et autres (1998). *Le fardeau économique des blessures non intentionnelles au Canada*, Toronto, Smartrisk.

ASSOCIATION CANADIENNE DE GÉRONTOLOGIE (2000). *Énoncé de politique : Une approche individualisée à la promotion de la santé des personnes âgées*, http://www.cagacg.ca/francais/554_f.html (consulté le 19 avril 2005).

ASSOCIATION CANADIENNE DE L'INDUSTRIE DU MÉDICAMENT (1995). *L'information est la meilleure prescription*. Atelier sur l'utilisation sécuritaire et responsable des médicaments. Documentation ressource et guide de planification, Ottawa, ACIM.

BORAWSKI, E.A., J.M. KINNEY et E. KAHANA (1996). « The meaning of older adults' health appraisals : congruence with health status and determinant of mortality», *The Journals of Gerontology. Series B, Psychological Sciences and Social Sciences*, vol. 51, n° 3, p. S157-170.

BOUDREAULT, V. et A. BRIEN (1999). «Approche analytique de l'environnement domiciliaire», *Le Gérontophile*, vol. 21, n° 1, p. 31-35.

CAMPBELL, A.J. et autres (1999). «Falls prevention over 2 years: A randomized controlled trial in women 80 years and older», *Age and Ageing*, vol. 28, n° 6, p. 513-518.

CAMPION, D. et A. BRICE (1997). «Des familles et des gènes», *La recherche*, n° 303, p. 72-74.

CHAREST, H. (1994). «Le programme SEVE: une ressource pour les aînées consommatrices de médicaments», *Sans préjudice... pour la santé des femmes* (édition spéciale), n° 8, p. 17.

COMITÉ CONSULTATIF FÉDÉRAL-PROVINCIAL-TERRITORIAL SUR LA SANTÉ DE LA POPULATION (1999). *Rapport statistique sur la santé de la population canadienne*, Ottawa, Santé Canada.

DAY, L. et autres (2002). «Randomized factorial trial of falls prevention among older people living in their own homes», *British Medical Journal*, vol. 325, n° 7356, p. 128.

DE FILIPPI, F. et autres (1998). «Social status, alcohol consumption and affective disorders in non-institutionalized elderly», *Archives of Gerontology and Geriatrics*, n° 26 (supp. 1), p. 111-116.

DIRECTION DE LA SANTÉ PUBLIQUE DE MONTRÉAL-CENTRE (2001). «P.I.E.D. revu et amélioré», *Empreinte de P.I.E.D.*, vol. 1, n° 2, p. 1-4.

EDWARDS, N.C. (2000). «Prevention of falls among seniors in the community», dans M.J. Stewart (dir.), *Community Nursing: Promoting Canadian's Health*, Toronto, W.B. Saunders, p. 296-316.

ELLAWAY, A., S. WOOD et S. MACINTYRE (1999). «Someone to talk to? The role of loneliness as a factor in the frequency of GP consultations», *The British Journal of General Practice: The Journal of the Royal College of General Practitioners*, vol. 49, n° 442, p. 363-367.

GILL, T.M., C.S. WILLIAMS et M.E. TINETTI (2000). «Environmental hazards and the risk of non syncopal falls in the homes of community-living older persons», *Medical Care*, vol. 38, n° 12, p. 1174-1183.

GILLESPIE, L.D. et autres (2000). «Interventions for preventing falls in the elderly», *Cochrane Database of Systematic Reviews*, n° 2.

HAGERTY, B.M. et R.A. WILLIAMS (1999). «The effects of sense of belonging, social support, conflict, and loneliness on depression», *Nursing Research*, vol. 48, n° 4, p. 215-219.

IMS HEALTH CANADA (2002). *Aspects du marché pharmaceutique canadien*, http://www.imshealthcanada.com/htmfr/3_2_0.htm (consulté le 19 avril 2005).

INSTITUT NATIONAL DE SANTÉ PUBLIQUE DU QUÉBEC (2001). *Le portrait de santé: le Québec et ses régions*, Sainte-Foy, Gouvernement du Québec.

JENSEN, J. et autres (2002). «Fall and injury prevention in older people living in residential care facilities: A cluster randomized trial», *Annals of Internal Medicine*, vol. 136, n° 10, p. 733-741.

KAHANA, E. et autres (2002). «Long-term impact of preventive proactivity on quality of life of the old-old», *Psychosomatic Medicine*, vol. 64, n° 3, p. 382-394.

KRAUSE, N.M. et G.M. JAY (1994). «What do global self-rated health items measure?», *Medical Care*, vol. 32, n° 9, p. 930-942.

LAFOREST, S. et autres (1999). «L'évaluation de capsules d'information pour réduire les risques de chute dans les logements des aînés», *Le Gérontophile*, vol. 21, n° 1, p. 25-29.

LINDSAY, C. (1999). *Un portrait des aînés au Canada*, 3e éd., Ottawa, Statistique Canada.

MARTY, R. (1996). «Gènes, environnement et vieillesse», *Reproduction humaine et hormones*, n° 9, p. 71-80.

MCINNIS, G.J. et J.H. WHITE (2001). «A phenomenological exploration of loneliness in the older adult», *Archives of Psychiatric Nursing*, vol. 15, n° 3, p. 128-139.

MEDVEDEV, Z.A. (1990). «An attempt at a rational classification of theories of ageing», *Biological Reviews*, n° 65, p. 375- 398.

MORIN, C.M. (1997). *Vaincre les ennemis du sommeil*, Québec, Les Éditions de l'Homme.

ORGANISATION MONDIALE DE LA SANTÉ (1987). *La prescription médicamenteuse aux personnes âgées*, Copenhague, OMS, Bureau régional de l'Europe.

ORGANISATION MONDIALE DE LA SANTÉ, SANTÉ ET BIEN-ÊTRE CANADA, ASSOCIATION CANADIENNE DE LA SANTÉ PUBLIQUE (1986). «Charte d'Ottawa pour la promotion de la santé», *Canadian Journal of Public Health*, n° 77, p. 425-430.

ORGANISATION MONDIALE DE LA SANTÉ, SANTÉ ET BIEN-ÊTRE CANADA, ASSOCIATION CANADIENNE DE LA SANTÉ PUBLIQUE (1986). *Charte d'Ottawa pour la promotion de la santé. Première Conférence internationale pour la promotion de la santé*, 17-21 novembre.

OUELLET, N. (1996). «La personne âgée et son besoin de dormir et de se reposer», dans S. Lauzon et E. Adam (dir.), *La personne âgée et ses besoins: interventions infirmières*, Saint-Laurent, Éditions du renouveau pédagogique inc., p. 655-684.

OUELLET, N. et M. BEAULIEU (2000). *Les facteurs psychosociaux reliés à la consommation de médicaments psychotropes chez les personnes âgées du Bas-Saint-Laurent: Rapport de recherche*, Rimouski, Université du Québec à Rimouski.

OUELLET, N., M. BEAULIEU et J. BANVILLE (2000). *Bien dormir sans somnifères: Guide pour les personnes âgées*, Rimouski, Université du Québec à Rimouski.

PLAUTZ, B. et autres (1996). «Modifying the environment: A community-based injury-reduction program for elderly residents», *American Journal of Preventive Medicine*, vol. 12, n° 4 (suppl.), p. 33-38.

RAY, W.A., P.B. THAPA et P. GIDEON (2000). «Benzodiazepines and the risk of falls in nursing home residents», *Journal of the American Geriatrics Society*, vol. 48, n° 6, p. 682-685.

RÉGIE DE L'ASSURANCE-MALADIE DU QUÉBEC (2001). *Portrait quotidien de la consommation médicamenteuse des personnes âgées non hébergées*, Québec, Régie de l'assurance-maladie du Québec.

ROKACH, A. et H. BROCK (1997). «Loneliness and the effects of life changes», *J Psychol*, vol. 131, n° 3, p. 284-298.

ROSENSTOCK, I.M., V.J. STRECHER et M.H. BECKER (1988). «Social learning theory and the health belief model», *Health Education Quarterly*, n° 15, p. 175-183.

SANTÉ CANADA (2000). *Guide d'activité physique canadien pour une vie saine et active pour les aînés*, http://www.phac-aspc.gc.ca/pau-uap/guideap/ (consulté le 26 avril 2005).

SANTÉ CANADA (2001). *Les maladies respiratoires au Canada*, Ottawa, Santé Canada.

SANTÉ CANADA (2002). *Vieillir au Canada*, Ottawa, ministre des Travaux publics et Services gouvernementaux Canada.

SANTÉ CANADA, DIRECTION GÉNÉRALE DE LA POPULATION ET DE LA SANTÉ PUBLIQUE, DIRECTION DE LA POLITIQUE STRATÉGIQUE (2001). *Le modèle de promotion de la santé de la population: éléments clés et mesures qui caractérisent une approche axée sur la santé de la population*, Ottawa, Santé Canada.

SANTÉ CANADA, DIVISION DU VIEILLISSEMENT (2000). *Les médicaments, parlons-en : Comment vous pouvez aider les aînés à utiliser des médicaments de façon sécuritaire*, http://www.phac-aspc.gc.ca/seniors-aines/pubs/med_matters/introf.htm (consulté le 26 avril 2005).

SANTÉ CANADA, DIVISION DU VIEILLISSEMENT ET DES AÎNÉS (1997). *Le vieillissement des populations : Les trente dernières années en perspective*, rapport préparé par Pierre Joseph sous la dir. de Frédéric Lesemann, Ottawa, Santé Canada.

SCHWEIZER, E. et K. RICKELS (1998). « Benzodiazepine dependence and withdrawal : A review of the syndrome and its clinical management », *Acta Psychiatrica Scandinavica*, n° 98 (suppl. 393), p. 95-101.

SOCIÉTÉ ALZHEIMER DU CANADA (2002). *Société d'Alzheimer : politique publique*, http://www.alzheimer.ca/french/society/pubpol.htm (consulté le 19 avril 2005).

STATISTIQUE CANADA (1999). « L'espérance de vie », *Rapport sur la santé*, vol. 11, n° 3, p. 9-29.

STATISTIQUE CANADA (2002a). *Le Canada en statistiques*. Gouvernement du Canada, http://www.statcan.ca/francais/Pgdb/demo10a_f.htm (consulté le 26 avril 2005).

STATISTIQUE CANADA (2002b). *Nombre de semaines d'épisode dépressif au cours des 52 dernières semaines, selon l'âge et le sexe*, http://www.statcan.ca/francais/Pgdb/health35_f.htm (consulté le 26 avril 2005).

STATISTIQUE CANADA (2002c). *Suicides et taux de suicide selon le sexe et l'âge*, http://www.statcan.ca/francais/Pgdb/health01_f. htm (consulté le 26 avril 2005).

STATISTIQUE CANADA (2002d). *Pourcentage de fumeurs dans la population*, http://www.statcan.ca/francais/Pgdb/health07a_f.htm (consulté le 26 avril 2005).

STEVENS, M., C.D. HOLMAN et N. BENNETT (2001). « Preventing falls in older people : Impact of an intervention to reduce environmental hazards in the home », *Journal of the American Geriatrics Society*, vol. 49, n° 11, p. 1442-1447.

THOMPSON, P.G. (1996). « Preventing falls in the elderly at home : A community-based program », *Medical Journal of Australia*, vol. 164, n° 9, p. 530-532.

TIJHUIS, M.A. et autres (1999). « Changes in and factors related to loneliness in older men. The Zutphen Elderly Study », *Age and Ageing*, vol. 28, n° 5, p. 491-495.

TRICKEY, F. et autres (1999a). *Évaluation du programme intégré d'équilibre dynamique (P.I.E.D.) pour la prévention des chutes chez les aînés. Rapport de recherche*, Montréal, Direction de la santé publique, Régie régionale de la Santé et des Services sociaux de Montréal-Centre.

TRICKEY, F. et autres (1999b). *Prévenir les chutes chez les aînés : évaluation du programme P.I.E.D. Rapport synthèse*, Montréal, Direction de la santé publique, Montréal-Centre, vol. 3, n° 1, p. 1-4.

TROMP, A.M. et autres (2001). « Fall-risk screening test : A prospective study on predictors for falls in community-dwelling elderly », *Journal of Clinical Epidemiology*, vol. 54, n° 8, p. 837-844.

WAKIMOTO, P. et G. BLOCK (2001). « Dietary intake, dietary patterns, and changes with age : An epidemiological perspective », *The Journals of Gerontology. Series A, Biological Sciences and Medical Sciences*, vol. 56, n° 2 (numéro spécial), p. 65-80.

CHAPITRE 22

ENJEUX ÉTHIQUES ET PROCESSUS DÉCISIONNEL EN SANTÉ COMMUNAUTAIRE[1]

JOCELYNE SAINT-ARNAUD

INTRODUCTION

De longue date, les sciences de la santé se sont intéressées à l'éthique clinique. Dans l'Antiquité, les disciples d'Hippocrate se distinguaient des sorciers, prêtres et guérisseurs par un serment qui leur imposait des normes éthiques de pratique. Dès cette époque, le principe de non-malfaisance, sous la formule *primum non nocere,* a été mis de l'avant. Dans la philosophie hippocratique, qui faisait une grande place à la nature, cela signifiait que le médecin devait s'abstenir d'intervenir s'il ne prévoyait pas pouvoir apporter de bénéfices sanitaires à la personne malade. Il était aussi défendu aux premiers médecins de donner des potions abortives ou euthanasiques.

De ce point de vue, le *Serment d'Hippocrate* est reconnu comme l'ancêtre des codes de déontologie qui ont régi les professions de la santé. Ces codes de déontologie médicale ont servi à encadrer les interventions effectuées au chevet du malade. Ce n'est que tout récemment que les professionnels des sciences de la santé se sont préoccupés d'éthique en santé publique.

Comme le *Serment d'Hippocrate,* le *Serment de Nightingale* (1893) est formulé à une époque où l'infirmière recherche une reconnaissance professionnelle. Les infirmières devaient gagner la confiance du public au XIXe siècle (Lamb, 2004, p. 22), entre autres parce que les hôpitaux et les hospices étaient perçus comme des endroits où régnaient la corruption et l'illégalité (Baly, 1993, p. 75). Échappent à cette mauvaise réputation les hôpitaux du Canada français fondés par des dames de la haute société et des communautés religieuses qui avaient pour mission le soin des malades et la conversion des autochtones à la religion catholique (Cohen, 2000, p. 20-21). Quoi qu'il en soit, dans le contexte de l'ère victorienne protestante, la tâche de l'infirmière représentait, au mieux, une occupation permettant aux jeunes filles pauvres de gagner leur vie honorablement (Saillant, 1993, p. 4). Dans la tradition catholique, la fonction de l'infirmière était liée à une mission charitable auprès des plus démunis de la société. Dans l'un ou l'autre contexte, il ne s'agissait pas d'une profession reconnue.

Ce qu'apporte Florence Nightingale, c'est une philosophie du soin centrée sur une approche globale et environnementale qui fait une large part à la nature dans le processus de guérison, rejoignant en cela la philosophie hippocratique. Cependant, ce qui caractérise particulièrement l'apport de Nightingale aux soins infirmiers, c'est l'importance qu'elle accorde à la santé publique, à la gestion hospitalière et à la santé communautaire. Elle insiste sur le rôle autonome de l'infirmière visiteuse, « qui doit posséder une formation plus complète qu'une infirmière d'hôpital » (Baly, 1993, p. 82) et

1. La rédaction de ce chapitre a reçu un appui financier du Réseau de recherche en santé des populations du Québec. L'auteure remercie Anne-Marie Arseneault, professeure à l'Université de Moncton, Raymond Massé, professeur à l'Université Laval, les membres du Centre de recherche en éthique de l'Université de Montréal (CREUM) et l'évaluateur externe pour leurs précieux conseils et commentaires, de même qu'Isabelle Saint-Pierre, étudiante à l'Université d'Ottawa, pour la qualité de sa recension et de ses résumés.

dont l'intervention de soin implique, notamment, le counselling en matière d'hygiène, d'installations et de comportements favorisant la santé. Loin de considérer l'infirmière comme l'assistante du médecin, elle craint même que des connaissances médicales nuisent à son rôle d'hygiéniste (Baly, 1993, p. 75).

Quoique Nightingale se soit préoccupée de l'intervention infirmière en santé publique et en santé communautaire, le serment qui porte son nom et les premiers codes d'éthique infirmière sont liés à l'avènement des écoles de formation en soins infirmiers. Les premiers écrits relatifs à l'éthique des soins insistent surtout sur des règles d'étiquette (ponctualité, politesse, vêtements propres, etc.) et sur des comportements vertueux (honnêteté, charité, dévouement, etc.) essentiels à une pratique infirmière éthique. Tout en maintenant la référence à des attitudes et comportements vertueux, notamment la pureté, la loyauté envers la profession et envers les médecins, de même que le dévouement envers les bénéficiaires, le *Serment de Nightingale* mentionne, d'une part, des obligations morales liées à l'application des principes de bienfaisance, de non-malfaisance et de respect de la vie et, d'autre part, des préceptes relatifs à l'application des règles morales incitant au respect de la confidentialité et prohibant l'administration de médicaments délétères. Le *Serment de Nightingale* aura une grande influence sur la première ébauche d'un code de déontologie par l'American Nursing Association (ANA) en 1926. On y retrouve les mêmes valeurs. Cependant, la responsabilité de maintenir de bonnes relations s'étend non seulement aux médecins mais aussi aux collègues et aux représentants des autres disciplines. Mis à part les devoirs envers des tiers soignants, les obligations morales mentionnées ont trait à l'éthique clinique. Pourtant, dès le début du siècle, les infirmières sont impliquées en santé communautaire. D'une part, des infirmières visiteuses travaillent à leur compte. D'autre part, des interventions infirmières de prévention, de promotion et de protection de la santé s'effectuent dans les écoles et dans les unités municipales de santé publique, prenant notamment la forme d'un suivi auprès des mères et des nouveau-nés. Ce n'est qu'en 1940, dans une deuxième ébauche d'un code de déontologie rédigé par l'ANA, que seront intégrées la prévention de la maladie et la promotion de la santé comme objectifs du soin infirmier (Blondeau, 2000, p. 340). Plus tardifs, les codes canadiens intègrent les valeurs et principes défendus par le code de l'ANA, en ne les restreignant pas au rôle clinique de l'infirmière, mais en y adjoignant les rôles infirmiers liés à l'enseignement, à l'administration et à la recherche.

Les codes correspondent à un énoncé de règles de conduite qui font consensus dans la profession infirmière et qui représentent un idéal professionnel. Ils sont souvent considérés comme des normes imposées de l'extérieur garantissant à ceux et à celles qui les suivent une pratique respectueuse de la morale et, dans certaines provinces canadiennes, de la légalité. Cependant, plusieurs auteurs qui traitent d'éthique des soins infirmiers (Johnson, 2004 ; Saint-Arnaud, 2001 ; Gatsmans, Dierckx de Casterlé et Schotsmans, 1998 ; Taylor, 1998) considèrent que la pratique infirmière n'est pas une pratique moralement neutre. De manière générale, ces auteurs reconnaissent que les buts d'une intervention de soin[2], que ce soit en clinique en santé communautaire ou en santé publique, ont une visée morale. Ils s'appuient, soit sur la morale traditionnelle basée sur une conception de ce que sont le Bien et la vie bonne (Storch et autres, 2004 ; Gastman, Dierckx de Casterlé et Schotsmans, 1998), soit sur une approche éthique pluraliste et pragmatique centrée sur la décision (Anderson et Kish, 2001 ; Kish, 2001 ; Fry, 2000 ; Reigle et Boyle, 2000 ; Yeo et Moorhouse, 1996). Quelle que soit la base philosophique de ces approches, elles se réclament d'une éthique des soins, concept plus large que celui de bioéthique, qui intègre généralement l'apport des théories éthiques et d'une approche par principes.

Le processus décisionnel sera éthique si la décision est prise en fonction d'un code moral ou si elle est justifiée selon une perspective éthique (Allender et Spradley, 2005, p. 99). L'infirmière, en tant qu'agent moral, est celle qui prend une telle décision. Les personnes qui ont développé des attitudes d'ouverture à l'autre, d'empathie, de patience, de dévouement ont acquis des dispositions qui les inciteront à bien agir. Cependant, ces dispositions, la plus importante étant sans aucun doute la volonté de bien agir, ne sont pas des conditions suffisantes pour poser une action moralement bonne, surtout si des problèmes ou des dilemmes éthiques sont présents. En cas de problèmes ou de dilemmes éthiques, l'infirmière peut se référer à son code de déontologie ou à d'autres guides existants,

2. Le mot « soin » réfère ici à tout type d'intervention en santé exercée dans la communauté et qui vise à la prévention de la maladie, la promotion et la protection de la santé.

comme des lignes directrices en éthique; mais les problèmes complexes exigent une démarche réflexive impliquant non seulement les repères déontologiques courants, mais aussi des connaissances éthiques plus poussées.

Notre but, dans ce chapitre, vise à définir des repères pour mener une réflexion éthique sur la pratique infirmière en santé publique et en santé communautaire, et des outils pour résoudre des problèmes et des dilemmes éthiques qui y surviennent. Pour ce faire, nous définissons d'abord la nature des problèmes et des dilemmes éthiques en santé communautaire et en santé publique, et montrons la façon de les reconnaître à l'aide d'exemples concrets tirés de la pratique. La clarification des valeurs y est précisée ensuite comme un préalable à la résolution de tout problème éthique. Puis, différents repères éthiques et légaux sont précisés, notamment des normes légales et surtout des normes morales, incluant celles qui proviennent des codes de déontologie, des lignes directrices en éthique, de même que des théories et principes éthiques. Finalement, une procédure de résolution des problèmes et des dilemmes éthiques est explicitée.

LES PROBLÈMES ÉTHIQUES EN SANTÉ COMMUNAUTAIRE ET EN SANTÉ PUBLIQUE

Bien qu'il existe un débat sur le statut de l'intervention en santé communautaire, il est clair qu'elle se distingue clairement de l'intervention hospitalière et qu'elle partage avec la santé publique une visée sociétale. De ce fait, les problèmes d'éthique liés à la pratique communautaire présentent des caractéristiques qui lui sont propres. Selon les écrits, le principal problème d'éthique en santé publique et communautaire réside dans la tension générée par le fait que les intervenants doivent agir en fonction du bien-être collectif tout en tenant compte des droits et du bien-être individuels (Olick, 2004). Les normes morales et légales régissant l'intervention de santé en pratique hospitalière sont toujours valides en santé communautaire et en santé publique et, sauf exceptions, elles ne doivent pas être enfreintes, même si le bien-être individuel n'est pas le but premier de l'intervention dans ce champ de pratique. De plus, les droits individuels spécifiés dans des règles comme celle de la confidentialité des données contenues dans le dossier médical doivent aussi y être respectés (American Public Health Association, 2002).

Peu de données issues d'enquêtes auprès des infirmières nous renseignent sur la teneur des problèmes et des dilemmes éthiques vécus en santé communautaire et en santé publique. Une enquête par questionnaire effectuée par Aroskar (1989) auprès de 319 infirmières en santé publique et en santé communautaire du Minnesota portait sur les problèmes éthiques qu'elles affrontaient dans leur pratique et sur la façon dont elles géraient ces problèmes au quotidien. Les problèmes éthiques y ont été présentés comme ceux qui impliquent des décisions difficiles, notamment à cause de conflits entre des devoirs et des obligations professionnelles. Les plus significatifs ont été discutés dans le cadre de l'approche par principes. Ils se rapportent à des conflits entre l'autonomie de la personne (définie en fonction de l'autodétermination et du respect de l'être humain comme fin en soi) d'une part et, d'autre part, la bienfaisance et la non-malfaisance dans la perspective du meilleur intérêt de la personne et de la prévention de torts, selon le point de vue du professionnel de la santé. Plusieurs exemples sont apportés. Citons les problèmes éthiques présents dans la décision à prendre dans le cas d'une personne âgée apte qui se détériore physiquement, qui refuse toute aide et qui n'a pas de famille ou dans le cas de la demande d'une famille de maintenir un patient en vie. D'autres problèmes ont trait à des situations où le fait de cacher la vérité cause du tort au bénéficiaire. Sont apportés, entre autres, l'exemple du bénéficiaire qui est traité par deux médecins, dont l'un n'est pas informé de ce fait par suite d'un refus de la famille, et l'exemple de l'infirmière qui modifie des données pour que le bénéficiaire puisse être remboursé. Enfin, des conflits sont mentionnés en rapport avec la justice distributive, conçue comme une répartition équitable des services. Les exemples cités ont trait au manque de ressources pour offrir un service de qualité et pour répondre adéquatement aux besoins sanitaires des familles pauvres.

Une enquête par questionnaire effectuée par Folmar et ses collègues (1997) auprès de 40 infirmières en santé publique de la Louisiane indique que les conflits éthiques auxquels ces infirmières font face dans leur pratique portent, en ordre d'importance, sur la confidentialité (21), la vie privée (16), le consentement éclairé (13) et la vérité (7). La majorité des infirmières étaient confiantes de pouvoir reconnaître les conflits éthiques dans leur pratique, mais peu avaient confiance en leur capacité de résoudre un conflit ou un dilemme éthique. Une autre étude a été effectuée auprès d'un petit nombre d'infirmières en santé publique (22) par Oberle et Tenove (2000). Ces dernières ont regroupé sous cinq thèmes des problèmes d'éthique pouvant aller jusqu'à la perte du sens du soin. Ce sont les relations avec les autres professionnels de la santé, les problèmes liés au système de santé, la nature de la relation de soin, le respect des personnes et les risques qu'elles encourent. Une étude qualitative, effectuée par Rodney et ses collègues (2002) au moyen de 18 groupes de discussion focalisée auprès de 87 infirmières pratiquant en milieux hospitaliers et en milieux communautaires, visait à décrire l'« horizon moral » à atteindre dans la pratique infirmière. Sont ressortis les thèmes suivants : le soulagement de la souffrance, la préservation de la dignité humaine, le développement de la capacité de faire des choix, la sécurité physique et psychologique, la prévention et la minimisation des torts, et, finalement, le bien-être du patient et de sa famille. Pour ces infirmières, agir moralement signifie agir dans un contexte où de multiples systèmes de valeurs s'affrontent. Cette étude confirme la présence de nombreux problèmes d'éthique dans la pratique quotidienne en santé communautaire au Canada. Un des cas relatés nous servira d'exemple pour illustrer ces problèmes et la manière de les reconnaître.

Il s'agit du commentaire d'une infirmière en santé communautaire qui décrit la complexité du cas d'une dame qui est suivie dans la communauté relativement à l'allaitement de son bébé. Elle souffre de maladie mentale, l'anglais est sa langue seconde et elle manque de ressources pour subvenir adéquatement aux besoins de sa famille et, plus particulièrement, de ses autres enfants. Dans ce type de cas, différents programmes sont impliqués de même que différentes disciplines, dont le travail social. Le problème d'éthique pour cette infirmière de santé communautaire concerne la solution adoptée, qui a été de retirer les enfants de cette famille au lieu d'apporter un soutien adéquat pour combler le manque de ressources et maintenir les enfants dans leur milieu familial. Ce que l'infirmière déplore, c'est de n'avoir pu répondre aux besoins de cette famille par manque de ressources, donc de n'avoir pu mettre en place une intervention qui aurait maximisé le bien-être de la dame et de sa famille.

Les problèmes d'éthique en santé communautaire se reconnaissent quand les buts de l'intervention ne sont pas atteints ou qu'ils sont partiellement atteints, répondant inadéquatement aux besoins d'un individu, d'un groupe ou d'une communauté. Les interventions infirmières, comme celles des autres professionnels de la santé, sont orientées vers le bien-être des individus, des groupes ou des communautés et, de ce point de vue, elles ne sont pas moralement neutres. Au contraire, elles visent des buts et des objectifs de soin qui ont une visée bienfaisante en matière de prévention de la maladie, ainsi que de promotion et de protection de la santé. Si les buts ne sont pas atteints ou s'ils sont insuffisamment atteints, comme dans l'exemple cité précédemment, l'infirmière y perçoit un problème d'éthique. Quand des options d'interventions s'offrent et que celle qui est retenue, pour toutes sortes de raisons, n'est pas celle qui maximise le bien-être de l'individu et de son groupe ou, pire, qui leur nuit, l'infirmière en santé communautaire n'est pas satisfaite des résultats, et des enjeux éthiques sont manifestes parce que le sens de l'intervention est menacé, voire nié. Dans le cas cité, si l'on envisage globalement la santé de la mère et de sa famille, non seulement la décision retenue ne favorisera pas une meilleure santé des bénéficiaires, mais il est probable que le placement des enfants augmentera la gravité de l'atteinte mentale de la mère et provoquera des troubles psychologiques chez les enfants, qui seront séparés de leur mère. Ce ne sont plus seulement les aspects bienfaisants de l'intervention qui aurait pu être faite qui sont en cause, mais aussi les aspects malfaisants de l'intervention pratiquée, qui affectent la santé physique, psychologique et relationnelle de toutes les personnes composant la cellule familiale. À la limite, le bébé sera perturbé puisque le problème de santé mentale de sa mère se sera aggravé, le conjoint, s'il existe, sera affecté et certains membres de l'équipe de soin, dont l'infirmière qui fait le récit de ce cas, seront aussi affectés dans leur pratique par cette expérience négative. Dans une telle situation, l'infirmière peut éprouver ce que des auteurs (Rodney, 1988 ; Jameton, 1984) nomment une « détresse morale ». Cette dernière surviendrait lorsque des solutions moralement inacceptables sont appliquées.

Allons plus loin. Si l'infirmière, tout en n'approuvant pas la décision prise, doit intervenir dans sa mise en application, alors elle est placée devant un dilemme : agir ou ne pas agir. Si elle agit, elle se trouve dans une situation où elle trahit ses valeurs personnelles et professionnelles ; si elle n'agit pas, elle trahit d'autres valeurs que sont la solidarité et l'esprit d'équipe. Par ailleurs, on peut se demander si toutes les options ont été examinées, si la dame a été consultée quant à une solution éventuelle à son problème. Peut-être aurait-elle pu recevoir l'aide d'amis ou de bénévoles. On peut aussi se demander si le problème de langue a fait en sorte qu'on la consulte moins ou pas du tout, si on a pris les moyens pour être compris et si cette dame a pu bénéficier du même service que les autres malgré cette barrière linguistique et culturelle. Autrement dit, y a-t-il eu discrimination à son égard ? Chose certaine, non seulement on n'a pas répondu aux besoins de cette dame et de sa famille de manière adéquate mais, en plus, on leur a probablement nui.

LES DÉFINITIONS DU PROBLÈME ET DU DILEMME ÉTHIQUES

Le problème d'éthique se manifeste donc quand le sens de l'intervention de soin, qui vise au bien-être de la personne, du groupe ou de la communauté, est menacé, voire nié, pour des raisons qui peuvent être hors du contrôle de l'infirmière. Dans le cas étudié, la décision finale a été prise par le travailleur social et elle ne faisait pas consensus. L'infirmière a-t-elle pu exprimer son point de vue ? A-t-elle exposé son analyse de la situation ? A-t-elle pu proposer une autre solution et l'appuyer avec des arguments éthiques susceptibles de faire consensus ? Nous n'avons pas les réponses à ces questions, mais elles donnent des indications sur l'utilité d'un cadre de référence éthique qui serait intégré à la pratique.

Par ailleurs, il arrive que des problèmes d'éthique se manifestent sous forme de dilemmes. Ces situations se présentent quand des options d'interventions moralement acceptables mais exclusives doivent être effectuées. La personne agissant comme agent moral doit faire un choix, mais des arguments éthiques apparaissant d'égal poids ne permettent pas de conclure qu'une option d'intervention est éthiquement meilleure qu'une autre. Deux cas de figure se présentent ; ils sont décrits dans le tableau 22.1.

Revenons à notre exemple relatif au retrait des enfants de leur famille. Dans ce cas, l'infirmière peut faire face à ces deux cas de figure de la manière suivante.

1. Elle se demande si elle interviendra ou non dans le placement, puisque la solidarité avec l'équipe l'encouragerait à le faire, alors que ses valeurs personnelles et professionnelles l'inciteraient, au contraire, à ne pas le faire.
2. S'il y avait eu un processus décisionnel interdisciplinaire, des options, autres que celle retenue et éthiquement bonnes, auraient pu être mises sur la table, tout en étant exclusives les unes des autres. Par exemple, la consultation de la dame à l'aide d'un interprète et la sollicitation de sa collaboration dans le choix d'une solution, d'une part, et la recherche de ressources dans le milieu pour la soutenir dans différents aspects de sa tâche d'autre part, auraient constitué d'autres options à envisager et à débattre en réunion multidisciplinaire.

Une telle situation engendre des tensions. L'infirmière, comme agent moral, veut bien agir, mais elle a des raisons moralement acceptables d'agir dans un sens ou dans l'autre. Contrairement à la faute professionnelle, qui implique la transgression d'une règle déontologique et qui correspond généralement à une situation où l'infirmière sait qu'elle agirait mal si elle posait un acte donné, le dilemme éthique survient dans une situation où l'infirmière veut bien agir, alors qu'il n'y a pas d'évidence quant au meilleur choix d'intervention. Pour faire un choix, une analyse poussée de la situation serait nécessaire et, dans ce cas aussi, un cadre de référence pour résoudre le problème serait utile.

LA PROBLÉMATIQUE

Comme l'écrit Case (2003), les infirmières doivent répondre de la manière dont elles font la promotion de la santé et préviennent les maladies et les accidents, tout en respectant les droits des bénéficiaires à l'autodétermination et au respect de leur autonomie. Les principaux problèmes d'éthique en santé communautaire concernent notamment le respect de la communauté comme collectivité, le respect des droits individuels et

TABLEAU 22.1 DEUX CAS DE FIGURE DU DILEMME ÉTHIQUE

1.	2.
1. Il y a des arguments indiquant qu'une option est correcte (*right*) et il y a des arguments indiquant qu'au contraire, cette option n'est pas correcte (*right*) ; les arguments sont d'égal poids et ne permettent pas de faire un choix.	2. Le choix doit se faire entre deux options ou plus qui sont toutes moralement acceptables. Une ou plusieurs normes obligent l'agent à choisir l'option *x*. Une ou plusieurs normes obligent l'agent à choisir l'option *y*, et ainsi de suite. Mais ces options s'excluent les unes les autres, c'est-à-dire que si l'une est choisie, les autres ne peuvent être appliquées. Si la personne choisit une option, elle ira à l'encontre des normes relatives aux autres options.

Source : Beauchamp et Childress, 2001, p. 10.

de la confidentialité, et l'amélioration du bien-être sanitaire collectif en tenant compte des besoins individuels des membres de la communauté dans l'établissement des priorités ou le partage équitable des ressources.

Le respect des droits individuels peut poser problème quand il entre en conflit avec certaines pratiques. En soins infirmiers communautaires, l'accent est mis sur le groupe plutôt que sur l'individu. En effet, dans plusieurs types d'interventions infirmières en santé communautaire, le bénéficiaire, c'est la famille et non l'individu vivant ou non dans un contexte familial. Cette orientation rend plus difficile le respect des droits individuels comme le consentement libre et éclairé et la confidentialité des données personnelles. Certains diront que ces règles ont été développées pour la pratique hospitalière et qu'elles ne sont pas adéquates en santé communautaire et en santé publique. Certains auteurs (Blustein, 1998; Moody, 1992; Harding 1990) réclament un plus grand investissement de la famille dans les processus décisionnels concernant l'individu traité dans la communauté, dans la famille ou en centres d'hébergement. Par ailleurs, le fait que certains intervenants hospitaliers considèrent que le respect de la confidentialité du dossier de santé est un principe inviolable peut entraîner comme conséquence un suivi communautaire inadéquat.

Des interventions infirmières auprès de personnes qui ont adopté des comportements et des habitudes de vie contraires aux objectifs sanitaires de la santé publique soulèvent des conflits éthiques, opposant le respect de l'autonomie de la personne et les risques pour la santé individuelle et communautaire. Les personnes qui continuent à fumer, qui ne font pas d'exercice, qui mangent de manière inadéquate, qui ne prennent pas leurs médicaments de façon appropriée ou qui ne respectent pas les directives de soins constituent un véritable défi pour la pratique infirmière. Parmi ces personnes se trouvent des gens âgés et malades qui vivent seuls, abandonnés et qui pourtant refusent d'être hospitalisés ou hébergés en centres de soins prolongés. Devant de tels refus, l'infirmière fait face à un dilemme opposant le respect des volontés de la personne à une intervention améliorant la santé, de même que la qualité et la durée de la vie.

La limite des ressources attribuées aux soins de santé dans la communauté soulève aussi des enjeux éthiques importants (Case, 2003; Rodney et autres, 2002; Yeo, Moorhouse et Donner, 1996), parce que certaines catégories de malades se retrouvent sans services ou reçoivent des services insuffisants ou inadéquats. Ainsi en est-il des personnes qui ont été victimes d'un accident vasculaire cérébral (AVC) ou de celles qui ont été victimes d'un traumatisme crânien cérébral (TCC) et qui attendent à domicile une place en réadaptation (Lefebvre et autres, 2003, 2004). Elles en subissent des torts parfois irréversibles. Le même problème se pose dans le suivi des personnes atteintes de troubles mentaux. Comme les services communautaires en ce domaine sont déficients à cause, notamment, d'une pénurie de psychiatres et d'une absence de structures d'accueil adéquates dans la communauté, certaines personnes laissées à elles-mêmes et leur famille n'ont accès à des services que par le biais des urgences et des cliniques externes hospitalières (Saint-Arnaud, 2001). Le manque de suivi fait en sorte que ces personnes ne reçoivent pas des soins adéquats. Dans toutes ces questions, les décisions gouvernementales quant à l'allocation des ressources en santé sont déterminantes et elles constituent souvent des barrières à des soins communautaires adéquats, ce qui place les infirmières dans une situation où elles ne peuvent exercer correctement leur profession.

L'éthique en sciences infirmières

La clarification des valeurs

Il existe différentes théories philosophiques sur les valeurs et les jugements de valeurs. Sans entrer dans les débats théoriques sur la question, « on peut appeler "valeurs" tout ce qui fait l'objet, soit d'une attitude d'adhésion ou de refus, soit d'un jugement critique » (Jacques, 1989, p. 295). Quand on fait référence à une démarche de clarification des valeurs, en rapport au fondement de la démarche éthique, il s'agit d'une réflexion sur les attitudes et les jugements individuels, mais aussi sur des attitudes et des jugements partagés par un groupe, une profession, une institution. De manière générale, les valeurs des individus et des groupes sont des référents conscients ou inconscients pour des comportements, des attitudes ou des interventions; elles sont présentes dans toute relation humaine, y inclus la relation de soin, tant sur le plan individuel que sur le plan communautaire.

Les valeurs peuvent être décrites en fonction des caractéristiques suivantes:

- elles sont essentiellement des croyances, des habitudes liées aux attitudes et aux comportements dans la vie privée et dans la vie professionnelle;
- elles sont relativement stables dans le temps. L'exemple des valeurs religieuses d'un individu

ou des valeurs culturelles d'un groupe illustre bien cette caractéristique;

- elles sont intimement liées à la vie de l'individu ou du groupe;
- elles constituent des références finales en termes des fins à atteindre ou des références instrumentales en termes des moyens mis en œuvre pour atteindre des fins;
- elles font généralement partie d'un système hiérarchisé, la hiérarchisation rendant possible le choix parmi des comportements, des attitudes et des interventions;
- finalement, elles sont des indicateurs des préférences individuelles ou des préférences du groupe.

Les écrits contemporains portant sur l'éthique de la santé insistent sur les valeurs personnelles des intervenants comme repères pour comprendre les comportements individuels. Différentes stratégies ont été développées, notamment par Uustal (1978; 1987), pour permettre à l'infirmière de prendre conscience de ses valeurs personnelles et de leur hiérarchisation dans la pratique. Cependant, le professionnel de la santé se réfère aussi à d'autres systèmes de valeurs que le sien, notamment aux valeurs de sa discipline, incarnées dans les buts (thérapeutiques, préventifs, promotionnels ou relationnels) poursuivis et dans les moyens d'interventions mis de l'avant, aux valeurs associées aux développements scientifiques et techniques de la discipline, de même qu'aux valeurs rattachées à l'art de l'intervention lié à l'expérience acquise. Ces valeurs sont systématisées dans les théories des soins dont le rôle est précisément de hiérarchiser des concepts particulièrement valorisés dans un tout rationnellement cohérent. La hiérarchisation des valeurs professionnelles par les intervenants peut relever de l'adoption d'une théorie des soins ou d'une combinaison de plusieurs théories, concepts ou paradigmes, pour soutenir l'intervention. Ces choix constituent pour un individu ou un groupe professionnel un idéal d'intervention. Il est toutefois nécessaire de concevoir de nouveaux outils pour faire l'évaluation des valeurs propres à une communauté. Cependant, les connaissances sociologiques et anthropologiques portant sur les valeurs religieuses et culturelles des communautés sont des indicateurs précieux des valeurs communautaires. Ces indicateurs devront toutefois être validés auprès des communautés ciblées par l'intervention.

Aux systèmes de valeurs personnels et professionnels s'ajoutent les systèmes de valeurs institutionnels qui se définissent en fonction de la mission et des buts de l'institution, mais aussi en fonction des moyens choisis pour atteindre ces buts, incluant les choix budgétaires. Ces choix sont influencés, sinon déterminés, par les instances politiques, qui représentent le niveau macro-décisionnel le plus élevé.

Les conflits de valeurs

Il est clair que les systèmes de valeurs peuvent entrer en conflit, particulièrement en périodes de crise ou de réforme, ou simplement en situations de ressources limitées. Dans cette dernière situation, les intervenants peuvent être amenés à poser des actes qui vont non seulement à l'encontre de leurs convictions profondes (qui réfèrent évidemment à leurs valeurs personnelles), mais encore qui vont à l'encontre des buts professionnels établis et des normes de bonnes pratiques de soin. Ainsi en est-il de la situation de l'infirmière responsable du service à domicile à qui sa supérieure demande de restreindre le nombre de visites ou le temps alloué à chacune d'elles à la suite de restrictions budgétaires.

Les systèmes de valeurs personnels, professionnels et institutionnels peuvent entrer en conflit entre eux, mais aussi avec les systèmes de valeurs communautaires. Les infirmières travaillent dans un contexte où s'affrontent des systèmes de valeurs et des intérêts différents, notamment leur propre système de valeurs, ceux des autres intervenants et celui de leur organisation (Rodney et autres, 2002). Dans le contexte communautaire s'ajoute le système de valeurs du groupe cible et des individus qui bénéficient de l'intervention. Pour des raisons culturelles, économiques ou sociales, certaines communautés ont des habitudes de vie, alimentaires ou autres, favorisant l'éclosion de certaines affections comme le diabète, l'hypertension ou le cancer du poumon. Les valeurs de ces groupes entrent en conflit avec des interventions de santé publique ou des interventions communautaires visant à instaurer des habitudes de vie favorisant une meilleure santé.

La clarification des valeurs comme étape préliminaire à toute démarche éthique en santé publique et en santé communautaire

La clarification des valeurs personnelles, professionnelles, institutionnelles et communautaires constitue l'étape préliminaire de toute démarche éthique en santé communautaire. Non seulement ce processus permet-il à chaque intervenant de prendre conscience de son échelle de valeurs personnelle, mais il permet aussi de distinguer, d'évaluer et d'articuler les valeurs personnelles et les valeurs professionnelles; en outre, il permet de mesurer, s'il y a lieu, l'écart entre ces dernières valeurs et des valeurs communautaires potentiellement conflictuelles. Il s'agit d'une étape préliminaire dans le processus de décision éthique puisque cette démarche n'indique pas la décision qui doit être prise ou l'intervention qui doit être effectuée, mais permet d'examiner la cohérence et la compatibilité entre les différents systèmes de valeurs en présence. Par rapport à l'examen du système de valeurs personnelles, la clarification des valeurs peut générer une plus grande cohérence dans les prises de décision et les comportements (Reigle et Boyle, 2000, p. 362-363). De plus, dans une perspective d'interdisciplinarité, la compréhension mutuelle des systèmes de valeurs professionnels amène à une plus grande compréhension de la manière dont les professionnels de différentes disciplines perçoivent les conflits de valeurs, ce qui favorise une meilleure collaboration entre les professionnels concernés. Enfin, une démarche de clarification des valeurs permet, dans une certaine mesure, d'évaluer et de prévenir les conflits qui pourraient devenir des barrières à une intervention efficace.

Dans le domaine de la santé publique, la clarification des valeurs à toutes les étapes de l'intervention constitue aussi un préalable à l'analyse éthique. Dans le livre *Éthique et santé publique* (Massé, 2003, p. 67), l'auteur présente un outil, sous forme de tableau, permettant identifier les valeurs explicites et implicites, celles qui présentent un potentiel de conflit avec la population cible, et même les valeurs conflictuelles ou paradoxales incluses dans les différentes étapes de l'intervention. La grille présentée dans ce tableau est illustrée à l'aide d'une étude de cas portant sur la notification effectuée auprès des partenaires sexuels de personnes porteuses du VIH, nommées « cas index » dans le cadre de cette étude (voir le tableau 22.2).

Les normes et les lignes directrices

Les normes légales

La loi prescrit des comportements et ses prescriptions sont accompagnées de sanctions pour qui ne s'y soumet pas. Dans certains cas, la loi laisse peu de place au jugement. Dans d'autres cas, la loi est muette ou imprécise, laissant libre cours à la délibération et à la décision éthiques. Dans la pratique, la loi et l'éthique ont souvent une relation de renforcement mutuel (Olick, 2004), mais il arrive que des comportements non conformes à la loi soient jugés éthiques ou que des comportements non éthiques ne soient pas contraires à la loi. Quoi qu'il en soit, les intervenants sont toujours intéressés à connaître les limites d'application de la loi.

Il est donc important pour eux de connaître la loi et la jurisprudence liées à la pratique des soins, quel que soit le domaine de la santé. Nous soulignons ici quelques éléments incontournables, mais non exhaustifs. Il est clair que le *Code civil* au Québec et le *Common Law* dans les autres provinces reconnaissent le droit à l'autodétermination à toute personne recevant des services de santé. Ce droit s'incarne dans l'application de la règle du consentement libre et éclairé, ce qui implique l'obligation, pour les intervenants, d'informer les bénéficiaires des options d'interventions, de même que des bénéfices et risques qui leur sont associés.

La loi canadienne et le *Code civil* québécois sont conçus pour protéger les droits individuels, donc l'individu. En ce sens, le consentement de l'individu apte ne peut être donné par une autre personne que lui, ce qui signifie que le consentement du représentant d'un groupe (d'une famille ou d'une communauté) ne peut remplacer le consentement des individus qui le constituent. On se souviendra que tout membre d'un groupe conserve toujours le droit de refuser une intervention, quelle qu'elle soit, incluant l'accès à son dossier, même si le représentant de son groupe y a acquiescé (Dickens, 1997).

La *Loi canadienne sur la santé* de 1984 impose des normes à la gestion provinciale des systèmes de santé, notamment en ce qui a trait à la gestion publique du système de santé et à l'universalité d'accès aux services médicalement nécessaires pour tous les citoyens canadiens, quelles que soient leur province de résidence et leur capacité de payer (Maoni, 1999). Par ailleurs, parce qu'elle est enchâssée dans la Constitution canadienne, la *Charte canadienne des droits et libertés* a une portée légale. L'article 15 de cette charte garantit non seulement une égalité devant la loi, mais aussi une égalité quant aux bénéfices et à la protection apportées par la loi. Elle spécifie que les critères suivants ne doivent pas être utilisés de manière discriminatoire : race, origine nationale ou ethnique, couleur, religion, sexe, âge ou déficiences mentales ou physiques. Elle prohibe donc toute discrimination basée sur les facteurs sociaux ci-dessus énumérés (Saint-Arnaud, 2003b).

Les groupes lésés invoqueront la *Charte canadienne des droits et libertés* pour revendiquer leurs droits ; cependant, la preuve sera fondée sur l'évaluation des torts ou des préjudices causés à chaque individu et sur la démonstration, au regard de chacun, d'un lien causal entre l'intervention et les préjudices ou torts évalués (Blondeau et Hébert, 2002).

Tableau 22.2 Grille d'identification des valeurs présentes dans une intervention en santé publique

Étapes de l'élaboration d'une intervention	Valeurs implicites ou explicites liées à l'intervention	Valeurs présentant un potentiel de conflit avec celles de la population cible	Valeurs en conflit ou incohérences entre des composantes de l'intervention
Définition du problème	Promotion de la santé et du bien-être; protection contre la maladie	Protection contre les torts et les méfaits de la marginalité par rapport à une protection contre le virus; la conformité à la norme définissant le comportement responsable par rapport à la tolérance à l'égard de la déviance	Globalement, au niveau du site du problème, on responsabilise l'individu (le partenaire sexuel) pour qu'il adopte une sexualité sécuritaire mais, au niveau du site et de la stratégie d'intervention, on déresponsabilise l'individu (cas index*) qui adopte des pratiques non sécuritaires. On responsabilise des individus non informés qui ont une sexualité non sécuritaire et on déresponsabilise des individus parfaitement informés de leur état d'infection qui ont une sexualité non sécuritaire.
Identification du site du problème et de la solution	Responsabilisation des individus Autodétermination Discipline personnelle	Responsabilisation des individus face à une sexualité sécuritaire par rapport au devoir de non-malfaisance des cas index Responsabilité citoyenne du cas index par rapport à la discipline personnelle de tous les partenaires potentiels	
Identification de la stratégie d'intervention	Respect de la vie privée Autodétermination Confidentialité Ne pas faire de tort Protection du bien commun Compassion Empathie	Responsabilité citoyenne du cas index par rapport à la discipline personnelle des partenaires Confidentialité par rapport au droit à la santé Autodétermination chez le cas index par rapport au devoir de non-malfaisance	
Définition des méthodes et des critères d'évaluation	Utilité Efficacité	Efficacité de la protection du cas index par rapport à l'efficacité de la prévention de la diffusion du virus	

* Le cas index désigne ici la personne séropositive.
Source : Adapté de Massé, 2003, p. 202.

Les normes morales

Les codes de déontologie

Un code de déontologie est un énoncé formel de principes, de normes et de valeurs partagés par les membres d'une profession; il représente un idéal de comportement professionnel et sert de standard dans l'évaluation de la pratique professionnelle moralement acceptable.

Au Canada, le premier code de déontologie infirmière date de 1954 et il a bénéficié des développements consignés dans les codes infirmiers états-uniens. En 1980, l'Association des infirmiers et infirmières du Canada (AIIC) a proposé un code national qui intègre le développement des connaissances théoriques en sciences infirmières. Désormais, le code s'applique à tous les niveaux de la pratique infirmière : clinique, recherche, administration et formation. Le code de 1991 met l'accent sur les liens entre les principes éthiques, les valeurs et les règles régissant la pratique. Les grands principes éthiques y sont intégrés, notamment le respect de l'autonomie de la personne, de même que les règles relatives au consentement libre et éclairé et au respect de la confidentialité du dossier. L'imputabilité de l'infirmière y est affirmée.

Selon Danielle Blondeau (2000), les codes de déontologie infirmière ont évolué, passant de règles de conduite issues de la morale et des valeurs traditionnelles à l'énoncé de valeurs et de principes éthiques confirmant, d'une part, l'autonomie de la profession et, d'autre part, le partage de valeurs éthiques communes. Le développement des codes allant de pair avec le développement de la profession elle-même et du contexte culturel ambiant, les références aux vertus personnelles issues de la morale chrétienne, de même que la soumission à la profession médicale, font graduellement place à :

- une mission sociale autonome de prévention et de promotion de la santé ;
- la collaboration avec les autres professionnels de la santé ;
- l'absence de discrimination dans la prestation des soins ;
- la mise en évidence du rôle de représentation (*advocacy*) comme corollaire de la reconnaissance légale et morale des droits du bénéficiaire de soins.

L'Association canadienne des infirmières et infirmiers en santé communautaire a publié en 2003 les *Normes canadiennes de pratique des soins infirmiers en santé communautaire*. Ces normes concernent, entre autres, la prestation de soins sécuritaires et conformes à l'éthique. Les valeurs et croyances sur lesquelles elles s'appuient sont celles promues par le *Code de déontologie* de l'AIIC, qui sont interprétés en fonction des enjeux spécifiques de la santé communautaire. Elles incluent :

- la compassion ;
- les principes relatifs aux soins primaires décrits par l'Organisation mondiale de la santé :
  1. l'accès universel aux services de soins de santé ;
  2. la convergence des pratiques sur les indicateurs de la santé ;
  3. la participation active de la personne et de la communauté aux décisions qui ont une incidence sur leur santé et leur vie ;
  4. le travail en partenariat avec des professionnels d'autres disciplines et milieux au service de la santé ;
  5. l'utilisation appropriée du savoir, des compétences spécialisées et de la technologie et des ressources ;
  6. la convergence des efforts pour promouvoir la santé et prévenir la maladie durant toute la vie, depuis la naissance jusqu'à la mort ;
- les multiples savoirs, dont celui qui est apporté par l'éthique. Ce dernier est défini en fonction des principes de la morale et des normes de l'Association des infirmières et infirmiers du Canada (2002) ;
- la participation de la personne et de la communauté ; sur ce plan, l'infirmière agit notamment comme représentante de la personne (*advocacy*) et de la communauté, et collabore avec elles pour développer des capacités de participer aux décisions (*empowerment*) qui auront des répercussions sur leur santé ;
- la responsabilisation, définie comme un processus complexe dans lequel les individus, les groupes et les communautés utilisent leurs capacités pour améliorer leur qualité de vie et leur pouvoir politique en vue d'obtenir une plus grande justice sociale.

Un code d'éthique en santé publique

L'American Public Health Association a publié en 2002 un code d'éthique qui insiste sur les principes éthiques qui sous-tendent la pratique dans le domaine de la santé publique, par opposition à la pratique hospitalière. Ce code contient douze principes (voir le tableau 22.3) qui précisent des normes de pratiques institutionnelles pouvant servir de guides à toute personne œuvrant dans le domaine de santé publique ou communautaire pour résoudre un dilemme ou un problème d'éthique.

Faisant suite à l'énumération des principes, les valeurs et croyances sous-jacentes à la formulation de ces principes sont précisées. On insiste sur :

- un partage équitable des ressources sanitaires ;
- le lien entre des relations humaines positives et la santé communautaire ;
- une relation de confiance basée sur la communication, la transparence, la responsabilité, la réciprocité ;
- la collaboration ;
- l'interdépendance entre l'environnement physique et la santé ;
- la participation du public ;
- la recherche des causes fondamentales des problèmes de santé et la prévention ;
- des connaissances scientifiques fondées sur des recherches quantitatives et qualitatives ;
- la collaboration entre les disciplines ;
- la responsabilité morale d'agir sur la base des connaissances acquises et, dans certains cas,

TABLEAU 22.3 PRINCIPES DE PRATIQUE ÉTHIQUE EN SANTÉ PUBLIQUE SELON L'AMERICAN PUBLIC HEALTH ASSOCIATION

1. La santé publique doit s'intéresser principalement aux causes fondamentales de la maladie et aux conditions de santé, dans le but de prévenir des situations contraires à la santé. 2. La santé publique doit intervenir en santé communautaire de façon à respecter les droits individuels dans la communauté. 3. Les politiques, les programmes et les priorités de la santé publique doivent être conçus et évalués à l'aide de procédures qui permettent l'apport des membres de la communauté. 4. La santé publique doit défendre (*advocacy*) et travailler à outiller (*empowerment*) les exclus de la communauté, dans le but de s'assurer que les ressources de base et les conditions nécessaires à la santé soient accessibles à tous. 5. La santé publique doit rechercher l'information nécessaire à l'implantation de politiques et de programmes qui protègent et promeuvent la santé. 6. Les institutions de santé publique doivent fournir aux communautés les informations leur permettant de participer aux décisions portant sur les programmes et les politiques qui les concernent et doivent obtenir le consentement des communautés pour leur implantation.	7. Les institutions de santé publique doivent agir en temps opportun sur la base de l'information qu'elles possèdent et en fonction des ressources et du mandat conférés par le public. 8. Les programmes et politiques de santé publique doivent intégrer une variété d'approches qui respectent les valeurs, croyances et cultures présentes dans la communauté. 9. Les programmes et politiques de santé publique doivent être implantés de manière à améliorer le plus possible l'environnement physique et social. 10. Les institutions de santé publique doivent protéger la confidentialité des informations qui peuvent causer du tort aux individus ou à la communauté si elles sont rendues publiques. Les exceptions doivent être justifiées sur la base d'une haute probabilité qu'un tort important en résulterait pour l'individu en cause ou pour les autres membres de la communauté. 11. Les institutions de santé publique doivent s'assurer de la compétence professionnelle de leurs employés. 12. Les institutions de santé publique et leurs employés devraient s'engager dans des collaborations et des affiliations de manière à s'assurer de la confiance du public et de leur propre efficacité.

Source : American Public Health Association (2002) ; traduction de J. Saint-Arnaud.

d'agir sur la base d'une information incomplète au nom de valeurs humanitaires (principe de précaution).

LES LIGNES DIRECTRICES

Contrairement aux codes de déontologie, qui visent à établir des règles à suivre pour agir moralement et qui ont une portée légale dans certaines provinces, les lignes directrices offrent des cadres de référence aux processus décisionnels en tenant compte des bonnes pratiques dans le domaine de la santé (incluant la pratique basée sur des résultats probants), des lois, des normes déontologiques et des principes éthiques. Les lignes directrices sont le fruit de réflexions interdisciplinaires menées par des professionnels et des membres des associations concernées ; elles définissent les grandes étapes et repères essentiels dans des processus décisionnels. La *Déclaration conjointe sur la prévention des conflits éthiques entre les prestataires de soins de santé et les personnes recevant les soins,* proposée par l'Association canadienne des soins de santé, l'Association médicale canadienne, l'Association des infirmières et infirmiers du Canada et l'Association catholique canadienne de la santé en 1999, en constitue un bon exemple.

Les lignes directrices, quelles qu'elles soient, ne dispensent pas d'une analyse éthique appliquée à chacun des problèmes se posant en santé publique ou en santé communautaire. Au contraire, elles incitent à examiner chacune des situations à la lumière des normes et des principes appropriés, de manière à pouvoir hiérarchiser les valeurs en cause, permettant ainsi d'apporter des solutions aux problèmes étudiés.

LES THÉORIES ÉTHIQUES

Il faut d'abord considérer le fait que toutes les théories éthiques ne sont pas nécessairement pertinentes pour traiter spécifiquement de l'éthique en santé. Les théories auxquelles on fait le plus souvent référence en éthique de la santé sont les théories de la vertu, l'éthique du *caring,* les théories déontologistes, les théories des droits et les théories utilitaristes. De notre point de vue, aucune de ces théories ne permet à elle seule de résoudre des problèmes comme ceux qui ont été mentionnés précédemment, parce que les valeurs et les principes qui constituent ces théories sont déjà hiérarchisés en fonction de ce qui est structurellement essentiel pour chacune d'elles, favorisant *a priori* un type de solution. L'utilité des théories éthiques est de mettre en évidence des éléments qui sont essentiels à l'action moralement bonne et de préciser les tenants et aboutissants des arguments qui sont amenés dans les processus décisionnels et qui les concernent. Alors que ces théories sont incompatibles d'un point de vue théorique, il apparaît clair que, d'un point de vue pratique, elles ont exploré différentes perspectives par rapport aux comportements moralement recommandables et qu'elles méritent une attention particulière ; il faut cenpendant prendre conscience de leur apport et de leurs limites.

Les théories de la vertu

Les théories de la vertu concernent des dispositions, habitudes et caractéristiques personnelles qui favorisent des actions moralement bonnes. Les théories de la vertu sont présentes en éthique depuis l'Antiquité grecque et elles sont fondées sur une conception du Bien, de la nature ou de la société humaine. Chez les Grecs, la vertu est définie sur la base d'une connaissance du Bien en tant que valeur transcendante, et en fonction duquel il existe une hiérarchisation naturelle des êtres formant le cosmos. Chaque être, quel que soit son niveau hiérarchique, possède des potentialités pour se réaliser en tant qu'être. L'être humain a en lui une inclination naturelle vers une fin qui lui est propre en tant qu'être humain ; la vertu est l'effort volontaire et l'acquisition d'habitudes qui actualisent des potentialités déjà présentes dans la nature humaine. Aristote, dans *La Politique* (1977), distingue la vertu civique de la vertu éthique. La vertu civique est une caractéristique de classe. Elle consiste à bien remplir sa tâche. Quand chacun remplit adéquatement la tâche pour laquelle il est fait et éduqué, les rapports entre les citoyens sont justes et la Cité (ou l'État) fonctionne bien. Dans l'*Éthique de Nicomaque* (1965), la vertu éthique est une habitude acquise par la volonté permettant de discerner le juste milieu entre l'excès et le défaut ou le manque. Le juste milieu constitue un équilibre, par opposition à la démesure. Savoir le reconnaître ne relève pas de la science, mais s'acquiert par la pratique.

À l'instar des philosophes de l'Antiquité, des contemporains comme MacIntyre (1984) pensent que la moralité ne peut être définie sans une conception du bien qui la fonde. Cependant, ils rejettent la base transcendante et universelle définissant le Bien dans la philosophie grecque, de même que la référence à un système clos. Ils fondent plutôt leurs théories sur le bien commun, qui se définit dans et par les traditions morales communes. Pour MacIntyre (1984), les rôles sociaux (enseignement, soin, politique, etc.) s'incarnent dans des pratiques. La bonne pratique implique la vertu de se conformer aux contraintes et standards d'excellence de sa profession. Sur ce point, il rejoint des auteurs en éthique des soins (Pellegrino, 1995 ; Brody, 1988), pour qui la bonne pratique dans le domaine de la santé est liée aux traditions et aux idéaux professionnels.

Cependant, l'éthique de la vertu insiste aussi sur les qualités de l'agent et sur ses motivations à bien agir, mettant l'accent sur les buts de l'acte de soin et sur la volonté d'agir en fonction de ces buts plutôt qu'en fonction d'une obéissance aveugle aux règles de bonne conduite. Selon Blasi (1984, p. 130), l'ultime source de la vertu réside dans la bonne volonté qui est au cœur de ce qu'est une personne morale. Certaines vertus, comme la compassion, le sens des responsabilités, l'altruisme, sont présentées comme devant être particulièrement développées chez les intervenants de la santé, et plus particulièrement chez les infirmiers et infirmières, pour qu'une intervention de soin soit moralement adéquate.

De manière générale, l'éthique de la vertu met l'accent sur les caractéristiques personnelles et l'intention droite de l'agent, qui consiste en la volonté d'agir selon les bonnes pratiques et la responsabilité qui en découle plutôt qu'en fonction des décisions à prendre et des actions à entreprendre.

L'éthique du *caring*

Cette approche en éthique (à ne pas confondre avec les théories du *caring* en sciences infirmières) a été élaborée initialement par Carol Gilligan dans son livre *In a Different Voice* (1982). Réagissant à la théorie du développement moral de Kohlberg (1981), en fonction de laquelle l'individu, durant sa vie morale, passe par différents stades (pré-conventionnel, conventionnel et post-conventionnel) selon un développement séquentiel et universel, l'auteure rejette la conception kantienne de la justice que Kohlberg présente comme le sommet de la moralité. Elle critique le caractère abstrait du concept d'égalité des droits au profit d'une éthique non pas centrée sur l'individu, mais plutôt centrée sur les relations humaines et la responsabilité, deux caractéristiques d'une approche féminine de la moralité. Selon elle, la théorie de Kolhberg ne tient pas compte des caractéristiques morales qui sont propres aux femmes, notamment la sensibilité qu'elles manifestent à l'égard des besoins des autres. La raison serait liée au fait que les études empiriques à la base de la théorie de Kolhberg ont été effectuées à l'aide d'échantillons masculins et que les résultats de ces études ont ensuite été généralisés aux femmes. Cela expliquerait aussi les résultats d'enquête de Gilligan (1977), qui indiquaient que la très grande majorité des femmes se situaient au stade III du développement moral, correspondant à un stade conventionnel de la moralité, soit celui de l'obéissance à la règle et de la réponse aux attentes d'autrui. D'autres raisons peuvent cependant être invoquées. Ainsi, l'interprétation kolhbergienne du principe de justice peut être critiquée parce qu'elle se limite à une égalité formelle des droits, alors que, pour être équitable, une intervention en soin infirmier doit non seulement respecter les droits égaux, par exemple favoriser un accès égal aux soins, mais aussi répondre aux besoins, ce qui est l'essence même du *caring* (Saint-Arnaud et Pomerleau, 1995). La critique de Gilligan a été reçue positivement dans le monde infirmier à cause de sa compatibilité avec l'histoire et les philosophies des soins infirmiers, notamment celles qui soutiennent les théories du *caring* (Cooper, 1989). De plus, les études de Gilligan assuraient une base empirique à une conception du *caring,* conçu comme activité morale, et à une conception féministe de l'éthique et de la bioéthique.

Les conceptions féministes de l'éthique se distinguent des autres approches en éthique en ce qu'elles s'appuient sur un cadre de référence qui réunit une combinaison complexe d'éléments provenant de la philosophie politique, de l'ontologie et de l'épistémologie, pour analyser les causes sous-jacentes aux oppressions liées au genre et pour proposer des solutions (Tong, 1995). Quel que soit leur groupe d'appartenance, les féministes s'intéressent prioritairement à l'éthique de la justice. Leurs critiques portent notamment sur la pratique de la médecine et de la recherche biomédicale, qui serait biaisée en matière de connaissances sur les femmes parce qu'effectuée à partir d'un modèle masculin. Elles militent en faveur d'une éthique des soins basée sur la communication, la corroboration et la collaboration.

Les idées féministes ont influencé plusieurs auteurs en éthique des soins. Certains, comme Douglas-Steele et Hundert (1996) et McGrath (1998), critiquent le discours bioéthique, jugeant qu'il est trop distancé du contexte et qu'il endosse la philosophie réductionniste de la biomédecine. Plus radicales, Noddings (1984) et Gadow (1985) critiquent, voire déconstruisent, les théories éthiques traditionnelles pour fonder la moralité de la pratique infirmière sur les relations interpersonnelles présentes dans le *caring.* Noddings (1984) critique la conception d'un être humain autonome et rationnel véhiculée par les théories kantienne et utilitariste, de même que les théories des droits. Elle rejette une éthique qui a recours à des règles ou à des principes (comme ceux d'universalité ou d'impartialité), jugés trop abstraits pour servir de guide en éthique clinique. Selon elle, une décision morale nécessite une sensibilité à la situation, aux sentiments, aux attitudes et aux valeurs qui animent les rapports entre les individus. Dans une telle perspective, ce sont les relations humaines qui sont primordiales et non l'individu en tant que tel. L'origine du comportement éthique est dans la réponse affective aux besoins qui s'expriment dans la relation de *caring* (Noddings, 1984, p. 3). Cette relation est moralement fondamentale, puisque la moralité de l'action dépend de la « réponse fidèlement apportée aux besoins perçus » (Noddings, 1984, p. 53), ce qui génère des devoirs et des responsabilités. Cette approche fait l'objet de controverses dans les écrits en éthique des soins. Selon Kuhse (1997, p. 166), si les infirmières rejettent les principes et les normes universels, elles ne pourront participer au discours éthique et se conforteront dans le silence.

Pour expliciter en quoi consiste l'éthique en soins infirmiers, des auteurs contemporains ne rejettent pas les théories traditionnelles et les théories classiques en éthique biomédicale. S'appuyant sur la définition de la pratique de MacIntyre (1984), Gastmans et ses collègues (1998) définissent la pratique du soin infirmier comme « la totalité des habiletés et attitudes (comportement de *caring*) qui sont mises en œuvre dans le contexte d'une relation particulière de *caring,* avec l'intention de procurer un bon soin (le but) [...] » (traduction libre, p. 45). Dans cette perspective, le soin est un concept normatif qui inclut la dimension éthique dans toutes ses composantes : attitudes, comportement, but visé. Toute intervention infirmière doit viser à la réalisation d'un bon soin (*good care*), celui qui assurera le bien-être du patient au moyen d'une approche globale incluant les aspects physiques, psychologiques, relationnels, sociaux, moraux et spirituels. Ainsi, les attitudes de *caring* (ouverture, empathie, compassion, etc.) sont essentielles à une bonne pratique de soin et, par là, on rejoint les théories de la vertu. Il relève de la volonté de l'infirmière d'aller au-delà de la technique et de cultiver non seulement une attitude mais aussi une relation de *caring,* dans le continuum de soins qui l'unit à son patient ; en cela réside sa responsabilité d'infirmière. Dans ce contexte, le *caring* signifie aider une personne à développer ses potentialités, à grandir. Le comportement de *caring* se définit donc par l'intégration de la vertu altruiste du soin dans les compétences relevant des connaissances et des techniques d'intervention.

Storch et ses collègues (2004) proposent de traiter de la moralité du soin dans une perspective globale et interdisciplinaire. Ainsi, elles élaborent une éthique de la santé qui réunit les apports des théories générales, des principes, et d'un contextualisme incluant des connaissances sur les individus, les groupes et les communautés, ainsi que sur les relations qu'ils entretiennent. Pour ce faire, l'éthique contextualiste utilise, entre autres, la casuistique, l'ethnographie, l'approche narrative, l'éthique du soin et l'éthique relationnelle. Les trois niveaux de théorisation s'intègrent dans un équilibre réflexif qui combine les perspectives scientifiques et humanistes dans ce que les auteures nomment « un environnement moral favorisant la bonne pratique du soin ».

De manière générale, l'éthique du *caring* met l'accent sur les relations humaines, la responsabilité et une approche globale du soin pour répondre aux besoins complexes de l'individu, du groupe ou de la communauté.

Les théories déontologistes

Selon les théories déontologistes, l'essence même de la moralité repose sur l'existence de devoirs moraux. Le fondement des devoirs moraux varie selon qu'il s'agit d'un fondement religieux basé sur la croyance ou d'un fondement philosophique basé sur la raison. Les religions enseignent des devoirs, en termes de comportements ou d'actions bonnes en elles-mêmes, sur la base de livres saints, de commandements ou autres règles qui reposent, ultimement, sur la croyance en l'existence d'une divinité ou d'une réalité supérieure transcendante. Certaines théories philosophiques considèrent que l'essence de la moralité réside dans l'existence de devoirs moraux fondés sur des caractéristiques propres à la nature humaine (loi naturelle thomiste), à la raison humaine (impératif catégorique kantien), à la base contractuelle des relations humaines (principes de justice rawlsiens) ou autres fondements. Selon ces théories, pour agir moralement, certaines actions doivent être posées, alors que d'autres sont prohibées.

La théorie déontologique kantienne est souvent invoquée comme base du respect de la personne humaine. Selon Kant (1988), les êtres humains doivent être traités avec respect parce qu'ils ont la capacité de se donner leur propre loi morale. Tout être humain est une fin en soi et ne peut moralement servir de simple moyen à une fin autre que lui-même. La base de cette affirmation réside dans la capacité humaine d'utiliser la raison pour s'assurer de la moralité d'une décision ou d'une action. Pour ce faire, la décision à prendre est soumise à un processus d'universalisation. S'il n'y a pas contradiction à penser que tous les êtres humains pourraient agir selon la décision envisagée, alors cette décision et l'action qui y correspond sont moralement bonnes. Agissant ainsi, l'être humain se donne sa propre loi morale ; il n'a pas à se référer à un être supérieur comme garant de la moralité, et c'est ce qui le rend digne de respect, quelle que soit l'actualisation de cette capacité. Autrement dit, du seul fait qu'il appartient au genre humain, tout individu est digne de respect, qu'il soit en mesure ou non de faire effectivement des choix. Dans le domaine de l'éthique de la santé, une des façons d'appliquer le principe du respect de la personne consiste à impliquer l'individu dans les processus décisionnels concernant ses traitements et les interventions de soins. Par extension, cette exigence morale s'applique aussi aux communautés et aux groupes cibles visés par la santé publique et l'intervention en santé communautaire.

La théorie des devoirs *prima facie*

Contrairement à l'obligation morale générée par les devoirs parfaits chez Kant (ne pas tuer, ne pas mentir, tenir sa promesse), les devoirs *prima facie* sont contraignants, mais ils ne génèrent pas une obligation morale absolue ; c'est donc dire qu'en cas de conflits entre les exigences des devoirs, certains ne seront pas prépondérants. Pour un auteur comme Ross (1930 ; 1939), il existe sept catégories de devoirs qui reposent sur des bases empiriques différentes. Ce sont les devoirs de fidélité, de réparation, de gratitude, de bienveillance, de non-malfaisance, de justice et d'amélioration de soi. Tous ces devoirs sont contraignants, sauf s'ils entrent en conflit. Ce sont alors les circonstances qui détermineront ceux qui auront le plus de poids et qui seront prépondérants. La théorie de Ross a inspiré Beauchamp et Childress (2001), pour qui les quatre principes bioéthiques (respect de l'autonomie, bienfaisance, non-malfaisance et justice) génèrent des obligations morales *prima facie*. Seuls des conflits entre les exigences de ces principes justifient la prépondérance d'un principe sur un autre. C'est la spécification et l'équilibration des principes effectuées au cours d'une analyse éthique approfondie qui permet de savoir, selon les circonstances, lequel ou lesquels des principes seront prioritairement respectés.

Selon nous, il n'y a pas d'obligation morale sans référence à des devoirs moraux, quel qu'en soit le fondement philosophique. Dans l'approche par principes que nous définissons dans la prochaine section, les principes présentés font référence à des devoirs *prima facie*.

Les théories utilitaristes

Les théories utilitaristes sont aussi invoquées, particulièrement en santé communautaire et en santé publique, parce qu'elles favorisent le bien commun en termes de bénéfices pour l'ensemble des individus formant une communauté ou une population. On distingue l'utilitarisme appliqué à l'acte et l'utilitarisme appliqué à la règle.

L'utilitarisme appliqué à l'acte est promu par l'utilitarisme classique. Selon cette théorie, la moralité tient à l'application du principe du plus grand bonheur pour le plus grand nombre ou principe d'utilité (Mill, 1979). En posant une action, on doit donc apporter le plus de bénéfices possible, et le moins de torts possible, à toutes les personnes affectées par cette action. Il s'agit d'une théorie conséquentialiste qui juge de la moralité d'une action aux conséquences, bonnes ou mauvaises, qui en résultent. Il y a une obligation morale à choisir l'action ou l'intervention qui maximisera les bénéfices et minimisera les torts pour l'ensemble des personnes qui seront affectées par cette action ou cette intervention. Elle n'est pas applicable en éthique clinique puisqu'elle va à l'encontre des buts et des idéaux des professions de la santé, qui visent d'abord et avant tout le bien-être de l'individu sous traitement. Cependant, l'utilitarisme classique est très pertinent dans le cadre d'une intervention qui vise le bien-être de la communauté ou de la population.

L'utilitarisme appliqué à la règle, comme son nom l'indique, consiste en l'application du principe d'utilité décrit précédemment non pas directement à l'intervention, mais plutôt aux règles ou aux lignes directrices mises en place pour régir l'intervention. De ce point de vue, les lignes directrices choisies doivent être celles qui apportent le plus de bénéfices et le moins de torts à toutes les personnes qui pourraient en faire l'utilisation ou en être affectées.

Cette théorie serait inhérente à la démarche scientifique (Comité consultatif national d'éthique pour les sciences de la vie et de la santé, 1987). Cependant, elle occupe une place au sein des théories éthiques pour l'importance qu'elle accorde à l'évaluation des conséquences de l'action au regard du bien commun. Le principe d'utilité, à cause de l'importance qu'il accorde au bien-être collectif, justifie l'évaluation des conséquences positives et négatives d'une intervention, d'un programme ou d'une politique en santé communautaire et en santé publique.

Les théories des droits

Les droits individuels sont souvent invoqués dans le domaine de l'éthique des soins, notamment le droit au refus de traitement, en éthique clinique, et le droit à des soins de santé, en éthique sociale. À ce sujet, il importe de distinguer les droits positifs ou droits légalement reconnus par les lois et les chartes (*entitlements*), et les droits fondamentaux (*rights*) ou les droits de nature philosophique. On reconnaît les premiers aux sanctions qui peuvent être imposées en cas d'infraction. Les droits fondamentaux sont définis par différentes théories dont les bases ontologique et épistémologique varient selon l'époque ou le contexte dans lesquels elles sont formulées.

Les droits fondamentaux sont fondés en nature ou en raison. Dans les théories classiques, les droits sont fondés sur un état de nature. Ce sont la liberté, l'égalité et la propriété. Chez Kant (1988), ils sont générés par les devoirs parfaits, qui sont au nombre de trois : devoir de protéger la vie d'une personne innocente/droit de ne pas être tué si on est innocent ; devoir de ne pas mentir/droit de l'individu qu'on ne lui mente pas ; devoir de tenir sa promesse/droit de l'individu à ce que les autres tiennent leurs promesses envers lui. Quelles que soient leurs assises philosophiques, ces droits sont généralement peu nombreux et universels, appartenant également à tout être humain en tant que tel. Dans la conception libérale de la justice, il existe un droit à une égale liberté (Hart, 1955). Ce droit est conçu de manière négative : tout individu capable de choix a le droit d'agir sans subir la coercition et la contrainte des autres envers lui et, corrélativement, il possède la liberté d'action dans la mesure où il n'exerce pas de contraintes ou de coercition sur les autres. En un mot, chacun a droit à la liberté pour autant qu'il n'enfreint pas la liberté d'autrui. Ainsi conçus, les droits ne peuvent servir de critères distributifs ou d'arguments prioritaires dans le règlement des différends (Beauchamp et Childress, 2001). Ils servent plutôt de garde-fou à des comportements discriminatoires et, par l'entremise des chartes, justifient moralement l'imposition de sanctions à de tels comportements. Ils peuvent aussi servir de fondement à la réclamation d'un minimum de liberté et de bien-être (Gewirth, 1982) ; ainsi, ils justifient moralement des interventions de type humanitaire auprès de groupes extrêmement défavorisés, leurs conditions de vie mettant leur santé, voire leur vie, en danger. Dans une situation où des listes d'attente trop longues pour des services hospitaliers priveraient des patients vivant à domicile de soins adéquats et en temps opportun, ayant comme conséquence une mort prématurée, les droits légaux garantis par la loi fédérale de la santé de 1985 ne seraient pas respectés et les droits fondamentaux, tels que conçus par Gewirth (1982), pourraient être invoqués pour revendiquer un traitement équitable.

Les théories des droits sont la contrepartie des théories utilitaristes. Elles mettent l'accent sur la valeur intrinsèque des personnes et elles sont essentielles au fondement rationnel du respect de l'autonomie des personnes et de la non-discrimination.

Les principes

L'approche par principes a été élaborée initialement par un philosophe américain nommé William Frankena dans un livre intitulé *Ethics,* dont la première édition date de 1963. Dans ce livre, il présente une théorie déontologiste mixte, qui s'inspire de l'utilitarisme et du déontologisme, et qui repose sur l'application de deux principes, ceux de bienfaisance et de justice (Frankena, 1976, p. 45-56). C'est le livre *Principles of Biomedical Ethics,* dont la première édition remonte à 1979, qui fit école en systématisant l'approche et son emploi en éthique clinique. Par la suite, la President's Commission for the Study of Ethical Problems in Medicine and Biomedical and Behavioral Research (1981 ; 1982-1983 ; 1983a et b) utilisa aussi une approche par principes pour faire l'étude des problèmes d'éthique se présentant en médecine et en recherche comportementale et biomédicale. Trois principes y sont mis de l'avant : autonomie, bienfaisance et justice. Dans le présent chapitre, les principes sont interprétés selon Beauchamp et Childress (2001), à la lumière des écrits en bioéthique et d'éléments tirés des théories précédemment présentées. Notre démarche est, en ce sens, très pragmatique, le but ultime étant d'apporter un outil décisionnel procédural qui tienne compte des acquis en éthique pour étudier les problèmes éthiques qui se posent dans ce domaine des soins.

Devenue l'approche classique en bioéthique, l'approche par principes constitue un cadre conceptuel et méthodologique structurant la pensée dans sa recherche de nouveaux repères pour solutionner des problèmes moraux posés par l'avancement des sciences et des technologies de la santé. Selon Beauchamp et Childress (2001), les problèmes d'éthique de la santé peuvent être analysés en fonction des quatre principes suivants : respect de l'autonomie de la personne, bienfaisance, non-malfaisance et justice. Ces principes correspondent à des obligations morales générales qui sont communes à toutes les cultures ; ce sont les normes dans lesquelles ils sont traduits qui diffèrent selon le contexte et l'époque. En tant que tels, ils apportent des indications générales sur la façon d'agir de manière éthique (voir le tableau 22.4). Pour être appliqués à la résolution de problèmes particuliers, tant en éthique clinique qu'en éthique publique et communautaire, ils doivent être définis de manière plus spécifique (ce qui est effectué dans les prochaines sections du présent chapitre).

Quand un problème spécifique se pose, il n'y a pas de solution toute faite. Les principes et les obligations morales sont des guides pour arriver à des solutions, ce ne sont pas des normes comportementales, bien que, dans certains cas, ils aient généré des normes comme celles du consentement libre et éclairé, de la confidentialité et de la non-discrimination. Dans l'optique de Beauchamp et Childress (2001), les principes ne sont pas théoriquement hiérarchisés comme chez Rawls, où un ordre de priorité est établi entre les principes de justice, imposant de satisfaire d'abord aux exigences du premier principe, ou comme chez Kant, où les devoirs parfaits (dire la vérité, tenir sa promesse et ne pas tuer un innocent), qui génèrent une obligation morale absolue, doivent toujours primer sur les devoirs imparfaits (développer ses qualités et être bienfaisant envers les autres).

Tableau 22.4 Obligations morales générées par les principes éthiques avant spécification

Respect de l'autonomie de la personne	Mettre en place les conditions favorisant un processus décisionnel consensuel, un consentement libre et éclairé et le respect de la confidentialité et de la vie privée
Non-malfaisance	Éviter de faire du tort
Bienfaisance	Apporter des bénéfices et faire l'évaluation des bénéfices par rapport aux torts
Justice	Répondre aux besoins sans discrimination

Source : Inspiré de Beauchamp et Childress (2001).

Dans la conception que nous retenons, aucun des principes n'est *a priori* prédominant. Ils imposent tous une obligation morale, mais le devoir imposé n'est pas absolu. Il est dit *prima facie,* c'est-à-dire qu'en cas de conflits entre les exigences des principes, ce qui est l'essence même du dilemme éthique, il faudra effectuer une analyse plus poussée, un équilibrage des principes qui justifiera la prédominance d'un principe sur un autre et qui rendra possible la prise de décision et la mise en place d'une action ou d'une intervention. Dans ce cas, une solution du moindre mal sera retenue, puisque tous les principes ne pourront être respectés également.

Ainsi, certains problèmes d'éthique se posent dans le suivi communautaire des personnes souffrant d'une atteinte mentale. Il arrive que des personnes qui retournent dans leur famille après une hospitalisation refusent que soit divulguée à leurs proches toute information concernant leur état de santé. Sans succès, les familles tentent d'obtenir des informations pour aider la personne et prévenir une rechute. Dans certains cas, même des infirmières en santé communautaire n'ont pas les informations nécessaires pour effectuer un suivi adéquat. Dans une telle situation, le respect des droits de la personne s'oppose aux objectifs de soin, qui visent au bien-être de l'individu et de sa famille. Les exigences relatives au respect de l'autonomie de la personne et à la confidentialité des informations personnelles contenues dans le dossier médical entrent en conflit avec les exigences des objectifs professionnels d'intervention et celles des principes de bienfaisance et de non-malfaisance, qui visent au bien-être de la personne. Si la santé, voire la vie, de la personne en cause est menacée, la solution retenue d'emblée par les instances hospitalières, qui est de maintenir la confidentialité à tout prix, ce qui devient un devoir absolu, n'est pas nécessairement la meilleure.

Dans une telle situation, une démarche réflexive incluant les personnes en cause permettrait d'examiner la situation plus à fond et d'évaluer les risques, pour la santé du bénéficiaire et de sa famille, de préserver la confidentialité des renseignements personnels. Elle permettrait aussi de réfléchir avec le bénéficiaire aux conséquences de son refus de divulguer des renseignements portant sur sa santé, avant de donner d'emblée priorité au respect de la confidentialité des informations personnelles et, surtout, de priver cette personne d'un suivi adéquat.

Dans une telle situation, une démarche réflexive avec la personne concernée permettra de pousser l'analyse, de mieux évaluer les risques d'un retour à domicile dans de telles conditions et d'examiner une ou plusieurs solutions permettant de satisfaire aux exigences de tous les principes en cause : respect de l'autonomie, bienfaisance, non-malfaisance et justice. Si ces solutions ne peuvent être mises en application, il faudra se résoudre à transgresser les exigences d'un des principes, tout en minimisant les conséquences négatives pour le bénéficiaire. La prédominance accordée à l'un ou l'autre principe devra être justifiée, c'est-à-dire que des arguments devront être apportés pour justifier l'action à entreprendre. Ces arguments seront inspirés du sens commun, de la loi, des lignes directrices, des principes et des théories éthiques, mais aussi des faits scientifiques et cliniques, ainsi que du contexte et des particularités propres à chaque situation.

Cette approche a été conçue initialement pour l'éthique clinique, mais plusieurs auteurs l'ont appliquée à d'autres contextes d'intervention en santé, notamment en santé communautaire et en santé publique. Ainsi, pour expliciter en quoi consiste l'éthique en santé communautaire et en santé publique, plusieurs auteurs en sciences infirmières, dont Yeo et Moorhouse (1996), Fry (2000), Kass (2001), Hewitt-Taylor (2003), Case (2003), Allender et Spradley (2005), s'y réfèrent directement.

Le respect de l'autonomie

Ce principe a été mis à l'honneur dans le contexte états-unien à cause de pratiques en recherche qui faisaient en sorte que des individus étaient enrôlés dans des études sans en avoir été informés et en subissaient des préjudices. La plus célèbre de ces études a été un projet de surveillance mené par la santé publique états-unienne de 1932 à 1972 à Tuskegee (Alabama). Dans ce cas particulier, la santé publique effectuait une étude de surveillance sur des groupes de Noirs atteints de syphilis. Ces personnes étaient mal informées quant à leur participation à cette étude et n'ont pas été traitées malgré la découverte, en 1940, de la pénicilline. La reconnaissance des droits individuels, notamment dans les chartes et dans les lignes directrices en éthique de la recherche, a concouru à faire en sorte que soient mises en place des procédures d'examen des projets de recherche visant notamment à protéger les droits des participants.

En éthique clinique, une des façons de respecter l'autonomie individuelle réside dans l'application de la règle du consentement libre et éclairé. Dans la pratique, ce dernier est souvent confondu avec une information vite faite et la signature d'un formulaire de consentement. Dans le cas d'un refus de traitement, la signature d'un formulaire à cet effet protège l'équipe de soins d'éventuelles poursuites judiciaires. Cependant, si on revient à la philosophie qui fonde la règle morale et légale du consentement, ce dernier est celui d'une personne rationnelle, capable de participer au processus décisionnel, d'exprimer ses préférences en matière de soins et de traitements et, pourrait-on ajouter en tenant compte de la perspective du *caring*, de devenir un partenaire dans l'intervention de soin. Transposons l'application de ce principe au domaine de l'éthique communautaire et de la santé publique. Il implique alors d'intégrer le groupe ou la population dans les processus décisionnels, dans les interventions de prévention de la maladie, de protection et d'amélioration de la santé du groupe et, éventuellement, de l'ensemble de la population.

Alors que, dans le passé, l'intervention était surtout basée sur l'expertise, on reconnaît maintenant l'importance d'une participation active de la communauté non seulement dans la définition du besoin, mais aussi dans la manière d'y répondre. Les caractéristiques d'une communauté qui participe aux processus de décision et d'intervention sont les suivantes :

- elle collabore à l'identification des problèmes et des besoins ;
- elle peut participer à l'élaboration d'un consensus sur les buts et l'établissement des priorités ;
- elle peut donner son accord sur les moyens et les façons de réaliser les buts ;
- elle peut collaborer aux actions nécessaires à l'atteinte des buts.

(Cottrel, cité par Silva, Fletcher et Sorrell, 2004, p. 147)

En fait, la communauté, en tant que bénéficiaire de l'intervention infirmière, est respectée dans la mesure où elle est partie prenante des décisions et interventions la concernant. En participant à la définition du problème, à l'élaboration de solutions et à la mise en place des moyens, la communauté devient une composante essentielle des conditions de réalisation d'un changement qui est fonction du problème à régler et du but à atteindre. Il ne s'agit pas là d'une participation passive comme l'était traditionnellement la participation communautaire, alors que la communauté n'était qu'une source de données et accueillait l'intervention, mais bien d'une réelle participation au changement souhaité impliquant un partage de pouvoir entre les parties en cause. Cette façon de faire est le propre de l'approche écologique en santé publique et d'une approche d'*empowerment* en santé communautaire ; elle se rapproche de la philosophie communautarienne (Taylor, 1998), qui fait une large place à l'initiative locale dans la résolution des problèmes sociaux et qui est directement inspirée de l'éthique du *caring*.

Selon Case (2003, p. 145), la pratique communautaire a joué un rôle dominant dans le développement de partenariats entre les dispensateurs de soins et les clients, particulièrement en ce qui a trait à la prise de décision. Elle est bien illustrée dans la démarche du Mouvement acadien des communautés en santé du Nouveau-Brunswick (Réseau francophone d'action communautaire pour promouvoir le mieux-être), qui amène « les décideurs locaux, la population et les acteurs du milieu à travailler ensemble pour améliorer la qualité de vie » et la santé dans la communauté. Ce projet vise à mettre en place une politique de la santé issue de la base, fondée sur les besoins et mise en œuvre par les membres de la communauté. Il favorise ainsi l'initiative, l'entraide et la solidarité sociale par des « petits et grands gestes », sans entraîner des coûts exorbitants (Direction générale de la santé de la population et de la santé publique, 2004).

Certains auteurs ajoutent aux quatre principes bioéthiques les principes de véracité (Case, 2003 ; Fry, 2000) et de confidentialité (Fry, 2000). Pour nous, il s'agit plutôt de règles qui, comme le consentement libre et éclairé, découlent du principe du respect de l'autonomie de la personne humaine et en concrétisent l'application. En effet, les conditions éthiques d'une participation aux processus décisionnels et aux interventions de soins impliquent la véracité des informations transmises et la confidentialité des données recueillies, norme incluse dans les pratiques de soins depuis les temps les plus reculés ; selon les normes légales actuelles, la confidentialité ne peut généralement être levée qu'avec l'autorisation de la personne en cause. Toutes les règles éthiques et juridiques élaborées pour l'éthique clinique doivent, *a priori*, être respectées en santé publique et communautaire (American Public Health Association, 2002). Cependant, elles peuvent être difficiles à appliquer et même entrer en conflit avec les buts poursuivis dans ce secteur, notamment lorsqu'il est question de protection de la santé, alors que des mesures sont imposées d'autorité et renforcées par des lois.

Pour illustrer cette difficulté d'application, des auteurs signalent que la règle du consentement libre et éclairé a été conçue pour le milieu hospitalier et qu'elle n'est pas nécessairement adaptée aux services communautaires (Harding, 1990 ; Moody, 1992 ; Blustein, 1998). Selon le modèle bioéthique du consentement libre et éclairé, la famille est exclue du processus décisionnel dans le cas d'un patient apte, alors qu'elle est appelée à participer directement ou indirectement aux soins. Pour Harding (1990), la décision familiale devrait primer sur la décision du patient apte et sur la décision médicale ; selon lui, on devrait arriver à un consensus dans lequel l'autonomie de la personne apte s'harmoniserait avec les intérêts des parties en cause. Allant dans le même sens, mais utilisant une approche communautarienne, Blustein (1998) reconnaît que la décision doit être celle du patient apte, mais que la famille est bien placée pour faire valoir le respect de l'autonomie du patient vulnérable et appuyer celui-ci dans l'exercice de son autonomie. Pour ce faire, elle devrait donc prendre part aux décisions relatives aux traitements et aux soins, même dans le cas où le patient est apte à participer aux décisions. En fait, même dans les hôpitaux, les familles participent aux décisions concernant la personne apte. Ce qui importe, c'est que la personne apte qui vit dans sa famille puisse être consultée dans le cadre d'un entretien individuel quant à ses volontés en ce qui a trait à des soins ou à des interventions la concernant, qu'elle soit clairement et prioritairement informée des options de soins ou d'interventions qui s'offrent à elle et qu'on tienne compte de ses volontés dans l'élaboration d'un plan d'intervention. Son droit de refus, reconnu par la loi, est toujours valide, quel que soit le lieu où se pratique l'intervention.

Plusieurs dilemmes éthiques peuvent survenir quand les exigences morales liées au respect de l'autonomie de la personne, notamment à l'application des règles du consentement libre et éclairé et du respect de la confidentialité du dossier, entrent en conflit avec des objectifs de la santé publique et de la santé communautaire. À cet égard, la notification des risques effectuée auprès des partenaires de personnes atteintes de SIDA constitue un dossier controversé puisque les exigences morales relevant du respect de l'autonomie de la personne atteinte, notamment la confidentialité des renseignements personnels contenus dans les dossiers, et les exigences morales liées à la protection de la santé publique entrent en conflit. Dans un projet pilote québécois réalisé il y a quelques années, les partenaires de la personne atteinte étaient informés par une infirmière de la santé publique qu'ils avaient été en contact avec une personne atteinte du SIDA et il leur était suggéré d'aller subir des tests (Massé, 2003, p. 190-207). Le nom de la personne atteinte n'était pas divulgué, ce qui se traduisait par des enjeux psychologiques et matrimoniaux importants. De manière générale, la personne contactée voulait connaître le nom de la personne qui l'avait placée dans une situation à risque, mais les intervenants respectaient la confidentialité des dossiers. Il y avait de fortes réticences de la part des médecins à transgresser la confidentialité d'un dossier pour protéger la santé de personnes avec qui ils n'avaient pas de liens thérapeutiques. Il y avait aussi de fortes oppositions venant des sidéens eux-mêmes, arguant que c'était la responsabilité de chacun de se protéger et qu'ils étaient déjà suffisamment pénalisés socialement à cause de cette maladie. Effectivement, quand la confidentialité était trahie, des conséquences discriminatoires pour la personne atteinte pouvaient s'ensuivre : perte d'emploi, difficulté de s'assurer, impossibilité d'emprunter, mise à l'écart, difficulté d'obtenir des soins. Ces torts potentiels étaient importants et les individus atteints ne pouvaient tirer d'avantages personnels d'une telle divulgation. Compte tenu de la haute probabilité que des torts s'ensuivent pour les personnes atteintes, il n'est pas étonnant de constater que des intervenants ne voulaient pas d'un programme de notification. Ils craignaient de briser des couples et que les personnes atteintes décident de ne pas se faire soigner de peur que leurs proches en soient avertis. Les milieux communautaires, dont les interventions sont davantage axées sur les aspects sociaux de la maladie, refusaient complètement un programme de notification ; certains intervenants soutenaient que seuls les médecins étaient autorisés à transgresser la règle de la confidentialité présente dans les codes de déontologie. Même quand la personne atteinte souhaitait que la notification se fasse, il est arrivé que des intervenants des milieux communautaires l'en aient dissuadée, craignant pour elle des poursuites devant les tribunaux. En fait, aucune procédure n'avait été mise en place pour effectuer une notification quand des personnes atteintes étaient d'accord pour que ce soit fait. Les opinions étaient tellement polarisées qu'il était impossible pour les intervenants d'arriver à une entente quant à une marche à suivre en ce domaine.

La non-malfaisance

Comme nous l'avons souligné dans l'introduction de ce chapitre, le principe de non-malfaisance est déjà présent dans les documents les plus anciens traitant d'éthique de la santé. Il est associé à la médecine hippocratique, qui visait à rétablir l'équilibre, rompu par la maladie, entre la personne atteinte et son milieu, d'une part, et entre les différentes composantes du corps humain, d'autre part (Hippocrate, 1994). À cet égard, le médecin devait agir au bon moment et avec un minimum de violence : « être utile ou au moins ne pas nuire » (Hippocrate, 1994, p. 367). En plus, il devait savoir s'abstenir d'intervenir quand l'état du malade était sans espoir (Gourevitch, 1994, p. 70).

Selon Beauchamp et Childress (2001), le principe de non-malfaisance impose un devoir *prima facie* de ne pas faire de tort. Dans le domaine de la protection de la santé, on avait reconnu depuis longtemps l'existence de torts possibles liés aux interventions préconisées. On connaissait, par exemple, les effets secondaires néfastes de certains vaccins. On n'ignorait pas que des conséquences préjudiciables à l'individu pouvaient résulter d'une mise en quarantaine. On jugeait cependant que les bénéfices sanitaires pour la population en général avaient priorité sur les torts qui en résultaient pour certains individus.

Les domaines de la prévention de la maladie et de la promotion de la santé semblaient à l'abri de tout questionnement éthique en vertu de leurs objectifs mêmes. En effet, les interventions préventives et promotionnelles semblaient d'emblée bénéfiques, n'apportant pas de conséquences négatives. Il paraissait évident que les interventions préventives étaient bonnes en soi (Gillon, 1990; McCormick 1994), qu'elles n'avaient pas d'effets négatifs sur la répartition des ressources rares (Gillon, 1990), que ce type d'intervention était supérieur à l'intervention de type curatif (Svensson et Sandlund, 1990), que la santé était préférable au plaisir suscité par certaines habitudes de vie à risque (Svensson et Sandlund, 1990) et que la volonté d'atteindre les buts visés, même s'ils n'étaient pas atteints, constituait une justification scientifiquement et moralement suffisante pour compenser les coûts individuels et sociaux de telles interventions. Or, on sait maintenant qu'il y a un prix à payer pour la prévention (Charlton, 1993). Pour chaque amélioration de la santé du groupe, il existe des coûts individuels et collectifs sur les plans financier et humain. On note, entre autres, une stigmatisation des groupes cibles, une centration sur la responsabilité personnelle en matière de santé, minimisant ou négligeant complètement les facteurs génétiques et environnementaux, les torts psychologiques engendrés par des interventions de dépistage, notamment dans les domaines de la génétique et du cancer du sein, et les coûts et les effets secondaires importants associés à des interventions préventives dont l'efficacité est controversée ou non démontrée.

Des risques et des torts liés à des interventions préventives et promotionnelles ont été identifiés, mais ils ne sont généralement pas clairement définis et il est difficile de les évaluer. Il existe peu de données empiriques sur les risques psychologiques et sociaux de ces interventions. Certains effets des mesures préventives et promotionnelles ne sont visibles qu'à long terme et plusieurs facteurs interviennent dans l'interprétation des résultats, notamment le type d'intervention, l'utilisation des médias, la présence de conflits de valeurs entre les objectifs de la santé publique et ceux des groupes cibles, des campagnes commerciales faisant la publicité de produits dommageables pour la santé, etc. Cependant, la pratique en santé publique ne doit pas attendre la preuve scientifique de l'efficacité de ses interventions pour agir de manière éthique et l'indication demeure de ne pas faire de torts. Selon Charlton (1993), si l'efficacité d'une intervention n'est pas démontrée, elle ne devrait pas être effectuée ou elle devrait être présentée comme expérimentale. Dans cette perspective, la population et les individus sollicités pour participer à une telle intervention doivent être avertis de son caractère expérimental et la participation à un tel projet nécessite l'obtention d'un consentement libre et éclairé et la mise en place de mesures et d'interventions palliant les inconvénients individuels et collectifs.

La bienfaisance

Le principe de bienfaisance trouve lui aussi son origine dans les documents les plus anciens traitant de l'éthique médicale (Eisenstein, 1989); il impose à la profession médicale un devoir d'agir dans le sens du bien-être du malade. L'application de ce principe est liée à l'existence d'une expertise particulière qui sera employée pour traiter ou améliorer l'état de santé du malade. Différentes interprétations du principe ont été proposées par de nombreux auteurs dans l'histoire de l'éthique médicale; nous retenons ici la définition qu'en donnent Beauchamp et Childress (2001), selon laquelle le principe de bienfaisance désigne une obligation morale *prima facie* d'agir dans le sens du bien-être d'autrui; plus précisément, il impose non seulement d'être bienfaisant en posant des actions positives, mais aussi en soupesant les bénéfices possibles par rapport aux torts susceptibles d'être causés, de manière à maximiser les bénéfices et à minimiser les maux ou les conséquences négatives[3]. En clinique, cette évaluation est effectuée en fonction du bien-être de la personne sous traitement. Cependant, en santé publique et communautaire, l'interprétation utilitariste du principe est particulièrement pertinente, puisque les bénéfices et les risques doivent

3. En économie, les tenants de l'utilitarisme considèrent qu'en maximisant les bénéfices, il en résulte une diminution des torts. Cependant, dans la pratique communautaire, des mesures doivent être prises pour diminuer l'impact des torts qui résulteraient d'une intervention, même si l'option choisie maximise les bénéfices pour la communauté.

être évalués en fonction du bien-être de toutes les personnes affectées par l'intervention. Dans cette interprétation, les principes de bienfaisance et de non-malfaisance sont compris en fonction d'un bénéfice maximal pour un groupe ou une population. Pour les besoins de notre propos, nous retenons une formulation utilitariste du principe de bienfaisance, selon laquelle les bénéfices escomptés doivent avoir été évalués comme étant nettement supérieurs aux risques (ou aux torts, pour les interventions en cours ou terminées) pour qu'une action ou une intervention soit considérée comme moralement acceptable. En santé publique et dans la pratique communautaire, nous nous inspirons de Sasco (1994) pour spécifier le principe d'utilité de la manière suivante : les interventions relatives à la prévention de la maladie et à la protection et promotion de la santé doivent viser le plus d'avantages ou de bénéfices possible pour le plus grand nombre de personnes, et ce, au prix du plus petit risque possible pour le plus petit nombre de personnes.

Ainsi, le dépistage du cancer du sein amène certains torts liés au stress et à l'anxiété que suscitent l'attente et l'interprétation des résultats. Ces torts sont accrus si les résultats comportent des faux positifs ou des faux négatifs. Pour ces raisons, tout dépistage devrait être accompagné de *counselling* avant, pendant et après le test, de manière à en exposer clairement la nature, la fiabilité, la façon dont les résultats sont interprétés et les possibilités de traitements. Cette information, essentielle à un consentement éclairé, minimise les torts, notamment ceux qui sont d'ordre psychologique. À ces torts s'ajoute, dans certains types d'études ou d'interventions, le danger d'atteintes physiques, comme c'est le cas en vaccination. Les intervenants ou les chercheurs ont la responsabilité de minimiser les risques potentiels et de s'assurer qu'ils sont mineurs et réversibles. La mise en place de mesures de détection des torts causés par la recherche ou l'intervention et de mesures assurant un suivi adéquat relativement aux torts causés ou aux résultats du test relève aussi de leur responsabilité (Glanz, Rimer et Lerman, 1996).

En fait, il est difficile de justifier éthiquement, notamment à l'aide du principe spécifié d'utilité, l'imposition de torts, si minimes soient-ils, à une population considérée *a priori* saine ou en bonne santé. De ce point de vue, il est plus facilement justifiable d'intervenir sur des groupes à risques, les conséquences bénéfiques individuelles à long terme pouvant éventuellement compenser les risques ou les torts individuels subis à court terme. Cependant, une question se pose : est-il éthiquement acceptable que des bénéfices enregistrés au niveau du groupe compensent des risques individuels encourus ? Quand les risques se transforment en torts avérés, la réponse du droit canadien, qui a été initialement conçue pour la protection de l'individu et non la protection du groupe en tant que tel, est claire : ce n'est pas acceptable. Encore faut-il pouvoir démontrer hors de tout doute raisonnable que la mesure préventive est bien la cause du tort reconnu.

Du point de vue de l'éthique, il est facilement admis que toute intervention dans le domaine de la santé comporte des risques et, éventuellement, des torts. Le principe spécifié d'utilité demeure un repère éthique pour juger de la situation. Mais le problème concernant cet outil est lié à l'évaluation des conséquences positives et négatives dans un contexte où ces dernières ne sont pas toutes connues. En l'absence de données probantes montrant le bien-fondé d'une intervention, la prudence est de rigueur. Dans le domaine de la santé publique, on a recours au principe de précaution. Ce principe est généralement invoqué pour justifier des interventions de protection de la santé des populations en l'absence de certitude scientifique quant à la gravité et à la probabilité des menaces pour la santé (Massé, 2003, p. 291) ; plus précisément, le principe est invoqué en prévention environnementale quand un produit ou un processus est considéré comme pouvant causer du tort sur la base de données scientifiques incomplètes, et que, malgré cela, on le bannit ou on l'élimine (Calman et Downie, 2002). De plus, ce qui limite les interventions qui seraient bénéfiques au groupe mais dommageables à l'individu, ce sont les droits individuels et l'exigence d'un consentement libre et éclairé. Quand les risques d'une intervention en santé publique sont suffisamment importants, des auteurs (Weed et McKeown, 2003) se demandent s'il ne serait pas approprié d'utiliser la procédure du consentement libre et éclairé. Il ne faudrait cependant pas justifier toute intervention, quels que soient les risques encourus, sous prétexte que l'individu ou le groupe y aurait consenti. En ce sens, le respect du principe de non-malfaisance impose une limite à la mise en place d'interventions risquées sous prétexte que l'individu les autoriserait.

Cela s'applique aussi à des études de santé publique qui provoquent des torts individuels importants, notamment en véhiculant des jugements de valeurs sur des individus à cause d'une stigmatisation opérée par l'étude, considérée objective, de certains comportements. Ces risques sont présents dans toute étude portant sur des populations vulnérables et considérées comme étant à risque : jeunes parents, homosexuels, prisonniers, jeunes de la rue. Certaines études, notamment des études expérimentales et quasi expérimentales, iraient à l'encontre de l'*empowerment*, notion chère aux tenants du *caring*, en vulnérabilisant davantage les groupes cibles plutôt qu'en les habilitant à trouver des solutions à leurs problèmes. En fait, l'étiquetage social résultant d'interventions ou d'études dans le domaine de la prévention fait en sorte que chacun des individus appartenant au groupe ciblé se voit affublé d'emblée de la maladie ou du problème de santé qui fait l'objet d'une intervention ou d'une étude. Quand ce problème (SIDA, maladie infectieuse, violence familiale) véhicule des valeurs morales négatives, des individus et des groupes sont associés à des comportements moralement condamnables et sont potentiellement victimes de discrimination. De plus, des individus en viennent non seulement à accepter l'image négative que la société véhicule à leur égard, mais aussi à la renforcer en adoptant des comportements encore plus risqués. La pratique du *bareback* constitue un exemple de ces pratiques extrêmes. Des personnes porteuses du VIH se servent de l'Internet pour trouver des partenaires qui acceptent d'avoir des relations sexuelles non protégées. Il est clair que de telles pratiques nuisent à la santé publique, même si elles sont effectuées par des adultes consentants.

Le paternalisme

Le principal dilemme éthique en cause relativement à l'application du principe de bienfaisance concerne le paternalisme en santé publique. Le paternalisme se définit comme « la limitation intentionnelle de l'autonomie d'une personne par une autre, où la personne qui limite l'autonomie justifie son action exclusivement par le but qu'elle poursuit, qui est d'aider cette personne » (Beauchamp, 1995, p. 1914, citant Dworkin, 1992, et Beauchamp et McCullough, 1984). Suivant le modèle du bon père de famille qui décide pour ses enfants de ce qui est bon pour eux, le paternalisme, de manière générale, implique la limitation de l'autonomie des personnes dans un but bienfaisant : éviter que des torts leur soient causés et leur procurer des bénéfices qu'ils n'auraient pas obtenus sans l'intervention (Beauchamp, 1995, p. 1914). Quand les responsables de la santé publique ont-ils la légitimité nécessaire pour imposer des changements de comportements de manière coercitive ou par la force de la loi ? Cette question est la contrepartie de celle qui se pose quant à la place accordée au respect de l'autonomie de la personne et du groupe en santé publique. La tension entre la liberté et le respect des droits individuels, d'une part, et l'obligation morale d'assurer des conditions optimales de bien-être à la communauté, d'autre part, est toujours présente en santé publique (Weed et McKeown, 2003). Cette tension s'exprime notamment dans les dossiers de la fluoration et de la chloration de l'eau, des lois antitabac, des mesures de quarantaine et d'autres mesures restreignant la liberté d'action des individus pour prévenir l'éclosion ou la transmission de maladies.

Le dossier du tabac illustre bien les stratégies plus ou moins coercitives mises en place pour modifier les comportements. Certains programmes en milieux scolaires ou communautaires visent à fournir une information juste et une formation adéquate, laissant aux individus l'initiative de modifier leur comportement. Certaines campagnes télévisuelles utilisent des moyens s'adressant plus aux sens, aux sentiments et aux émotions qu'à l'intelligence ; elles reposent sur des méthodes psychologiques de persuasion issues du marketing. Des programmes soutiennent les personnes qui ont décidé de cesser de fumer. D'autres, par ailleurs, cherchent à contrer l'usage de la cigarette par l'imposition de taxes élevées ou par l'adoption de lois excluant les fumeurs de certains lieux. Toutes ces stratégies développées dans le cadre de la lutte contre le tabagisme, particulièrement les plus coercitives, vont à l'encontre d'autres stratégies, comme celles qui visent la réduction des méfaits et qui n'ont pas comme objectif de changer les comportements, mais plutôt d'en diminuer les risques pour la santé. Dans le cas de la distribution de seringues aux toxicomanes, non seulement on ne brime pas la liberté individuelle, mais on fournit aux consommateurs des moyens plus sécuritaires en faisant preuve d'une grande latitude dans l'application des lois relatives à la possession et à l'utilisation de drogues non médicamenteuses. Entre la liberté totale d'agir à l'encontre de la santé, facilitée par la santé publique qui en fournit le moyen, d'une part, et des lois contraignantes modifiant des comportements moins dommageables pour la santé, d'autre part, où doit-on tirer la ligne ? L'autonomie individuelle peut-elle être brimée au nom du bien commun ? La question à poser est donc la suivante : dans quelles conditions, s'il en est, la santé publique est-elle justifiée d'adopter une attitude et une ligne d'intervention paternalistes ?

Certains auteurs (Beauchamp et Childress, 2001 ; Coughlin et Beauchamp, 1996 ; Beauchamp, 1995 ; Feinberg, 1971) ont étudié les conditions nécessaires à l'imposition de telles mesures. Adaptées au domaine de la santé publique, ces conditions sont les suivantes :

1. la population risque de subir un tort important compte tenu de la probabilité que l'atteinte survienne et de sa gravité potentielle ;

2. aucune autre option d'intervention moins coercitive n'est aussi efficace pour prévenir un tel tort;
3. les torts causés par l'intervention de prévention sont nettement inférieurs aux torts prévenus;
4. les bénéfices surpassent clairement les torts pour la population et les individus concernés.

La question est d'autant plus importante à régler que l'accent a été mis sur la prévention et la modification des comportements à risque depuis les années 1960, particulièrement après la publication du *Rapport Lalonde* (Lalonde, 1974), ce qui a éloigné la santé publique de son rôle premier, qui était environnementaliste et hygiéniste. Des menaces qu'on croyait choses du passé reviennent en force, sans que nous soyons prêts à leur faire face. En effet, l'arrivée de nouveaux problèmes de santé publique, comme le SRAS, le *Clostridium difficile* et d'autres bactéries qui résistent aux antibiotiques et qui peuvent entraîner la mort de personnes hospitalisées, rappelle la nécessité d'imposer des mesures coercitives pour limiter la transmission de telles affections.

La justice

Le principe de justice est celui qui a été le moins défini en bioéthique et il apparaît évident qu'il faut se référer à une base théorique pour en préciser les critères ou les règles d'application. Le principe de justice concerne les rapports entre les individus. Des théories éthiques peuvent être invoquées pour justifier les critères régissant ces rapports. Ainsi, dans les théories utilitaristes, la justice est interprétée en fonction du principe d'utilité, donc en fonction du plus grand bénéfice pour le plus grand nombre. Cet enjeu majeur détermine des droits qui vont soutenir une structure sociale qui maximisera l'utilité (Beauchamp et Childress, 2001). Les théories libertariennes, basées essentiellement sur le libre marché, définissent aussi des droits à la propriété et à la liberté. Ces droits sont dits négatifs. Ils impliquent surtout une non-interférence dans la liberté d'autrui et se limitent généralement à une égalité devant la loi ou devant la règle. Dans cette perspective, l'égalité des chances est définie comme l'établissement de procédures qui sont les mêmes pour tous. Les théories communautariennes reconnaissent plusieurs bases conceptuelles au principe de justice, selon les communautés en cause. Elles reposent sur la reconnaissance de valeurs pluralistes, si l'on compare les communautés entre elles, et de valeurs communes à l'ensemble des communautés. Dans ce contexte, l'accent est mis sur la responsabilité de l'individu à l'égard de l'État et sur la solidarité communautaire. Enfin, pour les théories égalitariennes, la justice distributive vise à réaliser une égalité d'accès aux ressources sanitaires et un partage égal de ces ressources.

Pour traiter de l'application du principe de justice dans le contexte canadien, nous devons tenir compte de l'option égalitaire favorisant une égalité d'accès aux soins de santé, partagée par les Canadiens et officialisée dans la loi fédérale sur la santé de 1984. Le choix de ce point de départ est appuyé par les approches communautarienne et égalitarienne de la justice. Nous devons aussi tenir compte de l'égalité des droits, en termes de non-discrimination, telle qu'elle a été définie par les libertariens, et telle qu'elle est présentée dans les chartes des droits de la personne.

Spécifiant l'application du principe de justice dans le domaine de la santé publique et communautaire, les repères éthiques suivants sont retenus à titre de conditions essentielles:

1. une égalité des droits (*rights*) constituant la base philosophique justifiant un traitement semblable des êtres humains en termes d'égale considération et d'égalité des chances;
2. une égalisation des conditions au moyen d'interventions de type compensatoire, basée sur le besoin.

Dans une perspective égalitaire, il est important de se référer d'abord au principe d'égalité des droits interprété en fonction de l'égalité d'accès à des soins de santé, ce qui constitue, selon Daniels (2003, p. 48), le pendant en santé du droit à l'égalité des chances en éducation. Il ne s'agit pas ici d'un droit à la santé, dont la réalisation serait hautement utopique, mais plutôt d'un accès égal à des soins de santé, quel que soit le revenu, le rang social, l'appartenance culturelle, etc. Il s'agit là d'une exigence de la justice formelle qui stipule que les êtres d'une même catégorie essentielle doivent être traités de la même façon (Perelman, 1972). En tant que Canadien, tout citoyen a droit (*is entitled*) aux services couverts par la loi de l'assurance-maladie, sans discrimination. En ce sens, notre système étatique de soins est une condition égalitaire d'accès aux soins. Il permet à tous ceux qui le veulent d'accéder à des soins médicaux, qu'ils soient offerts en milieux hospitaliers ou en cabinets privés. De ce point de vue, moins il existe de classes d'individus, plus les structures institutionnelles sont égalitaires. Ainsi, un système étatique de soins impose une structure formellement plus égalitaire qu'un système à deux niveaux (communément appelé « à deux vitesses ») ou à plusieurs niveaux. En principe, il sert mieux le droit à un accès universel aux soins (Buchanan, 2003). Cependant, le système sera équitable s'il arrive à fournir un soin adéquat en temps opportun. Ce qui nous amène à discuter de la deuxième condition d'application du principe de justice.

De nombreux auteurs (Veatch, 2003, p. 57; Daniels, 2003, p. 49; Beauchamp et Childress, 2001, p. 267; Saint-Arnaud, 1997b; Elster, 1992, p. 17-18) reconnaissent la pertinence de baser l'allocation des ressources en santé sur le besoin, ce qui rejoint les exigences de l'éthique du *caring*. En pratique clinique, le besoin est évalué par le patient lui-même, selon ses perceptions et ses expériences, et par les soignants, qui utilisent leurs connaissances, leurs expériences et différents outils et mesures techniques permettant l'évaluation du problème de santé en cause. En santé publique, le besoin est évalué en fonction des déterminants de la santé et d'indicateurs comme les taux de mortalité et de morbidité, qui permettent d'évaluer le bien-être et la santé des communautés et de la population. Si on respecte l'autonomie des communautés, ces dernières doivent aussi participer à la définition de leurs besoins. Baser l'allocation des ressources en santé sur les critères d'égalité d'accès aux soins et de réponses aux besoins impose de mettre de côté des critères comme le mérite ou un même traitement pour tous.

Un traitement semblable pour tous est inapproprié étant donné les diverses conditions de santé des individus et des communautés, notamment sur les plans génétique, économique, social et environnemental. Appliquer à tous le même traitement ne répond pas aux besoins spécifiques de différentes communautés et peut créer de plus grandes inégalités. Ainsi, des études (Starzomski, 1995; Old et Montgomery, 1992; Svensson et Sandlund, 1990) ont montré que ceux qui bénéficient le plus des campagnes et des mesures préventives, au sens où ils modifient leur comportement en fonction de l'idéal proposé par la santé publique, sont les jeunes adultes, plus instruits et plus riches que la moyenne des gens, alors que ceux qui sont les plus malades et les moins en santé sont les individus vivant dans des milieux défavorisés. En améliorant la santé des mieux nantis, on agrandit l'écart qui les sépare des classes défavorisées.

Par ailleurs, les deux conditions nécessaires à une intervention équitable, soit l'absence de discrimination et la réponse aux besoins, éliminent la possibilité d'un recours au mérite en tant que critère pour privilégier certains individus ou certains groupes aux dépens des autres. Ainsi, il n'est pas acceptable pour les tenants des critères égalitaires, qui ont été posés comme conditions d'application du principe de justice, de privilégier, dans l'accès aux traitements, qu'ils soient curatifs, préventifs ou promotionnels, les individus qui répondent aux normes de santé publique (diète adéquate, exercice physique, anti-tabagisme) au détriment des autres. Pourtant, en situation de rareté des ressources, des auteurs (Kluge, 1994; Moss et Siegler, 1991), dont des éthiciens, favorisent l'utilisation du critère du mérite pour rationner les soins et les traitements, particulièrement dans le domaine de la transplantation d'organes. Mais la santé publique n'est pas exempte de pratiques qui vont à l'encontre des principes énoncés, notamment quand elle favorise, dans l'établissement de ses priorités, des groupes de pression bien organisés, revendicateurs et disposant de moyens financiers importants. À l'opposé, certains groupes sont sans voix; c'est le cas, par exemple, des personnes âgées requérant des services à domicile ou des soins palliatifs adéquats et dont les besoins ne sont pas considérés comme prioritaires. Les priorités établies dans les programmes d'intervention doivent être fondées sur des résultats d'évaluation des besoins et non dépendre d'intérêts économiques, médiatiques, étatiques ou idéologiques. En fait, les seuls individus, communautés ou populations à privilégier sont ceux dont les besoins sont les plus grands, ce qui justifie certaines interventions ciblées auprès des groupes qui sont atteints d'un problème de santé ou qui risquent de l'être. Évidemment, certains problèmes de santé sont plus graves que d'autres et les personnes qui manifestent un plus grand besoin sont celles dont la vie est menacée ou dont la santé serait atteinte gravement et de manière irréversible sans intervention. Une échelle de gravité permet de hiérarchiser les interventions curatives. En prévention, s'ajoute une échelle de probabilité. Quant aux interventions promotionnelles, elles visent à favoriser l'adoption de bonnes habitudes de vie dans la population en général et elles ne sont pas liées directement à l'utilisation de ces échelles. Cependant, leur rôle dans l'étiquetage, la stigmatisation et la culpabilisation des groupes cibles doit être évalué et corrigé en conséquence.

En fait, plusieurs dilemmes éthiques surgissent à tous les niveaux décisionnels (micro, méso et macro) lorsqu'il s'agit d'appliquer le principe de justice. Sans entrer dans le débat opposant le curatif au préventif, qui demanderait un chapitre à lui seul, le principal problème d'éthique, selon les écrits, concerne la répartition des ressources rares et l'iniquité dans l'accès à des soins de santé (Calman et Downie, 2002; Fry, 2000). Malgré l'étatisation des soins de santé et la loi canadienne qui garantit l'universalité d'accès aux soins médicaux, de nombreux individus, voire des groupes d'individus, n'arrivent pas à obtenir les soins et les traitements requis par leur état de santé en temps opportun. Durant les dernières années, des provinces comme le Québec et l'Ontario ont dû se résoudre à envoyer des patientes souffrant d'un cancer du sein se faire traiter aux États-Unis, parce qu'elles n'auraient pas reçu un soin optimal au Canada, les délais étant trop longs à cause d'un manque d'appareils et de personnels spécialisés. Malgré une hausse annuelle des coûts de la santé, non seulement les budgets consacrés à la santé n'ont pas été augmentés, mais ils ont été diminués. Les transferts fédéraux, qui constituaient la moitié des coûts des dépenses de santé avant 1977 et le tiers en 1994, n'en constituaient plus que 11 % en 2003. Quoi qu'il en soit, la gestion des systèmes de santé appartient aux provinces et, pour plusieurs d'entre elles, la réduction des budgets de la santé a entraîné des pénuries de personnels médical et infirmier spécialisés dans à peu près tous les secteurs. On désinvestit dans la santé, alors que la demande augmente, notamment à cause du vieillissement de la population.

Le virage ambulatoire, qui devait réduire les coûts des soins hospitaliers, n'a généralement pas permis de réinvestir en santé communautaire autant qu'il avait été planifié de le faire. Alors qu'il existe de grands besoins dans ce secteur, notamment en ce qui a trait aux services à domicile, ce sont souvent les familles qui portent seules le fardeau des soins. Des auteurs (Ducharme et autres, 2003; Chambers-Evans, 2002) montrent combien les aidants familiaux sont anxieux, surchargés et stressés, et comment ils ont à maîtriser des techniques qui étaient autrefois réservées aux infirmières. La charge de travail des infirmières pivots dans les organismes communautaires montre qu'il n'est pas facile d'assurer un suivi adéquat auprès des personnes, souvent âgées, qui nécessitent des soins sophistiqués à domicile. À cet égard, l'exemple des soins palliatifs est paradigmatique. Comme il manque de médecins de famille, de médecins qui acceptent de faire des visites à domicile et de médecins formés en soulagement de la douleur, il est difficile pour les infirmières gestionnaires de cas d'assurer un bon suivi en matière de soins de fin de vie. Certaines personnes atteintes d'un cancer et suivies en oncologie en clinique externe n'ont pas accès à des services à domicile par manque de coordination entre les services hospitaliers et les services communautaires.

Des personnes souhaiteraient mourir à domicile (ce qui n'est le cas que de 15 % de la population canadienne), mais cette solution s'avère souvent impossible. L'infirmière gestionnaire de cas doit alors se battre pour répondre aux besoins de ses clients et réussir à les faire hospitaliser dans les unités de soins palliatifs, faute de services adéquats à domicile (Denault, 2003). On sait, par ailleurs, que les centres de soins palliatifs sont peu nombreux et que les personnes qui doivent y être admises doivent être inscrites sur de longues listes d'attente. Compte tenu de cette situation, les mieux nantis sont dirigés vers des services privés (Denault, 2003). Il y a donc des personnes qui ne reçoivent pas les soins qui répondraient à leur besoin à cause d'un manque de ressources personnelles, mais aussi à cause d'un manque d'engagement des gouvernements dans ce secteur de la santé communautaire.

LE PROCESSUS DÉCISIONNEL EN ÉTHIQUE DE LA SANTÉ COMMUNAUTAIRE ET DE LA SANTÉ PUBLIQUE

Pour exercer son rôle d'agent moral, l'infirmière en santé communautaire devra poser des jugements sur la moralité de ses interventions. Ces jugements seront évaluatifs, sous-tendus par des valeurs fondamentales, des devoirs et des responsabilités (Allender et Spradley, 2005, p. 97), et prescriptifs, indiquant ce qui doit être fait ou ne pas être fait pour agir correctement ou de manière éthique. De toute évidence, de tels jugements dépassent la perspective des valeurs et des préférences personnelles. Ils sont conçus de façon à pouvoir s'appliquer à des cas semblables. Ce sont des jugements qui pourraient potentiellement être endossés par n'importe quel intervenant dans des circonstances similaires et sur lesquels des interventions futures pourraient s'appuyer.

La définition des étapes d'un processus décisionnel menant à la résolution d'un problème ou d'un dilemme éthique constitue un cadre procédural. Selon Reigle et Boyle (1998, p. 283), il permet d'organiser les faits et les données contextuelles d'un problème ou d'un dilemme éthique. Le processus décisionnel proposé ici intègre les références aux normes légales et professionnelles, de même que les références aux responsabilités et devoirs moraux issus des théories éthiques et d'une approche par principes, selon une démarche constructiviste et ouverte. Le cadre de référence procédural favorise la considération des perspectives essentielles à l'analyse du problème tout en accordant une égale importance aux faits pertinents, d'une part, et aux repères éthiques, d'autre part (voir le tableau 22.5, à la page suivante). Il suggère une méthode d'examen des enjeux éthiques (Reigle et Boyle, 1998, p. 283). Il ne constitue cependant pas une garantie de résultats éthiquement bons et ne remplace pas la démarche réflexive d'analyse de la situation problématique.

Plusieurs modèles de processus décisionnels pour discuter, analyser et résoudre des problèmes éthiques existent. Ils ont surtout été conçus pour l'éthique clinique (MacDonald, 2002; Reigle et Boyle, 2000; Jonsen, Siegler et Windslade, 1998; Davis et autres, 1997; Rodney, 1991; Curtin, 1982). Un modèle de processus décisionnel en éthique de la santé publique est décrit dans le livre de Massé (Massé, 2003, p. 191-192). Ce processus se déroule en cinq étapes:

1. étude de cas de l'intervention;
2. mise à jour des valeurs implicites et explicites liées à l'intervention, de même que de la position de la population cible au regard de ces valeurs;
3. identification des valeurs phares impliquées;
4. spécification de ces valeurs phares;
5. processus d'arbitrage dans le cadre des paramètres d'une éthique de la discussion.

Dans cet ouvrage, qui est essentiellement anthropologique, il est question de valeurs phares plutôt que de principes. La différence est importante puisque ce sont les principes, conçus comme des devoirs *prima facie*, qui apportent la dimension d'obligation morale aux valeurs importantes, ou valeurs phares, qui guideront la prise de décision. Dans l'approche anthropologique, proche de la casuistique, ce sont les circonstances propres à chaque cas qui sont déterminantes dans le choix des valeurs à considérer. Quoi qu'il en soit, la procédure exposée dans le livre de Massé vise à intégrer un questionnement éthique basé sur la clarification des valeurs en cause dans les processus décisionnels qui mènent au choix des programmes et des interventions en santé publique.

Pour sa part, Kass (2001) propose un cadre de référence en six étapes pour évaluer les programmes de santé publique:

1. définition des buts d'un programme en fonction d'une amélioration de la santé publique en termes de réduction de la morbidité et de la mortalité;
2. évaluation de l'efficacité du programme au regard de l'atteinte des buts définis, ce qui soulève la question de la quantité et de la pertinence des données justifiant la mise en place d'un tel programme;
3. évaluation des risques et des torts connus et prévus de ce programme en fonction des trois catégories suivantes: confidentialité et vie privée, liberté et autodétermination, justice;
4. minimisation des risques et des torts présents ou potentiels d'un programme ou d'une politique sans en diminuer l'efficacité ou recherche d'autres types d'interventions générant moins de risques et de torts;
5. évaluation de l'équité dans l'application du programme; plus des mesures restrictives sont imposées par un programme, plus il est important de respecter l'équité; de plus, des torts sociaux sont causés si des stéréotypes sont créés ou perpétués par un programme ou une intervention;
6. équilibration équitable des bénéfices et des torts, c'est-à-dire que plus le fardeau imposé à la communauté ou à la population est grand, plus les bénéfices pour la santé publique ou communautaire doivent être élevés.

Tableau 22.5 Repères pour la discussion, l'analyse et la résolution des problèmes et dilemmes éthiques

Normes	Éthique du *caring*	Justice
Normes légales	Théories déontologiques	Contexte
Codes de déontologie	Théories utilitaristes	Faits cliniques, culturels, sociologiques, économiques
Lignes directrices	Théories des droits	Interprétation des faits
Préalables	Principes	Connaissances scientifiques
Clarification des valeurs	Respect de l'autonomie	Résultats probants
Théories	Non-malfaisance	
Théories de la vertu	Bienfaisance	

La procédure qui suit concerne la résolution des problèmes d'éthique en santé communautaire et en santé publique. Elle oblige à une démarche réflexive et à une analyse des enjeux éthiques en présence. Elle peut être utilisée par les individus, notamment par les infirmières gestionnaires de cas, les infirmières de liaison ou les infirmières pivots qui ont à régler ce genre de problèmes, mais aussi par les équipes unidisciplinaires ou multidisciplinaires qui sont aux prises avec des problèmes d'éthique et qui veulent en venir à des solutions consensuelles pouvant être inscrites dans un plan de soins ou un plan d'intervention. La procédure décrite ici intègre certains aspects de la casuistique (enquête sur les faits, cas paradigmatiques) et de l'approche narrative (récits de la genèse d'un problème) dans une approche par principes, tout en tenant compte des valeurs promues par les théories éthiques pertinentes en éthique de la santé. Dans cette perspective, un professionnel a une obligation morale d'évaluer une situation problématique et de proposer des solutions qui appliqueront les principes de respect de la personne, de bienfaisance, de non-malfaisance et de justice.

La procédure décrite dans le tableau 22.6 se déroule en 10 étapes.

La description des problèmes d'éthique en cause

Les problèmes d'éthique se reconnaissent souvent aux réactions émotionnelles qu'ils suscitent (Reigle et Boyle, 2000, p. 363). Plusieurs auteurs (Storch, Rodney et Starzomski, 2004; Rodney, 1988; Jameton, 1984) ont décrit la frustration, la détresse morale, voire la douleur, des infirmières vivant des problèmes d'éthique dans leur pratique. Il est important que ces émotions puissent s'exprimer et soient reconnues comme indicateurs d'un problème plus profond. Les choses ne doivent cependant pas en demeurer là, puisqu'il y a un risque que la situation dégénère en un conflit polarisé entre les parties, ce qui rendrait difficile, voire impossible, la communication et l'intervention de santé. Il est donc important de surmonter les émotions en les exprimant dans un récit (*narrative*) qui relate le problème et décrit les événements antérieurs qui ont conduit à la situation problématique. Une fois exprimées, les émotions perdent leur caractère dramatique et la narration par les personnes concernées permet d'objectiver la situation problématique, première étape de l'analyse rationnelle des enjeux éthiques sous-jacents.

Les réactions émotionnelles ne sont pas toutes liées à des problèmes d'éthique et il est important de décrire clairement le problème sous-jacent et de s'assurer qu'il s'agit bien d'un problème éthique et non d'un autre type de problème, qui pourrait être administratif ou clinique, par exemple. Pour reconnaître le caractère éthique du problème, les repères éthiques (valeurs fondamentales, normes déontologiques, devoirs ou principes) sont utiles; ils sont des indicateurs d'exigences morales qui n'auraient pas été respectées. Un autre moyen de reconnaître le problème d'éthique consiste à considérer le sens de l'intervention, qu'elle soit

Tableau 22.6 — Procédure pour la discussion, l'analyse et la résolution d'un problème éthique intégrée dans la pratique en santé communautaire et en santé publique

1. La description du (des) problèmes d'éthique en cause. 2. La collecte d'information sur les faits, la description des faits qui sont pertinents au regard de la problématique éthique en cause, de même que des valeurs promues de part et d'autre. 3. L'identification des personnes, des groupes et des organismes concernés et de leur rôle dans les interventions. 4 L'identification des différentes options possibles. 5. L'identification et la prise en compte des normes et des contraintes légales, sociales, déontologiques, institutionnelles et gouvernementales. 6. Le repérage des lignes directrices, des études de cas, des principes et des théories éthiques qui peuvent apporter des outils pour résoudre le problème en cause.	7. L'analyse du problème en établissant des liens entre les faits pertinents et les repères éthiques appropriés. 8. La présentation par les parties en cause d'une ou de plusieurs options éthiquement acceptables et la discussion entre les parties concernées des options présentées dans le but d'arriver à un consensus sur une option à privilégier. 9. Le choix et la mise en application de l'option choisie. 10. L'évaluation et le compte rendu de la solution appliquée.

thérapeutique, promotionnelle ou préventive, et à examiner les buts spécifiques et généraux qui ne seraient pas atteints ou ne le seraient pas suffisamment par le moyen de l'intervention. Dans cette démarche, il est important aussi de distinguer les énoncés factuels des jugements évaluatifs sur les faits.

La collecte d'information sur les faits et la description des faits qui sont pertinents au regard de la problématique éthique à traiter, de même que des valeurs en cause de part et d'autre

La solution à un problème d'éthique ne peut légitimement être tirée des faits (Hume, 1962[4]), mais le problème éthique ne peut être résolu sans une bonne connaissance des faits pertinents. Si la solution apportée au problème était adoptée sans être appuyée sur une connaissance adéquate du contexte factuel, elle risquerait de ne pas être applicable. Il est donc important de rechercher l'information disponible (clinique, scientifique, culturelle, sociologique et psychologique) concernant la situation, y inclus les résultats probants, et de la compléter si nécessaire. Ainsi, il est primordial de connaître les valeurs du bénéficiaire, qu'il s'agisse d'un individu, d'un groupe ou d'une communauté, d'évaluer ses attentes et les buts qu'il poursuit par le moyen de l'intervention. Les attentes de part et d'autre doivent être explicitées et les informations nécessaires communiquées. Les valeurs des individus, de leurs familles ou des communautés étant différentes des valeurs professionnelles et institutionnelles, il est important, à cette étape-ci, de comparer les attentes des bénéficiaires et les interventions possibles, de même que les résultats anticipés. Il s'agit d'éviter des attentes irréalistes de la part des bénéficiaires et d'adapter l'intervention aux valeurs individuelles et communautaires sans renier les buts professionnels envisagés. La collecte d'information est conçue comme une partie intégrante du rôle professionnel de l'infirmière (Reigle et Boyle, 2000). En cas de conflits, de dilemmes ou de problèmes éthiques, des informations supplémentaires devront être recueillies.

Dans les situations complexes qui exigent l'intervention de professionnels de plusieurs disciplines, il est important de tenir compte des faits scientifiques et cliniques provenant des observations, constatations et évaluations des intervenants des autres disciplines. Ces données devront être prises en compte dans le plan d'intervention. À cette fin, des rencontres multidisciplinaires apparaissent essentielles au bon déroulement du processus.

L'identification des personnes, des groupes et des organismes concernés et de leur rôle dans les interventions

À cette étape, il s'agit d'identifier les membres de l'équipe d'intervention, les bénéficiaires et les personnes concernées aux différents niveaux du processus décisionnel. En intervention communautaire ou en santé publique, il est important de préciser qui sont les personnes les plus habilitées à intervenir directement auprès d'une personne, d'une famille ou d'un groupe pour faciliter le dialogue et le processus de résolution du problème. Le rôle de ces personnes clés est de guider et de stimuler la communication entre les parties. Elles doivent être capables de briser ce que Reigle et Boyle (2000, p. 365) nomment l'« interaction destructrice », qui est faite d'attaques et de défenses improductives, pour arriver à la construction des solutions qui feront consensus tout en respectant les principes et normes éthiques.

Pour des raisons pragmatiques et déontologiques, la collaboration est la stratégie la plus adéquate pour résoudre des problèmes et des dilemmes éthiques. D'une part, une solution qui n'est pas partagée risque de ne pas être appliquée. D'autre part, les devoirs *prima facie* de respect de la personne et d'équité exigent que les personnes concernées (équipes de santé et bénéficiaires) soient considérées comme égales en droit et soient traitées en conséquence, donc avec un égal respect et une égale considération. Cette première condition est essentielle à un processus de décision éthique, notamment parce que les personnes en situation de pouvoir sont souvent peu intéressées à partager leur savoir et à tenir compte du savoir d'autrui. En milieux hospitaliers, ce sont souvent les médecins qui sont en position de pouvoir par rapport aux infirmières et aux autres professionnels de la santé. Mais, dans la pratique communautaire, où les médecins sont moins présents, les infirmières ou les travailleurs sociaux peuvent aussi se trouver en position de pouvoir. Il est donc important, pour tenir compte des multiples facettes et de la complexité des besoins en cause, de

4. David Hume a démontré qu'un jugement moral ne peut légitimement être tiré des faits empiriques. Il y a donc un problème à passer sans critique du *is* (ce qui est) au *ought* (ce qui devrait être). Il est cependant difficile de séparer complètement ces deux niveaux. Le choix des faits présentés et l'interprétation des faits cachent souvent des jugements moraux.

donner à chaque partie une chance égale de participer à la discussion et à l'élaboration de solutions.

Une deuxième condition a trait à l'engagement volontaire des personnes concernées dans la construction de solutions qui respectent et utilisent les compétences de chacun pour élaborer des interventions visant essentiellement au bien-être individuel et collectif des bénéficiaires. La centration sur ce but évite que des intérêts corporatifs, de groupes de pression ou d'autres types monopolisent les échanges et influencent les processus décisionnels de manière négative, c'est-à-dire dans un sens contraire aux buts de l'intervention.

L'identification des différentes options possibles

Non seulement faut-il considérer les décisions ou les étapes qui ont mené à la situation problématique, mais il faut aussi examiner les options qui sont envisageables compte tenu du problème à résoudre. Ces options sont proposées par les parties en cause, argumentées et discutées dans des rencontres pluridisciplinaires. Pour chacune des options, doivent être examinés la pertinence par rapport aux buts de l'intervention qui visent le bien-être communautaire, les moyens disponibles pour mener l'intervention, les conséquences prévisibles (positives et négatives) qui en découleront pour les différents partenaires et les moyens à mettre en place pour procéder à une évaluation. Il s'agit ici d'une étape qui relève d'une approche technique et scientifique (tenant compte d'une visée utilitariste) où règne néanmoins un certain niveau d'incertitude, particulièrement dans l'évaluation des conséquences, qui ne sont jamais toutes connues ou prévues.

L'identification et la prise en compte des normes et contraintes légales, sociales, déontologiques, institutionnelles et gouvernementales qui entrent en ligne de compte

Les normes existantes donnent des indications générales sur la manière d'agir. Dans certains cas, comme dans les codes de déontologie qui ont une portée légale, elles donnent des indications précises sur la manière d'agir ou de ne pas agir. Il est important de tenir compte de telles normes, car elles constituent la mémoire institutionnalisée des balises et des repères régissant la conduite dans une communauté. Comme l'écrit Cadoré (1997), elles sont « le témoin de l'effort des sociétés humaines pour jalonner un sens du bien-faire » partagé par la communauté. Ces normes sont généralement des facteurs facilitant la décision éthique et la mise en œuvre de l'option choisie. Cependant, dans certains cas, elles peuvent aussi être des barrières à l'intervention éthique. Cette dernière situation se produit quand des exigences imposées par des normes entrent en conflit avec les exigences d'autres normes ou avec les obligations morales générées par les principes. C'est le cas lorsque des normes gouvernementales privilégient des programmes aux dépens d'autres programmes qui répondraient mieux aux besoins de la communauté ou quand la limite des ressources oblige à faire des choix dramatiques quant à la santé de certains groupes de personnes, comme les personnes atteintes de troubles mentaux, de cancers ou de douleur chronique. Ces éléments devront être pris en compte dans l'analyse réflexive.

Le repérage des lignes directrices, des études de cas, des principes et des théories éthiques qui apportent des outils pour résoudre le problème en cause

En ce qui concerne les lignes directrices et les études de cas, les banques de données comme Medline, Bioethicsline, Cinahl et Currents Contents sont utiles. En ce qui concerne les principes et les théories éthiques, les repères mentionnés dans ce chapitre constituent la base de la démarche de repérage ; des ouvrages et des publications spécialisés en bioéthique, en éthique de la santé et en éthique des soins infirmiers apportent des connaissances supplémentaires dans ce domaine. Ces ouvrages sont cités dans la bibliographie. Une formation en éthique et en droit de la santé, incluse dans les curriculums disciplinaires universitaires, donne une certaine assurance dans la démarche de résolution des dilemmes éthiques. Elle peut être complétée par des formations unidisciplinaires ou multidisciplinaires dans les milieux de santé ; une formation continue dans le domaine de l'éthique permet de garder ses connaissances à jour et de les approfondir en fonction d'un secteur d'activités particulier.

L'analyse du problème établissant des liens entre les faits pertinents et les repères éthiques appropriés

S'adresser au comité d'éthique ou, pire, aux tribunaux devrait être des mesures de dernier recours. Chaque intervenant dans le domaine de la santé devrait pouvoir adopter une démarche réflexive dans une perspective éthique, pouvoir discuter des enjeux éthiques avec ses pairs, mais aussi avec les autres disciplines concernées, de manière à proposer des solutions qui respecteront les normes, les principes et les visées éthiques, et qui feront consensus. Dans cette démarche, le sens commun, c'est-à-dire ce qu'intuitivement chacun considère comme étant éthiquement bien de faire, ne doit pas être minimisé. À cet égard, Cadoré (1997) parle du « souci éthique » spontané chez tous les humains. Pour les auteurs Beauchamp et Childress (2001), la moralité commune, qui est partagée universellement, constitue un élément essentiel de la démarche éthique. Ces auteurs considèrent même que la moralité commune est plus appropriée pour jouer un rôle fondateur en éthique biomédicale que les théories éthiques (Beauchamp et Childress, 2001, p. 404). Selon eux, les principes bioéthiques, comme expression de la moralité commune, sont plus appropriés pour évaluer les théories que l'inverse. Si une théorie éthique rejetait un des quatre principes, ils auraient de forts doutes sur la pertinence morale de cette théorie. Cela étant dit, la démarche permettant d'établir des liens entre les faits et les repères éthiques nous conduit à spécifier les principes en fonction du domaine de la santé en cause (ce qui a été effectué dans la section « Les principes », à la page 348 du présent chapitre) et en fonction du cas ou du problème à traiter.

Autrement dit, les normes, les règles et les lignes directrices sont générales et conçues pour régir un ensemble de cas semblables. Elles ne constituent pas un guide précis, ni complet, pour apporter des solutions à une situation problématique. En conséquence, nous devons entreprendre une réflexion sur les solutions éthiquement meilleures, compte tenu des circonstances spécifiques de chaque cas. Dans cette perspective, l'approche par principes apporte un cadre de référence flexible qui guide la réflexion vers un jugement bien pesé. Ainsi, quand les normes, les règles et les lignes directrices sont insuffisantes pour guider l'action ou quand il y a conflit entre les obligations morales générées par les principes ou par des règles, c'est la démarche réflexive qui permettra d'analyser plus à fond la situation, de spécifier les principes et d'en opérer un équilibrage propice à l'élaboration de solutions.

La présentation par les parties en cause d'une ou de plusieurs options éthiquement acceptables et la discussion entre les parties concernées des options présentées dans le but d'arriver à obtenir un consensus sur une option à privilégier

C'est à cette étape qu'entrent en jeu les principes de l'éthique de la discussion. Nous avons déjà précisé les conditions éthiques qui favorisent la recherche de solutions. Ces conditions concernent une égale considération et un égal respect pour toutes les personnes qui participent à la discussion, d'une part, et la bonne volonté que mettent les participants pour arriver à des solutions partagées (voir « L'identification des personnes, des groupes et des organismes concernés et de leur rôle dans les interventions », à la page 360). Ces conditions sont toujours valides dans la suite de la procédure. Elles ont pour but d'éviter que ne s'exercent des jeux de pouvoir et que la solution adoptée serve des intérêts autres que le bien-être sanitaire des bénéficiaires. Le but visé est d'arriver à une solution consensuelle. Luc Bégin (1995) a distingué deux significations du terme « consensus », la première désignant une procédure décisionnelle, la deuxième désignant le résultat d'une telle procédure. Il fait remarquer, à juste titre, que la valeur de l'une n'est pas nécessairement transférable à l'autre. Autrement dit, une procédure utilisant le consensus peut être éthiquement bonne sans que la solution ne le soit. En fait, ce qui garantit la valeur éthique de la procédure, c'est le recours à des repères éthiques fondés en raison, qu'il s'agisse de normes, de principes ou de théories, ou fondés sur le sens commun.

Le choix et la mise en application de l'option choisie

À cette étape, des stratégies d'implantation de la solution retenue sont présentées et font l'objet de discussions entre les parties concernées. La spécification des principes en fonction du domaine d'intervention et de la situation problématique en cause apporte des arguments qui soutiendront les différentes options possibles. En cas de conflits, certaines personnes sont plus habilitées que d'autres à servir d'intermédiaires entre les parties et, éventuellement, à préparer le terrain en vue d'une modification des pratiques. Le partage d'information et une discussion ouverte tout le long de la démarche instaurent une relation de confiance qui favorise l'implantation de la solution retenue.

L'évaluation et le compte rendu de la solution appliquée

Si l'intervention se déroule durant un certain laps de temps et que, de toute évidence, elle est inefficace, c'est-à-dire qu'elle ne génère pas les bénéfices escomptés, ou même qu'elle comporte des risques ou des torts imprévus, alors elle doit être cessée ou être modifiée en conséquence. Dans tous les cas, les rapports concernant les programmes de santé publique ou de santé communautaire, ou les interventions effectuées dans ces domaines, devraient être clairs sur la façon dont les problèmes d'éthique ont été pris en compte et résolus, de manière à pouvoir servir à la prévention et à la résolution de cas semblables dans l'avenir et, éventuellement, à l'élaboration de lignes directrices.

En fait, ce processus décisionnel devrait être intégré dans la pratique de manière à prévenir les conflits, les problèmes et les dilemmes éthiques qui y surgissent. Des auteurs (Storch et autres, 2004; Reigle et Boyle, 2000; Aroskar, 1998) insistent, avec raison, sur l'importance de pratiquer une éthique préventive en créant un environnement éthique permettant de reconnaître rapidement les enjeux éthiques en présence et de prévenir les dilemmes, problèmes et conflits possibles avant qu'ils ne dégénèrent. Une démarche réflexive, où l'information est partagée et ouvertement discutée et où la décision n'est pas considérée comme un événement isolé mais plutôt comme une partie intégrante d'un processus, permet aux parties d'être mieux outillées pour construire des plans d'actions créateurs et éthiquement adéquats.

Conclusion

Même si les enjeux éthiques générés par l'intervention en santé publique et en santé communautaire n'ont pas été décrits de manière exhaustive dans ce chapitre, les enjeux explicités relèvent de situations plus complexes que celles qu'on trouve en pratique hospitalière. Cela s'explique, notamment, par l'implication de différentes disciplines, partenaires et institutions dans des processus décisionnels qui doivent être coordonnés pour que l'objectif visé soit atteint: le bien-être sanitaire du bénéficiaire, qu'il s'agisse d'un individu, d'une famille, d'un groupe cible, d'une communauté ou de la population. Dans de telles situations, la décision d'intervention ne peut se prendre sur la seule base des connaissances scientifiques. D'une part, il n'est pas rare que les informations et les connaissances nécessaires ne soient pas toutes disponibles au moment où doit se prendre la décision d'intervention (Olick, 2004); d'autre part, il existe des impératifs éthiques indiquant qu'il faut agir quand la santé est menacée. Ces impératifs sont liés aux devoirs *prima facie* de bienfaisance et de non-malfaisance, présents dans la mission et les buts sanitaires des organismes de santé publique et de santé communautaire, de même que dans les codes de déontologie des professionnels de la santé.

Pour résoudre les situations problématiques complexes, la clarification des valeurs constitue une étape préliminaire à une démarche rationnelle et procédurale. Le recours à des normes énoncées dans les codes de déontologie, dans la loi et dans les lignes directrices en éthique peut être utile. Ces normes constituent un guide clair relativement à la décision et à l'action. Cependant, elles apparaissent insuffisantes pour résoudre des problèmes éthiques complexes, des dilemmes et d'autres conflits de valeurs qui menacent le sens et les buts de l'intervention. C'est pourquoi des repères ont été proposés à partir des théories éthiques pertinentes en éthique de la santé et d'une approche par spécification des principes, approche adaptée à la santé publique et à la santé communautaire. Ces repères, issus de la pratique et des grandes traditions philosophiques en éthique, de même que la procédure de résolution des problèmes et des dilemmes éthiques, sont conçus comme des outils permettant d'intégrer la dimension éthique dans une démarche réflexive globale et essentielle à la pratique professionnelle responsable.

La base philosophique de cette approche est essentiellement pragmatique, pluridisciplinaire et pluraliste. Elle constitue un cadre de référence flexible qui combine l'induction et la déduction dans une démarche dialectique, qui va des faits pertinents aux repères éthiques appropriés (et vice-versa), et une démarche constructiviste dans l'équilibrage des devoirs *prima facie* et l'élaboration de solutions appropriées. Cette approche est compatible avec la plupart des théories éthiques et des théories des soins. Elle a l'avantage de ne pas présenter une hiérarchisation *a priori* des principes et de laisser une place au jugement éthique dans l'évaluation de chacune des situations, ainsi que dans la spécification et l'équilibrage des principes conçus comme des devoirs *prima facie*.

Cette méthode peut être utilisée de manière fructueuse au cours d'une intervention dans le domaine de la santé publique et communautaire, comme le montre l'analyse effectuée dans ce chapitre, mais aussi en enseignement, en recherche et en administration de la santé. Son efficacité se mesure à ses résultats, c'est-à-dire à ses capacités d'analyse, de synthèse et de résolution des problèmes éthiques en cause dans une démarche réflexive intégrée dans la pratique. Sa pertinence se mesure par la cohérence entre les résultats obtenus, les intuitions du sens commun et les balises issues des normes et des repères éthiques retenus et justifiés au moyen d'une argumentation éthique appropriée.

RÉFÉRENCES

ALLENDER, J. et B.W. SPRADLEY (2005). « Values and ethics in Community health nursing », dans J. Allender et B.W. Spradley, *Community Health Nursing: Promoting and Protecting the Public's Health,* Philadelphie, Lippincott Williams et Wilkins, p. 92-106.

AMERICAN PUBLIC HEALTH ASSOCIATION (2002). *Public Health Code of Ethics,* http://www.apha.org/codeofethics/ (consulté le 25 mai 2005).

ANDERSON, M.M. et C.P. KISH (2001). « Decision-making for an ethical practice », dans D. Robinson et C.P. Kish (dir.), *Core Concepts in Advanced Practice Nursing,* Toronto, Mosby, p. 224-236.

ARISTOTE (1965). *Éthique de Nicomaque,* Paris, Garnier-Flammarion.

ARISTOTE (1977). *La politique,* Paris, Vrin.

AROSKAR, M.A. (1989). « Community health nurses: Their most significant ethical decision-making problems », *Nursing Clinics of North America,* vol. 24, n° 4, p. 967-975.

AROSKAR, M.A. (1998). « Administrative ethics: Perspectives on patients and community-based care », *Online Journal of Issues in Nursing,* http://www.nursingworld.org/ojin/topic8/topic8_4.htm (consulté le 25 mai 2005).

ASSOCIATION CANADIENNE DES INFIRMIÈRES ET INFIRMIERS EN SANTÉ COMMUNAUTAIRE (2003). *Normes canadiennes de pratique des soins infirmiers en santé communautaire,* http://www.communityhealthnursescanada.org./Standards.htm (consulté le 25 mai 2005).

ASSOCIATION CANADIENNE DES SOINS DE SANTÉ, ASSOCIATION MÉDICALE CANADIENNE, ASSOCIATION DES INFIRMIÈRES ET INFIRMIERS DU CANADA, ASSOCIATION CATHOLIQUE CANADIENNE DE LA SANTÉ (1999). *Déclaration conjointe sur la prévention des conflits éthiques entre les prestataires de soins de santé et les personnes recevant les soins,* http://cna-aiic.ca/CNA/documents/pdf/publications/prevent_resolv_ethical_conflicts_fr.pdf (consulté le 25 mai 2005).

ASSOCIATION DES INFIRMIÈRES ET INFIRMIERS DU CANADA (2002), *Code de déontologie des infirmières et infirmiers,* http://www.cna-nurses.ca/CNA/practice/ethics/code/default_f.aspx (consulté le 25 mai 2005).

BALY, M. (1993). *Florence Nightingale à travers ses écrits,* Paris, InterÉditions.

BEAUCHAMP, T.L. (1995). « Paternalism », dans W.T. Reich (dir.), *Encyclopedia of Bioethics,* New York ; Toronto, Simon et Schuster ; Prentice Hall International, vol. 4, p. 1917.

BEAUCHAMP, T.L. et J.F. CHILDRESS (2001). *Principles of Biomedical Ethics,* New York, Oxford University Press.

BEAUCHAMP, T.L. et L.B. McCULLOUGH (1984). *Medical Ethics: The Moral Responsibilities of Physicians,* Englewood Cliff, Prentice-Hall.

BÉGIN, L. (1995). « L'éthique par consensus », dans M.-H. Parizeau (dir.), *Hôpital et éthique: Rôle et défis des comités d'éthique clinique,* Sainte-Foy, Presses de l'Université Laval, p. 176-189.

BLASI, A. (1984). « Moral identity: Its role in moral functioning », dans W. Kurtines et J. Gewirths (dir.), *Morality, Moral Behavior, and Moral Development,* New York, Wiley, p. 128-139.

BLONDEAU, D. (2000). « La déontologie infirmière », dans G. Durand et autres (dir.), *Histoire de l'éthique médicale et infirmière,* Montréal, Presses de l'Université de Montréal, p. 339-345 (Annexe 1).

BLONDEAU, D. et M. HÉBERT (2002). « La responsabilité professionnelle de l'infirmière », dans O. Goulet et C. Dallaire (dir.), *Les soins infirmiers: Vers de nouvelles perspectives,* Boucherville, Gaëtan Morin, p. 143-160.

BLUSTEIN, J. (1998). « The family in medical decision making », dans J.F. Monagle et D.C. Thomasma (dir.), *Health Care Ethics. Critical Issues for the 21th Century,* Gaithersburg (Maryland), Aspen Publication, p. 81-101 (tiré de *Hastings Center Report,* vol. 23, n° 3, 1993, p. 6-13).

BOURGEAULT, G. (1995). « Le principe de bienfaisance et l'éthique biomédicale aujourd'hui », *Ruptures, revue transdisciplinaire en santé,* vol. 2, n° 2, p. 190-209.

BRODY, J.K. (1988). « Virtue ethics, caring, and nursing », *Scholarly Inquiry for Nursing Practice: An International Journal,* vol. 2, n° 2, p. 87-96.

BUCHANAN, A.E. (2003). « The right to a decent minimum of health care », dans T.L. Beauchamp et L. Walters (dir.), *Contemporary Issues in Bioethics,* Belmont (Californie), Thomson-Wasdworth, p. 59-64.

CADORÉ, B. (1997). « Une éthique de la prise de décision », *Soins Formation Pédagogie Encadrement,* n° 21, p. 12-17.

CALMAN, K.C. et R.S. DOWNIE (2002). « Ethical Principles and ethical issues in public health », dans R. Detels et autres (dir.), *Oxford Textbook of Public Health,* Oxford, Oxford University Press, p. 387-399.

CASE, N.K. (2003). « Philosophical and Ethical Perspectives », dans J.E. Hitchdock, P.E. Schubert et S.A. Thomas (dir.), *Community Health Nursing: Caring in Action,* Clifton Park (New Jersey), Thomson Delmar Learning, p. 140-160.

CHAMBERS-EVANS, J. (2002). « The family as window onto the world of the patient: Involving patients and families in the decision-making process », *Canadian Journal of Nursing Research,* vol. 34, n° 3, p. 15-31.

CHARLTON, B.J. (1993). « Public health medicine: A different kind of ethics », *Journal of the Royal Society of Medicine,* n° 86, p. 194-195.

COHEN, Y. (2000). *Profession infirmière: Une histoire des soins dans les hôpitaux du Québec,* Montréal, Les Presses de l'Université de Montréal.

COMITÉ CONSULTATIF NATIONAL D'ÉTHIQUE POUR LES SCIENCES DE LA VIE ET DE LA SANTÉ (1989). « Recherche biomédicale et respect de la personnes humaine. Explicitation d'une démarche », *Échanges,* n° 229.

COOPER, M.C. (1989). « Gilligan's different voice: A perspective for nursing », *Journal of Professional Nursing,* vol. 5, n° 1, p. 10-16.

COUGHLIN, S.S. et T.L. BEAUCHAMP (1996). « Historical foundations », dans S.S. Coughlin et T.L. Beauchamp (dir.), *Ethics and Epidemiology,* Oxford, Oxford University Press, p. 5-23.

CURTIN, L. (1982). « No Rush to Judgement », dans L. Curtin et M.J. Flaherty (dir.), *Nursing Ethics: Theories and Pragmatics,* Bowie (Maryland), R.J. Brady, p. 57-63.

CURTIN, L. (1993). « Ethics in management: A practical guide. Creating moral space for nurses », *Nursing Management,* vol. 24, n° 3, p. 18-19.

DANIELS, N. (2003). « Is there a right to health care and, if so, what does it encompass ? », dans T.L. Beauchamp et L. Walters (dir.), *Contemporary Issues in Bioethics,* Belmont (Californie), Thomson-Wasdworth, p. 46-52.

DAVIS, A.J., M.A. AROSKAR, J. LIASCHENKO et T.S. DROUGHT (1997). *Ethical Dilemmas and Nursing Practice*, Stanford (Connecticut), Appleton & Lange.

DENAULT, A.-M. (2003). *Les conflits de valeurs et les dilemmes éthiques chez les infirmières gestionnaires de cas en contexte de rareté des ressources pour la clientèle des soins palliatifs à domicile*, travail dirigé dans le cadre d'une maîtrise en bioéthique, Université de Montréal, automne 2003.

DICKENS, B.M. (1997). « Human research beyond the medical model: Legal and ethical issues », *Medicine and Law*, n° 16, p. 687-703.

DIRECTION GÉNÉRALE DE LA SANTÉ DE LA POPULATION ET DE LA SANTÉ PUBLIQUE (2004). *Le mouvement acadien des communautés en santé entre dans l'arène politique*, extrait de la série « Ca marche ! Porter des questions d'intérêt communautaire au programme politique », Halifax, Bureau régional de l'Atlantique, http:www.crcp.nb.ca/macs/index.htm.

DOUGLAS-STEELE, D. et E.M. HUNDERT (1996). « Accounting for context: Future directions in bioethics theory and research », *Theoritical Medicine*, vol. 17, n° 2, p. 101-119.

DUCHARME, F., L. LÉVESQUE, L. LACHANCE, F. GIRAUX et M. PRÉVILLE (2003). *Étude évaluative multicentrique randomisée d'un programme de promotion de la santé mentale des aidantes familiales de personnes âgées atteintes de démence vivant en centre d'hébergement et de soins de longue durée*, Montréal, Université de Montréal, Institut universitaire de gériatrie de Montréal (rapport de recherche, Chaire Desjardins en soins infirmiers à la personne âgée et à la famille).

DURAND, G., A. DUPLANTIE, Y. LAROCHE et D. LAUDY (2000). *Histoire de l'éthique médicale et infirmière*, Montréal, Presses de l'Université de Montréal.

DWORKIN, R. (2001). *Taking Rights Seriously*, Cambridge (Massachusetts), Harvard University Press.

DWORKIN, R. (1992). « Paternalism », dans L.C. Becker (dir.), *Encyclopedia of Ethics*, New York, Garland, p. 939-942.

EDELSTEIN, L. (1989). « The hippocratic oath: Text, translation, and interpretation », dans R.M. Veatch (dir.), *Cross Cultural Perspectives in Medical Ethics: Readings*, Boston, Jones and Bartlett Publishers, p. 6-24.

ELSTER, J. (1992). « Éthique des choix médicaux », dans J. Elster et N. Herpin (dir.), *Éthique des choix médicaux*, Paris, Actes Sud, p. 11-61.

FEINBERG, J. (1971). « Legal Paternalism », *Canadian Journal of Philosophy*, n° 1, p. 105-124.

FRANKENA, W.K. (1976). *Ethics*, Englewood Cliff (New Jersey), Prentice Hall.

FOLMAR, J., S.S. COUGHLIN, R. BESSINGER et D. SACKNOFF (1997). « Ethics in public health practices: A survey of public health nurses in Southern Louisiana », *Public Health Nursing*, vol. 14, n° 3, p. 156-160.

FRY, S.T. (1988). « Response to "Virtue ethics, caring and nursing" », *Scholarly Inquiry for Nursing Practice: An International Journal*, vol. 2, n° 2, p. 97-101.

FRY, S.T. (2000). « Ethics in community-oriented nursing practice », dans M. Stanhope et J. Lancaster (dir.), *Community and Public Health Nursing*, Toronto, Mosby, p. 116-137.

GADOW, S. (1985). « Nurse and patient: The caring relationship », dans A. Bishop et J. Scudder (dir.), *Caring, Curing, Coping: Nurse, Physician, Patient Relationships*, Bermingham, University of Alabama Press, p. 31-43.

GASS, R.S. (1995). « Codes of the health-care professions », dans W.T. Reich (dir.), *Encyclopedia of Bioethics*, New York ; Toronto, Simon & Schuster ; Prentice Hall International.

GASTMANS, C., B. DIERCKX de CASTERLÉ et P. SCHOTSMANS (1998). « Nursing considered as moral practice », *Kennedy Institute of Ethics Journal*, vol. 8, n° 1, p. 43-69.

GEWIRTH, A. (1982). *Human Rigths: An Essay on Justification and Applications*, Chicago, The University of Chicago Press.

GILLIGAN, C. (1982). *In a Different Voice: Psychological Theory and Women's Development*, Cambridge (Massachusetts), Harvard University Press.

GILLON, R. (1990). « Ethics in Health Promotion and Prevention of Disease », *Journal of Medical Ethics*, vol. 16, n° 4, p. 171.

GLANZ, K., B.K. RIMER et C. LERMAN (1996). « Ethical Issues in the design and conduct of community-based intervention Studies », dans S.S. Coughlin et T.L. Beauchamp (dir.), *Ethics and Epidemiology*, Oxford, Oxford University Press.

GOUREVITCH, D. (1994). « L'auteur et les textes », dans Hippocrate, *De l'art médical*, Paris, Librairie générale française, p. 7-14.

HARDING, J. (1990). « What about family », *Hastings Center Report*, vol. 20, n° 2, p. 5-10.

HART, H.L.A. (1955). « Are there any natural rights ? », *The Philosophical Review*, vol. 64, n° 2, p. 175-191.

HEWITT-TAYLOR, J. (2003). « Issues involved in promoting patient autonomy in health care », *British Journal of Nursing*, vol. 12, n° 22, p. 1323-1330.

HIPPOCRATE (1994). « Des airs, des eaux et des lieux », dans Hippocrate, *De l'art médical*, Paris, Librairie générale française, 2 tomes.

HORNER, J.S. (1992). « Medical ethics and the public health », *Public Health*, vol. 106, n° 3, p. 187.

HUME, D. (1962). *Traité de la nature humaine: Essai pour introduire la méthode expérimentales dans les sujets moraux*, Paris, Aubier-Montaigne, 2 tomes.

JACQUES, J. (1989). « Valeurs (philosophie) », *Encyclopoedia Universalis*, vol. 23, p. 294-300.

JAMETON, A. (1984). *Nursing Practice: The Ethical Issues*, Englewood Cliff (New Jersey), Prentice Hall.

JOHNSON, J.L. (2004). « Philosophical contributions to nursing ethics », dans J.L. Storch, P. Rodney et R. Starzomski (dir.), *Toward a Moral Horizon: Nursing Ethics for Leadership and Practice*, Toronto, Pearson ; Prentice Hall, p. 42-55.

JONSEN, A.R., M. SIEGLER et W.J. WINSLADE (1998). *Clinical Ethics: A Practical Approach to Ethical Decisions in Clinical Medicine*, Montreal, McGraw-Hill.

KANT, E. (1988). *Fondements de la métaphysique des mœurs*, Paris, Bordas.

KASS, N.E. (2001). « An ethics framework for public health », *American Journal of Public Health*, vol. 91, n° 11, p. 1776-1782.

KEATINGS, M. et O. SMITH (1995). *Ethical and Legal Issues in Canadian Nursing*, Toronto, W.B. Saunders.

KELLY, M.P. et B.J. CHARLTON (1992). « A scientific basis for health promotion: Time for a new philosophy », *British Journal of General Practice*, n° 42, p. 223-224.

KISH, C.P. (2001). « Case studies for ethical analysis », dans D. Robinson et C.P. Kish (dir.), *Core Concepts in Advanced Practice Nursing*, Toronto, Mosby, p. 237-246.

KLUGE, E.H. (1994). « Drawing the ethical line between organ transplantation and lifestyle abuse », *Canadian Medical Association Journal*, vol. 150, n° 5, p. 745-746.

KOHLBERG, L. (1981). *The Philosophy of Moral Development: Moral Stages and the Ideas of Justice*, New York, Harper & Row.

KUHSE, H. (1997). *Caring: Nurses, Women and Ethics*, Oxford, Blackwell Publishers.

LALONDE, M. (1974). *Nouvelle perspective de la santé des Canadiens: un document de travail*, Ottawa, Ministère de la Santé nationale et du Bien-être social.

LAMB, M. (2004). « An historical perspective on nursing and nursing ethics », dans J.L. Storch, P. Rodney et R. Starzomski (dir.), *Toward a Moral Horizon: Nursing Ethics for Leadership and Practice*, Toronto, Pearson; Prentice Hall, p. 20-41.

LAST, J. (1996). « Professional Standards of Conduct for Epidemiologists », dans S.S. Coughlin et T.L. Beauchamp (dir.), *Ethics and Epidemiology*, Oxford, Oxford University Press, p. 53-75.

LE BRIS, S. (1996). « Les organisations internationales et la médecine moderne: promotion ou protection des droits de la personne? » dans L. Lamarche et P. Bosset (dir.), *Les droits de la personne et les enjeux de la médecine moderne*, Québec, Presses de l'Université Laval, p. 17-42.

LEFEBVRE, H., D. PELCHAT et M.C. HÉROUX (2003). « Partenariat familles, professionnels, gestionnaires: vers une continuité des soins et services », *Ruptures* (revue transdiciplinaire en santé), vol. 9, n° 2, p. 6-20.

LEFEBVRE, H., M. VANIER, E. DUTIL, I. GÉLINAS, B. SWAINE, D. PELCHAT, P. FOUGEYROLLAS, M. PÉPIN, C. DUMONT, P. McCOLL et autres (2004). *La participation sociale à long terme des personnes ayant subi un traumatisme crânien cérébral: point de vue des personnes et de leur famille*, REPAR MSSS SAAQ, ISBN: 2-922662-08-X.

MACDONALD, C.A (2002). *Guide to Moral Decision Making*, http://www.ethicsweb.ca/guide/ (consulté le 26 mai 2005).

MACINTYRE, A. (1984). *After Virtue*, Notre Dame (Indiana), University of Notre Dame Press.

MAONI, A. (1999). « Les normes centrales et les politiques de santé », dans C. Bégin et autres (dir.), *Le système de santé québécois: Un modèle en transformation*, Montréal, Presses de l'Université de Montréal, p. 53-76.

MARSHALL, K.J. (1996a). « Prevention. How much harm? How much benefit? 3. Physical, psychological and social harm », *Canadian Medical Association Journal*, vol. 155, n° 2, p. 169-175.

MARSHALL, K.J. (1996b). « Prevention. How much harm? How much benefits? 4. The ethics of informed consent for preventive screening programs », *Canadian Medical Association Journal*, vol. 155, n° 4, p. 378-380.

MASSÉ, R. (2000). « Les enjeux éthiques liés à l'autonomie et à la justice sociale: analyse préliminaire du discours des professionnels des directions de santé publique du Québec », dans *Les actes du colloque: Les enjeux éthiques en santé publique*, Québec, Association pour la santé publique du Québec, p. 57-77.

MASSÉ, R. (avec la collaboration de J. SAINT-ARNAUD) (2003). *Éthique et santé publique: Enjeux, valeurs et normativité*, Québec, Presses de l'Université Laval.

McCORMICK, J. (1994). « Health promotion: The ethical dimension », *The Lancet*, n° 344, p. 390.

McGRATH, P. (1998). « Autonomy, discourse, and power: A postmodern reflection on principlism and bioethics », *Journal of Medicine and Philosophy*, vol. 23, n° 5, p. 516-532.

MILL, J.S. (1979). *Utilitarianism*, Indianapolis, Bobbs-Merrill.

MOODY, H.R. (1992). *Ethics in an Aging Society*, Baltimore; Londres, John Hopkins University Press.

MOSS, A.H. et M. SIEGLER (1991). « Should alcoholics compete equally for liver transplantation? », *JAMA*, vol. 265, n° 10, p. 1295-1298.

NODDINGS, N. (1984). *Caring: A Feminine Approach to Ethics and Moral Education*, Berkeley, University of California Press.

OBERLE, K. et S. TENOVE (2000). « Ethical issues in public health nursing », *Nursing Ethics*, vol. 7, n° 5, p. 425-437.

OLD, P. et J. MONTGOMERY (1992). « Law, coercion, and public health », *British Medical Journal*, n° 304, p. 891-892.

OLICK, R.S. (2004). « Ethics in public health: Codes, principles, laws and other sources of authority », *Journal of Public Health Management Practice*, vol. 10, n° 1, p. 88-89.

ORGANISATION MONDIALE DE LA SANTÉ (1978). *Alma-Ata: Report of the International Conference on Primary Health Care*, Genève.

PELLEGRINO, E. (1995). « Toward a virtue-based normative ethics for the health professionals », *Kennedy Institute of Ethics Journal*, n° 5, p. 253-277.

PERELMAN, C. (1972). « De la justice », dans C. Perelman, *Justice et raison*, Bruxelles, Éditions de l'Université de Bruxelles, p. 9-80.

PRESIDENT'S COMMISSION FOR THE STUDY OF ETHICAL PROBLEMS IN MEDICINE AND BIOMEDICAL AND BEHAVIORAL RESEARCH (1981). *Defining Death*, Washington, United States Government Printing Office.

PRESIDENT'S COMMISSION FOR THE STUDY OF ETHICAL PROBLEMS IN MEDICINE AND BIOMEDICAL AND BEHAVIORAL RESEARCH (1982-1983). *Making Health Care Decisions*, Washington, United States Government Printing Office, 3 vol.

PRESIDENT'S COMMISSION FOR THE STUDY OF ETHICAL PROBLEMS IN MEDICINE AND BIOMEDICAL AND BEHAVIORAL RESEARCH (1983a). *Deciding to Forego Life-Sustaining Treatments*, Washington, United States Government Printing Office.

PRESIDENT'S COMMISSION FOR THE STUDY OF ETHICAL PROBLEMS IN MEDICINE AND BIOMEDICAL AND BEHAVIORAL RESEARCH (1983b). *Securing Access to Health Care*, Washington, United States Government Printing Office, 3 vol.

RAWLS, J. (1971). *A Theory of Justice*, Cambridge (Massachusetts), The Belknap Press of Harvard University Press.

REIGLE, J. et R.J. BOYLE (2000). « Ethical decision-making skills », dans A.B. Hamrick, J.A. Spross et C.M. Hanson (dir.), *Advanced Nursing Practice: An Integrative Approach*, Philadelphie, Saunders, p. 349-377.

ROBINSON, D. et C.P. KISH (2001). *Core Concepts in Advanced Practice Nursing*, Toronto, Mosby, p. 205-258 (Section IV).

RODNEY, P. (1988). « Moral distress in critical care nursing », *Canadian Critical Care Nursing Journal*, vol. 5, n° 2, p. 9-11.

RODNEY, P. (1991). « Dealing with ethical problems: An ethical decision-making model for critical care nursing », *Canadian Critical Care Nursing Journal*, vol. 8, n° 2, p. 1-8.

RODNEY, P., C. VARCOE, J.L. STORCH, G. McPHERSON, K. MAHONEY, H. BROWN, B. PAULY, G. HARTRICK et R. STARZOMSKI (2002). « Navigating towards a moral horizon: A multisite qualitative study of ethical practice in nursing », *Canadian Journal of Nursing Research*, vol. 34, n° 3, p. 75-102.

ROSS, W.D. (1930). *The Right and the Good*, Oxford, Clarendon Press.

ROSS, W.D. (1939). *The Foundation of Ethics*, Oxford, Clarendon Press.

SAILLANT, F. (1993). « Préface de l'édition française », dans M. Baly, *Florence Nightingale à travers ses écrits*, Paris, InterÉditions, p. 3-6.

SAINT-ARNAUD, J. (1997a). « Ethical analysis of arguments supporting the use of certain exclusion criteria in organ transplantation », *Canadian Journal of Cardiovascular nursing*, vol. 8, n° 2, p. 9-12.

SAINT-ARNAUD, J. (1997b). « Justice égalitaire et répartition des ressources rares en soins de santé », dans J. Saint-Arnaud (dir.), *L'allocation des ressources rares en soins de santé : l'exemple de la transplantation d'organes, Cahiers scientifiques de l'Acfas*, n° 92, p. 327-353.

SAINT-ARNAUD, J. (2000a). « Dilemmes éthiques reliés à l'application des principes de bienfaisance et de non-malfaisance en santé publique », dans *Les actes du colloque : Les enjeux éthiques en santé publique*, Québec, Association pour la santé publique du Québec, p. 139-148.

SAINT-ARNAUD, J. (2000b). « L'approche par principes : fondement et critique », dans C. Byk (dir.), *La bioéthique : un langage pour mieux se comprendre ?*, Paris, Éditions Eska ; Éditions Lacassagne, p. 55-67.

SAINT-ARNAUD, J. (2001). « La désinstitutionnalisation des services offerts aux personnes atteintes de troubles mentaux : quelques réflexions sur les aspect éthiques de la question », *Éthique publique*, vol. 3, n° 1, p. 95-106.

SAINT-ARNAUD, J. (2003a). « Le système de santé québécois et l'accès aux soins », *Éthique publique*, vol. 6, n° 1, p. 112-120.

SAINT-ARNAUD, J. (2003b). « Enjeux éthiques et juridiques liés aux critères médicaux de sélection des candidats à l'hémodialyse en milieux hospitaliers », dans C. Hervé et autres (dir.), *Éthique médicale, bioéthique et normativités*, Paris, Dalloz, p. 83-104.

SAINT-ARNAUD, J. et J. POMERLEAU (1995). « Le consentement à la greffe d'organe », *L'infirmière canadienne*, vol. II, n° 11, p. 33-38.

SASCO, A.J. (1994). « Risque iatrogène et dépistage : l'exemple de la mammographie », *Revue d'épidémiologie et de santé publique*, vol. 179, n° 5, p. 385-391.

SHULTZ, M.M. (1996). « Legal and ethical considerations for securing consent to epidemiologic research in the United States », dans S.S. Coughlin et T.L. Beauchamp (dir.), *Ethics and Epidemiology*, Oxford, Oxford University Press, p. 97-127.

SILVA, M.C., J.J. FLETCHER et J.M. SORRELL (2004). « Ethics in community-oriented nursing practice », dans M. Stanhope et J. Lancaster (dir.), *Community and Public Health Nursing*, St. Louis, Mosby, p. 130-147.

STANHOPE, M. et J. LANCASTER, éd. (2000 ; 2004). *Community and Public Health Nursing*, Toronto, Mosby.

STARZOMSKI, R. (1995). « What does ethics have to do with lifestyle change ? », *Canadian Journal of Cardiology*, n° 11, p. 4a-7a (suppl. A).

STORCH, J.L., P. RODNEY et R. STARZOMSKI, (dir.) (2004). *Toward a Moral Horizon : Nursing Ethics for Leadership and Practice*, Toronto, Pearson ; Prentice Hall.

STORCH, J.L., P. RODNEY, B. PAULY, H. BROWN et R. STARZOMSKI (2002). « Listening to nurses moral voice : Building a quality health care environment », *Canadian Journal of Nursing Leadership*, vol. 15, n° 4, p. 7-16.

SVENSSON, T. et M. SANDLUND (1990). « Ethics and preventive medicine », *Scandinavian Journal of Social Medicine*, n° 18, p. 275-280.

TAYLOR, C. (1992). *Grandeur et misère de la modernité*, Montréal, Bellarmin.

TAYLOR, C. (1998). « Reflections on nursing considered as moral practice », *Kennedy Institute of Ethics Journal*, vol. 8, n° 1, p. 71-82.

TAYLOR, C. (1998). *Les sources du moi : La formation de l'identité moderne*, Trois-Rivières, Boréal.

TONG, R. (1995). « What's distinctive about feminist bioethics ? », dans F. Baylis et autres (dir.), *Health Care Ethics in Canada*, Montréal, Harcourt Brace Canada, p. 22-30.

UUSTAL, D.B. (1978). « Values clarification in nursing », *American Journal of Nursing*, n° 78, p. 2058-2063.

UUSTAL, D.B. (1987). « Values : The cornerstone of nursing's moral art », dans M.D. Fowler et J. Levine-Ariff (dir.), *Ethics at the Bedside*, Philadelphie, Lippincott, p. 136-153.

VEATCH, R.M. (2003). « Justice, the basic social contract, and health care », dans T.L. Beauchamp et L. Walters (dir.), *Contemporary Issues in Bioethics*, Belmont (Californie), Thomson-Wasdworth, p. 53-58.

WEED, D.L. et R.E. McKEOWN (2003). « Sciences, ethics, and professional public health practice », *Journal of Epidemiology and Community Health Online*, n° 57, p. 4-5, http//:www.jech.bmjournals.com/egi/content/full/57.html.

YEO, M., A. MOORHOUSE et G. DONNER (1996). « Justice in the Distribution of Health Resources », dans M. Yeo et A. Moorhouse (dir.), *Concepts and Cases in Nursing Ethics*, Peterborough, Broadview Press, p. 212-266.

YEO, M. et A. MOORHOUSE (dir.) (1996). *Concepts and Cases in Nursing Ethics*, Peterborough, Broadview Press.

CHAPITRE 23

LES TENDANCES ACTUELLES

GISÈLE CARROLL
DENISE GASTALDO
MICHELLE PICHÉ

INTRODUCTION

La mondialisation est sans aucun doute l'un des principaux facteurs susceptibles d'avoir un impact important sur l'évolution des soins de santé communautaires au cours des prochaines décennies. Selon Waters (2001), la mondialisation renvoie non seulement à l'établissement d'une nouvelle économie mondiale, mais également à l'établissement de nouveaux liens internationaux sur les plans financier, social, culturel et politique. Actuellement, il n'y a pas de consensus au sujet des mécanismes par lesquels la mondialisation affecte la santé des populations, et des trajectoires suivies par cette mondialisation (Woodward et autres, 2001). Selon Shaffer et ses collaborateurs (2005), la mondialisation de l'économie limite la capacité des instances gouvernementales de légiférer afin d'assurer à tous les citoyens des conditions de travail et un environnement favorables à la santé. Son influence se fait aussi sentir sur la production de nourriture et sur l'accès à l'eau potable et aux médicaments (Shaffer et autres, 2005).

La mondialisation accroît également la dissémination de la technologie (Kirk, 2002). L'apparition d'Internet et du courrier électronique a favorisé l'accès à l'information sur la santé et facilité l'échange d'information entre les professionnels de la santé partout dans le monde. La télésanté est aussi devenue un moyen de donner des soins complexes à domicile alors qu'ils n'étaient offerts autrefois que dans les centres hospitaliers. Selon Chetney (2003), la technologie et la télésanté permettent d'atteindre plus rapidement plus de clients, et de procurer aux professionnels de la santé les outils nécessaires pour offrir des soins efficaces et appropriés.

La mondialisation interagit avec d'autres déterminants de la santé des populations, et plus particulièrement l'augmentation de la population mondiale, le vieillissement de la population, les changements environnementaux et l'accroissement de l'immigration. Il est nécessaire d'effectuer davantage de recherches pour mieux comprendre les liens entre ces changements et la santé des populations ainsi que les conséquences sur le plan des pratiques en santé communautaire.

Les nouvelles tendances en santé communautaire, notamment l'usage de la technologie, l'établissement de partenariats, l'approche multidisciplinaire et la participation des citoyens, ont un impact important sur les pratiques et suscitent la mise en œuvre de nouvelles initiatives. Le présent chapitre porte principalement sur les pratiques émergentes, notamment la télésanté, les pratiques exemplaires fondées sur les données probantes, la recherche-action participative en santé communautaire et le *nursing paroissial.*

LA TÉLÉSANTÉ

L'utilisation des télécommunications est de plus en plus répandue dans le domaine de la santé. Selon Jennett et ses collaborateurs (2003), des raisons financières et le désir de démontrer la faisabilité technologique sont à la base de cette évolution. En santé communautaire, Internet, les vidéos et les autres applications technologiques sont utilisés pour informer, faciliter la prise de décision et promouvoir l'échange d'information. Une initiative importante au Canada en ce domaine est celle des centres d'appels qui servent à fournir de l'information concernant la santé, à faire le triage et à orienter les personnes vers les services de santé appropriés (Hutcherson, 2001). Au Québec, ces centres sont connus sous le nom de « Info-santé ».

C'est dans le contexte de la réorientation et de la réorganisation du réseau de la santé que les services d'Info-Santé ont été mis sur pied au Québec. Au début des années 1980, ce service de consultation téléphonique assuré par des infirmières s'inscrivait dans un ensemble de mesures visant à réduire la fréquentation des urgences des hôpitaux. Info-Santé CLSC est vite devenu un service de première ligne, une réussite du réseau des CLSC qui obtient aujourd'hui une large reconnaissance de la population québécoise. Trois grands principes servent de fils conducteurs dans l'élaboration des services d'Info-Santé dans toutes les régions. Ce sont :

- l'accessibilité du service 24 heures sur 24, 7 jours sur 7 ;
- l'uniformité de la réponse professionnelle donnée par l'infirmière ;
- la continuité dans la prolongation des services.

Ce service téléphonique infirmier bilingue assure une réponse ponctuelle et d'ordre général aux besoins relatifs à la santé physique et mentale des citoyens. Info-Santé CLSC vise à la fois à aider le client à mieux prendre en charge sa santé, à éviter des déplacements inutiles et à favoriser une utilisation judicieuse des ressources. Les fonctions d'information et d'orientation que les infirmières remplissent sont liées à des fonctions d'enseignement, de conseil et d'appui à l'autosoin.

« L'ensemble des interventions du personnel infirmier au service téléphonique d'Info-Santé reflète un engagement fondamental dans le domaine de la promotion de la santé et des préventions primaire, secondaire et tertiaire. C'est-à-dire réduire l'incidence et la prévalence des problèmes de santé en développant la capacité des usagers à prendre soin d'eux et à exercer un meilleur contrôle sur les déterminants physiques et sociaux qui ont un impact sur leur santé » (Hagan, Morin et Lépine, 1998).

Lors de l'évaluation provinciale des services d'Info-Santé CLSC, cinq ans après leur mise en œuvre, les membres du comité de suivi considéraient « [qu']en fournissant rapidement une information juste et des conseils adéquats au moment où les individus en ressentent le besoin, Info-Santé CLSC renforce leur capacité de prendre en charge leur santé et leur bien-être, ou celui de leurs proches, les oriente au besoin vers les services socio-sanitaires les plus appropriés et contribue à une utilisation plus judicieuse des ressources » (Hagan et autres, 1996).

La qualité du service infirmier repose sur l'intervention clinique et sur les dimensions organisationnelles que sont l'organisation du travail et l'organisation des soins. La consultation professionnelle par téléphone comporte un niveau élevé de difficulté et de complexité exigeant l'affectation d'infirmières chevronnées. Ainsi, un jugement clinique sûr, qui s'appuie à la fois sur des connaissances scientifiques récentes et sur des années d'expériences cliniques variées, permet à l'infirmière de mieux répondre à une clientèle multiple et de tout âge. Des habiletés particulières en communication permettent à cette professionnelle de bien diriger l'entrevue téléphonique dans un laps de temps approprié.

Dans le cadre de cette approche relativement nouvelle fondée sur les télésoins, le partenariat avec le client est le fondement de la consultation téléphonique. Plusieurs outils cliniques guident le jugement d'une infirmière expérimentée, qui se traduit par une intervention juste et adaptée à chaque situation traitée. C'est à l'aide d'une démarche de soins rigoureuse, de protocoles infirmiers et d'un annuaire de ressources informatisé mis à jour périodiquement que l'infirmière d'Info-Santé assume ses responsabilités professionnelles.

Les études ont montré que les services d'appels avaient un impact socioéconomique important dans le domaine des soins aux enfants et aux personnes âgées (Jennett et autres, 2003). Comme résultats de ces interventions efficaces, on rapporte une diminution de la fatigue chez les mères dont les enfants ont des difficultés de comportements, et la surveillance de la santé des personnes âgées souffrant de maladies cardiaques et d'autres maladies chroniques (Jennett et autres, 2003). Selon Jennett et ses collaborateurs (2003), plus d'études sont nécessaires pour démontrer les bénéfices cliniques de cette approche en soins de santé, la perception positive dont elle jouit au sein de la population et l'intérêt qu'elle suscite.

Les pratiques exemplaires fondées sur les données probantes

Le mouvement des pratiques fondées sur les données probantes a fait son apparition dans le domaine médical, au Canada et en Angleterre, vers la fin des années 1980 et le début des années 1990 (Krugman, 2003). Selon O'Neill (2003), l'idée d'utiliser les résultats de la recherche pour appuyer les interventions dans le domaine de la santé avait d'abord été émise, en 1971, par l'épidémiologiste anglais Archibald Cochran.

On définit la « pratique fondée sur l'évidence » comme une pratique issue des revues systématiques de la littérature, intégrée à l'expertise clinique et qui tient compte des valeurs du client (Sackett et autres, 2000). En médecine, l'essai clinique « randomisé » (RCT) est la « règle d'or » qui sert à démontrer l'évidence de l'efficacité des interventions. Dans le domaine de la santé communautaire, cette méthodologie est rarement utilisée dans l'évaluation des interventions, principalement en raison de la complexité des changements sur le plan des comportements, et de l'environnement physique et social nécessaire à l'amélioration de la santé des populations. D'autres types de recherches sont donc privilégiés lors des revues systématiques de la littérature, notamment les études descriptives et les études corrélatives, et d'autres types de recherches de niveau primaire (Hausman, 2002 ; Waters et Doyle, 2002). Au Canada, toutes les sources d'information valables sont utilisées pour établir les lignes directrices qui serviront à guider la pratique en santé communautaire (Hausman, 2002).

Malgré l'importance accordée à l'évaluation des interventions en santé communautaire, l'utilisation des données probantes pour guider les pratiques est remise en question (Hausman, 2002 ; O'Neill, 2003). Plusieurs facteurs influent sur l'établissement d'interventions « exemplaires » ou de lignes directrices en santé communautaire. L'intégration des résultats des diverses recherches est souvent difficile en raison de la complexité des programmes. Ces derniers comprennent presque toujours de multiples interventions et sont élaborés dans le but de répondre aux besoins spécifiques d'une communauté. En outre, dans le domaine de la promotion de la santé, le client (individu, famille ou communauté) est encouragé à participer à la prise de décision et peut choisir une intervention autre que celle proposée par l'intervenant, qu'il s'agisse ou non d'une intervention recommandée à la suite d'une revue systématique de la littérature. En dernier lieu, même si l'efficacité d'un programme est établie, le soutien financier assurant sa mise en œuvre dépendra du climat politique et social ainsi que du moment choisi pour sa mise sur pied (Hausman, 2002).

Selon Hausman (2002), les principaux avantages des pratiques fondées sur les données probantes ont trait à l'établissement d'une base fiable d'information concernant les diverses interventions, à une meilleure utilisation des ressources, à une surveillance plus adéquate de l'efficacité des programmes et à l'amélioration de la santé de la population. La mise en œuvre de pratiques exemplaires préviendrait aussi les variations observées sur le plan de la pratique et accroîtrait la qualité des soins (Thomas et autres, 1999).

Le processus suivi pour mener ces revues systématiques de la littérature comprend généralement cinq étapes. La première étape consiste à choisir une intervention dont on désire connaître l'efficacité, ou une autre question relative au domaine des soins en santé communautaire. Par exemple, on pourrait vouloir savoir si le soutien par les pairs (*peer-support*) est une approche efficace pour aider les adolescentes à cesser de fumer. À la deuxième étape, des critères d'inclusion et d'exclusion sont établis afin d'effectuer un choix parmi les études publiées. En d'autres mots, il s'agit de préciser les caractéristiques des études (types, langue, échantillon, etc.) que comprendra la revue de la littérature. À l'étape suivante, un examen approfondi de la littérature est entrepris dans le but de sélectionner les études pertinentes. Les moyens utilisés pour effectuer la recherche d'articles comprennent les diverses bases de données (par exemple, Medline, CINAHL), les sites Web, les références repérées dans des articles récents et, parfois, un rapport avec des experts dans le domaine. Après une recherche exhaustive des articles publiés sur le sujet retenu, ceux à inclure dans l'analyse sont choisis en fonction des critères d'inclusion et d'exclusion déjà établis. À la quatrième étape, les articles choisis sont analysés et une synthèse de l'information est obtenue à l'aide d'analyses statistiques, selon les données disponibles. En dernier lieu, des interventions « exemplaires » ou des lignes directrices sont proposées afin d'orienter la pratique.

En conclusion, malgré les défis importants à relever, le mouvement des pratiques fondées sur les données probantes aura certainement un impact sur les interventions dans le domaine de la santé communautaire. La qualité des revues systématiques en promotion de la santé s'est accrue au cours des dernières années (Waters, Doyle et Jackson, 2003). Des lignes directrices sont importantes pour la mise en place de programmes efficaces et peuvent être élaborées de façon à permettre l'intégration des buts de la santé publique et du contexte communautaire (Hausman, 2002). Plusieurs revues systématiques de la littérature abordant divers thèmes et sujets relatifs à la santé communautaire ont fait leur apparition dans les revues scientifiques. Les membres du Cochrane Collaboration Group ont aussi examiné plusieurs pratiques en promotion de la santé.

Toutefois, avant d'utiliser les résultats des revues systématiques de littérature dans leur travail, les praticiens devraient tenir compte du cadre conceptuel et du niveau d'analyse utilisés, du contexte géographique dans lequel les études ont été menées et du rapport coût-efficacité de l'intervention (Waters et Doyle, 2002). Les praticiens devraient aussi s'assurer d'adapter les résultats à leur réalité (*internalization process*).

La recherche-action participative en santé communautaire

La théorie et la pratique relatives à la recherche-action participative ne sont pas une nouveauté. Au cours de la deuxième moitié du XXe siècle, cette méthode a été utilisée dans plusieurs études participatives et études d'action dans des domaines aussi divers que l'agriculture, les sciences infirmières et les études d'organisation ; elle visait à produire des connaissances axées sur l'action politique afin de contester l'oppression, favoriser la transformation et promouvoir la justice sociale (Fals Borda, 2001). Pourquoi donc aborder le présent sujet dans un chapitre sur les innovations en matière de soins infirmiers dans le domaine de la santé communautaire ?

La recherche-action participative est une forme radicale de l'enquête qualitative. Toutefois, le paradigme de recherche dominant, notamment dans les secteurs de la recherche clinique et des études épidémiologiques, est le postpositivisme (Lincoln et Guba, 2000), dont les principes ontologiques et épistémologiques exigent une analyse statistique des données et une généralisation des résultats. Cette approche dominante nuit au prestige des méthodologies qualitatives, parce qu'elles reposent sur la qualité et non la quantité des données recueillies pour explorer de nouveaux thèmes ou analyser à fond un phénomène. Ce processus qualitatif a pour but de générer de l'information contextualisée transférable à d'autres situations.

En recherche qualitative, le chercheur est perçu comme le principal outil de la collecte des données (Lincoln, 2001), et sa subjectivité est utilisée pour assurer la rigueur épistémologique de l'étude (Chamberlain, 2000 ; Robles, 2002), autant de caractéristiques perçues comme un manque de neutralité dans le contexte du paradigme postpositiviste. Si l'on tient compte du fait que la recherche-action participative exige que les participants soient aussi des cochercheurs, on comprend facilement pourquoi, dans un monde dominé par le paradigme postpositiviste, les recherches-action et les études participatives ont été marginalisées.

Dans ces conditions, peu de recherches-action participatives ont vu le jour, pas plus dans le domaine des soins infirmiers communautaires que dans d'autres domaines. La dominance du postpositivisme se traduit par un plus grand nombre d'occasions pour les étudiants de se familiariser avec l'étude des statistiques plutôt qu'avec celle des méthodes qualitatives, d'avoir accès à des journaux pour publier et d'obtenir des fonds pour des projets de recherche quantitative (Maclure, 1990 ; Green et autres, 1995). Dans ce contexte peu propice, la recherche-action participative est considérée comme « nouvelle ». Le principal désavantage à ne pas utiliser ce genre de méthodologie est qu'on ne profite pas de la contribution pertinente qu'elle apporte à la mise en œuvre et la dissémination de la recherche scientifique, ce que, justement, les méthodes quantitatives ne font pas (Lincoln, 2001).

La recherche-action participative repose sur le paradigme constructiviste (Lincoln et Guba, 2000) et vise à produire des connaissances en collaboration avec ceux qui vivent le problème à l'étude. Sa nature participative rassemble les intérêts, quelquefois conflictuels, de la collectivité et des chercheurs, mais leur but, qui est de produire des connaissances pour transformer la réalité en quelque chose d'important pour les deux groupes, les entraîne dans une négociation qui, généralement, donne de l'information et des pratiques pertinentes sur le plan social.

Il est important de dire que, en recherche-action participative, il existe divers types d'approches méthodologiques (Boutilier, Mason et Rootman, 1997 ; Kemmis et McTaggart, 2000) :

- recherche participative : se dit de tout projet faisant appel à la participation des membres d'une collectivité concernée par le problème à l'étude. Le degré de participation peut varier grandement parce que, dans certains projets, on fait appel à la collectivité pour définir le problème et assurer la dissémination des résultats alors que, dans d'autres, les membres de la collectivité sont des cochercheurs ;
- recherche-action : se dit d'un projet où la définition d'un problème par la collectivité est suivie d'une étape d'intervention, dans le but d'apporter un changement ou une solution qui seront évalués, habituellement, *a posteriori* ;
- recherche-action participative : l'expression sans doute la plus courante pour désigner la recherche participative accompagnée d'une forme d'action dont le but est de transformer la situation jugée critique et qui est à l'étude.

Plusieurs auteurs attribuent les fondements des méthodes d'action participative au travail de l'éducateur et philosophe Paulo Freire (1981) qui, dans les années 1950, a créé une méthode d'éducation des adultes fondée sur l'esquisse des problèmes et sur l'éducation dialogique (Lindsey et McGuinness, 1998; Kemmis et McTaggart, 2000; Fals Borda, 2001). Cette méthode d'éducation participative comprend la définition des problèmes et la recherche de solutions de rechange dans le but de transformer les expériences oppressives vécues par les étudiants. On connaît peut-être mieux le travail de Freire pour ses études fondamentales sur l'accès à l'autonomie – notion clé du mouvement de la promotion de la santé (Wallerstein et Bernstein, 1988). Quoi qu'il en soit, il n'est pas inutile d'examiner certains fondements philosophiques des travaux de Freire.

Freire (1981; 1992) fait valoir qu'aucune connaissance n'est neutre: toute connaissance se produit dans un contexte de déséquilibre de pouvoir, parce que l'éducation institutionnelle, les sciences et plusieurs structures sociales sont sous l'autorité ou l'influence d'élites économiques qui désirent perpétuer le *statu quo* afin de maintenir leurs privilèges. De même, il n'y a pas d'éducation neutre (ni de méthodologie de recherche neutre, ajouterions-nous); tous les processus pédagogiques reposent sur une certaine vision du monde, et l'éducateur (le chercheur) devrait savoir quelle utopie politique l'anime et le reconnaître publiquement pour que d'autres puissent s'opposer à cette position ou la corroborer (Figueiredo-Cowen et Gastaldo, 1994).

Freire a souvent affirmé qu'il n'a pas créé une «méthode» *comme telle,* mais on parle couramment de ses stratégies pédagogiques comme de la «méthode Paulo Freire» ou de la «méthode de conscientisation» (Figueiredo-Cowen et Gastaldo, 1994). Dans son approche de l'éducation, Freire s'attend à ce que tous ceux qui participent au processus de conscientisation éducatif produisent de la connaissance, pour que celle-ci puisse aussi servir de méthode de recherche qualitative d'action participative. Minkler et Cox (1980) résument ainsi les étapes de la méthode de conscientisation essentielle de Freire: réfléchir aux aspects de la réalité partagés en commun; examiner les causes profondes du problème défini; examiner les répercussions qu'aura le traitement de cette question; et élaborer un plan pour transformer la réalité collectivement. Comme dans le cas de toutes les autres méthodologies de recherche, le succès du processus repose sur la définition d'un problème commun que l'on peut analyser et traiter collectivement, mais qui ne va pas au-delà des possibilités du groupe. Lorsqu'il s'agit d'un projet plus important, les mêmes étapes se répètent plusieurs fois, de sorte qu'en fonction de chaque action ou changement, un nouvel enjeu se présente, et de nouvelles stratégies sont créées pour analyser les nouveaux éléments du problème (Kemmis et McTaggart, 2000).

Dans le cas des soins infirmiers communautaires, les méthodes employées en action participative peuvent être très utiles pour recueillir de l'information et élaborer un programme en collaboration avec un groupe particulier (adolescentes enceintes, pères de famille à faible revenu) et pour évaluer les besoins de la collectivité de façon systématique mais flexible, permettant à la collectivité de s'exprimer et sans imposer ou limiter le travail de l'infirmière aux priorités établies par les programmes ou les politiques du gouvernement. Cette approche convient tout à fait à la recherche des déterminants sociaux de la santé d'une collectivité.

Voici quelques exemples d'études de type recherche-action participative entreprises au Canada et dirigées par des infirmières ou avec l'aide d'infirmières qui agissent à titre de cochercheuses: une étude sur la promotion de la santé mentale des jeunes immigrantes (Khanlou et autres, 2002), le projet Taking S.T.E.P.S., visant à réduire les risques de chutes chez les aînés et les personnes handicapées (Lindsey et McGuinness, 1998), et notre propre étude sur la promotion de la santé chez les immigrantes, qui examine les possibilités et les limites de l'*empowerment* chez les femmes récemment arrivées au Canada dans le cadre d'un travail collectif multiculturel où est prise en compte la spécificité du genre sexuel.

Le défi pour les infirmières travaillant dans la collectivité est de savoir comment utiliser la recherche-action participative pour promouvoir des changements favorables à la santé. La particularité de cette méthodologie de recherche, à l'instar de celle de toute autre forme de recherche, peut intimider les praticiens. Nous croyons, cependant, tout comme Lindsey, Sheilds et Stajduhar (1999), que les infirmières devraient utiliser leur compétence en recherche et la combiner aux principes qui contribuent au développement communautaire et à l'autonomisation pour entreprendre une recherche-action participative.

Le développement communautaire et la recherche-action participative sont tous deux marqués par des principes communs, dont celui qui consiste à valoriser les connaissances expérientielles et la pensée critique pour régler les problèmes sociaux. Sur le plan des résultats, l'application de ces principes devrait mener à l'*empowerment* individuel et collectif (Henderson, 1995; Labonté, 1999). À un niveau plus élevé d'application, cela signifie que, pour travailler en vertu d'un paradigme de recherche constructiviste qui respecte ces principes, l'infirmière-chercheure devrait, premièrement, chercher

« l'unité dans la diversité » (Freire, 1992), reconnaître que les gens sont différents mais qu'ils peuvent collaborer à transformer la réalité s'ils établissent un but commun ; deuxièmement, croire que le groupe est capable de produire des connaissances (Lindsey, Sheilds et Stajduhar, 1999) si le modérateur, qui est chargé de poser les questions qui aideront le groupe à analyser le problème à l'étude sous plusieurs points de vue, accorde au groupe temps et appui (Freire, 1981) ; troisièmement, surveiller le processus d'*empowerment* individuel et collectif (par exemple, plus grande confiance en soi, capacité de faire une analyse critique) et promouvoir davantage le rôle de leader que peuvent jouer les membres du groupe (Fetterman, 1994) ; quatrièmement, négocier un rôle précis pour tous les membres (par exemple, l'analyse et la gestion des données peuvent relever davantage du chercheur principal, alors que quelques membres du groupe peuvent travailler à élaborer des stratégies de dissémination) (Maclure, 1990) ; et, cinquièmement, se rappeler que l'autonomisation devrait se produire chez tous ceux qui contribuent au processus (chercheurs et participants, ou collaborateurs du chercheur principal, devraient apprendre et enseigner) (Freire, 1981).

Certaines préoccupations critiques relatives aux interventions en matière d'action participative portent sur le temps requis pour les mettre en place et sur le besoin d'une réflexion constante pour s'assurer que les politiques de recherche s'harmonisent avec les principes émancipateurs qui devraient contribuer aux études basées sur l'action participative (par exemple, s'assurer que les chercheurs n'utilisent pas les participants comme de la main-d'œuvre gratuite pour leur recherche) (Boutilier, Mason et Rootman, 1997). De plus, cette forme d'étude peut créer des tensions entre les chercheurs et les participants relativement à la propriété du projet et à des questions de paternité d'une œuvre et, encore plus important, ce genre de stratégie peut être mal utilisé pour accéder à des populations dites « difficiles » (sans-abri, consommateurs de drogues injectables) et recueillir des données qui, plus tard, pourraient servir à blâmer la victime (plus d'appels à l'autoresponsabilité adressés à ceux qui sont déjà privés de la plupart des ressources sociales et économiques) (Gastaldo, 1997). Il est donc important que les attentes soient claires et discutées tout le long du processus afin de ne pas décevoir les participants.

Par contre, si les infirmières en santé communautaire effectuent la recherche-action participative de façon appropriée, nous pourrions être témoins d'une expansion des stratégies entreprises par la communauté en matière d'élaboration de programmes, d'un meilleur agencement entre les besoins de la collectivité et les services offerts, et d'une plus grande connaissance chez les infirmières de la façon d'agir sur le plan des déterminants sociaux de la santé et de l'*empowerment* de la collectivité.

LE NURSING PAROISSIAL

Malgré la diminution du nombre de personnes qui se disent pratiquantes, pour plusieurs, la religion et la spiritualité constituent un des aspects importants de la vie. La religion est aussi considérée par beaucoup comme une variable sociale qui influe sur la santé (Nist, 2003 ; Fahey, 1999 ; Abuelouf, 1999 ; Putney, 2004). Selon Mullen (1990), les résultats de certaines études démontrent qu'il y a une corrélation entre le taux de mortalité dû à certaines maladies (tuberculose, cirrhose du foie, emphysème, etc.) et la pratique d'une religion. Un taux moins élevé de décès a été observé chez les personnes qui allaient à l'église ou qui s'identifiaient comme membres d'une religion (Mullen, 1990). Des taux de mortalité moins élevés ont aussi été rapportés chez des personnes faisant partie d'un groupe confessionnel qui avaient été comparées à un autre groupe (Mullen, 1990).

Il est reconnu que la religion peut avoir une influence sur les habitudes de vie. On peut penser à la consommation de divers aliments interdite par certaines religions et permise par d'autres. La fréquence de l'usage de l'alcool et du tabac varie aussi chez les personnes appartenant à différentes confessions religieuses (Mullen, 1990).

En ce qui concerne la santé mentale, bien que certains auteurs reconnaissent que la religion puisse être une source potentielle de bien-être psychologique, d'autres considèrent qu'elle peut avoir une influence négative (Mullen, 1990). Certaines études ont démontré une corrélation élevée entre l'appartenance à une religion et des états psychologiques maladifs (traduction libre, Mullen, 1990). Malgré qu'un lien clair entre la religion ou la spiritualité et la santé n'ait pas encore été démontré, plusieurs groupes religieux sont persuadés que la religion a une influence bénéfique sur la santé. L'intérêt des congrégations religieuses pour le bien-être des personnes n'est pas nouveau. L'histoire des soins de santé au Canada témoigne du rôle important que les divers groupes religieux ont joué dans le domaine des soins donnés aux malades, et, en particulier, aux plus démunis. Toutefois, au fil du temps, les soins de santé ont acquis un niveau de spécialisation tel que le rôle des religieux et du clergé en général a énormément diminué au profit de celui des gouvernements. Le mouvement de promotion de la santé a cependant été l'occasion pour les groupes religieux de s'attribuer de nouveau un rôle en ce domaine. La paroisse est perçue comme le milieu idéal pour soutenir les efforts de promotion de la santé puisqu'on peut y rencontrer en même temps les personnes les plus démunies de la société et celles des autres niveaux socioéconomiques. Il s'agit d'un milieu où l'on encourage l'entraide et où règne la confiance.

Le *nursing paroissial* peut être défini comme un modèle de promotion de la santé et de prévention des maladies mis en œuvre auprès des membres d'une ou de plusieurs confessions religieuses, et qui est axé sur une approche *holistique* (Berquist et King, 1994). Le mouvement du *nursing paroissial* a débuté aux États-Unis en 1984 (Bowman, 1999). Le premier programme a été offert aux membres de six confessions protestantes de la région de Chicago, sous la direction du révérend George Westburg (Bowman, 1999). Depuis, des programmes ont vu le jour partout aux États-Unis et au Canada. Tout comme aux États-Unis, une association nationale canadienne de *parish nursing* appelée « Canadian Association for Parish Nursing Ministry (CAPNM) » a été mise sur pied ; sa mission consiste à promouvoir le développement du mouvement de *nursing paroissial* en tant que ressource pour la promotion de la santé et le soutien spirituel (Canadian Association for Parish Nursing Ministry, 2004). L'élaboration d'un programme de *nursing paroissial* peut être entreprise par des pasteurs, des prêtres ou d'autres membres du clergé, ou encore par des professionnels de la santé rattachés ou non à un centre de santé, en collaboration avec des membres des confessions religieuses. L'établissement d'une collaboration est la pierre angulaire de ce type de programme et exige que les participants partagent une vision commune de l'importance de leur religion ou spiritualité et de la santé (Short, 1999). Cette vision doit aussi être partagée par les infirmières et les autres professionnels de la santé qui se joignent à l'équipe. Généralement, les infirmières reçoivent un salaire de la paroisse, du diocèse ou du centre de santé auquel le programme est rattaché. Parfois, les infirmières et les autres professionnels de la santé travaillent de façon bénévole. Étant donné que les services offerts se limitent généralement à la promotion de la santé et à la prévention des maladies, et ne comprennent pas de *soins cliniques,* les responsabilités professionnelles et les risques de poursuite judiciaire sont grandement réduits. Toutefois, tous les professionnels de la santé, en particulier les infirmières et les médecins, doivent posséder leur propre assurance de responsabilité professionnelle.

En général, l'équipe, composée de pasteurs, de prêtres ou d'autres membres du clergé, des membres des confessions religieuses et des professionnels de la santé, a la responsabilité de mettre ce programme en œuvre et d'en assurer la gestion. À l'instar de ce qui se fait dans les autres programmes en santé communautaire, la première étape de ce type de programme consiste à évaluer les besoins en collaboration avec les membres de la confession religieuse. L'infirmière, appuyée par l'équipe du projet, prépare ensuite un plan pour répondre aux besoins qui ont été définis.

Dans une perspective de promotion de la santé, l'un des principaux avantages de ce mouvement est qu'il permet d'aller vers les plus démunis de la société pour leur donner des services qui ne sont généralement pas offerts dans les services de santé publique ou qui sont donnés à des coûts trop élevés dans l'entreprise privée. En encourageant les paroissiens à prendre leur santé en main et à se responsabiliser à cet égard, les infirmières facilitent l'habilitation (*empowerment*) chez cette clientèle. Selon Coenen et ses collaborateurs (1999), le travail des infirmières œuvrant dans ces milieux consiste d'abord à aider les gens à changer leurs comportements dans le but d'améliorer leur santé, à les soutenir au moment d'un deuil, à assurer le suivi d'un régime thérapeutique, à prévenir l'isolement, l'anxiété et la douleur, et à offrir un appui spirituel.

CONCLUSION

Pour permettre à la population d'atteindre une santé globale optimale, les professionnels de la santé devront continuer à établir des partenariats, et à favoriser les approches intersectorielles et interdisciplinaires ainsi que la collaboration internationale. Ils devront également acquérir les habiletés nécessaires pour exercer une influence sur l'adoption et la mise en application de lois et règlements favorisant la santé, à l'échelle locale, provinciale et nationale. Et grâce à une utilisation appropriée de la technologie, ils pourront mettre en place des innovations qui contribueront au mieux-être et à la santé des individus et des collectivités.

Selon Woodward et ses collaborateurs, il est essentiel que les avantages de la mondialisation s'étendent aux pays en développement, c'est-à-dire que les changements apportés aux lois internationales et aux arrangements institutionnels reflètent les besoins des pays les plus pauvres. Ces bénéfices doivent se traduire par des acquis pour la santé à l'échelle mondiale (Woodward et autres, 2001).

Références

ABUELOUF, A. (1999). « Evolution of a community health ministry », *Health Progress*, vol. 80, n° 2, p. 38-39.

BERQUIST, S. et J. KING (1994). « Parish nursing. A conceptual framework », *Journal of Holistic Nursing*, vol. 12, n° 2, p. 72-90.

BOUTILIER, M., R. MASON et I. ROOTMAN (1997). « Community action and reflective practice in health promotion research », *Health Promotion International*, n° 12, p. 69-78.

BOWMAN, C. et M. SCHULTZ (1999). « Four keys to success in parish nursing », *Health Progress*, vol. 80, n° 2, p. 40-42.

CANADIAN ASSOCIATION FOR PARISH NURSING MINISTRY (2004). http://www.capnm.ca/.

CHAMBERLAIN, K. (2000). « Methodolatry and qualitative health research », *Journal of Health Psychology*, n° 5, p. 285-296.

CHETNEY, R. (2003). « Home care technology and telehealth : The future is here ! », *Home Healthcare Nurse*, vol. 21, n° 10, p. 645-646.

CENTRE LOCAL DE SERVICES COMMUNAUTAIRES DE HULL (2002). *Manuel d'orientation des infirmières dans le cadre d'Info-Santé CLSC*, Hull, CLSC.

COENEN, A. et autres (1999). « Describing parish nurse practice using the nursing minimum data set », *Public Health Nursing*, vol. 16, n° 6, p. 412-16.

FAHEY, C.J. (1999). « Collaborating to provide parish-based health services », *Health Progress*, vol. 80, n° 2, p. 43-4.

FALS BORDA, O. (2001). « Participatory (action) research in social theory : Origins and challenges », dans P. Reason et H. Bradbury (dir.), *Handbook of Action Research*, Londres, Sage.

FETTERMAN, D. (1994). « Empowerment evaluation », *Evaluation Practice*, n° 15, p. 1-15.

FIGUEIREDO-COWEN, M. et D. GASTALDO (1994). *Paulo Freire at the Institute*, Londres, Institute of Education Press.

FREIRE, P. (1981). *Pedagogia do Oprimido*, Rio de Janeiro, Paz e Terra.

FREIRE, P. (1992). *Pedagogy of Hope*, New York, Continuum Publishing.

GASTALDO, D. (1997). « Is health education good for you ? Rethinking health education through the concept of bio-power », dans A. Petersen et R. Bunton (dir.), *Foucault, Health and Medicine*, Londres, Routledge.

GREEN, L.W. et autres (1995). *Study of Participatory Research in Health Promotion – Review and Recommendations for the Development of Participatory Research in Health Promotion in Canada*, Ottawa, Royal Society of Canada ; Institute of Health Promotion Research, University of British Columbia.

HAGAN, L. et autres (1996). *Évaluation de la satisfaction et de la capacité d'autosoin chez les usagers du service téléphonique Info-Santé de la région de Québec*, Québec, Centre de recherche sur les services communautaires, Université Laval.

HAGAN, L., D. MORIN et R. LÉPINE (1998). *Évaluation provinciale des services Info-Santé CLSC – Perception des utilisateurs*, Québec, Faculté des sciences infirmières, Centre de recherche sur les services communautaires, Université Laval.

HAUSMAN, A. (2002). « Implications of evidence-based practice for community health », *Journal of Community Psychology*, vol. 30, n° 3, p. 453-467.

HÉNAULT, M. (1999). *Répertoire de fiches de référence de l'infirmière pour l'évaluation par téléphone de certaines clientèles*, Montréal, OIIQ.

HENDERSON, D.J. (1995). « Consciousness raising in participatory research : method and methodologies for emancipatory nursing inquiry », *Advances in Nursing Science*, n° 17, p. 58-69.

HUTCHERSON, C.M. (2001). « Legal considerations for nurses practicing in a telehealth setting », *Online Journal of Issue Nursing*, vol. 6, n° 3, http://www.nursingworld.org/ojin/topic16/tpc16_3.htm.

JENNETT, P.A. et autres (2003). « The socio-economic impact of telehealth : A systematic review », *Journal of Telemedicine*, n° 9, p. 311-320.

KEMMIS, S. et R. McTAGGART (2000). « Participatory Action Research », dans N. Denzin et Y. Lincoln (dir.), *Handbook of Qualitative Research*, 2e éd., Thousand Oaks, Sage.

KHANLOU, N. et autres (2002). *Mental Health Promotion Among Newcomer Female Youth : Post-Migration Experiences and Self-Esteem*, Ottawa, Status of Women Canada.

KIRK, M. (2002). « The impact of globalization and environmental change on health : Challenges for nurse education », *Nurse Education Today*, n° 22, p. 60-71.

KRUGMAN, M. (2003). « Evidence-based practice : The role of staff development », *Journal of nurses in staff development*, vol. 19, n° 6, p. 279-285.

LABONTÉ, R. (1999). « Community, community development and the forming of authentic partnerships », dans M. Minkler (dir.), *Community Organizing & Community Building for Health*, New Brunswick (New Jersey), Rutgers University Press.

LINCOLN, Y. (2001). « Engaging sympathies : Relationships between action research and social constructivism », dans P. Reason et H. Bradbury (dir.), *Handbook of Action Research*, Londres, Sage.

LINCOLN, Y. et E. GUBA (2000). « Paradigmatic controversies, contradictions and emerging confluences », dans N. Denzin et Y. Lincoln (dir.), *Handbook of Qualitative Research*, 2e éd., Thousand Oaks, Sage.

LINDSAY, E. et L. McGUINNESS (1998). « Significant elements of community involvement in participatory action research : Evidence from a community project », *Journal of Advanced Nursing*, n° 28, p. 1106-1114.

LINDSAY, E., L. SHEILDS et K. STAJDUHAR (1999). « Creating effective nursing partnerships : Relating community development to participatory action research », *Journal of Advanced Nursing*, n° 29, p. 1238-1245.

MACLURE, R. (1990). « The challenge of participatory research and its implications for funding agencies », *International Journal of Sociology and Social Policy*, n° 10, p. 1-21.

MINKLER, M. et K. COX (1980). « Creating consciousness in health : Applications of Freire's philosophy and method to the health care setting », *International Journal of Health Sciences*, vol. 10, n° 2, p. 311-322

MULLEN, K. (1990). « Religion and health : A review of the literature », *International Journal of Sociology and Social Policy*, vol. 10, n° 1, p. 85-96.

MULLEN, K., R. WILLIAMS et K. HUNT (1999). *Irish Descent, Religion and Food Consumption in the West of Scotland*, Glasgow, Department of psychological Medicine, University of Glasgow.

NIST, J.A. (2003). « Parish nursing programs. Through them, faith communities are reclaiming a role in healing », *Health Progress*, vol. 84, n° 1, p. 50-54.